HET VOLK VAN DE BLAUWE KRALEN

Vier Beren, Tweede Opperhoofd, in rouw

James Alexander Thom

HET VOLK
VAN DE BLAUWE
KRALEN

Van Holkema & Warendorf

Oorspronkelijke titel
The Children of First Man
Uitgave
Ballantine Books, New York
© 1994 by James Alexander Thom
Kaart © 1994 by Anita Karl and James Kemp

Vertaling
Aafje Beijer
Omslagbelettering
Julie Bergen

Unieboek bv
Postbus 97
3990 DB Houten

ISBN 90 269 7384 5   CIP   NUGI 341

Voor Dark Rain,
mijn andere vleugel

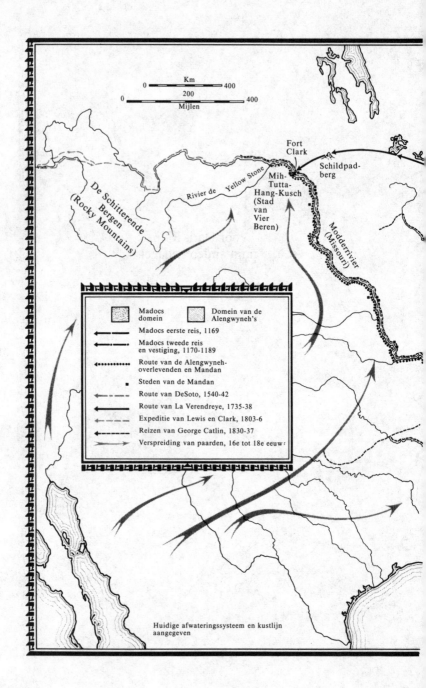

De Schitterende Bergen
(Rocky Mountains)

Rivier de Yellow Stone

Fort Clark

Schildpad-berg

Mih-Tutta-Hang-Kusch (Stad van Vier Beren)

Modderrivier (Missouri)

Km
0 _____ 400
0 ___ 200 ___ 400
Mijlen

| | Madocs domein | | Domein van de Alengwyneh's |

Madocs eerste reis, 1169

Madocs tweede reis en vestiging, 1170-1189

Route van de Alengwyneh-overlevenden en Mandan

Steden van de Mandan

Route van DeSoto, 1540-42

Route van La Verendreye, 1735-38

Expeditie van Lewis en Clark, 1803-6

Reizen van George Catlin, 1830-37

Verspreiding van paarden, 16e tot 18e eeuw

Huidige afwateringssysteem en kustlijn aangegeven

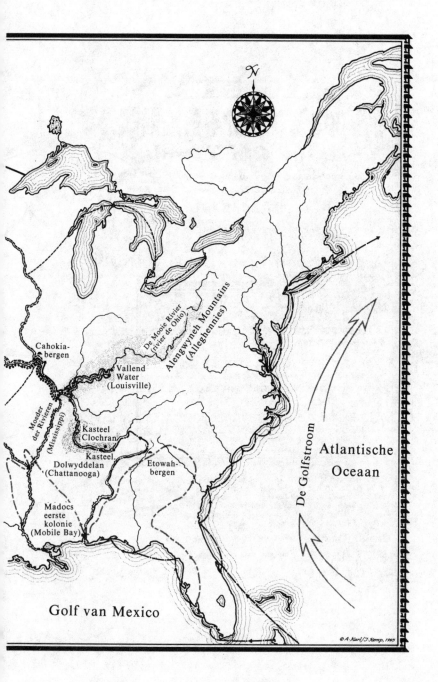

N

Cahokia-
bergen

Vallend
Water
(Louisville)

De Mooie Rivier
(rivier de Ohio)

Alengwyneh Mountains
(Alleghennies)

Moeder
der Rivieren
(Mississippi)

Kasteel
Clochran

Kasteel
Dolwyddelan
(Chattanooga)

Etowah-
bergen

De Golfstroom

Atlantische
Oceaan

Madocs
eerste
kolonie
(Mobile Bay)

Golf van Mexico

© A. Karl/J. Kemp, 1985

CATLIN'S
INDIAN GALLERY:
In the Old Theatre,

On Louisiana Avenue, and near the City Post Office.

MR. CATLIN,

Who has been for seven years traversing the Prairies of the "Far West," and procuring the Portraits of the most distinguished Indians of those uncivilized regions, together with Paintings of their

VILLAGES, BUFFALO HUNTS, DANCES, LANDSCAPES OF THE COUNTRY &c. &c.

Will endeavor to entertain the Citizens of Washington, for a short time with an Exhibition of

THREE HUNDRED & THIRTY PORTRAITS & NUMEROUS OTHER PAINTINGS

Which he has collected from 48 different Tribes, speaking different languages, all of whom he has been among, and Painted his pictures from life.

Portraits of Black Hawk and nine of his Principal Warriors,

Are among the number painted at Jefferson Barracks, while prisoners of war, in their war dress and war paint.

ALSO, FOUR PAINTINGS REPRESENTING THE

ANNUAL RELIGIOUS CEREMONY OF THE MANDANS,

Doing penance, by inflicting the most cruel tortures upon their own bodies—passing knives and splints through their flesh, and suspending their bodies by their wounds, &c.

A SERIES OF ONE HUNDRED LANDSCAPE VIEWS,

Descriptive of the picturesque *Prairie Scenes* of the Upper Missouri and other parts of the Western regions.

AND A SERIES OF TWELVE BUFFALO HUNTING SCENES,

Together with *SPLENDID SPECIMENS OF COSTUME,* will also be exhibited.

☞ The great interest of this collection consists in its being a representation of the *wildest tribes of Indians in America,* and entirely in their *Native Habits and Costumes:* consisting of *Sioux, Puncahs, Konzas, Shiennes, Crows, Ojibbeways, Assineboins, Mandans, Crees, Blackfeet, Snakes, Mahas, Ottoes, Ioways, Flatheads, Weahs, Peorias, Sacs, Foxes, Winnebagoes, Menomonies, Minatarrees, Rickarees, Osages, Camanches, Wicos, Pawnee-Picts, Kiowas, Seminoles, Euchees, and others.*

☞ In order to render the Exhibition more instructive than it could otherwise be, the Paintings will be exhibited one at a time, and such explanations of their Dress, Customs, Traditions, &c. given by Mr. Catlin, as will enable the public to form a just idea of the CUSTOMS, NUMBERS, and CONDITION of the Savages yet in a state of nature in North America.

The EXHIBITION, with EXPLANATIONS, will commence on Monday Evening, the 9th inst. in the old Theatre, and be repeated for several successive evenings, commencing at HALF PAST SEVEN O'CLOCK. Each COURSE will be limited to two evenings, Monday and Tuesday, Wednesday and Thursday, Friday and Saturday; and it his hoped that visiters will be in and seated as near the hour as possible, that they may see the whole collection. The portrait of OSEOLA will be shewn on each evening.

ADMITTANCE 50 CENTS.—CHILDREN HALF PRICE.

☞ These Lectures will be continued for *one week only.*

Proloog

Proloog

Washington, D.C.
april 1838

Achter de schermen in het Old Theatre schoot de kunstenaar George Catlin voortdurend bij zijn vrouw vandaan om zenuwachtig aanpassingen te maken in de uitstalling van olieverfschilderijen, hertsleren kledingstukken, wapens, gereedschappen, mantels van bizonvel, oorlogshoofdtooien, schilden en lasso's, die de krappe ruimte met de lucht van muskus, rook en lijnzaadolie doordrongen. Van achter het doek kwam het gegons van stemmen van het gretige publiek – inwoners van Washington – die al sinds zeven uur binnenstroomden om een plaatsje te vinden. Het theater was klein en het zou vol worden.

Toen hij zolang bezig was geweest zijn grootse portret van Opperhoofd Vier Beren midden op het toneel te verzetten, tot hij niet meer zag hoe hij het nog een centimeter verder kon veranderen, liep de kunstenaar terug naar zijn aantrekkelijke vrouw en ging naast haar staan. Hij beet op de binnenkant van zijn lip en liet zijn blik nog een keer over de uitstalling gaan voor het geval nog aan iets anders de laatste hand gelegd moest worden, er nog iets anders schuiner neergezet moest worden of nog eens moest worden afgestoft. Van de andere kant van het doek werden de geluiden van het publiek opgewondener en hoorde je zelfs mensen in hun handen klappen.

'Luister eens hoe opgewonden ze zijn!' riep zijn vrouw luid hoorbaar ademhalend uit. Ze drukte zijn rechterelleboog tegen haar zij en keek in aanbidding naar hem op.

Hij schudde zijn hoofd. 'Dat is het geluid van een menigte

11

die een belangrijke persoon herkent, Clara. Laten we hopen dat het Daniel Webster is die binnenkomt.'

'Jawel, Daniel Webster! Kun je dan niet toegeven, mijn lieve, bescheiden beroemdheid, dat jij op dit ogenblik waarschijnlijk de meest besproken man in Amerika bent?' Ook al schreeuwde ze het bijna in zijn goede rechteroor, toch kon hij boven het rumoer uit haar woorden nauwelijks horen.

'Besproken!' gniffelde hij. 'Nou, als ik alleen maar wilde dat de mensen over me praatten, zou ik inmiddels heel tevreden mogen zijn. Ik ben hun Zonderling van het Moment, de man die tussen wilden heeft geslapen, hondevlees heeft gegeten en wat al niet meer...'

'Onzin, George. Je bent helemaal hun zonderling niet. Ze prijzen je de hemel in. En met recht! Je bent nu even beroemd als Webster zelf.'

Hij grinnikte en zijn gezicht vertrok bij een pijnscheut onder zijn linkeroog. Hij drukte de achterkant van zijn duim tegen het oude, diepe tomahawk-litteken op zijn linker jukbeen om de pijn te verspreiden. Wat een ironie was dat oude litteken; zeven jaar lang had hij onder de wildste Indianen op het Noordamerikaanse continent rondgezworven, en zijn enige litteken was afkomstig van een tomahawk die een blank speelkameraadje in zijn kinderjaren verkeerd had gegooid. Nadat die tegen een boom was afgeschampt, had die zijn jukbeen gebroken en hem bewusteloos in elkaar doen zakken; de wond was maandenlang blijven zweren en etteren en had hem uiteindelijk het gehoor van zijn linkeroor gekost. Het litteken was de enige onvolmaaktheid op zijn jeugdige, maar verweerde gezicht.

Twee mannen in donkere pandjesjassen kwamen tussen de coulissen aan de andere zijde van het toneel vandaan en liepen naar hen toe, ondertussen naar de uitstalling kijkend. In het halflicht herkende George in eerste instantie alleen de theaterdirecteur. Maar toen een imposante heer met een bekend hoog voorhoofd door het licht van een olielamp aan de muur liep, ging hij rechtop staan en glimlachte.

'Meneer en mevrouw Catlin,' zei de directeur, 'het is mij een eer u senator Webster te mogen voorstellen. Hij heeft gevraagd of hij een woordje met u mocht wisselen voor u verder gaat.'

'Uiteraard, uiteraard!' riep George en stak zijn hand uit. De handdruk van de senator was stevig en warm. Het was nog steeds evenzeer de hand van een boer uit New England als van een Whig-politicus. Webster had een hoog en breed, edel voorhoofd. Onder zijn dikke, zwarte wenkbrauwen stonden doordringende, fonkelende ogen. De mensen in Washington zeiden zuur dat geen man het formaat had van een Daniel Webster. Nu kuste hij de hand van Clara Catlin.

'We hadden het zojuist over u, mijnheer,' riep ze uit. 'Mijn echtgenoot hoopte dat u zou komen!'

'Er is vanavond ook niets anders in de stad dat zo fascinerend is,' zei Webster, en toen de kunstenaar het timbre van zijn stem hoorde, voelde hij met verbazing een golf van heimwee naar zijn oude vriend Vier Beren door zich heen gaan. Diens stem had immers precies zo geklonken. Webster had een stem die vele malen tranen en gejuich uit heel de Senaat had gewrongen, en zijn welsprekendheid had meningen doen omdraaien. 'Ik heb uw brief betreffende uw Indiaanse kunstgalerij ontvangen,' ging Webster verder. 'Uw idee om er een nationaal bezit van te maken intrigeert me. De kranten kunnen het zo te zien niet genoeg prijzen. Dus ben ik vanavond gekomen om te kijken en uw voordracht te beluisteren. Ik hoop dat u na afloop tijd en gelegenheid hebt mij met uw gezelschap te vereren. Dan kunnen we praten over wat er eventueel door het Congres kan worden gedaan om het aan te kopen.'

'De hemel zij dank! O, mijnheer, wat een opluchting! Dank u, dank u wel! Voor mij is dit een heilige zaak, begrijpt u. Ik heb twee lucratieve carrières laten schieten om hiermee bezig te zijn. En ik heb de schilderijen gemaakt, de collectie samengesteld en veel geschreven... maar nu moet het worden gebruikt om, voor het te laat is, de nationale beleidslijn te beïnvloeden...' Hij zweeg even, zelfs in zijn opwinding bang dat hij misschien te veel zou zeggen. Toen ging hij verder en zei het toch: 'President Jackson heeft de stammen uit hun geboortestreken verspreid als bladeren die door de wind zijn opgewaaid. Als zijn Indiaanse politiek zo doorgaat, zullen hele volken – prachtige mensen – nog tijdens ons leven met al hun kennis en overgeleverde waarden verloren gaan!'

Bij het horen van de naam Jackson zette Webster een dreigend gezicht en zei toen: 'Jonge vriend, uw en mijn hart staan misschien op hetzelfde middelpunt.' Hij boog zich dichter naar George toe, pakte diens hand nog eens beet en schudde die hartelijk. Zijn adem riekte naar whiskey, maar desondanks was zijn spraak vlekkeloos. 'Wat benijd ik u dat u zulke fantastische ervaringen hebt gehad en die in woorden en schilderijen te kunnen vatten!' zei hij.

George lachte. 'Wat? Een man benijden die nu moet proberen in aanwezigheid van *Webster* een redenaar te zijn?'

Lachend gingen ze uit elkaar en terwijl de senator het toneel verliet, pakte George Catlin zijn zakdoek uit zijn mouw en veegde ermee over zijn voorhoofd. Hij had een kleur van hoop en spanning. 'Lieve hemel, Clara! Bid voor me dat ik vanavond overtuigend overkom, want als ik zijn hart voor de Indianen kan winnen, kan díe man op zijn beurt voor hen de harten van het Congres winnen!'

'Mijn liefste,' zei ze, 'jij bent altijd overtuigend!'

Ze hoorden het publiek weer roezemoezen toen Webster tussen hen door liep. De warmte en de aanwezigheid van de mensenmenigte scheen zelfs door het dikke, fluwelen gordijn te zijn doorgedrongen. George hield de zakdoek voor zijn mond en neus om de doordringende luchtjes van de blanke beschaving buiten te houden: de bedompte, bezwete wol van de kleren van de mensen, hun adem, die riekte naar uien, drank en rotte tanden, de weeïge parfums van de vrouwen, de stank van gekauwde sigaren, de bittere, scherpe rook van kolen, de muskusachtige walvistraan van de lampen, de stank van straatvuil die de mensen aan hun schoenen en zomen van hun kleding meedroegen. In zijn zevenjarige odyssee onder de immense, frisse luchten van de prairies waren zijn zintuigen te scherp geworden. De rode mensen hadden zijn hart gestolen, en nu nam hij de wereld door hun zintuigen waar. Hun zogenaamde wildheid was hij als de natuurlijke vrijheid van de mens gaan beschouwen, een vrijheid die zo zuiver, zo mooi, zo ruim was, dat zijn eigen overvolle, ongewassen samenleving hem uiterst benauwend en deprimerend toescheen. Hoewel hij nog steeds een respectabel christen was, had George het behoud van hun vrij-

14

heid als zijn heilige levensroeping in zijn leven op zich genomen. En als hij niet in deze beschaafde wereld, die zo verschrikkelijk stonk, had hoeven te zijn om voor hen te vechten, zou hij zeer beslist voorgoed op de prairies zijn gebleven, wist hij. George dacht aan Webster, die, dat was bekend, een jager en visser en een man van het platteland was; de senator zou vast en zeker sympathie kunnen opbrengen voor de zuivere, weidse vrijheid buiten, voorbij de kolonisatiegrens van de Mississippi, die Catlin zo graag voorgoed wilde beschermen...

'O, wat zou ik Webster graag op een bizonjacht meenemen!' flapte hij er tegen Clara uit. 'Op zo'n fantastische Indiaanse pony... hem die onstuimige achtervolging laten voelen... kilometers ver over die zee van gras...'

'Het is tijd, meneer Catlin,' zei de toneelmeester die vlak in de buurt stond. 'Halfacht.'

Clara gaf een kneepje in zijn arm en kuste hem op zijn wang. Toen liep ze terug, de coulissen in. Hij schoof zijn zakdoek weer in zijn mouw, ging rechtop staan, haalde diep adem en bereidde zich erop voor om te overtuigen. Met een geruis ging het zware doek omhoog en als een dageraad werd de levendige uitstalling van kleuren door de felle schijnwerpers in het licht gezet: stekelvarkenpennenwerk, beschilderde parfleche, bontvellen, kralen, houtsnijwerk, geverfde veren, gepolijste hoorn en schelpen, zilver en koper. Uit het publiek klonk een gemompel van ontzag, en dat deed hem goed. Ze waren nooit helemaal voorbereid op de eerste keer dat ze de pracht van Indiaanse versierselen en vakmanschap zagen.

George Catlin liep naar het midden van het toneel en bleef staan naast het ene schilderij dat daar op een ezel stond. Hij boog het hoofd tot het welkomstapplaus wegstierf. Hij keek om zich heen naar de vele gezichten die hem vaag en aandachtig van achter de schijnwerpers aankeken. Toen hij Webster zag, die hem geruststellend vanaf een logeplaats aankeek, begon hij:

'Dames en heren, welkom, en dank u dat u naar deze avond bent gekomen. Ik ben George Catlin. Ik ben schilder. Vroeger was ik advocaat, daarna portretschilder van mensen uit de betere stand. Maar de afgelopen tien jaar ben ik uitsluitend kro-

15

niekschrijver en vriend van de oorspronkelijke bewoners van dit continent geweest – diezelfde mensen die u gewoon bent "de wilde Indianen" te noemen. Tot nu toe is het geen winstgevend beroep geweest, zoals mijn studieobjecten wel weten. En zelf geven ze niet om geld.' Hij pauzeerde even en de mensen in het theater begonnen te lachen. 'Maar er is een grotere beloning dan geld. Hier naast mij,' ging hij verder terwijl hij zich omdraaide en met zijn linkerhand naar het portret op de ezel naast zich wees, 'ziet u de man die ik als mijn beste vriend beschouw – onbetwistbaar de edelste, moedigste man die ik ooit heb gekend. Dit is Mah-to-toh-pah, wat "Vier Beren" betekent. Hij is het meest geëerde, meest bewonderde opperhoofd van de Mandan-stam – de zogenaamde Blanke Indianen – die in de buurt van de Grote Bocht in de rivier de Missouri woont, zo'n vierduizend kilometer hiervandaan. Hij is deze afstand slechts in deze geschilderde vorm, mijn armzalige poging om zijn grootheid uit te beelden, met mij meegekomen. Hij wil niet persoonlijk naar Washington komen. Waarom niet? Hierom niet: Zijn voorganger is hier zo'n dertig jaar geleden in een entourage die de kapiteins Lewis en Clark bij hun terugkeer van hun grote ontdekkingsreis bij zich hadden, mee naartoe genomen om president Jefferson te ontmoeten. De naam van dat opperhoofd was Shahaka. De tocht hiernaartoe was zijn ondergang: veranderd van een geliefd opperhoofd in een abnormaliteit, een curiositeit onder zijn volk.' Catlin pauzeerde even en liet zijn publiek zich daarover verwonderen; het was een verhaal dat hij hen op zijn tijd nog wel eens zou vertellen.

'Vier Beren wilde niet hierheen komen vanwege hetgeen er met zijn voorganger, Shahaka, is gebeurd. En ik wilde niet dat Vier Beren hierheen kwam – hoewel ik hem heel erg mis – omdat ik het niet kon verdragen Vier Beren zijn ondergang tegemoet te zien gaan, wat ongetwijfeld het geval zou zijn als hij hierheen kwam. Dit is zijn wereld niet, zoals zijn wereld de onze niet is. Kijk, zó zag ik Mah-to-toh-pah vijf jaar geleden. En zo wil ik me hem herinneren. Lewis en Clark hebben hem geleerd de Amerikaanse blanke te vertrouwen en ik hoop dat wij dat vertrouwen nooit zullen beschamen.'

George wachtte weer even, deed een stap opzij en bewonderde samen met zijn publiek het portret. Het opperhoofd had een statige, kalme, aristocratische houding. Zijn huid was heel licht. Zijn tuniek kwam tot zijn knieën en was van zacht, gerookt hertsleder gemaakt en met stekelvarkenpennenwerk, opgeschilderde pictogrammen, veren en scalplokken versierd. Een hoofdtooi van witte bizonwol en adelaarsveren met een rode franje kwam tot op zijn hielen. In zijn linkerhand hield hij een speer met een slinger van adelaarsveren en geverfd paardehaar. De punt van de speer was roodgeverfd, wat het bloed van de broer van Vier Beren voorstelde, die door een Arikara-opperhoofd met die speer was gedood. Ook het bloed van de Arikara zat op die speer. Vier Beren had hem later met diezelfde speer gedood. Het was een van de verhalen die George zijn publiek nog voor de avond voorbij was zou vertellen. Nu wendde hij zich met tegenzin van het portret af en zei tegen zijn mompelende publiek: 'Vanwege zijn edelmoedigheid, ridderlijkheid, elegantie, moed en knappe uiterlijk, beschouw ik dit opperhoofd als de meest buitengewone Indiaan die nu op dit continent leeft. In zijn wereld wordt hij even hoog geschat als, laten we zeggen, Daniel Webster bij ons – en met recht. In tegenstelling tot Osceola en Zwarte Havik, wier portretten ik u aanstonds ook zal laten zien, heeft hij nooit tegen blanken gevochten. Ik hoop dat ik nog een keer terug mag gaan en deze man zal weerzien – hoewel dat hoogstwaarschijnlijk nooit zal gebeuren...

Kijk naar hem! Denkt u werkelijk dat er een koning in Europa, een keizer in de Oriënt is van datzelfde formaat of even knap van gezicht en gestalte als deze man? En er is duizend jaar lang beslist geen koning geweest die even sterk is en evenveel moed bezit als Vier Beren. Laat me u een paar verhalen over zijn onverschrokkenheid vertellen – het... het *ridderlijke* soort moed, zoals u zult zien – waardoor u aan de legenden van koning Arthur zult moeten denken!' Hij maakte een gebaar in de richting van de coulissen. 'De mantel van Vier Beren, graag.'

Een toneelassistent kwam met de opgerolde mantel van bizonvel aangelopen en hield één kant vast terwijl George hem

17

openrolde. Hij was overdekt met veertien rijen gestileerde Indiaanse tekeningen in vele kleuren. Elke rij stelde een belangrijke periode van strijd in het leven van het opperhoofd voor. George schraapte zijn keel.

'Deze prachtige mantel, waarop hij eigenhandig zijn persoonlijke geschiedenis heeft geschilderd, was het kostbaarste bezit van Vier Beren. Maar hij gaf hem aan mij om de eenvoudige reden dat ik hem mooi vond. Niet aan mij *verkocht*, zeg ik, maar schònk. En ik mocht niet van hem weigeren.' Uit het publiek steeg een gemompel op, want de mantel was duidelijk een kostbare schat. 'Veel van de prachtige kledingstukken en bijbehorende uitrustingsstukken die ik in mijn bezit heb – en zoals u ziet zijn het er honderden – zijn me in diezelfde geest ten geschenke gegeven. Denkt u een volk in voor wie vriendschap en de daad van het geven belangrijker zijn dan het bezitten en houden van dingen! Denk daar eens aan!' Hij wilde dat zijn publiek geroerd werd door zulke beminnelijke eigenschappen van de Indianen in plaats van dat ze werden geprikkeld door de gebruikelijke overdreven nadruk op hun gewelddadigheid. Maar steeds wanneer hij bij hun erecodes en gastvrijheid, hun opgewektheid en eerbied bleef stilstaan, werd zijn publiek onrustig en begon het te kuchen, met ongeduld wachtend op een of andere soort bloederige opwinding. Liever dan hun aandacht te verliezen, wees hij met zijn hand naar een van de rijen tekeningen.

'Dit voorval stelt een dodelijk gevecht voor tussen Vier Beren en een krijgshaftig Shienne-opperhoofd; wat persoonlijke roem aangaat, steekt het de verhalen uit de *Ilias* naar de kroon. Laat me u dat verhaal vertellen…'

En toen begon hij. Hij vertelde het precies zoals Vier Beren het hem vijf jaar geleden naast een vuur om op te koken in de aarden hut van het opperhoofd had verteld, het verhaal van twee opperhoofden die als ridders te paard met elkaar een steekspel hielden en als man tegen man met dolken in de hand in het stof eindigden, in een persoonlijk duel tot de dood toe, om de levens van hun krijgers te sparen; en zoals met het soort verhalen van stammen het geval is, sleurde het zowel verteller als luisteraar mee in de levendige, gewelddadige beelden die

18

eindigden als een bewijs van de indrukwekkende moed van Vier Beren. Toen de mantel weer was opgerold, liet George een tekening zien van een dolk met breed lemmet en een handvat dat in de vorm van een klauw uitliep. 'Kijk,' zei hij, 'dit is het mes dat Vier Beren uit de hand van de Shienne loswrong en in diens hart stootte.' De mensen klauterden bijna over elkaar heen om het legendarische lemmet beter te kunnen zien. Onmiddellijk daarna begon hij het verhaal dat over de karmozijnrode punt van de speer van Vier Beren ging. Het liet zijn publiek met open mond van verbazing achter – maar het was tevens een inspiratie, omdat dit niet zo maar verslagen van gewelddadige strijd en wraak waren, maar verhalen die een strikte erecode openbaarden, die volkomen paste bij ridders uit legenden.

Om halftien 's avonds was George Catlin twee uur met zijn lezing bezig. Hij had de mensen tientallen portretten, landschappen en actiescènes laten zien, en erbij verteld. Hij had hen talloze wapens, gereedschappen en werken van prachtige, naïeve kunst laten zien. Ondanks de bedompte, bedorven atmosfeer van tabaksrook en muffe adem, de warmte van lampen en kaarsen en dicht op elkaar gepakte lichamen, was zijn publiek klaarwakker en zat ver voorovergebogen op de stoelen om het volgende schilderij, het volgende voorwerp te zien. Ze waren gebiologeerd; hun verbeelding was ver weg, op de grote prairies. Eén keer keek George Websters kant op. De senator gaf hem een knipoog, een hoofdknikje en een goedkeurende glimlach.

Algauw maakte de vormelijkheid van de lezing plaats voor een gezellige uitwisseling van vragen en antwoorden, en een stevige, zelfgenoegzaam lachende, in het bruin geklede persoon op de derde rij brulde een vraag die hij duidelijk al van tevoren toen hij naar het theater kwam in gedachten had gehad. 'Meneer Catlin! Zeg, die Indianen eten toch honden, hè? Hebt u ooit hondevlees met ze gegeten?' Een koor van gelach, gekreun, waf! waf! en wroef! wroef! vloog door het theater; George spande zijn kaak en wachtte tot het wegstierf.

'Mijnheer, ik heb in de Indiaanse kampementen als een fijnproever het onuitsprekelijk verrukkelijke vlees van bizontong,

19

beverstaart, eland, antilope, gans, beer en schildpad genuttigd. En ja, ik heb me ook aan hondevlees te goed mogen doen.'
'En dat hebt u *gegeten*?' drong de man verder aan, nog steeds met een zelfgenoegzame grijns op zijn gezicht.
'Sommige stammen eten nooit hondevlees,' zei George. 'Maar waar het wel voorkomt, gebeurt het maar heel zelden – en men beschouwt het als het meest respectabele voedsel dat men een gast kan aanbieden. De hond is voor de Indiaan namelijk een uiterst nuttig dier: het draagt lasten, is een hulp bij de jacht, een bewaker en een kameraad. Wanneer je hondevlees krijgt aangeboden, weet je dat een goed, nuttig dier ter ere van jou is opgeofferd. Je zou wel een verschrikkelijke lomperd moeten zijn om dat te weigeren – en Indianen houden niet van lompheid.' Het publiek hapte naar adem, kreunde en lachte. Vlug draaide hij zich om en wees naar een opgestoken hand achter in de zaal. 'Uw vraag, mijnheer?'
'Meneer Catlin, het wordt al laat. U bent toch wel van plan om ons over hun martelceremonie te vertellen? U weet wel, die u op uw affiche aankondigde, waar ze dingen door hun vlees steken?'
Het publiek liet luid van zich horen, dus zette George zich met een hoofdknikje en een zucht ertoe het onbeschrijflijke te beschrijven: het Okeepa-ritueel. Door middel van dit ritueel verzoenden jonge mannen van de Mandan de Goede en Boze geesten en verkregen door vrijwillig martelingen te doorstaan de mannelijke status. Bij dit onderdeel van de avond liet Clara altijd een rijtuig komen om haar naar het hotel terug te brengen, want ze kon het eenvoudig nooit aanhoren.
'Samen met één andere blanke, een bonthandelaar van de bontonderneming die mij vergezelde, ben ik de enige geweest die ooit uitgenodigd is om getuige van dit martelende spektakel te zijn,' begon hij. 'En aangezien ik verwachtte dat mijn relaas en afbeeldingen van de Okeepa met ongeloof ontvangen zouden worden, heb ik ervoor gezorgd dat ik beëdigde verklaringen van agenten van de bontonderneming kreeg om te bevestigen dat ik er inderdaad getuige van ben geweest, en dat hetgeen ik u zo meteen zal presenteren de waarheid is en juist is. Zoals u waarschijnlijk hebt gelezen, zijn er al geleerden en mensen die

zich als Indiaanse experts uitgeven geweest, die verklaren dat geen mens zulke kwellingen zou willen, of kunnen, verdragen – zelfs niet de derwisjen of de gedrogeerde ongelovigen van de islam. Maar ik heb inderdaad, als ooggetuige, zonder enige overdrijving het Okeepa-ceremonieel in deze twee schilderijen beschreven. Mijn relaas hoeft niet opgesmukt te worden, want de naakte waarheid is alles wat ik kan vertellen...'

En toen hij verder ging met zijn verslag van jonge Mandanmannen die aan touwen hingen die met pennen aan hun schouders, rug en tepels waren bevestigd, begon het publiek extatisch te kreunen en gezichten te trekken. Twee vrouwen vielen tijdens het Okeepa-verhaal in zwijm en moesten worden bijgebracht, en één teergevoelige heer rende Louisiana Avenue op om over te geven. Ja, het was die avond in het Old Theatre van Washington een heel mooi amusementsprogramma.

Pas een half uur na afloop van het programma waren alle achterblijvende vragenstellers, debatteerders en mensen die hem het beste toewensten uit de zaal verdwenen. Webster had achter het toneel moeten wegglippen om de laatste van zijn eigen vasthoudende bewonderaars uit de weg te gaan, en George trof hem op het toneel achter het doek aan, waar hij tussen de artefacten en schilderijen door liep en ze aanraakte, eraan rook en ernaar stond te kijken. Afwisselend knikkend en hoofdschuddend bleef hij een hele tijd voor het verfrissende, gloedvolle olieverfportret van Osceola, de beroemde Seminole-krijger, staan. Ten slotte zei hij met vertederende verwondering tegen George:

'Wat een zacht, aangrijpend gezicht is dit! Kijk die tragische ogen eens! Is dit de verschrikkelijke krijgsman die de Verenigde Staten zeven kostbare jaren lang tot een schimmenjacht heeft verleid? Hij ziet er meer uit als een gemartelde heilige dan Amerika's gevaarlijkste vijand!'

'Hij was ook gevaarlijk,' zei George. 'Zo worden mannen wanneer je ze uit hun geboortestreek probeert te verjagen. Maar ik ben het met u eens; wat ik over deze afschrikwekkende duivels in de couranten las, kan ik nauwelijks verenigen met wat ik zie wanneer ik voor ze sta om hun portret te schilderen. Zo was het ook met Zwarte Havik – ondanks zijn nederlaag een onmetelijk statige, gracieuze oude man... en Tenskwatawa, de oude Shawnee-profeet: een pathetische, gedesillusioneerde stumper die beetje bij beetje stierf in een krot in Kansas. Maar zoals ik ons publiek al vertelde: dit portret van Osceola kreeg ik af op de dag voor hij aan zijn gevangenschap stierf. Wat u hier ziet is een mens die in de val zit en in zijn einde berust.'

Webster schudde zijn hoofd en fronste zijn voorhoofd. 'En u zegt dat die legerchirurgijn bij Moultrie dit prachtige hoofd van Osceola als een *souvenir* van diens lichaam scheidde!'

'En wat meer is: hij gebruikt het om zijn eigen kinderen te intimideren wanneer ze ondeugend zijn.'

'God in de hemel! En wij noemen de roodhuiden wilden!' Webster bleef naar Osceola's portret staren. Zijn ogen waren vochtig en achter zijn rug wrong hij zijn ineengestrengelde vingers. Toen zuchtte hij. 'Dit is een magnifiek portret, meneer Catlin. Tot in elk detail volmaakt uitgevoerd. Naar mijn mening overtreft het al het andere werk.'

'Dank u.' George kon zich vaak ergeren aan de minachting van critici die, zelfs al prezen ze zijn Indiaanse kunstgalerie vanwege de inhoud, zijn schildertechniek als grof kleineerden. 'Ik had de ongewone luxe dat ik Osceola op mijn gemak, op een beschutte plaats, kon schilderen, waar de koude prairie-wind de verf niet hard kon laten worden of het canvas op de ezel heen en weer liet wapperen. In de gevangenis zorgden de kogel en de ketenen er wel voor dat de persoon op het schilderij als een model stil bleef zitten. Desalniettemin,' voegde hij eraan toe met een uitdrukking op zijn gezicht die even triest was als het gezicht van Osceola, 'schilder ik liever een rusteloze Indiaan die vrij in zijn eigen wereld is, dan een die in de ideale atelier-omgeving van een gevangenis zit – zoals ik ook liever een edel dier in het wild dan in een dierentuin zou schilderen.'

'Een pijnlijk passende analogie,' zei Webster. 'Tussen haak-jes, jonge man, u bent zelf ook een buitengewoon redenaar! Ook ik heb, evenals u, de mensen nu en dan kippevel bezorgd – dat hoop ik tenminste – maar voor zover ik weet heb ik geen van mijn luisteraars ooit zover gebracht dat ze naar buiten moesten rennen om over te geven. Ik benijd u!'

Ze lachten tot de tranen hen over de wangen liepen en lachten nog steeds toen de theaterdirecteur en de nachtwaker de deuren achter hen sloten. En toen ze een paar minuten later in een klein privé-kamertje in een van Websters favoriete taveernes in de buurt waren neergestreken, zaten ze nog steeds te lachen. Ondanks het late uur waren er nog veel mensen in het etablissement en hing het er vol tabaksrook. Klanten in de aangrenzende ruimte, die kennelijk rechtstreeks van het Old Theatre hierheen waren gekomen, schaterden het uit over hondevlees en Indiaanse martelingen.

'Bent u nooit in echt gevaar geweest?' vroeg Webster terwijl hij whiskey uit een fles in twee glazen schonk. 'Dat moet in al die jaren toch wel eens zijn voorgekomen?'

'Eén keer werd het een beetje spannend met een grizzlybeer. Toen moest ik snel in een kano worden afgevoerd.'

'Maar ik bedoel met betrekking tot de Indianen.'

'Mijn schoonvader probeerde me altijd te ontmoedigen om daarheen te gaan,' zei George. 'Dan waarschuwde hij me dat hij niet wilde dat zijn dochter een jonge weduwe werd. Maar ik zei eenvoudigweg tegen hem: "Mijnheer, hoe verder ik ga, des te veiliger ik zal zijn." En dat was ook zo. De enige vervelende Indianen die ik ooit heb ontmoet, waren degenen die langs de kolonisatiegrens woonden – degenen die door de blanken en dranksmokkelaars tegen de haren waren ingestreken, die waren belogen en bedrogen.'

'Opmerkelijk! Maar ik geloof wel dat ik het begrijp.'

'In al die jaren dat ik onder hen geleefd heb,' zei George, 'hebben ze me nooit pijn gedaan. En ze hebben nog geen knoop van me gestolen, hoewel er geen wetten waren om dat soort dingen te voorkomen. Mijnheer, ze lieten me nog niet één keer honger krijgen! Verwondert het u dat ik van zulke mensen hou, dat ik vind dat zij ons heel wat te leren hebben? Mijn God, senator, u hebt er geen notie van hoe verfrissend het is om bij een volk te wonen waarbij niet alles om geld draait!'

'Geld, ja,' zei Webster. 'Weerzinwekkend spul, maar u en ik zullen er toch in alle ernst over moeten praten, zoals u weet.

Senator Clay en ik hebben over de aankoop van uw Indiaanse kunstgalerij gepraat.'

'Ja. Ik heb hem er ook over geschreven, omdat hij het altijd voor mensen in nood schijnt op te nemen. En... evenals u, mijnheer, is hij een pleitbezorger.'

'Dat is hij inderdaad,' stemde Webster in. 'En een dezer dagen keert zijn geluk misschien nog eens en wordt hij president. Dat zou voor iedereen die van vrijheid houdt een goede dag zijn. Ook voor u. Hoe dan ook, Henry Clay is het met me eens dat uw schilderijen als educatief middel door de regering moeten worden aangekocht. En wij zijn het eens over de redenen om dat te doen.' Webster nam een slok whiskey en slikte die even gemakkelijk weg alsof het water was. George nipte van zijn eigen glas, zette het neer, speurde in Websters ogen en zei hartstochtelijk:

'Als de burgers van dit land mijn schilderijen van dit Indianenvolk, en mijn geschriften over hun gewoonten en opvattingen zouden kunnen bestuderen, zouden ze *stellig* beseffen dat de indianenstammen in het westen en hun manier van leven bewaard *moeten* blijven! Mijnheer, als het aan mij lag, zouden de grote prairies en hun bizonkudden voor hen gereserveerd blijven. Zij zouden daar zonder geld kunnen gedijen, zoals ze nu ook gewend zijn. Met uitzondering van de rivierdalen die zij bebouwen, is dat soort land niet geschikt voor landbouw. Zij zijn de trots van dit continent, mijnheer! Moet het met hen dezelfde kant opgaan als met de grote stammen aan deze kant van de Mississippi, die geruïneerd zijn door onze hebzucht en onze vooruitgang, die wij zo smerig behandeld hebben? Moet het zover komen dat zij ook uitgeroeid worden? En dat al hun schoonheid en kennis in rook opgaan? Nee! Wat hier is gebeurd, is een tragedie. Dat mag daar niet herhaald worden! Maar als de houding van de mensen en het regeringsbeleid niet heel snel veranderen, zullen die ridders van de prairies, hun weergaloze vrijheid, hun moed – alles wat zij ons over werkelijke vrijheid op aarde zouden kunnen leren – binnen enkele jaren zijn verdwenen. Dan zullen het dronken stumpers zijn die in krotten wonen, zonder waardigheid, naamloos. Dan zullen ze precies zo zijn als de mensen die Andrew Jackson zojuist uit dit land verdreven heeft! Mijnheer, om zo'n trots volk enkel en alleen uit hebzucht weg te vagen, zou een misdaad zijn die ik niet op het geweten van mijn land wil hebben. Ik wil dat ze met rust worden gelaten!'

Zijn hand beefde van deze hartstochtelijke uitbarsting. Webster legde zijn hand op Georges pols alsof hij het beven tot bedaren wilde brengen. De meevoelende aanraking bracht bijna tranen in Georges ogen, zo geëmotioneerd was hij. Webster zei: 'Senator Clay staat hierin, om diezelfde redenen, aan uw kant. Mag ik u vragen welke andere medestanders u op plaatsen van invloed hebt?'

'Voor zover ik weet niemand, met uitzondering van generaal Clark.'

'William Clark? De Indiaanse superintendent, bedoelt u?'

'Ja, mijnheer. Hij is in het Westen mijn vriend en mentor geweest. Zonder zijn gunst en zijn vertrouwen in mij, zou ik niet hebben kunnen doen wat ik heb gedaan. En zonder zijn liefde voor de indianenstammen.'

'Ja, zeker. Maar hij zit in St. Louis. Dat is veel te ver weg om invloed in het Congres te hebben. En ik heb gehoord dat het met zijn gezondheid niet goed gesteld is.'

'Ja, dat weet ik! Dat nieuws schokt me tot in het diepst van mijn ziel. Wat zal er van de arme Indianen worden wanneer generaal Clark niet meer tussen hen en de hebzucht van de handelaars staat? En die verrekte dranksmokkelaars?'

Terwijl George dit zei, schonk Webster de glazen nog eens vol. Opeens moest hij eraan denken dat elke Indiaan die de laatste tien minuten zoveel had gedronken als Webster, volledig buiten zinnen zou zijn en het zou uitjammeren door de demonen in zijn binnenste.

Webster was echter nog steeds helder en maakte plannen. 'Ik zal trachten in beide volksvertegenwoordigingen van het Congres voor u te pleiten,' zei hij. 'En het zou goed voor u zijn als u ook enige steun in het Witte Huis zou kunnen krijgen. Als u daar geen vrienden hebt, laat me daar dan even over nadenken...'

Grinnikend schudde George zijn hoofd. 'Ik ben al zo lang

weg, dat de meeste vrienden die ik heb meer dan drieduizend kilometer ver weg zitten. Indianen en bonthandelaars.'

'Vergeet deze senator uit New Hampshire niet,' zei Webster met een vaderlijke glimlach. Hij schoof George diens opnieuw volgeschonken glas toe.

'Dank u, mijnheer!' zuchtte George.

Webster keek schuins naar een olielamp aan de muur en scheen naar het geroezemoes in de andere ruimten te luisteren. Toen zei hij: 'Van Buren geeft niet veel meer om de Indianen dan Jackson. Hij vindt het, waar ze ook wonen, ook maar lastposten. Als hij uw collectie zag als een middel om hen te helpen, denk ik dat hij zijn veto over een aankoop zou uitspreken...' Websters stem stierf weg en hij zuchtte. 'Ik vrees, beste kerel, dat het vanwege de huidige economische crisis niet gemakkelijk zal zijn om een subsidie voor de aankoop los te krijgen. We leven op het ogenblik in zware tijden. Verwacht niet dat het onmiddellijk zal gebeuren. Misschien wanneer het het land iets beter gaat... Maar vooruit, ik veronderstel dat u over geld zult moeten praten. Vertel mij wat voor prijs u in gedachten hebt.'

George pakte zijn glas op en nam een flinke slok. Het feit dat Webster de ingezakte economische toestand noemde, bracht hem naar zijn gevoel in een penibele positie. Hij schraapte zijn keel. 'Het vertegenwoordigt zeven jaar van mijn leven,' begon George. 'Ik heb het allemaal op eigen risico en op eigen kosten gedaan. Ik heb schulden gemaakt. Ik heb er nooit aan gedacht om dit te ondernemen om er winst uit te slaan, begrijpt u. Ik deed het uit bewondering voor de Indianen. Voor mij is het daarom een heel vreemd idee om te trachten er een prijskaartje aan te hangen. Ik... voor mijn gevoel zou ik het weggeven als ik er vijftigduizend voor vroeg, maar ik durf nauwelijks meer te vragen...' Hij zuchtte weer en keek op zijn glas neer dat hij in zijn handen ronddraaide. Hij verwachtte niets minder dan dat Webster nu koel of verontwaardigd zou reageren.

'Vijftigduizend! Vijftigduizend?' riep Webster uit. 'Ik zou hebben verwacht dat u voor zo'n kostbare schat minstens het dubbele zou vragen. Zeven jaren van uw leven...'

'Werkelijk?' George voelde een enorme opluchting.

'Jazeker! Beslist! Maar weest u zich er alstublieft van bewust dat vijftigduizend, of zelfs twintigduizend, in deze tijden even onbereikbaar is als een miljoen. We zouden een aanvaardbare belangstelling kunnen aantrekken als we – als u – beneden de vijftigduizend blijft.'

Georges gezicht betrok weer. 'Beneden de vijftigduizend? Senator, ik ben onlangs begonnen met het schrijven en illustreren van een boek over deze zelfde reizen. En evenals mijn kunstuitstalling, doe ik dat allemaal op eigen kosten, zonder dat er binnen afzienbare tijd iets voor terug komt. Hoe moet ik mijn gezin in die tussentijd onderhouden? Vijftigduizend is nauwelijks voldoende om mijn huidige schulden te dekken, laat staan me zover te brengen dat er inkomsten uit het boek beginnen binnen te komen! Waarom – waarom...' Voor het eerst sinds hij zich in Websters bezielende gezelschap bevond, voelde George zijn hoofd en oren warm van woede en frustratie worden. 'Dit land profiteert met miljoenen van de Indianen en het land dat het van hen heeft weggenomen! Bij God, mijnheer, en neemt u mijn verontwaardigde toon niet kwalijk, maar zou dit land zich uit die miljoenen geen vijftigduizend kunnen veroorloven om de eerste Amerikanen te erkennen, en het publiek te leren hen te waarderen? Lieve help, dit land heeft jarenlang meer dan vijftigduizend per dag gespendeerd, wed ik, om de arme Seminoles op te jagen en Osceola door de moerassen van Florida achterna te zitten! *Verdomme!*'

Webster zat hem, achterovergeleund op zijn stoel, aan te staren. George zweeg, bang dat zijn uitbarsting ongepast was geweest, bang dat hij zijn met moeite voor zich gewonnen medestander misschien had beledigd. 'In dat geval zal ik mijn collectie voor veertigduizend aan het Congres aanbieden,' zei hij. 'En als ze die dat nog niet waard vinden, heeft Engeland het er misschien wel voor over. Of Frankrijk. Of Holland of Oostenrijk. Die landen hebben een gezondere belangstelling voor de Amerikaanse Indianen dan Amerikanen, dat weet ik heel goed!'

'Lieve hemel!' hapte Webster naar adem. Hij sloeg nog een slok whiskey achterover. 'Wees gerust, mijn jonge vriend, ik zal mijn uiterste best doen om mijn collegae van de waarde ervan te overtuigen. Ik zou niet willen dat een Amerikaanse schat naar een buitenlands museum wordt afgevoerd!'

'Ik ook niet,' zei George. 'En daar zou het de Indianen absoluut geen goed kunnen doen. Hier misschien nog wel. Geloof me, als ik het me kon veroorloven, zou ik mijn collectie simpelweg aan onze burgers *schenken*. Als mijn boek goed verkoopt, kan ik dat op een goede dag misschien ook wel. Intussen zal ik er nog een tijdje mee rondreizen zoals ik tot nu toe heb gedaan, en proberen elke avond een zaal vol met mensen bij te brengen hoe belangrijk het is om vast te houden wat er nog van het rode ras over is... Ik zal u iets vreemds vertellen,' zei hij na een korte stilte. 'De vrouwen en de medicijnman van de Mandan-stam hadden een voorgevoel: zij waarschuwden dat binnenkort het enige dat van hen rest mijn schilderijen van hen zullen zijn. En weet u, ik heb een afschuwelijk gevoel dat hun voorspelling juist is!' Hij zuchtte diep en hield zijn glas bij om het te laten bijvullen.

'De Mandan. Dat is toch de stam van uw indrukwekkende vriend Vier Beren?'

'Ja. De Mandan. De Blanke Indianen. De Kinderen van Eerste Man, Nu-mohk-muck-a-nah. Of Madoc, de prins uit Wales. Daarop zou ik bijna zweren.'

'Gelooft u dat zij de verloren stam uit Wales zijn?'

'Ik geloof dat je hun overblijfselen onder hen kunt terugvinden. Dat geloofde generaal Clark; ik denk het ook. Ik heb heel wat bewijsmateriaal verzameld. Ik ben van plan om er in het boek een overtuigende theorie van uiteen te zetten.'

'O, dat zou me een verhaal zijn, als het waar is! Blanke mannen die hier al driehonderd jaar vóór Columbus waren! Jefferson praatte er ook altijd over, herinner ik me. Wat zou dat een wonderlijk mysterie oplossen!'

'Dat zou het inderdaad. Maar het zal geen enkel nut hebben te trachten dat geheim verder te doorgronden als het met de Mandan zo afloopt als met zo ongeveer de helft van de Indianenstammen op dit continent: blanken – whiskey – scalpeermessen – geweren, kruit en kogels – pokken – uitspattingen – *uitroeiing!* In godsnaam, senator, en in het belang van een prachtig, verdoemd volk, help me!'

28

Deel een

1169 A.D. – 1201 A.D.

MADOC WYF, mwyedic wedd,
Iawn genua, Owen Gwynedd:
Ni fynnum dir, fy enaid oedd
Na da mawr, ond y moroedd.

MADOC ben ik, zoon van Owen Gwynedd
Een grote gestalte, en gratie, kreeg ik mee.
Maar land noch rijkdom is mij genoeg,
Mijn zinnen heb ik gezet op het bevaren van de
Oceaan.

Hakluyts *Navigations & Discoveries, 1589*

1 *Veertig dagen zeilen ten westen van de Zuilen van Hercules Zomer 1169 A.D.*

Er stond zelfs geen briesje. Het gestreepte grootzeil van de *Gwenan Gorn* hing loodrecht als een gordijn omlaag. De zee was spiegelglad. Als de twintig naakte roeiers midscheeps in de schaduw van het zeil niet lethargisch hadden zitten zwoegen op hun banken die drijfnat van het zweet waren, zou het schip bewegingloos in de windstilte hebben gelegen.

Madoc hun kapitein, de prins met de gele baard, meer dan twee meter lang, stond in het felle zonlicht op het achterdek. Hij was roodverbrand en vervelde. In zijn handen hield hij een rieten duivenkooi. Zijn broer, prins Riryd, die een breed gezicht had en een kop kleiner was, stond voor hem. Beide prinsen hadden, op hun van zweet doordrenkte linnen tunieken na, hun kleren uitgetrokken; ze droegen sandalen aan hun voeten, zodat het door de zon geblakerde dek hun voetzolen niet zou verbranden.

Madoc tuurde met dichtgeknepen ogen naar de top van de mast. Met zijn met gouden haar bedekte onderarm streek hij over zijn voorhoofd om zijn zweet weg te vegen. Toen maakte hij een riempje los en deed het deksel van de kooi open. De duif koerde, stak zijn kop omhoog, keek om zich heen en vervolgens omhoog naar het felle blauw van de hemel. Madoc tikte van onderen tegen de kooi aan. Hij glimlachte en zei met een zachte stem die zo diep als zomers onweer in de verte klonk: 'Ga. Vlieg weg en zoek Jargal voor ons!'

'Breng ons naar het Land over de Horizon,' zei Riryd tegen de vogel. 'Mijn broeder zweert dat zo'n land bestaat.'

Madoc tikte nog een keer tegen de kooi, en de vogel vloog fladderend op, cirkelde om de top van de mast heen, en verdween in de felle schittering van de namiddagzon. Madoc wreef het zweet uit zijn ooghoeken en knikte. 'Westwaarts vliegt hij, zoals ik u al vertelde,' zei hij. 'En vandaag verwacht ik niet dat hij zal terugkeren. Ik zeg u, ik ruik land. Ik voel het!' Hij draaide zich om, en keek met op elkaar geklemde, ontblote tanden naar alle kwartieren van de horizon. Er moest binnenkort land in zicht komen. Alle schapen waren gebraden en opgegeten. Er waren alleen nog maar zakken gerst en linzen over, en rottende uien. En dat was niet genoeg om de bemanning de hele lange weg terug naar Europa van voedsel te voorzien. Er móest land komen. Madoc was er bijna zeker van dat er op nog geen dag afstand land lag.

Hij had de afgelopen twee dagen twee strandvogels gezien. Eén had iets weg gehad van een mus. Hij was komen aanvliegen en had een tijdje op een touw van het stagzeil gerust. De andere vogel was een grote, groene vogel met felgekleurde veren geweest, die heel anders was dan de vogels van thuis. Het was echter geen zeevogel. De zeelieden hadden een blad in hun netten gekregen dat op de blauwe stroming noordwaarts voer. Het leek op een grote varen, maar had heel taaie vezels en was zeer beslist een plant van het vasteland. Madoc, die al heel lang alle bekende zeeën had bevaren, had een buitengewoon scherpe zin om aan te voelen of er land in de buurt was. Hij geloofde bijna zonder enige twijfel dat het legendarische continent dat Jargal heette, dat Pluto als Eperios kende, en dat bij de vroegere Afrikaanse zeevaarders als Asqa Samal bekendstond, net onder de horizon voor hen lag.

Had Plutarchus een millennium geleden immers niet geschreven dat vijfduizend stadiën ten westen van IJs Land een continent lag dat lang geleden door Grieken bezocht was?

Hadden de Iberische Kelten eeuwen geleden geen koper op dat continent gemijnd, en het met de nootbruine inboorlingen voor de huiden en bontvellen van de dieren waarop ze jaagden verhandeld?

Hadden de zeevaarders van Phoenicië en Carthago en Libië

over deze grote oceaan geen handelgedreven met de kolonisten op de vergeten landmassa Asqa Samal? En waren de Noormannen er in de afgelopen twee eeuwen ook niet geweest? Zij hadden het toch het Vin Land genoemd? Madoc wist het meeste hiervan van de Ierse monniken die lange tijd het bewijs van die ontdekkingstochten uit het verleden bewaard hadden: bewijzen die in de vergeten Ogam-alfabetten waren opgeschreven, een schrift dat op afdrukken van klauwen leek. De monniken konden het lezen; Madoc had deze oude mysteriën samen met de monniken bestudeerd. Hij was niet alleen maar zeevaarder. Hij was een kenner, een geleerde van de zeeën. Wanneer hij naar Venetië en Genua, naar Marseille en Portugal, naar Alexandrië, naar Denemarken voer, had hij tegelijkertijd maritieme geschiedenis met zijn grootvader, Gruffyd ap Cynan, een groot navigator, bestudeerd. Hij was in boekrollen en manuscripten van een tiental kloosters gedoken. Het grootste deel van de oude overleveringen over de zee dat algemeen was vergeten, had Madoc herontdekt.

En zodoende was er nauwelijks enige twijfel in zijn gedachten dat het Land over de Horizon spoedig uit deze diepe, blauwe zee voor het boegbeeld – Zeemeermin met Harp – van zijn schip de *Gwenan Gorn* omhoog zou rijzen.

Nauwelijks enige twijfel.

Maar als het om legenden ging, kon er altijd twijfel zijn, en twijfels kunnen groeien naarmate magen leger worden.

Aan het begin van deze reis had Madoc aan niemand, uitgezonderd Riryd, verteld hoe hij van plan was te zeilen. Riryd had verbaasd gestaan en had er zijn twijfels over gehad.

Twee maanden eerder waren ze van een stenen kade in de mond van het riviertje de Afon Ganol op de grens van Caernarvon weggevaren. Madoc had niet noordwest naar de bekende Noordse route koers gezet – IJs Land naar Groen Land naar Vin Land – maar had in plaats daarvan de blauwe berg de Plymlimon aan bakboordzijde achter zich gelaten en was naar het zuiden door de Ierse Zee gevaren, verder langs de grote, rotsige kaap van Saint David, en was toen een dag de haven van Lundy Isle binnengevaren om duiven en schapen in kratten, en ook een geheimzinnig kistje, te kopen. Toen waren ze verder de kust afgezakt, voorbij Brittannië, dagenlang voor de kust van Iberia en Portugal langs. Gespannen had Riryd de poolster achter hen lager en lager zien zakken en Madoc ten slotte op een avond gevraagd of hij van plan was de ster helemaal te verzaken. Want welke waanzinnige zou het in zijn hoofd halen om de grote Mare Atlanticum zonder enig land in zicht, en zonder de poolster voor ogen over te steken? 'Nee,' had Madoc geantwoord. 'Ten westen van de Zuilen van Hercules zullen we een stroming in westelijke richting vinden die ons op onze weg vooruit zal helpen, ster of geen ster.' 'Ge kent die stroming toch wel? Of denkt ge alleen maar dat die er zal zijn?' Riryd was sceptisch genoeg om dat te vragen. 'Ik geloof erin, zoals ik geloof in de God die ik nog nooit gezien heb,' was Madocs antwoord geweest. Als reactie had Riryd met zijn ogen gerold.

Uit zijn studies van de reizen uit het verleden had Madoc opgemaakt dat de oude handelaars van de Levant zo'n gunstige stroming gebruikt moesten hebben. Het was slechts een gevolgtrekking. Die op te volgen vereiste geloof. Zelfs de beste zeevaarders konden zich immers slechts op bekende, en niet op hypothetische, stromingen verlaten.

Terwijl ze verder naar het zuidwesten en steeds verder van land wegvoeren, had Madoc twee dagen lang in de lucht gesnoven en om zich heen gekeken. En toen had hij op een ochtend – het was mooi weer – met een hoofdknikje tegen Riryd gezegd: 'Voelt ge het, broeder? We hebben onze stroming te pakken.' Riryd voelde helemaal niets en had weer met zijn ogen gerold. Sindsdien had de sterke *Gwenan Gorn* veertig dagen lang op die onzichtbaar stromende rivier gezeild en voortgedobberd, terwijl de noordster laag over bakboord stond. De dagen waren warm, de zonsop- en zonsondergangen schitterend, de nachten mild; zeilen was gemakkelijk en het was een gezegende tijd. Op sommige avonden zat Madoc op het hoge achterdek, het hoofd boven zijn harp gebogen, van de zee en van thuis te zingen, vals te zingen, terwijl Riryd tegen de helmstok leunde en naar de sterrenbeelden keek. De bemanning had avond aan avond in het vooronder, dat in feite een dak van vier omgekeerde, stevig aan elkaar vastgebonden coracles boven het dek in de boeg was, zitten dobbelen, met een half oor naar de melancholieke liederen van hun prins luisterend. Zijn stem was te diep en te ruw voor de harp.

Madoc was vastbesloten het legendarische land te bereiken. Het was een obsessie voor hem. Maar hij was ook een verlangende echtgenoot, vijfendertig jaar oud, en verlangde zoals elke zeeman zowel naar huis als naar wat voor hem lag. Zijn aantrekkelijke vrouw Annesta en kleine dochtertje Gwenllian waren nu honderden mijlen achter hem, en op zulke prachtige avonden kon hij, als hij niet zong, door heimwee overweldigd worden.

Er was een periode van drie dagen en nachten met bewolking en regen geweest, waar ze geen ster hadden gezien om op te sturen, en Riryd had met toenemende ontsteltenis geklaagd. Maar toen had Madoc zijn geheimzinnige kistje van Lundy Isle te voorschijn gehaald en opengedaan. Met een sluwe lach had hij er een kom uitgehaald, die op het dek neergezet en met water gevuld. Daar bovenop had hij een dun, houten schijfje laten drijven en er een ijzeren naald op gelegd. Het schijfje was een kwartslag op het water gedraaid en bleef toen stil liggen. De naald wees richting stuurboord. 'Als de wolken nu zouden wegwaaien,' zei hij terwijl hij met zijn hand in die richting wees, 'zoudt ge daar nog steeds de noordster zien staan.'

'Aha!' had Riryd uitgeroepen. 'Hier heb ik over gehoord! Is het een magneet?'

'Een magneetwijzer, even waarachtig als de ster zelf. Denk eraan dat ik de *Gwenan Gorn* met pennen van hertshoorn en niet met ijzeren nagels heb gebouwd, om zodoende deze naald niet in de war te brengen. Ik weet altijd wat ik doe, broeder.'

Riryd werd hierdoor wat kalmer, maar stond tevens verbaasd. Hij had iets van het geheimzinnige principe van de magneet af geweten, maar nooit beseft dat je dat bij het navigeren op open zee kon gebruiken. Uit angst niet in kaart gebrachte, magnetische eilanden tegen te komen, hadden sommige scheepsbouwers hertshoorn in plaats van nagels gebruikt, om te voorkomen dat hun schepen op de rotsen zouden slaan of door de geheimzinnige kracht uit elkaar zouden worden getrokken. Maar jonge broeder Madoc had nog verder gedacht.

35

Riryd was in de kustwateren of in bekende wateren zelf een heel goede kapitein. Maar hij was tevens Heer van Clochran, in Ierland, en zodoende meer aan land gehecht. Hij was lang niet zo'n geleerde op het gebied van de zee als Madoc, en ook minder stoutmoedig en inventief.

Hun vader, koning Owain Gwynedd, had bij twee vrouwen en verschillende maîtresses zevenentwintig kinderen die bekend waren verwekt. Madoc, geboren uit een maîtresse die Brenda heette, was, ondanks het feit dat hij een prins was, een bastaard zonder koninklijke aspiratie, zonder landgoed. Sinds hun vader vorig jaar was overleden, hadden de vele zonen met elkaar getwist en gekonkeld over de opvolging. Madoc had dat alles de rug toegekeerd en zich naar deze zee in het westen gekeerd. Hij had Riryd overtuigd:

'Het koninkrijk van onze vader is overvol en door duizend jaar vechten van bloed doordrenkt; nu laten onze broers elkaars aderen erop leegvloeien. Broeder, ik wil op zoek gaan naar dat onbevolkte land van achter de zonsondergang. Daar zullen mensen, onbesmet met de begeerte naar macht, ongetwijfeld, volgens Gods wil, een paradijs om in te wonen kunnen maken. Daar zouden wij, u en ik, rechtvaardig over een abel volk kunnen regeren, en een koninkrijk dat vrij is van de verdorvenheden van ons arme geboorteland kunnen opbouwen. Luister, Riryd, broeder:

Ik eer de nagedachtenis aan onze vader. Cambrië heeft geen groter koning gekend. Maar ik zweer dat ik in die nieuwe plaats genadiger zal zijn dan onze vader was. Ik zal degenen die zich tegen mijn wensen teweerstellen nooit castreren, de ogen uitsteken of de tong afsnijden. Ik zal, uit angst voor zijn gedachten, geen familielid van mij in de kerker gooien om daar weg te kwijnen. Moet men zulke dingen doen om koning te zijn?'

Riryd had zijn jongere broer met een spottende glimlach aangekeken. 'Dus ge verwacht dat ge slechts vriendelijke, welwillende en betrouwbare onderdanen en familieleden in dat koninkrijk van u zult hebben?'

'We zullen vrij zijn om slechts de besten uit te kiezen om onze kolonies te beginnen. Wij zullen hen met genade en rechtvaardigheid besturen, en hen en hun kinderen de woorden en

wegen van Jezus de Zaligmaker leren. In een groot land waar ruimte is, kunnen zij zich zonder over elkaar heen te vallen vermenigvuldigen, en allemaal eten zonder anderen hun deel te ontzeggen. Ja, broeder Riryd, ik geloof inderdaad dat een vroom volk in een uitgestrekt land een paradijs kan maken.'
'Zo, gelooft ge dat? Ik wilde dat het waar was, jonge broer. Laten we het hopen. Maar – ha ha! – hadden de Eerste Mens en zijn Ribbe niet alle ruimte, en werden ze toch niet uit hun Paradijs verdreven? Ach, kon de heilige Patricius maar vóór ons aan land gaan wanneer we dat Paradijs vinden – àls we het vinden – en waarborgen dat dit Land Jargal geen slangen heeft! Ha ha! Ha ha ha!'

Behalve die drie dagen regen en bewolking, was het weer mild gebleven. De zilveromrande wolken stapelden zich hoog tegen de hemel op, maar brachten nooit storm met zich mee. De schapen hadden meelijwekkend in de hitte staan blaten, een vreemd geluid op de open zee, maar dag na dag was hun geluid zwakker geworden naarmate ze werden geslacht om de bemanning te eten te geven en ze aan een spit boven een houtskoolvuur voor de mast werden gebraden. Als de mannen al angstig waren omdat ze voortdurend naar het westen voeren zonder dat er ergens land in zicht was, lieten ze dat, mannen uit Wales als ze waren, niet merken. Ze hadden de lange dagen gehoorzaam uitgezeten, roeiden wanneer er geen wind was, keken naar het spel van de dolfijnen en naar de walvissen in de verte die op het glimmende, blauwe water spoten. En de laatste tijd zagen ze ook grote vissen met neuzen als zwaarden boven de golven springen. Maar geen van hen had een van de monsters gezien waarvoor ze zo bang geweest waren – hoewel één zeeman, Mungo, bij zijn eigen goede naam zwoer dat een lachende zeemeermin hem een keer bij zonsopgang over het dolboord had zien pissen en hem had gewenkt. Ze beschouwden Madoc, hun kapitein en hun prins, als een eerlijk, inschikkelijk man. Maar hij was een reus, en de zoon van zijn meedogenloze vader; niet het soort man bij wie je jammerend je twijfels naar voren brengt over het feit dat je te ver in één richting vaart. Dat hij zelf geen enkele twijfel toonde, was inspirerend. Als hun zeevaarder-prins geloofde dat ze naar het Paradijs gingen, geloofden zij dat ook.

En zo waren ze verder gezeild, steeds verder naar het westen in de warme zee, tot drie nachten geleden, toen Madoc met zijn astrolabium had kunnen observeren dat de poolster weer omhoogrees. 'De stroming brengt ons nu naar het noorden,' zei hij met stille voldoening. De Noormannen hadden hun Vin Land op een noordelijke hoogte aangetroffen, en als één ding Madocs vertrouwen op deze reis gestoord had, was dat het feit geweest dat de loop van de zuidelijke stroming en de winden zijn schip misschien te ver naar het zuiden, en onder het continent, brachten – geen mens wist immers hoe ver het legendarische land zich uitstrekte. Wat zou er van ons worden, had hij zich afgevraagd, als we onder het nieuwe land door zeilden, en voor eeuwig daar onder door verder voeren? Madoc had vertrouwen in de schattingen van Eratosthenes van Alexandrië, dat het oppervlak van de wereld rond liep, en dat de wereld zodoende naar alle waarschijnlijkheid een bol was. Als dat zo is, dacht hij, zouden we uiteindelijk weer uitkomen op een plek ten zuiden van thuis. Maar volgens de berekeningen van de Alexandriër, zou de wereld meer dan achtduizend mijlen in omtrek zijn. Geen enkel schip kon voor een zo lange reis proviand meenemen. We hebben nu nog voor twee dagen voedsel.

We móeten op Jargal aanleggen, dacht hij. En dus gaf deze noordwaartse drift hem moed. Talrijk waren de schepen in de legenden die waren uitgevaren om nooit meer terug te keren. Maar mijn *Gwenan Gorn* zal daar niet bij horen! dacht hij. Laten we vandaag land bereiken op dat continent dat ik ruik. Of zo graag wil ruiken dat ik denk dat ik het ruik!

Maar de zon zakte en ging opnieuw achter een horizon zonder land onder. Nog steeds was er geen wind. De uitgeputte roeiers hadden dorst. Ze haalden hun riemen binnen en dronken water, spoelden zichzelf met zeewater af en gingen zitten om te eten, zich afvragend of hun prins hen in de koelte van de avond weer aan de riemen zou zetten. Ze waren zich ervan bewust dat de proviand op het schip praktisch weggeslonken was. Riryd zat met een metalen drinkbeker wijn op een kussen op het achterdek. Hij nipte van de wijn en keek naar Madoc, die met zijn handen op zijn rug geslagen heen en weer ijsbeerde en in de rossige nagloed in het westen tuurde.

'Bent ge op zoek naar uw duif?' vroeg Riryd, 'of ruikt ge land? Of bidt ge misschien? Ha ha!'

'Bidden? Ja. Elk mens op een klein schip op de grote zee zou altijd moeten bidden. En land ruiken? Ja. Maar ik zoek geen duif. Die zit al ergens op het land.'

'Als ge land ruikt,' zei Riryd met zijn scheve glimlach, 'wat voor soort land ruikt ge dan?'

Madoc aarzelde niet met zijn antwoord. 'Moerasland.'

'Zo, moerasland dus, hè?' spotte Riryd. 'Ge kunt dus met uw neus al zeggen of het moerasland is nog voor ge het met uw ogen ziet?' Maar zelfs terwijl hij die spottende woorden sprak, gingen zijn neusvleugels snel op en neer en probeerde hij iets te ruiken.

'Ja, moerasland,' herhaalde Madoc. En hij wist het zeker, ook al was er nauwelijks een windje om een geur van de kust af te brengen. Maar Madoc had een neus die, zo leek het, even scherp was als die van een hond op vogeljacht – in de familie had hij ook de bijnaam Hond – en hij had de moerassen langs de Nijl en de Adriatische Zee al geroken nog lang voor ze bij land waren. Ook nu was hij er zeker van dat hij zeemoeras rook.

'Misschien ruikt ge gewoon het lichaamszweet van onze roeiers,' dreef Riryd de spot. 'Die vind ik al moerassig genoeg ruiken. Ha!'

Madoc glimlachte geduldig. 'Ja, dat ruik ik ook heel goed, evenals uw en mijn eigen zweet. Maar daarbovenuit ruik ik moeras. Mijn neus kan dat niet ontkennen. Ge zult het zien.' Hij sloot zijn ogen. Zijn neusvleugels trilden. Achter zijn gesloten oogleden zag hij riet en waterwild voor zich, getijdevlakten met verrotting en krabskeletten; estuaria van groen gras en grijsbruin drek, wadende kraanvogels. 'En als er moerasland is,' zei hij terwijl hij zijn ogen opendeed naar de purper kleurende zee, het laatste spoor van bloembladroze in de lucht in het westen, het heldere punt van de avondster, 'is het land stellig groot. Een eiland met moerassen aan de zee zie je maar zelden.'

Riryd bleef drinken tot hij slaperig werd en ging, toen de

avondster was ondergegaan, naar zijn brits in zijn hut. Er kwam een licht windje opzetten. Het zeil ritselde en ging bol staan. Op het laatst kwam de helmstok onder Madocs hand tot leven en bood enige weerstand tegen het bewegende water. Het zweet op zijn gezicht en lichaam was opgedroogd. Zijn oogleden waren droog en voelden ruw aan. Maar het briesje was lekker en verkoelend op zijn door de zon verbrande huid, en het bracht de geuren van land sterker naar zijn zintuigen. Zijn hart ging sneller slaan. Na een uur kwam er aan stuurboord een prachtige halve maan op, groot en oranje. Naarmate ze hoger kwam te staan en witter werd, wierp ze haar schaduw naar voren op het zeil en tekende zijn hoofd en schouders tegen het maanbleke doek af. Het leek nu of alleen Madoc en de uitkijkpost, die op zijn hoge, hoepelronde plaats boven de grootra zat, de enige twee op het schip waren die nog wakker waren. Madoc zette de helmstok met een touw met een lus vast en leunde toen met zijn ellebogen op de reling. Hij keek naar de waterlijn die een paar voet naar beneden lag. Het zeewater murmelde en gorgelde zachtjes langs de romp en de kleine, blauwe, sterachtige vlekjes van de mysterieuze watergloed wervelden in de diepte. Zoals zo vaak, vroeg hij zich af of er in die lichtjes onder water een soortgelijke kracht was als in de onzichtbare aantrekkingskracht van de magneet. En hij vroeg zich af of er, behalve je erover te verwonderen, misschien een manier was om Gods mysteriën te begrijpen.

De zee maakt dat je je verwondert over de dingen waarover je je verwondert, dacht hij.

Hij voelde zijn schip, voelde de trek en de soepele bewegingen alsof het leefde, alsof het een paard was dat hij bereed. De *Gwenan Gorn* was uit een beeld in zijn gedachten ontstaan. In zijn gedachten had hij voor ogen gehad hoe een vaartuig voor de open zeeën moest zijn. Het was een beeld dat gecreëerd was uit de vele dingen die hij over de sterke en zwakke punten van andere schepen had geleerd. Madoc had er een planken schip, zoals dat van de Noormannen, van gemaakt. Het was alleen langer. Hij had er een dek overheen gebouwd en op het achterdek een hoge hut met een dak erop opgetrokken. De voor-

40

en achtersteven hadden allebei hoge, gebeeldhouwde posten. De voorsteven was versierd met een zeemeermin met harp; de achtersteven in de vorm van de opgerichte staartvin van een zeemeermin. Aangezien het schip van een dek was voorzien, zou de *Gwenan Gorn* zelfs wanneer ze ver overhelde geen water maken. Madoc had er alle vertrouwen in dat ze niet kon zinken. De kiel en de spanten waren allemaal geboord en, op de manier die vanouds rond de Middellandse Zee werd gebruikt, met vezeltouwen aangesnoerd. Volgens hem was dat steviger en veerkrachtiger dan een skelet waarin gaten waren geboord en dat met pennen was vastgezet. Als bekleding voor de romp had hij de voorkeur gegeven aan planken boven met leer bedekt riet. Dat was duurzamer, geloofde hij. De planken had hij met hertshoorn vastgezet. Dat zou niet, zoals nagels, verroesten. De romp van zijn schip was met was glanzend geboend zodat het door het water zou glijden. Het roer was met roerpinnen aan de achtersteven bevestigd. De grote ra hoefde door slechts twee mannen bediend te worden. Ja, Madoc had hiermee een trots, wendbaar schip voor de diepe wateren. De *Gwenan Gorn* had zich inderdaad al op menige handelsreis door stormen en stiltegordels in de noordelijke en zuidelijke zeeën bewezen. Voor Madoc was ze bijna evenzeer een thuis als Cambrië, het bloedige koninkrijk van zijn vader.

Met een zucht van waardering ging de prins staan, greep de reling met zijn ene hand beet, liet die weer los en gaf er een klopje op. Toen liep hij weer terug naar de helmstok om het schip weer te besturen. Ondertussen rees achter hem de halve maan omhoog. Nu en dan hief hij zijn hoofd op om te ruiken of hij geuren van land kon onderscheiden. Hij probeerde aan te voelen waar in het universum hij zich bevond. Hij was de ronding van de zee al ver voorbijgevaren. Zoals zoveel andere keren vroeg hij zich af welke kracht het water van de aarde op een gekromd oppervlak kon vasthouden. Was de aardbol soms ook net een reusachtige magneet die het sprankelende zeewater tegen zich aangeklemd hield? En hoe stond het dan met de sterren?

Ik ben al zo ver gekomen, maar toch lijkt het of zij nauwelijks van hun plaats zijn gekomen. Ze staan vast en zeker verder weg dan wij denken! Hoe hoog is het uitspansel boven ons eigenlijk?

Een ontzaglijke huivering van nederigheid voer bij die gedachte door hem heen en hij bad:

Heer des Hemels, vergeef me dat ik in uw geheimen probeer door te dringen!

Maar toen bracht hij zichzelf in herinnering dat hij, door naar een mythisch, nieuw land te zeilen, nog steeds Gods geheimen probeerde te onderzoeken.

In zijn verkettering van filosofen en magiërs, had Madocs vader, Owain Gwynedd, een keer verkondigd: 'De mens zal zichzelf nog eens vernietigen door zijn pogingen het onkenbare te leren kennen!'

Nu dacht Madoc: Is dat waar? Zullen we onszelf vernietigen? Of kunnen we, door kennis te zoeken, onsterfelijk worden? Zou er op deze wereld geen plek te vinden zijn waar niemand sterft?

Dat was namelijk een van de legenden van Jargal, het Verloren Land over de Horizon. En dat was ook een reden waarom het nooit helemaal vergeten kon worden: Men geloofde dat je daar de Eeuwige Jeugd kon vinden. Hoeveel schepen waren op zoek daarnaar uitgevaren, om nooit meer terug te keren? En waaròm waren ze niet teruggekomen? Omdat ze op de grote oceaan de weg waren kwijtgeraakt? Of omdat ze in een Afgrond waren gevallen? Of hadden ze soms de Eeuwige Jeugd gevonden en weigerden ze daarvan terug te keren?

Madoc was niet het soort man dat sterk in de Eeuwige Jeugd of de Onsterfelijkheid geloofde. Dat was niet in eerste instantie de reden geweest waarom deze queeste hem had aangelokt; hij zocht slechts naar een rustige plek van melk en honing waar hij een betere beschaving kon vestigen. Maar toch, om nooit te sterven...

'Ho, mijn prins!' klonk opeens de stem van de uitkijkpost. 'Ik hoor een branding en ik dacht even dat ik die zag ook!'

Madocs hart bonkte. Met slaperige stemmen vroegen de bemanningsleden wat er aan de hand was; gestaltes kwamen in het maanlicht overeind. Madoc bond de helmstok weer vast en riep: 'Waar? Welk kwartier?'

'Overal voor ons, Hoogheid!'

Stijf en stram van het lange staan bij de helmstok, liep Madoc log naar de reling aan bakboordzijde en tuurde over het donkere water. Onduidelijk nog van de slaap klonk Riryds hese stem uit het luikgat van zijn hut: 'Wat? Is er land?' 'Wacht,' zei Madoc terwijl hij in de verte tuurde. 'Wees stil en luister!' schreeuwde hij iedereen met zijn bulderende stem toe. Overal op het schip hielden ze op met praten. Nu was er alleen nog maar het zachte ruisen van de wind, het gemurmel van het water tegen de boeg en het gekraak van tuitouwen en hout.

Ja, ik geloof dat ik het hoor, dacht hij.

Het was als de langzame ademhaling van iemand die slaapt, daar voor zich uit in de nacht. De geuren van land die hij tijdens de windstilte overdag had geroken waren nu verdwenen; het zachte briesje blies landinwaarts en rook slechts naar de zee.

En nu begon Madoc de lange, bleke lijn van lichtgevend schuim te onderscheiden, spookachtig, dan weer zag je het, dan weer niet. Maar de lijn liep heel ver door, alsof er een lang strand voor hen lag. Hij vloog naar de stuurboordreling, tuurde naar voren en zag dat de lijn zich ook naar het noorden uitstrekte. Zijn schedel kriebelde. Nu was er gevaar. Hij vloog naar de stuurpaal toe en begon de helmstok los te knopen, ondertussen tegen Riryd sissend:

'We moeten overstag, anders lopen we aan de grond! Laat ze het zeil inhalen!'

'Maar ik zie geen land!' zei Riryd

'Binnenhalen!' schreeuwde Madoc. Riryd liep naar voren en herhaalde het bevel. Even later begon het grootzeil te zakken en Madoc leunde naar links tegen de helmstok aan. Naar bakboordzijde overhellend draaide het schip naar het noorden. De maan, die hoog aan de hemel stond, schoof achter Madoc langs en stond nu aan zijn rechterkant. Het gebruis van de branding klonk nu luider. Hoewel de *Gwenan Gorn* er niet meer recht op af voer, maar er evenwijdig aan zeilde, wist Madoc dat ze er in de aanlandige wind naar toe zou drijven.

Het was geen sterke wind en niemand was gealarmeerd. Alleen Madoc dacht aan het gevaar van oploeven langs een onbekende kust in een wind die landwaarts was. En dus zei hij: 'Zet de bemanning aan de riemen. We zullen tegen de wind in moeten roeien anders lopen we aan de grond!' Riryd begreep het onmiddellijk en gehoorzaamde. Kreunend en steunend begon de bemanning te roeien. Riryd liep terug naar het achterkasteel. Met zijn tuniek in de wind wapperend stond Riryd naast Madoc en zei tegen hem: 'Maar ik mag een boon zijn als ik land zie!' 'Uitkijkpost!' riep Madoc naar boven. 'Nog geen land in zicht?' 'Nee, hoogheid, alleen vlakbij een branding en daarachter nog meer brandingen!' 'Daar was ik al bang voor,' zei Madoc tegen Riryd. 'Die brekers rollen over een buitenste zandbank of een getijdeeiland. Bij dit maanlicht hadden we al vóór we zo dichtbij kwamen land moeten zien. Als we vannacht niet aan de grond lopen, wil ik wedden dat we morgenvroeg heel laag gelegen land zullen zien.' Even verdween de gespannen frons van zijn voorhoofd, en zag je in het maanlicht een brede lach op zijn gezicht. 'En dat land zal Jargal zijn!' Riryd schudde met zijn hoofd, maar ook hij kon zijn lach niet verbergen.

Even later zei Madoc: 'Maar als dit alleen een eiland is, willen we het niet kwijtraken. Ik zal proberen ons op veilige afstand van de zandbank te krijgen. En misschien kunnen we voor de rest van de nacht voor anker gaan!'

Tot de maan boven het topje van de mast uitkwam, stuurde Madoc naar het noordwesten, buiten de ziedende brekers langs. Maar nog steeds zag hij geen land. De roeiers keken steeds weer verwonderd mompelend naar het westen. Zij waren er nu ook zeker van dat vlak daarachter land lag, of, als het geen land was, een of andere vreselijke kracht waardoor de zee zo ziedde. Soms, naarmate hij vermoeider werd, begon Madoc zich ook af te vragen of dit stromende, ziedende, witte water zonder land aan zijn lijzijde misschien de afgrond aan de rand van de wereld was, waar het water naar beneden moest storten. Hij was ten slotte alleen maar door lezen en redeneren tot zijn begrip gekomen dat de wereld een bol moest zijn. Het logenstrafte al het bewijs van de zintuigen, dat zei dat water horizontaal moest liggen en over een rand naar beneden stromen.

Eén keer, ongeveer halverwege de nacht, riep de uitkijkpost dat hij meende een gele stip licht, net een vuurgloed, ongeveer ter hoogte van de onzichtbare horizon, te zien. Maar niemand van de opgewonden mannen op het dek kon het zien en Madoc en Riryd konden het van boven op het achterkasteel evenmin onderscheiden. En opeens zag de uitkijkpost het ook niet meer – als hij het ooit werkelijk had gezien.

Madoc dacht aan geel licht. Warm licht, niet het kille licht van sterren of de maan, maar de gloed van een vuur in de verte. En uiteraard kon hij dan alleen maar aan mensen denken. Stel dat dit inderdaad Jargal was, wat zouden er dan voor mensen wonen? Sterke mensen? Zwak? Vijandig, of gunstig gezind? Met twee ogen, twee armen, twee benen? Harige mensen? Of schubbig, of met een gladde huid? Leefden ze van de jacht of van visvangst? Waren het herders? En van welke soorten dieren? Mensen met horentjes op hun hoofd en lange nagels, zoals in legenden voorkwamen?

Kannibalen?

Als hij met zulke gedachten over dat flakkerende, warme licht nadacht, deden zijn mannen dat ongetwijfeld ook, wist hij. Zelfs in hun eigen land Wales waren ze bekend met zeemeerminnen, Bwcas, en Coblyns, en andere boze geesten uit de legenden. En ze waren altijd op hun hoede voor de betoveringen en dodelijke trucs van bos- en waterelfen. En nu ze wel tien keer zover als in hun stoutste dromen het onbekende waren ingevaren, een nieuw gebied van de wereld waren binnengegaan, stelden ze zich waarschijnlijk allerlei grimmige, reusachtige en groteske monsters op die verborgen horizon voor. Naarmate dit avontuur verder ging, zou hij aandacht moeten besteden aan hun angsten en die moeten aanpakken, daar was geen twijfel aan.

Terwijl al die gedachten door zijn hoofd speelden, was Madoc zich er een tijdje niet van bewust dat er aan de lijzijde geen ziedende brekers meer waren. De uitkijkpost, die misschien in eigen dromerijen verzonken was, liet ook na om naar beneden te roepen. Riryd was degene die ten slotte plotseling Madocs

arm greep, hem uit zijn gemijmer wegrukte en hem, in de richting van de wind wijzend, vroeg:
'Hoe komt dit zo? Zijn we in het ondiepe deel gekomen?'
Want aan stuurboord van de *Gwenan Gorn*, misschien een furlong voor hen uit, kolkte bleek en luid een branding. Vol verbazing keek Madoc om zich heen en zag dat het schip door donker water voer.

En hij besefte dat het schip, door puur toeval, een inlaat door de zandbank heen had gevonden. Even later voelde hij de achtersteven iets omhoog komen. Het leek of het schip snel heuvelafwaarts gleed.

En toen lag het in kalm water en gleed soepel en in balans door het maanzilveren duister. De roeiers trokken nog steeds aan de riemen.

'We zijn inderdaad de ondiepte binnengekomen!' zei hij tegen Riryd. Hij had de impuls om tegen de uitkijkpost uit te varen. Zijn eigen nalatigheid om goed te kijken was echter even groot geweest. Madocs vader en de meeste andere edelen zouden de uitkijkpost hiervoor met de zweep ervan langs hebben gegeven. Maar Madoc wilde zijn mensen eerlijk leiden en bestrafte daarom een ondergeschikte niet voor een onoplettendheid waaraan hij zelf ook schuldig was.

Er moesten nu trouwens ook dringender maatregelen worden genomen. Het schip lag nu in ondiep water en bevond zich ongetwijfeld vlak bij de kust. Hij gaf de mannen het bevel de riemen binnen te halen en de bodem te gaan peilen. Toen ze slechts een vadem water aantroffen, gooiden ze het anker uit. Het schip draaide rond de ankerketting in het rond en lag nu met de voorsteven naar de wind. Het opgewonden gepraat van de bemanning bedaarde en ging over in een slaperig gebrom. Intussen stonden Madoc en Riryd op het achterkasteel en probeerden de kust in het oog te krijgen.

De maan wierp een glinsterend pad over het water en zakte op het laatst zover naar beneden dat de omtrekken van de westelijke horizon zich begonnen af te tekenen.

'O, kijk daar!' zei Madoc terwijl hij met zijn vinger wees. Zijn stem klonk zacht en blij. 'Daar is land! En zoals ik al zei, ligt het laag!' Riryd tuurde naar de maan die onderging. 'Ziet ge wel?' zei Madoc. 'Daar staan bomen.' Hij draaide zich naar het zuidwesten toe. 'En daar nog meer bomen. En ik wil wedden dat het water ertussen een baai of misschien een riviermond is. Broeder, ik zal nu proberen mijn ziel tot rust te brengen. Ik ga nu slapen tot de dag aanbreekt. En dan, dan zullen we de zon over Jargal zien opgaan! Mijn broeder, beseft ge wel wat we hebben gedaan? We zijn bij het Land over de Horizon aangekomen! Hier is het! En hier zijn wij!'

'Ja,' zei Riryd met een luide geeuw en draaide zich naar het luikgat toe. 'Ja, als dat inderdaad Jargal is!'

Madoc droomde van een door schapen glad gegraasde bergweide die uitkeek op de tweelingtorens van kasteel Dolwyddelan waar hij was opgegroeid. Opeens drong er een lange, krijsende schreeuw in zijn slaap door. Hij werd er wakker van. In zijn droom zat hij met zijn moeder Brenda, een bijzit van koning Owain Gwynnedd, op een kleed op de grond; zijn moeder hield hem teder op haar schoot en stopte een stukje duif in zijn mond. En op dat moment klonk van ver beneden het geluid van een trompet. Ze keken naar beneden, in het dal, en zagen zonlicht tegen schild en wapenrusting flitsen: Owain Gwynnedd was teruggekeerd en had opnieuw een Normandisch leger verslagen.

Het geschetter van de trompet werd de schreeuw van een of andere watervogel. Madoc deed zijn ogen open en ging overeind zitten. Buiten het luik zag hij daglicht. Verderop hoorde hij nog meer gekrijs, geklapwiek en gekras en een onophoudelijk, gierend gegons van insekten. Kreunend van stijfheid klauterde Madoc over de hoge rand van zijn brits heen en stapte klaarwakker en met bonzend hart het luik uit, het dek op. Hij draaide zich om en tuurde gretig om zich heen om voor het eerst Jargal, het legendarische land aan de andere kant van de wereld, in het daglicht te zien. Een paar getaande bemanningsleden waren ook al op de been en keken om zich heen of pisten over de rand van het schip heen. Boven hun hoofd cirkelden kolderend meeuwen rond. Het was laag water geworden, waardoor de *Gwenan Gorn* aan haar ankerketting rondgedraaid was en nu met de voorsteven naar het land lag. Er stond geen wind en het heiige, door een tere sluier bedekte tafereel dat hij voor zich zag, deed Madoc bijna denken dat hij naar de Hemel was gegaan. 'Lieve God, onze Vader!' hapte hij naar adem. Overlopend van dankbaarheid viel hij op een knie neer en vouwde zijn handen onder zijn kin samen. Daarna ging hij weer staan. Hij strekte zijn armen uit, draaide in het rond en knipperde met zijn ogen in een poging heel het grootse, weidse beeld om hem heen te vangen. Zijn blaas was vol van de nacht en zinderde om ontlast te worden, maar dat kon nog niet; eerst moest hij *zien*.

Zijn gissing van afgelopen nacht was juist geweest; ze waren in een estuarium voor anker gegaan, waar een brede rivier vanuit mals, groen laagland rechtstreeks op de oceaan uitkwam. Het licht van de dageraad had de wolkenstrepen en ronde wolkenmassa's in kleuren van rijpende perziken getint en boven het kristalheldere water hingen slierten riviernevel, zodat het net leek of de beboste rivieroevers in de verte dreven. Witte vogels zo groot als ooievaars vlogen met trage vleugelslag over het grijsgroene water heen. Boven de zee kwam de gouden boog van de opgaande zon net boven de horizon uitkijken. Op de ondiepten en zandbanken die het schip de afgelopen nacht door zo'n gelukkig toeval naar deze haven had weten te passeren, kolkte het schuim.

Toen het tij later die ochtend keerde, lichtten ze het anker. De roeiers namen hun plaatsen in. Met het zeil gestreken begon de *Gwenan Gorn*, haar twintig riemen in langzame cadans omhoog- en weer omlaaggaand, rivieropwaarts te varen. Rhys, de stuurman, stond met een loodlijn met knopen op de boeg. Maar het water was zo helder, dat de lijn niet nodig was; je kon zo de bodem zien. En de *Gwenan Gorn* had maar weinig diepgang. Madoc dacht dat hij een heel eind deze rivier op kon varen voor het nodig was om de coracles voor verdere exploratie te water te laten.

Hij stond samen met Riryd op het achterkasteel. Vol verbazing keken ze naar de oevers. Daar groeide hetzelfde soort bomen als de grote eiken van Brittannië, alleen waren ze versierd met slingers van iets dat net zeewier of hangend mos leek, net of een uitzonderlijk getijde het hele land had bedekt, en het wier hoog in de bomen hangend had achtergelaten. Er waren lagunes. Groepjes bomen met dikke stammen stonden er met hun wortels in het water. Op grote stukken rivieroever groeiden slechts biezen. Terwijl het schip langzaam tussen de zich versmallende rivieroevers door gleed, liepen ontelbare waadvogels met lange poten, blauwe, witte en grijs met bruine vogels, statig en behoedzaam door de ondiepe gedeelten stroomopwaarts en hielden daarbij, naar het scheen, een oogje op het schip. In sommige grote bomen stonden zoveel witte vogels tussen het donkergroene gebladerte, dat ze net grote, witte vruchten leken. Met klapperende vleugels vlogen zwermen watervogels water opspattend omhoog, veranderden van richting en maakten krijsend en kakelend met talloze vreemde stemmen verder stroomopwaarts weer een landing op het water. Hoger in de lucht zweefden arenden en gieren, hun silhouet tegen de warme, paarlen hemel afgetekend, in cirkels rond.

'Is dit Jargal een land dat door vogels geregeerd wordt?' vroeg Riryd een keer.

Maar naarmate de rivieroevers aan weerskanten dichterbij kwamen en hoger werden, met openingen naar kreken toe, met dichte bosschages en kreupelhout, begonnen de mannen uit Wales meer wild te zien. Drinkende herten hieven hun kop omhoog en staarden naar dat vreemde gevaarte dat de rivier op kwam varen. Soms bleven ze stokstijf staan tot het voorbij was, soms vlogen ze de rivieroevers op of verdwenen met het wit onder hun staart flitsend in het struikgewas. Op de rivieroevers wemelde het van kleine dieren, zoals muskusratten en otters, en een mollig, bruinachtig beest dat net een kleine beer leek. Het had zwarte strepen op zijn staart en een zwart masker over zijn ogen. Een van deze dieren zat op een half onder water liggende boomstam zijn voorpoten te wassen; hij wachtte even en keek het bewegende schip met onthutsend intelligente ogen na.

Tegen het middaguur waren de hitte en benauwdheid verstikkend. De mannen glommen van het zweet; de roeiers hapten naar adem. Bij de monding van een kreek aan de rechteroever bracht Madoc de *Gwenan Gorn* dichter naar de oever, zodat ze aan boomwortels kon worden vastgelegd. Hij sprong naar beneden, waadde naar de zandbank toe en plantte daar een vlag. Op ernstige toon begon hij te praten: 'Ik verklaar dit land, vóór God, een land van vrede, dat door de zonen van Cambrië zal worden geregeerd!' Na een kort, stil gebed, liet hij de bemanning uit elkaar gaan en gaf hen opdracht om de watervaten schoon te maken en met vers water te vullen, brandhout te zoeken en te gaan jagen en vissen. Hun gezichten waren bezield door gretigheid, maar tevens door angst. Ze waren nu weg uit de veilige beslotenheid van hun schip en stonden op de bodem van een volkomen nieuwe wereld die, hoe mooi en gastvrij hij ook leek, misschien onvoorstelbare gevaren, onoverwinnelijke wezens en demonische machten verborg. Alsof dat nog niet voldoende uitdaging was, waarschuwde Madoc hen nu voor iets dat hun beangste fantasieën nog niet was binnengedrongen:

'We hebben vandaag nog geen enkel teken van mensen in dit land gezien.' Bij het woord *mensen* keken de mensen schichtig om zich heen en naar elkaar. Hij ging verder. 'We moeten er niet van uitgaan dat dit land onbewoond is. In de oude verhalen van Jargal wordt gezegd dat er mensen wonen. Het zijn voor het merendeel mensen die vissen, jagen en pelzen verzamelen. Lang geleden zijn hier Egyptenaren, Carthagers, Kelten en Libiërs geweest. Zij hebben hier kolonies gesticht en met de bewoners handel gedreven. Zij waren talrijk. Als het land echter zo groot is als ik denk, is het heel goed mogelijk dat we hier niemand tegenkomen, maar in een ander deel wel mensen ontmoeten.

Wij zijn met weinigen. En ook al zijt ge allemaal moedige mannen uit Wales en zijt ge goed bewapend, toch moeten we kalm en vriendelijk hun land betreden en vriendschap met hen sluiten als we hen ontmoeten. Mijn opdracht aan u is dus om hen geen aanstoot te geven wanneer ge hen in het bos tegenkomt. Wees vastberaden. Toon geen angst, maar hef uw hand slechts als ge uw leven moet beschermen tegen hen op. Probeer hen ertoe te brengen dat ze met u meegaan naar het schip. Daar kunnen we misschien met elkaar spreken – of onszelf verdedigen, als we daartoe worden gedwongen. Ik zal een ieder van u die gaat jagen of vissen kettingen met onze blauwe, glazen kralen meegeven. Bied die kralen in vriendschap aan en moedig hen aan om voor een ontmoeting met uw prinsen met u mee te komen.' Dat was een diplomatieke methode, wist hij, die al heel lang bij de bewoners van Afrika werd gebruikt. 'Is dit allemaal duidelijk?'

De mannen knikten van ja en keken elkaar aan. Toen hief een van hen, een scheepstimmerman die Idwal heette, een man met zwarte poriën op zijn neus, zijn hand naar Madoc omhoog en vroeg: 'Hoogheid, hoe groot zullen deze mensen zijn?' De anderen schenen zich bij die vraag vast te houden en speurden, in afwachting van zijn antwoord, het gezicht van de prins af.

Zijn gezicht verzachtte zich in een glimlach. 'Nou, eh, ik heb er nog nooit een gezien. Maar ik heb niet gehoord dat ze groter zijn dan, laten we zeggen, een Ier.'

En zo gingen tien van de mannen in paren, ogenschijnlijk heel opgewekt, met hun handbogen, schilden en bronzen helmen de rivieroever op. Anderen werden aan het werk gezet en moesten met zand het schuim uit de watervaten schuren en die weer met water uit de kristalheldere kreek vullen, hout verzamelen en met emmers zoet water het zout van het dek en de tuigage van de *Gwenan Gorn* afspoelen. Het zuivere, verse water was na de lange reis op een waterrantsoen en de hele ochtend hard roeien in de broeierige hitte voor iedereen een verrukking. De mannen waren naakt aan het werk, spoelden hun kleren uit en waadden steeds weer het water in om hun lichamen te verfrissen. Twee zeelieden maakten een van de coracles los en lieten die te water, rustten zichzelf uit met een handboog en een lange visharpoen met weerhaken, haken en vislijnen en een kort zwaard. Vervolgens peddelden ze rivieropwaarts om, met Madocs zegen, een stil plekje te zoeken om te gaan vissen. Daarna kleedden de prinsen Madoc en Riryd zich uit, gaven hun kleren aan een bemanningslid om die te wassen en waadden de monding van de kreek in om op hun gemak te baden. Aan land stond aan het eind van de twee meerkabels een man met een speer op wacht. Een man met een kruisboog klauterde naar de uitkijkpost op de masttop omhoog om over de omgeving uit te kijken.

En zo brachten ze die hete namiddag, die eerste middag aan land van een mythisch land dat werkelijk bleek te bestaan, door met lichte karweitjes. Ze spetterden in het water, lachten het uit en leerden de nieuwe plaats een beetje kennen. En heel die tijd gonsde in de omringende bossen en moerassen het schrille gerasp van cicaden en weerklonk het lied van zangvogels. Madoc ging op zijn ellebogen achterovergeleund en zijn ogen gesloten in het ondiepe water liggen. Het zonlicht op zijn oogleden creëerde patronen van geel en rood die door elkaar zweefden. Hij lag te dagdromen over zijn slanke, bleke vrouw Annesta die een halve wereld van hem verwijderd was. Hij voelde zich geweldig, bijna gelukzalig. Maar hij had honger. Laten we hopen dat de jagers geluk hebben, dacht hij. Op datzelfde moment hoorde hij vlak bij de plek waar hij lui in het water lag, Riryds stem mompelen:

'Ai, wat een verleidelijk land is dit! O, had ik maar een vrouw die me kon wassen! Ik zou zelfs genoegen nemen met mijn Danna!'

'*Alleen* uw echtgenote zou volstaan,' antwoordde Madoc. 'Onder de vele verloederingen van ons geboorteland ben ik van plan om overspel en hoererij achter ons te laten. Elke man zijn eigen vrouw, elke vrouw haar eigen man. Ik wil dat God nooit een reden kan vinden om ons uit dit Eden te verjagen!'

Riryd rolde met zijn ogen.

Het welige landschap had ook de twee zeelieden die met de coracle de rivier op waren gevaren betoverd. Zij hadden echter hun eigen redenen om opgewonden te zijn dat ze uit het zicht van de drukte van het schip waren.

De oudste van de twee heette Mungo. Hij was een behaarde bok van een kerel met een zwarte baard en witte tanden, een onverzadigbare hoerenloper op land en een roofdierachtige pedofiel op zee. Ewen, de roodharige jongen die hij bij zich had, was in zijn ban geraakt en hij had de jongen onder zijn vleugels genomen. Evenals de andere zeelieden op de *Gwenan Gorn* waren ook zij ervoor gewaarschuwd dat hun christelijke prins

Madoc gruwelde van de zonden van Sodom en iemand die op heterdaad betrapt werd heel wel mogelijk zou doden of castreren. Zodoende hadden zij hun genot moeten stelen. Maar nu waren ze alleen in een Eden van warmte en eenzaamheid. Algauw hadden ze de coracle op de oever van de mond van het beekje getrokken en lagen als parende honden op een met mos begroeide wallekant onder een wilgeboom bij elkaar.

Maar door het hijgen van zijn eigen wellust heen, hoorde de man Mungo opeens de lieflijkste muziek die zijn ziel kende: het gegiechel van meisjes.

Hij hield op te bewegen en deed zijn ogen open. Daar, in het enkeldiepe water van het beekje, was een visioen dat zijn liefste dromen te boven ging: drie bruine, lachende meisjes met zwarte haren, spiernaakt, die manden droegen. Het waren geen kinderen; hun borsten en heupen waren goedgevormd, maar er groeide geen haar op hun geslachtsorganen. En daar werden zijn ogen naar toe getrokken. Ze puilden bijna uit hun kassen.

Ogenblikkelijk, nog voor hij zich zelfs de tijd gunde om na te denken, liet Mungo de lichaamsopening waaraan hij zich zo verhit had gewijd in de steek en sprong van de jongen af om de meisjes achterna te gaan. Ewen had zelf ook zijn ogen geopend bij het geluid van hun gelach; maar zijn reactie toen hij hen zag waren de schok en schaamte van iemand die is betrapt. Hij krabbelde overeind om weg te vluchten voor deze ongelegen komende getuigen. Mungo botste tegen hem aan en viel om. Hij stond echter meteen weer overeind en brulde wellustig van het lachen. Maar de meisjes hadden zich al met de waakzaamheid van een hinde omgedraaid en renden, water opspetterend, door de bedding van de kreek het gebladerte in. Nu gilden ze het echter uit van angst, niet van de lach. Mungo bleef hen een paar meter achterna rennen, een wanhopige Priapus, belust op de prooi van zijn dromen. Maar de meisjes waren verdwenen. Hun stemmen zwegen. Mungo verzwikte zijn enkel in het zand van de bedding van de kreek en bleef struikelend stilstaan. Hij haalde zwoegend, diep adem. Zijn orgaan stond nog steeds recht overeind en zijn gelaatsuitdrukking ging over van wellust naar pijn en ten slotte naar angst:

Waar deze wilde meisjes waren, moesten er ongetwijfeld ook wilde mannen in de buurt zijn.

Maar deze prachtige wezens waren echter zo snel verdwenen, dat het, wie weet, evengoed Asrai of andere gevaarlijke heksen uit de wilde natuur van dit nieuwe land konden zijn. Opeens had Mungo het gevoel dat hij zich in ernstig gevaar bevond. Hij draaide zich om en hinkte terug naar de kreek. Ewen stond angstig en pruilerig naast de coracle, klaar om op de vlucht te slaan. Mungo probeerde op dit moment nog niet de jongen weer te bestijgen. Hij wees naar de boot en mompelde: 'We kunnen beter zorgen dat we vis aan de haak slaan.'

'Gaat u de prins vertellen dat we mensen hebben gezien?'

'We zouden kunnen zeggen dat we wilden op de oever zagen toen we aan het vissen waren...' Mungo slaakte een zucht. Hij wist dat hij nooit zou vergeten wat hij had gezien. Hij zou nooit aflaten hen te willen bezitten; zij zouden voor eeuwig in zijn dromen terugkomen. Ja, het waren uiteindelijk toch heksen geweest. Met een zucht keek hij weer naar de jongen die daar met een pruillip stond en hem niet in de ogen wilde kijken.

Zwijgend visten ze verder. Na een poosje stamelde Ewen: 'Waarom hebt u me in de steek gelaten om achter hen aan te gaan?'

'Aha, daarom bent ge dus aan het mokken! Nou, m'n lieve schatje, ik wilde er alleen maar eentje vangen om haar blauwe kralen te geven, en haar mee terug te nemen zodat onze prins haar kon zien. Dat heeft hij immers van ons gevraagd?'

Toen de zon in de boomtoppen wegzakte, keerden twee jagers naar het schip terug. Tussen hen in, zijn poten over een stok vastgebonden, lag een jong hertje. Ze hadden zichzelf naast een plek aan de kant van de rivier waar ze sporen hadden gevonden verborgen. Toen het hertje met zijn moer eraan kwam om te drinken, hadden ze een pijl met bronzen punt afgeschoten, maar de hinde gemist. Het jonge hertje was nauwelijks een maal voor de twee dozijn mannen en toen de andere jagers met lege handen en sippe gezichten terugkwamen, liet Madoc zijn hoop op een banket aan wal van aan het spit gebraden hertevlees varen. In plaats daarvan gaf hij opdracht om een zij spek met de rest van de gerst in de grote ketel van het schip te koken, om er zodoende een grotere hoeveelheid van te maken. De mannen bouwden een vuur op de zandbank op en hingen de ketel daarboven op. Terwijl ze daarmee bezig waren, kwam rond een bocht stroomopwaarts de coracle in zicht met Mungo en de jongen erin. Hun gezichten stonden bezorgd. Een paar zeelieden die Mungo goed kenden, porden elkaar met knipogen en schuinse blikken in de ribben. Onder in de boot lagen slechts een stuk of tien karperachtige vissen die ze hadden gespietst. Het waren kleine vissen en ze zagen zwart van de vliegen.

Terwijl ze deze schamele vangst op de wal gooiden, dacht Madoc: deze zeelieden van mij zijn, behalve voor het hijsen van een zeil of trekken aan een roeiriem, praktisch van geen enkel nut. Om dit land te koloniseren zal ik jagers, vissers en horigen, ijzersmeden en wevers, herders, huizenbouwers en handwerkslieden moeten meenemen, niet slechts zeelieden.

En vrouwen, dacht hij. Nuttige mannen met hun nuttige vrouwen. Pottenbakkers, ketelslagers en kleermakers…

'Hoogheid…' doorbrak een stem zijn gedachten. Het was de behaarde Mungo. Hij kwam door de omhoog kringelende rook van het vuur aangelopen. Hij hinkte een beetje. 'Zou ik u even mogen spreken, mijn prins?' De jongen Ewen kwam achter hem aan. Hij keek schichtig.

'Ja? Spreek op.'

Mungo keek naar de andere zeelieden om zich heen en gaf toen, alsof hij een geheim had, een hoofdknikje naar het eind van de zandbank. Dus wandelde Madoc met Mungo naar de rivier toe. De jongen liep achter hen aan. Madoc bleef staan, keek uit een ooghoek op de zeeman neer en zei: 'Zo, en wat mag er dan zijn?'

Mungo likte zijn rode lippen af, keek naar de jongen en zei toen zacht tegen Madoc: 'We hebben mensen gezien, sire.'

Scherp zoog Madoc zijn adem in. 'Mensen?'

'Wilden, ja, bruine mensen! Hè, Ewen?'

De jongen knikte, maar keek naar opzij. Toen Madoc hem aankeek sloeg hij zijn ogen neer. Kalm, maar doordringend, wilde Madoc weten: 'Waar? En hoeveel? Hebben zij u gezien?

Waren ze vijandig? Vertel me iets, man, dit is voor ons allemaal belangrijk!'
'Hoogheid, nog geen drie mijlen de rivier op, aan deze kant. We zagen ze op de rivieroever, hè, jongen? Toen zij ons zagen, renden ze weg.'
'We – we hebben er drie gezien,' mompelde de jongen.
'Op zijn minst drie, ja, sire,' herhaalde Mungo, heftig met zijn hoofd knikkend. 'Dat wil zeggen, we zagen er drie aan de rand van het bos. Maar er zullen er misschien nog wel meer in het bos zijn geweest, hoogheid.'
'En hadden ze wapens? Heb je hen bedreigd, dat ze wegvluchtten? Zeg het me als er problemen waren, man!'
'O, geen probleem, sire!' riep Mungo uit. De jongen bleef naar de grond staren. Madoc voelde dat Mungo op de een of andere manier hierover loog.
'Jongen,' zei hij streng en keek de jongen priemend aan toen Ewen opkeek. 'Heb jij dat precies zo gezien?' De jongen knikte.
Madoc keek om zich heen naar de bosrand, half verwachtend dat hij van alle kanten een leger wilden zag aankomen. Hij zei:
'Hoe lang is het geleden dat je deze mannen zag?'
De jongen keek Mungo aan en antwoordde: 'Het waren geen mannen, sire. Het waren meisjes en ze waren allemaal bloot. Ze droegen manden. We zagen ze toen we er nog maar net waren, op het middaguur, sire.'
Madocs mond viel open. Hij leek vóór hun ogen op te zwellen. Even was hij sprakeloos, toen siste hij:
'Het *middaguur*! En ge komt ons dat nu pas vertellen? Lieve hemel!' Zijn wraak keerde zich nu tegen Mungo. 'Dacht ge misschien dat ze niet vijandig zouden zijn? Waarom zijt ge ons niet onmiddellijk komen waarschuwen?' Hij begon naar het kamp terug te lopen om een verdediging voor te bereiden. Toen draaide hij zich langzaam om. Dreigend keek hij Mungo aan. 'Zo, blote meisjes, hè? Misschien hebt ge ze wel helemaal niet weggejaagd, maar de hele dag plezier gemaakt. Komt ge daarom soms met een bleek gezicht en met nauwelijks genoeg vis om twee mannen te eten te geven terug? Zeg op, wat hebt ge gedaan? Hebt ge hen de blauwe kralen in ruil voor hun gunsten gegeven, Mungo, schurk?'

'Nee! Nee, sire, ik heb ze alleen maar uit de verte gezien! Ik heb de kralen nog –'

'*Huhh!*' blafte Madoc en liep met grote stappen naar het schip toe, waar hij Riryd en Rhys, de stuurman, riep. Toen riep hij achterom naar Mungo en Ewen: 'Kom beiden hier! Ik wil precies weten hoe ge deze creaturen behandeld hebt, zodat ik weet wat ik moet verwachten als hun mannen ons komen opzoeken! In de naam van mijn Here God! Hoe kunnen mijn eigen landgenoten zo stompzinnig zijn en zo weinig acht slaan op hun plicht?'

Binnen enkele minuten had Madoc alle mannen, met uitzondering van de kok, in een halve cirkel om de *Gwenan Gorn* op wacht staan. Allemaal stonden ze met hun gezicht naar het bos toe, hadden ze helmen op hun hoofd en beukelaars op hun armen en droegen ze speren, bogen en strijdbijlen in de hand. En allemaal kregen ze de waarschuwing om met al hun aandacht naar wilden uit te kijken. Ondertussen stonden ze in hun wapenrusting in de vochtige hitte te zweten, zich afvragend hoe zulke mensen eruit zouden zien, hoe groot ze zouden zijn, hoe ze zouden vechten als ze mochten aanvallen en, vooral, met hoevelen ze zouden zijn. Riryd stelde voor om het schip voor alle zekerheid midden in de rivier voor anker te leggen.

'Nog niet,' zei Madoc. 'Als we het vlees gebraden hebben. We kunnen niet zonder voedsel op het water zitten terwijl we belegerd worden. En...' Er volgde een nadenkende pauze. Toen zei hij: 'Ik hoop erop dat deze mensen in vrede komen wanneer ze zich laten zien en vriendschap met ons sluiten, als wij onszelf verdienstelijk gedragen...'

Opeens kromp Madoc ineen en sloeg zich op de wang. Riryd sloeg zichzelf op een bicep, vervolgens op zijn dij. De mannen in de cirkel raakten geagiteerd en begonnen zichzelf al mompelend te slaan. Het leek of heel de lucht, nu de schemering inviel, trilde en zoemde. Madoc hoorde een hoog, gierend geluid om zijn oren. Even later voelde hij dat hij op elk onbedekt deel van zijn lichaam en gezicht door de muggen werd gebeten die, toen de zon was ondergegaan, in wolken kwamen opzetten. De zwermen waren zo dicht, dat je de muggen voortdurend van je ogen moest vegen. En als je ademde, zoog je ze in je mond of neusgaten.

'Gods bloed!' riep Riryd. Hij liet zijn zwaard vallen en gebruikte allebei zijn handen om over zijn gezicht te vegen. 'Oei! Au! Het is gewoon een plaag!' Zelfs de kok die midden in de blauwe rook van het kookvuur stond, draaide, sloeg zich en wrong zich in allerlei bochten alsof hij een toeval had.

Mannen uit Wales vochten vanouds, met uitzondering van hun wapenrusting, naakt. En dus waren de lichamen van de zeelieden overal kwetsbaar, behalve onder hun helmen en op hun voetzolen. Tussen zijn eigen gekronkel door, zag Madoc verschillende mannen wild met hun armen naar zich toe staan zwaaien; anderen hadden zich omgedraaid en keken hem smekend aan, alsof hij hen op de een of andere manier van deze kwelling kon verlossen.

In eerste instantie vond hij dat ze het gewoon maar moesten verdragen. Maar Riryd hijgde: 'Broeder! We moeten naar open water toe! Anders worden we nog gek! Geen mens kan dit uithouden!'

'Ja! Ja!' was Madoc het opgelucht met hem eens. Zijn huid stak en jeukte op wel honderd plaatsen en zijn hart ging als een razende tekeer. Hoewel hij geloofde dat hij dit zo lang het duurde door wilskracht zou kunnen uithouden, wist hij dat deze gewone burgers die hij bij zich had niet die morele reserve hadden waarop ze konden terugvallen. De kans bestond dat zij inderdaad een voor een krankzinnig zouden worden.

En dus riep hij de mannen toe dat ze de kookketel, het vlees en de coracle aan boord moesten zien te krijgen, dat ze de meerkabels los moesten gooien en zich aan de riemen zetten. Schreeuwend en jammerend grabbelden de mannen alles bij elkaar, zich daarbij met houterige, schokkerige bewegingen verplaatsend.

Al na enkele minuten voer de *Gwenan Gorn*, met de achterkant het eerst, uit de mond van de kreek weg en keerde langzaam in de rivierstroming om. De roeiriemen sneden door het water en kwamen druipend weer boven. Het schip trok zich uit de trillende wolk muggen weg als uit een sluier donkere rook. Slierten muggen dreven mee tot ze midden op de rivier dreef, waar de lucht helder was. De mannen hapten wauwelend naar adem. Ze moesten verschrikkelijk hard krabben, maar wilden roeien tot ze buiten bereik van zulke kwelgeesten waren, ook al moesten ze daarvoor naar de Noordzee roeien.

In de nalichtende zonsondergang wierpen ze voor de nacht in het midden van de rivier, drie mijl stroomafwaarts, het anker uit. De kok stookte houtskool onder de half-gekookte stoofpot en schuimde een paar honderd dode muggen van het oppervlak van de bouillon af. Maar op het laatst zaten de mannen dan toch met gezwollen gezichten en vingers, al draaiend, krabbend en in elkaar krimpend, de enige maaltijd van die eerste dag in het Land Jargal naar binnen te schrokken.

Slapen was die nacht praktisch onmogelijk; iedereen lag te kreunen en te woelen. Iedereen had jeuk. Iedereen was opgezwollen. In de stilte van het achterkasteel – het was al heel laat – zei Madoc zachtjes tegen Riryd:

'Weet ge, ik verdenk die Mungo van sodomie. Hij moet in de gaten worden gehouden.'

Riryd kreunde. 'Als de muggen hem even vaak in zijn pik hebben gestoken als mij, is de kans groot dat hij sodomie op de kwasten in het hout bedrijft om zijn jeuk te verlichten!'

Het bleef even stil. Toen antwoordde Madoc, zonder ook maar een spoor van opgewektheid: 'Er zitten geen kwasten in het hout van dit schip! Ik heb het van gaaf hout gebouwd!'

Riryd snoof in het donker en zijn bed schudde van het lachen – of van het krabben. Het was stil op het schip. Je hoorde alleen op het voordek het zachte gebons van mannen die rusteloos heen en weer schoven. Madoc begon weer te praten:

'Hoe zouden de wilden zich tegen dit ongedierte beschermen, denkt ge? Oei! Wat ze ook doen, ik zou het dolgraag ontdekken!'

Hij wilde de inwoners van dit overvloedige, nieuwe land, dat hem ondanks de insekten zo'n paradijs toescheen, heel graag ontmoeten. Ze konden nog zoveel leren over het jagen en voedsel verbouwen op dit specifieke deel van de aardbol. Zij zouden hem meer kunnen vertellen over de uitgestrektheid van hun land en over wat voor soort land het was. Misschien zouden ze zelfs de geschiedenis van Jargal kennen! En misschien zelfs antwoorden hebben op zijn vragen over Carthagers, Libiërs, Grieken en andere zeevaarders uit het verleden die hier, volgens zeggen, al zovele honderden jaren geleden waren geweest! Het was zo'n maalstroom van gedachten in Madocs hoofd, van voldoening, overwinningen en verwachtingen, dat zelfs het hevige gejeuk dat hij van top tot teen voelde hem niet kon afleiden.

Een nieuwe wereld! bleef hij maar denken. Hier kunnen wij – ik – een nieuwe, betere wereld gaan bouwen! Grote Heer in de hoge! Dat Gij *mij* hiervoor hebt uitverkoren!

In de nu volgende maand voer Madoc langs de kust naar boven. Bijna iedere dag liep hij riviermonden, grote baaien en kleine inhammen binnen. De kustlijn liep ruwweg in noordoostelijke richting en voor een groot deel van die afstand vormden eilanden en zandbanken voor de kust een natuurlijk beschermde waterweg, alsof het Gods bedoeling was geweest om zijn expeditie veilig voor de grillen van de woeste, onstuimige zee te maken.

De kustgebieden waren laag en rijkelijk begroeid en hij zag eindeloze moerassen of dichte bossen. En soms, op heldere dagen, kon hij ver landinwaarts hoge bergen zien. Op de stranden wemelde het van watervogels, te veel om te tellen, en van een schitterende verscheidenheid. De bemanning leefde grotendeels op vis, die ze heel gemakkelijk met de harpoen, de speer of netten konden vangen en van krabben, schelpdieren en oesters die ze, naarmate ze deze wateren beter leerden kennen, ook leerden vangen. Enorme hopen en bergen schelpen, mazen van visweren, palen om de netten aan op te hangen en resten van vuren op de stranden lieten zien dat bij tijden vele, vele mensen het leven in zee langs deze kust oogstten. Maar de kampementen waren altijd verlaten als de mannen uit Wales arriveerden.

Madoc voer met de *Gwenan Gorn* drie grote estuaria binnen; in twee ervan ging hij zover het schip kon navigeren de rivier op en liet toen de coracles te water om verder stroomopwaarts te gaan verkennen. Eén dal ging hij ver genoeg binnen om heuvels aan de voet van een gebergte te beklimmen. Ze waren bedekt met prachtige bossen van hardhout, een paradijs voor scheepsbouwers.

De mannen kregen meer vaardigheid als jager en kwamen tot de ontdekking dat er overal herten zaten die bijna tam waren. Ze leerden watervogels in werpnetten vangen. Ze leerden zelfs een kleine beer met hun speerpunt in een hoek te drijven en te doden. Op sommige plaatsen vonden ze grote hoeveelheden wilde druiven en bessen en proefden vreemde, maar heerlijke vruchten. De broodmagere bemanningsleden werden dikker en kregen hun gezondheid weer terug. En met het verstrijken van de tijd hielden ze voedsel over en konden ze voedingsmiddelen roken of drogen en daarmee de voorraad van het schip weer aanvullen. Het klimaat was zacht, hoewel er een paar dagen met stormen en overstromingen en verraderlijke mist waren.

Op een keer voeren ze tijdens laag water tussen golven met schuimkoppen een ziedende inham binnen. Opeens werd de boeg van de *Gwenan Gorn* met de onderstroom meegetrokken, terwijl een hoge golf de achtersteven oplichtte. Eén afschuwelijk ogenblik stond het schip op zijn neus, op het punt voorover te kapseizen. Alles en iedereen begon te glijden en viel op het praktisch verticaal hellende dek naar voren. Op de een of andere manier schoof de hoge golf echter weer onder het schip en tilde de boeg op. Slingerend dook de achtersteven naar beneden en toen, zo leek het Madoc toe, leidde Gods genadige hand het waggelende, overhellende schip de rest van de weg door het kolkende, turkooizen schuim heen naar het kalme water daarbinnen. Zijn haren stond overeind toen hij eraan dacht dat ze deze keer ongetwijfeld evenveel geluk hadden gehad als in die stikdonkere nacht toen ze voor het eerst Jargals kust bereikten. Madoc hield een gebedsdienst voor de redding van deze dag die, daar was iedereen het over eens, een wonder was geweest; niemand was overboord geslagen of had iets gebroken.

'Ik leer op deze onschuldig uitziende stranden en zandbanken meer over de onvoorspelbare macht van de zee dan de

61

klippen van de Ierse Zee me ooit hebben bijgebracht!' riep Madoc tegen Riryd.

Tijdens deze expeditie zagen ze langs de kust verschillende keren in de verte mensen op het strand. Soms waren het een paar mensen die in de branding aan het vissen waren, maar één keer leken er wel honderden mensen over een strand met grijs zand te rennen om naar het voorbijvarende schip te kijken. Maar toen de *Gwenan Gorn* op de kust afkoerste, verdwenen ze allemaal. Twee keer zag Madoc rook boven de donkergroene bomen uitkomen. Maar toen hij aan land ging, kon hij geen spoor van vuur, zelfs geen voetafdruk, vinden. Tegen Riryd zei hij: 'Er zijn hier meer dan genoeg mensen, maar zijn ze van vlees en bloed of zijn het geesten?'

De man Mungo wist zeker dat ze van vlees en bloed waren. Reikhalzend keek hij uit over de reling en speurde iedere keer dat de *Gwenan Gorn* in de inhammen rondneusde met adelaarsogen de kust af. 'Als ik nog zo'n naakte deerne zie als eerst,' zei hij tegen een zeeman, 'zal ik, bij God, overboord springen om er achteraan te gaan! Goed, ik kan dan wel niet zwemmen, maar ik zou nog over de zeebodem naar het land lopen!'

Terwijl het schip week na week in noordoostelijke richting langs de kust voer, kwam Madoc tot het besef dat dit continent veel en veel groter moest zijn dan de Britse Eilanden; de *Gwenan Gorn* was langs deze ene kust al langer onderweg dan op andere reizen om heel Brittannië heen. De reikwijdte van zijn ontdekking werd in zijn gedachten bijna overweldigend. Hij begon te vermoeden dat dit continent misschien even groot als heel Europa of misschien Afrika zou zijn. En toch leek het slechts dunbevolkt. Wie dit land zou koloniseren, zou een waarachtig Eden bezitten, waar onbeperkt op wild kon worden gejaagd. Waar wilde vruchten waren, bossen voor scheepsbouw en de bouw van steden, onmetelijke verten met grasland, rivieren en beken met zuiver water. En hij, Madoc, was degene die dat alles had ontdekt!

Hij hunkerde ernaar om op een of andere manier rechtstreeks contact met de ongrijpbare inboorlingen te krijgen. Naarmate hij hun land leerde kennen en ervan ging houden, verlangde hij ernaar hen te ontmoeten, te observeren wat voor soort mensen het zouden zijn en hoe tevreden ze zouden zijn dat ze in zoveel overvloed leefden. Hij wilde graag weten of ze koninkrijken of leengoederen hadden, of er zich handwerkslieden en metselaars onder hen bevonden, of ze specerijen, parfums en geneesmiddelen hadden, of ze paarden, schapen, vee bezaten, of ze geld gebruikten, of ze goud of onedele metalen bewerkten, of ze edelstenen hadden, of ze een oorlogsvloot hadden en wat voor wapens hun legers gebruikten – ja, of ze überhaupt wel legers *hadden*! Hij wilde weten wie of wat ze aanbaden, of hun priesters konden lezen en schrijven en of ze bibliotheken met esoterische kennis hadden zoals de Ierse monniken, die hem zoveel van wat hij wist hadden geleerd, of ze de sterren en zonnestilstanden observeerden zoals de druïden en of ze zich de geschiedenis van andere zeevaarders herinnerden die er in voorbije tijden geweest waren... Riryds hoofd wervelde van alle dingen die Madoc zich hardop nadenkend afvroeg.

Op een heldere, winderige dag voer het schip op het gladde water van een baai die even groot als de Ierse Zee leek weer zeewaarts. 'Hebt ge geobserveerd,' vroeg hij, 'dat het land en het klimaat sinds we voor het eerst voet aan wal gezet hebben van karakter veranderd zijn?'

'Veranderd?' vroeg Riryd.

'Ja. Voel en ruik deze frisse, gezonde wind maar eens en probeer u de dampige mist die we inademden toen we daar aankwamen te herinneren. Weet ge nog hoe zanderig en beschimmeld de bodem daar was? En kijk nu eens naar de leem die we hier op de kust aantreffen. Kijk naar de hogere zandbanken, de steenachtige funderingen van de aarde! En kijk naar de bossen. Die zijn hoger geworden. Er staan eiken, ahornbomen en notebomen, geen zacht hout. Wat voor schepen zouden we wel niet op deze kusten waar we nu zijn beland kunnen bouwen!'

'Ja, ja,' zei Riryd met een nadenkend knikje. 'Ik heb het gezien. Het lijkt of we de laatste tijd bij het soort land zijn dat we van thuis kennen.'

'Ja. En het land dat we eerst zagen, lijkt meer op Afrika's

kusten. Het lijkt mij toe, broeder, dat we op een land zijn gestuit dat zo groot is dat ge er alle gebieden, planten en dieren die in Europa en Afrika samen voorkomen aantreft! Denkt u eens in! En als we langs deze zelfde kust noordwaarts zouden blijven zeilen, komen we, wie weet, nog wel een bevroren land, zoals Thule, tegen! Denkt u hoe het binnenland, waar die rivieren beginnen, eruit moet zien! En hoe ver naar het zuiden we langs land hadden kunnen varen als we die route, in plaats van deze, hadden genomen! O, wat zou ik graag weten hoe lang en breed dit geweldige Jargal is!'
'Jargal,' mijmerde Riryd. 'Of zouden we het niet liever Nieuw Cambrië noemen?'

Madoc kneep zijn ogen toe en keek mijlenver uit over het water waarop het zonlicht glinsterde naar een ragdun silhouet, de kustlijn aan de zeekant van de enorme baai. Met zijn vingertoppen wreef hij afwezig wat vervellende huid van zijn door de zon verbrande voorhoofd af. 'Riryd,' zei hij rustig, 'ik denk er elke dag aan hoe dit land en deze ontdekking er door de ogen van onze vader zouden hebben uitgezien, die ondanks zijn uitspattingen de grootste koning van Cambrië was. Om hem te eren vind ik dat we dit land Owain Gwynned Land moeten noemen.'

Riryd haalde diep adem en keek in de verte. 'Ge zijt bescheiden,' zei hij. 'Als ik aan onze broers denk – zij zouden elkaar om de kroon van onze vader doden. En als een van hen dit land had ontdekt, weet ik zeker dat hij het naar zichzelf zou noemen. Hebt ge nooit,' vroeg hij met een spotlach, 'aan dit land als Madocs Land gedacht?'

Madoc gooide zijn leeuwehoofd achterover en liet een korte, honende lach horen. Maar zelfs onder zijn zonverbrande huid kreeg hij een kleur. 'Nee. Het is het land van Owain Gwynedd.'

'Het is maar goed dat ge zo'n groot zeevaarder zijt,' grinnikte Riryd. 'Uw hoofd is niet groot genoeg voor een koningskroon!'

'Ho!' schreeuwde iemand van het dek. 'Uwe Majesteit! Ik zie rook!' Het was Mungo. Hij wees naar voren, richting stuurboord. Madocs hart ging sneller slaan en hij tuurde in die richting, zoals altijd vol hoop dat ze een dorp zouden vinden.

Boven de boomtoppen aan de landkant van de baai dreef een grijze sliert. Madoc staarde er ingespannen naar om zeker te zijn; in dit land was er zo'n overvloed aan watervogels en andere vogels, dat de uitkijkposten al eens opvliegende zwermen vogels voor rookwolken hadden aangezien.

Maar dit was wel rook. Hij was er zeker van. Die kust lag misschien drie mijl ver voor hen uit, beneden de wind. 'Laten we gaan kijken of we mensen vinden,' zei Madoc tegen Riryd en leunde met zijn linkerzij tegen de helmstok. 'Mungo!' riep hij, 'ga met de loodlijn op de boeg staan!' Mungo vloog naar voren, zijn witte tanden glinsterend tussen zijn snorharen.

De *Gwenan Gorn* liep voor de wind en kliefde door het ruwe water naar de plek waar de rook de hemel bevlekte. Madoc keek achterom en zag een paar bruinvissen in het kielzog spelen en over elkaar heen springen om aan de andere kant te komen. Hun snuit leek een lach van puur plezier te vertonen. Besmet door hun goedwilligheid, lachte Madoc ook. Op het voorste gedeelte van het schip stonden de bemanningsleden op de dolboorden geleund vooruit te kijken. Ze praatten opgewonden met elkaar. De zon brandde op Madocs schouders, maar er stond een frisse wind. Hij had nu geen tuniek aan, maar droeg alleen een lendendoek met een riem waaraan de schede van zijn zwaard hing. Zijn gespierde rug was gevlekt doordat de huid vervelde, maar op het laatst bleef deze nu echter bruin. Zijn haar en baard waren door de voortdurende zonneschijn bijna wit gebleekt.

Opeens riep Mungo: 'Ik zie boten, Majesteit!' Madoc schrok ervan.

Hij keek naar voren. Daar, slechts een furlong voor hen, lagen laag in het water een paar lange voorwerpen. Het zouden drijvende boomstammen geweest kunnen zijn, als er in elke boomstam niet vier of vijf mensen hadden gezeten. Op hetzelfde moment dat Madoc hen zag, schenen zij ook de *Gwenan Gorn*, die in hun richting voer, te hebben opgemerkt. Twee van de drie gestaltes gingen staan en hurkten toen weer neer. Even later was iedereen druk aan het pagaaien. De vaartuigen – het waren uitgeholde boomstammen, zag hij nu – keerden naar de kust en, alsof ze door het schip achtervolgd werden, bewogen ze zich met een verrassende snelheid in de richting van de rook. 'Wat jammer,' mompelde Madoc. 'We hebben hen afgeschrikt.' Maar dat is ook geen wonder, dacht hij. Wat moeten ze wel denken dat we zijn, zo'n omvangrijk gevaarte dat, met een vierkant zeil in top, hen achterna komt!

'Daar ligt een stad,' zei Riryd, met een vinger wijzend. 'Daar, waar de rook vandaan komt!' Je kon rondachtig gevormde hutten op de kust onderscheiden.

'Bij God, ja!' riep Madoc. 'Eindelijk zullen we deze mensen nu ontmoeten en zien hoe ze leven! En we zullen, zo God wil, in dit eenzame land vrienden maken!'

Maar weer mocht het niet zo zijn. Mungo haalde zijn lood op en riep: 'Eén vadem, majesteit! We lopen op de zandbank!' En voordat Madoc van koers kon veranderen of bevel geven het grootzeil te strijken, volgde er een glijdende, rommelende schok die Riryd op zijn knieën wierp en Madoc deed struikelen zodat hij bijna over de helmstok heen viel. De *Gwenan Gorn* zat vast aan de grond en kraakte tot in haar voegen.

En de inboorlingen in hun uitgeholde boten paddelden door naar het strand, sprongen uit de boot en renden onder het slaken van alarmkreten die je, twee furlongs van het strand verwijderd, nog boven de wind uit kon horen, de stad in.

'Wat krijgen we nou!' mopperde Madoc. 'Wat een onwaardige aankomst! Strijk dat grootzeil!' schreeuwde hij. Het klapperde en dreunde, en ving nog steeds zoveel wind dat daardoor het schip nog vaster op zijn modderige hinderlaag werd geduwd.

Riryd krabbelde overeind en rende naar het grote dek toe om daar de leiding te nemen aan het werk met het zeil. Toen riep hij naar Madoc omhoog: 'Kunnen we wachten en haar met het tij drijvend krijgen?'

'Het wordt laag water. We moeten haar nu loskrijgen, anders blijven we uren aan de grond zitten. Ik wil naar die stad voordat alle mensen zijn weggevlucht. Of,' voegde hij er even later aan toe, 'als zij hierheen mochten komen en ons vanuit hun boten aanvallen, moeten we hier niet hulpeloos vastzitten. Mannen! Aan de riemen! En, Mungo! Idwal! Op de boeg met vaarbomen! Nu, meteen. Allemaal! Hei, ho!'

66

De roeiers zaten op hun banken aan de roeiriemen te duwen in plaats van eraan te trekken en probeerden zo het schip uit de modder los te duwen. Ondertussen zetten Mungo en Idwal lange vaarbomen tegen de ondiepe bodem van de baai en leunden er met alle kracht op om de boeg op te lichten en weg te duwen. Mungo's spieren glommen van het zweet en trilden; hij had zo zijn eigen redenen om zo snel mogelijk achter de inboorlingen aan te willen gaan.

De roeiriemen deden het water kolken; de vaarbomen bogen door. 'Hei! Ze bewoog!' schreeuwde Mungo met krakende stem.

Maar de *Gwenan Gorn* schoof nauwelijks een voet verder. Toen zat ze weer even vast als eerst. Ongeduldig keek Madoc naar de kust en zag dat honderden mensen haastig tussen de hutten liepen. Ze hadden allemaal een roodbruine huid en voor het merendeel waren ze naakt; sommige mensen stonden vanaf het strand naar het schip te kijken, anderen liepen over het strand naar het noorden.

In ieder geval beseffen ze waarschijnlijk niet hoe smadelijk onze benarde situatie is, dacht hij.

Toch geneerde hij zich en wilde het schip verschrikkelijk graag weer drijvend hebben voordat het bij laag water nog vaster kwam te zitten.

En dus gaf hij nog twee mannen opdracht om met vaarbomen in de boeg af te zetten. De anderen gaf hij opdracht naar achteren te gaan, zodat het gewicht in het vaartuig verplaatst werd en de boeg gemakkelijker opgeduwd kon worden. 'En pak meteen die watervaten mee naar achteren!' Hij had al zijn hoop op deze manoeuvre gesteld en verwachtte dat hij de boeg nu omhoog zou voelen gaan en wegglijden. Maar de trim veranderde niet merkbaar en hij begon al te vrezen dat ze zo hard aan de grond waren gelopen, dat de boeg lek was geslagen en de naden waren opengebarsten. 'Ewen, jongen,' zei hij kalm tegen Mungo's knaapje, 'ga jij benedendeks eens vlug kijken of er ergens een lek is. En kom dan weer boven en vertel me dat zonder dat de anderen het merken, om de bemanning niet te alarmeren. Begrijp je me?' De jongen knikte en was verdwenen. In de boeg duwden de vier sterke mannen nog steeds uit alle macht op hun vaarbomen. Nog eens – en nog eens duwden ze, al kreunend en vloekend.

Op het strand stonden nu minder mensen.

Madoc zuchtte. Riryd kwam bij hem staan en Madoc zei berustend tegen hem: 'Als we lek zijn geslagen, zullen we hier moeten afwachten. Dan mogen we blij zijn dat het laag water wordt. Als het eb is moeten we misschien reparaties verrichten. Maar, voor God, het is vervelend om al die mensen stilletjes te zien verdwijnen. Het lijkt erop dat ze hun stad verlaten. Wat zegt gij ervan?'

'Dat klopt. En ze gaan snel ook.'

Besmeurd met pek en drek onder uit de kim kwam Ewen weer terug. 'Majesteit, ik heb geen water binnen zien komen. Nergens!'

'Godzijdank daarvoor. Goed dan, Riryd, laten we het tij hier niet uitzitten! We zijn zeewaardig!'

'Niet uitzitten? Nou, broeder, ge hebt anders elke maatregel geprobeerd die ikzelf had kunnen verzinnen om weg te komen. Hebt ge nog iets anders in uw hoofd?'

Madoc knikte. 'Het schip met het anker verhalen.'

'Aha!'

'Maar wees snel! Het is nog steeds eb, en we komen hier steeds vaster te zitten.'

De mannen lieten de kleine coracles te water en bonden ze aan elkaar vast. Ze lieten het anker van het schip zakken en hingen dat over een vaarboom tussen de bootjes in. Vervolgens lieten ze de ankerketting over het achterschip van de *Gwenan Gorn* vieren. De bootslieden paddelden een paar meter van het schip vandaan. Door het gewicht van het anker lagen hun coracles diep in het water. Ze slaagden erin het anker te laten zakken zonder dat de coracles vol water liepen en paddelden toen weer terug naar het schip. Toen klauterden ze aan boord en voegden zich bij de rest van de bemanning om de ketting binnen te halen.

De reling van de achtersteven kraakte en splinterde af doordat de ijzeren ketting eroverheen schuurde. Madoc voelde dat de achtersteven iets zakte. Op het laatst kwam de lichte trilling toen de kiel in het slib gleed. Hij moedigde de mannen die stonden te trekken aan. Nog een trilling, weer een paar duim verder. En toen schoot het schip zo plotseling los, dat de bemanning met de slap geworden ketting naar achteren duikelde. Allemaal begonnen ze te juichen en te lachen.

Nu het eb was, hadden ze echter maar weinig hoop dat ze het schip dichter onder de kust konden brengen. Een groot deel van de afstand naar het strand was nu zelfs als een wad zichtbaar geworden. Madoc liet de mannen het anker hijsen en naar een diep kanaal roeien. Daar legde hij de *Gwenan Gorn* voor anker. Toen keek hij peinzend naar het dorp in de verte. Het zag er nu helemaal verlaten uit.

'Voor God wil ik zweren dat ik deze mensen wil ontmoeten!' riep hij uit. 'Maar ze zijn zo bang als muizen!'

'Ik zie geen levende ziel,' zei Riryd. 'Maar ik heb het gevoel of er wel honderden ogen op me gericht zijn.'

'Broeder,' zei Madoc na een poosje, 'ik ga naar die stad toe.' De vastberadenheid in zijn stem bracht Riryd duidelijk van zijn stuk, maar Madoc was vastbesloten. 'Morgen, bij opkomend tij, wil ik aan land en naar die stad gaan. In elke coracle neem ik twee gewapende mannen mee. Gij blijft hier, met de rest, en zorgt dat ons schip klaar is om te vluchten voor het geval de zaak niet goed verloopt.'

'Broeder,' zei Riryd met toegeknepen stem van angst, 'ik ben van oordeel dat het veiliger is om hier te wachten tot hun nieuwsgierigheid hen hierheen brengt, slechts een boot met afgezanten. Op die manier kunnen we misschien een paar gijzelaars maken. Ze zijn misschien bang als muizen, zoals ge zei, omdat ze niet weten wat dit schip is. Maar als acht mannen hun stad binnenwandelen, zullen ze zien dat ge slechts mannen en geen goden zijt, en slechts acht man sterk zijt. En zij zijn met *honderden*!'

'Ja, het zou inderdaad minder risico opleveren als we allemaal aan boord bleven. Ik vrees echter dat er niets zal gebeuren als we wachten tot zij naar ons toe komen. En we kunnen niet eeuwig wachten.'

Die nacht lag de *Gwenan Gorn* voor de kust bij de stad voor anker. Toen de maan nog niet was opgegaan, was er in het donker in de stad of waar ook maar op het strand nog geen sprankje licht van een vuur te zien. Het ruisen van de koele, nachtelijke wind en het geklots van het water tegen de romp waren de enige geluiden. De maan ging als een enorme, geel-oranje bal op en legde een glinsterende weerspiegeling op het water van de baai. Madoc zette op de boeg en op het achter-kasteel een wachtpost op de uitkijk. Toen probeerde hij te sla-pen. De maan stond al hoog en wit aan de hemel maar hij was nog steeds klaarwakker. Hij ging staan en liep het maanlicht in. Hij mompelde iets tegen de wachtpost die op zijn speer geleund stond, ging toen bij de reling staan en tuurde naar de verduisterde stad. De mensen waren allemaal vertrokken. Waar zouden ze nu zijn? dacht hij. Verborgen ze zich in het bos?

Hij probeerde hen over het water heen zijn gedachten toe te zenden.

Vlucht alstublieft niet voor me weg, als spookverschijningen verdwijnend!

Ik moet u leren kennen! Hier, in dit land waar u woont, ligt ook mijn bestemming!

Ik ben van ver gekomen om u te ontmoeten. Ik kan u het Licht van de Zaligmaker Jezus en de Ware God brengen. Laten we broeders zijn. Laten we de overvloed van dit schitterende, grootse land Jargal delen...

Of Owain Gwynedds Land...

Hoe zouden ze het zelf noemen? vroeg hij zich af.

Toen zag hij opeens, nog geen honderd meter verderop, iets op het water liggen.

Het maanlicht was heel even tegen iets teruggekaatst. Ge-spannen tuurde hij over die afstand heen. Ja, daar bewoog zich als een schim een laag, donker voorwerp. En daar vlakbij re-flecteerde het maanlicht nog op iets. Hij keek erheen en zag nog een lange, lage schaduw op de baai liggen. Over het water hoorde hij heel zacht een hol geklop.

De wachtpost kwam naast hem staan. Zijn helm blonk in het maanlicht en hij fluisterde: 'Sire, ik hoorde een geluid.'

Madoc legde een vinger tegen zijn lippen en wees over het

water heen. 'Boten,' mompelde hij. 'Mijn beste man, doe nu wat ik zeg, maar doe het heel zacht. Maak mijn broeder wakker maar zeg hem dat hij geen geluid mag maken. Zeg hem dat de inboorlingen een kijkje bij ons zijn komen nemen. En help daarna de andere wachtpost om alle anderen wakker te maken – even zachtjes, zonder alarm te slaan – en zeg hen dat ze in het geweer moeten komen. Heel snel, maar stilletjes, zeg ik.'

Tegen de tijd dat alle zeelieden wakker waren en met bogen en speren langs de dolboorden op post stonden, had Madoc vastgesteld dat er zo'n twaalf boten, gemaakt van uitgeholde boomstammen, op een afstand om de *Gwenan Gorn* dreven. Als hij naar het oosten keek, waar het licht van de maan op de baai weerspiegelde, zag hij nu en dan een van de boten in silhouet afgetekend. Er zaten een stuk of vijf, zes mannen in. Dat zou kunnen betekenen dat ze met drie of vier keer zoveel mankracht als wij zijn. God onze Vader, mogen ze zo verbijsterd en geïntimideerd door ons schip zijn dat ze vergeten ons aan te vallen!

De maan bereikte haar hoogste stand en begon weer te zakken. Ondertussen beloerde de kring van uitgeholde boomstammen vanaf een veilige afstand het schip. Vermoeid, maar gespannen, stonden de Welse zeelieden te wachten tot er iets gebeurde. Nu en dan maakten een of twee van de vaartuigen zich uit de kring los. Heel stil kwamen ze langzaam tot op een speerworp afstand naar voren en bleven daar een poosje drijven terwijl er iemand in de boot overeind stond om beter te kunnen kijken. In het maanlicht kon Madoc zien dat de inboorlingen recht van lijf en leden en goedgevormd waren, dat ze slechts lendendoeken droegen en dat ze zo te zien allemaal lang, donker haar hadden. Na een paar minuten leek die specifieke bootlading dan weer de moed te verliezen en brachten de zwijgende paddelaars de boot weer op een afstand.

Iedere keer dat ze dichtbij kwamen had Madoc de neiging hen een groet, een verwelkoming toe te roepen. Maar als dat de enige manier was om contact te leggen, dacht hij, had Riryds idee om een paar gijzelaars te grijpen verdienste; als we ze onder controle hadden, zouden we in ieder geval kunnen leren hoe we een gesprek konden voeren.

De nacht vorderde. De spanning duurde voort en Madocs geduld raakte op. Misschien was het wel de aanblik van de gewapende zeelieden die de snuffelaars op een afstand hield. Hij zei tegen Riryd:
'Laat de mannen bukken zodat ze niet te zien zijn. Als die wilden dichterbij komen omdat ze denken dat we zijn gaan slapen, zullen we beter kunnen ontdekken wat hun bedoelingen zijn.'

In het daaropvolgende uur was er geen man met een speer te zien en kwamen de inboorlingen inderdaad met hun boten dichterbij. Maar om de een of andere reden bleven ze op een afstand van ongeveer twaalf, dertien el. Hun geduld, het feit dat ze hun boten los van elkaar konden houden zonder dat ze de stilte verbraken, was onheilspellend. Madoc hoorde zijn eigen mannen heen en weer schuifelen, ergens tegenaan bonken, hun keel schrapen, soms niezen, soms met elkaar praten. Maar van al die bruine mannen om zich heen hoorde hij nog geen zucht.

Opeens zag hij een man rechtop in een van de boten staan en met zijn handen en armen gebaren maken. Anderen in de boot deden hetzelfde. Toen zag Madoc paddels bewegen en even later was de cirkel van boten een beetje dichter om de *Gwenan Gorn* heen gekomen. Maar ongeveer zes el verwijderd kwamen er meer handsignalen. Toen bleven de boten daar liggen. Nu zag Madoc dat de helft van hen pagaaien in de hand hield en dat de anderen met bogen, knuppels en speren gehurkt in de boten zaten.

'Hier word ik doodziek van,' fluisterde Riryd naast hem. 'Ik kan de volgende die gaat staan wel met de kruisboog neerschieten.'

'Nee. Ik wil geen conflict beginnen. Ik wil met hen praten. Mijn God, ik zou er heel wat voor over hebben als ik alleen hun woord voor vrede maar kende!' Hij zuchtte mat. 'Ik wil hen geen kwaad doen. Ik wil alleen maar dat ze, tot de morgen aanbreekt, vertrekken.... Aha! Nu weet ik het! Nu weet ik iets dat hun respect zal vergroten, maar hen geen kwaad zal doen. Luister naar wat ik van plan ben. En zegt gij dan tegen de mannen dat ze klaar moeten staan voor het geval dat hen niet afschrikt…'

Hij vertelde Riryd wat hij wilde doen. Een brede lach verscheen op Riryds door de maan verlichte gezicht en hij liep naar beneden toe, het dek op, om de mannen voor te bereiden.

Madoc ging de donkerte van het achterkasteel in. Toen hij weer te voorschijn kwam, droeg hij de lange, kromme, bronzen signaalhoorn. Daar stond hij in het maanlicht. Terwijl hij het mondstuk naar zijn lippen bracht, zag hij de zeelieden eerst naar hem en vervolgens naar de boomstamkano's kijken.

Hij haalde lang en diep adem om zijn brede borst te vullen.

Het doel van deze hoorn was om er langs rotsachtige kusten bij mist op te blazen en te luisteren naar de echo's die van de dreigend opdoemende rotswanden terugkaatsten; soms werd hij gebruikt om groepjes mensen die aan wal waren gegaan en niet terug waren gekomen op te roepen om terug naar het schip te gaan en ook om bij mist de schepen van een vloot bij elkaar te roepen.

Riryd had, met zijn schuine praat, het geluid van de misthoorn een keer vergeleken met de roep van een bronstige draak. Madoc hoorde er het gebrul in van de legendarische Minotaurus uit het Labyrint. Beide verklaringen volstonden echter voor een effect op de inboorlingen. Madoc blies hard.

De toon was nog niet weggestorven of er barstte in het water rond de *Gwenan Gorn* een enorm gespat en geplas los. Boten botsten tegen elkaar en kreten van angst weerklonken. Verschillende wilden sprongen kennelijk uit hun boomstamkano's. Eén boot sloeg om en een geagiteerd, wild geplas volgde. Water opspattend door hun wilde gepaddel, pagaaiden de doodsbenauwde inzittenden hun boomstamkano's weg van het schip. Madoc vulde zijn longen om nog een keer te blazen en het geloei te laten horen, en zelfs vanaf de kust in de verte ving hij een koor van geschreeuw en gejammer op.

Tegen de tijd dat Madoc de hoorn had weggeborgen, waren alle boomstamkano's uit het zicht verdwenen. De nacht was weer stil geworden. Je hoorde alleen nog gegrinnik van Riryd en de bemanning.

Door zijn vermoeidheid heen voelde Madoc toch iets van

73

spijt. Had ik dat moeten doen? vroeg hij zich af. Ik wilde hen niet zo ontzettend aan het schrikken maken dat ik hen nooit meer zal zien; ik wil hen juist wel zien!

Maar in ieder geval konden de mannen van de *Gwenan Gorn* nu slapen.

De vier kleine, ovale coracles maakten zich toen de zon opging los van de zijde van het moederschip. Het tinkleurige water van de baai lag kalm en glad voor hen.

Langzaam slingerden de boten zich vooruit. In elke coracle zat één pagaaier en een gewapende passagier. Madoc zat in de voorste coracle, die door Idwal, de scheepstimmerman met zijn sterke armen, gepagaaid werd. Hij bewoog zijn paddel, waarvan het handvat in een haak uitliep, in de vorm van een acht voort en tilde hem daarbij niet één keer op uit het water. Zonder wapenrusting zou Madoc al een zware passagier zijn geweest. Nu droeg hij een bronzen borstplaat met gedreven afbeeldingen van de Zeemeermin met de Harp, een stel bronzen beenstukken en een bronzen helm met helmpluim erbovenop. Onder zijn benen lag zijn ronde, bronzen schild met daarop, in zilver gedreven, nog een afbeelding van de Zeemeermin met de Harp. Dwars over zijn benen lag zijn slagzwaard in de met juwelen bezette schede. Dat alles maakte dat Idwal, die zelf ook een wapenrusting droeg, een flinke vracht te trekken had. Maar hij was geïnspireerd door zijn toewijding tot zijn prins en de eer dat hij diens bootsman en lijfwacht mocht zijn. Dus roeide hij hard en gestaag door.

Madoc keek naar de kust of hij tekenen van de inboorlingen zag en speurde het water af naar hun boten. Maar hij zag niets. Er kringelde nog geen pluimpje rook uit de stad omhoog. En toch was het precies zoals Riryd had gezegd: hij had het gevoel of er honderden ogen op hem gericht waren.

Toen de coracles bij het strand waren aangekomen, hesen de gewapende mannen zich omhoog en stapten het water in. De bootslieden trokken de boten op het strand en deden toen hun eigen wapenrusting aan. Een van de mannen bleef met pijl en boog en zijn speer achter om de boten te bewaken. Madoc liep over het bruinachtige zand voor de andere zes uit naar het dorp toe. Hij liet het zwaard in de schede. Achter hem liep Idwal, die een lange lans rechtop vasthield. Van de bovenkant wapperde een klein lansvaantje, gebosseleerd met de Draak van Cambrië. Een van de andere gewapende mannen die achter hen liep was Mungo. Hij tuurde gespannen in de richting van het dorp en keek, toen ze dichterbij kwamen, door de deuropeningen naar binnen. Mungo keek naar naakte meisjes en vrouwen, maar hij werd teleurgesteld. Het dorp was werkelijk verlaten. De enige geluiden kwamen van zangvogels.

Madoc liep zwijgend, langzaam, voor zijn mannen uit langs de kant van het dorp die op de kust uitkeek. Geen enkele keer ging hij uit het gezichtsbereik van de coracles of de *Gwenan Gorn*, die als een robuust, hoog silhouet op het door de zon zilveren water van de baai lag afgetekend. Hij probeerde zich in te denken hoe de *Gwenan Gorn* op iemand die nog nooit een schip had gezien overkwam. Misschien dachten ze wel dat het een huis, een groot huis op het water was. Ze was stellig veel groter dan al de onderkomens hier. Hij keek weer naar het schip. Zijn ogen begonnen te staren.

Misschien denken ze wel dat ze een eiland is, dacht hij terwijl hij aan de kleine eilandjes dacht die hij langs sommige kusten en baaien had gezien, eilandjes waar je met dertig of veertig stappen overheen liep. Een bewegend eiland, zouden ze kunnen denken.

Toen schoot hem in gedachten hoe hij gisteravond de hoorn had geblazen.

Nee, dacht hij. Met dat geluid en haar boegbeeld – als ze dat konden zien – zullen ze eerder denken dat het schip een levend wezen is, een soort monster, een waterdraak.

Hij liep verder langs de hutten, die opgetrokken waren van palen bedekt met platen boombast of, bij enkele hutten, met matten van geweven gras die in het morgenbriesje zachtjes ritselend heen en weer zwaaiden. Hij rook de as van gedoofde vuren en de aangename geuren van de verschillende soorten kruiden en bladeren die je van de dakpalen van sommige hutten waarvan de zijkanten open waren zag hangen. Af en toe rook hij ook de lucht van bedorven vlees. Die lucht kwam soms van hertehuiden en andere pelzen die half geflenst op spanramen stonen. Kennelijk waren ze in de steek gelaten toen het schip zo'n consternatie had veroorzaakt.

Maar als ze de *Gwenan Gorn* voor een waterdraak aanzagen, een levend beest, wat moeten ze dan denken wanneer ze er mannen op zien? Of mannen van het schip aan land zien komen? Dat wij haar kinderen zijn? Hij lachte binnensmonds en schudde zijn hoofd. Het viel niet mee om de wereld door de ogen van een vreemd volk te zien.

Bij de deuropening van een hut die zo'n anderhalf keer zo groot als de meeste hutten was bleef hij staan en bukte zich om naar binnen te kijken. Het was er schemerdonker. De lucht rook muskusachtig en er hing een aangename geur van kruiden, aarde, dierevellen en rook; niet een van de zure luchtjes van uitwerpselen die je in de hutten van de horigen thuis zou hebben geroken. In feite rook je in het hele dorp niet de stank van de straat die in alle Europese steden of steden rond de Middellandse Zee die hij tijdens zijn reizen had aangedaan overheerste. Het zag er binnen opgeruimd uit. De paar gebruiksvoorwerpen en versierselen die de bewoners in hun vlucht hadden achtergelaten, lagen niet op de vloer maar hingen aan palen. Rond de vuurplaats in het midden stonden een paar potten en manden op stenen. De vloer was van aangestampte en schoongeveegde aarde, zo uitgesleten dat er een soort glans op lag. Langs twee wanden van de ovale woning stonden bedden, ongeveer een voet boven de grond en bedekt met dierehuiden. De kamer zag er heel gerieflijk uit, hoewel er geen enkel voorwerp van metaal of stof te vinden was. Hij had het idee dat hij in gedachten kon voelen hoe het gezin dat hier woonde leefde. Toen zijn ogen aan het schemerige licht waren gewend, kon hij bepaalde voorwerpen onderscheiden: een trom, een mooi sieraad gemaakt van veren en kleurig geverfd bont, een buideltas met kunstige patronen van stekelvarkenpennen in rood, wit en geel, fijn als een Levantijns mozaïek. Hij dacht eraan hoezeer Annesta, zijn vrouw, zelf een fenomenaal weefster en naaister, het zou bewonderen.

'Ik denk dat ik het wel met deze mensen zou kunnen vinden,'

zei hij nadenkend tegen Idwal. 'Ze lijken heel schoon en netjes! En ze houden van versiering.'

'Dat klopt, sire, nu u het zegt.'

'Ik vraag me af of dit het huis van een koning of hoofdman is. Laten we eens kijken of we ook zulke dingen in de kleinere huizen vinden.'

Gevolgd door zijn kleine groepje lijfwachten snuffelde Madoc nog een paar hutten door. Maar de mannen hadden meer belangstelling om te kijken of ze de wilden zelf konden ontdekken, dan de dingen die ze maakten en de manier waarop ze leefden te onderzoeken. Ze wisten echter al dat hun prins, ongeacht of hij naar de lucht, de zee, een landschap of een plant of dier daarin keek, een nieuwsgierig man was, die het tot zijn zaak maakte veel meer dingen op te merken dan waaraan zij ooit konden denken. Hij had een koninklijk verstand, een verstand van een geleerde; dat hadden zij niet. Dat was de orde der dingen.

Nu hij had gezien hoe ze leefden, zag Madoc er nog meer naar uit om deze mensen naar wie hij zo lang had gezocht te zien. En dus draaide hij zich om terwijl hij vlug even naar de bewaakte coracles op het strand keek en ging zijn mannen verder voor, dieper het dorp in, naar het hart ervan. Ze liepen tussen de hutten door over de veel betreden, met gras begroeide straten. Opeens kwam hij op een grote, open plek uit. In het midden stond een grote paal, met in een cirkel daaromheen kleinere palen. Op de een of andere manier voelde hij onmiddellijk dat dit een plaats van aanbidding of van ceremoniën was. Het deed hem denken aan de oeroude plaatsen van de druïden die hij in zijn eigen land had gezien. Aan de andere kant stond een enorm huis, misschien dertig passen breed, dat van een raamwerk van palen was gemaakt en een dakbedekking van boombast had. Idwal de scheepstimmerman wandelde er met open mond naar toe, geïntrigeerd door de ingenieuze manier waarop palen, balken en schoorbalken aan elkaar bevestigd waren. Madoc liep hem achterna en ging naar binnen.

'Majesteit!' riep Idwal. 'Wat een gebouw! En ik kan er nog geen spijker of pen in ontdekken! Wat dacht ge, zou hun koning hier wonen?'

'Ik vraag me eerder af of het hun kerk of bedehuis is. Kijk, er staan geen bedden. En die symbolen die overal hangen, ik zou denken dat het een soort religieuze symbolen zijn.' Elke paal was versierd. Ze zagen een in hout uitgesneden masker, een haviksvleugel, een in felle kleuren beschilderd gewei, een groot schildpadschild, een tros hertehoeven, de schelp van een wulk, de schedel van een beer, het vederpak van een of andere schitterende vogel dat in het bleke licht van het rookgat in het dak prachtig, in alle kleuren van de regenboog, glansde. Madoc onderzocht een schild dat van door hitte verhard leer op een hoepel was gemaakt en met bonte cirkels was beschilderd. Het was ongetwijfeld zo taai dat een ijzeren pijlpunt erop af zou schampen.

Het is vast en zeker een krijgersvolk, hoe timide ze ook lijken. We mogen er niet van uitgaan dat het gemakkelijke mensen zijn, en daardoor niet op onze hoede zijn...

Zijn gemijmer werd onderbroken door een schreeuw vanuit de verte, afkomstig van de wachtpost die hij op het strand had achtergelaten. Nog een keer klonk het: 'Na! Nagash! Nee!'

De boten! dacht hij.

Hij dook door de lage deuropening van de grote hut heen en riep zijn zes mannen. Hard rennend liep hij met getrokken zwaard voor hen uit, terug over het ceremoniële plein en tussen de hutten door. Hij besefte nu hoe onvoorzichtig het van hem was geweest dat hij de coracles uit het oog had verloren. Als al die wilden zijn kleine troepje mannen van de boten afsneden, was er misschien geen ontsnappen meer aan, aan de honderden bruine mannen. Zijn mannen liepen met hun korte beentjes achter hun prins met de lange benen aan. Doodsbenauwd dat ze voor elke hut honderden wilden zouden zien, probeerden ze met grote sprongen bij te blijven. Hun wapenrusting en wapens sloegen daarbij met een metalig geluid tegen elkaar.

Madoc stormde het strand op. Bij de plek waar de boten op het zand waren getrokken liepen tientallen inboorlingen rond. Het waren lange, pezige mannen met lange haren. Ze hadden knuppels en speren in hun handen. Ze krioelden snel pratend tussen elkaar door. Sommigen lachten, anderen klonken boos. Midden tussen hen in zag Madoc de wachtpost met helm, die hij had achtergelaten om de coracles te bewaken. De soldaat had een grimas van boosheid of angst op zijn gezicht en rende, onder het roepen van '*Nagash!*' voor de inboorlingen heen en weer, af en toe roepend: 'Help! Alstublieft, heer, *help!*' Madoc bleef tien stappen verwijderd van het tafereel staan. Hij wist niet zeker of de mensen de wachtpost aanvielen, hem treiterden of alleen nieuwsgierig en opgewonden waren. Met de paar mannen die hij bij zich had wilde hij niet zo'n grote groep aanvallen. Ze waren abrupt met hem blijven staan en staarden met open mond naar de onordelijke menigte. Op dat moment hoorden een paar inboorlingen het gekletter van hun wapens en draaiden zich rond om hen aan te kijken. Voor het eerst keek Madoc in de gezichten van het volk dat hij al die weken langs deze eenzame kust had gezocht. Op zijn vele reizen was hij veel mensen met vreemde gezichten tegengekomen, maar deze mensen waren zeer beslist het markantst.

Ze lijken nog het meest op Egyptenaren dacht hij, maar hun gezichten zijn verweerder. En ze zijn ook gespierder en lopen meer rechtop. Toen ze Madoc zagen, trokken ze hun hoofden terug en stonden hem heel even met doordringende, zwarte ogen aan te staren. Kennelijk verbaasd door zijn enorme omvang en gouden baard, deinsden ze opeens achteruit en riepen 'Hai! Haya!' Zelfs de mannen die nog bezig waren de wachtpost lastig te vallen hielden daarmee nu op en draaiden zich om om te kijken.

De wachtpost maakte gretig van dat ogenblik van verwarring gebruik en stootte zijn speer in de rug van een van zijn plaaggeesten. De wilde uitte één luide, laatste ademtocht, liet zijn knuppel vallen en zakte naar voren. Het bloed gutste uit zijn mond.

Een andere krijger maakte met een pulserende schreeuw ogenblikkelijk een sprong van bijna twee meter en gaf zijn knuppel met zoveel kracht een zwaai, dat hij daarmee de helm van de man uit Wales indeukte en diens schedel vermorzelde.

Madoc brulde het uit van ontzetting bij de aanblik van dat tragische geweld. Alles waarop hij had gehoopt met de inboorlingen, was in één tel door een heetgebakerde, met een speer gewapende, Welse zeeman de grond ingeboord!

Maar er was geen tijd om erover na te denken. Toen de wilden bij de boten aarzelden en zijn eigen mannen verbijsterd bleven staan, hoorde Madoc overal om zich heen stemmen en geritsel. Opeens zag hij honderden mensen – het leek de hele bevolking wel – tussen de hutten door lopen en naar het strand komen. Hij had nu geen keus. Hij had zelfs geen tijd om over een keus te denken. Als er ook maar de minste kans was dat ze dit ogenblik zouden overleven – en daar leek het nu niet op – zouden ze door het kleinere aantal wilden, dat om de coracles heen stond, moeten doordringen.

'Naar de boten!' brulde hij en stormde met zijn schild voor zich uit en zijn slagzwaard in de lucht de helling af naar de rand van het water toe. Hij schreeuwde zo hard hij kon, die vreselijke, diep uit zijn longen komende, rommelende, monotone strijdkreet waarvoor Vlamingen, Ieren en koning Henry's eigen Britten waren teruggeschrokken. Zijn zes mannen renden meteen met hem mee en brulden ook hun hevige, Welse woede uit. Even leek het of de pure dreiging van hun aanval de wilden van de boten zou weghalen.

Maar hij had het goed geraden; het waren inderdaad krijgers. En met een ongelooflijke alertheid kwamen ze in actie. Met hun donkere ogen wijd opengesperd, kwam er een jodelend soort gejammer uit hun kelen omhoog.

Nog tien passen bij de boten vandaan kwam Madoc met hen in botsing. Hun knuppels en stenen speerpunten sloegen tegen zijn schild en zijn helm en schampten daarop af. Hij raakte er bijna bewusteloos van. En toen rende hij niet, maar waadde door die mensenmassa hen, zijn zwaard zingend en hakkend, in alle richtingen bloed om zich heen slingerend. 'Vecht in een cirkel!' schreeuwde hij. 'Dek je in de rug! Laat niemand achter jullie komen!'

Op die manier zwaaiden en hakten, kreunden en brulden de mannen uit Wales zich een weg door de storm van slagen en oorlogskreten en stapten over de lichamen van inboorlingen heen die ze hadden neergeslagen. Even later waren ze aan de waterrand en stonden bij hun eigen boten.

Ze konden hun strijd echter niet lang genoeg onderbreken om in de fragiele bootjes te klauteren en die af te duwen. En nu stroomde de horde dorpelingen het strand op: nog meer krijgers, jongens en daarna zelfs mannen met grijze haren en vrouwen. De honderden stemmen rezen tot een schril lawaai op. Nu leek alles hopeloos. Eventjes vochten de mannen uit Wales schouder aan schouder aan de rand van het water en voelden zich door magische krachten beschermd en onverwoestbaar. De stenen projectielen die op hun metalen schilden neerhamerden ketsten af en braken in stukken. Maar toen struikelde een zeeman in het ondiepe water. Bloed uit een dijspier kleurde het water rood en nog voor hij op de grond was neergekomen, had een dodelijke, stenen speerpunt zijn lies doorboord. Madoc had met zijn grote, bloedige zwaard lopen zwaaien tot de spieren van zijn rechterarm brandden van vermoeidheid. Toen spuwde Idwal, de moedige scheepstimmerman die aan Madocs linkerzijde vocht, opeens bloed uit zijn mond. Hij zonk op zijn knieën neer en terwijl hij zijn schild boven zijn hoofd hield zakte hij in elkaar. Madoc kon zijn gezicht niet lang genoeg van de aanval afwenden dat hij een van de coracles achter zich kon aanraken. De bruine gezichten waren nu een grote, vervagende, voortschokkende muur van verdwaasde ogen, ontblote, witte tanden, glanzende, wapperende zwarte haren geworden. Madoc voelde de steek van een snijwond in zijn linkerschouder, maar kon niet nagaan hoe ernstig het was. Zijn hand kleefde van het bloed van het gevest van zijn zwaard en zijn keel was rauw van dorst en van het schreeuwen. Hij had nauwelijks meer de kracht om nog naar een met veren getooide wilde te maaien. Over de rand van zijn schild zag hij echter ontelbare aantallen en allemaal hamerden en stootten ze naar hem en duwden hem verder het ondiepe water in. Hij had niet eens respijt voor een gebed.

Toen weerklonk er plots, dwars door al het gekletter en gejoel heen, een dieper geluid; een lang, laag gekreun.

Beetje voor beetje nam de activiteit van de wilden af. Ze hielden op met schreeuwen. De woede op hun gezichten veranderde in paniek.

Het respijt kwam als een door God gegeven wonder van verlossing en Madoc stond verbijsterd. Hijgend stond hij daar terwijl de inboorlingen zich omdraaiden en begonnen te schreeuwen. Als een doodsbenauwde, lawaaierige menigte renden ze naar hun dorp terug en gunden zich slechts de tijd hun gewonde krijgers weg te slepen.

In de weergalmende stilte na de strijd, besefte Madoc wat hij had gehoord. En nu hoorde hij het weer. Het was het sombere, naargeestige geluid van de signaalhoorn van de *Gwenan Gorn*!

Voor zich op het strand en net in het water lagen een stuk of twintig bruine, gewonde mannen. Ze hadden ernstige snijwonden en hun bloed maakte het zand donker en kleurde het water rood; een of twee mannen bewogen zich nog steeds en lagen te kreunen. Verschillende gewonden liepen hinkend achter de vluchtende menigte aan. Tussen de dode wilden lagen ook vier van de zeven mannen uit Wales die samen met hem aan wal gekomen waren. Slechts Mungo en de twee anderen stonden nu vlak bij hem. Zwoegend haalden ze adem en terwijl ze hun bloederige wapens slap langs hun zij lieten hangen, bekeken ze de verbazingwekkende aftocht. Madoc kreunde van pijn om hun verlies.

Hij draaide zich om. Op de *Gwenan Gorn* was het zeil gehesen. En terwijl de roeiriemen als de benen van een of ander enorm dier omhoogrezen en weer naar beneden gingen, stoof ze op het laatste restje van het opkomend tij mee pal op de kust af. Om de paar tellen werd er, als een brullende draak, op de hoorn geblazen.

'Ha! Riryd! God zegene u, broeder Riryd!' riep Madoc. 'O, deze man is vandaag een redder! Vooruit, kerels, schiet op! Pak onze boten en leg onze arme doden erin!' De coracles waren in het heetst van de strijd van het strand weggedreven en lagen nu een paar voet verderop licht en leeg op het water te dansen. Hoewel ze zojuist van een zekere ondergang gered waren, wist Madoc dat alles nog niet veilig was. Nu het schip zo snel op het strand af ploegde, zou het nog dichter op de kust dan de vorige keer hard aan de grond kunnen lopen. *Draai om*, dacht hij, alsof hij de gedachte naar Riryds geest wilde zenden.

En alsof Riryd de gedachte had ontvangen, draaide het schip de steven en kwam nu langszij het strand te liggen, maar voer nog wel steeds op de kust af. De riemen werden binnengehaald en het zeil werd gestreken. Madoc kon nog net Riryds bevelende stem boven de wind uit horen. Het geluid klonk hem lieflijk, als het lied van een bard, in de oren. *Gered!* Er zouden hierna heel wat gebeden opgezonden worden – als er tijd was.

De volgende morgen voer de *Gwenan Gorn* achteruit van het nieuwe continent weg en zeilde naar de zonsopgang, naar Cambrië, toe. Drie mijl uit de kust sprak Madoc een gebed uit voor Idwal en de andere gevallen zeelieden. Daarna lieten ze hun bleke lichamen, met stenen verzwaard als ballast, over de rand van het schip in het diepe water glijden. Toen klom Madoc naar het achterkasteel omhoog en liep naar achteren toe. Daar stond hij wijdbeens, met zijn hand op Riryds sterke schouder, stevig op de achterplecht en keek naar de langzaam verdwijnende lage, donkerblauwe kustlijn. Door het zonnig waas kon hij de vormen van de bergen die verder landinwaarts lagen nauwelijks onderscheiden. Zijn linkerschouder zat in het verband. De wond klopte en de pijn van te zwaar belaste pezen in zijn zwaardarm vormde, samen met de zwaarte van de begrafenissen in zijn hart, de herinneringen aan het droeve resultaat van zijn eerste ontmoeting met de inwoners van Jargal – Owain Gwynedds Land. Dat wierp de enige schaduw over de stralende triomf van de reis.

Maar die ongelukkige kwestie met de inboorlingen, die knappe, schone, levendige mensen, zouden ze bij hun terugkeer kunnen overwinnen.

'Als we volgend jaar terugkomen, zullen we groot genoeg in aantal zijn om met hen in beraad te gaan. Dan zullen we vrede sluiten,' zei hij tegen Riryd. 'Als we hen het Ware Licht laten zien, kunnen ze christenen worden. We zullen geestelijken meenemen om hen te bekeren en te onderwijzen – en ook om onze eigen mensen te stichten. En we zullen hun vaardige handen en gezonde lichamen tot noeste arbeid aanwenden. Wat een overvloedige bron van werkkracht zullen zij voor de opbouw van koloniën vormen! Ja, Owain Gwynedds Land is zo groot dat twee rassen naast elkaar kunnen leven!'

'We zijn die plek nog niet eens uit het zicht kwijt,' mijmerde Riryd, 'en ge zijt al bezig het volgende jaar koloniën te stichten!'

'Nou, wat mij aangaat: voor ik weer naar de wildernis terugga, verlang ik naar kasteel Clochran, naar gebraden lamsvlees, mede en het genot van een blank lichaam. Broeder, verzeker me, als ge kunt, dat ge ons kleine geboorteland aan de andere kant van deze verschrikkelijk grote zee kunt vinden!'

'Daarvan ben ik even zeker als ik wist dat ik Jargal zou vinden.'

Riryd bromde iets en grijnsde breed. 'Nou, dat is fijn om te horen!' zei hij. 'En in ieder geval gaan we erheen in de wetenschap dat Cambrië werkelijk bestaat!'

2 Kasteel Dolwyddelan, Caernarvon, Wales Voorjaar 1170 A.D.

Het kleine meisje Gwenllian werd wakker door geschreeuw, gebonk en gekletter. Er hing een rooklucht. Haar moeder stond daar in haar nachtpon. Ze had een kaars in haar hand, die haar gezicht verlichtte. Het stond wild van angst. 'Vlug! Opstaan!' siste haar moeder. 'En maak geen geluid!' Stom van schrik gehoorzaamde het meisje. De stenen vloer voelde onder haar blote voeten koud aan. Haar moeder graaide een paar dingen in de slaapkamer bij elkaar en bundelde die haastig in een cape. Uit een kamer ergens aan de andere kant van het kasteel weerklonk een sidderende schreeuw en er klonken geluiden als van metaal dat tegen metaal kletterde en van ver weg geluiden van vallend meubilair.

Meredydd, haar vaders bard, stond te trillen bij de deur. In zijn ene hand had hij zijn kostbare harp en in zijn andere een rokende fakkel. Met zijn grote voortanden die in zijn onderlip beten en zijn ogen vol paniek leek hij net een bange haas. Hij bracht hen onmiddellijk naar beneden, door gangen heen, weg van de verschrikkelijke geluiden, langs steile trappen naar beneden. Ze kwamen langs de verlaten bijkeuken, liepen nog meer trappen af en gingen via een ijzeren kerkerdeur door een bedompte, stinkende doorgang. Aan het eind ervan was een muur. Er zat een luik met een ijzeren ring in. Met enige inspanning kreeg Meredydd het open. Met zijn drieën glipten ze de in de rotsen uitgehouwen tunnel achter het luik in. Daar kropen ze bij het licht van de fakkel bij elkaar en wachtten. De ogen van ratten fonkelden. Ergens achter hen, van beneden, kwam

85

er een koude tocht en klonk er voortdurend gesis. Je hoorde water druppelen en naar beneden stromen. In haar woordeloze paniek was Gwenllian nauwelijks tot denken in staat. Toch schoot haar te binnen dat dit de vreselijke geheime tunnel door de berg heen naar de waterval was, een legende waarover de kinderen van kasteel Dolwyddelan fluisterden. In de zes jaar van haar leven was Gwenllian voor niets zo bang geweest als voor haar fantasieën over de Tunnel. En nu was ze in die tunnel en gebeurde er boven, in het kasteel, iets onvoorstelbaar afgrijselijks.

Ze hoorde rennende voetstappen, zware, knarsende voetstappen naar de andere kant van het luik toe komen. Het zwaaide open en een grote, luid hijgende gestalte bukte zich en kwam naar binnen.

Het was haar vader, Madoc, de prins. Het eerste dat Gwenllian bij het licht van de fakkel zag, was zijn grote zwaard. Het was nog groter dan zijzelf en de brede kling was rood van vers bloed. Toen scheen het licht op zijn gezicht. De hele linkerkant zag er afschuwelijk uit, een en al bloed en vuil en het oog was zo gezwollen dat het dichtzat. Sprakeloos hapte Gwenllian naar adem. Haar knappe vader zag er ontoonbaar uit; hij stonk naar zweet en vuur en de gouden snorharen die ze altijd zo graag streelde, dropen nu van zijn eigen bloed. Hij duwde het luik weer dicht en sloot het met de roestige, ijzeren balk af.

'Verder, bard,' hijgde de prins, 'breng ons naar beneden.' Meredydd, die nog zo jong was dat zijn eigen kastanjebruine baard nog maar spaarzaam en vlossig was, beet één keer met zijn hazetanden op zijn onderlip en knikte. Toen draaide hij zich met de fakkel in zijn hand om en begon de tunnel in te lopen.

Het licht van de fakkel scheen flakkerend door de tocht die uit de tunnel naar boven kwam op het natte, stenen plafond. Dit was zo laag, dat ze zich moesten bukken en zijwaarts de glibberige helling moesten aflopen. Gwenllian hield stevig haar moeders hand beet en liep achter haar aan en probeerde om niet op de steile, glibberige, koude grond te vallen. Achter haar kwam haar vader die nog steeds verschrikkelijk hard hijgde.

Er hing een doordringende lucht van ratten en de olieachtige rook van de fakkel.

Haar moeder gleed uit en maakte een harde val. Ze gaf een gilletje en kreunde het toen uit van pijn. Gwenllian, die haar hand vasthield, viel ook bijna. Haar vader kwam naar hen toegekrabbeld om hen te helpen, waarbij zijn zwaard rinkelend over steen knarste. Bijna dubbelgebogen in de krappe ruimte, suste en kalmeerde hij hen beiden, en hielp zijn hijgende, snikkende echtgenote overeind om verder te gaan.

'Meredydd, gij angsthaas, wacht op uw meerderen met dat licht!' riep hij naar beneden. De spinachtige gestalte van de bard bleef staan en hield de fakkel naar achteren om de familie bij te lichten.

Van boven uit de tunnel achter hen kwamen onduidelijke, maar angstaanjagende geluiden. Soms klonken ze als gedempte kreten, soms als het geklang van metaal op metaal, allemaal misvormd door echo's door de tunnel heen, het geschuifel van voetstappen en de sissende opwaartse luchtstroom, het voortdurende sijpelen van water en het gepiep van de ratten. Daarboven, in hun kasteel, gebeurde iets dat erger was dan draken. Dat wist Gwenllian heel zeker, want ze had nooit geloofd dat haar vader, Madoc, zou wegvluchten en zich zou verbergen als het alleen maar om draken ging. Ze had kunnen denken dat dit een van de boze dromen was die ze soms had, maar de kou van haar gekneusde voetjes was te echt. Ze klemde zich aan haar moeders hand vast en struikelde hijgend en zacht jammerend voort, verder naar beneden, de berg onder kasteel Dolwyddelan in.

Trillend, met een loopneus en een blaas die op barsten stond, hield Meredydd de bard de fakkel omhoog en liep voorzichtig met zijn voeten tastend verder. Elke emotie die hij, terwijl hij als een verwend huisdier aan het hof van Anglesey vertoefde, ooit uit zijn dichterlijke ziel had gepoogd naar boven te halen, was nu werkelijkheid geworden die hem door het hoofd maalde: boosheid, verbijstering, hartstocht, toewijding, liefde en angst. Maar bovenal was er de angst, wel honderd keer meer. Meredydd had nog nooit eerder in gevaar verkeerd. Sinds zijn jongensjaren was hij leerling van de beroemde Gwalchmai, de bard van de koning, geweest, die de volledige bescherming van de vorst genoot. Hij hoefde nooit aan geweld te denken, met uitzondering van het geweld op een afstand uit de legenden waarover de barden zongen. Maar nu vluchtte hij voor geweld waarvan hij de echo's nog steeds kon horen. Meredydd hield van deze reusachtige prins wiens bard hij was en van Annesta, wier vertrouweling hij was. Hij hield ook van hun dochtertje Gwenllian, dat hij onderwijs gaf. Zijn liefde voor hen was echter altijd idyllisch geweest. Hij had van hen gehouden met de elegante zinnen die zij inspireerden, van hen gehouden met dromerige liederen en schitterende metaforen. Zijn vingertoppen hadden hen slechts geliefkoosd met de harpsnaren die hij tokkelde als hij lofdichten op hen zong. Sinds zijn leertijd had Meredydd zijn prins opgeruimd gediend als een onbezorgde aanbidder en, wanneer Madoc een zeiltocht aan het maken was, als huisdier. Maar nu hij bibberend door een druipend, spelonkachtig rattehol kroop, op het punt zichzelf van angst te besmeuren en te benatten, kwam Meredydd tot de ontdekking dat hij een rillend stuk angst en verbijstering was. De wereld zoals hij die altijd had gekend stond op zijn kop; de betovering was verdwenen. Hij was gevangen in Madocs benarde situatie.

In het afgelopen jaar had Meredydd al kunnen zien hoe zijn betoverde wereld op zijn grondvesten begon te trillen. Na de dood van de koning hadden de zoons van Owain Gwynedd, die dorstten naar de troon, het eens verenigde Cambrië in een bloederig slagveld veranderd. Madoc was in die tussentijd weggeweest om het Land Achter de Zonsondergang te ontdekken. Eerst had Howell, Gwynedds zoon bij diens Ierse koningin, Pyvog, de troon bestegen. Maar Daffydd, zijn halfbroer, geboren uit Chrisiant, de wettige koningin, was met een leger van duizenden opgetrokken in een poging Howell van de troon te stoten, ook al werd Daffydds geboorterecht door aartsbisschop Beckett veroordeeld vanwege Chrisiants incestueuze huwelijk met haar neef de koning. Vervolgens hadden andere zonen van beide koninginnen tegen elkaar samengespannen en moordenaars ingehuurd, totdat bloed de grote rivier die door Cambrië stroomde bij elke brug en voord rood kleurde en de rooksluier

88

van de brandende kastelen, havens en steden de hemel over het hele land besmeurde. Meredydd de dichter had epische volzinnen over deze beroering neergeschreven: prins tegen prins, het gekletter van zwaard op helm en speerpunt tegen schild, de stank van intriges en broeiende plannen van broedermoord. Maar Meredydd had dat alles van horen zeggen, veilig in Madocs kasteel Dolwyddelan, opgeschreven. Dat was een neutrale plaats, omdat Madoc, de zoon van 's konings bijzit Brenda, geen aanspraak op de troon had.

Toen was Madoc afgelopen herfst naar dit geteisterde land teruggekeerd. Nadat hij twee keer de Mare Atlanticum was overgestoken, voer hij vanuit de Ierse zee binnen. Hij had Meredydds smalle schouders tussen zijn enorme handen beetgepakt en geroepen: 'Mijn bard! Ik zou u op deze reis met mij mee hebben moeten nemen, zodat ge over de grote ontdekking kon schrijven en dat heerlijke land kon beschrijven! Maar als we teruggaan zult ge wel met me meekomen!' Madoc was onmiddellijk begonnen een vloot van schepen te bouwen en sterke, bekwame mannen en vrouwen voor de kolonisatie van Jargal aan te trekken: timmerlieden en metselaars, wevers, boeren, herders, vissers en jagers, smeden, pottenbakkers, houtskoolbranders, ovenbouwers, leerlooiers en schoenmakers, juweliers en wapensmeden, priesters en klerken. Met Riryds hulp had Madoc zes zeeschepen gekocht en er nog drie gebouwd. Nu lagen die allemaal aan de kade bij Afon Ganol. Het waren, zijn eigen geduchte *Gwenan Gorn* meegerekend, tien schepen.

Maar juist dat bouwen van deze vloot had uiteindelijk de wraak van zijn halfbroeders op hem doen neerkomen. Elk had de anderen ervan verdacht dat ze met Madoc samenspanden om voor hen een oorlogsvloot te bouwen. Zodoende had ieder op eigen houtje besloten om Madoc, voor deze zo'n zeemacht kon creëren, te doden. En zodoende was er hier, op kasteel Dolwyddelan, Madocs geboorteplaats, iemand geweest die het hele gezin vannacht had verraden en de huurmoordenaars had binnengelaten. Slechts door wat hij zich uit zijn kinderjaren herinnerde, was Madoc in staat geweest zijn gezin op deze oude ontsnappingsroute te brengen.

Maar zelfs nu was ontsnapping nog lang niet zeker. De tunnel leek vermaledijd lang en de afdaling ging heel langzaam. En wie weet wisten de indringers ook van het bestaan van de tunnel af. Alle prinsen hadden immers op een gegeven ogenblik in hun leven op Dolwyddelan gelogeerd. Op het moment van de aanval had Madoc een horige naar de stallen gestuurd om ervoor te zorgen dat de paarden klaarstonden voor de ontsnapping van het gezin. Maar in deze tijden kon je niemand vertrouwen.

Meredydd was doodsbang. Met elke beverige stap die hij naar beneden zette, verwachtte hij dat een paar van Daffydds gehelmde moordenaars naar boven zouden komen. Het gekletter van de herrie die ze maakten scheen van beide uiteinden van de tunnel te weerklinken.

De fakkel begon wilder te flakkeren en de lucht rook zuiverder, als een steenachtige bergstroom. Opeens kwam de nauwe, uitgehouwen tunnel uit in de ruime, rotsige, chaotische ruimten van een natuurlijke spelonk. Daar voorbij hoorden ze het gestage, harde ruisen van vallend water.

'Aha!' riep Madoc uit en liep naar voren. 'Blijf met het licht hier staan, lieve mensen. Ik moet kijken of we veilig naar buiten kunnen.' Hij stapte in water dat tot zijn enkels kwam en waadde in het halfdonker naar de ruisende waterval toe. Meredydd stond met de fakkel in zijn rechterhand en de harp tegen zijn smalle borst geklemd te bibberen. Hij danste bijna van opwinding; zijn blaas was zo vol, dat het geluid van de waterval een kwelling was.

Nog geen twee minuten later was Madoc weer terug in de spelonk. Hij was doorweekt. Water stroomde uit zijn kleren, haar en baard en het oude bloed was van zijn gezicht gespoeld. De gapende wonde op zijn voorhoofd, waaruit nieuw, helder karmozijnrood sijpelde, was weer zichtbaar geworden. Hij lachte.

'Kom!' zei hij. 'Er staan paarden voor ons klaar!' Terwijl ze naar de opening van de spelonk spetterden, zei hij: 'We moeten door de waterval heen lopen en een paar meter door het water waden. Daarna moeten we rechts de wallekant opklimmen. We zullen doornat en ijskoud worden. Dochter, belooft ge me dat ge moedig voor mij zult zijn en niet zult huilen?'

Met haar van angst en verbijstering wijd opengesperde ogen staarde Gwenllian naar haar vaders wond, maar slaagde erin te knikken en die belofte te geven.

Meredydd vroeg timide: 'Heer, hoe moet ik een fakkel door een waterval dragen?'

'Gooi hem weg wanneer we buiten zijn. We willen onszelf niet door een licht verraden.'

Terwijl de anderen hijgend en naar lucht happend langs hen heen liepen en door het gordijn van vallend water verdwenen, bleef Meredydd in de spelonkopening achter. Toen gooide hij de fakkel in de waterval en stond met kloppend hart in het brullende duister. Hij wikkelde zijn mantel om zijn lier heen en liep toen struikelend gebukt de waterval in.

Het ijzige water dat op zijn hoofd en schouders beukte en dwars door zijn kleren stroomde, benam hem de adem. De kracht bracht hem bijna op zijn knieën en die koude schok maakte dat hij zo in zijn kleren piste. Naar adem happend ploeterde hij met gesloten ogen verder. Toen hij uit de waterval kwam, was de nachtlucht niets warmer dan het water en terwijl hij bibberend bleef staan ontlastte hij zich. Met een zucht veegde hij vervolgens over zijn ogen en deed ze weer open. Tot zijn verbazing was er genoeg licht, een hel, mistig half-licht om bij te zien, hoewel hij wist dat het voorbij middernacht was. Op de rechter wallekant kon hij Madoc onderscheiden, die Annesta en Gwenllian hielp over de rotsen omhoog te klimmen.

'Deze kant op, bard,' riep Madoc boven het geruis van het water uit naar hem toe. 'De paarden staan hierboven.'

Pas toen iedereen bibberend te paard zat, Gwenllian op een zadelkussen achter haar vaders zadel, begreep Meredydd ten slotte de reden voor het vage, rossige licht dat de mist kleurde. Terwijl donkere ruiters hen over het rotsige pad voorgingen, keek hij langs de steile rotswand omhoog.

Daar, bovenop – je hoorde in de verte nog steeds gekletter en geschreeuw – brandde een van de twee vierkante torens van kasteel Dolwyddelan als een rode fakkel met een kring van roodachtige mist eromheen. Madoc zag dat hij omhoogkeek en zei:

'Mijn eigen broeders branden onze geboorteplaats af. Die

91

brand daarginds betekent simpelweg mijn vaarwel aan dit rampspoedige land. Helpe God ons dat we veilig onze schepen bereiken. Ik ben kapot vanbinnen en verlang naar mijn zuivere, nieuwe land!'

Drie dagen na de ontsnapping uit kasteel Dolwyddelan roeiden Madocs roeiers tien schepen door de Straat van Menai naar Caernarvon Bay. Ten zuiden van de zonsopgang doemde de in blauwe nevel gehulde vormeloze massa van de berg Snowdon op; aan stuurboord lag vlakbij het lage voorgebergte van Anglesey. Hier was de doorgang niet breder dan een rivier en op de hoge, steile oevers, die op slechts een boogschot van de langboog verwijderd lagen, renden de eilandbewoners vol verwondering kijkend en schreeuwend mee. Behalve oorlogsvloten, hadden ze nog nooit tien schepen tegelijk gezien. Het was duidelijk dat dit geen oorlogsvloot was, want de schepen waren bevolkt met horigen en stedelingen. De mensen op de schepen keken zelf ook verbaasd. Ze waren nog niet gewend aan het feit dat ze geen vaste grond onder de voeten hadden en moesten daarom de touwen of dolboorden met hun ene hand vasthouden. Ze wuifden timide lachend met de andere hand. Een paar hingen al over de rand van het schip heen om over te geven.

Omdat de zeestraat zo smal was, voeren de schepen achter elkaar aan. Madocs *Gwenan Gorn* ging voorop, gevolgd door de *Pedr Sant*, de Sint-Pieter, van Riryd. Riryd was op deze prachtige morgen zelf de kapitein van de *Pedr Sant*. Hij had zich een weg uit Daffydds valstrik op Dolwyddelan gevochten en was van onder een lading hooi op een ossekar op de kade van Afon Ganol te voorschijn gekomen.

Het voorkasteel van elk schip had een dakbedekking van ondersteboven vastgebonden coracles. Hieronder zouden de passagiers, zo'n dertig per schip, tijdens de reis wonen. Midscheeps waren er blatende schapen en mekkerende geiten. In alle hoeken en gaten lagen zakken graan en bundels hooi opgetast, om tot het moment dat ze hun nieuwe weidegronden voorbij de Westelijke Zee hadden bereikt als voedsel te dienen. Ook de dieren misten vaste grond onder hun hoeven en stonden onophoudelijk zielig te blaten en te mekkeren. Jachthonden en herdershonden waren aan de touwen en relingen vastgebonden en blaften en jankten in hun ellende. Ze bevuilden de dekken sneller dan de jongens en meisjes, die deze taak toebedeeld hadden gekregen, hun vuil konden opruimen. De mensen aan boord hadden potten of pannen waarin ze zichzelf konden ontlasten en de inhoud werd overboord gegooid in plaats van op dek. Hun uitwerpselen deponeerden ze dus niet op de dekken, maar wel hun braaksel.

'Hoe dan ook,' mopperde Meredydd terwijl hij zijn schoenzolen aan een kikker afschraapte, 'de hemel zij dank dat er aan boord geen plaats is voor stieren en koeien, met hun grote plakken!'

In Caernarvon Bay kwam er die middag een ziltig windje opzetten. Tien vierkante zeilen werden gehesen, tien fel gestreepte zeilen bolden in de wind en de verweerde, gebeeldhouwde voorsteven van de *Gwenan Gorn* kliefde door het blauwe water van de baai. Het schip vloog vooruit alsof het de weg kende, naar het zuidwesten langs het schiereiland van Lleyn, voorbij het eiland Bardsey en vervolgens de koude, korte golfslag van het kanaal van St.-George in. In de verte ging de steenrode zon achter de Ierse Bergen onder en leek in een purperen mist op te lossen. Hij wierp een rossig pad van trillend licht over het water. Toen doofde de laatste warme zonnestraal en zeilden de schepen verder door de blauwe schemering. Madoc wilde zijn vloot nu nergens meer in Wales laten aanleggen; hij had dat bloederige land vaarwel gezegd en was niet bang om 's nachts te zeilen. Op alle schepen werd hoog op het achterkasteel een brandende lantaren opgehangen, een constellatie van tien lichten op de donker geworden zee onder de constellaties aan de hemel. Die lichten dienden om de vloot tot het zonlicht van de volgende ochtend bij elkaar te houden.

De passagiers sliepen deze eerste nacht slecht. Ze waren koud en vochtig van het opstuivende water, misselijk van het rijzen, dalen en rollen van het schip en het opgepakt zijn met onbekenden en beesten op een zich neerstortende, bokkende wereld van een dek dat nog geen zeven passen breed was. De meesten bevonden zich voor de allereerste keer meer dan drie mijlen van huis. En nu waren ze op weg naar een onvoorstelbare toekomst, ook al was die hen als een paradijs voorgespiegeld. Toen de zon de volgende morgen boven de Cambrische Bergen opkwam, voelden de meesten zich ellendig en waren zo zeeziek dat ze moesten overgeven. Maar Madoc was een en al opwinding door de aanblik van de andere negen schepen ver naar links en rechts, die opglansden in de gouden gloed van de zonsopgang en de bekende kaap van Sint-David, die in zuidelijke richting uit de zee oprees. Sinds ze gistermorgen waren uitgevaren, hadden ze bijna negentig mijl afgelegd. Vandaag zouden ze buiten gezichtsafstand van Cambrië komen en morgen zouden ze Land's End passeren. Dan zouden de dagen en nachten op open zee aanbreken, waarin de poolster achter hen lager aan de hemel kwam te staan. Dan zou het zachter weer worden. Vervolgens zouden de winden komen en ten slotte de wonderbaarlijke stroming, die stroming die Madocs geheime bezit scheen te zijn en die zijn mensen westwaarts naar het nieuwe land, het paradijs dat hij hen had beloofd, zou brengen. Natuurlijk voelden de mensen zich nu beroerd, waren angstig. Madoc had medelijden met hen. Maar ofschoon ze het nog niet beseften, wist hij dat ze een uitverkoren, gezegend volk waren, de voorlopers van een nobel ras, mensen van Wales van de Nieuwe Wereld.

Zo voer Madocs vloot dag in dag uit, met goed, maar winderig weer, naar het zuiden. Ze passeerden Bretagne en daarna Iberië. Met toegeknepen ogen tuurde Madoc over de glinsterende golven uit. Boven zijn hoofd zuchtte de wellustige wind en het want kraakte. Meredydd de bard zat naast hem te kijken hoe hij de helmstok vasthield en luisterde naar zijn verhalen over dat land in het westen, dat legendarische land waarvan hij had bewezen dat het bestond. En dan doopte Meredydd een ganzepen in de inkt en schreef de dingen waaraan ze moesten terugdenken neer. Meredydd was nu eerder gretig dan angstig en dat was al heel wat.

Soms kwam Annesta ook bij haar man zitten luisteren. Het zonlicht was echter te fel voor haar bleke huid en meestal kwam ze alleen op een tijdstip van de dag wanneer het dek van het achterkasteel in de schaduw van het zeil lag. Op het achterkasteel bevonden ze zich boven de wind van de stinkende chaos van mensen en dieren op het dek.

Gwenllian, hun dochter met de gouden haren, lag dan op een kussen naar haar vaders verhalen te luisteren of keek hoe het zwaaiende topje van de mast op de hemel schreef. Soms ging Meredydd voor haar zitten en leerde haar op de harp te spelen. En ondanks haar kleine handen en haar zachte vingers plukte ze aan de snaren en zong een klaaglijk liedje dat de wind wegsnaaide. Nog nooit had dit gezin zoveel geluk en hoop gekend. Naarmate Madocs hoofdwond in de zuivere zeelucht genas, vervaagden de verschrikkingen van de ontsnapping uit kasteel Dolwyddelan in Gwenllians geheugen als een oude nachtmerrie.

Gwenllian hield evenveel van boeken en verhalen als van zingen. Zo vaak ze kon haalde ze haar vader over om Meredydd voor de leesles het bestiarium te laten pakken. Dit boek, dat ze zo lang ze zich kon herinneren kende, was een van de kostbare voorwerpen die haar moeder tijdens hun vlucht van Dolwyddelan had meegenomen. Een ander boek was een bijbel. Het bestiarium was in het Welsh geschreven. Veel ervan kon ze al zelf lezen; de bijbel, in het Latijn, kon alleen door Meredydd en haar vader gelezen worden. De priesters konden de bijbel lezen, maar zij bevonden zich op de andere schepen. De boeken werden in dichtgegespte omslagen op het achterkasteel bewaard. Van Madoc mochten ze alleen te voorschijn gehaald worden als het mooi, rustig weer was en er geen risico bestond dat ze door opstuivend water of regen nat werden. Gwenllian had geleerd gepaste eerbied voor de grote waarde van die boeken te hebben. Ze wist dat elk boek jaren van werk had gekost. Toen ze een keer Meredydd zijn gedichten zag opschrijven, zei ze: 'Gij zoudt vast ook wel een bestiarium of een bijbel kunnen maken.'

'Jazeker, als ik een leven als een monnik had met anders niets omhanden, zou dat misschien lukken. Maar ik ben de bard van je vader, en dus schrijf ik nu de familiekroniek van Madoc de Prins.'

'En wordt het precies zo'n soort boek, met plaatjes erin, en gebonden in leer met goud?'

Hij glimlachte zijn vreemde muizeglimlach. 'Misschien wel, lieve prinses. Maar laten we hopen dat het nooit afkomt. Laten we hopen dat het nog een hele tijd duurt!'

'Wat zegt u nu, heer!' riep ze. 'Ik zou juist denken dat u wilde dat het af was en een boek wordt!'

Meredydd lachte zijn hinnikende lachje. 'Maar de familiekroniek van Madoc, de zeevarende prins, kan zolang hij leeft nooit worden afgemaakt. En moge hij een heel lang leven leiden!'

'O, ja! Heel, heel lang!' Toen boog ze haar hoofd boven het bestiarium en draaide de bladzijden om tot ze bij haar lievelingsplaat kwam, een houtsnede van een edelman te paard. Ze bleef er een hele tijd naar kijken en riep toen naar haar vader aan de helmstok:

'O! Ge hebt vergeten om rijpaarden naar het Nieuwe Land mee te nemen!'

Madoc, zijn gouden baard vol zonlicht, keek lachend op haar neer. 'Mijn kind, dat ben ik niet vergeten. Maar onze schepen hebben niet genoeg ruimte voor paarden of runderen, of andere dieren groter dan een geit.'

'Maar gij wordt daar koning,' protesteerde ze, 'en de koning van een land hoort een mooi rijpaard te hebben. Maar gij hebt er geen. En een prinses hoort ook een klein, mooi paard te hebben. En ik heb er ook geen!'

'Geen enkele andere man of vrouw van ons koninkrijk zal een paard hebben. En dus zal ik, groter en trotser dan alle anderen, op eigen benen op de grond lopen en niet minder trots zijn dan een koning te paard.

En wie weet,' ging hij met een brede lach van geluk en welbehagen verder, 'zijn er in dat enorme land al paarden die wij kunnen vangen en als rijdier kunnen temmen.'

'Of, nog beter,' riep ze en wees, terwijl ze lachend haar hoofd in het zonlicht achterover wierp, naar de volgende bladzijde, 'misschien wel eenhoorns!'

Met de dag scheen de zon hoger aan de hemel te komen staan.

Op een dag snoof Madoc in de lucht en liet weten dat zijn vloot zich nu eindelijk op de gunstige stroming naar het westen bevond. Toen begonnen de weken waarin ze naar de zonsondergang zeilden. Een maand lang zeilden ze zonder slecht weer op die goedgeluimde zee. Soms ging er een schaap van de hitte of aan een of andere ziekte dood. Dan werd het op het dek geslacht en gekookt. Een timmerman en een bejaarde smid kregen hevige pijnen in de onderbuik. Een paar dagen later stierven ze en werden op zee begraven. Hun lichamen werden met ballaststenen verzwaard om ze te laten zinken. Maar over het algemeen hadden de mensen een goede gezondheid. Behalve wanneer het ruw weer was, waren er nog maar weinig mensen zeeziek en de stemming was goed. Terwijl de tien schepen met hun fel gestreepte zeilen door de wind gebold en gelijk naar de wind staand westwaarts door het water kliefden, keken de mensen aan boord graag vol bewondering naar de andere negen schepen. Vaak zwaaiden ze naar mensen die ze kenden als de schepen zo dicht bij elkaar kwamen dat ze elkaar konden herkennen. Op kalme dagen zetten de kapiteins soms mannen aan de riemen. Dan kon je hun roeiliederen over het water horen. De mensen werden door de zon gebruind en de zon en het opstuivende water bleekten hun haar en hun kleren. Madoc kon zien dat ze gingen houden van de zee waarvoor ze eerst zo bang waren geweest. Hij zag dan een donker getaande man of zelfbewuste vrouw met een serene glimlach en toegeknepen ogen naar de verre horizons kijken terwijl de wind door hun lange haren wapperde. Dan zwol zijn hart van Welse trots.

Er volgden een paar dagen met windstoten en hoge zeeën die over de randen van het schip sloegen. De schepen sprongen en bokten. Als dat gebeurde, werden de mensen weer misselijk en bang, geïntimideerd als ze waren door de zinloze macht van de zee. De kinderen jammerden en huilden. Maar prins Madoc kende zijn schepen en zijn kapiteins goed. Hij wist dat er op zulke dagen geen gevaar was. En na zulke stormen waren de mensen opgelucht en vrolijk en iets minder angstig voor de volgende ruwe dag. Ze werden getemperd door de zee, zoals ook hij, herinnerde hij zich, als jongen op zee op de schepen van zijn grootvader, in koude en warme zeeën, was getemperd. Stukje voor beetje leerden de mensen wanneer ze niet gealarmeerd hoefden te zijn en Madoc begon zich meer met hen verwant te voelen. En elke morgen ging hij hen voor in gebed voor een veilige vaart, bracht hen in herinnering dat ze respect voor de zee moesten hebben en zelfs, naarmate ze stoutmoediger werden, eerbied voor God moesten hebben. De tijd verstreek in een lange opeenvolging van zulke bemoedigende dagen, tot Madoc van oordeel was dat zijn vloot meer dan halverwege over de zee was.

Bij kalmer weer riep Madoc twee keer per dag de negen scheepskapiteins met zijn signaalhoorn op. Dan brachten ze hun schepen dichterbij en kwamen in coracles naar de *Gwenan Gorn* toe. Daar hielden ze dan ruggespraak over incidenten op hun respectievelijke schepen en controleerden hun voorraden. De reis was tot nu toe goed verlopen. Ze hadden geen vertragingen gehad en dus was er nog geen crisis in de hoeveelheid of toestand van de levensmiddelen. Elke bemanning had op de stormachtige dagen regenwater opgevangen en zelfs na al die weken op zee waren de watervaten nog halfvol. Op alle tien de schepen hadden mensen met koorts te kampen gehad en zes mannen en vrouwen waren aan ziekten overleden. Eén vrouw en kind waren in het kraambed overleden. Maar onder een gelijk aantal mensen op het land in hun eigen steden zouden evenveel mensen zijn overleden – misschien zelfs meer, met de oorlog van de prinsen die nu in Cambrië woedde.

Opeens schoot Madoc in het donker overeind. Iets, hij wist niet wat, had hem uit een diepe slaap wakker gemaakt. Slaperig mompelde Annesta geschrokken iets naast hem en buiten het achterkasteel hoorde hij tal van stemmen die wilden weten wat er was. Hij stond onmiddellijk van zijn bed op, liep naar het luik en keek naar buiten op het door de maan verlichte dek. De mensen verdrongen zich bij de dolboorden. Ze keken naar zee en waren bezorgd aan het tateren.

Er was genoeg wind om het zeil te laten wapperen en de ra tegen de mast aan te laten kreunen. Het schip had moeten bewegen. Toch leek het of de wind uit de zeilen was genomen, of het aan de grond was gelopen. Maar dat was niet het geval. Madoc voelde het moeiteloos rijzen van de deining. En toch was er dat schurende gevoel.

Hij liep vlug naar de reling toe. Net op dat momend kwam de stuurman van de nacht, de doorgewinterde Rhys, van de helmstok vandaan. Zijn adem ging snel. Zelfs in het maanlicht zag je de spanning op zijn gezicht.

'Mijn prins,' mompelde hij, 'iets houdt het roer vast!'

'Ja? Wat dan?' antwoordde Madoc. Hij leunde over de reling heen en hoorde zwakke kreten van de andere boten. Hun lantarens kon hij op verschillende afstanden zien gloeien.

Hij stond voor een raadsel bij wat hij op de waterlijn zag. Overal waar het maanlicht op het water glansde, leek een of andere substantie te drijven. Het schijnsel van de maan viel vlekkerig en glimmend op donkere plekken.

Wat dit op Gods oceaan ook mag zijn, dacht hij, schuurt tegen onze romp aan. Zijn schedel prikte.

'Breng me een visspeer,' zei hij tegen Rhys.

Madoc stak zo'n anderhalve meter naar beneden met de speer in het water. Door het lange handvat voelde hij dat de haak iets aanraakte, iets stevigs, maar niet hard. Het was alsof hij iets levends aan de haak had geslagen en in weerwil van zichzelf deinsde hij heel even geschrokken terug. Maar toen draaide hij de haak om en met het handvat op het dolboord steunend begon hij de speer op te tillen. Een druipend iets kwam uit de zee omhoog. De roerganger leunde timide met een fakkel over de reling heen.

'Lieve hemel, mijn prins, het is zeewier!'

'Aha!' riep Madoc en begon de steel van de vishaak binnen te halen. 'Rustig maar!' riep hij naar de mensen die mompelend bij elkaar stonden. 'Het is maar zeewier!' Maar zelf was hij niet zo kalm. Bij de legenden van de zee die door de Ierse monniken waren opgetekend, was er een over een afschuwelijke zee van wier midden in de oceaan, een massa wier die een schip in zijn vaart stuitte en het verpletterde of naar beneden trok; een monsterachtige wirwar van een enorme omvang, vol draken, gehoornde walvissen en giftige slangen. Menig schip dat zich in

99

de Westelijke Zee had gewaagd, was volgens de veronderstelling door windstilte overvallen en door de tentakels ten onder gegaan of door de leviathans opgeslokt. Nu kwam deze legende, die hij slechts half had geloofd, hem weer in gedachten. Als de mensen op zijn schip er van af wisten, zouden ze in paniek raken. Madoc zou er niet over spreken. Hij vroeg zich af of Riryd of een van de kapiteins en zeevaarders op de andere schepen de legende kenden. Als dat zo was en zij er met hun bemanning en passagiers over spraken, werden de mensen misschien wel krankzinnig van angst. Zelfs nu stonden ze allemaal doodsbenauwd te jammeren; baby's huilden. Madoc riep om aandacht en toen de mensen stil waren begon hij te praten.

'Luister, mensen! Ik zeg u dat u zich kalm moet houden en u weer ter ruste leggen. Dit is alleen maar een vlakte met zeewier. Zodra het dag wordt zult u zien dat het onschadelijk voor ons is. We zullen onze schepen eruit roeien. Ik verbied u om uzelf of elkaar of uw kinderen door dwaze praat bang te maken. U kunt al onze andere schepen rustig om ons heen zien liggen. Ga nu weer terug naar bed. God behoede u tot de dag aanbreekt.' Hij gaf bevel om het grootzeil te strijken.

Toen alles stil op het schip was, bleef Madoc een poosje in het maanlicht staan. Hij probeerde zich zeker van zijn zaak te voelen. Hij hoorde de mensen nog fluisteren en van de schepen in de verte klonken gejammer en geschreeuw. Maar aan de angst aan boord van die andere schepen kon hij niets veranderen. Hij ging terug naar zijn bed. Annesta klemde zich bevend aan hem vast.

'Ik vrees,' fluisterde ze, 'dat er precies onder ons schip monsters zitten!'

'Stil nu! Gwenllian mocht het eens horen!'

'Ze slaapt nog.'

'Gaat gij dan ook slapen.'

Maar geen van beiden sliep.

Toen de nieuwe dag aanbrak, riep de uitkijkpost vanuit het topje van de mast naar beneden dat er zover hij kon kijken in alle richtingen zeewier lag. In een plotselinge golf van angst dat ze in de val zaten, liepen de mannen en vrouwen naar de dolboorden te hoop om naar beneden kijken. Naar adem happend begonnen ze hard te roepen over wezens die zij in de donkere schaduwen onder de afgrijselijke blauwgroene ranken en krullende bladeren dachten te zien. Ze brulden dat ze drakenvissen, grote, slangachtige bewegingen, glinsterende schubben, spleetogen en slijmerige poliepen zagen.

Ook Madoc, met Meredydd naast zich, keek naar beneden; uit angst voor wat ze misschien zou zien, durfde Annesta niet te kijken. Weer stak Madoc zijn lange visspeer naar beneden en hield een drietand bij de hand. De slijmerige poliepen bleken slechts luchtblazen die zich van het zeewier vertakten te zijn.

Toen Madoc nog een grote streng zeewier ophaalde en met een plof op het dek liet belanden, kwam er een spartelende vis ter grootte van een hand naar boven. Het was een gevlekt, lelijk beest met scherpe vinnen, hoornige uitsteeksels en stekels; en er kwam ook een slangachtige, schubbige zeenaald van drie el lang uit. Madoc verwachtte dat de mensen van opluchting om hun eigen fantasieën om deze vreemde, kleine wezens moesten lachen. Maar in plaats daarvan namen veel van hen onmiddellijk aan dat dit slechts jongen van de enorme, even lelijke monsters waren die zij in gedachten hadden gezien. Ze werden stil en zagen alleen nog maar dat angstbeeld.

Wat hemzelf betrof: Madoc vond de zee van zeewier zowel een obstakel als iets fascinerends. Het water was hier heel warm, helder en kalm, en er scheen een onmetelijke hoeveelheid van klein, dierlijk leven van de massa planten afhankelijk te zijn. Hij zag overal waar hij keek vliegende vissen, zeepaardjes, slakken, kwallen en allerlei soorten watervlooien. Hij nam aan dat er hier ook wel grote vissen zouden zitten die zich aan deze overvloed te goed deden.

Als we hier werkelijk in de val zitten, dacht hij, hoeven we geen honger te lijden. Net en speer zouden ons voor eeuwig voeden.

Maar de schepen konden hier niet zeilen en ze waren nog steeds ver van de kusten van Jargal, hun beloofde land, verwijderd. Als ze hier bleven liggen, zouden de mensen buiten zinnen raken van angst en fantasieën.

En dus zette Madoc de mannen aan de riemen. Hij liet het

roer van de roerpennen lichten en het op het dek neerleggen, zodat het niet in het wier sleepte. Toen blies hij op de signaalhoorn om de aandacht van de andere kapiteins te vestigen op wat hij deed en zette zijn roeiers aan het werk. Eerst roeiden ze onwillig, alsof ze bang waren dat monsters hun riemen zouden grijpen en hen overboord trekken. Maar Madoc spoorde hen aan en toen hun voorzangers hun lied lieten horen, probeerden ze vol energie te roeien. Het was zwaar werk. Wier bleef in de riemen vastzitten, eraan hangen of gleed eraf, wat het onmogelijk maakte om in de maat te roeien. Twee weken lang gingen de riemen van Madocs schepen op en neer. De schepen kropen door de ogenschijnlijk eindeloze uitgestrektheid van zeewier heen. De schepen hadden weinig diepgang en konden zodoende over het wier heen varen, maar de baard op de romp van de *Gwenan Gorn* en de andere, oudere schepen remde ze in die begroeiing verschrikkelijk af. De zon brandde. De roeiers waren verbrand en uitgedroogd en halverwege de ochtend uitgeput. Ze begonnen op skeletten te lijken. De voedselvoorraden in de voorraadruimten van het schip slonken gestaag; schapen werden als voedsel gedood. En hoewel ze talloze kleine creaturen in hun netten uit de zee omhooghaalden, bleken die grotendeels uit schaal, graten en schubben te bestaan. Op een gegeven moment begonnen ze zelfs delen van het zeewier te eten. Slechts weinig mensen konden het echter binnenhouden. Het leek of er nooit een regenwolk boven deze dampende zeejungle hing en het weinige water dat nog in de vaten zat was flauw.

God onze Vader, bad Madoc elke avond, verlos ons en breng ons weer naar open zee!

Drie dagen nadat de vloot uit de Zeewierzee was gekropen, verdween de ondergaande zon niet op de horizon, maar een paar graden daarboven, achter een enorme hoeveelheid purperen stapelwolken. Het eerstvolgende uur werd de donkere massa alleen maar hoger en flikkerde onophoudelijk met bliksemflitsen. De mensen keken met ontzetting naar het naderende weer. Soms keken ze achterom, naar Madoc aan het roer, keken alsof ze van hem signalen verwachtten die aangaven hoe bang ze moesten worden. Er was geen enkele uitdrukking op zijn gezicht te lezen, maar juist die onverstoorbaarheid was onheilspellend.

Een koude, natte windvlaag waaide Madocs baard uiteen en deed zijn haar en tuniek rechtuit achter zich uitstaan. Met een enorme klap scheurde het zeil doormidden. De zeillantaren waaide van zijn houder en dook wervelend naar beneden in de zee achter hen. Vrouwen en kinderen begonnen te gillen toen ze het fladderende zeil boven zich zagen en probeerden allemaal tegelijk beschutting onder de coracles op het voorkasteel te vinden.

Voortgezweept door een loeiende wind joegen onmiddellijk daarop ijzingwekkend zwarte wolkenflarden langs de hemel boven hen. De zee werd opgezweept tot golven met schuimkoppen die nog boven de mast uitkwamen. Zonder zeil dreigde het schip langszij te komen liggen en om te slaan. De mannen deinsden terug voor dat geweld. Alleen door nog meedogenlozer dan de storm te lijken, kreeg Madoc hen weer aan de riemen en zette hen aan het roeien om weer vooruit te komen; daarna kroop hij weer de ladder naar het achterkasteel op en bond zichzelf met een touw aan de helmstok vast. Twee keer stond de *Gwenan Gorn* op haar zij voordat de riemen en het roer haar dwongen tegen de bergenhoge golven op te gaan. Pas toen kon ze ertegenop en overheen kruipen. Tijdens één zo'n zwaaiende, steigerende zet omhoog in de schuimende storm, tuurde Madoc door halfgesloten ogen om zich heen om te zien of hij ook een van de andere schepen kon ontwaren. Door het waas in zijn van het zout stekende ogen dacht hij een rondhout met aan flarden gescheurd zeildoek te zien op het moment dat hij achter de witte kruin van een berg water uit het zicht weggleed. Het was al donkerder dan de avondschemering en nergens kon hij lantarens ontdekken. Het was een reële mogelijkheid dat heel de vloot, met uitzondering van de *Gwenan Gorn*, was omgeslagen, wist hij; in feite was hij daar zeker van, aangezien de andere schepen minder zeewaardig waren en hun kapiteins minder ervaring hadden.

Negen schepen met elk dertig brave, Welse zielen aan boord, allemaal binnen enkele ogenblikken verloren vanwege zijn grootse dromen van een nieuw koninkrijk! Het hart zonk hem in de schoenen en hij had het gevoel of het zou breken als het ooit zou ophouden te zinken. En hij wist nog niet eens zeker of hij de *Gwenan Gorn* met haar dertig mensen wel voor een ziltig, donker graf kon behoeden. Nu en dan meende hij in de gierende wind zijn dochter en echtgenote in de hut beneden te horen huilen. Hij dacht aan de koude diepte van de zee die beneden wachtte om de mensen van wie hij hield op te slokken, aan de vissen die wachtten om aan hun gebeente te knabbelen. Met toegeknepen ogen probeerde hij door het opzwepende, dreigende, opstuivende water voor en daar beneden, waar de roeiers nog steeds in staat waren om te werken, heen te turen. In het vluchtige licht van de bliksemflitsen ving hij heel even een glimp van hen op. Het leek of ze zich even hard voor hun leven aan de riemen vastklampten als dat ze roeiden.

Diezelfde bliksemflitsen lieten het uitgesneden, eiken boegbeeld van de *Gwenan Gorn* zien. Het rees tegen het witte schuim naar boven, klom steeds verder, tot het schip op de tot nevel verstoven top van de golf belandde. Met een misselijkmakend gevoel helde het naar voren en dook naar beneden alsof het naar de bodem van de oceaan ging. Vervolgens sidderde het schip alsof het uit elkaar werd getrokken en bij een volgende flits wit licht zag Madoc hoe de voorsteven weer tegen een andere muur van water sloeg. De daaropvolgende bliksemflits liet zien hoe grote watervallen zout water van het voorkasteel als een woeste bergstroom tussen de roeiers naar beneden en weer terug stroomde.

Madoc had in zijn worsteling met de bokkende helmstok geen enkele notie van tijd. Ook al had hij zichzelf met een touw eraan vastgebonden, toch vloog hij keer op keer tegen het dek aan tot zijn knieën ervan bloedden. Vaak hapte hij naar adem maar zoog slechts water naar binnen en verzwakte zichzelf door te hoesten en naar lucht te happen. Hij had het gevoel of hij wel honderd keer verdronken was; die keer dat hij onder de waterval bij de spelonk bij Dolwyddelan was doorgelopen, was hij niet zo nat geworden als nu.

'Mijn God, mijn God!' riep hij tegen het gebrul in. 'Als Gij mijn arme mensen hier doorheen bewaart… zal ik met liefde

104

morgen sterven om de honger van de zee naar menselijk gebeente te bevredigen!'

Hij tuurde, naar het leek, een eeuwigheid in de omhoogrijzende, suizende maalstroom in de hoop dat hij een licht stuk zeil, de zwarte massa van een scheepsromp of de lantaren van een ander schip, die door een wonder misschien nog brandde, zag. Maar eigenlijk had hij geen hoop. Zolang menselijke kracht, zijn eigen kracht en die van zijn roeiers, het volhield, kon hij slechts proberen zijn schip recht tegen de wind in te houden. Ik ben sterker dan mijn mensen, dacht hij. Maar de zee is veel sterker dan wij allemaal. Genade, almachtige God! Wij hebben alleen geprobeerd U te dienen, in een nieuw Eden dat Gij voor ons ontdekt hebt!

Ergens gedurende de nacht werd Madoc zich ervan bewust dat de bliksem niet meer flitste. De wind brulde echter nog wel en de zeeën waren nog hoog.

Alles deed hem pijn en met bloedende handen en benen, worstelde hij met de helmstok en keek hoe het zwarte duister van de nacht vervaagde tot het grijs van de morgen. Zien was bijna erger dan wat hij zich had voorgesteld. De flarden zeil die nog restten stonden, ondanks het feit dat het zware, natte wol was, rechtuit en klapperden in de wind. Eén coracle was verdwenen en twee waren verpletterd. Het kraaienest boven in de mast zag eruit als een kapotgeslagen mand. De grootstag en het want waren in ieder geval nog heel, hoewel ze afwisselend werden uitgerekt en weer in elkaar zakten naarmate de belasting op de mast eindeloos veranderde. De zee bleef, als Poseidons grijsgroene vuist, op het schip inbeuken en duwen en de dekken kolkten met melkachtig schuim dat vaten, riemen en mannen als wrakhout heen en weer spoelde. De mannen die niet roeiden worstelden om te hozen. Ze spanden zich in om op de been te blijven en hielden zich aan touwen vast om nìet in de glasgroene bergwanden van de opdoemende golven te worden weggeslagen.

Juist op dat moment werd een man – hij was herder, wist Madoc – al gillend door een losgeslagen watervat tegen het dolboord verpletterd. Vol afgrijzen keek Madoc toe. Toen de ton met de beweging van het schip wegrolde, dreef het verpletterde lichaam van de man naar de andere kant en verdween al kronkelend in zee, waar het verdween. De stuurman klauterde moeizaam de ladder op en klampte zich aan alles wat hij maar kon beetpakken vast. Hij schreeuwde naar Madoc dat in die donkere uren drie andere mannen overboord geslagen waren en dat er drie met gebroken vingers of gebroken ledematen onder het voorkasteel zaten. Eén kind was dood, klaarblijkelijk in haar bed verdronken.

'Ach! Ach, eilaas!' kreunde de stuurman. 'Zal deze storm ooit nog ophouden?'

'Daar bid ik om,' schreeuwde Madoc in zijn oor. 'Maar dit is de zee!'

's Middags hield het op een gegeven ogenblik op met regenen. De wind blies niet langer de toppen van de golven weg. Het werd donkerder, maar op het laatst zag Madoc een veeg geel daglicht en vervolgens een vluchtige zonnestraal op de westelijke horizon. In het wegstervende licht van de dag gaf hij de zeelieden opdracht de tuitouwen en het want strak te trekken en het reservegrootzeil te hijsen. En hoewel de zeeën nog steeds bergenhoog gingen, hield het zeil de *Gwenan Gorn* op koers, zodat ze opnieuw door de golven kon klieven zoals de bedoeling was, en werkelijk varen. Bij het invallen van de avond liet Madoc een andere lantaren op de achtersteven vastbinden. In de straffe wind ging hij verschillende keren uit, maar op het laatst bleef hij branden. Madoc speurde in het donker van de nacht in alle richtingen. Hij keek als door een waas door het zout en zijn van vermoeidheid brandende oogleden, maar kon nergens een andere lantaren ontdekken. Een ster gluurde tussen de wolken die nu uiteendreven. Het geluid van de zee was nu een onophoudelijk geraas en hij kon de stemmen van de mensen beneden horen, het gegil van mannen bij wie gebroken botten werden gezet en het gejammer van kinderen die nog doodsbang waren.

Toen liet Madoc in het donker de signaalhoorn halen en blies een lange, brullende toon. Hij bleef een tijdje staan om op antwoord te wachten en blies toen weer. Eén keer dacht hij dat hij van ver een treurig antwoord hoorde, een soortgelijk kreunend, verlaten geluid dat net boven het geraas van golven en wind uitkwam. Maar daarna hoorde hij het niet meer, hoewel hij bijna een uur lang iedere keer opnieuw de hoorn blies. Hij liet zich uitgeput op een knie zakken en met zijn vrouw, dochter en bard die groen zag, bad hij hardop een dankgebed voor hun redding en vroeg genade voor de vier zielen die ze op zee hadden verloren. Toen smeekte hij ten slotte:

'Onze Here God, laat ons bij het aanbreken van de dag één zeil... twee zeilen... of, de mooiste van alle goddelijke gaven, alle negen zeilen zien!'

Toen gaf hij de helmstok aan een ervaren zeeman over en ging de hut op het achterkasteel in. Het dek was glibberig van het braaksel van Annesta en Gwenllian. Hij liet zich op de klamme matras naast Annesta neervallen en zakte zelfs terwijl ze nog tegen hem praatte in een uitgeputte slaap weg.

Toen het licht werd, bonsde de wacht op het luik om hem wakker te maken, zoals hij had opgedragen. Het leek of zijn ledematen en rug gebroken waren, zo'n pijn deden ze. Zelfs zijn hart voelde gebarsten. Maar kreunend worstelde hij zich overeind, streelde Annesta's voorhoofd en hobbelde als een oude man weg in het lamplicht, ondanks zijn pijn gretig om naar het achterkasteel te klimmen en bij het eerste licht de horizon af te speuren.

De dageraad was als een zilveren rand achter hen zichtbaar toen Madoc zich kreunend op het hoge achterdek hees. De stuurman stond aan de helmstok. Met verbazing zag Madoc dat de man een brede grijns op zijn gezicht had.

'Kijk, heer,' zei Rhys en wees vanuit het stuurboordkwartier over de nu kalm geworden zee. Madoc keek en zijn hart maakte een sprongetje van vreugde.

Tegen de zilveren rand van de wereld afgetekend, drie mijl achter hen, was een klein, vierkant stukje zeil te zien.

'Daar!' riep hij terwijl hij voorover geleund, ver vanuit bakboordzijde, in de verte naar een klein vlekje tuurde. 'Het is een groen zeil! Dat moet de *Gryphon* zijn!'

Maar de stuurman, die in diezelfde richting staarde, riep:

'Nee, heer, met uw welnemen, het is rood. Het moet de *Pen Mawr* zijn.'

'Nee, groen... Aha!' Madoc besefte dat ze naar twee schepen, en niet naar één schip, ver naar het zuiden keken, één met een groen, het andere met een rood zeil. Onder het mompelen van dankgebeden speurde hij rond, nog eens rond en nog eens rond. De mensen op het dek beneden riepen en wezen nu ook. Ze hadden minstens één van de schepen in de verte gezien. Ten slotte moest Madoc toegeven dat er geen zeilen meer voor de rand van de horizon zichtbaar waren. 'Maar vier van ons,' riep hij, waarbij zijn gezicht een masker van zowel pijn als blijdschap was, 'vier van onze kloeke schepen zijn in ieder geval door die maalstroom heen gekomen!'

'En misschien,' viel Meredydd de bard hem op zijn benen zwaaiend en bibberend van misselijkheid in de rede. 'Misschien zijn de andere zes er ook doorheen gekomen, heer, maar zijn ze alleen verder weg geblazen.'

'Dat is het beste dat we ons kunnen wensen,' zei Madoc, 'en laten we hopen dat het zo is.' Maar hij had verschrikkelijk hartzeer en hij had er maar weinig hoop op dat Meredydd gelijk had. De andere schepen waren minder zeewaardig dan zijn eigen schip, en de *Gwenan Gorn* had het al nauwelijks overleefd. 'Och, mijn moedige broeder,' kreunde hij. Hij was er zeker van dat Riryd dood was en die zekerheid, boven op zijn hevige, matte pijn, was te groot om te dragen als hij van plan was om verder te gaan. Hij kon het zich niet veroorloven daar nu over na te denken; te veel mensen waren voor alles van hem afhankelijk.

De drie andere schepen waren misschien te ver om de signaalhoorn te horen, maar hij blies er toch op. Op deze afstand hadden de mensen op de *Gryphon* en de *Pen Mawr* de *Gwenan Gorn* misschien niet gezien en zouden misschien voor goed uit het zicht wegzeilen. Het schip achter hen, waarvan hij de kleur van het zeil nog niet kon thuisbrengen omdat hij het in silhouet zag afgetekend, was dichterbij. De bemanning daarvan had de *Gwenan Gorn* mogelijk ook niet gezien; daar mocht je in ieder geval niet van uitgaan.

Madoc gaf de stuurman opdracht iets naar het zuiden bij te

sturen om daardoor dichter bij de twee schepen daar te komen. Weer herhaalde hij de toon van de hoorn. En nu hoorde hij, zij het ternauwernood, één lage, lange toon; het schip achter hen had geantwoord.

Goed, dacht hij. Heel goed! Vaar nu achter me aan, dacht hij over de afstand naar dat zeil in de verte. Vaar achter me aan terwijl ik dichter bij die andere twee probeer te komen!

Naarmate de ochtend verstreek en de zon hoger aan de hemel kwam te staan, zag hij dat het schip dat hem volgde een bruin met wit gestreept zeil had. Dat zou dus de *Ysprid*, of Geest, een van de nieuw gebouwde schepen, moeten zijn. Dat gaf Madoc een beetje hoop. Als de *Ysprid* sterk genoeg was geweest om de storm te doorstaan, was dat de andere twee nieuwe schepen misschien ook gelukt.

Dat zou uiteraard echter van de vaardigheid van hun kapiteins en van puur geluk afhangen.

Nee, niet van geluk, zei hij tegen zichzelf. Van de genade van God.

Laat in de middag had Madoc de *Gryphon* en de *Pen Mawr* aangeroepen en ingehaald en had de *Ysprid* de achterstand ingelopen. De vier schepen lagen bij elkaar terwijl de kapiteins aan boord van de *Gwenan Gorn* waren gekomen om verslag over hun reilen en zeilen in de grote storm aan Madoc uit te brengen. Vijf mannen en twee kinderen van die drie schepen waren verpletterd, verdronken of overboord gespoeld en vier mensen hadden gebroken botten opgelopen. Alle coracles op de *Gryphon* waren vernietigd, en op de *Pen Mawr* waren er twee beschadigd, maar die konden nog gerepareerd worden.

'Die storm heeft ons heel wat gekost,' zei Madoc tegen zijn vermoeide kapiteins. 'Zes schepen met hun honderdtachtig zielen aan boord zijn verloren en we hebben elf van onze mensen zien omkomen.' Bedroefd schudde hij zijn hoofd.

'Mijn prins,' zei de kapitein van de *Gryphon*, 'we zijn nu met weinig meer dan honderd man om een kolonie te stichten waar ge driehonderd man had willen gebruiken. Mag ik u vragen of ge eraan denkt om verder te gaan? Zijn we met genoeg mensen?

Zoudt ge om meer schepen en mensen naar ons land terugkeren? Of uw plan aan de kant zetten?'

Madoc staarde de man met diep van vermoeidheid weggezonken ogen aan en overwoog de vraag. Vreemd genoeg was zo'n redelijke vraag niet eens in zijn eigen hoofd opgekomen, besefte hij, ofschoon hij zich dat wel had moeten afvragen. 'We zijn slechts dagen van dat nieuwe land verwijderd,' antwoordde hij ten slotte. 'Alle gevaren van de verschrikkelijke oceaan die we zojuist hebben gezien liggen tussen ons en Cambrië in – en dat is ook een land waaraan we met het vege lijf zijn ontsnapt. Nee, mijn moedige kapiteins. Ik heb er zelfs niet aan gedacht om onder die slag toe te geven. Het stichten van een vredelievende staat in Jargal is mij als een heilige plicht door onze Here God die het mij heeft laten ontdekken opgedragen. En honderd sterke Welse mannen en vrouwen zijn wèl genoeg om een land te koloniseren!'

En dus zeilden ze verder.

Twee heldere dagen met een straffe wind kliefde de geslonken vloot door de blauwe zee. Het kraaienest van de *Gwenan Gorn* was gerepareerd en werd bemand door een uitkijkpost met scherpe ogen, maar hij zag noch het zeil van Riryds *Pedr Sant*, noch dat van de andere vijf schepen en de hoop begon te sterven. In hun hart stonden de mensen hun landgenoten al aan hun zilte graf af en probeerden aan het langzame herstel van hun verdriet te beginnen. De schepen voeren op die ongeziene stroming die Madoc zo goed kende door de zee snel naar het westen toe en tegen de avond van de tweede dag waren Madocs sterke lichaam en hart zover uitgerust dat hij zich weer volledig mens voelde. In de donkerte van zijn hut lag hij echter met tranen in zijn ogen naast de slapende Annesta aan zijn robuuste, dappere broer Riryd, aan wie hij zijn leven te danken had, te denken.

Op dat ogenblik hoorde hij de uitkijkpost vanuit het kraaienest roepen: Er waren lichten vooruit!

Madoc vloog uit bed en klauterde in de winderige nacht onder een hemel bezaaid met sterren moeizaam naar boven. Ver voor hen uit zag hij drie gele lichten, niet het witte, koude licht van sterren en gaf de bemanning opdracht alle zeilen te hijsen om te proberen hen door het donker te bereiken. Terwijl hij naar het dek van het achterkasteel klom, keek hij achterom en zag de lantarens van de *Gryphon*, de *Pen Mawr* en *Ysprid* niet ver achter hen. Hij kon de lichten voor hen uit inhalen zonder dat de drie schepen die achter hen voeren hen uit het oog zouden verliezen. Zijn hart klopte snel, vol hoop. O, bij die schepen voor hen uit zou ongetwijfeld de *Pedr Sant* van Riryd zijn!

Die vroege uren van de morgen volgde een lange, hoopvolle jacht en nog voor het licht werd was de afstand al zo klein geworden dat Madoc op de hoorn blies, wachtte, weer blies, wachtte en toen een derde toon blies. Opeens hoorde hij een hoorn antwoorden en hoewel het geluid zwak was, wist hij met zekerheid dat het de sonore toon van de *Pedr Sant* was!

Bij zonsopgang lagen de zeven gehavende schepen dicht bij elkaar en geliefde stemmen riepen al het nieuws over en weer. Riryd werd met een coracle naar de *Gwenan Gorn* geroeid. Breed lachend maar met tranen in zijn ogen klauterde hij het dek op en Madoc en hij klampten zich in een krachtige omhelzing aan elkaar vast. Toen vertelde Riryd zijn verhaal.

'Heel die eerste nacht en dag dachten we elk dat alle anderen gezonken waren. We zagen zoveel planken, rondhout en houten kisten drijven, dat we dachten dat de andere schepen met man en muis in de stormachtige golven waren vergaan. Maar toen de storm bedaarde, zag ik eerst de *Bonedd* moeizaam met een gebroken rondhout in het water liggen. En vlak voor het donker werd zag ik de *Offa* zeilen. Ze had het heelhuids doorstaan. Haar kapitein was echter overboord geslagen en de stuurman had nu de verantwoordelijkheid.'

Madoc schudde zijn hoofd. De uitdrukking op zijn gezicht ging van blijdschap over in spijt en weer terug. 'Nu zijn we drie schepen kwijt in plaats van zes,' zei hij. 'We hebben nu zo'n tweehonderd zielen, vele sterke, vaardige handen om onze kolonie op te bouwen. En, zo God wil, ervaren we vandaag misschien nog wel zo'n wonder en vinden we nog een schip – of heel de rest. Mijn besef over de weldadigheid van onze Heer neemt weer toe nu mijn broeder het leven weer teruggekregen heeft!'

'Ha!' schreeuwde Riryd. 'Of liever, dat *mijn* broeder het leven heeft teruggekregen, want ik wist dat *ik* nog leefde!' Madoc moest lachen. 'Kom,' zei hij. 'Vandaag ga ik een duif in de lucht laten. Land kan niet meer ver voor ons uit zijn!'

De volgende avond kwam de duif niet terug en de volgende morgen zagen ze land toen het dag werd – alleen lag het achter hen. De vloot was 's nachts langs een eiland gezeild, besefte Madoc onmiddellijk. Hij wendde de *Gwenan Gorn* en voer voor de vloot uit naar het zuiden en oosten om uit te kijken naar het land. In de verte leek het hoofdzakelijk een lage bergketen die in het licht van de morgen wazig blauw leek.

Toen de schepen dichterbij kwamen, zag Madoc dat de heuvels met grijsgroen struikgewas begroeid waren en dat het lage land langs de kust bedekt was met struiken met puntige, stekelige bladeren en hoge, varenachtige bomen. Erlangs liep een strand met zand zo wit als sneeuw op de Snowdonia-bergen in de winter. Het opmerkelijkst in schoonheid waren echter de riffen en ondiepten die tot ver uit de kust doorliepen en varieerden van kristalhelder turkoois en aquamarijn tot een diep kobaltblauw, zoals hij sinds zijn jongensjaren op een reis naar de Egeïsche Zee niet meer had gezien. Dolfijnen, voorboden van goed geluk, dartelden om de schepen heen en vrolijkten de families op.

De schepen lagen in het prachtige ondiepe water voor anker. Madoc ging met een aantal zeelieden in drie coracles aan land. Vlug verkenden ze het eiland. Het bleek dat er geen mensen woonden en dat er ook geen zoetwaterbron was. Dus keerde hij naar de schepen terug en hees 's middags de zeilen weer.

De volgende dag zagen ze drie kleine eilandjes liggen. Op één ervan liep een smal, helder riviertje waarmee ze de watervaten weer vulden. De jagers vingen felgekleurde vogels in werpnetten. Aan hoge bomen groeiden trossen grote vruchten met een harde dop. Ze moesten met timmermansgereedschap worden opengemaakt. Madoc hoopte dat ze niet vergiftig waren en proefde het sap er binnenin. Hij vond het nogal naar geitemelk smaken en het vruchtvlees vond hij op walnoot lijken. Hij noemde de vruchten geitenoten. Vervolgens verzamelde de bemanning honderden van die noten en vervoerden ze in de coracles naar de schepen die voor anker lagen. Daar werden ze aan de geslonken voorraden toegevoegd. De volgende morgen was de vloot bij het aanbreken van de dag alweer op weg. Ze voeren nog steeds door die ongelooflijk blauwe zee naar het westen. Iedereen was vrolijk gestemd. Kinderen en volwassenen deden zich te goed aan geitenoten en vonden ze heerlijk, en de vrouwen leerden zichzelf hoe ze schaaltjes van de doppen moesten maken. Die dag passeerden ze nog een eiland in de verte en Madoc vroeg zich af waarom ze die eerste reis helemaal geen eilanden hadden ontdekt, terwijl er nu zoveel waren.

Misschien heeft de grote storm ons in een ander deel van de oceaan geblazen, dacht hij. Die nacht observeerde hij zorgvuldig de poolster en stelde vast dat zijn vloot zich inderdaad aanzienlijk verder naar het zuiden bevond dan bij hun eerste landing.

Die gevolgtrekking werd nog versterkt door zijn waarneming van de volgende dag: de zeestroming, die noordwaarts had moeten gaan, stroomde nu tegen de voorsteven van het schip in. Zij was ook warmer en niet zo helder als eerst.

Hij begon zich inmiddels zorgen te maken over de mogelijkheid dat ze onder het continent door zouden varen. De volgende morgen zette hij daarom het roer in tegengestelde richting en hees de zeilen om de vloot op een koers in noordelijke richting te brengen.

De ochtend daarna vloog een duif uit en kwam niet meer terug. De vloot voer alleen op de wind naar het noorden. Er was helemaal geen stroming te bespeuren en het water zag er een beetje onheilspellend en meer groen dan blauw uit. 'Ik geloof dat we bij de monding van een rivier komen,' zei hij tegen de stuurman. Zijn hart hunkerde naar land; hij herinnerde zich de intrigerende rivieren die hij het vorige jaar had verkend en snoof of hij de lucht van bossen en moerassen kon opsnuiven. Dit was een heel warm, kalm gedeelte van de zee en het wemelde er van bruinvissen en haaien. Overal zag je vinnen door het water klieven.

En opeens klonk daar de stem van de uitkijkpost: 'Land! Land recht vooruit!'

Dit was niet gewoon weer een klein eiland, zag Madoc algauw. Aan stuurboordzijde was laaggelegen, donker, groengrijs land dat zich ogenschijnlijk eindeloos zonder een berg, heuvel of zelfs een bergkam uitstrekte. Madoc stond voor een raadsel en was enigszins gealarmeerd door het feit dat het oostelijk in plaats van ten westen van zijn vloot lag. Maar uiteindelijk stelde hij zichzelf gerust. Toen hij twee dagen geleden een noordelijke koers had gekozen, was hij zeker onder een of andere kaap of een schiereiland doorgevaren en vervolgens aan de westelijke kust daarvan terechtgekomen. En deze warme, donkere, kalme zee waarop hij nu zeilde, leek ook inderdaad meer op een baai of golf dan op de oceaan, hoewel het een enorme watermassa was en niets erop wees dat meer naar het westen toe de andere kust lag. De bemanning en de mensen aan boord schenen dat echter niet eens te hebben opgemerkt. Zij stonden zich simpelweg bij de dolboorden te verdringen en staarden opgewonden pratend naar de kust.

'Vooruit dan,' zei Madoc tegen de stuurman. 'Laten we dichter naar de kust varen en de kustlijn volgen en dan naar een haven uitkijken.'

Jargal! dacht hij. *Mijn land!*

Maar het land dat ze betraden toen ze met de coracles aan land gingen, was niet het vruchtbare, verleidelijke land dat hij op de eerste reis had aangetroffen. In plaats daarvan was het een bijna onverdraaglijk soort hel, een stekelig, dampend aambeeld waarop de zon als een smidshamer neerbeukte. De helft van het land was moeras en wildernis, waar wortels en ranken het lopen onmogelijk maakten; de rest was heet, grijs zand, bezaaid met stekelige, laag groeiende planten, waarvan de lange, smalle, puntige bladeren kleding en huid openreten. Er waren hele velden taaie grassoorten met scherp getande halmen, waar het wemelde van reptielen en gonsde van zwermen vliegen en muskieten. Voor zolang ze de insekten konden verdragen, probeerden Madoc en zijn twaalf mannen deze kustwoestijn te doordringen om te zien of er daarachter beter land lag. Op veel plaatsen konden ze slechts vooruitkomen door in de bedding van traag stromende riviertjes vooruit te waden. Hun sandalen en vervolgens hun voeten werden daarbij opengesneden door de oesters en eendemosselen die als een korst alles onder de vloedlijn bedekten. Slangen zwommen weg of hingen bij elke wending die ze namen in de bomen. Lopen betekende uit alle poriën zweten en naar adem happen, en bij elke ademhaling zoog je je mond of neus vol met muggen. Toen Madoc een keer insekten uit zijn ogen wreef, zag hij opeens een glimp van iets dat een draak met een lange neus leek, groter nog dan een paard. Het dier vloog naar het moeras toe, een paar meter voor hen uit. Hij hoorde duidelijk zijn gespetter in het water en de kreten van angst van de mannen achter zich die het beest ook hadden gezien. Maar als hij dat niet had gehoord zou hij hebben gedacht dat zijn verbeelding hem parten had gespeeld.

Omdat het monster in hetzelfde water als waar zij nu doorheen waadden was geplonsd, wilden de mannen niet verder vooruit. Madoc wilde zelf eigenlijk ook liever omdraaien om naar de veiligheid van de schepen terug te gaan, maar vond het noodzakelijk om naar betere grond te blijven zoeken. Terwijl hij bezig was de mannen flink toe te spreken om ze wat moed in te geven, wees een van hen naar een klein hert dat een paar meter vooruit het riviertje was ingelopen en begon te drinken. Een boegroeier die even moed vatte doordat hij zo dichtbij wild zag, zette een pijl op de boog. Maar nog voor hij een stap naar voren kon doen en de boog spannen, begon het dier heftig in het water rond te spartelen en pogingen te doen om naar het land terug te gaan en te vluchten. Tot hun afgrijzen zagen de mannen dat de draak de nek van het hert tussen zijn grote kaken gevangen had en het dier onder water probeerde te trekken. Een korte worsteling met veel gespat en geplons volgde. Daarna was er niets meer te zien dan wat bloederig schuim dat op de oppervlakte van het riviertje naar hen toedreef. Zelfs Madoc was daardoor zo ontmoedigd dat hij niet meer wilde verder gaan. De mannen waren volkomen van hun stuk en jammerend en naar adem happend waren ze uit het water de smerige oever opgeklauterd. Nu zagen ze in hun gedachten de riviertjes vol met zulke monsters en wilden zelfs om naar de kust terug te keren niet door het water waden. Zodoende waren ze om dezelfde weg terug te gaan de rest van de dag bezig tussen ranken, wortels en stekels door te klimmen, te kruipen en te struikelen. Op sommige plaatsen moest Madoc zich met zijn grote zwaard een weg banen terwijl het zweet hem van het lijf gutste, in zijn ogen prikte en hem verblindde. Voor mensen mocht deze plek een hel lijken, maar voor vogels was die een paradijs. Terwijl de mannen uit Wales voortstrompelden, joegen ze grote zwermen waadvogels zo groot als ooievaars op. Witte vogels vlogen met een donderend geraas van de waterkant op of fladderden op uit bomen waar ze op een tak hadden gezeten. Roze en rode vogels dreunden naar de lucht omhoog of vlogen slechts zover op dat ze een paar voet boven het water scheerden om weer in de ondiepten verder weg te landen. Enorme, grijze pelikanen zaten overal op boomstronken en uitsteeksels. Hoog in de lucht vlogen arenden, haviken, valken en torenvalken. Tussen het gebladerte flitsten vogels met lange, felgekleurde veren die door de vlekken zonlicht heen als edelstenen in alle kleuren van de regenboog glinsterden. Zelfs in hun angst, uitputting en ongemak, leken de mannen verbaasd door het onophoudelijk donderend geraas van wiekslagen en flitsen vliegende kleur. Misschien was het enige leven dat hier kon gedijen dat, wat snel op vleugels boven het van gevaar vergeven water kon worden gedragen, bedacht Madoc.

Hijgend, struikelend en kreunend kwamen Madocs mannen bij de lagune aan waar ze de coracles op het strand hadden getrokken. Alle mannen waren besmeurd met zweterig bloed dat uit snijwonden van gras, dorens en schelpen en uit insektebeten sijpelde.

Tot hun wanhoop kwamen ze tot de ontdekking dat de coracles inmiddels helemaal niet meer bij het water lagen. Het uitgaande getijde had al het water uit de lagune meegenomen. Tussen hen en de zee in lag nu een smerig wad van anderhalve mijl breed waar het wemelde van degenkrabben en zeesterren. Ze zouden de coracles naar zee moeten dragen of wachten tot het donker werd en het weer opkomend tij was. In de verte zagen ze de schepen op de kalme boezem van de zee onder de blikkerende namiddagzon tegen het glinsterende water afgetekend liggen. De muskieten gierden in wolken boven de moddervlakte en beten werkelijk op elk moment overal. Nee, daar bij die kwellers op een kustlijn die vergeven was van draken konden ze niet wachten.

'Pak de coracles op,' zei Madoc, 'en laten we verder gaan.' Terwijl ze ploeterden, glibberden en gierend naar adem snakten, tot hun knieën in het hete slijm wegzakten, zich keer op keer aan de schaaldieren op het wad sneden en bijna waanzinnig werden van de muskieten, droegen en sleepten de mannen uit Wales de bootjes, twee aan elke kant van een coracle, naar de ondergaande zon toe. Daar lag de kleine vloot schepen voor anker. Daar zaten hun kameraden en familieleden te wachten; en daar waren de hardhouten dekken waar ze al die weken op zee zo genoeg van hadden gekregen maar die hen nu als een paradijs van veiligheid en gemak wenkten. Madoc sjokte met de stok van het vaandel in zijn handen voor hen uit. Lelijke gezichten trekkend en op zijn lippen bijtend, probeerde hij zichzelf te dwingen om te geloven dat hij niet een of ander onverdraaglijk vagevuur was binnengezeild in plaats van zijn droomland Jargal.

Een week lang zeilde Madoc met zijn vloot langs de kust omhoog op zoek naar gastvrijer land. Er lagen heel wat mooie eilanden voor deze kust, eilanden met lage, groene bossen en witte stranden. Maar bij laag water waren er in deze wateren allemaal ondiepten waar de schepen aan de grond liepen. De kustlijn was verwarrend, want wat havens leken, waren in werkelijkheid slechts landengten tussen eilanden en de kust, en wat landengten leken, bleken soms de brede uitmondingen van ondiepe rivieren te zijn. Op het laatst besloot Madoc dieper water op te zoeken en langs de buitenkant van deze eilanden voor de kust te varen. Nadat ze zo een paar dagen met het land aan stuurboordzijde in noordelijke richting hadden gevaren, merkte hij dat de kustlijn naar het westen afboog en een tijdje later zeilden ze in die richting. Het klimaat werd hier ook milder. Het land langs deze kust zag er beter uit, minder als een woestijn en wildernis en minder vlak. Maar iedere keer dat hij met een aantal van zijn mannen bij een ogenschijnlijk bebost stuk aan land wilde gaan, bleek het moerasland te zijn en groeiden de bomen in zoet of brak water. Hij kreeg een rimpel in zijn voorhoofd en naar verre kusten starend, ijsbeerde hij met zijn handen op zijn rug gevouwen over het dek heen en weer. Madoc probeerde zich de kustvorm van Jargal in te denken. Hij probeerde zich voor te stellen hoe hij aan de verkeerde kant van een land was beland dat hij de eerste keer vanuit het oosten had bereikt, een land waarvan de oostelijke kust zich bijna drieduizend mijl naar het noorden en westen had uitgestrekt, en dat varieerde van rijke, vruchtbare bodem en dichte bossen met hardhout tot granieten bergen en loodrechte fjorden.

Het akeligst was het idee dat hij, misschien vanwege de storm, het prachtige continent Jargal helemaal had gemist en naar deze onhoudbare hel van een land was verdwaald. Wie weet was het wel een totaal ander continent of, in het gunstigste geval, een enorm eiland zo groot als Brittannië of Thule – dat hem de weg naar Jargal zou kunnen versperren. Zijn gedachten werden verder gekweld door de herinnering aan alle kleine eilanden die hij op weg hierheen had gezien, maar niet op de eerste reis, naar Jargal. Uiteindelijk ging hij op een regenachtige dag, toen de schepen langzaam naar het westen voeren, aan een tafel in de hut zitten. Met een stuk houtskool en twee vellen perkament voor zich, zocht hij zijn herinneringen af en probeerde een kaart van de kust van Jargal zoals hij zich die voor de geest kon halen en een kaart van deze kust te tekenen. Toen de twee schetsen af waren, legde hij ze op de tafel en bewoog ze heen en weer, van boven naar beneden, legde ze naast elkaar, boven elkaar en onder elkaar neer, en probeerde door pure concentratie en ook intuïtie, te vatten hoe de twee kustlanden met elkaar in verband moesten staan. Hij dacht aan stromingen en vaartijden, aan metingen van de poolster, aan de kleuren van de zee en aan hoe de lucht eruitzag. Hij dacht aan alle details die van de twee reizen in zijn geheugen geregistreerd stonden. Toen hij dus verschillende keren alles nog eens goed overwogen had, was hij er in zijn hart en hoofd van overtuigd dat het om hetzelfde continent ging, maar dat hij deze keer alleen verder naar het zuiden en westen was geland. Hij legde de twee schetsen neer op de plaats waar ze volgens hem in verhouding tot elkaar zouden moeten zijn. De kaart van de eerste reis boven en rechts van de andere kaart. Ja, dacht hij. We zijn verder westelijk en verder zuidelijk dan eerst. Dit woeste, verlaten land dat we hebben verkend moet een schiereiland, misschien zo groot als Italië, zijn. Dat zou je tenminste opmaken uit onze tocht naar boven langs de westkust. Op onze eerste reis kwamen we ongeveer op of boven de oostelijke kust ervan aan en zijn vandaar naar het noorden gevaren. Deze keer moeten we volkomen onwetend onder de punt van het schiereiland zijn doorgevaren en toen aan deze kant voor het eerst aan land zijn gegaan. Ging ik daar dagen en dagen geleden, nog voor ik mezelf toestond erover na te denken, ook niet van uit?

Zacht sloeg hij met zijn grote vuist op de bovenkant van de tafel, één keer, twee keer, en knikte.

Als we naar die andere kust gingen, zouden we weken terug naar beneden en om dat schiereiland heen moeten varen. We zouden de stroming moeten terugvinden en dan een noordoostelijke koers varen.

Als mijn gevolgtrekkingen tenminste juist zijn, bracht hij zichzelf in herinnering.

Zo niet, wie weet waarheen we dan misschien voor niets zouden zeilen. Misschien zouden we Jargal dan nooit vinden.

Of, dacht hij terwijl hij weer naar zijn ruwe schetsen keek, als mijn veronderstelling juist is, brengt onze huidige koers ons langs de onderkant van het Land Jargal. Dan zouden we die mooie oostkust misschien van deze kant af over land kunnen bereiken.

Maar nee, dacht hij. Waar we heen gaan om onze kolonie te stichten, gaan we met deze schepen. Die zijn ons thuis tot we onze kolonie hebben gebouwd.

En dus leek het of er slechts één ding op zat. Als ze na nog een paar dagen langs deze kust zeilen nog geen goede haven of veelbelovend land vonden, zou hij met de vloot moeten omkeren en een weg om het lange schiereiland terug moeten vinden en vervolgens langs de oostelijke kust omhoog varen. En dat zou hij moeten doen in het vaste vertrouwen dat hij van zijn ellendige houtskoolkaarten vol vegen een juiste gevolgtrekking had gemaakt.

Met een diepe zucht leunde hij achterover. Je werd moe van zo met je hoofd bezig zijn; hij was een man die het best op zijn voeten kon denken.

Zijn dochter Gwenllian had in de buurt rondgehangen en gekeken hoe hij, een en al concentratie, lijnen aan het trekken was. Nu kwam ze te voorschijn en keek ernaar. 'Wat is dat?' vroeg ze. Hij nam even de tijd om te proberen uit te leggen wat een landkaart was en waarom hij die maakte.

'Dan moet ge hier,' zei ze, terwijl ze naar een getekende kustlijn wees, 'een *krokodilos* tekenen, want daar leeft hij.'

'Wat? Een *krokodilos*? Waarom?'

Gwenllian vroeg of Meredydd het bestiarium even wilde halen en sloeg het toen op een bladzij open en liet haar vader een afbeelding zien. 'Ik hoorde de zeelieden over de draak in het moeras praten. Ik wist gewoon dat het een *krokodilos* was.'

Madoc glimlachte. Ondanks zijn obsessieve angst dat ze in de nieuwe wereld verdwaald waren, voelde hij zich eindelijk rustig en op de een of andere manier gerustgesteld. 'Heel goed dan, dochter van me,' zei hij en zo goed en kwaad hij met zijn grote, ongeoefende hand kon, tekende hij de afbeelding van de krokodil in houtskool op de landkaart na. Ze klapte in haar handen en zei:

'Nu is het een landkaart waar je iets aan hebt, want hij laat zien waar de dingen werkelijk zijn!'

'Kijk eens aan,' zei Madoc en met vlugge halen tekende hij onder de kustlijn die naar het westen liep zeven kleine scheepsrompen met een kruis als mast. 'Hier is onze vloot,' zei hij. 'O ja, op onze eerste reis, naar die oostelijke kust, hebben mijn mannen een beer gedood. Heeft dat wonderbaarlijke boek een afbeelding van een beer die ik op die andere kust kan tekenen?'

De volgende dag brak aan met een prachtige zonsopgang en een kristalheldere lucht en halverwege de morgen kon Madoc een hoger gebied met berghellingen en glooiende heuvels langs de kust zien liggen. Eindelijk was hier land dat de moeite waard was. Voorbij waren die ellendige moerassen. Zijn stemming verbeterde en gespannen keek hij uit naar een haven. Meer dan dertig mijl voer hij zo ten westen van een ononderbroken zandbank. Hij zocht naar een inham, maar zag slechts zand en met struikgewas bedekt land. De uitkijkpost zei steeds maar dat er aan de binnenkant van de zandbank een vaargeul met kalm water was, maar de uren verstreken zonder ook maar enig teken van een plek waar ze konden binnenvaren. Toen de zon onderging en het duister inviel, zagen ze nog steeds die ononderbroken witte lijn van de branding die de weg naar het mooie gebied erachter versperde. Madoc voelde zijn frustratie terugkomen. Zou dit krankzinnig makende continent soms op zijn weg zijn gelegd om hem te straffen voor de zonde van trots, na zijn ontdekking van een nieuwe wereld? vroeg hij zich af. Hij herinnerde zich dat hij zich inderdaad had voelen opzwellen van zijn eigen importantie, ook al had hij zich voor Riryd bescheiden voorgedaan.

En dus knielde Madoc die avond, toen de zeven schepen met hun zeven op het water glinsterende lantarens voor anker lagen en de branding in de verte op de zandbank fluisterde, op het dek van het achterkasteel neer en maakte zich onder Gods schitterend stralende sterren nederig.

Laat me binnenkort een inham en een goede haven zien, bad hij. Verlang niet van me dat ik moet omkeren en langs die vervloekte kust moet terugvaren! Door terug te keren zou het lijken of ik aan Uw leiding twijfel!

Het onrustig gemekker van geiten op het volle dek beneden scheen het enige antwoord, een spottend antwoord, te zijn.

Alsof zijn gebed verhoord was, ontdekten ze de volgende morgen al in het eerste uur dat ze zeil hadden gezet een inham. Het was een opening van zo'n drie mijl breed, die recht in de monding van een diepe, rustige haven, geflankeerd door beboste hellingen, keek. Madoc liet het zeil strijken en zette de roeiers aan het werk. De zeven schepen gingen achter elkaar aan de haven binnen. De riemen maalden door het water en de felgekleurde scheepsvaantjes klapperden in de wind. De vrouwen en kinderen verdrongen zich voorin om de prachtige baai die open om hen heen lag te zien. Mungo de zeeman stond in de boeg met zijn peillood en riep de diepten af. De baai was meer dan drie mijl breed en zeven mijl lang. Hij strekte zich zo ver naar het noorden uit, dat je het eind in eerste instantie alleen hoog vanuit het kraaienest van de uitkijkpost kon zien. Het water was brak en groen en werd duidelijk door een of andere rivier van een flinke omvang op peil gehouden. Er stond namelijk minstens twee vaam water, ook al was het afnemend tij. Hier en daar stonden er op het land of op palen op de ondiepten vervallen hutten van riet of matten, maar er was geen mens te bekennen. Madoc nam aan dat dit de hutten van seizoenvissers waren, aangezien er in het ondiepe water palen in patronen stonden opgesteld die aan visweren en krabplatformen deden denken. Langs de groene kustlijn dwarrelden zwermen meeuwen, aigrettes en ibissen als sneeuwvlokken omhoog en pelikanen scheerden over het water.

Boven de baai was de lucht warm en parelachtig. De zon beukte blakerend neer op de dekken. Het zweet gutste de roeiers van het lijf. Kinderen waren naakt en door de zon verbrand, zo ver van hun grijze, Welse klimaat. De voddige hemden van de vrouwen waren doordrenkt van zweet en plakten aan hun huid.

Tegen de middag hadden de schepen, geëscorteerd door dartelende dolfijnen, het noordelijke uiteinde van de baai bereikt. Het bleek een netwerk van eilandjes en zandbanken te zijn en meanderend door moerassen kwamen er verschillende rivieren en kreken op uit. Madoc gaf de vloot bevel om het anker dicht bij een lange zandbank uit te werpen, ver genoeg uit de kust om de zwermen muskieten te vermijden waarmee naar alle verwachting de schemering vergeven zou zijn. Toen gaf hij de bemanning van de *Gwenan Gorn* opdracht om de coracles van het schip los te maken, ze te water te laten en de naden te repareren zodat ze waterdicht waren. Vervolgens stuurde hij twee mannen in een boot er op uit om snel even de monding van de bijrivieren te gaan verkennen. 'Kom vóór zonsondergang weer terug,' zei hij. 'En als ge aan de waterkant wild kunt doden, doe dat dan. Maar loop niet van het strand vandaan zodat ge verdwaalt.'

De coracles, elk met een peddelaar en een boegroeier, waren nog maar nauwelijks in het schaduwrijke, groene oerwoud verdwenen of daarvandaan klonk lawaai van opgewonden stemmen. Madoc sloeg de schrik om het hart voor een nieuwe schermutseling met inboorlingen, zoals het jaar daarvoor op het strand het geval was geweest. Hij vloog naar het achterkasteel om de signaalhoorn te pakken en de kapiteins van de andere schepen te waarschuwen. Maar opeens bleef hij staan en keek over de reling heen.

De coracles kwamen terug, maar hadden geen overmatige haast. Ze schenen beladen te zijn want ze lagen laag in het water. Mungo stond op het dolboord. Hij hield een hand boven zijn ogen. Hij had heel scherpe ogen. Opeens riep hij: 'Bij de staart van de heilige David nog aan toe! Ze hebben bruine mensen gevangen!'

'Mungo, je godslasterlijke taal zal je nog eens de zweep bezorgen!' schreeuwde Madoc naar hem. Maar zijn woede vervloog al, want opgetogen zag hij dat de boten, tussen de man met de paddel en de roeier in, inderdaad elk een gevangene meevoerden.

'Ze waren met de zegen in de rivier aan het vissen, sire,' zei een paddelaar toen de gebonden gevangenen aan boord werden getild. Het waren twee gerimpelde oude mannen, een volwassen vrouw en een meisje van een jaar of veertien. Ze droegen alleen schelpenkettingen. In elkaar gedoken stonden ze dicht bij elkaar op het volle dek van de *Gwenan Gorn*, omringd door de nieuwsgierige mannen, vrouwen en kinderen uit Wales die hen met open mond aanstaarden. Een van de oude mannen bloedde uit een mondhoek en er stonden striemen op het bovenlichaam van de vrouw. 'We kregen ze gemakkelijk te pakken, maar het kostte moeite ze vast te houden,' legde de bootsman uit.

'Waren zij de enigen of hebt ge nog anderen gezien?' vroeg Madoc.

'Geen anderen te bekennen, mijn prins.'

De gevangenen waren slank en recht van lijf en hadden goed-

123

gevormde ledematen, zelfs de oude mannen. Hoewel ze met hun donkere ogen onophoudelijk angstig om zich heen keken, hadden ze een waardige, onbevreesde houding. Het haar van de vrouw had een scheiding in het midden en lag in een dikke vlecht op haar rug. Het meisje droeg het haar loshangend op schouderlengte en aan de voorkant was het keurig ter hoogte van haar wenkbrauwen afgesneden. De twee oude mannen hadden witte kruinen met haar. Het was helemaal rondom hun hoofd op wenkbrauwhoogte afgesneden. Allemaal waren ze stevig bij de enkels en polsen, met de handen op de rug, vastgebonden.

Kromgebogen als een trol had de kwaadaardige Mungo, die als een sater door zijn glanzende zwarte baard stond te loeren, zich een weg door de mensenmassa gebaand om naast de gevangen vrouwen te kunnen staan. Wellustig lonkte hij hen toe. Nu duwde hij een hand in het kruis van het meisje en legde zijn andere hand over haar bil. Het volgende ogenblik lag hij met zijn gezicht naar beneden op het dek te happen om weer lucht te krijgen. Madoc had hem met een slag van zijn vuist en onderarm gevloerd. 'Bind die schurk aan de mast en brandmerk zijn handpalmen,' gromde Madoc.

De gevangenen keken met wijd opengesperde ogen toe toen dat gebeurde en bij Mungo's gegil stroomden de tranen hen zelfs over het gezicht. Op het achterkasteel hield Annesta haar hand voor haar mond en draaide haar dochter de andere kant op zodat die het tafereel niet kon zien.

'En maak nu de touwen van deze mensen los en bied hen voedsel en water aan,' beval Madoc. 'Met een beetje vriendelijkheid kunnen we ze misschien tot de onzen maken en ze nuttig gebruiken.'

Terwijl Mungo kreunend bij de mast in elkaar zakte, legde de stuurman het brandijzer terug op het rokende komfoor en knielde bij de voeten van de gevangen vrouw neer. Hij maakte de knoop los en verwijderde het touw. Madoc kon niets uit haar gezicht opmaken. Daarna ging de stuurman achter haar staan en trok aan de knoop op haar polsen. Op het moment dat ze de knoop losser voelde worden, dook ze in elkaar. Ze sprong dwars door de kring van mensen heen, duikelde over een aantal vrouwen en kinderen heen en dook met het hoofd voorover over de zijkant van het schip. Met open mond van verbazing zag Madoc haar getaande lichaam, dat tegen het dichte groen van het bos in de verte een gouden gloed had, in een boog door de lucht vliegen. Tegen de tijd dat hij de reling bereikte was er, afgezien van de rimpels die zich na haar duik over het groene water uitbreidden, niets meer van haar te zien.

Hij gaf de mannen van de coracles opdracht om haar achterna te gaan en bleef ondertussen het water tussen de coracles en het schip afspeuren. Ze moest toch ergens weer boven water komen.

Maar hij zag haar niet meer bovenkomen.

Hij besloot dat dit niet het ogenblik was om de anderen los te maken. In plaats daarvan liet hij hen in een leeg geitenhok gemaakt van houten palen zetten. Door de tralies kregen ze met scheplepels water aangeboden, maar ze wilden niet drinken. De coracles voeren verder, om de zandbank heen en verdwenen weer in de groene schaduwen van de kust.

Een groot deel van de middag deed Madoc praktisch geen mond open. Hij deelde alleen noodzakelijke bevelen uit en gaf antwoord op vragen. Op de een of andere manier werd hij achtervolgd door wat hij had gezien: de gouden vrouw die zonder enige aarzeling door de ruimte vloog, van gevangenschap naar, vermoedelijk, de verdrinkingsdood in het groene water. Het was op een vreemde manier het mooiste dat hij ooit had gezien. Het was een visioen geweest dat veel betekende.

De ondergaande zon tekende de boomtoppen aan de andere kant van de baai af. Een avondbriesje verkoelde de door de zon geschroeide lichamen van de mensen. Ze hingen touwen over de dolboorden heen, zodat degenen die een bad wilden nemen zichzelf in het water konden laten zakken. De meesten waren echter bang voor reptielen en draken, zodat maar weinig mensen dat daadwerkelijk deden. En velen werden nog steeds gekweld door de gedachte aan de inheemse vrouw die niet meer was bovengekomen.

Het was een prachtige, plezierige avond. De hemel had een rossige gloed en toen de zon was ondergegaan, kwam er een smalle sikkel van de nieuwe maan op. Madoc voelde dat de vloek die op deze reis rustte gebroken was. Hier was eindelijk een goede haven op een prachtige plek, met vers water en stevige grond onder de voeten. Het land zag er even gastvrij uit als die andere baaien en havens die hij het jaar daarvoor had ontdekt. Hier zouden vast en zeker even overvloedig vis, wild en wilde vruchten zijn als op die plaatsen op de oostelijke kust waar hij was geweest. Goed, het klimaat was hier drukkend terwijl hij langs die andere kust nog verder naar het noorden, naar een streek met een gematigder klimaat, had kunnen zeilen. Maar hier zouden de winters milder zijn, nam hij aan, en zou er zodoende meer voedsel in het wild voorhanden zijn. Dit leek een goede plek om in ieder geval een tijdelijke kolonie te vestigen. En Riryd had zo genoeg van die beroerde landingsplaatsen, dat zelfs deze plek hem aanvaardbaar leek.

'We hebben tijd, en goede mensen en er ligt een wereld van rijkdommen voor ons open,' delibereerde Madoc verder. 'Onze gevangenen zullen ons misschien goed van dienst zijn en ons hier wegwijs maken wanneer wij hen eenmaal onze taal leren en de priesters hun zielen veilig stellen. Er wonen ongetwijfeld meer mensen van hun stam in de buurt. We zouden hen kunnen leren een deel van het werk te doen dat de mensen die we verloren hebben zouden hebben gedaan. Als we dit over een jaar geen geschikte plek vinden, zullen we inmiddels onze weg in dit nieuwe land hebben leren kennen. Dan kunnen we wegvaren waarheen we willen en opnieuw beginnen. Bij onze heilige David!' riep hij uit terwijl hij Riryds dikke pols beetgreep. Ondertussen speurde hij de donker wordende baai af en keek naar de sikkel van de ondergaande maan. 'Ik kan de grootsheid van dat idee nog maar nauwelijks in mijn hoofd vatten! We zijn een nieuw ras, door Gods genade in een heel nieuw Eden geplaatst om, wie weet, de dwaasheid van onze eerste voorvader ongedaan te maken en af te kopen!'

Toch was er die eerste nacht, terwijl zijn vloot onder de schitterende sterren voor anker lag te slapen één ding dat zijn geestdrift verknoeide. De oude mannen in het geitenhok begonnen zachtjes een of andere klaagzang te zingen, neusklanken die eindigden in hese snikken. Alle mensen werden er wakker van en kriebelig van in hun hoofd. Ten slotte moest hij de gevangenen de mond laten snoeren en kregen ze een prop van ruwe wol in hun mond gepropt. Het laatste wat Madoc opmerkte voor hij naar het achterkasteel terugging, was Mungo, die nog steeds aan de mast vastgebonden was. Zijn gebrandmerkte handen waren in ongebleekt linnen gewikkeld en met ogen die in het licht van de lantaren smeulden als die van een roofdier keek hij dreigend naar het naakte, gevangen meisje in de kooi. Die nacht zag Madoc in zijn dromen de gouden vrouw van de rand van het schip naar de vrijheid vliegen. In zijn droom dook ze niet de baai in, maar werd een vogel en verdween boven het bos om nooit meer naar het schip terug te keren en nooit gekooid te worden.

3 Madocs kolonie
Nazomer van 1171 A.D.

Meredydd de bard doopte een ganzepen in de nieuwe inkt die hij had gemaakt en schreef een woord op het perkament. Hij keek er met halfgesloten ogen naar, trok een vies gezicht en jammerde van teleurstelling. Toen doopte hij met een zucht de ganzepen nog eens in en schreef verder, af en toe ophoudend om de vliegen en muskieten weg te jagen die onder het rieten zonnedak zoemden. Hij droeg slechts een versleten lendendoek en zijn knokige bovenlichaam zat onder de muskietebeten en korstjes waar hij had gekrabd. Gwenllian zat dichtbij op de grond met een scherp stokje letters in het zand te schrijven. Opeens keek ze naar hem op en vroeg: 'Waarom jammert ge, mijnheer?'

Met een zucht veegde hij de ganzepen af. 'O, iedere nieuwe inkt die ik maak heeft weer een andere kleur! De bessen die ik het laatst gebruikte, gaven een rode kleur. De bessen daarvoor maakten de inkt paars. Deze lucht die zo vochtig is als de ademtocht van een zeemeermin, laat de inkt al binnen twee weken vervagen!' Weer zuchtte hij. Het meisje stond op en kwam bij zijn schouder staan. Ze was zedig gekleed in haar laatste zijden japon, maar die was vuil en gescheurd en plakte aan haar bezwete huid. Ze keek naar het perkamenten vel waarop hij schreef.

'Het is mooi met zoveel kleuren inkt,' zei ze.

Hij draaide zich om en keek in haar blauwe ogen. Zijn gekwelde uitdrukking verdween. 'Och,' mompelde hij zacht, 'hoe zou ik deze tegenslagen zonder uw kinderlijke opgewektheid dragen!' Weer slaakte hij een zucht. 'Ik kan inkt maken – niet geweldig, moet ik zeggen – maar wat moet ik beginnen wanneer er geen velijn meer is om op te schrijven?'

'En waarom zou er geen velijn meer zijn?' vroeg het meisje.

'Omdat ik zo ongeveer opgebruikt heb wat we op de schepen hebben meegenomen. En de beesten en draken hebben al onze lammeren opgegeten, dus hebben we geen lamsvel meer om meer velijn te maken.' Ze keek in uiterste concentratie naar hem op, dus ging hij verder met de litanie van zorgen die zijn gedachten bezig hadden gehouden. 'Ons laatste schaap werd vandaag door een *krokodilos* weggesleept. Zodoende kunnen we voortaan ook geen wol meer voor onze kleding maken. Daarom lopen al onze mensen onbeschaamd naakt rond en dat zal nog erger worden.'

Gwenllian kneep haar lippen dicht en keek hem schuins aan. Ze was mager en bleek en had, zoals iedereen in de kolonie, last van wormen. Ze zei: 'Ik zou ook wel net als de andere kinderen naakt willen lopen. Het is veel te warm om hier kleren aan te hebben.'

'Kind, kind!' siste hij tegen haar. 'Laat uw vader en moeder u niet zoiets horen zeggen! U bent een prinses en moet er netjes bijlopen!'

Met een preutse uitdrukking op haar gezicht antwoordde ze: 'Ik loop er heel netjes bij. En op een goede dag, wanneer niemand meer kleren heeft, ook ik niet, zullen ze moeten zeggen dat ik er zonder kleren ook fatsoenlijk uitzie!'

Meredydd schudde gniffelend zijn hoofd. 'Mijn lieve kind,' antwoordde hij, 'straks wordt het winter want ge weet dat die zelfs in deze heksenketel komt. Laten we hopen dat we tegen die tijd hebben geleerd om kleren van iets te maken, al is het maar van gras. En ook hebben geleerd om vellen te maken om op te schrijven. En inkt die allemaal dezelfde kleur heeft.'

'En als we dat niet hebben,' zei ze, 'geef ik u deze jurk om op te schrijven!'

Terwijl Meredydd en Gwenllian zo zacht in de schaduw zaten te praten, kwam Riryd hinkend aangelopen. Madoc had zijn broer ontboden om een andere reis voor te stellen. Riryd was mager geworden en zijn versleten kleren waren grauw van het vuil en de schimmel. Nu hobbelde hij in het zonlicht over het plein van aangestampte aarde met daaromheen de palissade van puntige palen. De grond rook naar vertrapte uitwerpselen en urine. Hoewel Madoc zijn mensen had gestimuleerd om zichzelf in kuilen buiten het dorp te ontlasten en de straten naar het voorbeeld van de inheemse steden schoon te houden, waren ze bang voor de wereld buiten de palissaden. Ze vervielen weer in de gewoonte die ze hun hele leven lang al hadden gehad. Ze gooiden hun nachtspiegels gewoon in de dorpsstraten leeg.

Riryd stapte de schaduw binnen onder het rieten dak van Madocs zomerhuis. De gebouwen van de kolonie hadden alleen in de winter muren nodig. Dan brachten de mensen onder de overhangende dakranden boombast en matten aan. Riryd hinkte. Hij was onlangs door een van de waterslangen met donkere schubben gebeten. Hij was bijna aan het gif bezweken. Zijn been en voet waren nog steeds blauw gevlekt.

Madoc kwam van zijn houten troon overeind en begroette zijn broer. Ze gingen midden in de kamer zitten op uitgehakte banken, tegenover elkaar, aan weerskanten van de vuurkuil die op zo'n warme dag niet gestookt werd.

Annesta's dienstmaagd, het inheemse meisje dat ze het vorige jaar gevangen hadden genomen, schuifelde naar binnen met twee kommen kruidige, rode thee die ze maakte door de bast van een wortel van een aromatische boom te trekken. Ze droeg alleen haar ketting en om haar enkels had ze kluisters zodat ze niet kon weglopen. De mannen dronken zwijgend van hun thee. Madoc vond die een goed tonicum voor het bloed; het hielp zijn lusteloosheid in dit benauwde, verschroeiende oord verlichten. In het jaar sinds ze hier geland waren, was hij allerlei soorten onheil aan het drukkende klimaat gaan toeschrijven.

Het weinige decorum dat de mensen uit Wales voorheen hadden gekend, was nu bijna tot het soort losbandigheid en luiheid verslapt dat Madoc altijd aan volken rond de Middellandse Zee en uit Afrika had toegeschreven. Soms hadden Madoc en Annesta het gevoel dat alleen zij beiden en hun dochter, met Meredydd de bard, boven het niveau van wilden bleven. In de

130

warmte waren de mannen en vrouwen halfnaakt gaan lopen en wellustig en overspelig geworden. De geestelijken slaagden er nog enigszins in zich in de kleren te houden, maar zij hadden bij aanvang van de reis om te beginnen meer kleding dan de anderen gehad. Nu liepen ook zij echter in vodden rond. Als oude, armoedige gieren hielden zij hun ogen ten hemel geheven om de naaktheid van de anderen maar niet te hoeven zien.

Hoewel de mensen in alle hoeken met willekeurig wie gemeenschap hadden, was de bevolking van de kolonie in zijn eerste jaar bij de baai niet toegenomen maar daarentegen met dertig zielen achteruitgegaan. Echtgenotes en ongehuwde meisjes hadden zes baby's ter wereld gebracht, maar vijf waren al vroeg overleden. Slechts één baby was langer dan twee weken in leven gebleven. Dat was de eerste zoon van Riryd en diens vrouw Danna.

In dat ontmoedigende eerste jaar in Owain Gwynedds Land waren zo'n dertig kolonisten overleden. Vier waren door giftige slangen gedood, drie door ongelukken bij het bouwen van de werf, de kerk en een voedselopslagplaats. Toen waren er plotseling nog twintig weggevaagd door een plaag van koortsen en vocht in de longen. Die plaag had aan nog bijna dertig anderen het leven gekost. De andere sterfgevallen waren kinderen geweest die door *krokodilos* uit het moeras waren gepakt en in bloederig water verslonden en één jongen was overleden aan een steek door een of ander beest waar hij bovenop was gestapt toen hij door het water liep.

De palissade die ze om het dorp heen hadden gebouwd om zich tegen vijandelijke inboorlingen te verweren had geen enkel nut gehad. Met uitzondering van de inboorlingen die ze de eerste dag hadden gevangen, had zich sinds hun aankomst in de baai nog niet één wilde laten zien. En uiteraard was de versterking nutteloos geweest tegen slangen, ratten van de schepen en stekende insekten.

De palissade had nog niet eens de gevangen inboorlingen binnen kunnen houden. Na een paar weken dwangarbeid of liever, hun verzet daartegen, waren de twee oudere mannen zo ziek en uitgemergeld geworden, dat ze eenvoudigweg uit hun boeien hadden kunnen glippen en op een nacht stiekem waren verdwenen. Slechts het dienstmeisje was gebleven. Het was een stuurs, nors kind dat haar mond niet opendeed en weigerde de taal van haar meesters te leren of kleren te dragen.

Nu begon Madoc met bezwaard gemoed zijn overleg met Riryd.

'Broeder, deze plaats is erger dan ongezond. Met tegenzin ben ik gaan geloven dat deze plek vervloekt is. Als wij hier nog een jaar blijven, zullen we ongetwijfeld allemaal dood zijn of zo in aantal zijn teruggelopen dat onze kolonie ten ondergang gedoemd zal zijn. Ik geloof dat zelfs onze hersenen nog zijn beschimmeld. Het wordt tijd dat we naar die andere kust varen.'

Riryd zweeg en Madoc ging verder:

'Ik zou graag zien dat we de schepen beginnen toe te rusten en de voorraadruimten vullen. Ik denk dat we over tien dagen voedsel kunnen hebben ingeslagen en de schepen zeewaardig kunnen hebben en naar die heilzame, gezonde oostkust varen. Wat zegt ge ervan?'

Madoc had verwacht dat zijn broer weinig enthousiasme zou tonen. Hoewel Riryd voortdurend over het oord aan het klagen was, toonde hij weinig levenslust. Riryd zat naar zijn verkleurde voet en de zweren en insektebeten op zijn bezwete, blote benen te kijken. Toen keek hij Madoc recht aan.

'Broeder,' zei hij, 'als ik uit dit hellegat zou wegvaren, zou ik niet ergens anders heen gaan om hutjes in de wildernis te bouwen. Nee, dan zou ik die noordoostelijke stroming willen oppakken die ons naar huis brengt.'

Madoc zette grote ogen op. 'Naar huis gaan?' riep hij uit.

'Ja! Naar huis, naar Cambrië, waar een Welse prins thuishoort.'

Een tijdlang waren het gemurmel van stemmen, het geschreeuw van kinderen in de verte en het irriterende gerasp van de insekten die onophoudelijk in de drukkende hitte snerpten de enige geluiden. Een of andere vogel liet de schrille kreet van een waanzinnige horen. Op het laatst begon Madoc te spreken, grommend, steeds harder:

'Bent ge dan werkelijk zo'n grote dwaas? Lieve hemel! We zijn nauwelijks heelhuids dat bloedige land uitgekomen! En

132

nu is het er ongetwijfeld nog erger dan toen! Een prins? Ge zoudt een dode prins zijn wanneer ge daar voet aan wal zet!' 'Dan zou ik naar Ierland gaan. Mijn kasteel Clochran wacht daar op me. Ik kan de koele stenen muren bijna om me heen voelen.' 'Zak door de grond, Riryd! Wat vind ik dat laag van u!' Madoc stond van het bankje op en torende boven zijn broer uit. 'Dus dat is de onzin die uw hoofd heeft verweekt terwijl ge in een halfgeklede slons veranderde!' Riryds ogen schoten vuur, maar hij ging niet staan. 'Ja, ik ben inderdaad half gekleed. Dat zijn we allemaal in deze verkwistende modderpoel van een land! Wat hebben we om aan te trekken als ongekende monsters onze schapen verslinden? En wat voor eetbaars hebben we wanneer diezelfde monsters onze lammeren grijpen? Ik kan die vis, die bodemkruipers, dat schriele hertevlees en dat gevogelte niet meer zien!' 'Zo, niet meer zien, zegt ge? Nou, in uw ledigheid als heer van Clochran jaagdet ge anders op herten en gevogelte alsof lammeren niet geschikt voor uw maag waren! Riryd, wat is er van u geworden, mijn medestander, mijn vrolijke kameraad in onze missie?' 'Huh! Onze missie!' grauwde Riryd. Hij ging staan om onder de dreigende spanning van zijn broer vandaan te komen. 'Onze missie is mislukt!'

Madocs ogen vlamden; hij deinsde terug bij de opmerking die hem als godslastering in de oren klonk.

Maar Riryd ging verder en zwaaide met zijn hand naar het kleine, ingesloten dorp: 'En dit noemt ge een koninkrijk? Dit is Owain Gwynedds Land? Onze vader zou bij zo'n belediging voor zijn naam *ineenkrimpen*! Een gehucht van palen en stro, omringd door stinkende poelen en groene monsters die onze lammeren naar binnen schrokken en ook onze kinderen. Wilt ge daaraan de naam van Cambriës grootste koning geven? Is dit uw nieuwe Eden? Grote God, nee! Voor een Eden heeft het te veel slangen! Dit is *verbanning*. En wat mij betreft, mijn laatste hoop is om de zeilen te hijsen, en deze walgelijke wildernis steeds verder achter me te laten! Bedenk dat ik, evenals u, een Welse prins ben. Dat ik vrij ben om te doen zoals mijn hart en hoofd me ingeven!' Madoc beefde. Hij had zijn vuisten gebald, maar zijn stem bleef zacht. 'Ja. Wij zijn prinsen en onze mensen mogen ons niet als visventers horen ruzie maken. Maar ook al fluister ik het in uw oor, broeder, luister goed naar me: Als gij onze droom zoudt verraden nog voor die kan beginnen, zult ge alleen moeten wegzeilen. Gij kent de sterren en de grote zee niet zoals ik. De winterstormen zouden u in de noordelijke zee grijpen. Als ge me in de steek laat, zal ik er niet zijn om u te helpen. Ik blijf in Jargal.'

Het antwoord dat Riryd hem toesiste klonk even heftig. 'Ik en mijn bemanning van de *Pedr Sant* zouden het gevaar op zee niet schuwen. Ik ben ook zeevaarder. Als gij van oordeel zijt dat ik laag en lui ben, komt dat alleen door deze vervloekte wildernis. Ik sta nu in vuur en vlam om te gaan! Mijn zoon, nu nog een baby, zal een prins in zijde en wapenrusting zijn en geen naakte heiden die in de modder naar schaaldieren en wortels wroet!'

En met die mededeling draaide Riryd zich met een ruk om en liep met grote passen het zonlicht in. Al na vijf passen begon zelfs door zijn verontwaardiging heen zijn blauwe been pijn te doen en toen hij uit het gezicht was verdwenen, hinkte hij verder naar zijn eigen zomerhuis, dat in een hoek waar twee palissademuren bij elkaar uitkwamen was gebouwd.

Madoc keek hem boos na. Hij voelde zich mismoediger dan tijdens alle andere, niet aflatende tegenslagen van de kolonie. Zal Riryd werkelijk zijn dreigementen waar maken, vroeg hij zich af, of geeft hij slechts lucht aan zijn ellende? Zou hij het misschien wagen zijn broer te arresteren om hem met geweld vast te houden? vroeg hij zich af. Enigszins spotlachend dacht hij eraan welke oplossing zijn broers, ooms en voorouders in Wales altijd voor dat soort dingen hadden gehad. Zij zouden hem hebben onthoofd, zijn tong hebben afgesneden, zijn ogen uitgestoken en hem in de kerker hebben geworpen. Maar hij zou zoiets uiteraard niet kunnen doen. Dat lag niet in zijn hart, nu niet en vroeger niet. Hij was naar dit nieuwe land gekomen om een koninkrijk te vestigen dat onbesmet door dat soort kui-

134

perijen was. Zelfs zo'n openlijke twist met zijn broer in dit ontmoedigend intieme kolonietje zou de mensen nog verder demoraliseren en misschien zelfs muiterij bespoedigen. Madoc slaakte een zucht en met zijn handen op zijn rug ineengestrengeld ijsbeerde hij op en neer.

Deze confrontatie had zijn geloof dat de kolonie ten ondergang gedoemd was wanneer er niet op de een of andere manier drastische maatregelen genomen werden bevestigd. Ze hadden behoefte aan een gastvrijer oord en een klimaat dat meer op dat van Cambrië leek. Ze hadden schapen of ander vee nodig dat kon worden gedomesticeerd. En ze hadden meer mensen nodig – sterke, bekwame, ijverige mensen die nog steeds als mensen uit Wales handelden en dachten.

In stilte beschimpte Madoc zichzelf vanwege zijn gebrek aan leiderschap. Op zee en bij het bouwen van deze nederzetting had hij moed en vindingrijkheid getoond. Maar nog voor hij het met eigen ogen zag, waren het wellustige, slechte karakter van dit oord en de boze magie van het nieuwe, het uitheemse, in de mensen gevaren. En hij had nagelaten om daar, hetzij door inspiratie, hetzij door discipline, iets aan te doen. Het besturen van dit land was een taak waarvoor hij niet was opgeleid. Oude, bestaande landen hadden een feodale structuur als basis. Maar die was er in deze kolonie niet. Dat kon ook niet. Tussen de vazallen en hun prins stonden geen baronnen, horigen, ministers en magistraten. Er was geen kanaal om het gezag naar onderen door te geven. Afgezien van het leidinggeven bij de bouw en het beslechten van geschillen, had hij niet geregeerd, besefte Madoc. Hij kon slechts toegeven dat hij zeevaarder en geen heerser was. Misschien was hetgeen Riryd had gezegd, dat de missie al gefaald had wel waar. Madoc zuchtte met pijn in het hart. Hij kon wel ergens tegenaan slaan of schoppen – een impuls die hem volkomen vreemd was.

Hij voelde een zachte hand in de buiging van zijn arm. Nog steeds koninklijk en eerbaar in een versleten, maar schoon kleed van oud fluweel en een gouden band bezet met smaragden om haar hoofd, was Annesta naast hem komen staan. Haar huid was nog onaangeraakt door de zon, hoewel ze wel overal striemen en bulten had op de plekken waar ze door de insekten was gebeten. Afgezien van hemzelf, was Annesta de enige persoon in de kolonie die de beten liet jeuken en de impuls om te gaan krabben weerstond. Zodoende zat zij, in tegenstelling tot de anderen, niet onder de open zweren en korsten. Misschien nog meer dan hijzelf, was zij de enige, die volledig geciviliseerd was gebleven en geen halve wilde was geworden. Opeens voelde hij liefde en dankbaarheid en besefte hij dat zij nu zijn enige vertrouwenspersoon moest zijn – zij en eventueel Meredydd de bard. Madoc had nooit de neiging gevoeld de priesters te vertrouwen. Hij vond het net ineffectieve kapoenen, niet meer dan voorzangers en biechtvaders, die geen notie hadden van wat de kolonie beoogde en bij het besturen ervan geen enkele hulp waren. Behalve zijn eigen gezin, Meredydd en Riryd, waren zij de enigen die konden schrijven. Maar wat viel er te schrijven? Alles wat de moeite van het vermelden waard was schreef Meredydd in zijn vrije uren neer. Dat zei hij tenminste, hoewel Madoc er nog niets van gezien of gehoord had. Hij vroeg er ook nooit naar, omdat de allereerste plicht van de bard nu de opleiding en opvoeding van Gwenllian was.

'Vergeef me, ik wilde niet afluisteren,' zei Annesta, 'maar ik hoorde uw broeders dreigement.'

'Ja.' Hij gaf haar een klopje op de rug van haar hand. Verbaasd voelde hij zo'n golf van subtiel zelfmedelijden door zich heen gaan, dat hij op zijn lip moest bijten om de tranen in te houden.

'Wat gaat ge doen?' vroeg ze en hij besefte dat hij geen antwoord klaar had. Na enig nadenken zei hij:

'Als hij werkelijk van plan is om terug te keren, kan ik hem niet tegenhouden. Misschien dat ik hem zou kunnen overhalen om daar een nieuwe vloot samen te stellen en die met meer schapen en mensen naar ons terug te sturen. Maar hij zou die niet zelf terugbrengen... tenzij hij tot de ontdekking kwam dat het geboorteland nog onhoudbaarder was geworden dan toen we vertrokken. Wie weet is zelfs Ierland inmiddels een en al vuur en bloed. Maar in dat geval zou hij waarschijnlijk naar Europa vluchten, niet hierheen terugkomen. Maar...' Weer zuchtte hij. 'Zelfs als hij heelhuids de zee overstak en hulp bij elkaar kon krijgen om naar ons toe te sturen, hoe groot is de kans dan dat ze bij terugkeer de plaats waar we zijn zouden vinden? Zelfs ik slaagde er niet in om binnen driehonderd mijl van de eerste plek waar we geland waren aan land te gaan.' Opnieuw zuchtte hij en ging weer op zijn troon zitten, die nu slechts een grote, ruwe stoel leek, zo krachteloos was zijn gezag. 'Dank u, geliefde gemalin, voor uw troostende hand. Laat me nu een tijdje alleen nadenken over Riryd en ons vertrek uit dit ellendige oord.'

De drie daaropvolgende dagen kwam Riryd met Madoc over zeilplannen ruzie maken. Hij vond dat ze met alle schepen naar Wales of Ierland zouden moeten terugzeilen. Als Madoc dan nog steeds met meer vee en bekwame kolonisten wilde teruggaan, kon hij dat doen en in een gunstiger deel van Jargal een nieuwe kolonie vestigen. Riryd klonk al wat redelijker en daaruit bleek duidelijk dat hij zich op zijn landgoed op Clochran wilde terugtrekken, maar inderdaad niet zoveel zelfvertrouwen had dat hij zonder Madoc de Grote Zee durfde bevaren.

Madoc dacht een tijdlang ernstig over Riryds voorstel na. Misschien moesten ze een heel nieuw begin maken, dacht hij, een begin waarin ze de tragische fouten van het eerste jaar zouden kunnen vermijden. Als ze allemaal naar hun geboorteland zouden teruggaan, hoefde een terugkerende missie niet eindeloze kusten af te zoeken naar de oorspronkelijke kolonie.

Maar toen moest hij terugdenken aan hun bloederige vlucht bij fakkellicht en aan hun ontsnapping uit Cambrië en hij betwijfelde of er zelfs maar de flauwste hoop was of ze nog een expeditie bij elkaar konden krijgen. Hij dacht ook aan de hevige storm op zee, het verlies van zijn drie schepen en negentig zielen. Om nog dit seizoen terug te keren, zou betekenen dat ze de schepen en de mensen zowel op de heen- als op de terugreis aan nog grotere gevaren zouden blootstellen. Uiteindelijk verwierp hij zo'n plan. Hatelijk mopperend liep Riryd weg. Die nacht sliep Madoc met het probleem nog steeds onopgelost in zijn hoofd. Toen hij wakker werd, leek hij een antwoord te hebben. Hij zei tegen Riryd:

'Laten we met z'n allen naar de oostelijke kust varen en daar, in dat zachte klimaat, opnieuw beginnen.

En dan zal ik, mocht het nodig zijn, volgend voorjaar, wanneer het weer goed zeilweer wordt, naar Cambrië of Ierland terugvaren en een nieuwe vloot op de been brengen. En dan zult gij tot mijn terugkeer de kolonie besturen –'

Hij was nog niet uitgesproken of hij zag Riryd praktisch opzwellen en van woede rood worden.

'Zo! Zit dat zo!' Met zijn vuist zwaaiend sprong Riryd overeind. 'Bij mijn ogen, nu zie ik hoe zwart u bent! Mij ertussen nemen, hè? Mijn Clochran inpikken en daar regeren terwijl ik hier in dit stinkende moeras wegrot, hè?' Met zijn mond tot een bevende sneer vertrokken gooide hij er, terwijl het speeksel in het rond spatte, allerlei beschuldigingen uit en noemde Madoc een moordenaar die even sluw was als hun moordzuchtige broer Daffydd.

Madoc verloor zijn zelfbeheersing. Met ontblote tanden sprong hij van zijn troon overeind en haalde uit alle macht met zijn onderarm tegen Riryds borst uit. Terwijl banken en tinnen vaatwerk kletterend en rinkelend in het rond vlogen, kwam Riryd met armen en benen uitgespreid op de vloer van aangestampte aarde terecht en lag naar adem te happen. Madoc stond dreigend over hem heen gebogen en greep hem met één hand bij zijn haren en met de andere onder zijn arm. Met een enorme ruk trok hij hem overeind, legde een sterke arm om zijn nek en sleurde hem naar de drempel. Toen liet hij hem los en keek toe hoe hij in een wolk van geel stof vijf passen ver over het plein rolde. Langzaam verdween het waas van woede voor zijn ogen en opeens merkte hij dat overal op het plein mensen stonden te kijken. Bij sommigen hing van verbijstering hun mond open, anderen sloegen elkaar hard lachend op de rug. Ogenblikkelijk zakte alle woede uit hem weg en voelde hij walging voor zichzelf. Maar zelfs toen kon hij er zich niet toe brengen om naar Riryd toe te gaan en hem overeind te helpen of zich te verontschuldigen.

'Hij is een echte zoon van Owain Gwynedd!' riep Madoc naar Annesta die met haar hand voor haar mond was komen aanrennen. 'Een dikke pens die kookt van achterdocht, zoals al mijn broers!'

Die dag liet Riryd zich niet meer zien en Madoc wilde zich

niet zover laten gaan dat hij hem zijn verontschuldigingen aanbood. Teleurgesteld en wrevelig ging hij naar bed. Louter en alleen om hem uit de weg te hebben als hij zijn besluit zou nemen, dacht hij er nu ernstig over om Riryd te arresteren.

'Weet zelfs de Here God wie van ons zal uitzeilen en waar naar toe?' mopperde hij tegen Annesta die gespannen en verloren in het duister naast hem lag. Het duurde een hele tijd voor zijn ellende, het irriterend gekras, het gekrijs en het gehuil van de nachtdieren hem de slaap lieten vatten. Eén keer werd hij heel even wakker en dacht hoe stil het buiten was geworden. Daarna gleed hij weer weg in een uitgeputte sluimering.

Hij schrok door harde, donderende geluiden en geschreeuw uit zijn slaap op. De deken woei van zijn bed en de stromende regen ranselde op hem neer. Voor hij zich kon bewegen, of zelfs kon nadenken, klonk er overal om hem heen een verschrikkelijk scheurend, krakend geluid. In het schemerdonker zag hij een dak van gras en het geraamte van palen en dakspanten in de lucht vliegen. Op hetzelfde moment was hij door een koude stortvloed van regen doordrenkt. Annesta en Gwenllian gilden het uit. Hij greep zijn vrouw bij een arm en probeerde samen met haar naar het bed van hun dochter te kruipen, maar de wervelende, natte wind waaide het al ondersteboven. Hij kwam met Annesta op de vloer terecht – maar de vloer was een grote, snelstromende watermassa. Ze konden zich ternauwernood aan elkaar vastklemmen. Wanneer ze overeind probeerden te komen, werden ze weer omgegooid en onder water geduwd. Het water gooide kisten en meubels tegen hen aan en wierp hen tegen stutpalen en versplinterde balken aan. Toen hij zijn arm om Annesta's middel wilde slaan, was ze naakt. Haar nachtpon was afgerukt of weggespoeld.

Madoc probeerde dichter bij het geluid van zijn dochters stem te komen zonder Annesta los te laten. Elk moment klonken de kreten van het meisje echter zwakker.

En opeens hoorde hij haar stem niet meer boven het ruisende water, het huilen van de wind en het gekraak en gedonder van de verwoesting om hen heen uit. Het geluid was nu zo alles overweldigend dat hij niet eens meer kon horen wat Annesta in zijn oor schreeuwde. Het klonk of hele bossen omvielen.

139

Het water op de vloer trok hen nu hard als een onderstroom mee in een richting die naar zijn gevoel naar de haven was, hoewel hij daar in het tumultueuze duister niet zeker van was. Hij had zich net op de been kunnen werken en had Annesta opgetild zodat die naast hem stond, toen hij zich ervan bewust werd dat er vlakbij iets groots, iets massiefs omhoogkwam en op hen afkwam. Het was hetzelfde gevoel als wanneer er bij storm op zee een massieve golf aankwam. In de pikzwarte duisternis dacht hij nu ook zo'n golf te zien: een bleke muur van schuimend water, nog hoger dan de daken. Annesta's lichaam in zijn arm klampend, slokte hij een hap natte lucht naar binnen en werd ondergedompeld, opgetild en naar achteren geworpen. Hij was hulpeloos. Hij wist niet meer wat boven of onder was. Harde voorwerpen in het water bonkten tegen zijn rug en ledematen aan en schampten erlangs.

Behalve zijn greep op Annesta, zijn houvast op haar leven, had hij niets meer in zijn macht. Eén keer voelde hij zijn hoofd boven water komen en snel hapte hij naar lucht. Zout water gutste zijn keel in en hij begon te hoesten. Toen verdween hij, nog voor hij had kunnen ademhalen, weer onder water. Zijn longen voelden alsof ze zouden inklappen voor hij kans had om opnieuw adem te halen en hij kon slechts hopen dat Annesta niet bezig was in zijn armen te verdrinken toen ze nietsziend in de stortzee tuimelden.

Wanhopige ogenblikken later voelde hij zijn voeten en benen over voorwerpen slepen. Toen wierp het snelle water Annesta en hem op de grond. Rollend en tuimelend kwamen ze onder een hagel van stuivend water neer. De scherpe, schurende wind bevatte zoveel schuim, dat hij slechts kon ademen als hij zijn gezicht de andere kant opdraaide. Maar hij kon ademhalen! Alles deed hem pijn en hij voelde het zoute water in de snijwonden op zijn benen en rug steken.

Annesta leefde nog. Ze hing slap in zijn armen, maar ze hoestte. Het hoge water was uit het dorp teruggeweken, maar de wind huilde nog steeds en was nog zo sterk dat je er niet in kon staan. Annesta met zich meeslepend kroop hij in de modder vooruit tot hij ten langen leste op de stomp van een afgebroken boom stuitte. Hij legde haar armen eromheen en drukte zijn lichaam tegen het hare aan om ervoor te zorgen dat ze niet uit zijn greep wegwaaide. Hij haakte zijn vingers tussen spleten in de boombast en hield zich stevig vast. En hij bad. Huizehoge voorwerpen rolden en vlogen in de duisternis voorbij, maar door het opstuivende water en de stekende pekel in zijn ogen zag hij de omtrekken slechts door een waas. Nog nooit, zelfs in de hevigste stormen op zee, had hij zulke krachtige winden meegemaakt. Hij hield zich met verkrampte vingers vast en voelde zijn naakte vrouw onder zich beven en naar lucht happen. Hij spitste zijn oren om stemmen te horen – vooral Gwenllians stem. Maar hij durfde niet hopen dat zij nog leefde.

Hij bad met een vurigheid die een gebed met woorden te boven ging. Intussen klemde hij zich vast.

Toen de grauwe dageraad aanbrak, was de wind zover afgenomen dat je kon lopen zonder dat je onmiddellijk omver gewaaid werd. Het water stroomde echter nog steeds gutsend en gorgelend over het strand naar de baai toe. In het water dreven allerlei wrakstukken: versplinterd hout, kapotte meubels, ladenkasten, flarden stof, plukken gras, boomtakken, bladeren van varens, geitenoten, vaatjes, matten, schapevellen en graanzakken. Het leek of al het water uit de baai eerst van west naar oost op het land was geblazen, en nu weer terugstroomde. Dat was alles wat Madoc tot nu toe kon veronderstellen. Door de vlagen opstuivend water kon hij nu en dan de grijze omtrekken van afgeknapte bomen, uitstekende palen, een wirwar van wrakstukken, schuin overhellende delen van de palissade en een warboel van versplinterde dakspanten onderscheiden. Eén keer dacht Madoc dat hij iemand in flarden gehuld over iets heen zag klauteren. Maar toen trok er een gordijn van stuivend water langs en daarna zag hij die persoon nergens meer. Het leek of er geen plekje grond was dat niet met wrakstukken was bezaaid. En nog steeds stroomde het water terug. Het oppervlak van de baai was nog steeds achter opgejaagde mistflarden en regenvlagen verborgen. Er was geen plekje grond meer te herkennen. Madoc wist zelfs niet in welke richting hij moest kijken om te zien of de werf er nog steeds stond. Wat de schepen betreft: daar wilde hij nog niet eens aan denken.

Halverwege de morgen was de orkaan overgetrokken. Madoc vond een doorweekt stuk beddelaken waarmee hij Annesta's naaktheid kon bedekken. Toen begonnen ze met ontzetting in hun hart de doorweekte ruïnes naar hun dochter Gwenllian af te zoeken. Al onmiddellijk zagen ze geschokt witte, met bloed en modder besmeurde lichamen onder palen en bomen bekneld liggen. Bloedende mensen vol snijwonden, met gebroken botten, bewogen zich kruipend en struikelend door de modder voort, ondertussen de namen van hun partners en hun kinderen roepend. Half bewusteloze, hoestende kinderen werden uit de modder naar boven getrokken. Madoc kon er zelfs niet naar gissen hoeveel van zijn mensen waren gedood of door het water weggespoeld; het verbaasde hem dat hij nog mensen in leven zag. Hier en daar bleef hij staan om te helpen, maar werd voortgedreven door zijn wanhopige behoefte Gwenllian te vinden. Elk beentje of armpje dat hij uit de smerige modder of het puin omhoog zag steken, was in zijn gedachten van haar. Om de verschrikking nog erger te maken, wemelde het overal op het land en in de modderpoelen van de donkere, vergiftige waterslangen. Het waren er zoveel, dat hij bang was bij elke stap die hij deed.

Hij herkende de afgebroken palen van de fundering van de voorraadschuur en wist dat al het voedel van de kolonie, wortels, noten, gedroogd vlees en fruit, verloren moest zijn gegaan. En ze waren ook veel van de kostbare ijzeren gereedschappen die ze daar bewaarden kwijtgeraakt.

Toen hij een ogenblik van de van slangen vergeven grond opkeek, zag hij het meest rampzalige, meest verpletterende van al. Het wrong een wanhopig gebrul uit hem los.

Overal tussen de bomen in lagen verwrongen schepen. Heel de vloot was gereduceerd tot verpletterde scheepsrompen, versplinterde planken en balken en modderige flarden zeil, in stukken gebroken rondhouten en in de knoop geraakt touw. Het was een gigantische wal van kapotgeslagen verwachtingen.

Mismoedig, met opengevallen mond stond Madoc naar zijn kapotgeslagen vloot te kijken. Maar opeens kwam Meredydd met aan zijn hand de naakte, kleine Gwenllian naar hem toegelopen. Haar tere huid zat vol bloederige schrammen en één oog was helemaal opgezwollen en zat dicht.

Madoc en Annesta sloegen troostend hun armen om haar heen en prezen de bard. Ze huilden allemaal tranen van opluchting tot ze het gevoel hadden of hun hart leeggelopen was.

Even later verscheen Riryd met zijn vrouw en Danna, met de baby Owain ap Riryd. Zij waren er zonder kleerscheuren doorheen gekomen. Hun huis was in een stevige hoek van de palissade gebouwd. Het had alleen het dak verloren en was onder water komen te staan. Het was echter niet verpletterd.

Een tijdje later vonden ze het gevangengenomen inheemse meisje, onder een berg stro in elkaar gekropen. Ze was niet gewond. Alleen had ze door de kluisters om haar enkels in de chaos niet kunnen ontsnappen.

Madoc en Riryd onderzochten de schepen. Ze klommen tussen de verwrongen scheepsrompen door en gingen toen naast elkaar op een omgevallen mast zitten. Ze keken elkaar aan. Madoc zat in zijn gescheurde lendendoek, met een stekende pijn in armen en benen van onbehandelde snijwonden en geplaagd door vliegen. Ten slotte zei Riryd op gedempte toon, een toon zoals hij in geen dagen gebruikt had:

'God heeft onze twist voor ons opgelost.'

'Ja,' zei Madoc. 'Geen van ons tweeën zal meer naar Cambrië varen.'

'Of zelfs naar de andere kust van Jargal.'

'Als we dit vervloekte oord verlaten, zullen we het lopend moeten doen.'

'Of kruipend,' zei Riryd.

Twee dagen lang trokken de overlevenden gezwollen, witte lijken uit het ondiepe water van de baai en modderige, bloederige, gebroken lichamen van onder de bomen in de gevelde bossen. Weeklagend van verdriet legden ze die in ondiepe graven die ze in het modderige zand groeven. In het spoor van de orkaan heerste een dampige stilte. Madoc dreef de grafdelvers op om de lijken onder de grond te krijgen voor ze zo vergaan en met lucht gevuld waren dat ze niet meer te hanteren waren. Met buizerds en kraaien, met krabben en insekten, vochten ze om de lichamen van hun vrienden en familieleden. De priesters waren verdronken en dus moest Madoc de begrafenisceremonie verrichten.

Slechts honderdtwintig zielen hadden het overleefd. Zo'n vijftig waren verdronken, verpletterd of gewoon verdwenen. Nog meer leken door zwerende wonden op sterven na dood. Drie mensen overleden aan beten van waterslangen. Overal dribbelden ratten van de verwoeste schepen en beten kinderen. De mensen waren versuft, verslagen, overvallen door een ziekelijke angst. Er was niets te eten. De jagers waren te kreupel of te ontmoedigd om er in de versplinterde bossen, tussen de slangen en moerasdraken, op uit te gaan. De modderige grond had zilveren vlekken van de dode vissen die hier door de storm gedeponeerd waren. Die waren echter al zo verrot dat ze niet meer te eten waren.

Ten slotte kwam Madoc in actie. Vol walging en gealarmeerd door de lethargie en het zelfmedelijden van de mensen, bulderde hij, met grote passen tussen hen door lopend: 'Kijk dan toch! Het voedsel kruipt voor je voeten langs!' Hij liet hen zien hoe je een waterslang met een gevorkte stok vastpint en doodt, en vertelde de mensen dat ze vuren moesten maken om het vlees te roosteren. Hoewel ze er in eerste instantie niet van wilden eten, kwamen ze algauw tot de ontdekking dat het eetbaar was. De kinderen kregen opdracht om krabben te vangen en ratten te doden. Zodoende werd de verhongering tijdelijk afgewend, en binnen de kortste keren waren er geen levende slangen of ratten meer te bekennen.

Naarmate de mensen hun kracht en hun wilskracht terugkregen, begonnen ze om zich heen naar verloren geraakte gereedschappen en eigendommen te zoeken. Ze repareerden en maakten coracles en begonnen in de baai en de rivieren te vissen.

Tussen de ravage op het land hernam het leven zijn loop. Aangezien de twee prinsen het erover eens waren geworden dat ze dit vervloekte oord bij de baai achter zich zouden laten, bouwden ze echter slechts de meest rudimentaire schuilplaatsen op, niet meer dan afdaken van wrakhout. Toen ze deze plaats meer dan een jaar geleden hadden ontdekt, had het een

144

gunstige plaats geleken. Nu scheen er echter een giftige sluier van dood en onheil boven te hangen. Uiteindelijk bleek het, wanneer er dat soort stormen waren, toch geen veilige haven te zijn. De broers geloofden nu dat deze plek door de warmte, de moerassen, de bloedzuigende muggen en de moordzuchtige reptielen uiteindelijk iedereen ziek zou maken.

In die drukkende, benauwende dagen dacht alleen Meredydd de bard aan het geschreven woord. Nu de priesters dood waren, waren Meredydd, de twee prinsen en Annesta de enigen die konden lezen en schrijven. Gwenllian kon het bestiarium half in het Welsh lezen en ze kon een paar woorden van letters schrijven, maar de bijbel kon ze nog niet lezen, omdat die in het Latijn geschreven was. Meredydd wist dat hij haar nog in het Latijn zou moeten leren lezen en schrijven. Hij zag daar als een berg tegenop omdat zijn beheersing van het Latijn niet veel voorstelde. En nu de priesters er niet meer waren om hem daarbij te helpen, wist hij niet zeker of hij haar wel goed kon onderwijzen.

En dus lag voor het ogenblik de hele last van het kunnen lezen en schrijven van de kolonie op de schouders van Meredydd. Madoc, Riryd en Annesta hadden geen tijd om eraan te denken. Door een wonder hadden ze na de storm de kist met daarin het bestiarium, de bijbel en Meredydds harp onbeschadigd teruggevonden. Ze waren zelfs niet zo nat geworden dat ze verwoest waren. Meredydd kon in de schaduw van een dak van varenbladeren de harp zitten spelen en zich erover verwonderen dat die nog steeds heel was nadat hij in Cambrië door een waterval was gedragen en door een storm in Jargal was omgegooid. Afgezien van een paar rieten fluiten die de mensen zelf hadden gemaakt, was zijn harp het enige muziekinstrument. De kolonisten hadden er dan ook grote eerbied voor.

Terwijl de mensen druk bezig waren levensmiddelen op te slaan en coracles te maken voor de tocht naar het binnenland, rivieropwaarts, maakte Meredydd op een dag inkt van houtskool, bessen en plantesap. Toen ging hij weer verder met het schrijven van de Kroniek van Madoc die hij het jaar daarvoor aan boord was begonnen. Hij zwoegde op verzen die verhaalden van de ontzagwekkende reis langs de kust naar boven en de ontdekking van de baai. Hij schreef over het jaar van ziekte en ellende en daarna over de storm, een tempeest zoals ze in de Oude Wereld nog nooit hadden meegemaakt. Hij vertelde over Madoc in diens dappere poging zijn mensen uit Wales erop voor te bereiden dat ze verder gingen trekken, naar het binnenland van een enorm, onbekend land.

Toen volgde het bevel van Madoc, onze prins:
Wie gezond is van lijf en leden, zet u in,
We moeten gereedschap en wapens vergaren,
En leeftocht en kleding voor zover u die vindt.
Stouw dan dat alles in onze kleine boten,
En zet in elke boot een sterke man die roeit.
Laat de anderen hun weg te voet vervolgen,
Rivieropwaarts, ver weg van die zompige baai,
Naar hoger gelegen, zuiverder, vaster land,
Opdat onze mannen uit Wales fier kunnen staan
Op heuvels en weiden, in zuiverder lucht,
En waar Madoc, onze prins, zijn rijk kan bouwen.

4 Dal van de Ala Bamu
Herfst 1171 A.D.

Stroomopwaarts langs de groene rivier, waar Madoc zelfs niet verwacht had leven aan te treffen, vond hij nu steden en dorpen. Alle leven was echter verdwenen; ze waren vol met de dood.

Aan de rand van een verlaten dorp van ongeveer veertig hutten, keek hij omhoog naar een berg ter grootte van een kasteel. Bovenop lag verse aarde. En boven op de berg stond een paal versierd met veren, haviksklauwen, bundels grassen en kruiden en lange, smalle linten van een fijn geweven stof die rood of zwart geverfd was. Toen Madoc enkele van zijn soldaten opdracht gaf naar boven te gaan en in de heuvel te graven om te zien wat zich daarin bevond, waren ze bang. Hij moest hen zelf op de steile, met gras begroeide helling van de heuvel voorgaan naar de kale aarde op de top. Aangezien ze na de orkaan slechts een paar spaden, schoffels en pikhouwelen hadden teruggevonden, konden er maar een paar mannen werken.

Toen tien soldaten begonnen te graven, begon het gevangen inheemse meisje opeens te gillen. Plotseling was er een windvlaag, die de stoffen wimpels om de paal heen waaide en wond. Toen ging de wind even plotseling weer liggen en was de lucht weer even drukkend en stil als daarvoor. De soldaten hielden op en keken naar Madoc. 'Graven,' beval hij, hoewel de achterkant van zijn nek prikte.

Nauwelijks onder het oppervlak stuitten ze op verse graven en kwamen er beenderen, verrot vlees, potten en sieraden te voorschijn. De soldaten gooiden hun gereedschappen neer en

147

renden struikelend de heuvel af. Het inheemse meisje stond er jammerend bij en knauwde haar pink bij het eerste kootje af.

Na een paar uur graven werd duidelijk dat de top van deze heuvel een massagraf van vele mannen, vrouwen en kinderen was die nog niet lang geleden waren gestorven. Ondanks de stank en het angstaanjagende bederf, zag Madoc dat elke schedel door een slag tegen de rechterslaap was ingeslagen. Riryd, die met een lap voor zijn gezicht naast hem stond, mompelde erdoorheen: 'Zijn al die mensen in een oorlog gedood?'

Dat was ook Madocs eerste gedachte geweest, maar hij antwoordde: 'Nee, ik denk het niet. Alle slagen zijn op dezelfde manier toegebracht. In de strijd is dat nooit het geval.' Madoc pakte een pot op en wrikte er met zijn dolk een schijf hout uit die de opening afsloot. Tot zijn verbazing rolden er parels in zijn handpalm. De pot bevatte een fortuin. Met bonzend hart deed hij de pot weer dicht en keek of hij andere zag. Het meisje beneden begon weer te jammeren en probeerde van de heuvel weg te rennen. Met haar kluisters kon ze echter slechts struikelende sprongetjes maken en een ongeduldige soldaat sloeg haar neer. Ze kwam overeind en ging daar op haar hurken heen en weer zitten te wiegen. Met haar gezicht in haar verwarde haren verborgen snikte ze het uit.

'Bard!' riep Madoc tegen Meredydd die bij haar in de buurt stond. 'Kunt ge dat arme kind kalmeren en een poging doen om uit te vinden wat er met de mensen hier zou kunnen zijn gebeurd?' Meredydd, en alleen Meredydd, had door middel van stemgeluiden en handgebaren geleerd om een paar eenvoudige woorden en begrippen aan haar over te brengen en van haar te begrijpen. Meestal vroeg of antwoordde het meisje niets, maar in dat jaar van haar gevangenschap was Meredydd een paar keer door haar sombere eenzaamheid heen gedrongen.

Dus nu knielde hij bij het naakte, bevende, huilende meisje neer en probeerde geduldig en vriendelijk tot haar door te dringen. Intussen bleven Madoc, Riryd en de gravende mannen op de heuvel naar meer schatten zoeken.

Uiteindelijk was het enige dat Meredydd uit haar kreeg één teken. Ze legde haar twee wijsvingers naast elkaar in het gebaar dat 'samen' betekende, en wees ermee naar de heuvel. Daarna stopte ze de twee vingers in haar mond, wat betekende 'zij die samen met mij eten'. Toen gilde ze, boog haar hoofd en streek met haar hand met het bloederige vingerstompje door haar haren. Meredydd liet haar alleen en klom met tegenzin de heuvel op. Een schedel met plekken verrot vlees er nog steeds aan vast rolde langs zijn voeten. Met een sprong schoot hij opzij. Hij trof Madoc en Riryd woedend fluisterend in een zoveelste meningsverschil tussen de aarde en de beenderen boven de potten met parels aan. Riryd zei: '...Waardeloos! Wat hebben parels voor waarde in een land waar geen beschaafde mensen wonen? Nee, in een land waar helemaal niet eens *levende* mensen wonen!'

'Vervloekt zij uw mistroostige kijk op de zaak!' snauwde Madoc. 'Parels hebben waarde omdat het parels zijn! Ze –' Hij zag Meredydd en ging staan om hem tegemoet te lopen. 'En, bard?'

'Excellentie, de slavin zegt alleen dat deze doden haar familieleden zijn. Ik denk tenminste dat ze dat bedoelde. Ze was helemaal van streek en zei verder niets. Ik betwijfel ook of ze meer weet, omdat wij haar al zo lang gevangen houden...'

Met starende ogen dacht Madoc na. Naast hem trilden de veren en wimpels op de paal en waaiden even in een licht briesje heen en weer. Toen hingen ze weer stil. 'Ja,' zei Madoc, 'waarschijnlijk was dit het dorp waar zij en de anderen vandaan kwamen toen wij hen gevangennamen. Maar wie... wie, veronderstelt ge, heeft al deze mensen gedood en begraven?' Met zijn ogen in de verte speurend schudde hij verbijsterd zijn hoofd.

Opeens boog hij zich voorover. Met zijn ogen half dichtgeknepen keek hij naar de horizon in het noordoosten en wees toen met zijn vinger. 'Kijk daarginds! Daar, en daar!'

In eerste instantie zag Meredydd niets, maar toen ontdekte hij ook de zwevende, donkere vlekken in de verschillende kwadranten van de hemel waarvan hij wist dat het gieren waren. Er zwermden heel wat van die troepen gieren en Meredydd zei: 'Wat dacht ge, heer, zullen we, als we verder gaan, meer en nog meer doden aantreffen?'

'Wat ik bedoel,' zei Madoc kalm, maar doordringend, 'is of dat daar... bouwwerken zijn of heuvels?'

Meredydd had geen scherpe ogen, maar nu zag hij over de boomtoppen heen, op misschien drie mijl afstand, toch ook iets buitengewoons. Het silhouet was te vlak en regelmatig om deel van het gebied te zijn. Ook Riryd en enkele soldaten keken nu die kant op. In de vochtige damp gaf de vage omtrek geen enkel detail weer. Maar het leken net heuvels met steile hellingen en een afgeplatte top, of de borstweringen van een kasteel. In het noorden stonden er twee vlak bij elkaar en door een andere opening tussen de bomen door, verder weg en meer naar het oosten, zag de bard iets dat op een aantal van die heuvels bij elkaar leek. Vanuit het dorp beneden zouden die vormen in de verte vanaf geen enkele plek zichtbaar zijn geweest. Maar deze hoogte hier, deze hoge grafheuvel waarop de paal met veren stond, scheen gemaakt te zijn om die massieven in de verte te kunnen zien.

'Daar gaan we heen,' zei Madoc zachtjes. 'Als ze door mensen zijn gemaakt, zullen we een soort mensen ontmoeten dat ik hier niet verwacht had.' Madoc zei dat met zijn gebruikelijke zelfvertrouwen. Maar Meredydd zag iets nieuws in Madocs ogen. Het leek een beetje op vrees...

Een angst, dacht Meredydd die plotseling diezelfde angst voelde, om in een land aan te komen dat al gevestigd was, een land dat zelf al koningen, kastelen en monumenten bezat.

Dat was geen opbeurende gedachte voor iemand die in het land van een continent arriveerde dat hij had willen vestigen en regeren, besefte Meredydd.

In de paar dagen die nu volgden, trokken de mensen uit Wales verder langs de meanderende, groene rivier. De vrouwen en werklieden pagaaiden de volgeladen coracles en de soldaten liepen achter elkaar over de uitgesleten paden langs de rivieroever. Het verbaasde Madoc door hoeveel inheemse dorpen ze trokken. Soms waren het er binnen een afstand van drie mijl wel twee of drie. Het waren keurig nette dorpen van zo'n tien tot veertig hutten, goed gebouwd van palen, geweven matten, boombast, varenbladeren en riet. De meeste waren nog voorzien van potten, bedden en maalstenen, gereedschap en zelfs opslagplaatsen van gedroogd voedsel en dierehuiden.

Maar de woningen waren leeg; alleen de graven waren vol. Bij elke stad vroeg Madoc zich af: Is er hier oorlog geweest? En als dat zo is, waar zijn dan de overwinnaars? De overlevenden?

Bij elke stad verviel het meisje in nieuwe uitbarstingen van verdriet en haar gekerm en gegil deed ieders haren recht overeind staan. De lange opeenvolging van leefgemeenschappen zonder enig leven had ook zijn angstaanjagende effect op de bijgelovigheid van de mensen uit Wales. Sommige vrouwen waren van mening dat het slavenmeisje moest worden gedood of vanuit de coracle waarin ze lag aan wal moest worden gegooid om bij de geesten van haar familieleden te blijven, als die lijken inderdaad van haar familie waren.

Twee leefgemeenschappen waren geen dorpen, maar ommuurde steden – steden met een omheining van palissaden, met honderden woningen rond open pleinen. En hierin bevonden zich de gigantische, afgeplatte, aarden piramiden die Madoc vanaf de grafheuvel in het eerste dorp had gezien.

Op een morgen stonden Madoc, Riryd en Meredydd boven op een van deze piramiden over de mistige, groene bossen die tot de horizons reikten uit te kijken. Madoc hield een dikke streng parels en een brede, in de vorm van een adelaar gesneden plaat koper omhoog. Dit soort schatten had hij in verschillende grafheuvels gevonden. In de verte zag hij, zuidwestelijk van de plek waar hij nu stond, in een blauw waas de vlakke toppen van de twee grote grafheuvels van de eerste stad die hij twee dagen geleden met zijn mensen gepasseerd was. Ver, ver naar het noorden lagen heuvels in het hoogland. In de afstand daartussenin zag hij rookslierten. Hij had van al deze grafheuvels in de verte rook omhoog zien kringelen. Maar iedere keer dat ze een leefgemeenschap aantroffen was die, evenals deze, in de steek gelaten.

In alle richtingen spiraalden zwermen gieren in de door de zon gekleurde lucht. Hoger, zo hoog dat ze bijna onzichtbaar waren, vlogen eenzame arenden. Madoc keek naar de koperen adelaar in zijn hand en vandaar naar beneden, naar de stad.

Op het plein zo'n honderd voet onder zich zag hij zijn mensen naast de onderkant van de trap zitten praten en mompelen. Ze liepen heen en weer en keken naar hem omhoog. Naar schatting honderddertig el verderop lag zijn kleine vloot coracles met hun vracht op de rivieroever, met daarnaast een grote, nieuwe kar met twee wielen. Madoc slaakte een lange zucht en schudde zijn hoofd.

'Dood!' riep hij. 'Een heel koninkrijk van de *dood*! We hebben zestig mijl door dorpen en steden afgelegd zonder een levende ziel te ontmoeten! Moeten we dan soms geloven dat lijken steden bouwen, gewassen verbouwen en zich vervolgens voor de eeuwige slaap in hun graven ter ruste leggen?'

Riryd huiverde. De tocht van het ene griezelige, verlaten dorp naar het andere had hem steeds somberder en heimelijker gemaakt. 'We ontsnappen aan een wervelwind des doods, naar een land waar zo te zien geen mens de dood ontkomen is terwijl de wervelwind hier helemaal niet is geweest. Vervloekt land! Bij de heilige David, waarom heb ik u op deze reis gevolgd?' snauwde hij.

Madoc keek hem dreigend aan en bracht hem nog eens in herinnering: 'Uw schedel zou boven op een spies staan te grijnzen als ge in Cambrië was gebleven, broeder.' Weer zuchtte hij en speurde de einder af. 'Ik begrijp het niet. Duizenden mensen hebben meer dan een jaar zo dicht bij onze kolonie gewoond. Ze hebben ongetwijfeld geweten dat we daar waren! Waarom hebben wij hen nooit gezien? Waarom zijn ze nooit gekomen?' Heel even zag hij in zijn herinnering de door de zon vergulde gestalte van de oudere vrouw die ze hadden gevangen en die over de rand van de *Gwenan Gorn* naar beneden was gedoken. Na meer dan een jaar bezocht dat beeld soms nog zijn dromen. Misschien was ze, tegen alle verwachtingen in, toch niet verdronken. Misschien was ze in plaats daarvan deze rivier op gevlucht en had de mensen die hier woonden gewaarschuwd over de nieuwkomers in hun grote boten in de baai.

Of de oude mannen die uit hun kluisters waren geglipt en verdwenen waren – misschien waren zij hier ook langsgekomen. Misschien hadden ze verteld over hun gevangenschap in

152

dierenkooien, verteld dat de handen van een man met een brandijzer werden gemerkt...

Wat was hij in zijn verwachtingen dat hij gemakkelijk betrekkingen met de inheemse bevolking zou kunnen aanknopen naïef geweest, dacht Madoc. Ze waren net zo op hun hoede en even gevoelig als wilde dieren.

En toch waren ze klaarblijkelijk een beschaafd volk geweest, dat van al het nodige was voorzien. In elke stad waren de voedselopslagplaatsen vol graan, wortels, zaden en grote hoeveelheden gedroogd vlees en gedroogde vis geweest. Bij elke stad waren in de rivieren en kreken visweren en -vallen van steen of wilgetenen uitgezet. Bij de steden lagen enorme afvalhopen met visgraten, schubben en mosselschelpen. Overal hadden ze knap gemaakte kleren en sieraden achtergelaten. De mannen uit Wales die langstrokken hadden alles meegenomen. In de knap gebouwde tempelgebouwen boven op de heuvels had Madoc kostbare versierselen, zoals deze koperen adelaar, of kronen van mica gevonden. En parels! Ze hadden zo'n overvloed aan parels gevonden, dat ze een zware last waren geworden. Madoc had daarom een houten tuimelkar laten maken om de steeds groter wordende hoeveelheid kostbaarheden en voedingsmiddelen te vervoeren. De coracles waren al zwaarbeladen.

De kar was een van de meest zichtbare en hoorbare kenmerken geworden van de trek van Madocs onderdanen. Er waren planken en onderdelen van de verwoeste schepen in verwerkt. De wielen waren manshoog. Eén zo'n massief wiel woog even zwaar als twee mannen. De dissel was vijftien voet lang, met zoveel gaten erin geboord dat er wel dertig werklieden met trektouwen voor konden worden ingespannen. IJzersmeden hadden de wielnaven van een aantal metalen scheepsonderdelen gemaakt en hoewel deze naven een paar keer per dag met vet werden gesmeerd, piepten en kraakten ze zo hard dat je ze, terwijl de kar bonkend en rammelend over de voetpaden langs de rivier reed, op meer dan een mijl afstand nog kon horen. De tuimelkar remde hun vooruitgang enorm af, vooral op plaatsen waar de paden smaller werden en mannen met bijlen struiken en bomen moesten weghakken om de weg ervoor vrij te maken.

153

Tegen de tijd dat ze verschillende inheemse steden waren gepasseerd, was duidelijk geworden dat de inboorlingen geen wielen maakten of gebruikten. Er bestond daarom een grote kans dat deze tuimelkar het enige voertuig op wielen in het hele land was. En de zwetende, wankelende, uitgeputte mannen die in een tuig liepen om de kar voort te trekken, hadden meelij met zichzelf als ze aan het eind van een dag lopen hun verrekte spieren en pezen en geschaafde schouders verzorgden:

'Het is werk voor ossen, niet voor mannen!'

'Of paarden! Ja! Deze wilden hebben geen lastdieren en geen wegen. Geen wonder dat ze geen wielen hebben!'

'Ik zou zelf wel op wielen willen worden voortgereden,' kreunde een potige arbeider wiens huid tot op het vlees door de touwen was ingesneden zodat het vocht eruit sijpelde. 'Nee, bij onze heilige David, ik ben geen os dat ik die verduivelde, zware last moet trekken!'

Omdat ze prinsessen waren, werden Madocs echtgenote Annesta en Riryds echtgenote Danna in draagstoelen op de schouders van twee sterke mannen over de paden langs de rivier gedragen. Zodoende werd hen de vernedering en het ongemak van het lopen of het hangen in de coracles, waar lenswater hen smerig zou hebben gemaakt en het zonlicht sproeten zou hebben veroorzaakt, bespaard. De draagstoelen waren van jonge boompjes en touw gemaakt. Daardoor veerden ze en zwaaiden ze onder het lopen heen en weer. Ze konden met dun doek worden afgeschermd om schaduw voor de vrouwen te geven, voor privacy te zorgen en de horden bijtende insekten buiten te houden. Danna had haar baby, Owain ap Riryd, op schoot. Voor Gwenllian was er ook een draagstoel gemaakt, maar het meisje was veel te actief en te nieuwsgierig om erin te zitten. Ze vond het niet prettig om als een stuk vracht te worden meegedragen. Zij liep liever naast haar mentor Meredydd over de paden langs de rivier. Dan praatte ze met hem over de wonderen van dit land waar ze doorheen kwamen of leerde legenden, liederen en bijbelse verhalen van hem. Haar draagstoel was daarom in het algemeen vrij om dingen die ze onderweg vonden in mee te dragen. Soms zaten er ook volwassenen en kinderen in die te ziek waren om te lopen.

154

Gwenllian en de bard liepen meestal zo'n dertig of veertig voet achter Madoc en Riryd aan. Dan zagen ze plekken zon op hun helmen weerkaatsen of over hun brede ruggen flitsen en op hun wapens glinsteren. En altijd hadden het meisje en de bard een stuk of zes van de ruwste, meest toegewijde leen-mannen als bescherming om zich heen lopen: potige Kelten met gebleekte baarden, neuzen en behaarde ruggen, die helmen met horens droegen en voortdurend in de bossen keken alsof ze hoopten dat daar vijanden waren tegen wie ze konden vech-ten. Meredydd wist dat deze mannen kleine hersenen hadden en grif hun leven zouden geven om de prinselijke families te redden. Ze hadden een element van bruutheid in zich dat Me-redydd zowel vreesde als verachtte. Nu ze door een land vol onzekere factoren liepen, was het echter een plezierig gevoel om hen aan alle kanten om zich heen te hebben.

Evenals haar vader had Gwenllian ook voortdurend voor een raadsel gestaan doordat hele volksstammen zomaar uit hun uitstekende, gerieflijke leefgemeenschappen verdwenen. Ze had echter nog geen antwoord op het mysterie en vroeg nu aan Meredydd:

'We zijn op zoek naar een goede woonplaats, hè?'

'Ja, dat klopt, zegt uw vader.'

'En als we een plek vinden die geschikt is, zullen we zeker een stad moeten bouwen?'

'Ja, mijn kind, dat klopt.'

'Nou, waarom stoppen we dan niet bij een van deze mooie plaatsen waar alle mensen zijn weggetrokken? Waarom gaan we daar niet wonen?'

Meredydd hield zijn hoofd achterover en keek haar langs zijn neus glimlachend aan. Zijn grauwe voortanden staken naar voren. 'Nou, kleine prinses, dat is een heel slimme vraag die ge misschien aan uw vader zoudt kunnen stellen!'

'Dat heb ik hem ook gevraagd. Hij zegt alleen maar: "Omdat ze niet van ons zijn."'

'Dan zal dat zijn antwoord wel zijn, prinses,' zei Meredydd.

'Maar het is geen goed antwoord. Zo'n stad als die laatste stad zou van ons kunnen zijn als we er maar introkken. Nie-mand woont er meer!'

'Hij heeft, vermoed ik, twee redenen,' zei de bard zacht mompelend. 'In die plaatsen verkeren zoveel geesten van een volk dat dood is, dat wij ons daar niet op ons gemak zouden voelen.' Haar grijsblauwe ogen gingen verder open en keken hem aan. Hij ging verder: 'En een andere reden is dat uw vader ergens op een hoge, rotsachtige plek bij een waterval een echt kasteel als Dolwyddelan wil bouwen. Zo leeft een Welse prins, weet u.'

Ze ging ertegen in. 'Hij zou ook een mooi kasteel op een van die heuvels kunnen bouwen.'

'Ja. Maar wat zou hij dan moeten doen voor een waterval?'

Gwenllian bleef een tijdje zwijgend over zijn woorden nadenken. Langzaam kwamen de coracles op het groene water waarop de zon weerkaatste vooruit, moeizaam voortbewogen door hun onverslijtbare paddelaars. Een van de leenmannen die vlak voor hen liep liet een harde wind. Gwenllian greep de gerafelde zoom van haar kleed en waaierde ermee voor haar hoofd terwijl ze een zogenaamd vies gezicht trok. De bard moest om haar lachen. Na een tijdje stelde ze de vraag waarover ze duidelijk al die tijd had lopen nadenken: 'Vriend Meredydd, mijnheer, denkt ge werkelijk dat mijn vader bang voor geesten is?'

'Geesten? Welke geesten?'

'De geesten van de wilden in de heuvels, weet ge nog wel?'

'Aha! Nee, volgens mij is uw vader nergens bang voor. Hij is een dapper, voorzichtig man. En slim. Even slim als zijn dochter. De meesten van onze mensen, kind, zijn dat echter niet. Zij zijn uiterst bijgelovig. Ge herinnert u toch nog wel hoe ze zich op de zeereis gedroegen? Ze waren bang voor monsters onder het schip en al dat soort dingen.' Hij zei er maar niet bij hoe bang hij toen zelf was geweest.

Ze knikte. Toen zei ze: 'De mensen die in deze steden woonden – waren die volgens u ook bijgelovig?'

'Ik veronderstel dat alle simpele zielen bijgelovig zijn. En ons slavenmeisje – ze beet haar vinger af onder een of andere vreselijke dwang van hun betovering, veronderstel ik.'

Gwenllian zuchtte. 'Ik wilde dat ze niet allemaal dood waren. Ik wilde dat we ze konden ontmoeten en vrienden konden zijn.

156

Het zijn zulke knappe mensen. Ze zouden ons kunnen leren hoe we goed in dit land konden eten. En ik denk ook dat het mooie mensen zijn, denkt ge ook niet?'

'Mooi? Ik heb alleen ons meisje gezien... en twee oude mannen en een vrouw. Maar ja, de mensen die ik heb gezien zijn inderdaad knap.'

'Hebt ge opgemerkt dat zelfs de oude mannen nog tanden hadden?'

'Nee, dat had ik niet gezien.'

'Ja. En het slavenmeisje is heel mooi, vind ik. Ze zou heel knap zijn als ze gelukkig was. Ik heb haar een keer zien lachen.'

'Echt? Ik kan me niet voorstellen dat ze hier ooit reden tot lachen heeft gehad, het arme kind. Wanneer hebt ge haar dan zien lachen?'

'Toen een van onze soldaten gegeseld werd,' zei Gwenllian. 'Een van de mannen die haar hebben gevangen.'

'O!' Meredydd keek onder het lopen opzij naar Gwenllians trotse, peinzende gezichtje. Hij stond er vaak van te kijken hoeveel ze over de kern van een zaak opmerkte.

Ze ging verder: 'Ik wenste dat vader haar zou loslaten. Dat zou hij moeten doen.'

'Waarom?' informeerde Meredydd. 'Het is het recht van een edelman dat het gewone volk hem dient.'

Gwenllian kneep haar lippen op elkaar en keek door bijna gesloten oogleden voor zich uit. Ze dacht diep na. Ten slotte zei ze: 'Ik vind niet dat mensen gedwongen moeten worden om anderen te dienen als het niet in hun aard ligt.'

'En vertel me eens, kind,' zei Meredydd spottend, 'waarom denkt ge dan wel dat het niet in haar natuur is?'

'Omdat haar volk naakt is en vrij als de dieren en vogels gaat, zoals ge hebt gezien. Weet ge nog die keer dat die andere vrouw met een sprong van het schip haar vrijheid koos?'

'Mm. Mhm. Dus naaktheid heeft iets te maken met vrijheid?'

'O, ja. Natuurlijk! Dat kan iedereen zien!'

'Welnu, prinses! Dit is een filosofie die de filosofen, voor zover ik weet tenminste, nog nooit hebben opgeschreven! Als dat zo is, waarom loopt uw vader Madoc dan niet naakt? Hij is vrij. Hij heeft geen gezag boven zich.'

157

'O, heer bard, wat bent ge toch dom! Hij is helemaal niet vrij. Hij krijgt alles te dragen. Meer nog zelfs dan het slavenmeisje, is hij onze dienaar.'

'Wel heb ik ooit!' mijmerde de bard. Hij vreesde dat ze meer gelijk had dan hij bereid was toe te geven. 'Zoudt ge dan zeggen dat een koning niet vrij is?'

'Een slechte koning zou vrij kunnen zijn. Maar een goede koning niet.'

Hij liep een hele tijd over haar woorden na te denken. Ten slotte, haar als haar leermeester vermanend, daagde hij haar uit: 'Op een goede dag zult ge misschien koningin van Jargal worden. Wilt ge dan dienen, of vrij zijn?'

'Mijn beste mijnheer,' antwoordde ze, 'zoals ik u al zei, zou ik graag naakt willen lopen. Dat meisje in haar huid ziet er aantrekkelijker uit dan ik in mijn kleren. Waarschijnlijk zou ik geen goede koningin zijn.'

'Dan zoudt ge u misschien moeten voorbereiden om een goede koningin te worden, mijn lieve prinses,' vermaande hij haar, 'en er daarbij bovenal aan denken dat u leert dienen. Het ligt in de aard van een edele koningin haar volk te dienen.'

'O, natuurlijk zegt u dat. U bent immers mijn leermeester!'

Meredydd glimlachte. Hij genoot van de manier van denken van het kind. Soms leek zij hem de intelligentste persoon toe die op de reis naar Jargal was meegekomen – misschien nog wel intelligenter dan Madoc. Wat ze had gezegd, dat ze veel zouden kunnen leren van de gewoonten en gebruiken van de inboorlingen, was waar. Het was duidelijk dat ze een leven in overvloed, een zuiver, gezond leven hadden geleid, niet door vee te houden, maar door te verzamelen en te jagen op alles wat de vrije natuur te bieden had. Zonder dat iets erop wees dat ze metalen gereedschappen of wapens gebruikten, hadden de inboorlingen gerieflijke huizen gebouwd. Ze hadden visnetten, visweren en boten gemaakt, versieringen en beelden uit been en hout gesneden, potten gebakken en prachtige sieraden van kralen van klei, zaden, schelpen, been en veren, koper en mica gemaakt. Het was opmerkelijk dat ze hun levensonderhoud aan een wild land konden ontwoekeren en toch nog zoveel tijd over hadden dat ze zich bezig konden houden met het maken van mooie dingen. Hij herinnerde zich het jaar dat net achter hen lag, bij de baai. De mensen uit Wales hadden daar al hun tijd verspild aan nutteloze pogingen zichzelf op de oude manier van hun eigen land, met het vlees en de wol van schapen, te voeden en te kleden. Niemand had tijd of inspiratie gehad om iets moois te maken. Soms had de hele bevolking, als de mensen giftige vruchten en wortels hadden gegeten, ziek op bed gelegen met ingewanden die naar boven en onder opspeelden. In dit land hadden de mensen uit Wales altijd honger en wisten niet wat goed of slecht voor hen was.

Tijdens deze tocht door de overhaast in de steek gelaten steden, had Meredydd verbaasd gestaan over de verscheidenheid en hoeveelheid levensmiddelen die de inboorlingen kennelijk uit de vrije natuur wisten te verzamelen en door de vele opmerkelijke landbouwgewassen die ze op de akkers om de steden heen verbouwden. In sommige huizen stonden voorraadmanden en -potten met meel en wit graan met een grotere korrel dan tarwe, gerst of haver. Er waren allerlei soorten wortels en noten. Veel daarvan lag nog in de vijzel waar het tot meel werd gestampt, een ander deel hing aan het plafond om in de lucht te drogen. Er waren koeken van gedroogde vruchten en bessen die met een of ander soort meel aan elkaar waren gehecht en met de hand waren gevormd. Er waren grote hoeveelheden zaden van grassen die klaarblijkelijk met groot geduld waren geoogst. De mensen uit Wales hadden ze echter nooit voor gebruik geschikt bevonden. Deze mensen hadden ook de bladeren, stengels en bloemen van bepaalde soorten onkruid als vers voedsel verzameld.

In de tuinen stonden vele soorten planten die hij nog nooit had gezien. Rankende takken groeiden uitbundig op palen en rekken en droegen peulen vol met dikke, ronde, kleurige zaden. Aan andere ranken die over de grond groeiden bevonden zich kogelronde of ovale dingen waarvan het vruchtvlees sappig, stevig en een beetje zoet was. Sommige waren groter dan een manshoofd – één vrucht was voldoende voor een hele dag eten!

Terwijl de stoet van mensen uit Wales alles wat eetbaar was had meegepakt en verslonden, had Meredydd aantekeningen over de verschillende produkten neergeschreven en onthouden, zoals waar en hoe ze verbouwd waren geweest en gebruikt. Ook had hij zaden van tal van eetbare planten verzameld. Iets in zijn achterhoofd zei hem dat het verstandig zou zijn om dat te doen en Gwenllian was het met hem eens.

Overal zag je bewijzen van de vaardigheid van de inboorlingen als jagers en vissers. Op rekken van palen waren hoepels bevestigd, waarop huiden van allerlei diersoorten, groot en klein, waren gespannen. Er waren herten, kleine zoogdieren, vogels met hun volledige verenpak en zelfs beren. En tot ieders verbazing waren er ook complete huiden van de lange, ruwe, grijsgroene *krokodilos* – draken die het merendeel van de schapen van de mensen uit Wales hadden opgevreten en de kolonisten zo vreselijk hadden geïntimideerd. Hier was een volk dat die draken kon doden en villen! Wat de visvangst aangaat, waren er op sommige plaatsen zulke enorme afvalhopen met visgraten en mosselschelpen, dat duidelijk bleek dat de inboorlingen hier honderden jaren moesten hebben gewoond.

'Wat zijn deze mensen verstandig wat hun land en alles erop aangaat!' had Meredydd uitgeroepen. En hij wist dat Gwenllian in haar kinderlijke wijsheid gelijk had: wilden ze in dit nieuwe land overleven, dan was het essentieel dat ze van de inboorlingen leerden hoe ze de overvloed van het land moesten gebruiken. En als ze iets van hen wilden leren, zouden de mensen uit Wales vriendschap met hen moeten sluiten.

Als we tenminste nog levende mensen aantreffen! dacht hij.

Niemand liever dan Mungo, de Mungo van de gebrandmerkte handen, wilde levende inboorlingen vinden. In de meer dan twee jaar die waren voorbijgegaan was er nog geen dag geweest dat Mungo niet had gedagdroomd over de vrouwen en meisjes met de koperen huid die, dat geloofde hij, vast en zeker overal hier op dit continent moesten wonen. Ondanks de vele massagraven die ze in elke stad aantroffen, geloofde hij niet dat ze allemaal dood konden zijn. Velen woonden ongetwijfeld aan de andere kant van de groene bossen.

Dat jaar in de kolonie naast de baai had Mungo voor het grootste deel het bed van een jonge vrouw met schuine praatjes gedeeld. Ze was de dochter van een van de Welse scheepstimmerlieden. Het was een soort huwelijksrelatie, hoewel ze nooit getrouwd waren. Door haar zinnelijke, wulpse inslag was de ontuchtige Mungo wel de meest waarschijnlijke man voor haar. Maar zelfs wanneer hij in haar vochtige, witte zadel reed, zag Mungo altijd de obsessie uit zijn fantasie voor zich: de naakte, bruine bosnimfen. Mungo had elke dag van dat jaar wel een paar keer plannetjes uitgebroed waardoor hij zijn plichten kon verzaken en naar Madocs zomerhuis lopen. Hij stelde zichzelf dan ergens zo op, dat hij het slanke slavenmeisje dat niets dan haar kluisters en een halsketting droeg, kon bespieden. Hij had zich uiteraard verre van haar gehouden; de herinnering aan het brandijzer stond nog te hevig in zijn handen gebrand. Maar de glimpen die hij van haar opving hielden zijn dromen in leven.

Tot de dag dat hij gebrandmerkt werd, was Mungo een redelijk getrouw onderdaan van prins Madoc geweest. Hij was een onverschrokken zeeman en jager, een pionier. Maar het roodgloeiende, sissende ijzer in zijn handpalmen had zijn trouw ongedaan gemaakt. Nu was hij een man die helemaal losstond van de belangen van zijn prins. Hij gehoorzaamde precies genoeg om nog meer straf te vermijden en zijn zilverkleurig geworden zwarte baard verborg altijd een spottende sneer.

Nu zat Mungo op een boomwortel aan de rand van een riviertje en leegde de met bloed doorlopen dysenterie uit zijn darmen in de beek onder zich. Hij had het, zoals alle anderen, aan zijn darmen en dat duurde nu al zo lang, dat het normaal was gaan lijken. Mungo had ook voortdurend een kriebelend gevoel in zijn scrotum en liezen. Het was een soort tintelen dat niet helemaal onplezierig was en hem over het algemeen inderdaad half opgewonden hield. Dit was, vermoedde hij, een aandenken aan zijn vroegere hoerenloperij in de havens van heel Europa en langs de Middellandse Zee. Zijn smerige, grauwe lendendoek zat eeuwig onder de vlekken van zijn stront en van wat hij verder altijd uit zijn lichaam kwijtraakte. Met zijn hoofd bijna tussen zijn knieën keek Mungo afgestompt naar zijn uitwerpselen die in het water onder hem spetterden en dat rood kleurden. Het was verontrustend en lastig, maar er was niets aan te doen.

Van de andere kant van het gebladerte klonken het ontzagwekkende gekraak van de naven van de tuimelkaar, het gebons en gerammel van het enorme houten geraamte en het vloeken en kreunen van de arme kerels die vandaag moesten trekken. Als iedere andere man die gezond van lijf en leden was, had ook hij de nodige dagen doorgebracht in de sporen van wat hij 'Het grote achterste van de prins' had gedoopt vanwege de plaats die het achter al het andere in Madocs processie innam. Zoals alle anderen had hij aan het logge monster getrokken en gesjord tot hij erbij neerviel en niet meer overeind kon komen. En bij elke raspende ademhaling had hij vervloekingen aan het adres van Madoc en alles wat Wels was gefluisterd – met inbegrip van zijn ronde del, die klaagde alsof elke moeilijkheid, elk ongemak zijn in plaats van Madocs schuld was. En nu zei ze de laatste tijd dat ze in verwachting was. Ook dat noemde ze zijn schuld, alsof haar eigen bronstige begeerte daar niets mee te maken had.

Mungo zuchtte van ellende en kwam grommend overeind. Hij klauterde over de wortels heen, sprong toen op de zachte grond en bond zijn lendendoek om zijn middel.

Vlakbij bewoog iets.

Hij bleef stokstijf staan en tuurde van de plek waar hij stond in het struikgewas en de varens iets boven de beek.

Iemand had daar bewogen. Mungo had een glimp bruine huid, verlicht door één straal zonlicht die door de bomen naar beneden doordrong, opgevangen.

Bukkend, met gestrekte hals, stond hij te staren. Hij zag heel even een paar bladeren iets bewegen, hoewel er geen wind stond.

Zijn hart begon te bonzen. Het zwarte haar dat overvloedig op zijn rug groeide prikte en leek als de nekharen van een hond overeind te staan. Mungo liet zijn mes uit de schede aan de riem, die hij zojuist om zijn middel had gegespt, glijden en kroop twee, drie, vier stappen naar voren.

In zijn linkerooghoek zag hij heel even een flits, een snelle beweging. Een blote, gespierde rug verdween in de schaduwen

162

van een bosje. Hij kroop ernaartoe. In de zachte humus naast de beek sijpelde het water in de verse voetafdrukken.

Nu was alles stil. Hij haalde één keer langzaam diep adem. Toen kwam hij uit zijn verkrampte houding overeind. Hij lachte en zijn ogen gloeiden.

Dagenlang had Mungo, vanaf de piramiden waar ze langs de rivier voorbijkwamen, iets gezien dat niemand anders, zelfs Madoc niet, scheen te hebben opgemerkt: niet alleen in het noorden en oosten waren er boven de boomtoppen in de verte rookpluimen te zien, maar ook achter hen.

Mungo was er zeker van dat niet alle inboorlingen dood waren, hoewel duidelijk was dat velen door een of andere ramp waren weggevaagd. Hij was gaan vermoeden dat de overleven-den hun steden slechts waren ontvlucht omdat ze wisten dat de mensen uit Wales in aantocht waren. En dat de inboorlingen spoedig nadat de colonne was gepasseerd weer naar hun dor-pen en steden terugkeerden.

Ze zijn overal om ons heen, dacht Mungo. Ze zijn nog steeds met velen en om de een of andere reden zijn ze bang de weinige mensen met wie wij zijn te ontmoeten.

En zojuist had hij een van hen gezien en beseft hoe dicht ze wel in de buurt waren.

Maar voor Mungo was dit besef eerder opwindend dan be-angstigend.

Bij het volgende dorp was een stenen visweer over een ondiepe plek in de rivier gebouwd om vis in de val te lokken. Toen de coracles over de stenen werden getrokken, bezweek de coracle met Madocs fortuin in parels erin en de leren huid scheurde open. De bootsman klauterde moedig tot aan zijn middel in het water en slaagde erin om alle zakken parels te redden. Ma-doc beloonde hem door hem uitgebreid te loven en te prijzen. De boot was niet meer te repareren en ze besloten om op de reeds overladen tuimelkar ruimte voor de parels te maken.

De geïrriteerde mannen vóór de kar wilden geen pond meer trekken dan ze al deden. En dus compenseerden ze dat door, zodra Madoc zich omkeerde, op eigen houtje een van de ijzeren ketels in de bosjes te gooien. Mungo, die met een bijl een pad voor de tuimelkar aan het hakken was, zag dat ze de ketel weggooiden. Hij lachte zelfgenoegzaam, in de wetenschap waarom ze het hadden gedaan. Maar hij zei er tegen niemand iets over.

Vanuit het midden van de stad hoorde Mungo geroezemoes van stemmen. Vlug liep hij tussen de hutten door en trof Madoc en Riryd aan terwijl ze enthousiast een grote schuur met open zijkanten aan een onderzoek onderwierpen. Een groepje Welse vrouwen keek reikhalzend toe. Madoc kwam naar buiten in het zonlicht om een lichte doek van geweven stof die hij over zijn arm droeg te onderzoeken. Sommige vrouwen hadden een handvol wit pluis te pakken en Riryd zag spindels liggen die met witte strengen omwonden waren.

'Het is geen wol,' zei Madoc.

'En ook geen vlas,' zei een vrouw. 'Majesteit, kijk eens, er zitten zaden in het pluis.'

'Lieve hemel!' baste Madocs stem. 'Ik heb dit in Egypte gezien; daar noemen ze het *qutn* en ze maken er katoen van. Dus ik heb hier katoenen stof! Riryd! Deze mensen maken katoen! Riryd, wat een bonus, nu we geen schaapsvachten meer hebben omdat we onze dieren kwijt zijn! Vrouwen, ga zoveel zaden als u kunt vinden verzamelen!'

Mungo's gezicht vertoonde een sneer. Elk plezier dat Madoc had, ergerde hem.

Toen de colonne de stad verliet, waadde Mungo de rivier in om een handje te helpen bij het afduwen van de coracles. Toen de laatste coracle was weggepagaaid, klauterde hij niet meer terug op de wal. In plaats daarvan glipte hij tussen de wortels van een boom aan de rand van de rivier weg en liet zich zover in het water zakken dat nog net een klein stukje van zijn gezicht boven water was om te kunnen ademhalen. Daar bleef hij onder water zitten tot de boten, de mensen die liepen en de tuimelkar uit het gezicht waren verdwenen.

In een leven vol met onbezonnen daden, was dit het meest roekeloze dat Mungo ooit had gedaan. Niet alleen glipte hij uit de wereld van zijn eigen volk in die van de inheemse bevolking, hij verloochende ook zijn burgerplicht aan zijn koninklijke meesters. En dat was een misdaad waarvoor hij niet alleen maar gebrandmerkt, maar ook gedood kon worden. In zijn achterhoofd hield hij echter nog een excuus dat hij zou kunnen geven als hij de moed verloor en zijn landgenoten weer zou inhalen: dat hij de weg was kwijtgeraakt toen hij aan het verkennen was.

Mungo was niet van plan zich weer bij zijn mensen aan te sluiten. Hij haatte het gezag dat zijn handen gebrandmerkt had. Hij was ziek van de inspanningen en ontberingen van deze migratie. Hij had de dochter van de timmerman zwanger gemaakt. Ze was dom en ze verveelde hem. De laatste tijd zat ze tegen hem te jammeren en te klagen over uitslag en etterende zweren in haar vrouwelijke delen, knobbels in haar liezen en pijn in haar botten. En daar gaf ze hem de schuld van. Mungo wilde verschrikkelijk graag weg bij dat vervelende, irritante kreng.

Terwijl hij nu onder water in de lauwwarme rivier zat en het lawaai van de piepende, krakende tuimelkar hoorde wegsterven, voelde hij zich vrij en bang tegelijk. Maar hij was tevens een en al opwinding. Hij was opgewonden op een manier die hij niet meer had gekend sinds die dag twee jaar geleden, toen hij de naakte, bruine nimfen door een groen dal van een kreek achterna had gezeten.

Hij waadde de rivier uit. Om zich heen kijkend deed hij zijn lendendoek af, wrong die uit en bond hem weer om. Toen kroop hij behoedzaam het verlaten dorp in. Verlangend keek hij uit naar het ogenblik dat de inboorlingen weer naar hun stad zouden terugkeren, maar vreesde dat moment tegelijk. Hij liep naar het struikgewas naast het voetpad, waar de mannen de ijzeren kookketel hadden weggegooid. Hij pakte hem op. Tot zijn verrassing vond hij er een rood, zijden vaandel in met daarop een Welse draak geborduurd. Wat een indruk zou hij op die wilden kunnen maken wanneer en als ze terugkeerden! Wat een overwicht zou hij kunnen krijgen doordat hij een kookketel bezat die hij hun zou kunnen geven en een prachtig vaandel om mee te zwaaien! Met die gedachten liep Mungo het plein in het midden van het dorp op. Hij zette de kookketel neer en stak de stok van het vaandel in de grond. Toen zette hij de bijl met het handvat omhoog in de kookketel, zodat hij die gauw kon pakken en keek om zich heen. Hij beet op zijn lippen. Het was stil om hem heen. Hij begon zich nu eigenlijk af te vragen waaraan hij was begonnen. Als deze wilden verdwenen wanneer er mensen uit Wales in de buurt waren, hadden ze duidelijk niet veel met hen op. Wie weet wat ze met hem zouden doen als ze hem hier in zijn eentje aantroffen. Hij was een veteraan van de strijd op de oostkust van twee jaar geleden. Hij wist dus dat de mannen snelle, sterke krijgers waren. En wat als ze wreed waren? Als ze kannibalen waren?

Mungo had zich hiertoe laten verleiden door dat deel van hem dat zich tussen zijn benen bevond. Hij had verondersteld dat een volk dat geen enkele schaamte over naaktheid voelde een vrij en zorgeloos volk was dat geen scrupules over hoererij had en hij had gedroomd en gedagdroomd over dat soort losbandige vrijheid. Hij had zich naakte vrouwen en mannen, die zonder enige aarzeling waar ook en met wie ze ook maar tegenkwamen copuleerden, voor de geest gehaald. Dat was Mungo's notie van de hemel geweest. En hij had gedacht dat die hier was, in een land waar alle inheemse volken die hij had gezien gezond en knap van uiterlijk waren en geen schaamte kenden.

Maar nu was de zon achter de boomtoppen verdwenen. Het was kil in de schaduw. Hij huiverde in zijn natte lendendoek. Hij dacht eraan om een hut binnen te gaan en een hertevel of een doek van de stof die Madoc in zijn handen had gehouden te pakken om zich in te wikkelen. En hij dacht eraan om hard het pad op te lopen om zijn eigen mensen in te halen. Misschien was het nog niet te laat...

Hij zag dat hij niet langer alleen was. Het overvloedige haar op zijn rug prikte.

In alle hoeken van het dorp dat nu in de schaduw lag, bewogen in doodse stilte mensen. Mannen met speren en knuppels glipten tussen de hutten door op hem toe en keken hem doordringend aan. Elke krijger had een pluk haar op zijn voorhoofd hangen die door een hol bot of holle kraal was getrokken en tussen zijn wenkbrauwen hing.

Ze bleven stilstaan en verzamelden zich, zij het op een afstand, om hem heen, om het plein heen. Mompelend, met hun speren op hem gericht, keken ze hem even behoedzaam aan als hij zich voelde. Toen hij achteromkeek, zag hij dat de kring van mannen om hem heen gesloten was. En nu kwamen er kinderen, vrouwen en oude mensen achter de krijgers staan.

Mungo likte zijn droge lippen en het verhemelte van zijn mond. Daar waren de wezens uit zijn dromen, naakt en goedgevormd. Evenals de mannen, droegen ze om hun organen te bedekken repen huid of stof van geweven gras die van een band om hun middel afhingen en verder niets dan sieraden – oorbellen, halskettingen, armbanden en enkelbanden van schelpen, parels en bewerkt been, die fel tegen hun donkere huid, een huid die glom van een of ander smeersel, afstaken. Hier stond Mungo en zag de nimfen van zijn fantasie. Maar tussen hem en hen in stonden grote, gespierde, nerveus uitziende krijgers die hun speren met stenen speerpunten op hem gericht hielden. Hij bevond zich in exact dezelfde penibele situatie als waarin hij zich volgens zijn verwachting zou hebben bevonden als hij in zijn eigen land gedeserteerd was. Nu kon hij echter nauwelijks bevatten dat dit allemaal werkelijk gebeurde en hij had geen flauwe notie van wat hij moest doen. Om zich heen kijkend draaide hij alle kanten op. De achterkant van zijn nek prikte en voortdurend dacht hij dat hij een van die grote krijgers pal achter zich zou aantreffen.

Maar ze bleven op een afstand. Ze stonden alleen maar naar hem te staren. Nog nooit in zijn leven hadden zoveel mensen hem zo lang en zo doordringend staan aankijken. Mungo, wiens onderarmen, benen, borst, gezicht en zelfs zijn rug met dik, zwart haar begroeid waren, was zich bewust van de tegenstelling tussen zijn behaardheid en de gladde huid van de inboorlingen; misschien waren ze daarom wel zo verbaasd. Misschien dachten ze wel dat hij een beer was.

Het geduld van deze mensen scheen onuitputtelijk. Mungo was op van de zenuwen. Met het verstrijken van de middag kropen de schaduwen verder. Maar verder gebeurde er niets.

Opeens hoorde Mungo achter zich geschuifel en gemompel van zachte stemmen. Hij draaide zich om. Tussen de menigte door, die uiteen week om de weg vrij te maken, zag hij een indrukwekkende, elegante gestalte naar zich toe komen. Het was een grote, zware man in een witte mantel. Om zijn hoofd

167

had hij een band met gekleurde slagpennen erin en in zijn hand droeg hij een speer versierd met veren. Hij leek een koning of bisschop, of iets dergelijks. Zijn gezicht was breed en plat, met diepe rimpels, donkerbruin en glimmend; zijn ogen waren zwarte spleten tussen zware wenkbrauwen en vleeskussentjes. Om beide ogen was met witte verf een cirkel getrokken. Op zijn borst hing een halsketting van parels en schelpjes.

Deze reus, die zo op het oog wel even groot als prins Madoc leek, liep langzaam door de kring van krijgers heen. Hij zag er streng en gevaarlijk uit. Maar toen hij in het midden kwam, waar Mungo stond, ging hij langzamer lopen. Toen hij op vijf passen afstand was, trok Mungo, die nu verschrikkelijk bang was geworden, de stok van het vaandel uit de grond. De kleine vlag zwaaide heen en weer en de man in de witte mantel bleef in zijn voetsporen staan, zijn ogen op de geborduurde draak gericht. Tot zijn verbazing voelde Mungo dat de grote man opeens bang was. Hij liep een stukje naar hem toe en zwaaide het felgekleurde vaandel heen en weer. Tot Mungo's stomme verbazing liep de man toen, terwijl hij met uitpuilende ogen naar het vaandel keek, achteruit naar zijn krijgers toe. De hele bevolking liet toen een soort gejammer horen en deinsde achteruit.

Mungo was bepaald geen slimme man. Evenmin was hij erg moedig. Maar hij begon te vermoeden dat ze het vaandel als iets magisch beschouwden, zoals de timide, bijgelovige Afrikaanse inboorlingen ook bang waren geweest voor dingen die ze nog nooit eerder hadden gezien. Er was bijvoorbeeld die keer in de buurt van Tunis. Toen had hij er een paar met een bronzen klok afgeschrikt.

Opeens groeide er in zijn brein een ander groot en ongewoon idee: misschien zagen ze hem wel voor een soort god aan! Als ze uit angst dat het goden waren uit de buurt van de colonne van mannen en vrouwen uit Wales waren gebleven, dachten ze misschien ook wel dat hij een god was. Wie weet, hielden ze hem met zijn witte huid en beharing, zo heel anders dan zij zelf, wel voor een harige man-beest god zoals hij daar met zijn magische stok voor hen heen en weer zwaaide!

Met geluk en bluf kon hij hen dat misschien laten geloven.

168

Zijn hachelijke lot op dat idee zettend, ontblootte hij zijn tanden en liep met grote passen nog een paar stappen naar voren. Ondertussen zwaaide hij het vaandel met de draak voor hun ogen heen en weer. Ze gingen verder naar achteren. Maar slechts een klein stukje. Toen de vrouwen en kinderen angstig schreeuwend naar alle kanten uiteenstoven, bleven de krijgers onheilspellend mompelend standhouden. Toen zei de man in de mantel iets. Langzaam, met ritselende speren en de knuppels omhoog geheven, liepen ze voorzichtig naar Mungo toe. Hij liep langzaam achteruit naar de plek waar de kookketel op de grond stond. Hij was zijn overwicht kwijt; de hele cirkel kwam op hem af. Misschien hadden ze hem toch niet als een god beschouwd. Misschien dachten ze dat hij alleen een gevaarlijk dier was.

Nou, bij God, dacht hij met bonkend hart, dan ben ik ook een gevaarlijk dier!

Grommend draaide hij zich met een ruk om, bukte zich en greep naar het enige wapen dat hij bij de hand had, zijn bijl, die in de kookketel stond.

Toen hij de bijl beetgreep, sloeg de kop met een galmend geluid tegen de rand van de grote, ijzeren kookketel aan. Bij dat geluid krompen alle inboorlingen gillend in elkaar en liepen met hun handen over hun oren achteruit.

Mungo was zo verbaasd, dat hij even tijd nodig had om te beseffen dat ze zo hevig van het geluid waren geschrokken. In een nieuwe opwelling van moed stak hij de stok van het vaandel in de grond, greep de zware kookketel bij het hengsel beet en gaf er met de bijl zo'n hard galmende roffel tegenaan, dat zelfs zijn eigen oren er pijn van deden. De inboorlingen sloegen bijna voor hem op de vlucht.

Verbaasd dat hij niets meer dan geluid als een magisch wapen kon gebruiken, liep Mungo vlug naar de achteruitlopende koning van de inboorlingen, er ondertussen nog twee galmende slagen uithamerend. Nu viel de koning zowaar brullend, met één arm om zijn hoofd geslagen, op de grond. Mungo stond met verdwaasde ogen boven hem en sloeg nog één keer met een slag die klonk als een kerkklok op de kookketel. Snikkend van pijn stak de koning Mungo zijn hand toe om hem zijn met veren versierde speer te overhandigen. Hij reikte die met de schacht naar voren aan.

Mungo stond van verbazing met zijn ogen te knipperen. Hij legde de bijl weer in de kookketel en nam de speer aan. Triomfantelijk hield hij hem boven zijn hoofd en liep met grote stappen terug naar het midden van het plein. Pas nu begon tot zijn warrige brein door te dringen wat hij door je reinste lef en puur geluk voor elkaar had gekregen. 'Verrekt nog aan toe!' riep hij hardop. 'Dus nu ben ik zeker hun koning geworden!' Een vreugdevol gevoel van macht trilde door hem heen en hij begon de vrouwen te wenken die ineengedoken in het schemerduister zaten. 'Kom maar hierheen! Ik wil eens goed naar uw jonge maagden kijken!'

Madocs luidruchtige colonne ploeterde moeizaam in noordoostelijke richting langs de rivierpaden. Onderweg kwamen ze langs grote, open velden waar wit pluis tegen rechtopstaande staken kleefde en hij begreep dat dit de *qutn*planten waren waarvan de inboorlingen hun stoffen maakten. Hij stuurde vrouwen door de velden heen om pluis en zaden te verzamelen.

De colonne ging verder op het moeizame tempo van de tuimelkar. De zon begon al te zakken. Gewapende mannen liepen op de wallekant terwijl de werklieden in het tuig van de kar voortploeterden, de coracles pagaaiden of de draagstoelen van de echtgenotes van de prinsen droegen. Meredydd en Gwenllian liepen slenterend met elkaar te praten. Ze hadden het nu hoofdzakelijk over katoen en de toepassingen ervan en het proces van het weven. De rest van de middag passeerde de colonne geen dorpen meer.

Nog later op de dag klom Madoc tegen een steile rotswand op die op een grasvlakte uitkeek. Geleund op de schacht van zijn speer keek hij waar ze langsgekomen waren. Opeens hoorde hij in de verte een geluid. Vreemd genoeg klonk het als een klok, een klok heel in de verte. De tuimelkar was even stilgezet omdat de lading iets verschoven moest worden, anders had hij het geluid misschien niet eens gehoord.

Hij luisterde heel geconcentreerd. Het geluid was zo zwak geweest, dat hij niet eens helemaal zeker wist òf hij het wel gehoord had. Hij stond over ijzer te denken, zich afvragend hoe hij hier, in de wildernis, de galmende klank van metaal kon horen. Het enige ijzer dat hij hier kende, was het ijzer dat de smeden van het beslag van het schip en de ankers hadden kunnen bergen en hadden meegenomen. Het was een zware last voor de processie, maar zolang ze in dit land nog geen ijzererts hadden gevonden, zou het als hun bron van metaal dienen. Madoc was ervan overtuigd dat ze uiteindelijk ergens wel ijzererts zouden vinden. De ontdekking van de *quîn*planten had hem in die stemming gebracht.

Hij dacht dat hij in de verte nog twee of drie keer het gegalm van ijzer hoorde weerkaatsen.

Misschien verbeeld ik het me omdat ik aan ijzer heb lopen denken, bedacht hij.

Toen kwam de tuimelkar weer in beweging en door het hele dal heen hoorde je het gekraak en gepiep van de wagen en het geschreeuw en gevloek van de mannen die hem trokken. Madoc draaide zich om en liep met grote passen de rots af om zijn plaats aan het hoofd van zijn mensen weer in te nemen. Hij vroeg Riryd en daarna Meredydd of zij in de verte misschien iets als een klok hadden gehoord. Zij keken hem alleen maar achterdochtig aan.

Verschillende keren had Mungo bijna zijn betovering over de krijgers van het dorp verloren en vervolgens herwonnen. Door het gerommel van zijn bijl in de kookketel, door hen het vaandel met de draak te laten zien, door zijn tanden te ontbloten en zelfs door bulderend een Wels drinklied te zingen, brak hij hun wil. Alles, als het hen maar bang maakte en verbijsterde. Ten slotte hadden ze hun wapens op de grond neergelegd. Onderdanig stonden ze voor hem, alsof ze bang waren om nog meer van zijn geluiden die pijn aan het hoofd deden, van die hoge, kletterende dondergeluiden die hij opriep door twee dingen tegen elkaar te slaan, uit te lokken. De inheemse koning zat ogenschijnlijk verslagen, maar scherp kijkend naar alles dat het harige wezen deed, in het schemerduister.

Mungo had nu voor het eerst van zijn leven macht over mensen. Hij was daarom niet van plan om tijd te verspillen aan wachten op een kans die macht te gebruiken of de subtiliteiten van hun gewoonten en gebruiken uit te vinden.

Hij had een donkerbruin, jong meisje van een jaar of dertien met volle lippen en donkere tepels uit de menigte mensen gehaald. Zijn knieën werden slap toen hij haar zag. Hij liep naar haar toe, trok haar aan haar halsketting mee naar het midden van het plein en wierp toen de punt van de speer in de grond. Hij knoopte zijn lendendoek los en liet die op de grond vallen. Hij greep het haar achter op het hoofd van het meisje beet en dwong haar voorover te buigen. Alsof ze in een visioen een geest die hen bezocht zagen, stonden de met stomheid geslagen, geïntimideerde inboorlingen te staren naar Mungo's trots, die uit zijn zwarte schaamhaar naar voren stak. Niemand verroerde zich om het meisje van dit lot, dit offer, te redden.

Mungo had er al twee jaar van gedroomd om dit te doen, maar zich nooit ingedacht dat hij dat met een heel dorp dat toekeek zou doen. Maar hij barstte van verlangen en van een macht die, dat wist hij, elk ogenblik van hem zou kunnen worden afgenomen. Zijn minachting voor deze timide mensen was zo hevig, dat ze er even goed niet hadden kunnen zijn geweest. Dit was zijn meest intensieve moment.

Het meisje huiverde en verkrampte. Mungo's tanden waren ontbloot. Hij rolde met zijn ogen en gromde en kreunde. Zijn spasme kwam onmiddellijk; verbijsterd praatten de inboorlingen over hoe snel het was gegaan. Toen Mungo haar haren losliet, viel ze op haar ellebogen en knieën neer. Ze lag met haar gezicht op de grond te snikken. Ze bloedde uit haar stuitje.

Nu zouden ze zo woedend kunnen worden, dat ze op hem afvlogen en hem doodden. Maar Mungo was alle vrees te boven. Nooit meer zou er nog zo'n moment kunnen komen. Zelfs die vervloekte Madoc de prins zou geen heel volk hebben kunnen intimideren, hun koning vernederen en een van hun maagden, zoals dit meisje, pal voor hun ogen nemen! Mungo bracht zijn handen naar zijn gezicht en keek naar de littekens van het brandmerk dat Madoc in zijn handpalmen had laten branden. Toen hief hij brullend zijn vuisten ten hemel.

Die avond was de processie bij het invallen van het duister nog niet in de buurt van een inheems dorp. Dus moesten de mensen uit Wales een onbeschut kamp opzetten en de granen en gedroogde levensmiddelen die ze uit andere steden hadden meegenomen aanspreken. Ze verzamelden noten. Een jager doodde een jonge hinde bij de waterkant, zodat er genoeg vlees voor een grote pan hertevlees en bouillon was. Iemand klaagde dat een van de ijzeren kookketels van de tuimelkar ontbrak; de mannen vóór de kar antwoordden schouderophalend dat het voertuig zo overladen was, dat hij er ergens onderweg waarschijnlijk gewoon afgevallen was. Dat was het eind van het verhaal.

Terwijl het hertevlees stond te pruttelen, kwam een weelderige jonge vrouw de prinses vertellen dat ze heel die middag haar man niet had gezien. Ze was bang dat hij misschien in de rivier verdronken was of het bos in was gelopen en in de handen van wilden was gevallen.

Madoc wist dat deze vrouw met geen van de mannen was gehuwd. Ze was een dochter van een van de goede timmerlieden en had het afgelopen jaar het bed en de tafel van de bekwame arbeider Mungo gedeeld. Madoc werd onmiddellijk achterdochtig. Mungo was te leep om zomaar te verdwalen; Madoc nam aan dat de verbitterde, gebrandmerkte man gedeserteerd was. Maar dat zei Madoc niet tegen de ongeruste vrouw. In plaats daarvan vroeg hij haar om weg te gaan en bij haar vaders vuur te blijven, en geen alarm te slaan of door het kamp te gaan lopen schreeuwen. De arme vrouw was hoogzwanger en had zweren om haar mond. Ze zag er akelig uit. Ongetwijfeld had ze de zweren van Mungo gekregen, die ze door zijn ontucht aan de wal had opgelopen. Nadat ze met afhangende schouders was weggelopen, zei Madoc hoofdschuddend tegen Riryd: 'Ik vermoed dat de pokkige sater weer bosnimfen wilde zien en daarnaar op zoek is gegaan. De verdommeling! Hij is een waardevol man, ook al is hij een horige. Het gaat me aan mijn hart om iemand te verliezen.' Hij overwoog of hij er een aantal gewapende mannen op uit zou sturen om naar hem te zoeken, maar besloot geen eerzame mannen voor een onbehouwen deserteur te riskeren. Als Mungo inderdaad was verdronken, was het te laat om hem te helpen; als hij was gedeserteerd, zou hij zichzelf nooit laten vinden.

Hoewel hij moe was geworden van heel de dag lopen, kon Madoc niet de rust vinden om in slaap te vallen. Mungo's verdwijning gaf hem akelige voorgevoelens. Hij moest steeds denken aan het geluid van de klok dat hij, naar hij dacht, had gehoord. Hij zat te piekeren over de grote, onverklaarbare golf des doods die door de dichtbevolkte inheemse beschaving was getrokken. Toen het donker werd hoorde Madoc ver weg in de heuvels wolven in koor huilen. Het was een onheilspellend geluid. De nacht was koel en een dun wolkendek verstrooide het licht van een bijna volle maan. Als de nachten helder waren, kon Madoc zich vaak in slaap sussen door op zijn rug de bekende constellaties te bestuderen. Maar vannacht waren er geen constellaties te zien.

Ten slotte kwam hij van zijn bed op de grond naast Annesta overeind, stopte de deken van het wollen zeildoek dat ze hadden gered goed om haar en Gwenllian in en ging toen bij een kampvuur zitten. Aan de andere kant van het vuur zat Meredydd de bard. Hij was te knokig om lekker op de grond te kunnen slapen. Meestal bleef hij heel laat, zijn deken over zijn hoofd getrokken, opzitten en liet gedachten en rijmregels door zijn hoofd gaan, tot hij zo moe was dat hij zodra hij ging liggen in slaap viel.

Madoc zat in zijn grote handen wrijvend bij het vuur. Hij dacht eraan met hoe weinigen ze in dit enorme land waren en maakte zich er zorgen over dat ze langzaam in aantal minder werden. In dit vreemde land, waar de dood de overhand op het leven scheen te hebben, leken ze sneller te sterven dan ze zich konden vermenigvuldigen.

Meredydd schrok op en knipperde met zijn ogen toen hij zag dat Madoc hem wenkte. Stram kwam hij overeind en hobbelde naar de andere kant toe om naast Madoc te gaan zitten. Madoc zei: 'Bard, help me over een idee na te denken dat me zwaar op het hart ligt.'

'Dank u, mijn prins.'

Madoc praatte zacht. 'Ik maak me hevig zorgen over ons kleine, nog steeds teruglopende aantal. We zijn vervloekt door stormen op zee en in onze kolonie bij de baai… We hebben al zoveel mensen verloren! Leenmannen van adel, die wisten hoe ze moesten regeren.'

De bard knikte en terwijl hij naar het gezicht van zijn meester keek, beet hij op de binnenkant van zijn lip. Madoc ging verder: 'Voordat de wervelwind onze schepen verwoestte, hebben Riryd en ik erover gesproken dat we naar Cambrië terug zouden zeilen om meer goede mensen op te halen. Bard, luister: als we ons genoeg willen vermenigvuldigen om in dit land te overleven en het te kunnen bevolken, vraag ik me af of we ons niet met de inheemse bevolking zullen moeten vermengen.'

Meredydd slikte. Zijn ogen gingen verder open. 'Die gedachte is nog niet bij mij opgekomen, mijn prins; ik weet niet wat ik daar nu op moet zeggen. Maar om dat te doen moeten we, dunkt me, er eerst een paar vinden; ik bedoel, levende mensen.'

'Ze zullen toch niet in heel Jargal allemaal dood zijn. De mensen op de oostkust waren zo robuust en levenslustig als welk ander ras dat ik ooit heb gezien. En zoals we hebben gezien, gedijen zij als in Eden doordat ze het land goed kennen, terwijl wij blunderen en hongerlijden. Door gemengde huwelijken aan te gaan, zouden we niet alleen in aantal toenemen, maar tevens een verbond met hen sluiten en door hun kennis van dit oord geholpen worden. Wij zouden hen kunnen terugbetalen door hen de rechtschapen weg van de Ene Ware God, onze Heer en Zaligmaker, te onderwijzen.'

'Onze geestelijken zijn allemaal in de wervelwind omgekomen, mijn prins.'

'Ja. Maar we hebben onze bijbel. En gij, bard, weet evenveel als zij wisten. Geen van hen heeft de Schepping, de Vloed of het verhaal van Christus zo goed verteld als mijn bard.'

Meredydd was bijna geschokt door de waardering van zijn prins. 'Dank u dat u dat gelooft.'

'En wat vindt ge van dat idee om gemengde huwelijken aan te gaan?'

Meredydd dacht lang na voor hij antwoordde met de ene twijfel die in zijn hoofd opkwam. 'Maar dan zouden we niet langer een Welse kolonie zijn, mijn prins.'

175

Madoc knikte en keek over de vuurgloed heen naar de plek waar Annesta en Gwenllian lagen te slapen.

'Wij zouden geen gemengd huwelijk kunnen sluiten, God verhoede dat,' zei Madoc. 'Ik bedoel Riryd, ik en onze gezinnen, wij zijn de nakomelingen van Owain Gwynedd; wij moeten het bloed van onze vader zeer beslist zuiver houden.'

Meredydd deed of hij diep nadacht, hoewel hij zo vermoeid was dat hij weinig meer kon doen dan zich passief afvragen of hijzelf zijn bloed ook zuiver zou moeten houden – als het om te beginnen al zuiver was. Madoc en zijn familie van heersers waren blonde Kelten, die hun afkomst tot eeuwen her konden opnoemen zonder dat er slecht bloed van buitenaf aan te pas kwam; de bards behoorden tot de ingewijden die wisten dat deze vorsten liever bij directe neven en nichten kinderen verwekten dan minderwaardig bloed binnen te laten komen. Maar Meredydd zelf was, zoals de meeste mensen uit Wales, een Kelt, Pict, Sakser en Noorman en wat er maar verder op Cambriës kust was aangespoeld – met inbegrip van schapen en geiten, zoals een oude Welse grap vertelde.

Maar nu sprak Madoc niet als een Welse edelman. Hij mijmerde: 'In de wereld die ik bevaren heb, zijn er buitengewoon knappe, levenslustige mensen die uit velerlei rassen zijn ontstaan. Als onze zware, stevig gebouwde Welse mannen met deze inboorlingen zouden huwen, zou het me niet verbazen dat hun nakomelingen een verbetering zouden blijken te zijn.'

'Gij zijt mijn prins,' zei Meredydd. 'Uw wijsheid acht ik perfect. Nakomelingen van mij zouden er alleen maar beter dan ik kunnen uitzien.' Hij hoopte dat Madoc erom zou moeten lachen, maar de prins was daar nu klaarblijkelijk te ernstig voor.

'Ja,' mijmerde Madoc verder. 'Een kolonie van gezonde, mooie mensen, geoefend als handwerkslieden en gehoorzaam aan de onderwijzingen van onze Zaligmaker, vindingrijk in een bekend land. Vrome, ijverige mensen die zich vermenigvuldigen zoals de Schrift verordent, en geregeerd worden door de onbevlekte bloedlijn van Owain Gwynedd!'

'Een nobele, mooie droom,' zei Meredydd. Maar hij herinnerde zich wat Gwenllian had gezegd over deze inheemse vol-

176

ken en hun zuivere vrijheid en hij had zo zijn twijfels over zo'n macht die hen werd opgelegd. Die twijfel sprak hij echter niet uit tegen zijn prins.

'Dank u voor uw aandacht,' zei Madoc. 'Ik stel uw wijsheid en discretie op prijs. Het is laat. Ga slapen. Ik ga ook slapen. Dank zij uw goede raad, is mijn hart iets minder zwaar belast.'

'Voor mij, mijn prins, is het gemakkelijker om te zitten en raad te geven, dan op de kale grond te slapen. Ik blijf nog een tijdje naar het brandende vuur zitten kijken. Ik zou in de klasse van wachtposten geboren moeten zijn. God behoede u, geliefde heer.'

Hij zag Madoc uit het licht van het vuur weglopen, hoorde hem op de grond plassen en bij Annesta en de kleine Gwenllian gaan liggen. De bard zuchtte. Hij hield van zijn Madoc en Annesta met hun kind; zij waren zijn enige familie, zij waren de schoonheid in zijn alledaagse leventje.

Hij probeerde zich in te denken dat hij met een inboorlinge zou trouwen. Het was een onaangename gedachte. Hij bezat zo weinig van die aandrang, dat hij praktisch geen verlangen kende; hij had vaak gedacht hoe vreemd een wellustige man als Mungo was. Mungo, waar hij zich nu ook mocht bevinden!

De enige inboorlinge die Meredydd zich voor de geest kon halen was het gevangen meisje, dat zo somber, zo teruggetrokken was. Een vogel in een kooi kan zingen, dacht hij; een vrouw kan dat duidelijk niet. Hij dacht aan wat Gwenllian over naaktheid en vrijheid had gezegd. Hij vroeg zich af waarom Madoc het meisje niet had bevrijd op het moment dat ze door de steden van haar volk waren getrokken.

Waarschijnlijk had hij er niet eens aan gedacht.

Het meisje is bevallig, dacht hij. Zelfs Meredydd met zijn lauwwarme bloed had soms met verlangen, maar ook met medelijden naar haar gekeken.

Ik vraag me af hoe ze heet, dacht hij.

De rivier werd smaller. Het water stroomde sneller en helder; de steile rotswanden aan weerskanten van de rivierloop waren hoger. Met de dag werd de lucht minder drukkend en werden de bomen hoger en rechter. Eindelijk kwamen ze in het soort land dat Madoc in het binnenland had gehoopt te vinden. Hij tuurde voor zich uit naar het lage heuvelland in de verte om te zien of hij een goede plek voor een bastion voor de winter kon vinden, een of andere beschutte, hooggelegen plaats met timmerhout, met toegang tot zoetwaterbronnen, misschien zelfs een waterval. Het winterseizoen lag nog maar een paar weken in het verschiet en hoewel hij dacht dat de winters op deze breedte zacht zouden zijn, zouden ze goed timmerhout nodig hebben om goede huizen te bouwen.

Toen Madoc daarover met Riryd sprak, die moeizaam naast hem voortploeterde, gaf Riryd lucht aan zijn gevoelens:

'Broeder, welke verkeerde opvatting maakt dat ge alles op de moeilijkste manier doet? Waarom wilt ge de heuvels intrekken en met veel pijn en moeite een nieuwe kolonie vestigen, terwijl we al door wel tien goede steden met een prima ligging zonder één levende ziel zijn getrokken? Waarom zouden we een andere stad moeten bouwen? Dit land heeft, me dunkt, meer steden dan mensen! Laten we gewoon ergens stoppen en daar voor de winter intrekken! Dan kunnen we in het voorjaar verder gaan naar de oostkust of een volmaakte plek voor een kasteel zoeken – welk van de twee tegen die tijd uw liefste wens zal zijn geworden!'

Madoc antwoordde nors fluisterend: 'Ik wil niet dat onze mensen horen dat ge op die toon tegen me spreekt! Zoals ik u vertelde, wil ik dat we uit dit ongezonde klimaat wegkomen. Ik wil niet dat we één voor één aan mist en moerasdampen sterven. En het kwaad dat hele bevolkingsgroepen van deze inboorlingen heeft uitgeroeid, ligt misschien nog in die dorpen op de loer. En ten slotte nog deze waarschuwing, broeder: als door een toeval deze mensen nog niet allemaal dood zijn, zullen we vijanden hebben gemaakt als ze terugkomen naar hun huizen en merken dat wij die in beslag hebben genomen. Het beetje mensen uit Wales dat wij nu zijn, heeft geen vijanden in dit harde land; zoals het er nu voorstaat, weten we nauwelijks hoe we moeten leven.

Nee, wanneer we een bastion met zuiver water in zuivere lucht hebben gebouwd en laten zien dat we hun plaatsen niet binnenvallen, zou ik in plaats daarvan hopen dat de inboorlingen uiteindelijk uit nieuwsgierigheid naar ons toe komen en hun prachtige stof, hun bontvellen en hun levensmiddelen met ons willen verhandelen tegen de gereedschappen en kostbaarheden die onze ambachtslieden kunnen maken. En als zij ons op die manier willen leren vertrouwen, zullen wij medestanders, helpers en –'

Hij noemde nog net zijn idee van gemengde huwelijken met de inboorlingen niet. Riryd was zo knorrig dat hij zelfs op gewone suggesties sputterend reageerde. Het idee van gemengde huwelijken met wilden zou nog te veel voor hem zijn.

Madoc en zijn mensen zwoegden nog een week lang langs de smaller wordende rivier hoger de bergen in. Het was zacht herfstweer en de bladeren hadden schitterende kleuren. Hier en daar vonden ze kleine, in de steek gelaten kampementen die voor de jacht en het zoeken naar voedsel dienden. Heel opmerkelijk was dat Madocs jagers die vooruitgingen, op drie verschillende dagen in die week glimpen opvingen van inheemse, met bogen gewapende mannen die stilletjes weer verdwenen.

Twee keer hadden de Welse jagers rook van heuvels in de verte omhoog zien kringelen. Madoc, die aannam dat rook betekende dat de steden bewoond waren, ging er beide keren met een groepje gewapende mannen op uit om ze te zoeken. Maar het was vergeefs; hij vond de vuren niet. Meredydd opperde: 'Misschien is het helemaal geen rook van een dorp, maar is het een manier om op grote afstanden boodschappen te verzenden. Misschien vertelt die rook over ons, dat wij op weg zijn.'

Madoc huiverde. 'Wat een sinistere gedachte! Hoe bent ge op dat idee gekomen, bard?'

'Nou, mijn prins, dat veronderstelde ik door wat ik in de ogen van het slavenmeisje zag toen zij de rook opmerkte. Ze keek er even scherp en lang naar als iemand die *leest*.'

Madoc hield zijn hoofd schuin. Opnieuw had de oplettende intelligentie van de bard indruk op hem gemaakt en een bruikbare veronderstelling opgeleverd. 'Door middel van rook spreken, natuurlijk!' riep hij. 'Als dat zo is, dan is het een uitstekende manier om ver weg berichten te sturen!' Hij schudde peinzend verlangend zijn hoofd en moest opeens denken aan

179

het zacht knipperen met de lantarens op de grote zee: verre signalen, stom als de sterren, die toch boodschappen van leven en dood brachten. Even kreeg Madoc toen een bitterzoet gevoel van weemoed over zich, een verlangen naar de beweging van het dek van de *Gwenan Gorn* onder zijn voeten. Het herinnerde hem eraan dat hij diep in zijn hart zeevaarder was. Hij had dit land moeten vinden en voor zich moeten opeisen, maar het koloniseren aan anderen hebben moeten overlaten, zodat hijzelf weer kon wegzeilen om andere plaatsen op deze wereld die nog niet ontdekt waren te zoeken. Hij smachtte naar de zee.

Maar, zei hij tegen zichzelf, Madoc, zoon van Owain Gwynedd, je wilde zelf een nieuw paradijs stichten en daarvan koning zijn!

De volgende dag zagen ze boven een met bossen begroeide berg in noordoostelijke richting weer een rookkolom. Madoc was vastbesloten om deze mensen, die in de winter zijn buren zouden zijn, op te zoeken. Ondanks de gebromde waarschuwingen van Riryd, ging hij met een tiental gewapende soldaten op pad om die mensen die met vuur seinden te vinden.

Ze gingen langs kreekjes en stroompjes naar boven, klauterden steile hellingen op en om grote keien heen en tussen de grootste, hoogste bomen door die Madoc ooit had gezien. Het waren bomen met een enorme omtrek en karmozijnen bladeren. De lucht was koel en helder, de hemel van hetzelfde intense blauw als de Egeïsche Zee die hij zich van heel lang geleden herinnerde. Hij verlangde nog steeds naar de zee, ook al beklom hij nu de hoogste berg die hij ooit onder zijn voeten had gevoeld. Hier en daar rezen stenen hellingen hoog boven de boomtoppen uit en toen Madoc achteromkeek naar de smalle rivier beneden, was hij met ontzag vervuld. We zijn vast en zeker twee keer zo hoog als de Plymlimon of de Snowdon-bergen!

Hij wist inmiddels niet meer waar de plek was waar hij de rook had gezien. Maar het was nu nog belangrijker geworden om toch de top van deze berg te bereiken en te zien wat zo'n hoogte hem van de natuurlijke ligging van het Land Jargal zou kunnen vertellen. Geen enkele man uit Wales heeft ooit zo hoog geklommen, dat is zeker, dacht hij. Zijn mannen probeerden

180

hem hijgend, struikelend en zwetend bij te houden. Ook zijn borst ging zwoegend, met raspende ademhaling, op en neer.

Toen hij dichter bij de top van de berg kwam, gingen de bossen over in struiken. Daarna was er alleen rots, gemarmerd met korstmossen. De wind trok aan zijn tuniek en blies zijn haren om zijn gezicht heen. Hij ruiste in de boomtoppen beneden, zodat de bomen heen en weer zwaaiden en er bladeren afwaaiden.

Ten slotte stond Madoc op een top van kale rots. Het leek of hij zich op de top van de wereld bevond. Beboste bergen stonden in rijen achter elkaar en werden steeds waziger en blauwer, tot ze in de onzichtbare horizon vervaagden.

Hijgend stond Madoc daar in de enorme verten te turen. Zijn benen trilden van vermoeidheid. Zijn mannen lieten zich op de grond zakken om uit te rusten.

Naar het noorden en oosten zag hij, in de richting waarheen ze hadden gelopen – naar hij dacht naar de oostkust – een oneindige hoeveelheid bergen, die de berg die hij zojuist zo moeizaam had beklommen evenaarden. Als hij en zijn mannen die gezond van lijf en leden waren zich al zo konden uitputten door één zo'n berg te beklimmen, hoe zouden de vrouwen, kinderen en de zwakke mensen dan zo'n oneindig aantal kunnen beklimmen? Hoe zouden ze de tuimelkar en de draagstoelen door zo'n gebied kunnen slepen?

Hij draaide zich naar links. Daar zag hij een heel ander panorama, dat hem bijna de adem benam. Dat uitzicht verhoogde zijn verwachtingen. Naar het noordwesten toe, nog voorbij de heuvels aan de voet van het gebergte, lag een breed dal met afdalende, beboste hellingen en een grote rivier die zijn loop meanderend door de vallei zocht. Het lag aan de tegenovergestelde kant van de berg, van de rivier waarlangs ze stroomopwaarts hadden gelopen. Hij bleef er een hele tijd zo lang en zo intens naar staan kijken, dat een paar van zijn mannen overeind kwamen en naar de plek waar hij stond kwamen gehobbeld.

'Moet ge eens kijken!' riep Madoc naar de oudgediende Rhys. 'Ge moet wel denken dat die rivier daar het water van de andere kant van deze bergen, aan de andere kant van waar wij gekomen zijn, opvangt.'

Rhys, die te weinig begrip van land en water had om iets op te maken uit wat hij zag, was het met Madoc eens omdat je er nooit een andere mening dan een prins op na hield. Madoc ging verder:

'En dus, mijn leenman, is het waarschijnlijk dat die rivier daar onze weg naar de oostkust is waarnaar wij op zoek zijn!'

'Aha!' riep Rhys, blij met de hoop op het gezicht en in de stem van zijn heer.

'Dus moeten we onze mensen over deze berg heen brengen,' zei Madoc, 'en onze boten in die rivier te water laten.' Hij wees naar het dal dat ze zojuist hadden verlaten en daarna naar het brede dal ten noordwesten van de bergketen.

'Majesteit!' antwoordde Rhys, opnieuw trachtend niet luid te kreunen. Niet alleen zouden ze dan deze berg nog een keer moeten beklimmen, maar dan ook de vrouwen, kinderen, boten en goederen moeten meenemen – en misschien ook nog die vervloekte tuimelkar!

Maar je waagde het niet om met een prins van mening te verschillen.

Onderweg van de bergtop naar beneden, keek Madoc of hij een pas zag waarlangs hij zijn mensen over de berg kon leiden zonder dat hij hen helemaal naar de top hoefde te brengen, zoals hij met zijn soldaten had gedaan. Een paar honderd voet onder de toppen van de bergketen vond hij een pas. Zo zouden ze gaan.

Toen hij bij de mensen terugkwam was het al donker geworden. Ze hadden de kampvuren al aangestoken en wachtten ongerust op zijn terugkeer. Die nacht zat hij met Riryd bij een vuur en met behulp van de oude perkamenten vellen waarop hij het jaar daarvoor zijn kaarten van de kust had gemaakt, schetste hij de rivier die ze hadden gevolgd, de bergketen, de pas, en zoveel hij zich kon herinneren van het rivierdal dat hij naar het noordwesten had gezien. Riryd kwam onmiddellijk met een verontrustende vraag:

'Ge veronderstelt dat de rivier daarginds naar het noordoosten loopt en naar de oostkust zal stromen. Dat neemt ge aan omdat ge dat zo graag wilt. Maar mag ik u zeggen, beste broer, dat ge vanaf de bergtop niet kon zien hoe die rivier stroomt en dat hij in plaats daarvan misschien wel de andere kant op stroomt?'

Madoc trok een rimpel in zijn voorhoofd. Hij vatte de bedoeling van deze intelligente vraag en hoopte hevig dat zijn broer het bij het verkeerde eind had. Riryd ging verder.

'Als de rivier naar het zuidwesten stroomde in plaats van in de richting die ge liever wilt, zou hij ons, aan uw kaart te zien, precies langs de weg terugbrengen die we al deze weken met zoveel moeite hebben afgelegd. Hij zou ons bij diezelfde warme zee, misschien wel bij diezelfde stinkende baai met zijn monsters en stormen afzetten.' Hij keek over het vuur heen Madoc aan en vroeg toen: 'Kunt ge, voordat ge onze verzwakte mensen een berg laat beklimmen om daar te komen, er niet beter eerst zelf heen gaan om te kijken naar welke kant die rivier stroomt?'

Madoc bleef een tijdje in het vuur zitten turen. In zijn binnenste kolkte het van de twijfels die Riryd had opgeroepen, en terecht, wist hij. Hij dacht over het plan na om 's morgens weer te vertrekken en door de pas te gaan om de rivier te onderzoeken.

Maar toen schudde hij zijn hoofd en ging rechtop zitten. Zijn mond was een vastberaden, dunne streep. 'Ik dank u, slimme broer, voor die waarschuwingen. Maar ongeacht waar die rivier naar toe loopt, wil ik onze mensen naar die prachtige vallei toe brengen. Als ge in ons geboorteland de Severn naar zijn bron in de bergen van Cambrië volgt, weet ge dat alle waterlopen aan de andere kant van de helling snel naar de zee toestromen. Dat is ook met de rivier de Wye het geval. En zo is het overal met rivieren, broeder. Omdat die rivier van de andere kant van de bergen stroomt, zal hij niet terugstromen naar de plaats waar we vandaan zijn gekomen.'

'Dat zegt gij. Maar dit is een groot land en rivieren slingeren als slangen en lijken niet te gaan waar ze wel heen gaan.'

'Maar toch,' antwoordde Madoc, uiterst vermoeid en niet bereid tot een twistgesprek omdat hij zijn besluit genomen had, 'wil ik dat we naar dat dal gaan, want het ziet er daar beter uit dan al het andere dat we hebben gezien. Het laagland is breed en er zijn steile rotswanden en plateaus die geschikt zijn om een Dolwyddelan of een kasteel Clochran op te bouwen.'

'Kastelen bouwen!' riep Riryd. Op zijn gezicht stond zowel boosheid als stomme verbazing te lezen. 'Neem me niet kwalijk, maar ik dacht dat ge het plan had om naar de Grote Zee te gaan.'

Madoc boog zich dicht naar het vuur toe en zei breed lachend: 'Denk eraan, dat heel dit enorme continent van ons is, dat we ons kunnen vestigen en ons uitbreiden waar we willen. Als een gebied nog uitnodigender is dan de oostelijke kust, zouden we ons daar dan niet kunnen vestigen voordat we op zoek gaan naar die oostelijke kust?'

Riryd sperde zijn ogen wijder open, maar kneep ze toen hij zich ook naar het vuur vooroverboog toe. 'En herinnert ge u nog, Madoc, dat ik niet van deze nieuwe wereld hou, dat ik de wens heb uitgesproken om naar Cambrië terug te keren?'

'Ja, dat waren uw woorden voordat God onze schepen met een grote wervelwind verwoestte,' spotte Madoc. 'Daardoor is het een theoretisch argument geworden.'

'We kunnen een nieuw schip bouwen. We kunnen in dit land op alle dagen door meer bos lopen dan in heel Cambrië te vinden is. We zouden een hele vloot kunnen bouwen. We konden,' zei hij, '*allemaal* naar een beschaafd land teruggaan.'

'Cambrië is geen beschaafd land als ge u dat maar wilt herinneren,' zei Madoc zachtjes. 'In *dit* land zullen *wij* beschaving brengen, helemaal opnieuw en volgens onze eigen visie!'

'O, *onze* visie, hè? Of alleen die van *u*, vraag ik me af!'

De nieuwe dag was nog niet begonnen en het was nog donker. Opeens klonk er van één kant van het kamp een griezelige, angstaanjagende schreeuw. In doodsangst schoot iedereen uit een onrustige slaap op de koude grond overeind. De schreeuw werd onmiddellijk gevolgd door een mannenstem die jammerkreten van afgrijzen uitstootte. Kinderen in het kamp begonnen te gillen en een van de wachtposten kwam wild met zijn armen zwaaiend en met een bebloed gezicht het licht van het vuur binnengerend. Hij keek of hij niet bij zinnen was. Terwijl de mannen in het kamp naar hun speren grepen en hun bevende hart probeerden te kalmeren om tegen demonen te vechten, overmeesterde Riryd met twee mannen de wachtpost. Ze onderzochten zijn wond – een schuine haal over het voorhoofd, de neus en de wang – en probeerden een samenhangend woord over de aanval uit hem los te krijgen. Het was al bijna licht en de mensen zaten nog steeds bang in elkaar gekrompen, voordat de man weer zover bij zinnen was gekomen dat hij kon vertellen wat er was gebeurd. En tegen de tijd dat hij het had beschreven, was de komst van het daglicht bijzonder welkom.

De wachtpost had, zei hij, een gezicht met een snavel boven zich gezien, een gloeiend, rood gezicht met ogen die als groene sterren brandden. Toen had die afschuwelijke kreet vlak voor hem geklonken. In doodsangst gillend, had de wachtpost met zijn speer naar het gloeiende gezicht gestoken. Een wind had op hem geblazen, een wind, zei hij, die stonk naar de dood. En toen had de houw zijn gezicht opengehaald en hij had zich omgedraaid en was naar de vuurgloed van het kamp gerend. De man had geen verontschuldigingen voor zijn vernederende paniek. 'Het was een *coblynau*,' hield hij vol. 'Geen mens kan met een speer in het donker tegen een demon vechten.' Niemand noemde de man toen een lafaard. Zelfs Madoc, wiens gezonde verstand hem aanspoorde te geloven dat het een wild dier of een inheemse krijger was geweest, kon geen aanmerkingen op de paniek van de man maken. Ook hij bleef zich griffioenen voor de geest halen, tot het daglicht die uit zijn geest verdreef. Zelfs hij, met heel zijn verlichte geloof, begon soms terug te vallen in afschuwelijke ingevingen over de geesten die dit prachtige, maar vreemde land bewaakten. Soms vroeg zelfs hij zich af of de inheemse bevolking echte mensen waren of geesten, zo ongrijpbaar waren ze. Zelfs hun rook liet geen as achter.

Door de hevige paniek bleef het lawaaierig in het kamp en Meredydd, de bard, bestudeerde intussen het gedrag van het inheemse meisje. Ze lag als een foetus in elkaar gedoken verschrikkelijk te beven. Ondertussen fluisterde ze hartstochtelijk lettergrepen alsof ze aan het bidden was. Meredydd knielde in de zachte gloed van het vuur bij haar neer. Hij had medelijden met haar en begon haar haren te strelen. Tot zijn verbazing deinsde ze niet voor zijn aanraking terug. Ze scheen er zelfs enige troost uit te putten. Hij dekte haar met zijn deken toe en zat zelf in de herfstige kilte van de vroege morgen, nog vóór de dageraad, te bibberen. Nu en dan mompelde het meisje iets. Dan knielde hij dichter bij haar neer om te luisteren, nog steeds haar dikke vlechten strelend. Het woord, of het zinnetje, was *win-ti-goh*.

Door middel van gebaren en gezichtsuitdrukkingen kon Meredydd inmiddels het meisje een vraag stellen die zo ongeveer betekende: 'Wat is?' en soms probeerde ze te antwoorden. Dus vroeg hij nu wat er was. En door haar uitdrukking en een paar handgebaren, vertelde ze hem wat leek te betekenen 'slechte wind'. Van haar reacties bij de grafheuvel wist hij al dat 'wind' soms niet alleen 'wind' betekent, maar ook 'geest'. En dus concludeerde hij dat de verschijning een of andere slechte geest was geweest die het meisje *win-ti-goh* noemde. Dat ging hij vlug aan Madoc vertellen.

Madoc knikte en sloeg een kruis. Maar nu moest de wereld van het daglicht tegemoet worden getreden. Riryd moest worden overgehaald om toe te geven en de mensen moesten over de bergpas naar dat prachtige dal aan de andere kant worden geleid.

De mannen in het tuig voor de tuimelkar wisten al lang voordat Madoc het wist dat de kar niet over de berg zou kunnen komen.

Ze spanden zich in tot de riemen in hun vlees sneden en hun schoenen van hun voeten werden getrokken. Soldaten zetten aan de achterkant hun schouders eronder, maar toch konden ze de kar nauwelijks met een duim tegelijk de helling op krijgen.

En toen hij ten slotte een stukje naar boven was gekomen, konden ze met geen mogelijkheid de enorme wielen afremmen. Er bleef dus voortdurend druk op staan. Steeds was er de wanhopige zekerheid dat de kar elk moment kon wegglijden en achteruit over iemand heen rijden of de mannen die hem trokken met zich mee de heuvel afsleuren. De mannen in het tuig waren bang en glipten eruit. Daarna trokken ze tot bloedens toe met hun blote handen aan de riemen.

Halverwege de morgen gebeurde het. Een wiel gleed slechts een handbreed van een rots op de helling af. Die schok was te veel voor hun vasthoudende kracht. De tuigriemen werden hun uit de handen gerukt en trokken huid en nagels mee. De mannen vielen op de helling neer of doken links en rechts van achter de wielen vandaan en lagen daar ontzet te gillen. Het gigantische monster stortte naar beneden en rolde denderend de helling af, in zijn val struiken verpletterend en vracht in het rond strooiend tot hij uit elkaar rammelde. Ten slotte kwamen de wrakstukken onder in een ravijn terecht. Sommige mannen konden zich er niet van weerhouden om te juichen. Maar Madoc keek met een grauw gezicht naar de brokstukken daarbeneden en het opdwarrelend stof.

Toen moest de vracht die over de helling verspreid lag dus weer bij elkaar gezocht worden. Alles moest opnieuw over de ruggen van de mensen of over de coracles verdeeld worden en de coracles moesten als enorme manden worden meegedragen. Werklieden werden naar beneden gestuurd om al het metaal van de verpletterde kar te slopen en de touwen bij elkaar te zoeken. Een groot deel van de morgen kropen vrouwen en kinderen over de helling om parels op te rapen die uit een kapotgeslagen mand waar de kostbaarheden in werden bewaard overal heen waren gevallen.

Per coracle waren er vier tot zes mannen nodig om ze beladen de helling op te dragen. Vrouwen en zelfs kinderen droegen zakken en keukengerei en gereedschap dat tegen elkaar kletterde. Op steilere plekken langs de berghelling moesten de mensen bijna kruipen. Ze klemden zich met vingers en tenen aan boomwortels vast en hesen zichzelf en hun lasten zo omhoog. Soms wrong een coracle zich door zijn gewicht uit de greep van de mannen los en gleed of tuimelde dan met ribben die afknapten, huiden die scheurden en de inhoud die overal heen vloog naar beneden, mensen op zijn baan tegen de grond gooiend. Verschillende mensen verstuikten hun enkels of liepen snij- en schaafwonden op. Een paar van die tegenslagen met veel geschreeuw en gekreun hadden de beklimming al vertraagd en vroeg in de middag van deze koele dag waren er drie coracles beschadigd. De mensen hadden zo vaak moeten stoppen en rusten, dat ze nog maar net over de helft waren tegen de tijd dat ze, naar Madocs idee, al boven in de pas hadden moeten zijn. Hij had gehoopt dat ze als het middag was de andere kant zouden kunnen afdalen en tegen de avond een waterbron bereiken. Maar nu hing hen dreigend de onplezierige waarschijnlijkheid boven het hoofd dat ze boven op of bij de pas een kamp zouden moeten opzetten waar geen water was. Een gure wind die afkoelde floot door de bomen van hardhout, zodat nog meer bladeren als gouden sneeuwvlokken wegdwarrelden.

Halverwege de middag, terwijl de colonne zich naar het zadel van de pas worstelde, kwam er een lijn van donkerpaarse wolken uit het noordwesten opzetten die de zon aan het gezicht onttrok.

En toen de colonne met de mannen en vrouwen uit Wales ten slotte door de pas heen was, smaakte Madoc nog niet eens het genoegen zijn broer Riryd het prachtige dal aan de andere kant te laten zien. Met uitzondering van de winderige rots waarop zij stonden, was alles door wervelende, bijtende sneeuwvlokken onzichtbaar geworden.

De mensen deinsden huiverend terug en liepen een paar el langs de beschutte kant van de bergkam terug, het struikgewas in. Daar keerden ze de coracles op hun kop en bonden ze in een rij aan de struiken vast om zodoende enige beschutting voor de kinderen en de zieken te maken. Met grote moeite bouwden ze in de huilende sneeuwstorm een paar vuren op, maar op deze hoogte vonden ze weinig hout. Eén man verdween met een bijl in het gordijn van sneeuw om hout te hakken. Tegen de avond was hij nog niet teruggekomen. Niemand anders waagde het om er in het wervelende, grijze niets op uit te gaan. De vuren brandden op en de wind verspreidde de gloeiende sintels en vonken en doofde ze. Riryd gromde: 'Jammer dat we uw onhandelbare kar niet hier op de top konden krijgen. Ik, en met mij vele anderen, zouden met plezier *die* gruwel als brandstof hebben opgebrand!'

Als een ellendig stelletje kropen Madocs mensen bij elkaar. Met zijn drieën en vieren kropen ze voor elkaars lichaamswarmte onder de gehavende dekens van zeildoek bij elkaar en probeerden wat te slapen. Hun gekreun en gevloek en het gehuil

188

van hun kinderen vermengden zich met het huilen van de wind en toen ze door volkomen duisternis waren omhuld, klonk al hun gejammer even verloren en afschuwelijk als de stemmen van de demonen die ze om zich heen voelden. Meredydd deelde die nacht zijn haveloze deken met het gevangen meisje, dat voor het eerst in haar gevangenschap te koud en te bang was om in haar eentje in elkaar gedoken te zitten. Het leek alsof de *win-ti-goh* letterlijk haar geest had gebroken. Terwijl hij haar troostte en met haar probeerde te communiceren, ontdekte hij wat niemand al die tijd dat ze bij hen was geweest had ontdekt: dat ze een naam had. Die was, zo goed en kwaad als hij het kon opmaken, Toolakha en het scheen zoiets te betekenen als Dochter van de Aarde.

Toen Meredydd haar naam verschillende keren uitsprak, begon ze te huilen, misschien omdat ze hem in meer dan een jaar niet had horen noemen. Zacht mompelend streelde hij haar om haar te troosten en ze kroop voor een beetje warmte dicht tegen zijn knokige lichaam aan. De wind bleef huilen. Een vreemde, melancholieke tederheid kroop zijn hart binnen.

Iemand had hem werkelijk nodig.

Voor ze in slaap vielen, had Meredydd voor het eerst in zijn eenzame leven werkelijk begrip gekregen van de liefde en het verlangen waarover bards schreven en de vleselijke lusten waarover ze niet schreven.

Zodra het de volgende morgen licht genoeg was om in actie te komen, liep Madoc huiverend door de sneeuwstorm heen om na te gaan in wat voor toestand zijn mensen verkeerden. Allemaal keken ze met glazige ogen en zaten lethargisch te bibberen en te hoesten – allemaal, behalve de lelijke Meredydd, die met een gloeiend gezicht onder zijn met sneeuw bedekte deken uitkroop. Hij liet hem voor het inheemse meisje liggen, zodat ze daarmee haar naaktheid kon bedekken. Madoc zag haar diep onder de deken liggen en merkte de nieuwe houding van zijn bard op. Met opgetrokken wenkbrauwen zei hij: 'Mijn beste man, toen ik over gemengde huwelijken sprak, opperde ik slechts een idee. Ik gaf geen edict uit!' Meredydd glimlachte en bleef glimlachen terwijl hij met zijn prins bezig was de verdoofde mensen weer leven in te blazen.

De laatste sneeuwvlokken kwamen naar beneden en de wind begon af te nemen. Alle bergen zagen wit en de bomen waren van alle bladeren ontdaan.

Madocs voeten waren koud en nat en tintelden in zijn versleten leren laarzen. Veel mensen hadden hun schoenen al lang verloren en hun halfhoge laarzen op de lange mars vanaf de baai versleten. Ze liepen op blote voeten of hadden ze in lappen of dierehuiden gewikkeld. Van alle zorgen die Madoc in zijn afgrijselijke ellende bestookten, zat de wanhopige behoefte aan schoeisel hem het meest dwars.

Hij stuurde er verschillende mannen op uit om hout voor de vuren te zoeken. Hij gaf hen ook opdracht om uit te kijken naar de houthakker die in de storm verdwenen was. Vanwege de sneeuw en het natte hout viel het niet mee om vuur aan te maken, maar toch hadden ze algauw een vuur branden en begon er weer een beetje leven in de mensen te komen. Ze kropen zo dicht bij de vlammen, dat de damp van hun natte kleren afsloeg. Vervolgens begonnen ze brandende stukken hout uit het vuur te slepen om zelf vuren om op te koken te maken. Ze schepten sneeuw en smolten die in hun potten en pannen, en in het kokende water gooiden ze wat ze ook maar aan granen en zaden, wortels, boombast en resten vlees hadden. Die morgen dronken de mensen van de grauwste, walgelijkste draf die ooit hun mond gepasseerd was. Maar die bracht hen weer tot leven. Wat de houthakker betreft die de vorige avond was verdwenen: hem vonden ze niet terug. Madoc riep de mensen bij het grote vuur bij elkaar om een gebed voor zijn veiligheid of zijn passage naar de hemel uit te spreken, welk van de twee van toepassing was. Toen gaf hij hen opdracht het kamp op te breken voor de tocht langs de andere kant van de berg. Al die tijd bleef Riryd in elkaar gedoken met zijn vrouw en baby bij het vuur zitten. Hij zag er somber en een en al tegenzin uit. Madoc liep naar hem toe en ging ziedend van woede naast hem staan. Zacht, met sissende stem, zei hij:

'Luister goed. Uw geknies ontneemt de mensen die ons volgen alle moed. En ze hebben alle moed die ze kunnen verzamelen nodig. Ik weet dat ge u liever in een satijnen bed op Clochran zoudt omdraaien. Maar ge kunt daar niet zijn. Ge zijt hier, en ge zijt een prins van Wales van geboorte. Ge wilt mij bespotten, omdat het gat aan mijn kant van de boot zit. Maar lieve hemel nog aan toe, Riryd, gij zit samen met mij in die boot. Ge móet me helpen hem drijvend te houden. Als ge hier met afhangende schouders de vastberadenheid van onze mensen zit te ondergraven, zou ik me genoodzaakt kunnen voelen om u even volledig te laten verdwijnen als die arme, prijzenswaardige man die gisteravond is verdwenen. Ook al zijt ge mijn bloedbroeder, ik zal u niet verder meeslepen.'

Riryds ogen gingen eerst wijd open en knepen zich toen samen. 'Ge bedreigt me!'

'Ja, als ge een bedreiging voor me vormt, dreig ik u. Als ge als een ware zoon van Owain Gwynedd handelt, zal ik u leven en eer verlenen. Kijk naar uw vrouw Danna. Kijk hoe onverschrokken ze is en hoe ze uw baby tegen deze elementen beschermt. Dàt is pas de Welse geest; denk daar maar over na!'

Met die woorden liet Madoc hem alleen. Riryd deed een tijdlang niets, maar toen de coracles weer werden ingeladen en de mensen zich klaarmaakten om te vertrekken, begon hij tussen hen door te lopen, hen goede raad te geven en hen aan te moedigen. Ook de achterblijvers porde hij op. Madoc lachte grimmig en hoopte dat het blijvend zou zijn.

Meredydd kwam naar Madoc toe met de vraag of deze een smid opdracht kon geven om de kluisters die de enkels van het meisje aan elkaar geketend hielden door te zagen. Het verzoek verbaasde en ergerde Madoc, omdat het op dit moment van ongemak en urgentie kwam. 'Ze zal wegvluchten,' ging hij ertegenin.

'Mijn prins, ik zweer u dat ze dat niet zal doen. Alstublieft, smeek ik u. Gisteren moest ze vanwege die kluisters tegen de berg opkruipen.' Hij zei er maar niet bij hoe lastig ze waren tijdens de samenleving. 'Ze heeft een naam, heer. Dochter van de Aarde heet ze.'

De naam deed het hem. Met een hoofdknikje en een ongeduldig handgebaar stuurde Madoc hen weg en Toolakha's kluisters werden verwijderd. Er bleef een ring van littekenweefsel rond elke enkel achter. Waarschijnlijk zou die nooit meer verdwijnen. In Meredydds deken gewikkeld, bleef het meisje dicht bij de bard toen de colonne de helling verder begon te beklimmen. Madoc keek hen beiden af en toe aan. Hij verwachtte dat het meisje elk moment zou verdwijnen. Maar voor het ogenblik was dat geen kwestie van groot belang. Hij keek weer toen zijn dochter Gwenllian door de sneeuw naar Meredydd toe rende en hij haar tegen hem hoorde zeggen: 'O, lieve meester! Wat ben ik blij! Ze is vrij!'

De lucht was bezig op te klaren toen ze opnieuw het zadel van de pas bereikten en eroverheen konden kijken. De uitgestrekte, besneeuwde vallei die voor hen lag was prachtig. In het lager gelegen terrein had de wind de bomen niet kaal gewaaid. Het dal was wit en blauw met wit, en scheen verguld te zijn met gouden bladeren. Boven de hellingen in de verte verdwenen de laatste donkere wolken. Madoc wierp een blik op Riryd en zag hem als aan de grond genageld staan door het prachtige vergezicht. Zelfs de huiverende, in lompen gehulde mensen schenen moed te scheppen uit de pracht.

Madoc liep alvast vooruit om de gemakkelijkste route naar beneden te zoeken. Opeens bleef hij staan en keek in de verte naar iets dat zijn aandacht had getrokken.

Door het diepste deel van het dal heen, in de rivierloop zelf, zag hij twee duidelijke rookpluimen hangen.

Dorpen! dacht hij en hij vatte weer moed. Dorpen van *levende* mensen, geen doden! Mensen met voedsel, mensen die handel met ons kunnen drijven en onze buren kunnen worden!

Hoewel er een ijskoude wind stond, smolt de sneeuw bijna en het was glad. De mensen die de coracles over de sneeuw lieten glijden in plaats van ze te dragen, gleden voortdurend uit en vielen op hun achterste in de sneeuw. Soms gleden ze een eind mee tot ze takken of wortels konden beetpakken en zichzelf tegenhouden. Hun kleren, slobkousen en lappen om hun voeten raakten doorweekt. Alleen door hun inspanningen koelden de mensen niet af. Madoc liep voorzichtig. Hij groef zijn hielen in de sneeuw om de vernedering van een prins die valt te vermijden.

Opeens hoorde hij achter zich een schreeuw en gegil. Mensen begonnen te lachen. Hij draaide zich om en zag met steeds grotere snelheid een coracle waaruit twee paar benen staken op zich af komen glijden. De mensen die de boot niet hadden kunnen tegenhouden, renden of gleden erachter aan of waren onderuitgegaan. Sommigen krijsten van ontzetting, anderen brulden het uit van het lachen.

Madoc besefte dat de boot met bomen of rotsen verder op de helling in botsing zou komen en maakte, toen hij eraan kwam denderen, een sprong om hem met beide handen beet te pakken. Er zaten twee jongens ondersteboven in. Ze waren er kennelijk ingesprongen toen hij begon te glijden. Madoc kreeg met één hand het dolboord te pakken, maar raakte door de vaart zijn evenwicht kwijt. En toen lag hij er languit achter, maar bleef vasthouden.

Dat was een prachtig gezicht en sommige mensen die andere coracles tegenhielden, zagen dit kennelijk als een gemakkelijkere, spannender manier om de berg af te dalen. Zonder over de gevolgen na te denken, lieten drie of vier mensen tegelijk zich gillend van het lachen boven op hun beladen boten vallen. De vaartuigen gleden sneller en sneller de helling af. Anderen bedachten zich nog maar even, hielden hun boten tegen en keken ongerust toe hoe de anderen naar beneden gleden.

Madocs gewicht remde de coracle waaraan hij zich vastklemde langzaam af en zonder ongelukken kwam die op de rand van een steile rots tot stilstand. Madoc werkte zich uit de sneeuw overeind en hield de coracle stevig boven de afgrond vast, zodat de twee hevig geschrokken jongens veilig konden uitstappen. Maar Madoc kon slechts hulpeloos toekijken toen twee andere boten met gillende passagiers over de rand heen de ruimte in vlogen. De passagiers van een andere coracle zagen de leegte voor zich, sprongen eruit en konden de boot nog net een paar el vóór de rand van de afgrond tegenhouden. Onder aan het steile klif hoorde Madoc nu een afschuwelijke plof en gekraak, daarna gejammer en gekreun. Wankelend liep hij naar de rand van de afgrond toe en keek naar beneden.

Helemaal vervormd door de val, hing een van de boten zo'n twintig voet naar beneden in de takken van een kale eikeboom.

Er zat nog iemand in die zwakjes om zich heen klauwde. Slechts één arm was zichtbaar. Twee mannen lagen midden tussen de verspreid liggende vracht van de boot onder aan de boom bewusteloos en bloedend op de grond.

De andere boot was op zijn bodem op een gladde helling terechtgekomen en gleed nu zo'n dertig passen op de helling onder de rotswand nog steeds verder. Eén man was eruit gevallen. Hij lag in de sneeuw. Maar er zaten nog steeds een man en een vrouw in de coracle. Hun gebrul stierf in de verte weg. Met een hart dat klopte als een razende keek Madoc toe hoe de man zich over de rand heen wierp en vasthield. Zijn benen ploegden een regen van sneeuw op. Toen bleef de boot stilstaan.

Madoc sleepte de coracle die hij had gered bij de rand van de steile afgrond vandaan. Opeens hoorde hij van boven nog meer opgewonden kreten. Hij keek langs de besneeuwde helling omhoog en wat hij zag bezorgde hem bijna een hartstilstand:

Van boven kwam Gwenllians kleine draagstoel met hoge snelheid naar beneden gegleden – en Gwenllian zat er gillend van blijdschap in. Maar toen ze zag dat ze op de afgrond afgleed, gingen haar kreten van verrukking over in een gekrijs van doodsangst.

De draagstoel zou ver van de plek waar Madoc stond, misschien zo'n tien passen verderop, voorbijglijden. Het enige dat hij kon doen was trachten in de baan van de stoel te komen en te hopen dat die, als hij tegen hem aan vloog, zou stoppen en hem niet over de rand zou meesleuren.

Sneeuw opwerpend rende hij ernaartoe. Ondertussen kwam het kleine vervoermiddel snel, al te snel, op de plek waar hij zou moeten staan afgegleden.

Gwenllian had voldoende tegenwoordigheid van geest om te proberen eruit te komen. Door haar gewicht viel de stoel voorover. De draagstokken groeven zich in de sneeuw en toen sloeg de draagstoel, sneeuw opstuivend, over de kop. Gwenllian viel eruit en rolde verder. De val remde haar net genoeg af om het voor Madoc mogelijk te maken dat hij aan de rand van de afgrond was om haar de weg af te snijden. Hij greep haar met zijn rechterarm beet. De stoel wervelde langs hen heen

194

en verdween in de diepte. Hijgend lagen Madoc en zijn dochter in de sneeuw. Ze snikten het uit.

Die opwindende dwaasheid had verschillende mensen gebroken armen en benen gekost. Drie coracles waren verpletterd en één was ernstig beschadigd. Madoc was woedend, maar dankbaar dat er niemand gedood was. Hij was met name razend op Meredydd. Woedend liep hij met grote passen door de sneeuw en riep Meredydd. Verbijsterd kwam het pretentieloze mannetje met Dochter van de Aarde op de hielen aangelopen. Madoc sloeg hem met één slag tegen de grond en bulderde: 'Schurk! Mijn prinses is bijna om het leven gekomen omdat jij niet goed op haar gepast hebt!' Hij wilde net met zijn voet uithalen om Meredydd een schop tegen de ribben te geven, maar bleef stomverbaasd staan toen Dochter van de Aarde, blootsvoets in de sneeuw en met de versleten deken om zich heen gewikkeld, voor zijn voeten sprong. Ze hield haar vingers gekromd, klaar om zijn ogen uit te krabben en had haar tanden ontbloot.

Madoc stond perplex; hij werd rood van woede en maakte een vuist om een slag uit te delen die het meisje naar alle waarschijnlijkheid gedood zou hebben. Maar Gwenllian sloeg snikkend haar armen om hem heen en smeekte hem om beide arme schepselen genadig te zijn. Hijgend van ingehouden woede liet Madoc zich vermurwen, ook al was hij door deze hele geschiedenis zwaar beledigd. Vooral de brutaliteit van het wilde meisje dat had klaargestaan om hem aan te vallen zat hem hoog. Meredydd had kalmerend een hand op de pols van Dochter van de Aarde gelegd om haar ervan te weerhouden de ogen van de prins uit te steken en het meisje bedaarde als een kokende pan die van het vuur was gehaald.

Madoc keek Meredydd dreigend aan en zei met een lage stem: 'Als ge mijn dochter nog één keer aan uw zorg laat ontsnappen, dwaas, zal ik kousebanden van uw ingewanden maken!' Toen zweeg hij een ogenblik en voegde eraan toe terwijl hij naar het inheemse meisje wees: 'En tem die feeks nu ze kennelijk u toebehoort!' Toen liep hij grommend en schreeuwend weg om zijn gehavende processie weer tot de orde terug te brengen. Riryd, die van een paar voet afstand naar het ta-

195

fereel had gekeken, beet met zijn hand voor zijn mond op zijn lippen. Het deed hem duidelijk groot genoegen om te zien dat een ander dan hijzelf zo'n uitdagende houding tegenover zijn broer aannam.

Vanwege de vertraging die ontstond doordat ze botten moesten zetten, de resterende boten opnieuw moesten inladen en de leren huid van de kapotte boten moesten redden, was het al laat in de middag toen de colonne klaar was om verder te trekken. Twee mannen met gebroken benen vonden boven op de vracht in de nog bruikbare coracles een plekje. De mensen gingen er nu uiterst voorzichtig mee om. Tijdens de afdaling liep Madoc een paar keer terug om na te gaan of Meredydd goed op Gwenllian lette. Maar iedere keer trof hij hen als een zonderling, opgewekt, op zichzelf staand trio met Dochter van de Aarde aan. Ze leken bijna een gezinnetje. Onwillig moest hij toegeven dat hij het onverzorgde, wilde meisje, dat om Meredydd te verdedigen op hem af was gesprongen, bewonderde. Madoc bracht zichzelf in herinnering dat hij degene was geweest die over gemengde huwelijken tussen zijn mannen en inheemse meisjes had gedacht; het vertoon van haar beschermende woede gaf daar een ander gezicht aan.

Zou ze misschien van mijn bard *houden*? vroeg hij zich af. Het was nooit bij hem opgekomen dat iemand op een andere manier dan waarop hij met zijn gezin van hem hield van Meredydd zou kunnen houden: als een soort bijzonder talentvolle, onmisbare dienaar.

En Madoc begon zelfs spijt te krijgen van de meedogenloze schrobbering die hij hem had gegeven. Tenslotte was Meredydd de enige intelligente man in de hele groep aan wie hij belangrijke gedachten kon toevertrouwen. Zijn eigen broer Riryd was immers een ontgoochelde tegenstander geworden.

Ik moet het op de een of andere manier weer met mijn bard goedmaken, dacht hij. Hij wist echter nog niet precies hoe hij dat moest doen. Een prins zou zich immers nooit verwaardigen zijn verontschuldigingen aan een dienaar aan te bieden – en zeker geen prins die een zoon van Owain Gwynedd was.

Die avond sloegen ze hun kamp niet meer op de berg op, maar in het bos, vlak bij een bron. Er was meer dan genoeg sprokkelhout voor kampvuren. Het beloofde weer een hongerig kamp voor de mensen te worden. Maar opeens ontstond er in de bossen onder aan de helling beroering. Een man schreeuwde. Verschillende mannen sprongen met hun speren en bogen overeind en keken zijn richting uit. Rhys, de leenman, ploeterde op weg naar het kamp wanhopig door de sneeuwlaag in het bos. Een kleine, zwarte beer kwam met grote sprongen achter hem aan.

De beer rook opeens de rook en de aanwezigheid van veel mensen. Hij bleef stilstaan, kwam op zijn achterpoten overeind en keek om zich heen. Maar nog voor hij zich kon omdraaien en zich uit de voeten kon maken, had hij twee pijlen in zijn borst. Brullend en met zijn poten zwaaiend zakte hij op de grond in elkaar. Toen hij weer overeind krabbelde, waren twee Welse jagers al bij hem met hun speren met bronzen punten. Binnen enkele tellen lag het beest dood in de bloederige sneeuw. De hongerige mensen zwermden eromheen terwijl ze de jagers prezen en er luid op aandrongen dat die het dier onmiddellijk zouden slachten.

Het geroosterde berevlees vormde het beste maal dat de mensen in dagen hadden gegeten. Het dier was rond en dik voor zijn winterslaap en het vlees was sappig en vet. De mensen smulden er die koude avond van. Ondanks hun vermoeidheid, pijntjes en pijnen, kneuzingen en blauwe plekken, waren ze vrolijk. Ze hadden het eten nauwelijks naar binnen gewerkt toen sommigen lachend schreeuwden:

'Prima, maar niet genoeg! Rhys, heer! Ga er nog eens op uit en breng ons een andere beer!'

De volgende dag smolt de sneeuw. Glibberend en struikelend kwamen ze de lage heuvels aan de voet van het gebergte door en lieten door dat moeizame geploeter een spoor van modder achter. Vaak verloren ze de rivier uit het oog, en volgden kreken onder in steile ravijnen. Op sommige plekken moesten ze zich met hun zwaarden een weg door de ondergroei banen of omkeren en een omweg maken. Tegen de middag hadden ze de afdaling van het laatste plateau achter zich en waren bijna bij de rivieroevers. Madoc kon tussen de bomen door zien dat het inderdaad een grote, brede rivier was. Het leek of zijn hart in zijn borst omhoogkwam toen hij de ligging van het land voelde en probeerde vast te stellen of de rivier naar het noordoosten zou lopen, van zijn linkerhand naar rechts. Dat zou immers betekenen dat hij naar de oostkust stroomde.

Ten slotte zag hij door een opening in de ondergroei het oppervlak van de rivier pal voor zich. Een kil briesje fluisterde door het bos en blies zijn haren voor zijn ogen; hij veegde ze opzij en keek naar de rivier en overbrugde snel, met zware, dreunende passen, het laatste stuk. Riryd rende met rammelende, kletterende wapenrusting naast hem mee.

'Kijk!' riep Madoc. 'Zoals ik al gedacht had, stroomt hij die kant op!'

'Ja!' hijgde Riryd.

Ze bleven hard hijgend naast elkaar op de rivieroever staan. Op de achtergrond klonken het getater van de colonne mensen en het geritsel van hun voeten door de gevallen bladeren op de grond in het bos. Madoc keek met een hart vol dankbaarheid en hoop naar de overkant van het water. 'En God heeft ons in Zijn goedheid onmiddellijk naar een plaats gebracht waar we veilig de boten te water kunnen laten...'

Opeens zonk de moed hem in de schoenen. Hij had naar een voorwerp gekeken dat midden in de rivier dreef, een klein, gevorkt stuk drijfhout. Het leek net of het tegen de stroom op bewoog. Het stroomde naar de kant links van hem.

Maar dat was onmogelijk, wist hij.

Hij keek verbijsterd naar het drijvende stuk hout. Opnieuw begon hij zich ongerust te maken over de boze magie van dit vreemde land. Riryd scheen nog niet te hebben gemerkt dat het stuk hout stroomopwaarts dreef.

Toen keek Madoc in het water vlak bij de wallekant. Misschien een handbreed onder het wateroppervlak zwom een vis. Traag bewoog hij zijn vinnen, precies genoeg om in de stroming op zijn plaats te blijven.

Maar zijn kop wees in de richting die volgens Madoc stroomafwaarts was.

Toen zakte hij in zijn binnenste in elkaar. Hij besefte de

waarheid en slaakte een diepe zucht. Riryd keek hem vragend aan.

'De rivier stroomt die kant op,' zei Madoc en wees naar links.

'Wat zegt ge? Nee, hij –'

'De wind waait de golven naar het oosten. Maar de stroom is naar het westen.' Madoc, die heel zijn leven zeeën, oceanen en hun verschijnselen had gekend, had zich door de wind op het oppervlak laten bedriegen.

Deze rivier stroomde, tegen alle verwachtingen in, toch niet naar de oostkust.

De rij mensen was vlakbij tot staan gekomen. Nu zetten ze de coracles op de grond en lieten al pratend en lachend hun lasten van zich afglijden. Iemand schreeuwde:

'Ik heb honger! Hé, Rhys, ga eens een beer halen!' En iedereen lachte... behalve de twee prinsen.

Nadat ze samen een lange, deprimerende bespreking hadden gehad, besloten Madoc en Riryd dat er niets anders op zat dan in dit mooie dal hun winterverblijf op te slaan. Misschien dat ze dan in de lente van het volgende jaar hun exploraties zouden kunnen hervatten. Madoc bleef hopen dat deze grote rivier op de een of andere manier naar een andere kust dan dat benauwde, gloeiende oord waar ze vandaan waren gekomen zou leiden. 'We weten niet welke vorm dit continent heeft,' zei hij. Toen kwam hij weer terug op zijn analogie van de rivieren de Severn en de Wye in Cambrië. Maar hij gebruikte deze keer een ander argument.

'In de bovenloop schijnen ze naar het oosten te stromen,' zei hij. 'Maar ze lopen naar het zuidoosten, vervolgens naar het zuiden en stromen ten slotte westwaarts onder Cambrië in het Kanaal van Bristol. Waar of niet? En zo zou deze rivier, hoewel hij ogenschijnlijk naar het zuidwesten stroomt, misschien toch tussen deze bergen door kunnen stromen en oostwaarts gaan.'

Riryd schudde zijn hoofd. 'Ja, alles kan. En hoe onwaarschijnlijk het ook is, ge verkiest toch de manier die gij graag ziet.'

Madoc lachte grimmig in een poging zijn mistroostige gevoel kwijt te raken. 'Maar zelfs als mijn verlangen niet kan maken dat deze rivier naar het oosten gaat, bevinden we ons hier midden in het mooiste land dat een mensenoog ooit heeft aanschouwd. Lieve hemel,' riep hij uit, 'zijn we ten slotte de Grote Oceaan naar Jargal toe overgestoken om vervolgens weer een weg terug naar de Grote Oceaan te zoeken? Nee!'

Allereerst moesten de coracles gerepareerd en opgeknapt worden om op de rivier te kunnen vissen en deze te gaan verkennen. Het was hier aangenaam vertoeven en het was goed land voor een winterkamp. Het bood echter geen bescherming tegen aanvallen en Madoc, die zich de rook herinnerde die hij vanaf de berg had gezien, wist zeker dat er inboorlingen langs deze rivier woonden. Hij wilde hun dorpen vinden, maar voor het geval ze hen niet vriendelijk konden stemmen, wilde hij eerst een plaats voor een winterkamp vinden die te verdedigen was.

Die avond, na een pover maal van vis, stond Madoc met een zenuwachtige wachtpost aan de rand van zijn kamp. Ze luisterden naar een onheilspellend geluid.

Het klonk als een hartslag. Soms, als hij de liefde bedreef met Annesta, had Madoc met een oor tussen haar borsten gelegen en haar geliefde, geheimzinnige hartslag binnenin gehoord. POM-pom. POM-pom. POM-pom. Gestaag maar zwak, gedempt door haar vlees. Het geluid nu, in de avond langs de rivier, leek daarop, maar klonk gedempt door de afstand. Madocs adem condenseerde in de koude nachtlucht en hij zei tegen de huiverende wachtpost:

'Het is maar een trom van een van de inheemse steden daarbeneden. Wees niet bang, maar wees wel op uw hoede.'

Even later antwoordde er van verder stroomopwaarts nog een hartslag van een trom. Madocs mensen lagen slapeloos onder hun dunne dekens te bibberen van kou en angst. Ook Gwenllian kon niet slapen. Ze zei tegen haar moeder: 'Onze bard heeft Toolakha in zijn deken.'

'Ja,' antwoordde Annesta met haar lippen strak op elkaar geklemd. Ze keurde het niet goed, maar ze wilde niet afdoen aan het respect dat de leerling voor de mentor had, dus zei ze: 'Het arme kind is niet gewend aan zulke koude nachten. Hij is een zacht, vriendelijk man. Hij houdt haar warm. Zet hem uit uw gedachten en ga slapen.'

'Maar anders ligt hij altijd bij ons, moeder. Ik mis hem.'

'Maak je geen zorgen. Hij hoort ook eigenlijk niet bij ons gezin.'

Vóór middernacht zwegen de trommen. Madoc lag met Annesta's warmte aan één kant en van Gwenllian aan de andere kant. Het meisje fluisterde dat ze het zo koud had. Dus legden ze haar tussen hen in. Toen werd ze warm. Ze lag gelijkmatig in haar slaap te ademen. Madoc viel pas veel later in slaap. De impuls van de trommen bonsde nog steeds in zijn geheugen. Hij was er zeker van dat hun boodschap verband hield met de komst van zijn mensen in het dal. De kans was groot dat het niet slechts muziek was. Hij wilde iets over de wonderbaarlijke methoden die de inboorlingen hadden om over verre afstanden met elkaar te communiceren tegen Meredydd fluisteren; toen herinnerde hij zich dat de bard met zijn deken uit de familiekring getrokken was. Hij zuchtte. Het was nu trouwens toch beter om zich niet te verroeren en te gaan praten; hij wilde Gwenllian niet wakker maken. Hij dacht eraan hoe dicht ze de dag daarvoor bij de dood was geweest. De warmte van haar slapende lichaampje naast hem vormde toen zo'n troost, dat hij ophield met denken en in een diepe slaap viel.

In zijn deken hield Meredydd Dochter van de Aarde dicht tegen zich aan. Hij boog zijn lichaam langs de rug van haar opgerolde gestalte en genoot van haar warmte, haar huid, haar nabijheid. Hij had het gevoel alsof zijn hele wezen één grote glimlach was geworden. Hij vroeg zich nu af hoe hij ooit die schrale, grimmige, pijnlijke onafhankelijkheid die altijd zijn lot was geweest had verdragen en hoopte stilletjes dat hij nooit meer een nacht zonder dit genoegen hoefde te slapen. Hij kon haar tepel met zijn vingers aanraken en voelen hoe die hard werd en veranderde. En zij scheen dat prima te vinden. Ze scheen genegenheid voor hem te hebben opgevat; zelfs bewondering. In heel zijn leven had hij zich nog nooit door iemand bewonderd gevoeld. En hoewel hij er geen notie van had hoe vrouwen over copulatie denken, leek het hem toe dat ze het prettig vond. Ze was aan hem, en aan hem alleen, gehecht, voelde hij; ze scheen voor niemand anders enige affectie te hebben, zelfs niet voor de prins.

Met Toolakha warm tegen zich aan, voelde hij zich eindelijk in Jargal thuis.

De volgende dag liet Madoc bij het eerste dagen Riryd alleen met de verantwoordelijkheid van het kamp achter en vertrok met Rhys en zes andere soldaten in vier van de coracles. Ze gingen de door de dageraad zilver gekleurde rivier op. Zwijgend lieten ze zich stroomafwaarts drijven. Madoc had geen boten stroomopwaarts gestuurd. Hij had echter wel jagers die in die richting gingen opdracht gegeven om zorgvuldig naar tekenen van inheemse bewoning te kijken en goed op te letten of ze markante plaatsen voor een versterkte nederzetting zagen. Afhankelijk van wat hij verder naar beneden zou vinden, zou hij morgen misschien zelf met de boot stroomopwaarts gaan exploreren.

Het snelstromende water in de rivier was helder. Langs de oevers, meestal op de rechteroever, zag Madoc op veel plaatsen herten drinken. Ze hieven hun koppen omhoog en keken naar de vier boten die stil voorbijdreven. Ze schrokken er niet van. Talloze kleine zoogdieren waren druk langs de rivieroevers bezig. Kleine, kwetterende eekhoorns vlogen van boomtop naar boomtop. Kraaien krasten en enorme zwermen vogels, wel honderdduizenden, vlogen over en maakten met hun vleugelslag een geruis als de branding van de oceaan. Er was juist zo'n zwerm overgevlogen – duifachtige vogels met felgekleurde veren waren het – toen Madocs scherpe neus opeens een spoor van de rook van hout opving. Hij dacht onmiddellijk aan de inheemse dorpen, aan de trommen.

We willen daar niet plots met zo'n klein aantal naar toe komen drijven, dacht hij. Hij vroeg zich af op welke rivieroever er een dorp zou kunnen zijn. Toen herinnerde hij zich dat hij de meeste wilde dieren op de rechteroever had gezien. Dat zou erop kunnen wijzen dat het dorp links zou liggen.

Het zou er ook op kunnen wijzen, dacht hij, dat er inheemse verkenners langs de linkeroever liepen. Als ze ons hebben gevolgd en naar ons hebben gekeken, weten ze al met hoe weinig we zijn. Zijn schedel prikte. Opeens kreeg hij het gevoel dat hij de vaartuigen moest omkeren en naar het kamp terugkeren. Ze zouden hard tegen de sterke stroom op moeten pagaaien, maar zijn instinct waarschuwde hem en dat kon hij niet negeren.

Op datzelfde ogenblik kreeg hij echter iets in het oog dat zijn geestesoog wel honderd keer in de weken van deze tocht had gezien. Het was een landtong op de rechteroever, tamelijk vlak en horizontaal, misschien veertien, vijftien el boven de rivier. Er stonden praktisch geen bomen op. De oevers waren heel steil, bijna loodrecht. Toen de boten langsdreven, zag hij dat het stuk land gevormd was doordat hier een snelstromende kreek in de rivier uitmondde.

Het was de ideale plek voor een versterkt kamp. Hij gaf Rhys opdracht om de kreek in te sturen.

Terwijl elke boot door één soldaat aan de kant werd gehouden, klauterde Madoc met Rhys en de anderen de steile wand op. Ze gebruikten wortels en rotsen als hun ladder. Boven aangekomen keek hij om zich heen en zag dat het er even goed uitzag als op het eerste oog had geleken. Hij paste de afstand af van de kant van de kreek naar de kant van de rivier en keek alle richtingen op. Langs deze kant zouden ze in één dag een palissade kunnen optrekken, dacht hij, met erbovenop een bastion voor boogschutters. En in nog eens drie dagen zouden ze daarbuiten een droge gracht hebben kunnen graven. Die zou ongeveer drie morgen land beschermen, voldoende om er voor alle mensen hutten op te bouwen. Steile wanden aan de kant van de rivier en de kreek zouden de andere twee kanten beschermen en het water zou zelfs tijdens een belegering toegankelijk zijn. Binnen een afstand van tweehonderd passen van de plek groeiden er genoeg bomen voor de palissaden en alle hutten en ze zouden niet de helling op hoeven worden gesjouwd. Dat is goed, want we hebben geen paarden of ossen, dacht hij. 'Kom,' zei hij tegen de soldaten en ze klauterden terug naar beneden, naar de boten. Hij wilde zien aan welke kant van de rivier de inheemse stad lag. Hij hoopte dat het aan de andere kant zou zijn; dat zou ideaal zijn. Maar zelfs als ze op deze oever lag, zou hij nog steeds zijn fort voor de winter hier willen bouwen.

Toen ze weer in de boten klommen, hoorden ze opeens tromgeroffel. Het klonk heel duidelijk. Het klonk alsof het geluid van vlak om de volgende bocht in de rivier heen afkomstig was. Het ritme was anders dan het geluid van de hartslag van de vorige avond. Nu klonken er drie snelle slagen en daarna twee diepe bonzen. Dat ritme werd steeds weer herhaald. Nadat het zich een paar keer herhaald had, hield het op. Toen kwam er zwak van verder stroomopwaarts als antwoord een serie ritmische slagen, die abrupt stokten. Madocs mannen keken naar elkaar, naar hem en zochten met angstige ogen de rivieroevers af.

'Snel nu,' beval Madoc met zachte stem. 'Snel terug naar ons kamp.' De trommen hadden hem vreselijk ongerust gemaakt over de mensen in het kamp en de jagers die overal verspreid rondliepen. Madoc pakte ook een pagaai en hielp Rhys zo om harder tegen de stroom op te kunnen varen. Het kleine vaartuig met zijn stompe boeg zwoegde stroomopwaarts. De andere drie boten kwamen er vlak achteraan. Van tijd tot tijd dacht Madoc dat hij bewegingen in de bossen op de rivieroever zag. Eén keer ving hij inderdaad een glimp op van een flitsende gestalte die zich met een ongelooflijke snelheid tussen de bomen op de oever aan zijn rechterkant voortbewoog en in de richting van het Welse kamp liep.

'Vaar harder, beste kerel!'

'Ja, mijn prins!' hijgde Rhys, duidelijk geïnspireerd.

Het kamp was niet aangevallen, maar Riryd kwam met een grimmig gezicht de coracles tegemoet gerend.

De jagers waren de dag goed begonnen, vertelde hij. Ze hadden vier herten, een beer, een groot mannetjeshert dat op een eland leek en heel wat eekhoorns en kleine zoogdieren gevangen. Maar toen hadden ze opeens overal om zich heen in het bos inboorlingen gezien. Het waren gewapende inboorlingen die niet tot de aanval waren overgegaan, maar steeds dichterbij waren blijven rondhangen, tot alle jagers het verstandiger vonden om maar weer naar het kamp terug te gaan. Hoewel de inboorlingen niet binnen gezichtsafstand van het kamp zelf waren gekomen, had Riryd er een patrouille boogschutters omheen gezet. Toen hij de trommen hoorde, was de angst voor het lot van Madoc en de anderen in de boot hem om het hart geslagen.

'We hebben geen tijd om hier te blijven rondhangen,' zei Madoc. 'We moeten dicht op elkaar ongeveer drie mijl langs deze kust afzakken. Daar zullen we onze mensen naar de monding van de kreek overzetten. En dan zult ge zien dat ik een plek heb gevonden die we onmiddellijk kunnen versterken. Als dat gebeurd is, kunnen we proberen deze mensen te ontmoeten en, naar ik hoop, vriendschap met hen sluiten.'

De inboorlingen waren al die tijd in de buurt. Ze liepen vóór of naast de colonne mee, maar je zag slechts zelden meer dan een glimp van hen. De bossen schenen te leven van hun stille, onhoorbare bewegingen. De paar inboorlingen die Madoc werkelijk zag, zagen er verbazingwekkend uit: ze waren van top tot teen beschilderd.

Madoc liet zijn mensen dicht achter elkaar over de door dieren uitgesleten wissels langs de rivieroever lopen. De prinsessen zaten in de draagstoelen en de met bagage volgeladen coracles dreven dicht langs de rivieroever. Naarmate ze verder liepen, scheen de concentratie van inboorlingen in de bossen steeds groter te worden. Misschien denken ze wel dat we tegen hun stad opmarcheren, dacht Madoc. De kans is groot dat ze vroeg of laat stelling tegen ons zullen nemen. Laat het alsjeblieft niet te vroeg zijn.

Op het laatst kon hij de landtong die hij had gekozen aan de overkant van de rivier zien liggen. Als ze nu maar niet aanvallen als we nog niet zijn overgestoken, dacht hij en bad onder het lopen voortdurend.

Ten slotte liet hij de colonne stilstaan. Hij gaf Riryd opdracht om de vrouwen, kinderen en een paar gewapende mannen in de coracles te zetten en hen in de monding van de kreek over te varen. Hij stuurde Rhys met hen mee, zodat die hen de plek kon aanwijzen waar ze moesten aanleggen en naar boven klauteren. Toen stelde hij de rest van de mensen op in een halve cirkel, met hun ruggen naar de rivier, om de boten in het water aan de achterkant te beschermen. Nu hij eraan gewend was geraakt om naar inboorlingen uit te kijken, kon hij hun aanwezigheid in de bossen om hen heen beter waarnemen. Ze waren er meesters in zich schuil te houden. Ze maakten zichzelf naast en achter bomen, struiken en omgevallen takken en stukken hout bijna onzichtbaar. Madoc had echter geleerd om vanuit zijn ooghoeken naar hen uit te kijken. Een mannengezicht was tussen het kreupelhout even symmetrisch en misplaatst als een ei. Maar deze inboorlingen smeerden aarde of verf op hun gezicht, zodat hun gezichten niet tegen de achtergrond van het bos afstaken. En terwijl de mannen uit Wales meestal minstens één of twee stukken van hun wapenuitrusting droegen – een helm of borstplaat – die duidelijk zichtbaar glommen, kleedden deze inboorlingen zich in materialen uit de natuur en vormden zodoende geen contrast met de omgeving. Zelfs de felle kleuren waarmee ze zich beschilderd hadden, vermengden zich met de herfstkleuren van de bladeren. Als je hun bewegingen en schaduw niet zag, kon je hen zelfs nauwelijks onderscheiden. Maar doordat Madoc erop lette, kon hij hun ongrijpbare gestalten onderscheiden. Hij schatte dat er drie of vier keer zoveel inboorlingen in het bos waren als de hoeveelheid mensen die hij bij zich had.

Maar nog steeds kwamen ze niet te voorschijn om aan te vallen. Ze dreigden zelfs niet. En inmiddels pendelden de boten heen en weer en verminderde het aantal mensen uit Wales aan hun kant van de rivier tot vijftig, vijfentwintig en toen tien. De inboorlingen leken besluiteloos. Of misschien hadden ze geen leider. En misschien waren ze hen niet eens vijandig gezind. Toen Madoc met twee soldaten in die laatste coracle klauterde, voelde hij een enorme opluchting.

De boot voer in het midden van de rivier toen Madoc nog eens achteromkeek. Hij zag dat honderden krijgers naar de rivieroever waren gekomen die hij zojuist had verlaten. Ze keken naar de overstekende coracles. Wat een opwindend gezicht! Sinds het gevecht in de baai van twee jaar geleden was dit de eerste keer dat hij zoveel mensen van dit geheimzinnige volk bij elkaar had gezien. Zij waren in de zomerse hitte naakt geweest, maar deze mensen droegen in het kille weer van de late herfst kleurige, prachtige kleding van versierde huiden terwijl enkelen katoenen kleren aanhadden. Degenen die met blote borst liepen, hadden hun lichaam beschilderd; allemaal hadden ze verf op hun gezicht. Hun kleding en wapens waren afgezet met versieringen van veren, schelpen, botten en zelfs met iets dat op lange plukken mensenhaar leek.

Toen Madoc stroomafwaarts de rivier af keek, zag hij tot zijn verbazing en schrik dat er niet ver van hem vandaan een aantal lange boten vol inboorlingen dreef. Klaarblijkelijk waren ze uit het dorp verder stroomafwaarts afkomstig.

In eerste instantie was hij bang dat ze te water waren gegaan om het halen en brengen van zijn mensen af te snijden of hen bij de monding van de kreek aan te vallen. Ze bleven echter vanaf een afstand toekijken. Nu nam hij aan dat zij zich eenvoudigweg dwars op de rivier hadden opgesteld om ervoor te zorgen dat hij met zijn boten niet naar hun stad zou kunnen afzakken. Madoc richtte zijn aandacht toen weer op zijn mensen, die ijverig als mieren aan het werk waren om hun gereedschappen en voorraden tegen de steile oever van de kreek op te hijsen. Madoc stapte ten slotte ook uit de laatste coracle en klauterde naar boven. Hij gaf de mannen opdracht de coracles aan een touw naar boven te hijsen.

Riryd was boven al begonnen om er groepjes mannen met bijlen op uit te sturen om palen voor de palissaden te maken. Vrouwen en kinderen waren al druk bezig dood hout aan te slepen voor de vuren. Vervolgens zocht Madoc een aantal mannen met schoppen bij elkaar en paste voor hen de lijn af waar ze de gaten voor de palen voor de palissaden moesten graven.

'Als de heidenen een paar uur op een afstand blijven,' zei hij tegen Riryd terwijl het in het kamp gonsde van bedrijvigheid, 'zullen we een plek hebben waar geen mens ons kan lastig vallen. Wat vindt ge ervan?'

Riryd was zenuwachtig. Met naar beneden wijzende mondhoeken en zijn tanden in een grimas op elkaar geklemd, keek hij naar de overkant van de rivier waar zich een kleurige slagorde van levende krijgers bevond. Maar voor het eerst sinds weken zag hij er sterk en gespannen uit als de Riryd van vroeger. 'Het is een mooie plek,' zei hij. 'En alle mensen nog aan toe, dat hakken met de bijl klinkt me mooier in de oren dan hun vervloekte trommen!'

Er klonken die avond trommen. Het begon al toen het donker werd. Je hoorde nog steeds de mannen hout hakken en met hamers nagels inslaan. Madoc liet dicht bij de palissade vuren aanleggen, zodat het werk aan de versterking na het donker zou kunnen worden afgemaakt. Behalve het bastion halverwege de muur, liet hij twee verhogingen voor de boogschutters maken, aan weerszijden één, om ervoor te zorgen dat de aanvallers aan het eind van de palissade aan de kreek- of rivierkant niet door het water zouden kunnen waden of de steile oevers beklimmen.

Toen het werk klaar was, ging het tromgeroffel nog steeds door. Het klonk heel duidelijk; klaarblijkelijk lag het dorp voorbij de volgende bocht in de rivier. Je kon zelfs stemmen horen, stemmen die op één toon zongen. En soms, als het windje uit de juiste richting waaide, hoorde je de zachte, angstaanjagende tonen van een of ander fluitachtig instrument. Deze geluiden achtervolgden de mensen uit Wales zelfs in de nieuwe veiligheid van hun fort en hoe uitgeput ze ook van het werk waren, toch konden ze de slaap niet vatten. Om middernacht maakte Madoc nog een laatste inspectietocht door het kamp en zag nog steeds mensen bij het licht van het vuur zitten. De wachtposten langs de steile oevers en op de bastions keken gespannen in alle richtingen. Toen Madoc tegen hen begon te praten, vertelden ze hem dat ze niet gezien maar wel gevoeld hadden dat er niet ver aan de andere kant van de palissade mannen rondslopen. Daarom, en omdat de mensen toch al klaarwakker waren, verdubbelde Madoc de wacht. Niet lang nadien zwegen de trommen en de muziek. De spanning werd nog groter. Vóór het aanbreken van de nieuwe dag slaagde Madoc er eindelijk in om te gaan liggen en nog even een hazeslaapje te doen.

Even later werd hij door een jongen wakker gemaakt met de boodschap dat een wachtpost hem wilde spreken. Kreunend glipte Madoc huiverend onder de deken vandaan, gaf Annesta een kus op haar voorhoofd en hobbelde naar de plek toe waar de wachtpost stond, vlak bij de punt van de landtong. De wachtpost wees stroomafwaarts.

In het halflicht zag Madoc dat er allemaal lange, inheemse boten in de rivier lagen. Bijna geluidloos gleden ze tegen de stroom in over de rivier.

'Maak mijn broer wakker,' zei hij tegen de wachtpost. 'Zeg hem dat hij al onze vechters te wapen roept, maar dat het heel stil moet gebeuren. Ga naar Rhys en zeg dat hij de mensen moet vertellen dat ze de vuren niet mogen opstoken. Ik wil dat alle mensen wakker zijn en klaarstaan, maar ogenschijnlijk slapen. Begrijpt ge het?'

Toen de wachtpost stilletjes was weggeslopen, bleef Madoc op de landpunt naar de inheemse vloot staan kijken om te zien wat hun bedoelingen zouden kunnen zijn. Misschien zouden ze de kreek binnenvaren of hun krijgers onder aan de steile oever afzetten, zodat ze heimelijk naar het plateau naar boven konden klauteren. Waarschijnlijk zijn ze van plan ons in onze slaap te verrassen, dacht hij. Maar zij zijn degenen die zullen opkijken! Achter zich hoorde hij gefluister, gemompel, bewegingen toen iedereen in het kamp voorzichtig wakker werd gemaakt. Hij keek achterom naar het kamp. Vóór de smeulende vuren zag hij gestalten heen en weer lopen. Hij hoorde mensen op de grond plassen en winden laten. Hij hoorde de vragende stemmen van kinderen, de sussende waarschuwingen van moeders. Zijn mensen konden heel goed zijn als het nodig was. Bang, ja, maar wel goed. En de mannen waren meedogenloze vechters als ze tegenover een vijand kwamen te staan. Mannen uit Wales waren bijgelovig en haalden zich de afschuwelijkste gedachten in het hoofd. Ze waren even schichtig als paarden tot het moment dat ze werkelijk zagen wat ze voor zich hadden. Maar dan waren ze ook ongekend moedig.

Paarden, mijmerde hij. Ik wilde dat we paarden hadden. Vechten zonder paarden is net zoiets als kreupel zijn.

Zo dwaalden zijn gedachten af terwijl hij keek naar de vage omtrekken van de boten die stroomopwaarts kwamen en naar de lucht in het oosten die lichter begon te worden. Met hun schild, boog en speer in de hand kwamen de mannen naar hem toe. Ook Riryd, met zijn helm op zijn hoofd en zijn zwaard opzij, kwam naast hem naar de zich langzaam voortbewegende boten kijken. Rhys kwam er ook aan en Madoc liet hem mannetjes langs beide vooruitstekende rotswanden posten. 'En de palissade, de bastions? Zijn die bemand?'

'Dat is al gebeurd, heer. Met boogschutters, kruisbogen en piekeniers.'

'Goed. Zorg ervoor dat de poort van het bastion dubbel is vergrendeld en blijf bij die mannen en hou het bos in de gaten. Neem een slimme jongen mee die snel boodschappen naar me toe kan brengen.'

De inheemse boten waren nu bij de punt van de landtong aangekomen, de eerste boten op nog minder dan een boogschot van een kruisboog verwijderd. Maar ze gingen de andere kant op. 'Lieve hemel,' fluisterde Riryd. 'Want denkt gij ervan?'

'Ik weet het niet. Ze zien waarschijnlijk dat wij op onze hoede zijn. Kijk, ze leggen nu op de andere oever aan. Misschien gaan ze alleen maar naar hun andere dorp en hebben ze helemaal geen plannen met ons. Hoewel ik dat betwijfel.'

Toen begreep hij hun bedoeling, dacht hij. Als de inboorlingen stroomopwaarts aan land gingen, hoefden ze de kreek niet over te steken om naar de versterking toe te komen.

Hij vertelde zijn broer wat hij dacht en Riryd knikte en zei: 'Nou, als ge van plan bent om te vechten, kunt ge beter uw wapens ter hand nemen!'

'Dat mag ik inderdaad wel eens doen!' Madoc was vergeten dat hij nog steeds precies zo was gekleed als toen hij uit bed was gestapt. Hij liep met grote passen terug naar het midden van het kamp. Daar hielp Meredydd hem in zijn maliënkolder, scheenplaten en pantserhandschoenen en hielp hem zijn zwaardgordel omgespen. Toen tilde Meredydd uit Madocs kleerkast een nauw passende helm met een kroon eromheen geklonken en een gepolijste gouden plaat boven het voorhoofd. Hij trok eerst een wollen muts over Madocs hoofd en zette hem de helm op. Toen deed hij een stap naar achteren. Meredydds hart zwol op; hij had zijn heer prins in geen jaren zo voornaam uitgedost, zo onversaagd gezien. Annesta stond vlakbij met Gwenllian. Ze zagen er in het schimmige licht als spookverschijningen uit. 'Pas goed op hen,' beval Madoc Meredydd en liep toen weer naar de rivier terug.

Inmiddels was het duidelijk geworden dat Madocs veronderstelling juist was geweest. De boten van de inboorlingen waren ongeveer een furlong verder de rivier opgegaan. Toen waren ze overgestoken en naar de oever toe gevaren. De krijgers klauterden nu uit de boten en trokken die op de wallekant.

De zon was nog niet boven de bergen opgekomen, maar het was inmiddels al zo licht geworden, dat je kon zien dat de krijgers het bos inliepen. 'Ze zijn zeker van plan om ons aan de kant die aan het land grenst aan te vallen,' zei Riryd.

'Vlug. Zet meer boogschutters boven op de bastions,' zei Madoc.

Dat was binnen een paar minuten voor elkaar. En terwijl de lucht boven de bergen in het oosten perzikkleurig werd, stonden de twee prinsen op het schietplatform van het middelste bastion af te wachten en naar de bossen te speuren.

Na een paar minuten wees Madoc naar het bos, voorbij de boomstompen en bergen takken die de houthakkers hadden gemaakt.

Daar, misschien honderd passen van het bastion verwijderd, stond een lange, zwaargebouwde man in een lange, vaalwitte mantel. In zijn hand hield hij een of andere versierde staf.

Terwijl de mannen toekeken, kwam de grote man statig naar het fort toegelopen. Aan weerszijden van hem liepen nog drie mannen, die allemaal speren droegen. Ze liepen tussen de boomstronken naar voren tot ze halverwege de open plek waren gekomen. Daar bleven ze rechtop naar de palissade staan kijken.

Een van de mannen hield iets in zijn hand dat rookpluimen afgaf. De eerste zonnestralen die schuin over de open plek vielen, verlichtten de omhoogkringelende rook. Madoc hoorde een van de soldaten roepen:

'Wel allemachtig! De man heeft vuur in zijn handen!'

De grote man stampte met het stompe eind van zijn staf op de grond bij zijn voeten, en de man met vuur in zijn handen bukte om het op de aangewezen plaats op de grond neer te leggen. Vervolgens knielden twee andere mannen neer en leg-

211

den iets op diezelfde plek neer. Even later brandde daar een klein vuur. Toen nam een van de andere mannen een grote, donkere dierehuid van zijn schouders en spreidde die op de grond naast het vuur uit. En terwijl de mannen uit Wales verbijsterd toekeken, legden de mannen die het vuur hadden gemaakt een paar stokken op de grond en gingen staan. De zeven mannen keken Madoc, Riryd en de boogschutters op het bastion nu recht aan. De man met de mantel had op zijn hoofd een hoofddeksel dat Madoc op een grote, zwarte hoed vond lijken. Nu het morgenlicht sterker werd, bleek het echter een raafachtige vogel met uitgestrekte vleugels te zijn. Madoc wees het Riryd aan, die knipperend zijn ogen toekneep en toen riep: 'Hemeltjelief, het is inderdaad een raaf! Boven op zijn hoofd! Ha, ha, ha! Denkt ge dat hij in zijn haar poept?' Een paar boogschutters vlakbij begonnen te lachen.

Maar nu legde Madoc zijn hand op Riryds onderarm en zei: 'Broeder, ik geloof vast en zeker dat ze met vreedzame bedoelingen komen! Ik denk dat ze wachten tot wij te voorschijn komen. Die grote man is ongetwijfeld hun koning.' Op het moment dat hij het zei, bedacht hij hoezeer de houding van de man op die van zijn eigen vader, Owain Gwynedd, leek.

Maar Riryd snoof. 'Vrede, zegt ge? Met wel vijfhonderd wilden op de loer in de bossen daarachter? Doe niet zo onnozel! Zodra we een stap buiten deze poort zetten, worden we bestormd en afgeslacht!'

Madoc schudde zijn hoofd. 'Uiteraard met de nodige voorzichtigheid. Maar ik ben beslist van plan om naar buiten te gaan en die koning te ontmoeten. Ge *weet* hoe ik naar een kans om deze mensen te leren kennen heb verlangd!'

Riryd siste: 'Bent ge de strijd op het strand soms vergeten?'

'Uiteraard niet, ik was immers degene die er vocht. Maar ik ben niet bang om naar buiten te gaan en die man te ontmoeten.' Madoc stond links van Riryd en keek hem nu aan. En toen Riryd zich omdraaide om Madoc dreigend aan te kijken, werd hij heel even verblind door het zonlicht dat tegen Madocs kroon weerkaatste. Hij kneep zijn ogen dicht en wendde zijn blik af. Madoc, die het licht over Riryds gezicht zag dansen, besefte wat er was gebeurd en bewoog zijn hoofd iets opzij. Toen zei

212

hij kalmerend: 'Ik ga niet verder dan waar zij staan. En ik zal zes grote mannen met me meenemen, evenveel als hij bij zich heeft. Als er verraad is, en dat betwijfel ik, zullen we hem gijzelen en met ons mee terug nemen. Houdt gij intussen de kruisbogen in de aanslag op eventuele soldaten die uit het bos komen, maar schiet alleen op *mijn* bevel. Ik ga er immers in vrede heen. Is wat ik zeg u duidelijk?'

'Ik ben hiertegen,' pruttelde Riryd.

'Natuurlijk bent ge dat, broeder, dat bent ge tegen alles wat ik doe,' zei Madoc.

Met een zucht gaf Riryd zich gewonnen. 'Het zij zo. Maar laten we eerst iets doen dat hen aan het verstand brengt wat de gevaren zijn voor het geval zij ons bedriegen, vraag ik u.'

'Een verstandige gedachte. En wat had ge voor ogen?'

'Laat hen zien hoe ver een kruisboog schiet.' Riryd geloofde heilig in het wapen. 'Laat hen zien dat hij zelfs in het bos daar, waar ze zitten te loeren, iemand kan treffen.'

'Nee, sukkel! We moeten met vreedzame bedoelingen komen! We willen geen oorlog beginnen!'

Weer zuchtte Riryd en deinsde terug toen het zonlicht nog een keer tegen Madocs prinsenkroon terugkaatste.

'Laat die kruisboog maar zitten,' zei Madoc. 'Ik weet wel hoe ik indruk op hen kan maken.'

Vergezeld door zes grote, met pieken en schilden bewapende soldaten, liep Madoc, gekleed in maliënkolder en wapenrusting, met zijn zwaard opzij, de geopende poort uit. Met in zijn hand een piek met een Wels vaandel eraan liep hij met grote passen tussen de boomstronken door naar het groepje inheemse afgezanten. Zijn hart bonsde snel van opwinding en bewondering toen hij dichter bij hen kwam, maar zijn gezicht bleef ernstig en kalm. Hij bleef de man die volgens hem de koning moest zijn recht in de ogen kijken en toen hij dichterbij kwam, zag hij dat de man een immense waardigheid en onverschrokkenheid had. Zijn gezicht was notebruin, breed, plat en onbehaard. Van het tussenschot van zijn neus hing een fijne hanger van schelp voor zijn lippen. Zijn hoofddracht bleek het volledige verenpak van een raaf, met kop, vleugels en veren en al, te zijn. De man was niet zo groot als Madoc maar het scheelde niet veel en hij had een kaarsrechte, indrukwekkende houding. De rook van het kleine vuur voor hem kringelde in het licht van de zonsopgang omhoog en verdween.

Terwijl Madoc op hen toeliep, ging hij een stukje naar links en zij draaiden zich iets om, zodat zij hem recht konden aankijken. Toen stapte hij naar rechts en de weerspiegeling van de zon tegen het gouden vlak van zijn prinsenkroon flitste over de gezichten van de mannen heen en verblindde hen. Hij bleef zijn hoofd iets bewegen en zag het gele licht van de een naar de ander over hen heen dansen en glanzen.

Ten slotte bleef Madoc op drie passen afstand voor de koning stilstaan. Hij stond zo, dat het glanzende licht nog steeds op diens gezicht viel en hem ertoe dwong zijn ogen toe te knijpen. Toen begon Madoc te praten. Met zijn diepste stem zei hij:

'Ik ben Madoc, zoon van Owain Gwynedd. Ik kom in vrede tot u.' Hij hield zijn rechterhand omhoog om te laten zien dat hij, afgezien van de piek met het vaandel, geen wapen droeg. Het stoïcijnse gezicht van de inheemse koning smolt weg in verwarring en ontzag en de zes mannen die hij bij zich had zagen eruit of ze op het punt stonden op de vlucht te slaan.

Madoc veronderstelde dat hij angst en bijgeloof bij deze inboorlingen opriep. Misschien had het licht dat van zijn voorhoofd flitste op hen wel hetzelfde effect als de grote, brullende draak van de *Gwenan Gorn* twee jaar geleden op de inboorlingen op het strand van de baai had gehad!

Als dat inderdaad zo was, bewees de inheemse koning dat hij een moedig man was. Hij bleef staan en sprak nu een paar woorden, klaarblijkelijk om de mannen naast zich te kalmeren of aan te moedigen.

De inheemse koning hief zijn rechterhand op zoals Madoc ook had gedaan. Madoc glimlachte en zei iets tegen een van zijn soldaten. 'Geef me nu de kralen.' De soldaat liep naar hem toe en gaf hem een halsketting met acht strengen blauwe, glazen kralen aan. Madoc stapte naar voren en bood ze de koning aan. Aarzelend stak deze zijn hand met de handpalm naar boven gekeerd naar Madoc uit. Hij maakte een krampachtige beweging toen Madoc de kralen erin legde, alsof hij bang was dat hij zich eraan zou kunnen branden. Toen keek hij er met de grootste belangstelling naar en begon een paar kralen tussen vinger en duim heen en weer te rollen. Er verscheen een opgetogen uitdrukking op zijn gezicht en op een gegeven ogenblik lachte hij breeduit en maakte in zijn keel een soort gniffelend geluid. Hij draaide zich naar links en rechts en liet het geschenk aan de zes mannen die hij bij zich had zien. Ook zij op hun beurt begonnen er luidkeels om te grinniken. Klaarblijkelijk hadden ze nog nooit zoiets gezien. Als kinderen onderzochten ze allemaal een tijdlang de ketting, rammelden ermee, hielden hem tegen het morgenlicht omhoog, roken eraan en proefden er zelfs met hun tong aan. Toen de koning zijn aandacht weer op Madoc vestigde, lachte hij openlijk, waarbij zijn gelijkmatige, witte gebit zichtbaar werd, iets dat Madoc verbazingwekkend vond. Slechts weinig mannen van die leeftijd in de beschaafde wereld hadden hun eigen tanden nog.

Ze stonden elkaar een hele tijd op armslengte tegenover elkaar aan te kijken. Dan weer knikten ze naar elkaar, dan weer lachten ze en probeerden ondertussen elkaars ogen en gezichtsuitdrukking te lezen en wensten dat ze woorden hadden waarmee ze zich verstaanbaar konden maken. Op een gegeven ogenblik begon Madoc de prachtige mantel die de inheemse koning over zijn brede schouders droeg te bestuderen. Vanuit de verte had hij niet kunnen vaststellen waarvan die was gemaakt, maar nu ontdekte hij dat de mantel van de complete verentooien van enkele vogels met felgekleurde veren was gemaakt en dat hij in het morgenlicht met een regenboog van kleuren glansde, precies zoals de mooie, fijne veren van duiven die hij in Europa had gezien. Deze veren in hun geheel waren echter lichter van tint. En toen de koning zag dat Madoc naar de mantel keek, maakte hij een gniffelend geluid dat wel iets van een duif weg had. Hij maakte een soort houtje-touwtje-sluiting los en nam de mantel van zijn schouders. Vervolgens gaf hij zijn staf aan de inboorling aan zijn rechterkant, liep naar Madoc toe en ging opzij van hem staan. Toen legde hij de mantel over diens brede schouders. Madoc rook dezelfde frisse, muskusachtige geur die hij in alle steden had opgemerkt.

De koning, die klaarblijkelijk zag hoe vergenoegd Madoc keek, deed toen iets verrassends. Hij sloeg zijn armen om Madoc heen en hield hem in een omhelzing gevat die zo warm en sterk werd, dat Madoc één alarmerend ogenblik dacht dat het een truc was geweest en dat die omhelzing hem moest verpletteren of zijn rug breken. Madocs soldaten stonden vol verbijstering onder elkaar te mompelen en stonden op het punt om naar voren te springen om hem te redden. Maar Madoc, die in de keelgeluiden van de koning oprecht genoegen en echte genegenheid hoorde, omhelsde de koning op zijn beurt met zijn sterke armen even lang en even hard tot hij de gewrichten hoorde knappen. Toen lieten ze elkaar los. De koning deed een stap naar achteren, hield Madoc bij diens ellebogen vast en lachte opgetogen. Nu kwamen de zes mannen van de koning grinnikend naar voren en sloegen hun armen om Madoc en zijn geschrokken soldaten heen. Heel even begonnen ze bijna te vechten, tot Madoc hen toeriep: 'Dit is goed! Omhels hen! Dit zijn geen vijanden!' Madoc, die nu bijna duizelig van opluchting en genegenheid was, begon uit de grond van zijn hart te lachen en accepteerde ook de omhelzingen van de andere zes inboorlingen. Uit het bos ging er uit honderden kelen een gejuich van vreugde op en vol verbazing zag Madoc een ontelbare hoeveelheid inboorlingen verschijnen waar zoëven nog geen lichaam te zien was geweest.

'De Heer zij geloofd!' riep Madoc naar Rhys de soldaat. 'We hebben een vriendelijk gezind volk gevonden! Konden ze onze taal maar leren – maar misschien kan onze bard Meredydd hen onderwijzen…'

Veel inheemse krijgers kwamen nu over de open plek aangelopen. Sommigen aarzelden, maar anderen holden hard en lieten een kinderlijk gehuil van vreugde horen.

Opeens gaven er een paar een gil en vielen op de grond. De anderen weifelden, keerden in verwarring om en begonnen te schreeuwen en te weeklagen. Madoc zag dat de inheemse koning gespannen werd en met evenveel verbijstering als hijzelf naar de opschudding keek. Toen kwam er opeens een afschuwelijke gedachte bij hem op en vol ontzetting keek hij naar zijn fort.

Wat hij vreesde was bewaarheid.

De boogschutters en de mannen met de kruisbogen op de verschansing schoten een hagel van sissende pijlen in de lucht af. De meeste projectielen kwamen ver vóór de krijgers, die zich nog op zo'n tweehonderd passen afstand van de palissade bevonden, op de grond terecht. Maar de schichten uit de kruisbogen die ver weg vlogen, hadden al een paar inboorlingen tegen de grond geworpen. Dit triomfantelijke ogenblik van vrede en hartelijkheid was, evenals een ander ogenblik, twee jaar geleden, op een strand aan de oostkust, door deze oorlogszuchtige impuls van zijn Welse krijgers verknoeid!

Madoc dacht snel na, zich afvragend hoe hij ervoor kon zorgen dat hij niet door de aanstormende horde inboorlingen werd gevangen en gedood. Even keek hij naar het verbijsterde gezicht van de inheemse koning. Hij dacht eraan om hem als gijzelaar, met een dolk op zijn keel, met zich mee naar het fort terug te slepen. Maar de man was duidelijk zo sterk, dat hij niet in een ogenblik kon worden beteugeld; vóór Madoc daarin slaagde, zouden de krijgers zich al op hem hebben gestort.

Met schallende stem riep de koning zijn krijgers een paar woorden toe. Snel maakte hij zich met zijn zes mannen uit de voeten en rende naar de wanordelijke menigte krijgers toe. Die bleven op hun beurt staan en renden toen ook terug naar het bos, met hun koning in de achterhoede. De koning keek de hele tijd met een uitdrukking van ondraaglijke pijn naar Madoc achterom.

'Kom,' zei Madoc tegen zijn soldaten. 'Langzaam, en laat geen angst blijken.' Toen ging hij hen voor, terug naar het fort. Hij zag dat de krijgers hun gevallen kameraden hadden opgeraapt toen ze zich terugtrokken.

Madoc was boos en teleurgesteld en kon dan ook nauwelijks nadenken. Als ik erachter kom wie de boogschutters opdracht heeft gegeven om te schieten, dacht hij, kost hem dat zijn kop!

Maar iets zei hem dat de man die ervoor verantwoordelijk was zijn eigen broer Riryd moest zijn geweest. En in ieder geval voor het ogenblik dacht hij:

Ik zal met liefde die kleingeestige broeder van mij opofferen voor de weldaad van de omhelzing van die koning!

Maar uiteraard schaamde hij zich meteen voor die gedachte. Terwijl hij naar de palissade terugbeende waar de gehelmde boogschutters op de verschansingen stonden, vroeg hij zich af waarom de inboorlingen zo gemakkelijk door een paar wonden en het geschreeuw van hun leiders waren omgedraaid. Door het lawaai van hun eigen stormloop zouden ze de kreten immers nauwelijks hebben kunnen gehoord. Maar toen hij naar de zich terugtrekkende krijgers en hun koning achteromkeek, besefte hij dat het bereik van de kruisbogen hen de moed in de schoenen had doen zinken. Op een afstand van twee- of driehonderd passen door pijlen te worden getroffen, moest voor hen op afschuwelijke toverij hebben geleken.

En dan was er ook de felle lichtgloed van zijn kroon geweest. Zowel zij als hun koning moesten door die ogenschijnlijke magie verblind zijn geweest.

Toverij! dacht hij verbitterd. Wij hebben de genegenheid van die mensen nodig om in leven te kunnen blijven, maar we brengen hen alleen maar opnieuw met schijn-toverij in verwarring!

De soldaten binnen in het fort waren, tot het moment dat ze de moordzuchtige dreiging op Madocs gezicht zagen, een en al geestdrift. Riryd voelde onmiddellijk dat hij diep in ongenade was gevallen en zette een uitdagend gezicht.

'Hebt gij de boogschutters opdracht gegeven te schieten?' siste Madoc. 'Was het u dan niet duidelijk dat we vrede met hun koning sloten?'

'Vrede? Ik zag hem met u worstelen en daarna vielen hun krijgers aan! God in de hemel, man! Denkt ge dat ik niet om uw leven geef?'

Toen kon Madoc alles door Riryds ogen zien en hij kon hem niet veroordelen. En toen Riryd de gevolgen van zijn overhaaste bevel besefte, kon hij niet meer roemen over de kracht van de boogschutters of de zuiverheid waarmee ze konden richten. De rest van de dag werkten de mannen somber aan de stellages van hun fort. Ze wachtten vergeefs op de inboorlingen en werden na zonsondergang weer achtervolgd door het monotone tromgeroffel dat van verder stroomafwaarts klonk. Madoc lamenteerde die avond tegen Meredydd:

'O, wat had ik graag tegen die bruine koning die er zo prachtig uitzag willen roepen dat het een vergissing was en hem willen smeken om terug te komen! Iemands taal niet kennen is nog erger dan stom zijn! Meredydd, als ge ook maar één woord van mijn gevoelens aan die donkere koning had kunnen overbrengen, zou ik u datzelfde ogenblik tot mijn minister hebben gemaakt!'

'Misschien komt er nog een kans om hem te ontmoeten, milord,' zei Meredydd. Zijn hart klopte sneller. 'Ik ben bezig handgebaren van Toolakha te leren. Misschien helpt dat.'

Het was koud de volgende dag. Het stormde en regende en het half afgemaakte, omheinde dorp was algauw veranderd in een modderige zwijnestal. Met uitzondering van de groepjes jagers die er op uit moesten, voelde iedereen zich te ellendig om veel aan de inboorlingen te denken. Ze kwamen met twee herten terug en berichtten dat geen van de krijgers binnen een furlong afstand was gekomen, ook al hadden die hen voortdurend beslopen. Kennelijk waren de inboorlingen bang geweest voor de wapens die zo ver konden schieten.

Er volgden nog twee druilerige dagen met afwisselend regen en sneeuw waarop ze geen enkel teken van de inboorlingen zagen; zelfs de trommen zwegen 's avonds. De vakkundige houthakkers maakten geraamtes voor de huizen, waardoorheen de vrouwen twijgen vlochten. Toen de daken met alles, van riet tot kreupelhout en dode bladeren toe, waren afgedekt, begonnen de mensen pleisterleem te maken van modder die ze in kuilen aanlengden en bepleisterden daar de muren mee. En op het laatst stonden er huizen waarin ze een haardvuur konden stoken, hun doornatte kleren en schoeisel drogen en konden slapen zonder dat ze lagen te bibberen.

Maar zelfs dat bracht weinig vreugde, want het was bijna winter. Ze keken het spook van de honger in het aangezicht, aangezien ze zich in een grimmig land bevonden en geen graanvoorraden hadden, en er ongeziene krijgers die in vijanden waren veranderd in de bossen rondslopen.

Op de derde dag kwam de ondergaande maan kort vóór zonsopgang van achter de wolken te voorschijn. Eindelijk was er een adempauze van de troosteloze herfstregens. Nog voor het licht werd, stuurde een wachtpost Madoc bericht dat buiten, op het gekapte deel van het bos, iemand een vuur aan het maken was. Madoc kwam uit bed, klauterde naar boven en keek over het land met boomstronken heen uit.

In het zwakke licht van de morgen stonden de inheemse koning en een stuk of tien andere mannen in mantels gehuld bij een klein vuur dat op de grond vóór hen brandde. Het was precies op dezelfde plek waar ze Madoc eerder hadden ontmoet. Ze keken naar het fort en wachtten.

Madoc monterde daar helemaal van op.

'Rhys!' riep hij. Toen de soldaat eraan kwam, zei hij: 'Ze zijn teruggekomen om onze bespreking voort te zetten! Vlug, haal de bard en mijn broeder. En... ga naar mijn kleerkast en haal de met veren bezette mantel!'

Hij wachtte tot de zon boven de horizon stond en gaf toen het bevel de poorten te openen. Het was volgens hem geen inheemse truc om hem in gevaar te lokken, maar bij een nieuwe ontmoeting wilde hij wel zo machtig mogelijk overkomen. En dus droeg hij, evenals de vorige keer, zijn prinsenkroon, die zonlicht in hun ogen zou flitsen. Hij nam vijftien van zijn eersteklas soldaten mee. Dat was ongeveer alles wat hij van de zieke, uitgemergelde kolonie bij elkaar kon krijgen om in hun wapenrusting een ontzagwekkende indruk te maken. Hij had deze keer Riryd bij zich, die ook een glimmende prinsenkroon droeg. Madoc wilde dat Riryd er ook bij was, zodat deze onder de indruk zou kunnen komen van het karakter van de inheemse koning – maar tevens opdat hij de zaak niet zou verstoren zoals de vorige keer. Rhys bleef achter om het fort te bewaken.

Meredydd liep naast Madoc. Hij slikte zenuwachtig en kroop met de angst om het hart uit de veiligheid van de palissade. Met zijn zwakke, smalle gezicht en vlossige baardje kon Meredydd onmogelijk een mannelijke indruk maken, maar Madoc was van plan om de capaciteiten van de bard goed te gebruiken.

Meredydd had zijn kleine, in leder gewikkelde harp bij zich. Hij had hem meegenomen omdat Madoc vermoedde dat muziek en liederen deze inboorlingen misschien op de een of andere manier zouden kunnen betoveren. De harp zou niet meer dan schijn-toverij zijn, maar met haar geluiden zou ze waarschijnlijk wonderen bewerken. Meredydd was een onaanzienlijk man, maar hij zong als een engel. Alle tonen klonken lieflijk en klaar. Madoc dacht dat er misschien wel gelegenheid zou zijn om de bard voor de inboorlingen te laten spelen en zingen.

De belangrijkste reden dat hij Meredydd echter had meegenomen, was zijn hoop dat de bard door middel van zijn vaardigheid met woorden en zijn toenemende kennis van de gebarentaal in staat zou zijn de kloof tussen de twee talen te overbruggen en betekenissen over te brengen en er iets van te begrijpen. Meredydd was zodoende mogelijkerwijze, in ieder geval in Madocs verwachtingen, een belangrijker onderdeel van deze entourage dan zelfs zijn volledig bewapende, arrogante broer Riryd de prins.

Weer liep Madoc op zo'n manier naar de inboorlingen toe dat zijn prinsenkroon in hun gezichten flitste. Riryd deed met zijn kroon hetzelfde – een paar god-mannen waren het.

Madoc bleef voor de inheemse koning stilstaan. Diens sterke gezicht was uitdrukkingsloos. Met een weids gebaar van zijn rechterhand duidde de koning onmiddellijk het verderop gelegen bos aan. Madoc begreep hieruit dat zich daar geen krijgers verborgen hielden.

Aan weerskanten van het vuur waren verschillende huiden over takken op de grond uitgespreid. Met een gebaar nodigde de koning Madoc en Riryd uit om aan één kant te gaan zitten. Hijzelf ging met een paar van zijn mannen in kleermakerszit aan de andere kant zitten. Toen de prinsen en Meredydd zaten, knikte de koning, hoewel hij nog steeds niet glimlachte. Hij zei iets tegen een van zijn volgelingen. De man hield de huid van een klein dier met donkerbruin bont omhoog. Hij stak zijn hand aan het staarteinde naar binnen en haalde iets te voorschijn. Het bleek een versierd handvat te zijn, dat aan één uiteinde van een bewerkt stuk steen was voorzien. Daarna stak hij zijn hand in een leren zak en haalde er tussen duim en wijsvinger iets uit dat zo te zien verkruimelde, dode bladeren waren. Daarmee vulde hij een opening in de bewerkte steen. Terwijl de man hiermee bezig was, zat de koning naast hem en keek Riryd en de bard strak aan. Toen ging zijn blik weer naar Madocs gezicht. Hij wachtte. Het was een koude morgen en het kleine vuur gaf slechts weinig warmte; klaarblijkelijk was het slechts een ceremonieel vuur. Het rook geurig, naar ceder en naar een paar andere aromatische brandstoffen.

De man overhandigde het lange voorwerp aan de koning, die toen iets opmerkelijks deed. Hij bracht één eind naar zijn mond, pakte een klein stukje brandhout op en raakte daarmee het stenen uiteinde aan. Hij begon aan de steel te zuigen en ging moeiteloos staan. Toen keerde hij zijn gezicht naar het oosten, hief het voorwerp tot ooghoogte op en blies een wolk rook uit zijn mond. Daarna keerde hij zich naar het zuiden, zoog weer aan de steel, hief het voorwerp op en blies nog een wolk rook uit. Dit herhaalde hij naar het westen en noorden. Toen blies hij nog twee rookwolken uit, één naar de lucht en één naar de aarde. Voor de mannen uit Wales leek het of de man vuur at en ze waren met ontzag vervuld.

Nu draaide de koning zich naar Madoc toe en gaf hem het voorwerp over het vuur heen aan. Met een knikje gaf hij hem te kennen dat hij ook moest gaan staan.

Onhandig door zijn zware wapenrusting ging Madoc staan. Hij pakte het voorwerp aan. Een rooksliert uit het stenen uiteinde rook vol en geurig, net wierook. De koning wees naar Madocs mond en knikte. Met zijn vinger wees hij aan dat Madoc moest herhalen wat hij naar de vier windrichtingen had gedaan. Hij keek Madoc met een doordringend beroep in zijn ogen aan en knikte zo nadrukkelijk dat Madoc wist dat dit heel belangrijk was. Terwijl zijn mannen hem met open mond aanstaarden, stak Madoc de steel dus in zijn mond en ademde er met zijn gezicht naar het oosten toe heel voorzichtig door in.

De scherpe rook brandde zijn keel en longen alsof hij vuur had ingeslikt. Hij begon krampachtig te hoesten. De tranen sprongen hem in de ogen en het water liep hem uit de neus. Riryd keek doodsbenauwd. De inheemse koning en zijn mannen hielden hun hand voor hun mond om hun lachen te verbergen, maar zorgden ervoor dat ze niet hardop lachten.

Madoc voelde zich meer vernederd dan boos, alsof de inheemse koning bewezen had dat hij sterker was door met zo'n gemak vuur te eten. Op het laatst stierf Madocs hoestkramp weg, maar zijn keel voelde rauw. Hij werd er duizelig van. Maar nu gaf de koning aan dat hij zich naar het zuiden moest keren en het nog een keer doen.

Met lood in de schoenen keek Madoc in die richting en zoog de rook weer naar binnen, met dezelfde resultaten. Hij begon al te vrezen dat dit een truc was en hoorde Riryd mompelen: 'Ze zijn bezig u te vergiftigen!'

Tegen de tijd dat Madoc zijn vier keren achter de rug had, voelde hij zich zo beroerd, zo duizelig, dat hij moest gaan zitten. Zijn vingers en zijn hoofd gonsden en zijn handen waren koud en nat. Zijn snor en bakkebaarden langs zijn kin zaten vol snot en hij kon ze alleen maar aan zijn mouw schoonvegen. Hij had het gevoel of hij voor een krijgslist gevallen was en er misschien wel dood aan zou gaan.

Maar nu had de inheemse koning het rook-inademingsapparaat weer teruggepakt en gaf het aan een van zijn eigen opperhoofden door. De man gebruikte het zonder zichtbaar nadelig effect. Het was dus kennelijk toch niet dodelijk, dacht Madoc.

Toen gaf de inheemse koning de rookstok aan Riryd door en gebaarde hem dat het nu diens beurt was. Riryd keek Madoc paniekerig aan, maar Madoc kon alleen maar hoesten en zeggen: 'Als ge... weigert... denken ze... dat ge geen man zijt.'

Toen Riryd en Meredydd zich naar adem snakkend en kokhalzend door de procedure heen gewerkt hadden, besefte Madoc dat hij zich alweer beter voelde en niet echt vergiftigd was. Inmiddels lachte de inheemse koning. Hij wees naar de mantel van vogelhuiden die hij Madoc had gegeven en knikte, en knikte opnieuw van genoegen terwijl hij de blauwe kralen betastte en ze omhooghield om ze te laten zien.

'Ik denk dat hij ons heeft vergeven voor de verwondingen van zijn volk,' zei Madoc tegen Riryd en de bard. 'God zij daarvoor geloofd! Misschien beseft hij dat het een ongeluk was.'

'Of dat dit verdoemde vuur-inademen ons genoeg gestraft heeft,' raspte Riryd door zijn pijnlijke keel.

'Nou, het lijkt er anders op of wij hun ceremonie overleefd

hebben,' zei Madoc lachend om Riryds grap. 'Laten we nu eens kijken of zij tegen het zingen van onze bard kunnen.' Ook dat was een grap, want het was een genoegen om naar Meredydds stem te luisteren.

De inboorlingen keken intens nieuwsgierig toe toen Meredydd de veters losknoopte en de schaapsvacht opensloeg om het mooi gevormde, kleine instrument te onthullen. Het gelakte hout en de glimmende, koperen onderdelen glansden in het morgenlicht en Madoc kon zich slechts afvragen wat het volgens hun ongeletterde geest zou kunnen zijn.

Meredydd ging op zijn rechterknie geleund zitten, zodat zijn rechtervoet onder zijn heup stak. Zijn linkerknie hield hij rechtop, gebogen, zodat die als steun fungeerde. Liefdevol, aarzelend, legde hij zijn vingers op de strakke darmsnaren. Zijn ogen kregen die verziende, dromerige blik die altijd aan zijn muziek voorafging en de inheemse koning mompelde iets toen hij die blik zag. Madoc had die blik in de ogen van de bard altijd bijna mystiek gevonden.

Meredydd had lelijke vingers; ze waren lang, knokig, vissig wit en ogenschijnlijk zwak. Nu zagen ze ook nog zwart van het roet en waren geschaafd door het stoken van de kampvuren en het hanteren van vet vlees. De paar vingernagels die nog heel waren hadden zwarte rouwranden. Maar nu ze als spinnen in hun web op de harpsnaren stonden en begonnen te bewegen, ondergingen ze een totale verandering.

Het trillende akkoord van tonen, dat net als kleine, onzichtbare pijlen van de boog van de snaren vloog, liet de inboorlingen naar adem happen; als ze niet op de grond hadden gezeten, zouden ze misschien wel zijn weggerend, had Madoc het gevoel. Hoewel de tonen ijl klonken en in deze open ruimte onder de morgenhemel niet weergalmden, waren ze voor die oren kennelijk zo'n nieuw geluid dat het hen als toverij in de oren moet hebben geklonken.

Onmiddellijk schoven Meredydds vingers naar nieuwe posities en schoten een volgend salvo geluidspijlen, en nog een, af; toen begon hij een melodie te tokkelen. Het was niet een van de kinderliedjes die hij Gwenllian had geleerd, en ook niet een van de oude, geestelijke canto's, maar iets nieuws, heel

224

sterk en lyrisch. In Madocs oren klonk het prachtig. Voor de inheemse luisteraars was het verbazingwekkend; het leek of de pijltonen hun hart doorboorden. Madoc kon echter nog niet zeggen of dat een prettig of pijnlijk gevoel was.

En nu, terwijl ze nog versteld stonden van de ervaring van de harpmuziek, begon Meredydd met zijn heldere, hoge stem te zingen. Madoc besefte onmiddellijk dat dit de kroniek over zijn eigen leven was, het werk dat Meredydd tijdens dit lange, hachelijke avontuur met grof gemaakte pennen en eigenge- maakte inkt, zelfs het sap van bessen, had neergeschreven.

Madoc ben ik, koning Owain Gwynedds zoon.
Een grote gestalte en gratie kreeg ik mee.
Maar land noch rijkdom is mij genoeg,
Mijn zinnen staan op het bevaren van de oceaan.
Met mijn schip de *Gwenan Gorn* zette ik koers
Naar de verre zee van de Ondergaande Zon:
Maar plots kwamen gierende stormen opgezet
Die haar tuitouwen braken, haar zeilen scheurden.
Maar verder ging ik, alsnog niet ontmoedigd
Door de monsters en draken van de oceaan;
't Geloof in onze Zaligmaker hield mij staand
En stoutmoedig was mijn hart. Hoog in de lucht
Ontdekte ten slotte mijn ongekooide vogel,
Als Noachs duif, voor alle hoop vervlogen was,
dit land uit de legende, van boven uit de lucht.
Hij bracht me verder op weg naar Jargals kust
Waar mijn Lot me voor eeuwig heeft bestemd...

Meredydds zangerige stem, wonderschoon als een fluit, hield de inboorlingen als aan de grond genageld. Even intens als ze naar de fantastische dans van zijn vingers op de harpsnaren keken, lazen ze de Welse woorden van zijn lippen en tong. Madoc was verrukt van dit nauwe contact tussen zanger en toehoorders. Het ontroerde hem tot in het diepst van zijn ziel. Hij boog zich voorover en legde zijn hand op Riryds pols.

'We hebben hen voor ons gewonnen,' zei hij.

5 *Vallei van de Ten-nes-see*
1175 A.D.

Madoc plukte peinzend aan zijn grijzende bakkebaarden en keek naar de metselspecie van de steenhouwer in de laatste deksteen van het laatste bastion van zijn kasteel. Eindelijk stond er een kasteel in het nieuwe land van Wales!

Dolwyddelan, dacht hij met een diepe zucht. Mijn zoon wordt in het kasteel Dolwyddelan geboren! Zoals ik een halve wereld hiervandaan ook in kasteel Dolwyddelan ben geboren!

Madoc stond boven op de muur. Hij draaide zich langzaam om, en inspecteerde zijn kasteel en zijn koninkrijk eromheen. Het panorama was adembenemend. Een warme zomerwind beroerde de boomtoppen ver beneden in de rivierdalen. Zo'n honderd el lager kromden de ziedende stroomversnellingen van de smalle rivier, die zijn oorsprong zo'n zestig mijl ten zuiden langs de rotsrand van de Long Mountain had, zich om de onderkant van de bijna verticale rotswand heen. Er bevonden zich draaikolken en poelen kristalhelder water in die stroomversnellingen, die zo kalm waren, dat zelfs kinderen erin konden baden. Ook op dit moment kon hij ver daarbeneden, zo ver dat het net insekten leken, de naakte, koperkleurige lichamen van enkele tientallen inheemse vrouwen en hun half-Welse kinderen onderscheiden. Het was de eerste generatie van het gemengde ras waarover hij in die wanhopige dagen van hun grote trek had gedroomd.

Na vier jaar vermenging van de twee rassen had Madoc gehoopt dat er meer kinderen van gemengd bloed zouden zijn dan er nu waren. Slechts een paar van de nieuwgeboren baby's hadden de kleuterjaren overleefd en honderden inheemse moeders waren tijdens hun zwangerschap overleden. Zelfs mannen en jongens van de inheemse stam waren die eerste twee jaar van hun vermaagschapping met Madoc aan verschrikkelijke ziekten overleden. Zelfs hun koning was ernstig ziek geworden en had bijna het leven erbij ingeschoten. Maar zijn volk had zangers en genezers. De koning was in leven gebleven en had zijn kracht herwonnen. Hij had een eed van trouw aan Madoc gezworen, en zijn woord gestand gedaan. Openlijk, gretig geslachtsverkeer tussen de twee volkeren was aangemoedigd, en de bevolking was toegenomen. Deze in leven gebleven kinderen van die eerste generatie vormden het begin van een werkende, dienende klasse. Zij, en op hun beurt hun kinderen, zouden in hun jonge jaren beroepen als smid, metselaar, mijnwerker en timmerman leren. Naarmate Madocs koninkrijk zich uitbreidde, zouden zij de bouwers van andere kastelen worden. Madoc had zijn beste blanke Welse mannen tot leenmannen bevorderd en in zijn groter wordende rijk hielpen zij zijn gezag afdwingen. Madoc beschouwde zichzelf nog steeds als prins, maar hij regeerde nu over een gebied dat even groot was als zijn vaders koninkrijk in Cambrië. Voor zijn onderdanen, Wels en inheems, was Madoc koning.

Binnen de kasteelmuren lag een hectare land met een goede afwatering. Er waren huizen en straten en er stond een herenhuis met twee verdiepingen voor zijn eigen gezin en nog een herenhuis voor Riryd met diens gezin. Voor de koningen en opperhoofden van de inheemse bevolking, die zichzelf Tsoya-ha Euchee noemden, dat Meredydd, de bard, vertaald had met 'Kinderen van de Zon van Ver Hiervandaan', was er ook een aantal huizen binnen de muren gebouwd. Hun stamkoning en liefhebber van de muziek van de Keltische zanger was Zon Arend, die vier jaar geleden plechtig de pijp met de prinsen had gerookt, en op een open plek in het bos buiten Madocs houten versterking, dertig mijl stroomopwaarts naar het noordoosten, naar Meredydds lied had geluisterd. De verzwagering die op die dag tussen de zonen van Owain Gwynedd en de Euchee was begonnen, had Madocs kolonie doen bloeien. Sindsdien had Madocs volk geen honger geleden of was het in de bergen de weg kwijtgeraakt. Zon Arends onderdanen hadden hen te eten gegeven en hen alles bijgebracht over het jagen, verbouwen, oogsten, verzamelen en bewaren van voedsel in dit land. Ze hadden hen ook wortels, boombast en bladeren laten zien die gebruikt konden worden om wonden en slangebeten te genezen, en zelfs pijn konden verlichten. Ze hadden de mannen uit Wales geleerd om als bescherming tegen de waanzinnig makende insekten in de zomer hun huid in te smeren met vet dat naar kruiden rook. De inheemse jagers hadden de jagers uit Wales geleerd effectiever naar wild te zoeken, het te besluipen en te doden; strikken en vallen op te zetten; vis in visweren te verschalken; en om, indien dat nodig mocht zijn, zelfs zonder vishaken of netten, met blote handen, te gaan vissen. En ze hadden hen geleerd wat een innig genot het roken van de pijp verschafte, het instrument dat de vriendschap van hun koningen had bezegeld: zowel in ceremoniën als voor hun genoegen zogen ze de geurige rook van tabak, sumak, rode wilgebast en hennep in.

Madoc, die nu boven op zijn kasteelmuur stond terwijl Annesta in een kamer van hun herenhuis beneden in barensweeën lag, kon langs de rivier ver onder zich nog een van de wonderbaarlijke voedselvoorraden zien die de Euchee zijn mensen hadden gegeven: op alle open plekken en moerassige plaatsen groeiden de geelgroene stengels van het graan dat zij *meejep* noemden. Het had een hard vlies, was goed houdbaar en voedzaam, en vormde als zodanig een soort rijkdom. De graanschuur van het kasteel lag er vol mee. Het kon alle kolonisten tijdens de winters, ook wanneer de jacht geen succes had, van voedsel voorzien. De Euchee hadden de Welse vrouwen ook tal van smakelijke methoden om het te bereiden en op te dienen geleerd. De vorige winter was er een overschot van het graan geweest, en een van Madocs leenmannen had er een puree van laten fermenteren en daar een heel smakelijk soort licht bier van gemaakt. Dat was zo welkom geweest, dat de prinsen dit jaar een deel van de *meejep*-oogst voor het brouwen van bier hadden gereserveerd.

En in die vier jaar met de Tsoyaha Euchee was de handel met de omringende stammen voor de mannen uit Wales van start gegaan en breidde zich nog elk jaar uit. Afgezanten van veraf wonende stammen hadden bijna alles over voor de blauwe, Welse kralen, die zij 'Kleine Nachtelijke Luchten' noemden. Er was zoveel vraag naar die kralen, ook van de kant van de Euchee, dat één gezin van Welse glasmakers de beschikking over een oven kreeg om ze te gaan vervaardigen. Ze kregen daarbij het bevel dat ze het proces zelfs voor de Euchee geheim moesten houden, zodat het groeiende vermogen dat van de blauwe kralen afkomstig was, altijd bij de mensen uit Wales zou blijven.

Evenzeer als de faam van de 'Kleine Nachtelijke Luchten' zich had verspreid, had de vermaardheid van Madocs metaalsmeden als een magneet handelaars en bewonderaars van omliggende stammen aangetrokken en nog meer rijkdom gebracht.

Madoc slenterde nu even zelfverzekerd alsof het een pad over de grond was boven over de hoge kasteelmuur, ook al liep de muur zelf, en daarna de rotswand daaronder, zo steil naar beneden dat een misstap hem een doodval op de keien in de rivier zou hebben bezorgd. Zo stevig verankerd voelde Madoc zich op de top van de wereld, dat hij de hoogte nu als nooit te voren riskeerde. Die stimuleerde hem zelfs.

'Geef dat stuk gereedschap eens aan,' zei Madoc tegen de steenhouwer die boven op een steiger binnen de muur stond waaraan hij zoëven de laatste hand had gelegd. De man reikte hem een spits toelopende troffel aan, waarvan hij zojuist de metselspecie had afgeveegd. De steenhouwer was duidelijk beangst door de roekeloosheid van zijn meester. Hij zei:

'Mag ik u vragen om niet op de plek die ik zojuist heb gedaan te lopen, majesteit? De metselspecie is nog niet hard geworden, en de deksteen zou u niet houden!'

'O, ja, natuurlijk.' Madoc wervelde rond. Hij hield de troffel hoog boven zijn hoofd, en zijn zware basstem maakte dat de mensen in het kasteel omhoogkeken.

'Een offer van ijzer, aan de almachtige God die ons van stormen en overstromingen heeft verlost, en ons hierheen heeft geleid om een koninkrijk te stichten!' Hij wierp het gereedschap ver over de kloof heen. De beweging kostte hem bijna zijn evenwicht, maar hij kon zich staande houden en keek naar de troffel die draaide en viel, draaide en viel, tot hij in het schuim van de snelstromende rivier ver daaronder verdween. Hij draaide zich om, en toen hij de geschokte uitdrukking op het gezicht van de steenhouwer zag, zei hij: 'Ja, ijzer is schaars. Maar onze Heer heeft niet veel op met een offer dat je gemakkelijk kunt brengen.' Hij knielde neer en legde een grote hand op de schouder van de steenhouwer. 'Uw ijzeren gereedschap in het water zal ons helpen om ergens in deze bergen ijzererts te vinden. Daar twijfel ik niet aan, mijn beste. De inboorlingen brengen ons kleine beetjes erts – ijzer, koper, tin – en we komen er nog wel achter waar dat vandaan komt. Dank u voor uw uitstekende werk en dank u voor dat stuk gereedschap. Ha! Het is een grote dag! Het kasteel Dolwyddelan is klaar!'

De steenhouwer keek verbijsterd en opgetogen tegelijk bij deze vrolijke toespraak van zijn vorst. Stotterend antwoordde hij: 'Majesteit, ik... ik bied u mijn schouder aan om op te leunen als ge naar beneden zoudt willen klimmen.' Tot grote opluchting van de werkman klauterde Madoc inderdaad van zijn hachelijke plaats naar beneden. Maar hij bleef een tijdje op de steiger staan en tuurde met zijn armen op de muur geleund naar het noorden, naar het diepe, steile dal van de grote rivier waarin het kleine, snelle riviertje uitmondde. De grote rivier werd door de inboorlingen de Ten-nes-see genoemd. Op de oever van deze rivier had Madoc vlak bij Zon Arends stad zijn winterkamp opgezet en het volgende voorjaar was hij met zijn mensen afgezakt, op zoek naar een perfecte plaats voor een kasteel. Die had hij hier gevonden, op deze uitstekende rots die geflankeerd werd door een waterval. En ook al was Madoc door de bouw van Dolwyddelan verankerd, toch had hij erover zitten mijmeren om op een goede dag de Ten-nes-see tot de monding af te zakken. Meredydd, de bard, had de loop van de rivier voor hem beschreven, en het op zijn beurt weer van de inheemse handelaars en opperhoofden gehoord. Het vormde brandstof voor Madocs zwerflust, zoals eens de Mare Atlanticum en de legende van Jargal ook waren geweest. Onder Dolwyddelan langs, zeiden de inboorlingen, stroomde de rivier door bergketens en vervolgens door plateaus en bossen zo'n zeshonderd mijl naar het noordwesten, en werd steeds dieper en breder, tot hij in een grotere, naar het westen stromende rivier uitkwam. Deze kwam al heel snel weer uit in de grootste rivier van allemaal, die een heel, heel lange tijd naar het zuiden stroomde, naar een zee die altijd warm was omdat die zo dicht bij de zon lag.

Langs deze grote rivieren hadden honderden, honderden en nog eens honderden mensen van vele stammen gewoond. Ze voeren in lange boten en dreven handel met elkaar. Ze bouwden heuvels van aarde, met tempels erbovenop, zoals Madoc in de laaglanden van het zuiden had gezien. Zon Arend had gezegd dat deze heuvelbouwers even talrijk als de bladeren aan een boom waren.

Voor al deze kennis, hoe vaag ook, was Madoc zeer verplicht aan Meredydd, de bard, en zijn bijzit. Zij had de bard geleerd hoe hij door middel van handgebaren kon spreken. En het verbazingwekkende was dat bijna alle indianenstammen die taal begrepen, hoezeer ook hun gesproken taal verschilde. Zij had hem ook de taal van haar eigen volk, die de Coo-thah heetten, geleerd. Meredydd had haar weer zoveel Wels geleerd dat zij zich verstaanbaar kon maken – hoewel ze, behalve tegen Meredydd en Gwenllian, nog steeds nauwelijks tegen iemand wilde praten. Het leek wel of ze voor alle andere mensen uit Wales, met inbegrip van Madoc en Riryd met hun echtgenotes, boosheid en minachting voelde. Ze was inderdaad zo afstandelijk en onbeleefd tegen haar meesters, dat Madoc haar soms wel over de steile rotswand kon gooien. Maar dat kon hij uiteraard niet doen, omdat zij de sleutel tot praktisch alle communicatie met de inheemse volkeren was – en omdat ze Meredydds grote liefde was, een liefde waardoor de kleine dichter was opgebloeid, en misschien wel de slimste man in Madocs hele kolonie was geworden. Bovendien was Madocs eigen dochter Gwenllian dol op Dochter van de Aarde. Gwenllian, Meredydd en Dochter van de Aarde waren net een apart gezinnetje geworden. Meestal zaten ze bij elkaar in een kamer met de bijbel, het bestiarium, de harp en Meredydds met de hand beschreven vellen velijn.

Madoc liet het uitzicht achter zich en keek neer op zijn kasteel, dat zoals gewoonlijk overstroomde met mensen, stemmen, stof, beweging: ambachtslieden die aan het werk waren, timmerlieden die aan het bouwen waren, kinderen met blanke en met bruine huiden die rondrenden en speelden, Eucheemannen en -vrouwen die zaten te praten, te eten en te handelen. Madoc zag onder zijn steiger drie jonge Euchee-vrouwen de binnenplaats oversteken met mandenvol knollen en bonen op hun hoofd gebalanceerd, met als enige kledij hun sieraden. De ongegeneerde naaktheid van de Euchee-vrouwen beroerde en verontrustte Madoc. Hij hield nog steeds met de meest idealistische toewijding van Annesta, maar ze raakte nu aan het einde van haar zwangerschap. Madoc, die in de bloei van zijn leven was, betrapte zich er soms op dat hij naar deze vrolijke, wulpse inheemse vrouwen keek en zijn mannelijke onderdanen, die hij had aangemoedigd om vrijelijk geslachtsverkeer met hen te beoefenen, benijdde.

Toen Madoc voor het eerst oog had geslagen op de inheemse bevolking van dit land, had hij gehoopt dat ze onderricht uit het Woord van God zouden krijgen. Maar dat doel scheen langzaam maar zeker steeds verder weg komen te liggen. Sinds de priesters bij de orkaan waren omgekomen had de kolonie het zonder geestelijk roer moeten stellen. Zelfs Sir Meredydd, zijn minister en de belangrijkste leermeester van het koninkrijk, leefde samen met een inheemse vrouw, die boven haar middel slechts kettingen wilde dragen.

Maar de hemel zij daarvoor dank, bracht Madoc zich soms in herinnering. Zonder die vrouw, zouden wij waarschijnlijk nog steeds tegen Zon Arend proberen te praten door te wijzen, te knikken en als vissen naar lucht te happen!

Maar toch, dacht hij dan, heb ik een man tot ridder geslagen die met een naakte heidin in bed ligt.

Madoc en Annesta hadden een paar keer gepraat over de onbetamelijkheid van de vrouw. 'Hebben wij het recht om hen schaamte te leren?' had hij haar gevraagd. 'Het lijkt of deze mensen nog steeds in Eden verkeren!'

En Annesta had zich afgevraagd: 'Denkt ge dat het *geen* kinderen van Adam zijn? Ik vrees dat ik ketters klink door dat

232

te vragen, maar zouden zij soms apart zijn geschapen, en de vrucht der kennis van goed en kwaad niet hebben gesmaakt?'

Madoc had vaak over die vragen nagedacht. De Schrift leerde dat Eden aan de andere kant van de oceaan lag. Hoe hadden Kinderen van Adam hierheen kunnen komen?

Dit is een Eden en deze mensen verkeren nog in de toestand van onschuld, dacht hij. Was deze kant van de wereld, Jargal, misschien een andere schepping geweest?

Wat de antwoorden ook waren, hij geloofde dat Jargal een waar paradijs was. Hij draaide zich om en keek naar het zuiden. Over de kasteelmuur heen, over de rand van de smalle stroombedding heen, rees de ijle mist op die je meestal boven de waterval iets stroomopwaarts kon zien. Gebouwd op deze hoge, rotsige top, met aan alle kanten diepe afgronden, lag onneembaar Madocs kasteel Dolwyddelan. Aanvallers die op de poort afkwamen, moesten achter elkaar in de rij omhoog klauteren langs een steil rotspad, dat zich zo'n zeventig el boven de rivier tussen twee natuurlijke monolieten door wurmde. In de rotswand, grenzend aan die krappe passage, waren ruimten voor wachtposten uitgehouwen die zo groot waren dat ze toch wel zo'n twintig Welse soldaten konden bergen – voldoende om een strijdmacht van duizenden soldaten af te weren, dacht Madoc. Ja, Jargal leek net een paradijs. Madocs geboorteland Cambrië had ook net een paradijs geleken, maar dat was een bloedig, boos land geworden. Je moest vertrouwen stellen op Gods bescherming, maar ook zelf middelen ter hand nemen om het volk te beschermen.

Gwenllian en Dochter van de Aarde probeerden in hun studiekamer hun leeslessen te doen. Vanwege het geluid van Annesta's martelende barensweeën, dat vanuit de kamer ernaast duidelijk hoorbaar was, kostte het hen echter moeite zich te concentreren. Gwenllians hart raasde van spanning; soms klonken de kreten van pijn zo verschrikkelijk dat de tranen haar in de ogen sprongen.

Dochter van de Aarde had ook last van de geluiden, maar op een andere manier. Op het laatst keek ze boos in de richting van de deur en mompelde: 'Koningin niet zoveel pijn als ze overeind komt wanneer ze haar dat zeggen. O, natuurlijk heeft een moeder pijn als ze probeert op haar rug te baren! Hnh!' Dochter van de Aarde was bij Annesta en de vroedvrouwen in de kamer geweest, en wist wat er gaande was.

Meredydd keek op van zijn schrijftafel en zei met een beweging van zijn ganzepen: 'Ik heb je gezegd dat een koningin de koning geen erfgenaam geeft terwijl ze neerhurkt alsof ze zich ontlast!'

'Maar ze bezorgt zich nu zoveel pijn!' zei Toolakha. 'Dingen vallen niet naar *boven*! Zelfs baby's die later koning worden vallen niet naar boven! Hnh!'

Meredydd keek met zowel bewondering als ergernis naar zijn vrouw, terwijl Gwenllian haar bij haar woorden alleen maar verbaasd aanstaarde. Meredydd en Gwenllian leefden in vrees dat ze innerlijk nog steeds zo wild was, en zo boos op de blanke mensen was, dat ze op een goede dag zomaar zou verdwijnen en terug zou vluchten naar het leven waaruit ze vijf jaar geleden was ontvoerd. Die vrees hadden Meredydd en Gwenllian nog nooit tegen elkaar uitgesproken, maar die leefde wel in hen beiden. Dochter van de Aarde was een goede maîtresse en een opmerkelijke leerlinge en zeer beslist de enige wilde op dit continent die in staat bleek te zijn om Wels te lezen. Maar haar de Welse taal bijbrengen bleek nog wel iets anders te zijn dan haar Wels te laten denken of voelen. Gwenllian vond haar nog steeds net een gekooide vogel.

Meredydd had Dochter van de Aarde om een heel complex van redenen nodig. Zij had van hem een gelukkig, belangrijk man gemaakt doordat ze hem haar genegenheid en liefde had gegeven. Maar zij was tevens het venster naar de ziel van de inheemse volkeren en hij leerde van haar altijd evenveel als zij van hem. Hoewel zij geen Euchee uit de bergen was, maar een Coo-thah van de kust in het zuiden, begreep ze wat voor de mensen van de indianenstammen belangrijk was. Meredydd had, als Madocs minister, wonderen verricht als ambassadeur en tolk tussen de mensen uit Wales en de Euchee, maar hij betwijfelde ten zeerste of hij dat ooit zo goed had kunnen doen zonder de inzichten en interpretaties die zij hem gaf. Zon Arend, de oude Tsoyaha Euchee-koning, woonde in een stenen huis in het kasteel en deed alles wat Madoc van hem verlangde. Hij was geen vrije koning van een vrij volk meer, alleen nog maar een eerbiedwaardige oude man die een jonge koning met baard, die hem jaren geleden met blauwe kralen en een glinsterende helm had betoverd, aanbad. Dochter van de Aarde scheen een speciaal soort minachting voor de bejaarde Zon Arend te hebben, die niet slechts zijn hele volk aan de bleekgezichten had overgegeven, maar nog niet eens had geprobeerd de taal van zijn nieuwe meesters te leren.

In de stenen gang kwam het geluid van zware voetstappen dichterbij. Een leenman verscheen in de deuropening. 'Sire,' zei hij tegen Meredydd, 'u bent in de Grote Hal ontboden. Er zijn mannen van een onbekende stam gekomen. U wordt verzocht om haar...' Zijn hoofd ging in Toolakha's richting omdat hij niet wist hoe hij haar moest noemen, 'mee te nemen.'

Terwijl ze zich klaarmaakten om naar beneden te gaan, nam Gwenllian Dochter van de Aarde apart en vroeg haar: 'Hoe komt het dat je zo vast en zeker beter dan mijn moeder weet hoe het voelt, neerhurken of in bed liggen?'

'Toolakha is ook moeder geweest. Voordat jullie kwamen en ons gevangennamen, had zij een klein zoontje. Ik heb mijn zoon hurkend ter wereld gebracht, zodat hij naar beneden, en niet *omhoog*, kon vallen.'

Gwenllians ogen werden groter. 'Waar... wat is er van je zoon geworden?'

Toolakha's oogleden werden hard en haar neusvleugels trilden woest bij de gedachte aan die dag. 'Toen jullie, mensen uit Wales, ons die dag bij de rivier vingen... heb ik echtgenoot van mij boven, bij de bomen, gezien. Hij heeft ons kleine jongetje gered en is gevlucht. Nu zijn ze vast dood.'

'Waarom?' riep Gwenllian uit, haar mond als een bloemknop, de tranen hoog bij de gedachte aan zo'n triest gebeuren. 'Waarom denk je dat?'

Dochter van de Aarde keek neer en perste haar lippen op elkaar. 'In mijn dorp was iedereen die we zagen dood, weet je nog wel?'

De aanblik van de zes reizigers maakte evenveel indruk op Madoc als de Grote Hal van zijn kasteel op hen.

De mannen waren ziek, weerzinwekkend ziek, te ver heen voor medelijden. Hoewel ze zich met waardigheid naar zijn troon lieten begeleiden, waren ze sterk vermagerd en hun lichamen en monden zaten vol etterende zweren. Hele plukken haar waren uitgevallen, twee mannen leken halfblind en verschillenden hadden trillende handen. Ze wisten dat ze stumpers waren en wilden de leenman-krijgslieden die met hun wapenschilden langs beide muren stonden opgesteld, of oude Zon Arend, die links van Madoc op een kussen van bontvellen zat, niet in de ogen kijken. Naast Madoc stond Sir Meredydd, de minister. Diens bijzit, Dochter van de Aarde, stond naast hem en ze kampte met meer emotie dan ze sinds die dag, alweer zo lang geleden, dat ze haar vinger bij de berg graven had afgebeten, had getoond. *'Coo-thah!'* fluisterde ze. 'Mijn Volk!'

Het was een slecht begin toen Madoc en Riryd vanwege hun lepreuze verschijning beleefd weigerden een gemeenschappelijke raadspijp met de bezoekers te roken. En de Coo-thah leken zo verschrikkelijk onder de indruk van de weergalmende somberheid van de spelonkachtige hal, dat zij nauwelijks woorden konden vinden. Ten slotte zei een van hen met handgebaren dat het niet goed was dat zich een vrouw in een raad van mannen bevond. Verbaasd hoorden zij haar in hun eigen taal uitleggen: 'Beschouw mij hier niet als een vrouw in deze raad van dorpshoofden en koningen; ik ben slechts een spreekbuis waar woorden tussen monden en oren doorheen gaan. Mijn lied is het uwe, uw woorden zijn van mij. Spreek via mij als door een spreekbuis tegen deze reus van een koning met geel gezichtshaar, en hij zal u verstaan.'

Toen Meredydd Madoc vertelde wat zij tegen hen had gezegd, had dat zijn instemming. Hij knikte, en wees met zijn vinger tussen de mannen en Dochter van de Aarde.

Ten slotte duwden de Coo-thah een van hun mensen naar voren om het woord voor hen te voeren en met een stem die hees was geworden door ziekten, en met vele onderbrekingen om adem te halen, begon hij zijn smartelijke relaas, dat door Toolakha in het Wels werd vertaald:

'Wij danken de Schepper dat hij ons bij elkaar heeft gebracht, zodat wij deze dingen mogen zeggen. Wij spreken in waarheid en vragen de koning met haar-op-zijn-gezicht om met zijn oren en zijn hart open naar ons te luisteren.

Wij zijn het Coo-thah-volk. We zijn nog maar met weinigen. Eens waren we even talrijk als de bladeren in het bos. Onze steden lagen naast de rivier die u op weg naar de bergen passeerde. U zag de tempelheuvels die we maakten toen we nog met velen waren. Onze wegen leidden naar Eh-to-ah, Grote Tempel Plaats, en weer terug, en er helemaal omheen.'

Meredydd luisterde intens naar deze eerste uitleg van wie zij waren. Dit was een uitweiding vooraf, wist hij. Hij hoopte dat er later nog tijd zou zijn om meer details van hun beschaving te leren, die klaarblijkelijk veel groter was geweest dan de Euchee hem hadden doen geloven. Toolakha had bedekt te kennen gegeven dat haar volk deel uitmaakte van een grote kring van volkeren, maar hij had aangenomen dat zij eenvoudigweg het mensdom op dit continent bedoelde. Nu ging ze verder met het vertalen van de woorden van de zieke man:

'Zes zomers geleden zagen we uw grote, gevleugelde kano's komen. Wij verborgen ons om af te wachten. Toen uw krijgers enkelen van ons vingen' – hier beefde Toolakha's stem en even zweeg ze bij de herinnering – 'zeiden wij: "Dit zijn gevaarlijke mannen," en we bekeken u vanuit de verte. Een vrouw die u te pakken kreeg kon zich onmiddellijk uit de voeten maken. Zij kwam ons vertellen dat u slecht was, en wij geloofden haar. Dus kwamen we niet naar u toe om kennis te maken, ook al bouwde u uw stad bij de monding van de Coo-thah, waar wij altijd visten.'

Madoc sloot zijn ogen en knikte. Hij herinnerde zich het beeld van de gouden vrouw, die van de zijkant van de *Gwenan Gorn* naar beneden was gesprongen, het beeld dat zo vaak in zijn dromen was teruggekomen.

'Daarna,' ging de Coo-thah verder, 'ontsnapten twee van onze oudsten en kwamen de rivier op om ons te vertellen dat u hen in kooien had gehouden zoals kinderen vogels houden.

Deze oudsten waren vol geesten van ziekte. Uit alle holten van hun hoofd en lichaam lekte smerig water en ze vonden de dood door verdroging.

En toen,' ging hij verder, en zijn stem verhief zich jammerend terwijl de tranen hem uit de ogen stroomden, 'snelde er een grote wind des doods onder al onze volkeren!' Madoc dacht in eerste instantie dat de man het over de orkaan had, maar hij ging verder: 'Allemaal leden ze verschrikkelijke pijn! Allemaal stortten ze smerig water uit tot ze helemaal gerimpeld opdroogden en dood waren, net als de twee oudsten, en onze ogen zonken in onze hoofden weg! Onze mensen stierven sneller dan we ze konden begraven! We vluchtten uit onze dorpen weg en nog veel meer mensen stierven in de bossen! We dachten dat uw god ons strafte omdat we een paar van uw viervoeters hadden gedood om te eten –'

'Aha! Hoor eens!' riep Riryd. 'Dus het waren toch niet uitsluitend wolven, en leeuwen, en moerasdraken die onze schapen en varkens stalen!'

De Coo-thah wachtte zwijgend tot Madoc hem met een grimmige lach door middel van een handgebaar te kennen gaf dat hij kon verder gaan. Maar op datzelfde ogenblik liet Toolakha op ondervragende toon een stroom van woorden op de Coo-thah los. Hij wachtte een hele tijd en bleef heen en weer wiegend staan na te denken. Toen gaf hij haar zachtjes, in een paar woorden, antwoord. Ze kneep haar ogen stijf dicht en bleef zo minutenlang, met gebogen hoofd, zitten. Ze huilde geluidloos. Na een poosje vroeg Meredydd of ze verder kon gaan. Ze knikte en keek toen Meredydd met haar vochtige ogen aan terwijl ze hem de verklaring gaf die hij had verwacht. 'Van mijn familie is niemand over. Allemaal naar de Wereld aan de Andere Zijde gegaan, mijn echtgenoot, zoon, broers... vader en moeder... allemaal weg, door ziekte!' En toen voegde ze er iets aan toe dat hij niet had verwacht: 'Allemaal weg, door ziekte van bleekgezichten van jullie Wales-land!'

'Wat? Zwijg, ellendige vrouw!' bulderde Madoc opeens. 'Bard, uw bijzit heeft een boze tong!'

En voor één keer was Riryds verontwaardiging hetzelfde gericht als die van zijn broer. 'Ziekte van *haar* volk, niet van onze mensen!' grauwde hij. 'Haar volk is geteisterd, niet dat van ons! Snoer uw naakte slet de mond, bard!'

Meredydd kroop bij al deze koninklijke woede ineen, maar dacht als een razende na. De afgezanten van de Coo-thah gingen beschermend bij elkaar staan en keken om zich heen terwijl de luide stemmen van de prinsen in de stenen hal weergalmden en de twaalf leenmannen bromden en hun wapenrusting als reactie op hun woede verplaatsten. 'Majesteiten! Majesteiten!' riep Meredydd. 'Onze tolk is uitzinnig! Ze hoort zojuist voor het eerst van deze tragedie! Wees haar genadig, smeek ik u, heren! Als de donderwolken van uw ongenade niet boven haar hoofd rommelden, zou ze u mogelijk wel haar verontschuldigingen aanbieden voor hetgeen zij heeft gezegd!' En terwijl de uitbarsting van woede bedaarde, boog hij zich naar haar over en smeekte haar om dat in haar eigen belang te doen.

In plaats daarvan ging Toolakha staan en keek de prinsen boos aan. Hoewel ze ertoe was overgehaald om als lid van het gevolg op het kasteel meer dan alleen een lendendoek te dragen, kleedde ze zich nog steeds slechts in een heuprokje en halskettingen en de bedekking die haar waterval van ravezwarte haren vormde. Maar nog steeds leek ze te primitief en te wild om de twee prinsen in hun eigen hofhouding recht in de ogen te kijken. Beiden wisten uiteraard dat ze kon lezen, iets dat niet één leenman beheerste, en dat zij en Meredydd de sleutel tot alle handel met de indianenstammen vormden. Maar toch was de vrijpostigheid van deze bijzit op blote voeten en met blote borsten bijna ondraaglijk, met name voor Riryd die in dit vreemde, oneigen land praktisch niets naar zijn zin vond.

'Heren,' zei Toolakha, 'de Coo-thah zijn al heel lang hier; u zou de generaties niet eens kunnen tellen. Altijd kunnen zij geesten van ziekte genezen. Zij kennen alle ziekten die hier waren.

En dan komt u, allemaal smerige mensen die met uw viervoeters onder één dak wonen. Vangen mij en oudste mannen, en zetten ons als vogels in een kooi. Ik voel uw kleine bijters overal op mijn huid. Wat u eet is te oud, is als wat er uit een zieke maag naar boven komt. Al heel gauw ben ik ziek, zijn oude mannen ziek, allemaal zo ziek dat ik door de zon heen ga. Maar ik ben jong en sterk. Ik wil leven en mijn kind weerzien, dus leef ik! Deze man de bard is goed voor mij en hij komt in mijn geest met woorden zodat we beiden weten. En leert me om de zwijgende woorden in de boeken te lezen, zodat ik, in mijn geest, ook naar uw land kan gaan. Maar alle anderen van mijn Coo-thah, ach, nee! Via uw varken-dieren, of uw schaapdieren, of de rat-dieren, of de zieke, oude mannen die zijn ontvlucht, is uw ziekte uit Wales door alle Coo-thah gegaan en bijna iedereen sterft! Mijn echtgenoot, mijn kleine jongen, iedereen van mijn bloed sterft aan uw ziekte uit Wales.' Ze was vol vuur begonnen, en eindigde zacht. Maar Riryd sprong overeind. Met op zijn wangen een kleur van woede wees hij in haar richting.

'Dat is onzin! Dat is roddel tegen ons, mensen uit Wales! Deze heidense slet beschuldigt christelijke mensen! Als het een Welse ziekte is, hoe komt het dan dat onze mensen gezond blijven en haar heidense volk geteisterd wordt? Bij God, laat ze daar eens antwoord op geven!'

'Broeder, ga zitten en kalmeer,' baste Madoc. 'Het is niet gepast dat een prins van Wales kibbelt en met de vinger naar een wilde wijst. We hebben hier afgezanten, onze Eucheekoning en al onze leenmannen. Ga in godsnaam zitten, heethoofd, en gedraag u fatsoenlijk.' Madocs lippen waren hard en zijn tanden knersten op elkaar, maar hij probeerde zelf kalm te lijken. De beschuldigingen die zij echter over deze pestilentie had gemaakt verontrustten hem. Hij had de Griekse heelmeesters en geschiedkundigen uit het verleden bestudeerd en wist dat pestilentiën vaak op invasies door legers van elders waren gevolgd. Hij herinnerde zich ook dat kort nadat hij met zijn mensen uit Wales in dit dal was aangekomen, grote aantallen van het volk van Zon Arend ten prooi waren gevallen aan koorts gepaard gaande met braken en een melkachtige buikloop, en daaraan waren overleden. Riryd keek Toolakha nog een lang, uitdagend ogenblik dreigend aan en ging toen weer op zijn troon zitten. Hij laaide nog steeds van woede. Het koude zweet was Meredydd uitgebroken. Zijn gezicht glom ervan. Madoc zei: 'Laat deze uitbarsting vergeten zijn. Meredydd, mijn heer, draag uw helpster op dat ze in het vervolg haar persoon niet ongevraagd in mannelijke besprekingen op de voorgrond dringt; zij is hier slechts met ons verlof omdat zij de taal van de Coo-thah kan overbrengen en ik wil dat deze stumpers verder gaan met hun relaas.' Daarbij keek hij Toolakha aan en zei: 'Laat hen verder gaan.'

De woordvoerder van de Coo-thah ging een tijdje bij zijn kameraden te rade en vervolgde toen zijn verhaal. 'De Grote Zeewind blies uw huizen en muren om en verwoestte uw grote vleugelboten. Spoedig daarna kwam u met uw kleine boten van huid in het water langs de Coo-thah, weet u het nog? Met mannen die een huis trokken dat op hoepels rolde en schreeuwde als een panter. U kwam door onze steden en reet de graven van onze vele doden open. Wij dachten dat uw geesten u daarvoor zouden vernietigen. Maar we keken toe en dat deden ze niet. Toen hadden we nog grotere angst voor u en zeiden: "Hun geesten die hen beschermen zijn sterker dan onze geesten." Onze oude sjamaan heeft over u gedroomd en vertelde ons dat u goden waart. En dus vluchtten we voor u weg terwijl u verder ging. Vanwege de Wind des Doods die al eerder had rondgewaard, waren we nog maar met weinigen en wij, die nog leefden, waren deemoedig en niet sterk. Ja, we vluchtten voor u uit en keerden pas naar onze steden terug als u ze gepasseerd had. Toen gebeurde het volgende:

In onze laatste stad, de stad die het meest noordelijk ligt, vonden we bij onze terugkeer een Beer-God. Hij zag eruit als een man met een witte huid, maar hij was bedekt met zwart haar. Hij had een magisch, ondraaglijk geluid bij zich waarmee hij zich meester maakte van de macht van onze koning. Die Beer-God werd de heerser van dat dorp en daarna van een volgend dorp, net zolang tot hij de macht langs de hele Coo-thah had...'

Aandachtig luisterend en volkomen verbijsterd, bogen Madoc en Riryd zich op hun troon voorover. De Coo-thah ging verder:

'Wij geloofden dat die Beer-God een van u was. Wij vreesden hem vanwege dat magische geluid en omdat we dachten dat hij misschien boos zou worden en de rest van ons weer ziek zou maken. Maar al spoedig vertelde de Beer-God waarom hij was gekomen. Hij zou geen streng vorst voor ons zijn, beloofde hij. Hij verlangde slechts één ding: hij wilde zelf jonge maagden uitkiezen om vruchtbaar te maken en het recht hebben om zijn zaad in de vrouw van willekeurig welke man te zaaien. Hij zei ons dat heel ons Coo-thah-volk door de toevoeging van zijn bloed grote kracht en vitaliteit zou krijgen en dat we dan weer met velen zouden zijn en weer sterk zouden zijn. We beraadslaagden met elkaar en onze geestelijke leiders zeiden dat dit een groot geschenk van onze Schepper was. Wij hadden deze vruchtbaarheid nodig. De Schepper zou ons berispen als we Beer-God niet accepteerden. Zodoende volgden toen vele rituelen. Keer op keer toonde Beer-God zijn grote macht. Vele meisjes en vrouwen raakten zwanger van zijn zaad.'

Plotseling viel Madocs mond open. 'Mungo!' hapte hij naar adem. Hij zei tegen Toolakha: 'Vraag of de man zijn naam tegen hem genoemd heeft.'

Ze vroeg het en de Coo-thah antwoordde: 'Mnh-guh.'

Toolakha zei: 'Mnh-guh. Dat is ons woord voor beer.'

'Aha! Zeg hen dat ze verder moeten gaan.'

'Algauw werden we weer ziek,' zei de Coo-thah. 'Niet sterker, zoals de Beer-God had beloofd. Maar het was niet dezelfde ziekte. Vrouwen die bij Beer-God lagen, begonnen in hun vrouw-delen te rotten. Daarna begonnen hun mannen in hun man-delen te rotten. En toen er kinderen werden geboren, waren die dood, hadden kromme ledematen of werden al jong blind. De meesten zijn inmiddels dood. En wij zijn zoals dit, zoals u ons ziet.' Dit laatste zei hij vol lusteloze droefenis en met zijn uitgespreide handen wees hij van zijn schouders naar beneden.

Madocs kaak stond gespannen. Hij herinnerde zich de dochter van de timmerman die met Mungo had geleefd voordat hij deserteerde. Zij was kort na de geboorte van haar kind overleden. Haar lymfklieren waren gezwollen geweest en ze had onder de zweren gezeten. Haar kleine monster van een baby, die zonder neus was geboren, was vervolgens twee maanden later in zijn eigen speeksel gestikt.

'Mungo, knecht van de duivel!' gromde Madoc terwijl hij met zijn vuist op de armleuning van zijn troon sloeg. 'Ik zou graag soldaten naar dat dal der tranen sturen en Mungo hierheen halen om hem vóór de ogen van al onze mensen te onthoofden!'

'Huh!' blafte Riryd. 'Wat zegt ge? Mannen driehonderd mijl door berg en bos sturen alleen om één man te straffen! Luister eens, gij kuise koning van een wildernis! Wat heeft Mungo gedaan dat ge niet door onze eigen mensen hebt laten doen? Zich vermengen met heidense schoonheden om hen de kracht van de mensen uit Wales te geven? Het enige dat hij heeft gedaan dat niet uw goedkeuring heeft, is de pokken verspreiden!'

Madoc balde zijn vuisten en haalde een paar keer diep adem om zijn kalmte niet te verliezen. Meredydd bestudeerde zijn koning. Hij begreep dat een groot deel van diens woede tegen Riryd was gericht, omdat veel van Riryds woorden doel hadden getroffen. Ten slotte zei Madoc: 'Mungo heeft zijn landgenoten in de steek gelaten.'

Riryd antwoordde: 'Ja. En dat is voor ons allemaal maar goed ook, zou ik zo zeggen. Hoeveel van onze eigen vrouwen en die Euchee-fokdieren van u zouden nu allemaal aan pokken lijden als Mungo bij ons was gebleven?' Riryd boog zich naar Madoc toe en legde een hand op zijn pols. 'Hoe dan ook, broeder,' ging Riryd verder, 'waarschijnlijk is Mungo dood of de dood nabij. Het heeft geen enkele zin om een stervende man achterna te zitten. Is de verrader niet reeds gestraft?' Riryd sprak nu op zachtere toon, in de hoop dat hij Madocs razernij, die hij bij hem had teweeggebracht, kon bedaren. Ondanks het feit dat hij dezelfde titel had en ouder was, wist Riryd dat Madoc in zijn domein ontegenzeglijk de koning was. Soms kwam Riryd met scherpe, verbitterde woorden tegen Madoc in opstand. Maar hij wist dat hij alleen maar zichzelf naar beneden haalde door tegen Madocs gezag in te gaan.

Intussen had Meredydd fluisterend tegen Toolakha gezegd dat ze haar landgenoten moest vragen of Mungo inderdaad nog leefde en regeerde. Het relaas van de Coo-thah kreeg een nieuwe wending:

Ze waren gaan geloven dat Beer-God de oorsprong van hun ziekte was en hadden hun sjamanen opdracht gegeven hun magie tegen hem aan te wenden. Toen dat niet had geholpen

243

de baby's in leven te houden, hadden ze in het geheim beraadslaagd. Daarbij werd besloten dat alle krijgers, met hun wapens, Beer-Gods hut zouden omringen en hem zouden smeken de Coo-thah-vallei te verlaten en zijn vruchtbaarheidskracht naar elders mee te nemen, naar mensen die het beter verdienden. Maar Beer-God was boos geworden en had zijn grote geluidstoverij net zolang tegen hen gebruikt tot hun hoofd er pijn van deed.

'Stop,' zei Madoc tegen Meredydd. 'Laat haar vragen naar die toverij met dat geluid. Ik begrijp niet wat dat is of zou kunnen zijn.'

Toen wees de Coo-thah, terwijl hij ineenkromp en terugdeinsde, naar de open haard aan het eind van de Grote Hal. Na een paar vragen werd duidelijk dat hij naar de ijzeren ketel wees die aan een haak boven het vuur hing.

Op dat ogenblik begon een van de smeden in de smidse van het kasteel iets op zijn aambeeld te bewerken. Het was een heel gewoon geluid, dat je elke dag in Madocs kasteel hoorde. Het was zelfs zo gewoon, dat Madoc het niet eens zou hebben opgemerkt als de Coo-thah het niet hadden uitgegild van angst en met hun handen over hun oren geslagen bij elkaar waren gekropen terwijl ze om zich heen keken en mompelden: 'Mnh-guh, Mnh-guh!'

Toen de Coo-thah gekalmeerd waren, werd uit die aanwijzingen duidelijk dat Mungo hen had geterroriseerd door eenvoudigweg met een voorwerp op een ketel te hameren, zodat die als een kerkklok klonk. Madoc herinnerde zich hoe bang zijn eigen Euchee-onderdanen waren geweest toen ze voor het eerst het gekletter uit de smidse hoorden en hoeveel pijn dat hen had bezorgd, ook al klonk dat geluid lang niet zo hard als een bijl of hamer die tegen een ketel sloeg. Donderslagen waren het enige harde lawaai dat deze mensen in hun wereld ooit hoorden en zodoende hadden ze een pijnlijk gevoelig gehoor. Meredydd zei tegen Toolakha dat ze hen moest verzekeren dat het schallende geluid niet de nadering van hun Beer-God betekende en even later konden ze weer verder gaan met hun verhaal.

Toen Beer-God hen door angst weer tot onderworpenheid

had gebracht, hadden de Coo-thah vele manen lang gezwegen. Ze waren ziek en treurden om de pijn, blindheid en dood van hun baby's. Maar toen was Beer-God zelf ook ziek geworden. De Coo-thah hadden het vermoeden gehad dat hij uiteindelijk toch geen god was. In een geheime beraadslaging werden ze het erover eens dat ze zouden trachten hem te doden. Een van de jonge meisjes dat zijn gunst genoot, kreeg een heilig mes met de opdracht het besluit ten uitvoer te brengen.

'Maar dat meisje was er een die te graag met Beer-God copuleerde. Ze waarschuwde hem en gaf hem het heilige mes. Toen de zon opkwam, was de hut van Beer-God leeg. Beer-God was verdwenen, en verdwenen waren zijn tovergeluiden. Twee jaar lang gingen de manen voorbij en geen Coo-thah heeft Beer-God ooit weergezien. Nu leven de Coo-thah zonder angst voor de toverij van het geluid als in de dagen vóór Beer-God.

Maar het is niet helemaal hetzelfde. Nu sterven we allemaal. Eens stierven we aan het water dat uit ons wegliep. Toen gingen we snel dood. Nu sterven wij, degenen die nog resten, op deze manier...' Weer gaf hij met dat pathetische gebaar langs zijn lichaam aan hoe het met hem gesteld was. 'Onze genezers kunnen ons niet genezen. Al onze priesters van de Grote Tempelplaats zijn al eerder bij de Grote Wind des Doods omgekomen. We zijn een verloren volk. Onze Grote Geest heeft ons verlaten. En eindelijk houden we grote raad en zeggen: "Ga naar de bleekgezichten die hierlangs zijn gekomen. Wees niet meer bang voor ze; wat kan erger zijn dan onze toestand nu?" En zodoende zijn wij met zijn zessen uitgekozen en zijn naar u toe gekomen. Wij herinneren ons dat Beer-God verscheen op de dag dat u langstrok. Dus denken wij dat hij een van u was. Als dat zo is, bezit dit volk van bleekgezichten dan misschien een kracht om deze ziekte te verdrijven? We zijn gekomen om u dat te vragen. U sterft niet aan de ziekte van Beer-God. Is uw Grote Geest sterker dan die van ons? Zullen gebeden aan uw god de ziekte laten verdwijnen?'

Toolakha fluisterde bijna toen ze met de vertaling klaar was. Tranen om haar volk stroomden over haar wangen en het was stil in de Grote Hal. Je hoorde hoe de toehoorders slecht op hun gemak heen en weer schuifelden en hun keel schraapten.

Verder hoorde je alleen de gierende, gorgelende ademhaling van de zieke Coo-thah. Madoc voelde hevige spijt en wroeging. Hij trok aan zijn baard en dacht ingespannen na over wat hij deze stumpers moest antwoorden. Hun relaas was een gruwel. Met tegenzin gaf hij toe dat de Beer-God – Mungo – een van zijn mannen was geweest. Waar zou Mungo nu zijn? Ergens bij andere volken? Die hij ook ziek maakte? Via Zon Arend en diens enorme netwerk van medestanders en familieleden wist Madoc dat de Wind des Doods door alle bekende stammen had gewaaid en overal waar de inboorlingen heen reisden om handel met elkaar te drijven de meeste stammen had gereduceerd, zelfs vernietigd. Hoeveel was te wijten aan de ziekte die uitdroogt en hoeveel aan Mungo en zijn pikzweren? Madoc had lang geleden in de bibliotheken van de Ierse monniken Galenus en de andere geneesheren uit het verleden gelezen; hij wist dat de zweren alle drie de geesten, de Natuurlijke Geesten, de Vitale Geesten en de Dierlijke Geesten, van het menselijk lichaam aantastten, en dat de ziekte daarom nooit genezen kon worden. Hij wist ook dat de ziekte de zieken altijd, de een eerder dan de ander, naar het graf bracht. In sommige van die oude geschriften had hij gelezen dat de ziekte waaraan de afschuwelijke melaatsen van weleer hadden geleden, in werkelijkheid deze zweren waren geweest. Hij staarde naar de krampachtig bewegende, etterende, fluitend ademhalende, halfblinde Coo-thah voor zich en duwde vol angst zijn rug tegen zijn troon aan. Opeens was hij bijna bang om de lucht in de ruimte in te ademen. Waarom waren de mensen uit Wales nog in leven? Waarom was Mungo al niet jaren geleden gestorven?

Meredydd kuchte en vroeg: 'Wat zullen we hen op hun vragen antwoorden, majesteiten?'

Madoc keek opzij naar Riryd, die met gesloten ogen, zijn kin op zijn borst, naast hem zat, een teken dat hij dit dilemma aan hem overliet.

'Nou, heer Meredydd,' zei Madoc ten slotte, 'zoals ge weet lieg ik nooit tegen de inboorlingen. Zeg hun dat bidden het enige is dat we, wat betreft hun bezoeking, kunnen doen. En verzeker hen dat onze God de almachtige, enig ware God is. En wat hun Beer-God betreft, vertel hun de waarheid – en

246

waarschuw uw bijzit dat ze mijn woorden niet verkeerd over-
brengt! – en zeg dat wij nog nooit een Beer-God hebben gezien
en tot de dag van vandaag zelfs nog nooit van zo'n wezen hadden gehoord. En dat is genoeg over dit onderwerp. Deel hen
dat mede en zorg dan dat ze uit Dolwyddelan verdwijnen!
Dank uw vrouw, Meredydd, dat ze ons zo goed gediend heeft
in het overbrengen van al die woorden...' Madoc stond snel
van zijn troon op en sloeg zijn mantel voor zijn borst. Hij bedekte zelfs zijn mond en haastte zich de Grote Hal uit, naar
Annesta's kamer, die nog steeds in barensnood in het kraambed lag. Hij maakte zich grote zorgen. Over deze dag die zo
blij en opgewekt, zo veelbelovend met de voltooiing van zijn
kasteel en de aanstaande geboorte van een tweede erfgenaam
was begonnen, lag nu een schaduw. Het was een schaduw van
schuld en een akelig voorgevoel, ook al scheen de zon nog
steeds over zijn koninkrijk.

De klare, heldere poel onder aan de waterval was 's zomers
Gwenllians lievelingsplekje. Het was er koel en prettig en het
geluid van het vallende water klonk als muziek. Ze kon zich in
het ondiepe, kristalheldere water, waar je elk steentje duidelijk
kon zien, bukken en ze vond het leuk om de mooie steentjes
met haar tenen op te pakken.

Gwenllian moest baden met haar hemd aan; in de koninklijke familie gold een strenge regel dat ze nooit door buiten-
staanders naakt gezien mochten worden. Zelfs haar moeder,
die nog steeds in barensweeën in haar kamer boven in het kasteel lag, was in doeken gehuld zodat de vroedvrouwen niet haar
hele lichaam konden zien. Zo was het volgens de traditie van
de koningen in Wales altijd geweest.

Voor een prinses was Gwenllian een haveloos kind. Ze had
altijd datzelfde, verstelde linnen hemd aan dat geel van ouderdom was geworden en uit een van de nachtponnen van de koningin was gemaakt. Het was zo rafelig en besmeurd, dat
Gwenllian wist dat ze er in haar blote vel eleganter zou uitzien.
Stof was schaars. De pogingen van de mensen uit Wales om
hier in de bergen katoen te verbouwen waren mislukt. Ze hadden geëxperimenteerd met de verschillende planten uit het dal

die op vlas en op hennep leken, maar tot nu toe waren de produkten slechts ruwe stoffen met een korte levensduur geweest. En daarom looiden de kolonisten, evenals de inboorlingen, huiden en bontvellen die ze konden dragen wanneer ze kleding nodig hadden en gebruikten ze slechts heel weinig kleding wanneer het zacht weer was.

Terwijl de inheemse vrouwen en meisjes in de vrije naaktheid die Gwenllian zo benijdde door het water waadden, spetterden en erin baadden, waadde zij, zedig en blank, door het water van de poel dat tot haar middel kwam naar de waterval toe. Het constant naar beneden vallende water fascineerde haar. In haar dromen – of beter gezegd, haar nachtmerries – werd ze soms door vallend water neergeslagen.

Ze klauterde over de kriskras liggende stenen naar een plek waar het water kolkend en schuimend hoog boven van een rotsrichel naar beneden stortte. Moed vattend, liep ze tot vlak bij het gordijn van vallend water en liet het koel en fris over haar hoofd en schouders stromen. Lachend en naar lucht happend deed ze een stap terug. Een paar meter verderop zaten de vrouwen en meisjes op de rotsen gehurkt kledingstukken uit te wassen of zichzelf te baden, de Welse vrouwen met hun lichte huid in één groep, de inheemse, bruin gekleurde vrouwen in een andere groep. Niemand keek op dit moment naar Gwenllian.

Ze draaide zich om en duwde zich nog een keer in het gordijn van vallend water naar voren. Terwijl ze haar adem inhield en haar ogen dichtkneep, ging ze nog verder. Opeens stortte er geen water meer op haar neer. Ze opende haar ogen.

Waar ze slechts de stenen wand van de steile rots had verwacht, vond ze in plaats daarvan tot haar verrukking een soort grot van bemoste steen, vaag verlicht, zo groot als een kamer van het kasteel. Ze voelde een betovering en hoorde muziek, de muziek van voorbijstromend water dat siste, droop, tinkelde. Lachend van blijdschap keerde ze haar natte gezicht naar boven. Toen ze zich omdraaide zag ze dat het water van de waterval haar als een vloeibaar gordijn van het oog van de hele wereld daarbuiten afsloot. Ze was volkomen alleen in deze prachtige grot en ze besefte dat niemand ter wereld wist waar ze zich op dit moment bevond. Het was een opwindende, bijna beangstigende gedachte. Er waren zelfs geen vliegen of muskieten; die konden niet door een gordijn van water heen vliegen.

In deze ongekende beslotenheid voelde Gwenllian plotseling een verblijdend gevoel van persoonlijke vrijheid door zich heen stromen, een gevoel dat vreemd en opwindend voor haar was. Ze trok haar doornatte hemd uit en legde dat op een kei neer. Zo, met niets aan haar lichaam dan het kleine kettinghangertje met een zeemeermin met harp erin gegraveerd, stond ze in het water dat tot haar knieën kwam. Haar hart sprong op bij dit gevoel van vrijheid. Ze bukte zich om het water met handenvol over zich heen te gooien. Hoewel haar vlaskleurige haar al doornat was geworden toen ze door de waterval heen was gegaan, bukte ze zich, stopte haar hele hoofd in het water en wrong daarna haar vlechten uit. Toen waadde ze in het rond en veegde het water met de zijkant van haar handen van haar lichaam af. Toen ging ze op een bemost stuk steen naar de watermuziek zitten luisteren. Ze ging liggen en deed haar ogen dicht. Dat was een beetje beangstigend. Ze deed ze weer open en keek nog een paar keer in het rond. Toen sloot ze ze werkelijk en luisterde. Het ruisende water maakte droomachtige herinneringen bij haar los.

Ze herinnerde zich vaag een donkere, druipende, stenen tunnel die naar beneden liep. Ze hield de hand van haar moeder vast. Achter zich hoorde ze geschreeuw. Voor zich zag ze het licht van een fakkel en overal was er het gedruppel van water. Ze herinnerde zich dat ze op de natte rots in de tunnel uitgleed en viel en de herinnering deed haar hart sneller kloppen. Dat was in Cambrië geweest, wist ze, aan de andere kant van de grote oceaan. Het was gebeurd toen haar vader met zijn gezin had moeten vluchten voor slechte mensen die hen wilden doden.

Vervolgens herinnerde ze zich de geluiden van de zee en de wind, van ritselend, klapperend zeildoek, zonnige luchten, een masttop hoog in de lucht en van harpmuziek. Daarna kon ze zich het huilen van de storm op zee herinneren en het gebrul van de golven die op het schip van haar vader braken. En toen

249

kwam haar die grootste van al haar nachtmerries in gedachten: die donderende, oorverdovende, gillende orkaan waarin ze was weggespoeld, rondgesmeten en meegesleurd. Waarin ze zich had gesneden en waarin ze, toen ze bijkwam, een slang over haar borst had zien glijden. Op haar angstschreeuw was toen die beste, brave Meredydd door het water naar haar toe geploeterd...

Met kloppend hart ging ze overeind zitten. Ze bevond zich in de grot onder de waterval en hier was het mooi. Maar ze dacht aan waterslangen. Ze ging staan en waadde naar de plek waar haar hemdjurk lag. Aarzelend stak ze haar hand uit, doodsbang dat ze er een slang zou zien uitkruipen. Maar ten slotte greep ze hem beet, schudde hem uit en trok hem aan. Ze moest eraan trekken om de natte stof over haar natte vel te trekken. Terwijl haar hart nog als een razende bonkte, stapte ze vervolgens weer door het gordijn van vallend water heen, de door de zon verlichte poel in.

De vrouwen renden op de rotsachtige oever heen en weer. Ze klommen zelfs op de rotswanden van het ravijn en riepen haar naam. Ze waren paniekerig bezig haar te zoeken.

Geen van hen had haar van onder de waterval vandaan te voorschijn zien komen. Opeens was ze er weer en waadde met drijfnatte haren en een druipende hemdjurk die aan haar lichaam vastplakte naar hen toe. Eende Ei, het grote inheemse meisje dat op Gwenllian moest passen, kwam door het water naar haar toe geploeterd. Haar bruine gezicht stond heel streng en ze keef: 'Waar was je? Ik zal hunne excellenties vertellen dat je was weggelopen!'

Gwenllian wilde niets kwijt over de wonderbaarlijke plek die ze had gevonden. En dus antwoordde ze hooghartig en vinnig:

'Wist je niet dat ik onzichtbaar kan worden als ik dat wil?'

Hoewel Eende Ei van Meredydd Wels had leren spreken, moest ze even over de betekenis van die woorden nadenken. Haar ogen gingen wijder open; misschien geloofde ze dit. Gwenllian ging verder:

'Wees voorzichtig met alles wat je zegt, want ik zou wel eens pal naast je kunnen staan, ook al zie jij me niet.' Snel naden-

kend voegde ze eraan toe: 'Het is mijn geheim dat ik onzichtbaar kan worden. Zorg dat je er tegen niemand iets over zegt.
Je zult het moeilijk krijgen als je iemand vertelt dat je me uit
het oog was verloren.'

Nu voelde Gwenllian dat de vrouw het niet zou wagen het
te vertellen. En ze hoopte dat ze spoedig weer kon terugkomen.
Dan zou ze weer onder de waterval doorgaan. Misschien lukte
dat morgen al. Eindelijk had ze een geheim, heilig plekje in de
wereld. Voor het eerst in haar leven was ze heel even buiten
ieders bereik en gezichtsveld geweest. Net als haar gouden herinnering aan de vrouw die van het schip was gedoken, had zij
zich vrij gevoeld en was naakt geweest. Het was zoals ze vroeger, in de dagen vóór zijn verantwoordelijkheden al zijn gedachten bezighielden en van hem een saai mens hadden gemaakt, altijd met Meredydd had besproken: naakt zijn betekende vrij van geest zijn.

Dit nieuwe geheim dat ze had, deze plek, was iets fantastisch.
Alleen al de gedachte eraan maakte dat ze inwendig moest
lachen.

Die nacht werd Dochter van de Aarde zo ongeduldig en boos
over Annesta's gegrom en geschreeuw in de kraamkamer, dat
ze van haar bed opstond en met de vroedvrouwen mee naar
binnen ging. Gwenllian luisterde en hoorde hen kijven en ru-
ziën.

Na een tijdje werden de vreselijke geluiden van Annesta iets
minder en soesde Gwenllian weg. Ze werd wakker toen Dochter
van de Aarde terugkwam met een olielamp in haar hand en de
alkoof waar Meredydd lag te slapen binnenging. Ze hoorde
haar tegen hem zeggen: 'Ge moogt tegen uw koning gaan vertellen dat hij nu een zoon heeft.'

Het hele kasteel werd wakker gemaakt om het nieuws bij het
licht van fakkels te vieren. Er werd een vat *meejep*-bier voor de
leenmannen aangesproken. Ze werden er luidruchtig en huile-
rig van. Riryd probeerde niet te mokken, maar zijn broer had
nu wel een mannelijke erfgenaam.

En Dochter van de Aarde legde kort en bondig uit wat ze in
de kraamkamer had gedaan: 'Ik liet haar *cohosh* om baby snel-

ler te laten komen. En zorgde dat zij haar overeind zetten, zodat baby *naar beneden* kon vallen, niet *naar boven*! Maar dat hoeft koning niet te weten, toch?'

Madoc noemde het kind Cynan ap Madoc. Cynan, Madocs overgrootvader, was vóór Owain Gwynedd Cambriës grootste koning geweest. Gwenllian bleef die eerste week van zijn leventje zo dicht bij de baby als ze kon. Dan zat ze samen met Madoc op een bank naar het babytje te kijken dat aan Annesta's borst lag te drinken. Dat waren fijne dagen. Gwenllian vond het heerlijk om naar haar vader te kijken en te zien hoe rustig en zielsgelukkig hij was. Het was ook fijn om samen met hem in een kamer te zijn en hem over zaken betreffende zijn rijk te horen spreken. Gwenllian wist veel over het bestuur van Jargal, omdat ze zoveel tijd met Meredydd doorbracht. Het was echter zeldzaam om tijd te hebben om met haar vader over diezelfde zaken te praten. Madoc moedigde haar kennis van zulke zaken aan, omdat hij er tot nu toe van was uitgegaan dat zij erfgename van zijn troon zou zijn.

'Ik zag Rhys en een heleboel mannen voorbereidingen maken om ergens heen te gaan,' zei ze. 'Waar gaan ze naar toe, vader?'

'Ze gaan naar ijzererts zoeken, mijn kind. We hebben nog maar heel weinig ijzer over, weet je. Onze smeden hebben een tijdlang hetzelfde ijzer uit oud beslag van het schip en kapotte pannen steeds weer opnieuw gebruikt. Maar wanneer ijzer gebruikt is als een spijker, een scharnier of een spit in de kombuis, is het uit de voorraad verdwenen.'

'Ja, natuurlijk,' zei ze en knikte ernstig. 'En denkt Rhys nu dat hij weet waar erts is, of gaat hij er gewoon maar naar op zoek zoals u altijd deed?'

'In de heuvels stroomopwaarts aan de Ten-nes-see – niet ver van de plek waar Zon Arends dorp lag – zijn er volgens zeggen een paar rode kliffen,' zei Madoc. 'Dat kan betekenen dat er ijzererts in zit. Hij neemt een paar smeden met zich mee en een paar Euchee-gidsen en -dragers. Zo God wil vindt hij die rode rotsen en ziet dan of ze ijzerhoudend zijn.'

'Ja, moge hij ze vinden,' zei ze plechtig.

'En voor onze blijvende voorspoed,' mijmerde Madoc verder. 'Als we geen nieuw ijzer vinden, kunnen we ook niet meer
de messen, haken, gereedschappen en naalden maken waarvoor de stammen zo royaal inruilen. Veel van ons ijzer is ook
op die manier verdwenen. Want weet je, mijn kind, het gaat
ons voorspoedig omdat we weten hoe we nuttige dingen kunnen maken.'

'Of mooie dingen,' zei Gwenllian. 'Kijk maar hoe ze van
onze blauwe kralen houden!' Het wond haar altijd op om met
haar vader over de aangelegenheden van de kolonie te praten.
Hij leek altijd uiterst ingenomen met haar kennis, die Meredydd haar voor het grootste deel onderwezen had. Ze zei: 'Onze
bard gelooft dat we manieren moeten vinden om mooie stoffen
te maken, niet alleen om onszelf te kleden, maar om te verhandelen!'

'Ja, en daar heeft hij gelijk in,' was Madoc het met haar eens.
'En jij, als onze slimme prinses, zou heel goed je hoofd over
dat soort zaken kunnen buigen. Van je moeder heb je spinnen
en weven geleerd. Denk eraan! Ergens in dit land van overvloed
moet er iets bestaan dat dezelfde goede eigenschappen als katoen of, ja, zelfs de zijde uit het Oosten heeft! Wat zou je een
zegen voor je volk zijn als jij degene was die zo'n stof ontdekte
en maakte!'

Gwenllian klapte bij die gedachte opgetogen in haar handen.
'Ik heb heel vaak naar een spinneweb gekeken,' zei ze, 'en dan
dacht ik altijd dat zelfs daarvan wel stof gemaakt zou kunnen
worden!'

Toen Gwenllian, Eende Ei en Dochter van de Aarde die middag het pad langs het ravijn afliepen om te gaan baden, zagen
ze Rhys met zijn mannen, smeden en soldaten en een groep
Euchee-krijgers al op zoek naar ijzererts langs de rivieroever
lopen. De wapenrusting van de soldaten flitste in het warme
zonlicht, maar de Euchee-krijgers met hun versiering van geverfde veren en hun met stekelvarkenpennen versierde schou-
dertassen met daarin geroosterd maïsmeel en gedroogd vlees
zagen er kleuriger uit. Algauw verdwenen ze in het groene gebladerte langs de rotsachtige ondiepten van het snelle riviertje.

253

Gwenllian en haar begeleidsters gingen onder aan de rotswand de andere kant op, stroomopwaarts naar de waterval. Terwijl ze naar het geluid van het ruisende water toeliepen, ging Eende Ei hen voor op het pad en keek uit naar slangen, zodat Gwenllian nooit gebeten zou worden in de tijd dat zij voor haar verantwoordelijk was. Het haar van Eende Ei hing in een dikke vlecht over haar blote rug en aan haar oorlelletjes bengelden twee munten met een gat erin geboord die als oorbellen dienden. De Euchee bezaten een aantal van deze munten – stamleden van Zon Arend droegen er op zijn minst twintig – en hadden geen flauwe notie wat ze betekenden. Ze hadden ze in oude, stenen ruïnes langs de Ten-nes-see gevonden.

Madoc begreep niets van de aanwezigheid van deze munten in Jargal. Het waren oude munten waarop Romeinse profielen waren afgebeeld. Er stonden woorden als ANTONINUS en BRIT op. Madoc kon geen verklaring vinden voor het feit hoe er Romeins geld in dit land terechtgekomen was, maar het had hem weken beziggehouden. Toen had hij met Euchee-mannen een expeditie ondernomen om te zien of ze er nog meer konden vinden. Dat was niet het geval geweest, maar wel hadden ze een koperen beker en een deel van een bronzen lamp gevonden. Gwenllians vader had toegegeven dat hij niet zo vreselijk verbaasd had moeten zijn. 'Natuurlijk waren er al lang geleden mensen de Mare Atlanticum overgestoken,' had hij gezegd, 'hoe zouden de Ouden immers anders het idee hebben kunnen krijgen dat er een land in het westen lag?' Hij had altijd geloofd dat de Grote Zee al eens eerder was overgestoken, maar dat hij de bewijzen daarvan met eigen ogen had gezien, scheen voor hem enigszins een verlies aan prestige te zijn geweest. Dat hij ook maar half had gehoopt dat hij hier de eerste was geweest, had hem bemoedigd; sinds de ontdekking van de munten had hij niet meer over zijn ontdekking van Jargal gesproken.

Gwenllian dacht nog steeds luchtig over deze zaken na toen ze naar het heldere water onder de waterval waadde. Ze zag dat Eende Ei haar aandacht half op haar gevestigd hield, alsof ze verwachtte dat ze zou wegglippen of onzichtbaar zou worden. Dus liep ze nog niet in de richting van haar geheime plek. Ze glimlachte om de bezorgdheid van Eende Ei.

De waterval trok haar aan en met een omweg liep ze erheen. Hij ruiste en leek te zingen, haar uit te nodigen. Heerlijk was het verlangen om alleen en ongezien te zijn. Ze keek achterom. Eende Ei lette nu iets minder gespannen op haar. Ze was bezig haar haren los te vlechten om ze in de poel te wassen. Toolakha stond tot haar heupen vlakbij in het water en maakte met een groen twijgje haar tanden schoon. Gwenllian vermoedde dat Eende Ei voor Meredydd ook Toolakha in de gaten hield. Hij raakte nooit zijn angst kwijt dat ze zou weglopen. Wacht. Nu keek niemand anders naar haar. En dus waadde Gwenllian het kolkende schuim onder aan de waterval in, keek nog een keer achterom en glipte met gesloten ogen door het gordijn van vallend water heen. Onmiddellijk tilde ze de zoom van haar hemdjurk op om het water uit haar ogen te vegen en toen, een en al extase om het feit dat ze weer onzichtbaar en alleen was, trok ze het kledingstuk over haar hoofd uit.

Toen zag ze de trol. Haar adem bleef haar in de keel steken. Ze was verlamd van ontzetting.

Hij zat op een afstand van ongeveer zes voet voor haar, even verbaasd als zij, even naakt als zij, hoewel hij bedekt was met zwart haar dat nat tegen zijn lichaam geplakt zat. Zijn ogen waren rood en vurig en zelfs in het schemerige licht van de grot kon ze zijn mond zien, die net een etterende wond leek met een paar vooruitstekende tanden erin.

Hij ging staan en stak zijn handen naar haar uit. Zijn enorme man-orgaan zwaaide voor zijn behaarde dijen heen en weer en ook dat was kapot van de zweren. Zelfs in het donderend naar beneden vallende water dacht ze dat ze hem hoorde grommen.

Gwenllian gaf een gil. Met een ruk draaide ze zich om en vloog door de waterval terug. De kracht van het water gooide haar in het schuim neer. Ze voelde vingers aan haar been grijpen en hun greep verliezen. Ze ploeterde door het water in een poging om overeind te komen en probeerde naar voren, naar de door de zon verlichte poel te krabbelen waar de vrouwen aan het baden waren. Maar ze werd door het kledingstuk in haar linkerhand naar de waterval teruggetrokken; de trol had het aan de andere kant beet. En dus liet ze in doodsangst, vol afkeer, haar hemd los en strompelde de poel in.

Eende Ei stond gebukt tot haar dijen in het water. Ze was nog steeds helemaal in beslag genomen bezig om een dik, glanzend touw van haar uit te wringen, maar kwam op datzelfde ogenblik plotseling overeind. Ze gooide haar hoofd achterover. Het lange haar vloog met een zwaai naar achteren en verspreidde een wolk van in de zon glinsterende druppeltjes. Haar mollige lichaam schudde toen ze haar hoofd van links naar rechts schudde.

Toen deed Eende Ei haar ogen open. Ze zag Gwenllian hijgend, naakt, haar slanke lichaam zo wit als been, naar haar toe komen spartelen. Ogenblikkelijk flitsten er angst en boosheid over het gezicht van Eende Ei en ze begon haar een standje te geven. Maar Gwenllian was nog zo geschokt en zo bang dat ze niet eens luisterde; ze keek maar steeds naar de waterval achterom, in de verwachting dat de trol naar buiten zou komen. In haar verbeelding zag ze het afzichtelijke gezicht van achter het vallende water naar buiten turen.

Alleen Toolakha zag Gwenllian van achter de cascade te voorschijn komen. Ze zei niets en deed of ze het niet had gemerkt.

Terwijl Gwenllian haar zinnen bij elkaar raapte, besloot ze tegen geen mens iets over het gebeurde te zeggen. Hoewel haar watervalgrot nu een plek van doodsangst, en geen verrukking, was, vond ze dat het nog steeds haar geheim was. Ze loog tegen Eende Ei en vertelde haar dat haar dunne, oude hemd bij het baden simpelweg was gescheurd en van haar lichaam gegleden. Eende Ei stuurde een jong meisje naar het kasteel naar boven om voor Gwenllian een kledingstuk te halen dat ze terug naar huis kon dragen. Intussen bleef ze tegen haar kijven. Op het laatst kreeg Gwenllian haar stil door te dreigen dat ze zou verdwijnen. Met verhulde geamuseerdheid bekeek Toolakha deze schreeuwpartij.

Die nacht zag Gwenllian in haar dromen steeds weer het gezicht van de trol. In sommige dromen bevond ze zich niet in de prachtige, rotsachtige grot, maar in een glibberige tunnel die slechts verlicht werd door een zwakke, flakkerende fakkel en waar afschuwelijke kreten en geluiden van geweld weerklonken. Toen ze wakker werd wilde ze haar vader over de trol vertellen, want hij was ongetwijfeld gevaarlijk voor de baadsters. Maar ze aarzelde om haar geheim van de grot onder de waterval prijs te geven. En ze wilde ook niet opbiechten dat ze het had gewaagd zich uit het blikveld van Eende Ei te begeven. Haar vader en moeder waren al boos op haar omdat ze haar kleding verloren had en dat het gewone volk haar naakt had gezien. Er heerste een vreemde verwarring in het hoofd van het meisje.

Maar toen ze het gezicht van de trol steeds weer in haar dromen en nachtmerries terugzag, was het vreemdste idee dat ze het gezicht al eens eerder, lang geleden, in haar kinderjaren, had gezien, in werkelijkheid en niet in haar dromen.

Maar als ik ooit eerder een trol had gezien, zou ik me dat toch wel herinneren, dacht ze.

Mungo zat op zijn hurken in de ingang van een spelonk boven de waterval. Hij tuurde naar Madocs door de maan verlichte kasteel en probeerde te bedenken wat hij kon doen.

Voor Mungo was nadenken moeilijk. Hij kreeg er steeds meer moeite mee. Soms waren de pijnen in zijn hoofd en borst, rug en voeten net bliksemflitsen, gevolgd door een ondraaglijke, diepe pijn. Maar het was niet alleen de pijn; zijn hoofd wilde geen gedachten meer vasthouden. Als hij probeerde te bedenken wat hij zou gaan doen, dansten zijn gedachten waanzinnig in zijn hoofd rond. Dan wankelde hij en moest iets beetgrijpen om niet te vallen. En soms dacht hij er niet eens aan iets beet te grijpen. Dan viel hij gewoon op de grond. Soms raakte hij buiten bewustzijn. Als hij dan weer bijkwam, lag hij op de grond en had zich bezeerd.

En als hij zich probeerde te concentreren, schoot een van zijn ledematen plotseling weg of schokte zo heftig dat zijn kwetsuren weer opengingen. Dan vergat hij waaraan hij had gedacht.

Maar nu hij Madocs kasteel zag, herinnerde hij zich opeens weer dat hij een manier probeerde te vinden om bij de mensen uit Wales terug te keren zonder dat hij wegens desertie zou worden opgehangen. Hij had zijn gedachten over dat probleem laten gaan, maar was er niet ver mee gekomen. Soms kon hij zich niet eens meer herinneren waarom hij eigenlijk naar zijn eigen mensen terug wilde.

Maar dan voelde hij de pijn van zijn wanhopige eenzaamheid weer.

Alles was de laatste tijd zo anders geworden. Eens was dit land net een paradijs voor hem geweest. Hij had praktisch elke jonge vrouw die zijn wellust had opgewekt kunnen krijgen. Hij had ontelbare kinderen. Maar...

Soms, maar soms ook niet, kon Mungo zich herinneren dat die kinderen voor het merendeel ziek of blind waren geweest en dat veel ervan doodgeboren of als baby gestorven waren.

Hij was ver naar het westen door het land getrokken, helemaal naar de Moeder Rivier, zoals sommige stammen die noemden. Hij had nieuwe stammen gevonden en zijn vermetele verstand gebruikt om een god of sjamaan onder hen te worden, een vruchtbaarheidsgod die ceremoniën verricht, bij hun vrouwen ligt, zijn zaad verspreidt. Dat was zijn carrière geweest, vol gevaren en overwinningen, met een reputatie als een komeet.

Maar keer op keer zeiden de mensen dat hij hen ziek had gemaakt. Dan moest hij ontsnappen en verder trekken...

Ten slotte waren die lepreuze pokken, die hem het gevoel gaven dat hij binnenin, van zijn navel tot zijn rectum, door wormen werd opgegeten, op zijn huid uitgebroken. Ze hadden zijn eigen vlees en vezels verslonden. Toen renden de vrouwen voor hem weg en de mannen deinsden achteruit.

Als hij nu aan de grote naties van inboorlingen daar langs die grote rivier dacht, was het alsof alles slechts een droom was geweest...

Ze hadden in steden waar het krioelde van mensen, tienduizenden mensen, gewoond, waar tempels en vestingen boven op enorme, aarden heuvels stonden. In de jaren dat hij als zeeman alle havens van de wereld aandeed, had hij niets gezien dat zo groot, zo fantastisch was. Vanuit deze steden liepen wegen van honderden mijlen lang in alle richtingen naar talloze steden toe en langs die wegen was er altijd handel geweest. Zulke afgelegen wegen zouden in Brittannië of Europa vergeven zijn van rovers, maar in heel dat rijk had Mungo nog nooit een misdaad horen noemen. Die mensen hadden in lange boten de rivieren bevaren. Ze namen voedsel mee om dat tegen kostbaarheden te verhandelen of schatten om tegen voedsel in te ruilen. Een verfijnd priesterdom had ceremoniële dankfeesten uitgevoerd en had over alles, van handel tot begrafenissen, de leiding. De steden waren rond marktpleinen gebouwd en op die pleinen hadden zwaarbeladen reizigers van ver prachtige voorwerpen van been, bont, mica, gebeeldhouwde steen, schelpen, parels en koper verhandeld.

Maar overal waar Mungo in dat rijk langs de rivier was geweest, hadden pestilentiën rondgewaard. De mensen waren gevlucht en hadden de dood gevonden. Er heerste chaos en de duisterste angst. En Mungo, die zich diep in dat rijk bevond, merkte dat zijn eigen lichaam en ziel ook chaotisch en verrot waren geworden, alsof hij zijn eigen kleine rijk was en door zijn eigen pestilentie werd verteerd. Hij was getuige geweest van de ondergang van rijken. Nu ging hij zelf ook sterven.

Te midden van al zijn lijden en al de keren dat hij weer moest vluchten, hoorde hij toen eindelijk – nog maar een paar maanden geleden – geruchten dat er onder de Euchee in de bergen, ver naar het oosten van de Moeder der Rivieren, een stam met mensen met witte gezichten leefde. Hij was ervan uitgegaan dat het Madoc met zijn volgelingen was, zijn eigen, oude kameraden uit Wales. En er was een knagend verlangen over hem gekomen om een eind te maken aan die maskerade van een beer-god, om zijn eigen taal weer te horen, om veilig onder blanke mensen te zijn die niet aan pestilentiën ten onder gingen.

Als ik terugga en hun vertel dat ik in een kooi gevangen heb gezeten, dacht hij, zal de prins me ongetwijfeld vergeven. Alle kennis die ik over dit land heb vergaard, zal hen vast en zeker welkom zijn.

En dus was Mungo op zoek naar de mensen met de witte gezichten door de dalen en over bergrichels getrokken. Zijn haat voor Madoc was als een boze droom vervaagd, bijna vergeten. Het was een lange, eenzame, uitputtende reis geweest. Soms was hij dagenlang door pijn, vermoeidheid en desoriëntatie niet in staat geweest verder te trekken. De reis was het moeilijkste in heel Mungo's leven dat hij uit eigen vrije keus had gedaan. Het leek wel iets op die ellendige reizen die hij zondaars in vele delen van de wereld als penitentie had zien maken.

Maar nu was hij aan het eind van zijn reis gekomen. Madocs kasteel was in zicht. Een en al twijfel en bang dat hij opgehangen zou worden in plaats van verwelkomd, had hij zich echter twee dagen lang schuilgehouden. Gisteren had hij aan de voet van een waterval een plek gevonden waar vrouwen kwamen baden. Een deel van de dag had hij doelloos doorgebracht met hen te bespieden, gekweld door zijn oude wellust maar bang zichzelf te laten zien. En tijdens die wachttijd was hij in een spelonk onder de waterval bezocht – of had hij een heel levendige droom gehad dat hij bezocht werd – door een najade van een verbazingwekkend zuivere blankheid. Ze was echter gevlucht of, als ze slechts een droom was geweest, vervlogen. Maar wat had haar bleke naaktheid een melancholie in zijn ziel gewrocht!

Mungo slaakte een diepe zucht. Hij staarde naar het kasteel aan de andere kant van de kloof. De met maanlicht beschilderde muren waren van koude steen, maar nu en dan zag hij de warme gloed van de lampen of haardvuren binnen. En die gedachte aan een gemeenschappelijke vuurgloed vormde uiteindelijk voor hem de inspiratie om overeind te komen en de spelonk uit te lopen. Hij had een waterelf gezien en als hij nog veel langer zo alleen en van god en alle mensen verlaten bleef, zou hij volkomen krankzinnig worden. De prins zou zijn verhaal ongetwijfeld geloven en hem weer opnemen. Hij was tenslotte een van Madocs beste, meest bekwame mensen geweest.

Mungo stapte naar buiten. Met één hand tegen de steile rotswand aan om zichzelf steun te geven, kroop hij over de smalle, stenen richel boven de waterval heen. Het geluid van het donderende water beneden hem werd steeds luider. Zo kroop hij stukje bij beetje over het door de maan beschenen pad voort. Opeens werd hij weer duizelig. Het leek of de richel onder zijn voeten opeens schuin stond. Hij zag het maanlicht op snel vallend water.

Met gebroken botten door zijn val langs de rotswand naar beneden, gleed Mungo's door zweren bedekte lichaam even

260

later over de rand van de waterval heen en sloeg op de wirwar van rotsen zo'n tachtig voet daaronder te pletter.

Op die plek, aan de rand van de poel, vonden de vrouwen en meisjes de volgende morgen het lichaam toen ze naar beneden kwamen om te baden en kleren te wassen. Madoc kwam van het kasteel naar beneden toe en keek vol medelijden en afkeer naar het kadaver. Toen sprak hij er onbeholpen een eenvoudig requiescat over uit. In gedachten zag hij de arme, met zweren bedekte Coo-thah die met hun verhaal over een beergod naar hem toe waren gekomen voor zich.

De mannen die het lichaam moesten begraven keken zwijgend en vol afkeer in het graf, met in herinnering de man zoals ze die jaren geleden, vóór hij als dood was opgegeven, hadden gekend. Op het laatst schudde een van hen zijn hoofd en zei grinnikend: 'Wat was hij toch een geile kerel, weten jullie nog wel? Hij had bij ons moeten blijven en ons helpen kinderen bij de Euchee te verwekken! Ge bent een ezel geweest, Mungo! Ge hebt heel wat gemist!'

Wat Gwenllian betreft: ze wist nu dat hij hun vroegere zeeman was en geen trol. Maar toch verlangde ze niet naar haar geheime plek onder de waterval terug, omdat het in haar gedachten nog steeds een plek van trollen was. Misschien zou ze wel nooit meer genoeg moed krijgen om door een muur van water heen te lopen.

Na twee weken kwam Rhys weer met zijn Euchee-escorte terug. Aan draagstokken droegen ze iets zwaars in een bundel mee. Rhys ging meteen naar Madoc toe om verslag uit te brengen over zijn speurtocht naar metaalerts in de bergen.

Hij had de rode, steile wanden gevonden. Zijn smeden hadden tegen een van die wanden een vuur aangelegd en dat met een blaasbalg witheet gehouden. Vervolgens hadden ze het gloeiende erts naar beneden geharkt en er met hamers op geslagen om de metaalslakken eruit te drijven. 'Kijk maar, majesteit,' zei Rhys trots. Hij maakte de zware zak los en haalde er verschillende stukken ruwe, roodachtig met grijze stukken metaal uit. Hij overhandigde ze een voor een aan Madoc, die de zware, compacte klompen met evenveel genoegen optilde alsof hij goud hanteerde. Rhys zei: 'We zijn hier slechts drie dagen mee bezig geweest. En ook in de tijd dat ik hier voor u sta, zijn de mannen nog bezig om meer te ontginnen. Ze willen weten of ze ter plekke een smeltoven moeten bouwen of het erts per vlot vervoeren en hier smelten.'

Gniffelend draaide Madoc zich naar Riryd toe. Hij gaf hem een stuk metaal dat zo zwaar woog, dat deze zijn pols verzwikte toen hij het aanpakte. 'Bij de Here God, broeder,' riep Madoc. 'IJzer! We hebben weer ijzer! Voor onze eigen behoefte en om te handelen! Nu zult ge mijn... ons koninkrijk steeds groter zien worden!'

Madoc, de koning, kreeg wit in zijn baard en haren,
Leek echter vitaal als in zijn jonge jaren.
Wijs en vol inzicht voerde hij steeds zijn bewind,
En groot als in zijn dromen werd zijn koninkrijk.
Koning Madoc legde zijn wet op aan het land;
Zijn onderdanen ging hij als de poolster voor,
En trouwe volgelingen waren zij van hem.
De opperhoofden keken naar hem op, zodat
Hun zonen het welzijn dienden van zijn rijk;
In handel en werk en als krijgers in de strijd,
Zwoeren inheemse mannen hem een eed van trouw.
Hun vrouwen brachten hem jaar op jaar de oogst,
en baarden ons kinderen gezond van lijf en leden.

Meer mijnen vond hij nog, ijzer- en kopererts,
En elders vond hij tin. Nu maakten de mannen
Brons dat gedragen werd door iedere soldaat.
En wapens en gereedschap maakten ze voor ons.
Pottenbakkers en edelsmeden maakten hun waar,
Dreven handel met stammen die kwamen van ver;
Van ver over het water zochten ze ons op,
Getrokken door de roemruchte naam van Madoc.

Dit was zijn decreet: Bouw voor Riryd een kasteel
Om de mijnen te beschermen. Weldra hadden
Sterke bouwers het werk geklaard. Stenen muren,

hoog en recht, een gracht en kantelen! Ziedaar
Kasteel Clochran, de naam uit Riryds hart gegrepen
Voor 't bastion van gemetselde rots en steen.
Daar heerste Riryd als ware hij zijn eigen vorst,
Bondgenoot; niet Madocs vazal wilde hij zijn.

De mooie, blonde Gwenllian, welopgevoed,
Werd Owain ap Riryd tot vrouw gegeven,
Neef en nicht waren zij, maar toch geviel het zo.
Ander huwbaar bloed was immers niet voorhanden?

Cynan, de zoon van Madoc, was diens erfgenaam,
De kroon het lot dat hem was voorbeschikt.
Sterk en strijdlustig werd onze blonde Cynan.
Koningschap, een stiel die Madoc het laatst had geleerd,
Probeerde hij nu zijn zoon te onderwijzen,
Voedde in hem een verlangen als van hemzelf
Om op zoek te gaan naar Jargals verre kusten –
Slechts wat men kent kan immers worden geregeerd.

En zo geviel 't dat na twintig lange jaren
Nadat men Jargal voor het eerst betreden had,
Madoc vertrok met curraghs, de coracles in touw,
door Annesta's tranen somber en droef gestemd,
Op een queest naar de Moederrivier van alle
Rivieren op aard. Mannen en jongens van Welse komaf,
Samen met de Euchee was het vijfhonderd man,
Gooiden de trossen los. Het schip pakte de stroom.
Geroffel van trommen. Toen riepen de vrouwen
hun vaarwel. Zo was hun vertrek van huis en haard.

Annesta, koningin, stond aan de waterkant
En wuifde zolang ze koning en prins kon zien.
Daar gleden ze weg, uit het gezicht verdwenen.
Maar in haar boezem welde donk're dreiging op –
Gedroomd had zij dat zij hen nimmermeer zou zien!

6 *Dal van de Moeder der Rivieren*
1189 A.D.

'Mijn haren gaan er gewoon van overeind staan!' riep Madoc
naar zijn zoon. 'Het is of ik hier al eerder geweest ben en dit al
heel lang geleden heb gezien.'
    Cynan keek hem niet-begrijpend aan.
    'Ja!' legde Madoc uit. 'Egypte!'
    Zijn huid bakte in de zon en met toegeknepen ogen stond
hij aan de helmstok over het modderige water naar de piramiden op het laagland van de oostelijke rivieroever te turen. Hij
herinnerde zich dat hij een half leven geleden in een koopvaar-
dijschip de Nijl was opgevaren en daar, glinsterend in de hitte,
de oude piramiden had zien staan. Het had er precies zo uitgezien als hier, op dit moment nu: de warme, als parelmoer
glanzende hemel en het modderige water in de rivier. In Egypte
hadden de piramiden zich als driehoeken afgetekend. Hier
hadden de piramiden afgeplatte toppen. Maar door met een
schip met roeiriemen de rivier op te gaan, kreeg hij, nu hij ze
zo zag liggen, hetzelfde gevoel; het was een griezelig gevoel
van terugkomen.
    Naarmate de roeiers het schip dichterbij roeiden, veranderde
de kleur van de piramiden van de blauwige zweem van de verte
naar groen. Ze bleken helemaal met gras begroeid te zijn.
    Ver voorbij het laagland stonden, rechtop als een muur, steile
rotswanden van lichte kalksteen. Erbovenop stonden bossen.
Maar het stroomgebied was helemaal gekapt. Honderden hec-
taren weidegrond en akkerland omringden een naar alle kanten
uitdijende stad met huizen met rieten daken. Zelfs de grote

bergen en steden van Coo-thah-land in het zuiden waren in vergelijking hiermee klein.

Zijn lange, blonde zoon Cynan stond zwetend naast hem en keek behoedzaam naar de inheemse boten van uitgeholde boomstammen die al de hele morgen op een afstand om de vloot hadden gepatrouilleerd. Langs de rivieroever liepen, renden en sjouwden honderden inboorlingen rond en keken naar de curraghs die de rivier opvoeren. De zwoele, drukkende atmosfeer klopte van trommelslagen. De jongen slaagde er uitstekend in om te doen of hij niet bang was.

Madoc zag de monding van een kleine zijrivier en duwde de helmstok van zich af om zijn vloot naar binnen voor te gaan. Deze Moeder der Rivieren was een machtige, grillige rivier, vol drijfhout en hele drijvende bomen; op deze reis waren al twee van Madocs curraghs met hun tenen romp door drijfhout opengereten en tot zinken gebracht. Iedere keer dat hij aan land ging, moest hij een beschutte plek voor zijn vloot, weg uit de rivier zelf, zoeken, had hij ontdekt.

De vloot lag aan de kant gemeerd en nu kwam er uit een dorp aan de kreek een processie van met allerlei versierselen uitgedoste, imposante mannen naar hen toe. Voorop liep een statig, bruin opperhoofd met zijn hand omhoog. In zijn haarknotje stond een waaier van haviksstaartveren recht overeind. Toen hij dichterbij kwam, zag Madoc dat hij ziek was en dat de meeste mannen die hij bij zich had ook ziek waren.

Nadat er via Euchee-tolken en met behulp van handgebaren aan de wal begroetingen waren uitgewisseld, werden Madoc en zijn leenmannen door de stad naar een enorm plein gebracht, waar één piramide zo groot als een heuvel stond en nog een aantal kleinere van zo'n twintig tot dertig voet hoog. Het plein was zo uitgestrekt, dat de palissaden, heuvels en huizen aan de buitenrand in de hitte trilden. De mannen uit Wales moesten een lange trap naar een lager gelegen terras van de grote piramide opklimmen. Hier bevonden ze zich misschien zo'n vijftig voet boven de vlakte. Ze hadden er een adembenemend uitzicht over de stad. Ze zaten in een cirkel om een vuurplaats, waar een aromatisch vuur van rood cederhout brandde. Een paar honderd stedelingen die hen over het plein hadden zien lopen, bleven nu beneden. Het gestage gegons van hun stemmen klonk op naar boven. Twee keer zo hoog als waar dit terras zich bevond, doemde de heuvel in zijn totaliteit boven hen uit. Bovenop stond een enorme tempel met een rieten dak, waarvan de rand misschien nog eens vijftig voet boven de top van de heuvel uitstak. Het was een enorme stad die hoog op heuvels was gebouwd en zich zover over het laagland uitstrekte, dat de buitenrand in rook en de golvende hitte oploste. Maar toen Madoc beter keek, kon hij zien dat een groot deel ruïne was. Op veel daken zaten nog slechts plukken dekriet vast.

Toen Madoc, Cynan en de leenmannen ten slotte de pijp met alle dorpshoofden hadden gerookt, vertelde het opperhoofd hun hetzelfde verhaal als wat ze tijdens de lange reis van die zomer hadden gehoord:

'U ziet aan deze plaats,' gaf hij met gebaren aan, 'dat we met heel velen waren. Dit was een goed land. Alles wat we ons konden wensen gaf de Schepper ons ook. Wat niet van deze grond kwam, ruilden we met andere volken die hier over de rivieren heen kwamen.' De vooruitgestoken kin van het opperhoofd trilde bij de vertaling van deze woorden. Madoc had nog nooit zo'n diepe droefheid in de ogen van een man gezien.

'Van verder stroomafwaarts van de Moeder der Rivieren kwamen er toen een paar seizoenen geleden handelaars deze kant op. Hun bloed was slecht en er heerste angst in hun geest. Sommigen stierven zelfs tijdens hun verblijf hier. Die mensen vertelden dat er een wind des doods door hun steden had gewaard en dat maar weinigen daarna in leven waren gebleven. En spoedig daarna was er een Beer-God naar hen toe gekomen om hen weer vruchtbaar en sterk te maken. Maar de kinderen van de Beer-God werden dood of blind geboren en iedereen werd weer ziek.'

Madoc kneep zijn lippen op elkaar en knikte. Beer-God! De verschrikkelijke legende was alomtegenwoordig. Hij herinnerde zich het weerzinwekkende lichaam van Mungo in de heldere poel onder de waterval. Dat was zo'n veertien jaar geleden geweest. In zijn herinnering was het echter even duidelijk alsof het gisteren was gebeurd. Het opperhoofd ging in gebarentaal verder:

'Deze mensen verhandelden stof en parels met ons en gingen toen naar huis, de rivier af. En toen waren na een paar manen onze mensen vol van de slechte geest en stierven. Onze kinderen werden met het kwaad geboren. Ze waren blind. Ze stierven. Onze priesters konden ons niet beter maken, en algauw waren ze niet meer in staat onze doden te begraven, omdat het er te veel waren. En toen stierven ook de priesters. Zelfs daarboven' – hij wees omhoog naar het gebouw met het hoge dak boven op de heuvel – 'werd onze eigen koning geveld en ging over. En degene die hem als koning opvolgde stierf ook. Nu ben ik opperhoofd over een stervend volk en over kinderen die niet kunnen zien.

Wie bent u, Oude Man? Uw haren zijn wit, maar u bent heel sterk. Uw zoon naast u heeft wit haar, ofschoon hij nog jong is. Ik heb gehoord van een volk dat ten zuiden van de zonsopgang leeft en dat witte lichamen heeft en kan steenhouwen. Hoort u bij dat volk?'

Cynans blonde haar, gebleekt door weken zon op het dek van het schip, was inderdaad bijna even wit als Madocs haar. Madoc schoof de mouw van zijn tuniek omhoog om zijn ongebruinde schouder te laten zien. 'Wij zijn dat volk,' zei hij en toen zijn woorden waren vertaald, sperden de ogen van het opperhoofd zich open van verbazing. Of was het hoop? Hij zei:

'Naar men zegt sterven de mensen die steenhouwen niet van de slechte geesten. Kunt u van uw macht aan mijn volk geven?'

Madoc begreep dat de macht waar deze man om smeekte genezende kracht was. Maar uiteraard bezat hij geen genezende kracht. Door het paradijs Jargal waarde een plaag, zoals de pestiliëntien die Sint-Baeda in het oude Brittannië had beschreven. En hij kon er niets aan veranderen. Hij kon slechts hopen dat dit opperhoofd niet geloofde dat zijn mannen de plaag hadden meegenomen, zoals de vrouw van de bard eens had gezegd. Mungo had zijn pokken wijd en zijd verbreid en de ziekte was hem ver voorbij- en vooruitgegaan. Madoc weigerde echter te geloven dat zijn mensen deze andere winden des doods hadden veroorzaakt.

'Nee,' moest Madoc antwoorden, zoals hij al zo vaak had

267

moeten doen, 'ik heb geen kracht om de pestilentie die uw volk geveld heeft te genezen. Ik kan u vertellen dat deze rampen niet eeuwig duren. Uw zieke en zwakke mensen zullen sterven en latere generaties zullen weer sterk zijn. Dat is al gebeurd met de Tsoyaha Euchee die met ons in het zuiden wonen. Ik zal tot mijn God bidden of uw volk weer gezond wordt en ik bied u in vriendschap mijn hand aan. Ik breng gereedschappen waarmee u steen kunt houwen, en kookpotten die niet in het vuur zullen breken. Ik bied u die aan,' zei hij terwijl hij de zakken met geschenken voor de afgestompte ogen van het opperhoofd liet openmaken, 'in ruil voor voedsel voor mijn mensen op de boten. En ik zou graag willen dat u me vertelt over de rivieren die verder naar boven in de Moederrivier stromen, want mijn zoon en ik maken een grote afbeelding van heel dit land.'

Met een zucht boog het opperhoofd zich voorover om naar de kookketels en gereedschappen te kijken. De warme zomerwind blies constant over het terras van de heuvel heen en wervelde sissend de cederrook omhoog.

En ondanks zijn grote droefheid over de tragedie van de plaag, was Madoc diep in zijn hart blij dat er, zo te zien, geen inheemse volken meer waren die genoeg kracht bezaten om een bedreiging voor de groei van zijn koninkrijk te vormen. In ieder geval had hij nog niet zo'n volk gevonden.

De volgende dag mocht Madoc met de dorpshoofden mee naar de top van de piramide. De meesten van hen waren zo zwak, dat ze tijdens de klim een aantal keren moesten stoppen en rusten.

Vanaf deze hoogte, misschien zo'n honderd voet boven het stroomgebied van de rivier, was de loop van de Moeder der Rivieren mijlenver stroomopwaarts en stroomafwaarts zichtbaar. Het hele plan van de heuvelstad was zichtbaar. Madoc zag misschien zo'n honderd aarden heuvels liggen, die in grootte van hutten tot kastelen varieerden. Op een afstand van misschien twee furlongs stonden aan de andere kant van het plein twee grotere heuvels achter elkaar. Eén had de vorm van een afgeplatte, vierzijdige piramide, de ander van een brede kegel. De omtrekken staken prachtig af tegen de achtergrond van een groot meer. Het opperhoofd legde uit dat daar de grond voor de bouw van de piramiden was uitgegraven; de kuil had zich generaties geleden met water gevuld en was nu een meer. De mensen hadden de aarde in manden op hun rug gedragen, vertelde hij, en die steeds hoger en breder opgehoopt, net zo lang tot het de heuvels waren geworden die Madoc nu zag en waarop hij nu stond.

Toen hij dat hoorde, was Madoc bijna overweldigd. Hij had in het laagland bij zijn kasteel gezien hoe mieren mierenhopen bouwden: duizenden mieren die bedrijvig met korreltjes aarde heen en weer liepen en die opstapelden. Deze plaats had ongetwijfeld de niet aflatende inspanningen gevergd van duizenden mensen die, net als de mieren, aarde droegen, en dat generaties lang, elke dag! Hier zag hij menselijke inspanning op een schaal waarover hij nog nooit eerder had nagedacht, ook al had hij Rome en Athene en de Romeinse Muur dwars door Noord-Brittannië, en zelfs de piramiden van Egypte gezien. Maar geen van die bouwwerken had met de immense mogelijkheden van mensenarbeid zo'n diepe indruk op hem gemaakt. 'Er moeten hier wel tienduizenden mensen hebben gewoond!' riep hij naar Cynan. 'En nu wonen er nog maar een paar honderd ziekelijke, sukkelende mensen!' En dat deed hem stilstaan bij de nutteloosheid, de zinloosheid van dat alles. Het was precies zoals bij de Egyptische bouwwerken, dacht hij: mensen doen al deze dingen en zijn even later verdwenen!

In het licht van de late namiddag dat nog restte, hielp het opperhoofd Madoc en Cynan om door middel van handgebaren en tolken en door naar karakteristieke punten op de horizons te kijken meer begrip van dit deel van het land te krijgen.

Nog geen dagreis stroomopwaarts, zei hij, werd de Moeder der Rivieren gevormd door het samengaan van twee rivieren. Eén begon in de bossen van het noorden en een andere rivier had zijn oorsprong in de besneeuwde bergen ver, ver naar de zonsondergang toe. Verschillende dagreizen stroomafwaarts stroomde er in het oosten een andere grote, mooie rivier met helder water in de Moeder der Rivieren. Naar men zei begon die rivier in de groene bergen ver naar de zonsopgang. Madoc kende die rivier; zijn schepen waren een deel daarvan afgezakt om de Moeder der Rivieren te bereiken. Voor hem was dat op dit moment de meest intrigerende rivier, omdat deze volgens hem niet ver van de oostkust van het continent begon. Hij wilde meer over de rivier weten. Hij wilde weten hoe ver stroomopwaarts zijn grote schepen erop konden varen. Hij wilde weten wat voor soort mensen langs de rivier woonden en wat voor soort zaken ze mogelijk te verhandelen hadden. Hij vroeg het opperhoofd om antwoord op al die vragen.

'Er kwamen hier mensen van overal vandaan om met ons handel te drijven,' zei het opperhoofd met handgebaren, 'en hier kwamen de volken van de oostelijke rivieren om handel te drijven met de volken van de westelijke rivieren. Nu komen er niet zoveel meer. Veel van hen zijn dood. Velen zijn bang dat ze zullen doodgaan als ze komen. Maar wij herinneren ons wat ze over die rivier zeiden.

Er zijn vredelievende volken bij en sommige zijn net wolven die niet willen dat andere wolven binnen hun markering komen. Sommige volken zijn onze verwanten die, zij het minder hoog, ook zulke hoge bouwsels hebben gemaakt. Wij weten niet of ze nog leven; we hebben hen al vele seizoenen niet gezien.

Ik heb naar uw grote boten gekeken. Ik heb nog nooit zulke grote boten gezien. Maar het is een brede rivier en uw boten kunnen die bevaren. Halverwege naar de bron in de bergen vindt u echter het Vallend Water. Dat is een heilige plaats voor die volken en een plek waar ze een groot deel van de vis die ze eten kunnen vangen. Daar moet u uw boten op de wal trekken en boven langs de watervallen heen dragen. Ik denk echter dat uw boten te groot zijn om ze eromheen te dragen, ofschoon u zo op het oog heel sterke mensen bent die daar misschien wel in zouden slagen.'

'Ik wil die heilige plaats van Vallend Water zien,' fluisterde Madoc emotioneel naar Cynan. 'En op de een of andere manier wil ik daar voorbij, wil ik naar de bron van die rivier toe! Vanaf die groene bergen kun je ongetwijfeld de Mare Atlanticum zien. Vanuit de Mare Atlanticum konden wij immers groene bergen zien!'

'Vader, bedoelt ge dat we moeten proberen *schepen* om de waterval heen te dragen?'

Madoc gniffelde. 'Nee, mijn zoon, maar zelfs waar schepen niet kunnen gaan, kunnen mensen dat wel. Ach...' Opeens schoot hem iets te binnen. Hij vroeg de tolk of deze wilde informeren of er volken in dit land waren die paarden bezaten.

De tolk had geen flauwe notie wat een paard was en dus moest Madoc er een beschrijven. Daarbij moest hij aan paarden terugdenken en hij besefte hoezeer hij die miste. In zijn gedachten kon hij ze nog steeds horen en ruiken en zich herinneren hoe het was om paard te rijden.

De tolk keek ongelovig toen Madoc uitlegde dat een paard een groot beest met hoeven was waarop je kon zitten en zo gehoorzaam was, dat het zich door een man liet gebruiken. Toen dit aan het opperhoofd was overgebracht, keek hij heel even twijfelachtig. Hij antwoordde dat dit land maar twee soorten van zulke grote dieren met hoeven kende. En geen van de twee was vriendelijk genoeg of liet toe dat een man erop zat. Met veel moeite beschreef hij voor Madoc een dier dat kennelijk een eland was en een ander dier dat Madoc zich uiteindelijk voorstelde als een runderachtig dier dat misschien leek op de wilde *oeros* of de *wisent*, de Europese bizon. Om hem bij zijn uitleg te helpen, stuurde het opperhoofd boodschappers naar de stad, die een hele tijd later terugkwamen met een huid van beide dieren bij zich. Madoc vond de donkerbruine huid van het dier dat op de wisent leek verbazingwekkend. Het voorste deel van de rug was dicht behaard met krullerige, donkere wol. Hij wist dat hij er iets voor in ruil moest geven, zodat hij de huid mee terug naar Dolwyddelan kon nemen. 'Voel eens!' riep hij tegen Cynan. 'Gwenllian en uw moeder zouden daar vast en zeker wol van kunnen spinnen en weven!' Ze hadden nog steeds niets gevonden om schapewol of katoen voor de kolonisten te vervangen, hoewel Gwenllians experimenten met geel vlas en een aantal vezels aan de binnenkant van boombast een sterke, linnenachtige stof hadden geproduceerd. De tuniek die Madoc nu droeg was daarvan gemaakt. Maar wat zou die donkere wol fantastisch zijn! Madoc vroeg of het een zeldzaam dier was.

Voor het eerst verscheen er een zweem van een glimlach op het gezicht van het opperhoofd. 'Daar, die kant op, op het land waar gras groeit,' antwoordde hij terwijl hij naar een vage, rode zon keek die achter een donkere, op rook lijkende wolkensluier onderging, 'zult u ze zover het oog reikt vinden. Veel, maar niet zoveel, leven in de bossen en op de grasvlakten en trekken met veel, heel veel dieren samen over lange afstanden. Waar ze ondiepe plaatsen weten, steken ze zelfs rivieren over.' Deze toespraak vereiste heel wat ingewikkelde gebaren en de nodige inspanningen van de tolk. Daarna zei de man: 'Er zijn er ontzettend veel. Als u ze nog niet gezien hebt, krijgt u ze nog wel te zien. Maar wilt u weten of ze toelaten dat u erop zit? Bedoelde u dat?'

'Ik wilde dat we zo vooruitziend waren geweest om het bestiarium mee te nemen! Wat zou het dan eenvoudig zijn geweest om gewoon de bladzij met een paard op te zoeken en te vragen: "Milord, hebt ge er hier wel eens een van gezien?" En dan zou deze onwetende man, die nog nooit een paard heeft gezien, zijn hoofd schudden. Dan zouden we het weten.'

'Vader,' zei Cynan, 'met uitzondering van die afbeelding in het bestiarium, ben ik zelf ook een onwetend man die nog nooit een paard heeft gezien!'

Lieve hemel, dacht Madoc, dat heeft hij inderdaad niet! Een Welse prins die nog nooit een paard heeft gezien! En dat naar alle waarschijnlijkheid helaas ook nooit zal zien!

Het was een moeilijke beslissing om de Moeder der Rivieren niet verder op te varen naar de plek waar ze werd gevormd door twee rivieren die in elkaar overgingen. Deze mensen hadden gezegd dat het maar een dagreis ver naar het noorden was. Madoc wilde daar verschrikkelijk graag heen gaan. Hij wilde de noordrivier helemaal opvaren en ook heel de westrivier bevaren. Maar uiteraard kon hij in de maanden van goed weer die nog restten, voordat hij weer naar Dolwyddelan moest terugkeren, niet allebei of een van beide doen.

En dus zakte hij nu met zijn vloot de Moeder der Rivieren af naar de mond van de mooie rivier die vanuit het oosten stroomde. Dat was dichter in de richting van huis en het oostelijk deel van het land was al twintig jaar lang het mysterie in zijn gedachten geweest. De andere rivieren waren nieuw in zijn verbeelding en hoewel ze daarin groot opdoemden, besloot hij om daar volgende jaren naar toe terug te gaan om ze te verkennen.

Terwijl de vloot vanaf de piramiden de Moeder der Rivieren afzakte, werkten Madoc en Cynan met stukjes houtskool hun eerste landkaart van Jargal uit. Ze schetsten de dingen die ze zojuist van de verdoemde mannen hadden gehoord in en schetsten de mondingen van de zijrivieren. Later zouden ze de karakteristieken waarvan ze tamelijk zeker waren met inkt invullen en de aantekeningen met houtskool wegschrappen. Desondanks zag het grote vel perkament er vlekkerig en smerig uit. Van in kaart brengen wist Madoc maar weinig af. Afgezien van hetgeen de Ierse monniken van de oude werken van Eratosthenes, Hipparchus en Strabo hadden bewaard, wist hij niets. Er bestonden misschien hoogstens vijf of zes landkaarten van de toenmaals bekende wereld. En uiteraard bestond er, behalve deze kaart, geen enkele kaart van Jargal. Madoc voelde hoe belangrijk het werk was. Een landkaart was kennis.

De Ouden hadden door middel van berekeningen en de verhalen die ze van de zeelieden hoorden de zaak in kaart gebracht. Madoc kon slechts optekenen wat hij zag of door middel van vingerwijzingen en handgebaren van de wilden had geleerd. Hij kon echter wel goed afstanden en richtingen beoordelen en even scherp als hij de stromingen en geuren van de zee aanvoelde de ligging van het land en het verval van een rivier voelen. Hij was negentien jaar geleden, toen hij verloren en verbijsterd langs die kust in het zuiden had gevaren, met deze landkaart begonnen. Op basis van dingen die hij van Zon Arend en andere inheemse bewoners die verre reizen maakten had gehoord, stond zijn grote landkaart nu vol met lijntjes, symbolen en woorden en stonden de opengelaten gebieden volgekrabbeld met legenda als *Bergen van Noord naar Zuid, afwaterend naar het Westen op zijrivieren van Moeder der Rivieren, en ten oosten naar de Zee van Atlantis*, en *Hierboven naar men beweert een Zoetwater Zee, en nu: Grote weidevlakten met Kudden Oerossen of Wisenten ten Westen van Besneeuwde Bergen*.

Gedeelten van de kaart waar hij had gewoond en gereisd stonden vol details. De markeringen waren kriebelig geschreven, weggekrabd en opnieuw ingeschreven tot het perkament bijna doorgesleten was. Eén zo'n plek was het gebied rond een kleine tekening van kasteel Dolwyddelan; een andere was het gebied waar erts werd gemijnd en dat door Riryds kasteel Clochran gedomineerd werd.

Van die plekken zwierven zijn smoezelige lijnen en verbeteringen naar het westen en noordwesten langs de loop van de Ten-nes-see, waarin hij de ondiepten, watervallen en draaikolken die de vloot tijdens de tocht stroomafwaarts in het voorjaar in gevaar hadden gebracht had aangetekend.

Nu de melancholie en de verloren gaande grootsheid van de piramiden achter hen vervaagden, richtte Madoc al zijn aandacht op de brede, diepe, mooie rivier uit het oosten. Hij stroomde langs glooiende weidevlakten en tussen hoge, beboste, steile hellingen door. En toen ze omhoogkeken, zagen de reizigers eindelijk de kudden donkere wisenten met de bult op hun rug. Madoc ging met de jagers aan land. Hij had verwacht dat de runderachtige dieren een gemakkelijke prooi zouden zijn, maar ze waren zo alert en snel dat hij er niet verder dan op een furlong afstand van kon komen. Hij kon slechts bewondering voor hun krachtige, goedgevormde uiterlijk hebben en opmerken dat ze door horden wolven werden geschaduwd. Het zou misschien minder eenvoudig zijn dan hij had gehoopt om genoeg wisentwol voor een rendabele weefonderneming bij elkaar te krijgen. Dat was echter van latere zorg; nu eiste deze mooie rivier al zijn aandacht op.

'Die dorpshoofden hebben mijn idee dat deze rivier in de oostelijke bergen, ver ten noorden van Dolwyddelan, begint bevestigd,' zei hij tegen Cynan terwijl hij met zijn vinger op de nog niet gemarkeerde delen van het perkament tikte. 'Te weten dat ik gelijk had, geeft me een uiterst tevreden gevoel. Hoe vaak, en vergeefs, heb ik mijn overtuiging niet aan Riryd, uw oom, voorgehouden! Kijk. Te zien aan de kleine ruimte die hier voorbij overblijft, kan de Zee van Atlantis werkelijk niet ver voorbij die bergen liggen! Mijn zoon, wat hunker ik ernaar die onbeschreven gebieden ten noorden van ons huidige domein in te vullen! In het seizoen dat ons nog rest, zullen we trachten de Mooie Rivier op te varen!'

Cynan verbaasde hem toen met de vraag: 'Zouden we het seizoen niet gemakkelijker hebben kunnen doorbrengen door de Moeder der Rivieren helemaal af te zakken?'

'Nou, misschien doen we dat nog wel eens. Maar daar ligt het onbekende niet. De Moeder der Rivieren stroomt naar die warme, zuidelijke zee waar we die allereerste keer zijn geland. Dat hebben we al gezien.'

'Ja, vader. U wel. Maar dat was vóór ik geboren was,' bracht hij hem in herinnering. 'Ik heb nog nooit een zee gezien!'

Op een kalme, smoorhete middag kwam de vloot aan bij de monding van de Ten-nes-see, waar ze twee weken eerder langs waren gekomen. Aangezien ze nog uren daglicht voor zich hadden, roeiden ze verder. Ze keken naar stuurboord en dachten verlangend aan Dolwyddelan en thuis, dat ver stroomopwaarts aan die rivier lag. Nog geen zes mijl verder kwam Madoc verbaasd tot de ontdekking dat er aan stuurboordzijde nog een grote rivier in uitmondde; hij had die bijna over het hoofd gezien omdat er een groot eiland in de monding lag. Onmiddellijk probeerde hij zich voor te stellen waar de bron van deze rivier zich zou bevinden. Dat moeten vast en zeker dezelfde bergen zijn die op de Ten-nes-see afwateren, dacht hij, terwijl hij naar de lege gedeelten van zijn landkaart keek. Maar dan ten noorden daarvan en evenwijdig, want rivieren kruisen elkaar niet.

Aan de benedenkant van het eiland stonden de hutten van een onbewoond visserskampement. Hier zette Madoc hun kamp op voor de nacht; het dorp lag zo dicht bij de rand van het water, dat ze de aangemeerde schepen in het licht van het vuur zouden kunnen bewaken. Eén keer die nacht zagen de wachtposten aan boord in het maanlicht verschillende boomstamkano's in het water liggen. Ongeveer een uur lang veroorzaakte hun aanwezigheid enige schrik. Maar toen haalde Madoc de oude signaalhoorn die hij van de *Gwenan Gorn* gered had te voorschijn en begon erop te blazen. Verder liet hij zijn soldaten met zwaarden op hun schild en met bijlen op de kookketels slaan om de inboorlingen af te schrikken.

275

Bij het aanbreken van de dag vertrok de boot weer met de roeiers aan de riemen. Algauw kwam er in de rug een warme, gestage wind vanuit het dal opzetten. Aan boord werden de lederen, vierkante zeilen gehesen. De schepen werden op de brede rivier naar het noorden gestuwd. Glad en soepel zeilden ze door nog meer wonderbaarlijk vruchtbaar land, bos, grasland en moeras heen. Soms vlogen er zwermen duiven zo breed en lang als wolken over en regende het zoveel uitwerpselen op de schepen en de rivier, dat iedereen erdoor getroffen werd.

Ieder vruchtbaar eiland en elke mooie, hoge rotswand prees zichzelf bij Madoc aan als een plek voor nog een bastion en hij mijmerde over een tijd dat een goed florerende, Welse bevolking dit magnifieke land dat hij had ontdekt zou bevolken, zoals eens de makers van de heuvels en piramiden hadden gedaan. De rivier maakte een grote bocht naar het oosten en de wind blies nog steeds in de bolle zeilen. De vloot voer voor de wind en de roeiriemen waren nauwelijks nodig.

Op een dag keek een Euchee-wachtpost naar een steile, kalkstenen rotswand die boven de rivier uittorende. Er zat een enorm gat in, dat net een enorm boograam in een muur leek. Ze gingen aan wal en Madoc en Cynan begonnen de steile klim over de met puin bezaaide wand naar de donkere opening toe. Ze namen lijfwachten mee.

Het was een grotopening van twintig passen breed. Erachter lag een gewelf van dertig of veertig voet hoog. Er hing een zware lucht van roet en houtas. De aarde op de grond van de grot was aangetrapt en er lagen verbrande beenderen, as en scherven aardewerk en vuursteen. De wanden en het plafond van het gat zagen zwart van de rook en er waren afbeeldingen van wild, van groteske, olifantachtige dieren, zonnen, gezichten en tekens die net letters en cijfers leken in uitgekrast. De enorme ophoping van menselijke resten en muskus gaf zo'n terneerdrukkend gevoel, dat Madoc ervan moest huiveren. 'Ik heb het gevoel dat hier vanaf het allereerste begin mensen hebben gewoond,' zei hij tegen Cynan. 'En dat is geen wonder ook, als ge ziet hoe veilig deze schuilplaats is en hoe ver ge kunt uitkijken...' Hij draaide zich naar de rivier om en ging verder: 'Dit is een door God gemaakte vesting! Denkt u eens een hele serie

276

forten en seintorens op deze hoogten langs de rivier in, zoon. Door vuren of rooksignalen zou een koning van dit dal binnen een dag of nacht waarschuwingen en boodschappen langs deze hele rivier kunnen sturen. Toen Cambriës kusten werden aangevallen, deden onze voorvaderen dat ook, naar men zegt – volgens de bards zelfs toen de Romeinen het land binnenvielen.'

Cynan keek bedachtzaam en staarde naar de aangemeerde vloot beneden. Toen vroeg hij: 'Wie zouden hier het land binnendringen? Gij waart toch de enige die uitvoer om dit land te ontdekken?'

Madoc greep zijn zoon bij zijn onderarm en bracht hem de grot uit om naar de schepen terug te gaan. 'Dat zou ik graag geloven. Maar toen ik naar Jargal vertrok, was ik slechts een van de velen die van die plek droomden. Ik twijfel er niet aan dat er hier lang geleden anderen zijn geweest – Libiërs, Phoeniciërs en Egyptenaren. En in de buurt van Dolwyddelan hebben we Romeinse munten gevonden. Met onze eigen ogen hebben we, dacht ik, in deze grot alfabetten gezien. Nee, er bestaat geen twijfel aan dat er hier weldra nog anderen zullen komen. En het is zo'n enorm land, dat anderen uit Europa, Afrika of Azië hier in feite misschien al zijn zonder dat wij dat weten.

Wie weet zijn er zelfs mensen uit Wales! Onze landgenoten wisten dat ik hier was geweest en dat ik terugging. Zij wisten dat Jargal niet zo maar een fabel is! Wie weet bevinden zij, of anderen uit Europa, zich wel aan die oostkust waar ik voor het eerst aan land ging!'

Terwijl ze van rots naar rots klauterden en zich onder het klimmen voor houvast aan jonge boompjes en struiken vastgrepen, dacht Cynan diep na. 'Maar als anderen van uw geboorteland hier zouden komen, zouden we hen dan niet verwelkomen? Zouden we *hen* indringers noemen?'

Madoc zuchtte. 'Ik weet het niet. Dat hangt ervan af wat ze in de zin hebben. Toen wij naar hier vertrokken, waren maar weinig van onze landgenoten onze vrienden, dat kan ik u wel vertellen. Ik veronderstel dat ik u daar op een goede dag alles over moet vertellen. Maar ik aarzel om hier, in dit Eden, uw gedachten te bezoedelen met kennis van de verloedering uit de oude wereld.'

'Ik heb Meredydd en Gwenllian over al die slechte dingen horen vertellen. Ik heb me erover verbaasd.'

Madoc bleef op de steile helling stilstaan. 'Na al die twintig jaar weet ik zelfs niet wie van mijn broers nog in leven zijn, àls er überhaupt nog een in leven is. Ik weet niet wie aan de macht is, wie die strijd gewonnen of verloren heeft – ik weet niet eens of we nog steeds een Welse heerser hebben. Koning Henry van Brittannië bezat een demonische drang om Wales te veroveren... Vaak ben ik blij dat ik het niet weet, dat ik over dat alles geen verdriet hoef te hebben. Sinds de val van de mens is veroveren daar de hele droeve geschiedenis van de wereld geweest. Maar ik geloof niet dat de mens hier zover is gevallen.'

Cynans volgende vraag schokte hem: 'Bent gij een veroveraar?'

Madoc fronste zijn wenkbrauwen. 'Ik ben niet gekomen om te veroveren, om binnen te dringen! Nee, ik ben geen veroveraar.'

'Meredydd zei dat heel dit land voordat gij kwaamt aan de inheemse volkeren toebehoorde. Nu is het van u, en zijn de Euchee uw onderdanen.'

'Ik heb door besprekingen hun harten veroverd en zij hebben zich aan mij dienstbaar gemaakt. Ik heb hen niet veroverd. Veroveren gebeurt door wapengeweld, door doden en onderwerpen. Nee. Dat heb ik niet gedaan!'

Dat was Madocs antwoord aan zijn zoon. Maar toen hij dacht aan de talloze doden door pestilentiën en aan zijn twijfels over de oorsprong daarvan, was hij minder zeker van zijn antwoord.

Dertig mijl stroomopwaarts van de grot riep een wachtpost opeens iets. Madoc en Cynan waren nog steeds bezig de plaats van de grot op hun kaart neer te schrijven. Ze liepen naar voren om te zien wat er voor hen uit te zien was. Hier stroomde een brede rivier vanuit het noorden de Ten-nes-see in.

'Dat is de grootste zijrivier die we tot nog toe aan bakboord hebben gezien,' zei hij tegen Cynan. 'En van welke wonderbaarlijke plaats in het noorden komt hij vandaan? Misschien zult gij dat op een goede dag nog eens ontdekken, voor ge, zoals ik, op één plek verankerd raakt met het bouwen van koninkrijken.'

De jongen had een opgewekt, knap gezicht en de wind blies door zijn haar. 'Ik wilde dat ge het regeren voorgoed aan Meredydd kon overlaten, vader, zodat u en ik vrij zoals nu waren en we elke rivier naar zijn bron konden volgen!'

De volgende dag voer de vloot langs zes eilanden heen. Enkele daarvan waren meer dan drie mijl lang en met prachtige bossen bedekt. Toen ze aan één ervan aan land waren gegaan, bleef Madoc opeens staan en draaide zijn hoofd om.

'Dat zijn trommen,' zei hij en zijn schedel prikte bij de gedachte aan die onheilspellende trommelslagen die hij al die jaren geleden, vóór zijn ontmoeting met de Euchee, dag en nacht had gehoord.

Vandaag had de rivier ruwweg in oostelijke richting gelopen, vervolgens een diepe lus naar het zuiden gemaakt en was toen weer naar het noorden gedraaid. Hoewel de trommelslagen heel zwak klonken, kwamen ze van stroomopwaarts, vanuit het noorden. Madoc dacht dat zijn vloot met een uurtje roeien wel op de plek waar ze vandaan kwamen zou arriveren.

Toen de schepen een scherpe bocht naderden, klonken de trommen heel duidelijk. Opeens zag Madoc inboorlingen door de bossen langs de linkeroever flitsen. Hij gaf de bemanning opdracht hun schilden over de dolboorden te hangen. De romp van de curraghs was namelijk gemaakt van met was behandeld leer over een tenen geraamte, en zou zelfs door een pijl met een stenen pijlpunt doorboord kunnen worden. Zoals altijd geloofde Madoc dat ze vriendschap met de inboorlingen zouden kunnen sluiten. Hij herinnerde zich echter de opmerking van het opperhoofd een paar dagen geleden, dat sommige volken zich misschien als wolven over hun gebieden zouden gedragen. En hij was niet zo dwaas dat hij hen onvoorbereid tegemoet trad. De trommen hadden een indringende klank. Die verontrustte hem. Hij keek naar Cynan die zijn helm had opgezet, en dacht:

Hij is nog zo jong! Laten we hopen dat het vandaag niet tot vechten komt!

Toen Madocs vloot door de scherpe bocht in de rivier voer, zagen ze een indrukwekkend schouwspel voor zich. Op de linkeroever stond een reeks aarden heuvels met daarbovenop gebouwen met rieten daken. Langs de steile rotswand stonden misschien een stuk of twaalf aarden heuvels en er stonden meer dan honderd huizen. Langs de rivieroever beneden lagen tientallen boomstamkano's, die zich nu met krijgers vulden. Overal op de rotswanden en de hellingen van de heuvels bevonden zich mensen die probeerden het beste punt te vinden om de vloot te kunnen zien. Hun stemmen klonken als een constant gemurmel boven het ruisen van de wind uit.

Madoc had het idee gehad om hier te stoppen om met de inboorlingen te kunnen praten. Toen hij echter zag wat deze mensen aan het doen waren, had hij daar nog maar weinig hoop op. Er kwam geen hoofdman op de wallekant aangelopen om hen op de gebruikelijke, vreedzame manier te begroeten. De krijgers, die snel in hun boten stapten, waren allemaal met pijl en boog en speren bewapend. Cynan, die naast Madoc stond, zette grote ogen op van schrik. Hij vroeg: 'Gaan we terug, vader?'

'Nee. We zullen geen angst tonen. Als zij geen stappen ondernemen om te praten, gaan we hen simpelweg voorbij. Of, als ze ons trachten tegen te houden, zullen we vechten. Maar ik hoop dat ze dat niet zullen proberen.'

Hij gaf aan de rest van de vloot door dat de helft van de roeiers de riemen moest binnenhalen en hun grote handbogen moest pakken en dat er op de voorsteven van ieder schip een mannetje met de kruisboog moest klaarstaan. Dusdanig op de strijd voorbereid, voer de vloot langzaam stroomopwaarts. Toen die langs het benedenste deel van de stad voer, liet Madoc de vaartuigen naar de kust aan stuurboordzijde sturen, zodat ze op de grootste afstand van de stad door de bocht van de rivier konden gaan.

Nu voeren beide vloten langzaam, evenwijdig aan elkaar en op zo'n tweehonderd el afstand van elkaar de rivier op. Madocs curraghs, die zich aan de binnenkant van de bocht bevonden waar de stroming langzamer was, gingen sneller door de bocht, ook al waren de grote schepen lomp en onhandelbaar vergeleken met de smalle boten van de inboorlingen. De trommen en het opgewonden gedreun van de stemmen van de inboorlingen, plus de intensiteit van de krijgers die zich over hun pagaaien bogen, creëerden een spanning die Madoc en zijn mannen nog over de rivier heen konden voelen. Heel even kon Madoc de stad en de vloot overzien.

De heuvels met de gebouwen namen een enorm gebied van het dal in beslag – wel honderd hectare, schatte hij. Een groot deel van het land om de heuvels heen bestond uit vruchtbare akkers en velden met graan. Om de stad heen stond een palissade van palen van wel honderden ellen lang, met op een boogschot afstand van elkaar torens erbovenop. Boven de stad lag een enorm veld met gele zonnebloemen. Dit was zo te zien een stad die niet door de plaag was uitgedund; hij was druk bevolkt en de mensen waren actief en energiek.

Nu keek hij naar de boten die op hen afkwamen. Het waren er misschien veertig of vijftig. Elke boot had vijf of zes inboorlingen aan boord. Hij tuurde gespannen naar de voorste boot om te zien of hij iemand kon ontdekken die misschien hun aanvoerder in de strijd was. De man op de voorsteven was, evenals de anderen, naakt en droeg geen enkele versiering. Hij was aan het pagaaien. Madoc kneep zijn ogen toe om hem beter te kunnen zien, maar hij kon hem op deze afstand niet goed onderscheiden; met het ouder worden, had hij al eens eerder gemerkt, ging zijn gezichtsvermogen erop achteruit. Opeens riep Madocs roerganger: 'Welke vaargeul, majesteit?'

Hij draaide zich om.

Voor hen uit, voorbij de gebogen landtong waar zijn schip nu omheen voer, werd de rivier door een eiland in twee vaargeulen gesplitst. De vaargeul aan de rechterhand was smaller en dichterbij. Madoc zag dat de boten van de inboorlingen hen zouden moeten insluiten of achter moesten raken als ze allebei tegelijk deze nauwe doorgang zouden gebruiken. Hij keek naar hun rij kano's en vermoedde dat ze naar de linkerkant van het eiland afstevenden.

'Naar stuurboord!' Hij wees naar de smalle vaargeul.

Al spoedig zag hij dat de inboorlingen hem niet in de smalle vaargeul zouden volgen. Hard pagaaiend wendden ze de steven om het eiland aan de andere kant voorbij te gaan.

'Als ik het juist inschat,' zei hij tegen Cynan, 'zijn ze van plan om sneller dan wij te zijn en willen ze vóór ons uit aan de andere kant van het eiland komen.' Verder dan dat kon hij echter niet naar hun bedoelingen raden – of ze zijn vloot zouden afsnijden en aanvallen of langszij zouden blijven varen om te kijken of door middel van gebaren te kennen zouden geven dat ze een vriendschappelijke ontmoeting wensten. Maar dat laatste leek niet waarschijnlijk.

Het eiland lag laag en was dichtbegroeid met wilgen en struikgewas. Madoc zag nu ook dat het lang was. Het was een heel lang eiland, dat evenwijdig met de rivieroever liep. Langs de rand stonden een paar hutten en in het water stonden palen met, een paar voet eronder, visweren. De palen dreigden de leren bekleding van de curraghs open te halen. De schepen voeren langzaam verder, maar de vaargeul werd steeds smaller, zodat de riemen bijna beide kanten raakten. Madoc begon al te denken dat de inboorlingen zijn vloot in een steeds smaller wordende val, net een visweer, hadden gedreven.

Maar geleidelijk aan werd de vaargeul weer breder, eerst dertig el en toen veertig el breed. Het gevoel van wanhoop begon uit Madocs bonkende hart te verdwijnen. Toen hoorde hij de uitkijkpost roepen:

'Kijk! Daar zijn ze!'

Het struikgewas op de oever van het eiland scheen te leven. Honderden bruine gestalten renden door het kreupelhout. Ze waren kennelijk met hun boomstamkano's op de andere oever aan land gegaan en over het eiland gerend om de vloot in de vaargeul vooruit in de val te lokken. Het was een ingenieuze manoeuvre. Hoe geschrokken en boos hij ook was, toch moest Madoc hun sluwheid bewonderen. Op de plaats waar de wilden verschenen, vernauwde de vaargeul zich weer en werd bijna even nauw als de engte die hij zojuist had gepasseerd.

Ze konden nu alleen maar doorroeien en zich zo nodig door de trechter heen vechten. Zeilen waren op zulke smalle plaatsen in de rivier nutteloos. Ze waren dan ook opgerold. Als de roeiers de riemen moesten binnenhalen en van achter hun schilden moesten vechten, zouden de curraghs slechts ronddobberen en aan de genade van de krijgers zijn overgeleverd. Madoc en zijn bemanningen dropen van het zweet. In de beslotenheid van deze vaargeul was er geen wind. Hij voelde zich vernederd dat hij zichzelf en zijn vloot in zo'n val had laten lokken.

Honderd passen voor hen uit waren de krijgers vanuit het kreupelhout op het strand van het eiland, een zandbank, uitgezwermd. Aan het hoofd liep de gespierde man die Madoc op de voorsteven van hun voorste boot had gezien. Op dat punt was de vaargeul slechts een steenworp breed.

Toen steeds meer krijgers het water inrenden en naar de rechteroever begonnen te zwemmen, keek Madoc steeds gealarmeerder. Die oever was hoger dan het eiland en hij besefte dat de inboorlingen vanaf dat punt hun pijlen en speren recht in zijn schepen zouden kunnen afschieten en werpen. Tegen projectielen die van zo'n korte afstand werden gelanceerd, zouden zelfs bronzen schilden weinig bescherming bieden. Ze waren zelf met ongeveer vijfhonderd man, allemaal sterke, goed geoefende Welse mannen en Euchee, maar ze zouden als schapen in een hok bijeen worden gedreven.

Toen kwam hem in zijn wanhoop plotseling iets in herinnering.

'Cynan, haal de signaalhoorn voor me,' zei hij. Hij gaf de roeiers opdracht om achteruit te roeien en dat bevel werd door de hele vloot doorgegeven. Madoc liep naar voren en zei tegen de man met de kruisboog die daar stond:

'Ziet ge die grote man die daar aan de rand van het water tegen hen staat te schreeuwen? Ik geloof dat die man hun hoofdman in de strijd is. Hij staat daar open en bloot omdat hij denkt dat hij buiten schootsafstand is. Denkt ge dat ge hem vanhier kunt raken en hem uit de droom helpen?'

'Jazeker, milord.'

'Doe dat dan, maar mis hem niet!'

Terwijl de boogschutter de boog aanspande om te schieten, kwam Cynan al met de hoorn terug en overhandigde die aan zijn vader.

Op hetzelfde ogenblik dat de pijl van de kruisboog vloog,

blies Madoc hard op de hoorn. De krijgers zagen hun leider bloedend in de rivier vallen als het klaarblijkelijke resultaat van de stem van een monster. Even brulden en jammerden ze het uit van angst en ontzetting. Vervolgens verspreidden ze zich in het gebladerte. 'Roeien!' schreeuwde Madoc. Terwijl zijn schip het strand passeerde, trokken ze met een haak aan een touw het lichaam van het opperhoofd aan boord. Binnen enkele minuten waren ze de bovenkant van het eiland voorbij en kwam de vloot curraghs in de volle breedte van de open rivier terecht. Hier waren geen krijgers of boten te zien. Madoc sprak een dankgebed voor hun redding uit en vestigde toen zijn aandacht op het bebloede lijk van het krijgsopperhoofd.

Zelfs in de dood was de man indrukwekkend. Madoc was bedroefd dat zo'n toonbeeld van mannelijkheid opgeofferd had moeten worden. De man was bijna even groot als Madoc geweest. Zijn huid had een lichte koperkleur en was strak over magere, maar goedgevormde spieren gespannen. Hij was volkomen onbehaard, met uitzondering van een knot van gevlochten, zwart haar boven op zijn hoofd en van zijn oogharen; zelfs zijn wenkbrauwen waren uitgeplukt. De ijzeren schicht van de kruisboog was door zijn tors gedrongen en aan de andere kant boven zijn middel weer naar buiten gekomen. Daarbij had hij de ruggegraat gebroken. Het was precies het schot geweest dat nodig was en Madoc prees de boogschutter ten overstaan van de hele bemanning.

Terwijl de vloot verder de rivier opvoer, bedacht Madoc hoe hij zich van het lijk moest ontdoen. Op de een of andere manier moesten ze diepe indruk maken, dacht hij – een indruk die even ongelooflijk was als de dood zelf. Krachtige indrukken hadden tot nog toe steeds de inboorlingen overreed of tot bedaren gebracht en Madoc was tot het wijze inzicht gekomen dat het ogenschijnlijke krachtiger is dan de werkelijkheid.

En dus liet hij nu het lichaam van het krijgsopperhoofd wassen en de wonden dichtstoppen, en hem kleden in een oud maliënkolder met koperen helm en hem achterover in een coracle leggen. Ze lieten de coracle in het water zakken en wegdrijven. Madoc wist dat de inboorlingen bij de grote heuvelstad in de bocht van de rivier geschokt of boos zouden zijn of door de verschijning van hun dode opperhoofd, gevangen in metaal, voor een raadsel zouden staan. Hij wist niet precies hoe ze het zouden uitleggen. Wanneer hij op de weg terug, de rivier af, weer langs dat vijandige dorp kwam, wilde hij echter hetzij met respect behandeld worden, hetzij met rust gelaten worden. Als dat niet gebeurde, zou de mogelijkheid immers bestaan dat hij helemaal niet meer naar Dolwyddelan, zijn vrouw en zijn koninkrijk kon terugkeren.

De twee weken die nu volgden voer Madoc voor zijn vloot van curraghs, de schepen met lederen romp uit. Ze zeilden door het prachtige dal heen en Madoc verwonderde zich voortdurend over de kalme grootsheid ervan. De stroom was sterk, maar niet snel en de rivier was zo breed dat de schepen, behalve wanneer de rivierloop meanderde en lussen maakte en de steile, hoge, beboste hellingen de wind tegenhielden, vóór de heersende winden konden zeilen. Als de zeilen gestreken waren, trokken de roeiers gestaag aan de riemen. Dan glommen ze van het zweet en lagen hun stalen spieren als koorden op hun armen en schouders. Madoc en Cynan brachten zijrivieren en eilanden, heuvels, grotten en dorpen in kaart en markeerden plaatsen voor uitkijktorens. Zo vulden ze de lege plekken op hun kostbare landkaart in. Elke dag kroop de kronkelige inktlijn van de rivier een stukje verder naar de ingetekende oostelijke kustlijn. Soms was Madoc bang dat hij de kaart op een te grote schaal tekende, dat zijn met inkt overgetrokken rivier dicht bij de met inkt getekende zeekust was, terwijl hij zich in werkelijkheid nog ver, ver ten westen daarvan bevond. Als het opperhoofd bij de piramiden het land juist beschreven had, lag er tussen hier en de oostkust nog een bergketen; hij tekende nu te groot om de rest op de kaart te krijgen. Dus tekende hij de grote rivier kleiner in en liet Cynan, met zijn scherpere ogen en vastere hand, de informatie in zulk klein schrift neerschrijven, dat Madoc het nauwelijks kon lezen.

Het probleem met zijn ogen was angstaanjagend en werd nog verergerd door het zonlicht dat blikkerend op het water weerspiegelde. En er waren ochtenden dat zijn heup- en schoudergewrichten zo stijf waren, dat het hem moeite kostte om op te staan. Madoc wist dat de ouderdom in zijn botten zat, ook al zag hij er nog niet als een oude man uit en was zijn hart nog jong.

Grote God, bad hij 's avonds als hij in zijn deken lag en de neervallende dauw zijn door de zon gebakken gezicht verkoelde, geef me tijd om uw scheppingen te aanschouwen!

Elke dag spande hij zich in om het vallende water te zien of te horen. Naar hem verteld was, lag het halverwege de lengte van de rivier. 'Maar,' zei Madoc tegen Cynan, 'we hebben het nog niet bereikt, hoewel we, dunkt me, wel al driehonderd mijl stroomopwaarts hebben gevaren. Als we nog zeshonderd mijl hebben te gaan, zullen we niet meer op tijd in de hoofdrivier terug zijn om vóór hartje winter naar huis terug te keren.' Hij slaakte een zucht en keek voor zich uit. 'De *afstanden*! Mijn zoon, alleen al in dit seizoen hebben we zoveel gereisd dat we wel tien keer Wales hadden kunnen oversteken. En toch zijn we nog even diep in het binnenland als in het begin! Dit is een land van reuzen!'

De volgende dag keerde de rivierloop zich naar het noorden toe. Heel de dag roeiden de mannen de curraghs in die richting. Voor zover Madocs oog reikte, was er nauwelijks een bocht in de rivier te bekennen. De avondschemering bracht de vloot precies onder een bocht naar het oosten. Ze hadden heel de dag geen dorpelingen gezien en Madoc was van oordeel dat het veilig was om laag op de oostelijke oever een kamp om te jagen op te zetten. Bij de monding van een kreek doodden ze drie hindes en roosterden die in hun geheel aan ijzeren spitten boven vuren. De rook ervan hielp de muskieten verdrijven. De uitgehongerde roeiers aten het hertevlees tot het laatste flintertje op.

De nacht viel in. Het gefluister van de wind en het geknapper van de kookvuren stierven weg. Madoc ging op de grond liggen om te slapen. Hij wikkelde zich in een versleten deken die twintig jaar geleden gemaakt was van het zeildoek van zijn schip de *Gwenan Gorn*. De hoog aan de hemel staande, heldere maan zette het dal in een melkachtig licht en bezielde de spookverschijningen van riviermist, waardoor de aangemeerde curraghs en de slaperige wachtposten werden veranderd in vage, in zilveren damp zwevende silhouetten. Madoc moest denken aan

286

een lange tocht van twintig jaar geleden. Toen waren Annesta en hij in een door de maan beschenen mist voor een beetje warmte dicht tegen elkaar gekropen. Toen hadden er wachtposten om hen heen gestaan. Wat waren we toen nog jong, dacht hij, verloren en zonder huis in een nieuw land. Weer zuchtte hij. Zijn heup deed pijn en hij ging verliggen. Hij herinnerde zich dat ze tijdens zulke nachten onopvallend gemeenschap met elkaar hadden, bijna zonder zich te bewegen om hun dochter die naast hen lag of de bard die in de buurt lag niet wakker te maken, of de wachtposten onbetamelijke gedachten te geven.

Door deze herinneringen smachtte Madoc zo naar hun vroegere genoegens dat hij er niet van kon slapen. Zijn sterke, fijne zoon lag hier naast hem, maar wat miste hij Annesta. En zijn dochter was nu een getrouwde vrouw. Hij treurde om het kind dat ze niet meer was; waarschijnlijk zou ze zelf binnenkort moeder worden!

En hij dacht aan Meredydd, die zoveel meer dan een bard was geworden. Het feit dat Madoc moest toegeven hoeveel van zijn roemruchte daden meer aan de talenten van die alledaagse, schriele man dan aan zijn eigen leiderschap te danken waren, maakte hem deemoedig.

Zilveren wolkengroepen schoven langs de maan. Zacht klotste de rivier. Insekten kraakten en raspten, vis spatterde en in de verte klonken griezelig de stemmen van wolven en uilen. De vermoeidheid zoemde en tintelde in Madocs aderen. Uren later was hij op de grens van de slaap zo gevoelig, dat de aarde zelf leek te brommen en te dreunen.

Opeens was zijn hoofd vrij van die verschrikkelijke vermoeidheid en herkende hij wat hij hoorde of voelde. Het was het geluid dat altijd op kasteel Dolwyddelan aanwezig was – op de beide Dolwyddelans die hij kende. Het was het geluid van vallend water.

Heel dichtbij, misschien al om de volgende rivierbocht, moest de Plaats van Vallend Water zijn! Had hij al die uren naar dat geluid liggen luisteren van die plek die hij zo graag wilde zien?

Het was mooi, helder weer toen de volgende morgen de dag aanbrak. De acht curraghs voeren naar het midden van de rivier, tegen de stroom op en volgden de bocht naar het oosten. De rotswanden rezen steil en hoog aan de noordkant van de rivier op en boven de wanden uit staken nog hogere, kale, hobbelige heuvels omhoog. Het land aan de zuidkant van de bocht lag laag en was vruchtbaar, nog heiig van de mist. De bossen en het kreupelhout groeiden welig en groen, een groen dat Madoc aan Ierland, het land van de mist, deed denken. Hier was de rivier een mijl breed; het water was ongewoon troebel en schuimig. En toen de vaartuigen in de boog van de bocht kwamen, werd het lage, rommelende geruis van water luider. Voor hen lag het hele rivierdal, bedekt door een mantel van mist, mist die glinsterde met het rozegouden licht van de zonsopgang erachter. Madoc kon het koude vocht op zijn gezicht en armen voelen.

Samen met zijn zoon stond hij vol ontzag naar het vage, dromerige panorama te kijken dat zich voor hem openvouwde; naarmate de schepen dichterbij kwamen, begonnen stukje bij beetje omtrekken van eilanden te verschijnen, te verdwijnen en opnieuw te verschijnen en in de prachtig gekleurde nevel veranderden de vormen steeds.

Algauw dobberden de curraghs, omringd door massa's schuim, of ze wilden of niet, op de stromingen mee. De schepen leken op te lossen, hun vormen werden vaag. De roeiers keken met open mond om zich heen.

Opeens beroerde een briesje de mist. Madoc zag voor zich een lange, lage uitgestrektheid van bruisend wit water tussen twee groene eilandjes in. Het was een sterke stroomversnelling die over een richel stroomde en kolkend in een diepe poel uitmondde. De stroomversnelling was misschien een furlong breed. Voorbij het kleine eilandje aan de noordkant, stroomde de rivier door een enorme chaos van grote keien – geen waterval, maar een enorme, dampende stroomversnelling. Daarboven, verder stroomopwaarts, kon Madoc nu de boomtoppen op andere eilanden zien. Op de oevers van de eilanden stonden kleine vissershutten en steigers van jonge boompjes die hachelijk boven het vallende water uitstaken.

Madoc gaf de roeiers een pauze en liet de schepen op het kolkende, wervelende water draaien en op en neer dobberen. Hij wist heel goed dat het niet veilig was om te proberen nog dichter bij het donderende water te komen. Maar hij wilde de volledige, enorme grootsheid van het geheel in zijn ziel opdrinken. Zo te zien wierp de grote rivier zich hier, met al zijn onmeetbare hoeveelheden water, eenvoudigweg over een stenen drempel naar beneden. En het was ook duidelijk dat deze Plaats van Vallend Water een belangrijke visplaats voor de inheemse bevolking was.

Terwijl hij stond te kijken, dreven een paar drijvende boomstammen met enorme, puntige wortelgestellen en afgebroken takken naar de rand van de waterval, bleven steken, draaiden zich, helden over en doken in het schuim daaronder. Een paar tellen verdwenen ze helemaal onder water en doken toen weer als walvissen op, om even later weer naar beneden te zakken en langzaam verder te gaan. Vader en zoon, koning en prins, stonden naast elkaar dat alles vol verwondering te aanschouwen. Ze waren zo door het geheel in beslag genomen, dat Madoc slechts vluchtig aan het gevaar dacht dat zulk drijfhout voor de rompen van zijn curraghs kon vormen.

Maar toen was het al te laat.

Met een schok steigerde Madocs schip als een paard op zijn achterkant en wierp alle mannen tegen de grond. Toen rees de boeg met wrikkende, scheurende geluiden naar stuurboord omhoog terwijl het dolboord aan bakboordzijde naar beneden dook. Door een rafelig gat in het leer en het versplinterde geraamte van wilgeteten stak de natte, donkere wortelstronk van een boom naar binnen. Doordat romp en boom aan elkaar rukten werd het gat nog groter. Water gutste door het rafelige lek naar binnen en Madoc wist dat het nog maar minuten zou duren voor de boot verging.

Eerst op zijn knieën, daarna op zijn voeten krabbelend hees Madoc zijn zoon uit de chaos in het kapotte schip omhoog – de zakken, huiden, touwen, gereedschappen en wapens die in het met water vollopende ruim tuimelden – en schreeuwde hem en de bewapende soldaten aan boord toe: 'Trek jullie wapenrusting uit!' Ze begrepen het onmiddellijk. Allemaal, hijzelf inbegrepen, begonnen ze zich uit hun helmen en borstplaten te worstelen. Die zouden hen immers naar de bodem toe trekken. Terwijl de grote, drijvende boomstam rondwentelde, bleef het schip knarsen en draaien. Madoc schreeuwde boven het geruis van het water en het geroep van zijn bemanning uit om hulp aan de andere boten. Een paar kwamen er al aan. De roeiriemen rezen omhoog en kliefden door het water.

In de drie of vier minuten die toen volgden was het één grote chaos. Er werd geschreeuwd, gegooid, gesprongen, gespetterd en gerukt toen de dichtstbijzijnde curragh langszij kwam en de bemanning van het kapotte schip aan boord probeerde te komen. Madoc en Cynan, allebei goede zwemmers, bleven tot de laatste paar minuten aan boord en gooiden wapenrustingen, voedsel en alles dat ze konden vinden wat maar enigszins nuttig was over naar het andere schip. Verder hielpen ze de bemanningsleden die niet konden zwemmen. Een paar tuimelden in de rivier, maar werden door sterke handen beetgepakt en aan boord getrokken. Niemand schoot er het leven bij in. Cynan en Madoc waren de laatsten die van het wrak sprongen. Ze grepen het dolboord van de curragh die te hulp gekomen was beet en werden drijfnat aan boord gehesen. Ze stonden in het overbelaste vaartuig de grote schuldige, de enorme boomstam, na te kijken die nu langzaam wegdreef met de volgelopen, misvormde romp van het schip met de mast ver overhellend eraan vastgehaakt. Madoc kreunde toen hij de boot zag gaan; het was een goed schip op deze tochten over de rivier geweest – en het feit dat hij het schip door iets dat zo vermijdbaar was geweest had laten verwoesten, vervulde hem met wanhoop.

De boom die het schip had verwoest had een monsterachtige omvang: de stam was tachtig of negentig voet lang en dan waren er nog eens veertig of vijftig voet takken. En de wortelstronk die het gat in de romp had geboord, was zo groot als een huis. Maar zelfs een kleiner stuk drijfhout zou de curragh even zeker tot zinken hebben gebracht, hoewel het geraamte daardoor misschien niet zo zou zijn verwrongen. Een boom van die omvang, en hij was als een tak naar beneden gevallen en in de diepe stroming getuimeld! Sinds zijn lang vervlogen jaren op zee was Madoc zich niet zo bewust geweest van de kracht van bewegende wateren...

Opeens schoot hem iets te binnen. Met wilde ogen keek hij zijn zoon aan.

'O, Cynan! Onze landkaart!'

Een vreselijke uitdrukking van smart verwrong het gezicht van de jongen. Hij draaide zich om en tuurde naar de drijvende wrakstukken. Zijn mond vertrok.

Toen dook hij, voordat Madoc hem kon grijpen, zonder een woord te zeggen over de rand van het schip het troebele water in. 'Nee!' riep Madoc en bukte zich om achter hem aan de schuimende maalstroom in te duiken.

Maar Cynan kwam een stuk verder weer boven en met de krachtige, bovenhandse slag die hij van de inboorlingen had geleerd, zwom hij naar de drijvende romp toe.

'Aan de riemen!' riep Madoc naar de roeiers. 'Wenden en achter hem aan!' En terwijl ze struikelend in het overvolle vaartuig liepen te tasten, sprong Madoc met zijn hoofd eerst het water in om te proberen zijn zoon in te halen voor deze het wrak kon binnengaan. Als de reusachtige boom rolde terwijl Cynan binnen in het wrak aan het zoeken was, vreesde Madoc dat zijn zoon vast en zeker gevangen zou komen te zitten en verpletterd zou worden of verdrinken. De landkaart was een kostbaar, onvervangbaar voorwerp. Het resultaat van een half leven werk. Maar de prins was zijn vlees en bloed, zijn enige zoon.

Madoc kreeg hem niet te pakken. Cynan hees zichzelf al boven op het wrak toen Madoc er nog dertig el van verwijderd was en buiten adem raakte. Al half uitgeput door de chaotische overstap uit het scheepswrak, merkte hij dat zijn ledematen snel moe werden, hem eraan herinnerend dat hij oud was. Al watertrappend stopte hij even om op adem te komen en Cynan van een vruchteloos risico terug te roepen. De landkaart was ongetwijfeld bij al die verwarring overboord gewaaid of weggespoeld; en ook al was dat niet zo, dan zou hij door het water geruïneerd zijn, een met inkt bevlekt vod dat niet de prijs van het leven van een prins waard was.

'Cynan!'

Maar als de jongen hem al boven het geruis van de waterval en de stroomversnelling uit hoorde, luisterde hij niet en Madoc zag hem in een deel van de kapotte romp verdwijnen. Het andere schip was ver achter en schoot helemaal niet op. Madoc hapte naar lucht en begon weer te zwemmen. Ondertussen keek hij angstig naar het wrak.

Cynans pezige arm kwam boven en greep een touw beet. Zijn bovenlichaam werd zichtbaar toen hij zichzelf voor een deel uit de romp naar boven trok. En terwijl Madoc in zijn richting maaide, begon opeens dat gevreesde rollen. Madocs hart kromp ineen toen hij het zag.

Hetzij door het gewicht van het schip, de kolkende stroom of doordat hij onder water vast kwam te zitten, begon de enorme boom te rollen. Een van zijn enorme takken bovenin helde naar Madoc over en de stam rolde langzaam boven op het verpletterde schip en duwde het met hoorbaar gekraak en knappende geluiden onder. Door ogen die overspoeld werden door het water, zag Madoc de schouders en het gouden hoofd van zijn zoon in het blauwgroene water verdwijnen.

Madocs ziel schreeuwde het uit. Opeens vond Madoc nieuwe kracht in wanhoop en met grote slagen zwom hij naar de plek waar Cynan zich had bevonden. Hij stopte even om lucht te happen en dook toen onder water.

Hij kon nauwelijks iets in het modderige water zien. Maar toen hij dichterbij zwom, kon hij Cynans bleke, fladderende gestalte tegen de donkere massa van boom en schip onderscheiden. Madoc trapte en probeerde hem door de stroom heen te krijgen. Maar hij had zo verschrikkelijk hard lucht nodig, dat hij niet zeker wist of hij hem zou kunnen bereiken. Hoewel de jongen niet in de romp vastzat, zwom hij om de een of andere reden niet naar de oppervlakte toe. Madoc was bang dat hij misschien bewusteloos was.

Hij slaagde erin de kronkelende jongen beet te pakken en probeerde hem naar de oppervlakte te dragen. Cynan was niet bewusteloos, maar hij had zijn tanden ontbloot van pijn en uit zijn mond stroomden luchtbelletjes. En toen zag Madoc waarom zijn zoon niet naar boven was gezwommen: Hij was gevangen. Cynan zat op een afschuwelijke manier met zijn linkerarm vast. Hij bloedde.

Met longen die bijna barstten trok Madoc zichzelf dichterbij; door de wervelende golf donker bloed kon hij niets zien. Toen die wegstroomde, zag hij het: De hand zat verward in een strak staand touw, dat door het draaiende gewicht van het schip zo stevig om de boomstam heen was gewonden dat de hand kapotgetrokken was en bloedde. Nog erger, de onweerstaanbare druk had het bot van de bovenarm dwars doormidden gebroken. Het stond in een rechte hoek uit. Het witte eind van het bot stak door het vlees heen en scheurde het kapot. Weer wervelde er in het modderige water een golf donker bloed omhoog. Cynans laatste ademtochten gingen in luchtbellen omhoog.

Madocs korte dolk zat nog steeds in de schede die aan zijn kuit was vastgebonden. Hij trok de dolk en probeerde in het touw te snijden. Maar de dolk was bedoeld om te steken, niet om te snijden en het stompe snijvlak had geen enkel effect op het touw dat uit een dikke vlecht van natte repen leer bestond.

Er was slechts één andere manier om zijn zoon te bevrijden en als hij dat niet deed, zou de jongen verdrinken. Het touw was zo dik en taai dat hij er niet doorheen kon snijden. Het zwakste wat de jongen vasthield was de spier van zijn eigen arm, en het bot sneed daar al in. Madoc sloeg zijn linkerarm om Cynans borst heen en toen stootte en priemde hij met de scherpe punt van de dolk naar de vezels van de armspieren van zijn zoon. Hij sneed de slagader door; er was nu zoveel bloed dat hij niets meer kon zien.

Met een laatste krachtsinspanning kreeg Madoc zijn voeten tegen iets stevigs aan, de boom of het schip, en met zijn arm stevig om Cynan heen duwde hij zich met alle kracht in zijn benen af. De rest van de spier scheurde los en langzaam tolden Madoc en Cynan door het water tot Madoc zijn dolk liet vallen en naar het heldere oppervlak begon te zwemmen. Als hij zijn adem nog een seconde langer inhield, zou hij sterven, wist hij. Hij ademde uit en worstelde om boven te komen, ondertussen stevig zijn zoon vasthoudend.

De mannen in het schip boven zagen eerst het bloed en de luchtbellen door het water naar boven borrelen. Toen zagen ze het tot een wanhopige grimas vertrokken gezicht van hun koning bovenkomen. Ze zagen zijn mond opengaan en lucht happen. Toen ging zijn gezicht weer een beetje onder en kwam opnieuw uit het bloederige water weer boven. Eén arm haalde uit en toen zagen ze het gezicht van de jongen aan de oppervlakte komen. Het leek of hij dood was, maar Madoc hield hem drijvende.

De bemanningsleden reikten over de zijkant naar beneden en grepen de koning en de prins bij de haren beet. Zo trokken ze hen dichterbij en kregen hen te pakken. Toen hesen ze hen aan boord. Geschokt zagen ze dat de jongen slechts één arm had en dat het bloed uit de aan flarden gescheurde stomp van de andere arm spoot. Toen ze de jongen halverwege, met zijn gezicht naar beneden, over het dolboord hadden getrokken, gutste het water uit zijn mond en verdunde het bloed dat met kracht uit zijn arm naar buiten gestuwd werd. Ze legden hem met zijn gezicht naar beneden op een bank van de roeiers. Enkele oude soldaten van Madoc wisten het een en ander over zulke bloedingen en afgehakte ledematen af. Ze kregen een riem om de stomp heen en trokken die aan tot het bloed niet langer naar buiten spoot. Anderen bleven bij Madoc zitten, die op handen en knieën in het ruim zat te kokhalzen.

De vloot maakte kamp aan de zuidzijde van de donderende rivier. Twee dagen later keek koning Madoc, nog beverig, naar zijn zoon die bleek en met een dichtgeschroeide, geteerde armstomp op een veldbed lag. Ja, zijn zoon zou blijven leven, was zijn conclusie. Madoc had een paar keer over het verloren gegane schip zitten nadenken en vaker nog over de landkaart die nu verdwenen was. Maar die dingen schenen nu niet bijzonder belangrijk. Iets in Madoc scheen te zijn gebroken. In ieder geval had hij op dit moment niet de wilskracht om verder de grote rivier op te gaan, hoe ver hij ook al gekomen was. Hij liep langs de oever en exploreerde de eilanden per coracle. Hij zag dat de stroomversnellingen en de waterval nog geen drie mijl besloegen en dat het water daarboven rustig was. Mannen die langs de noordelijke oever liepen, zouden de lichtgewicht curraghs waarschijnlijk aan touwen door de stroomversnellingen kunnen trekken. Met misschien een honderd man aan de touwen zouden ze één schip tegelijk kunnen trekken. Het zou riskant werk zijn met zulke woelige, krachtige stromingen, maar het was te doen. Ze zouden ook de schepen onder de waterval kunnen ontmantelen, die in onderdelen naar boven dragen en vervolgens weer in elkaar zetten en verder gaan. Of, wat het eenvoudigst was, ze konden de schepen onder bewaking beneden achterlaten en met een kleine groep in coracles de bovenrivier gaan exploreren. Madoc had ernaar verlangd om de bovenloop van deze grote rivier en de waterscheiding over de bergen heen, die naar de oostkust zou stromen, te bereiken. De gedachte dat hij nu, nu hij al zo ver was gekomen, zou moeten stoppen ging hem aan het hart.

Maar Cynans afgrijselijke verminking en het verlies van de kaart hadden hem verdoofd. Hij wilde rust van zijn inspanningen. Dit was inderdaad het land van een reus en voor het eerst voelde Madoc zich in dat land een zwakke, kleine, oude man.

Cynans verzorging en herstel maakten dat ze langer op de Plaats van Vallend Water bleven. Madoc vond in die tijd nog meer bewijs dat het inderdaad om een reusachtig land ging. Het grote rotsterras waarover de rivier stroomde, was bezaaid met enorme beenderen en tanden – grote, dikke beenderen zo groot als een man, maaltanden ter grootte van een mannenhand. De enige dieren ter wereld die daar in omvang bij kwamen waren, voor zover Madoc wist, de grote *olifanten* van de Indus en Afrika. Er stond een afbeelding van in het bestiarium. Waren er ook zulke grote beesten in Jargal? Nadat de bemanning de enorme botten had gezien, sliepen ze slecht. Madoc vroeg zich af waarom geen van zijn inheemse informanten ooit zulke reusachtige dieren genoemd had. Soms spraken deze mensen de namen van de doden niet uit en noemden geen krachtige geesten, uit angst dat ze die daarmee opriepen. Meredydd zou het wel weten. Was Meredydd maar hier. Meredydd begreep zoveel.

Hier, bij het Vallend Water, wees van alles erop dat er wisenten waren. In de ondiepten bij de waterval zag je de brede, vertrapte trekpaden waar de grote kudden op weg van de ene plek naar de andere de rivier overstaken. Ze leken ruwweg van het zuidoosten naar het noordwesten te lopen. Ondanks zijn mistroostige gemoedstoestand intrigeerden de vertrapte paden Madoc en hij vroeg zich af waar hun enorme migraties de dieren zouden heen brengen. Trekken ze door de bergen in het oosten? vroeg hij zich af. Zou het mogelijk zijn om je weg over dit hele continent te zoeken door eenvoudigweg deze brede, open paden die de wisenten door de eeuwen aangestampt hebben te volgen?

Zijn jagers vonden het nog steeds moeilijk om de wisenten te besluipen en te doden. Hoewel de dieren zich even rustig als runderen gedroegen wanneer ze graasden, waren ze uiterst waakzaam. Als er een mens naderde, vlogen ze met donderend geweld weg of kon er een stier die op wacht stond op de ongelukkige jager afkomen. Hadden we nu maar paarden waarmee we erop zouden kunnen jagen, dacht Madoc. Een enkele keer waren de jagers zo gelukkig dat ze een kudde bij de doorwaadbare plaatsen konden afsnijden en de dieren konden neerschieten als ze uit het water kwamen.

Als we hier zouden gaan wonen, dacht hij, zouden onze herders deze dieren misschien kunnen domesticeren. Wat een overvloed aan vlees en wol zouden ze geven!

En bij die gedachte besefte Madoc dat hij al aan deze plek als plaats om te wonen had gedacht. Dit was een grotere rivier dan de Ten-nes-see. Hij was veel beter bevaarbaar en lag dichter bij de Moeder der Rivieren. Op de vooruitstekende, kalkstenen klip ten zuiden van de waterval zag hij al een bastion voor zich.

Hij probeerde met Cynan over deze fantastische ideeën te praten om de jongen af te brengen van diens angstaanjagende fascinatie voor de lege plek waar zijn arm van zijn lichaam was gescheurd. Maar de jongen gaf een antwoord dat voor hem onmannelijk klonk en de meelijwekkende toestand waarin hij was gezonken aangaf. 'Gaan we algauw terug naar Dolwyddelan? Moeten we niet weer naar moeder toe?' Tranen sprongen hem in de ogen.

'Ja, dat moet,' zuchtte Madoc. 'En we moeten gaan voor de winter ons hier vasthoudt.'

7 Kasteel Dolwyddelan
Herfst 1189 A.D.

Annesta, de tengere, bleke koningin van Jargal die nu fijne rimpels in haar gezicht had, was heen en weer aan het lopen toen Meredydd naar haar vertrek kwam. Vlug ging ze zitten en vouwde haar handen toen ze hem bij de deur zag verschijnen. Hij zag dat ze in een van haar hooghartige stemmingen was en wist dat dit geen prettige bespreking zou worden. De zware, eiken deur piepte in zijn scharnieren toen hij hem dichtdeed. Hij glimlachte vriendelijk, maar zette zich achter die glimlach schrap voor de klacht of eis die ze voor hem zou kunnen hebben. Annesta, die tijdens de lange afwezigheid van haar echtgenoot het bewind voerde, was heerszuchtig en nogal twistziek geworden – allebei karaktertrekken die ze in aanwezigheid van haar echtgenoot maar zelden had geopenbaard.

'Hooggeachte minister,' zei ze, 'ge kunt u voorstellen dat ik het erg vind dat ik zoveel mijl van Clochran verwijderd ben wanneer Gwenllians kind wordt geboren.'

Daar ging het dus om. Meredydd zag al hoe de woordenstrijd zich zou ontwikkelen. Met de omzichtigste hoffelijkheid antwoordde hij: 'Geliefde koningin, uiteraard. Elke vrouw die van een dochter houdt, zou verlangen dat ze in de tijd van haar barensnood dichterbij was. En zoals u weet, is prinses Gwenllian mij even lief als mijn eigen kinderen me ooit konden zijn geweest als ik kinderen gehad had. Ik begrijp het helemaal en...'

'Mijn beste bard,' viel ze hem in de rede, 'maak, in plaats van me een lang gedicht van lyrisch medeleven voor te dragen, liever onmiddellijk een entourage klaar om me naar kasteel Clochran te brengen. Ik zal binnen twee of drie dagen moeten vertrekken wil ik nog op tijd aan het bed van mijn dochter komen.'

Weer die kleine hoofdbuiging. Maar hij had zich schrap gezet en kende zijn verantwoordelijkheden. Met hardere ogen antwoordde hij: 'Herinnert mijn koningin zich niet de strikte waarschuwing die haar echtgenoot voor zijn vertrek aan mij gaf? Voor uw eigen veiligheid en zijn gemoedsrust, mocht ik u niet naar andere plaatsen op reis laten gaan...'

Hij zag haar besluit al in haar ogen en op haar lippen, maar haar woorden klonken nog overmatig zangerig en beleefd. 'Mijn veiligheid? O, mijn beste, lieve bard. Ge gelooft toch niet dat mij enig kwaad kan geschieden? Ik reis immers met het gebruikelijke gewapende gevolg, in een land dat door onze koning, onder uw almachtig beheerderschap, wordt geregeerd!' Ze lachte weer, waarbij ze haar mond met een waaier van veren van de blauwe gaai bedekte om de rottende resten van haar gebit te verbergen. Bijna een halve eeuw oud, was Annesta nog steeds een knappe vrouw, tot ze haar mond opendeed. Terwijl hij over zijn antwoord nadacht, zag Meredydd met droefheid de veranderingen die de tijd in deze knappe, aantrekkelijke vrouw had teweeggebracht.

'Geliefde majesteit,' zei hij, 'de twintig jaren van vrede die we in dit land hebben genoten hebben onze instincten in slaap gesust. Onze Euchee-broeders hebben zowel ten oosten als ten westen vijanden die al sinds mensenheugenis een wrok koesteren. En hoewel ze al lange tijd ver weg, in hun eigen gebieden, zijn gebleven, hebben de vijanden in het westen de laatste tijd invallen gedaan. Oude Zon Arend gelooft dat ze naar onze richting beginnen te trekken, omdat ze van streek zijn door de pestilentiën langs de Moeder der Rivieren...'

'Meredydd, ge zijt een ware schatkamer van kennis. Wij schatten u zeer hoog voor de kundigheid waarmee gij deze wrede mensen onder controle houdt. Maar vergeet niet dat ik uw koningin ben. En ik ben niet van plan me door u te laten weerhouden om naar de geboorte van mijn eerste kleindochter te gaan, alleen omdat er ergens een paar inboorlingen al dan niet met elkaar overhoopliggen. Mijn beste bard en minister, ik zal naar Clochran gaan. En gij zorgt ervoor dat mijn entourage over drie dagen klaarstaat. Als ge zo bevreesd zijt voor mijn veiligheid, geef me dan een wacht mee van twintig Welse soldaten en tachtig Euchee-krijgslieden die ge eigenhandig om hun trouw hebt uitgekozen.'

'Ik zal Rhys sturen.' Zuchtend maakte Meredydd een buiging. Hij hoopte dat de oude soldaat, nu ridder en minister der wapenen, misschien kon helpen de koningin ervan te overtuigen dat ze niet naar Clochran moest reizen.

Maar Rhys verbaasde Meredydd door in plaats daarvan met Annesta mee te voelen.

'Onze koning Madoc heeft vast niet bedoeld dat ze niet mocht reizen wanneer er zo'n goede reden voor is, mijn leenheer,' zei Rhys. En toen vertelde hij Meredydd met dansende ogen met lachrimpeltjes eromheen waarom het naar zijn idee zo'n goede reden was. Zijn eigen vrouw, een prachtige kleindochter van Zon Arend, had Rhys vanmorgen een zoon gebaard, het eerste kind dat hij ooit in zijn lange leven had verwekt. Hij was een en al vaderlijke gevoelens; als iets nu een reis waard was, was dat wel de aanstaande geboorte van een kind in de koninklijke familielijn. Rhys zei dat hij binnen drie dagen een gezelschap reisvaardig zou kunnen hebben. En hoewel Meredydd zich nog steeds niet op zijn gemak voelde, kwam hij tot de slotsom dat het nutteloos zou zijn om tegen de wensen van de koningin in te gaan.

Met een krampachtig trillende neus zat Meredydd later die dag na te denken over de twee geboorten en wat die voor de toekomst van de kolonie zouden kunnen betekenen.

De op handen zijnde nakomeling van Gwenllian en Owain ap Riryd zou werkelijk van edele geboorte zijn, het kind van een prins en een prinses. Zodoende lag het in de verwachting dat hij op een goede dag zou regeren. Er was hier in Jargal geen aartsbisschop om een huwelijk tussen volle neef en nicht als incestueus te veroordelen, zoals de aartsbisschop van Canterbury het huwelijk van Owain Gwynedd en Chrisiant had verworpen.

Als er ooit weer contact met het land Wales zou zijn, zou de Kerk de wettigheid of het kind zou mogen regeren aan de kaak kunnen stellen. Maar, dacht Meredydd met een zucht, hoeveel kans bestaat daarop? Wij zijn inmiddels ongetwijfeld een vergeten volk, naar men vermoedt op zee verdronken. In ons geboorteland herinnert men zich nauwelijks nog onze namen...

En wat de pasgeboren zoon van Rhys betreft: hij zou gewoon een volgende halfbloed zijn, ook al was hij door een ridder van Jargal verwekt. Ridders en halfbloeden!

En dat zou mijn kind ook geweest zijn als Toolakha ooit zwanger van mij was geworden, dacht hij.

Hij zuchtte en peuterde met de lange nagel van zijn pink in zijn rechterneusgat. Hij deed dit zonder nadenken als hij alleen was. Toolakha siste altijd als ze het hem zag doen en herinnerde hem eraan. Soms deed hij het zelfs gedachteloos als er mensen om hem heen waren, om tot de ontdekking te komen dat de mensen hem aanstaarden. Zijn gedachten waren zo vol van de details van zijn ambt, dat hij zich niet erg bewust was van zijn persoon. Hij was geen net mens.

Niemand wist werkelijk wat een enorme taak het was om ervoor te zorgen dat Zon Arend en zijn zorgeloze mensen zich aanpasten aan de eisen van een echt koninkrijk, waarin het gezag door middel van bevelen en decreten van de top naar beneden kwam. Meredydd had zijn best gedaan om de opvattingen en overtuigingen van de inheemse bevolking te leren kennen. Hun dorpshoofden vertrouwden hem. Hij respecteerde hun mysteries. Hij had lang geleden geleerd dat plannen, afspraken en akkoorden gemaakt moesten worden met respect en eerbied voor hun Boodschappers uit de Geestenwereld. Om een gevolg van tachtig Euchee-lijfwachten op de been te krijgen, zoals de koningin wilde, moest Meredydd dat eerst aan Zon Arend vragen. Deze zou dan zijn sjamaan en zijn raad moeten raadplegen om te ontdekken of zo'n reis wel op de aangewezen tijd ondernomen mocht worden. De sjamaan zou tijd nodig hebben om tot de geesten te bidden en op tekenen te wachten en vervolgens advies aan de raad uit te brengen. De raad zou Zon Arend vervolgens adviseren om al dan niet mee te werken. Niets van dat alles was zo eenvoudig als Annesta, of zelfs Madoc, veronderstelde. Zij bevalen en hun bevelen werden ten uitvoer gebracht. Ze hadden echter geen notie van de subtiele magie waardoor hij hun bevelen in verzoeken veranderde en zo gehoorzaamheid verkreeg.

Meredydd was zich ervan bewust dat de Welse kolonisten zonder hem geen bondgenoten in dit land hadden gehad en inmiddels waarschijnlijk allemaal zouden zijn omgekomen. Het was allemaal begonnen toen hij op een goede dag, lang geleden, het Euchee-opperhoofd met een harp en een lied had betoverd. En dat had hij sindsdien steeds gedaan: verschillende soorten betovering om het oude opperhoofd blij en tevreden te houden, zodat hij deze blanke gasten in zijn land respecteerde en hen liet denken dat het land van hen was. Soms leek Madoc er enige notie van te hebben van welk levensbelang zijn bard en minister voor hem was. Koningin Annesta had dat echter niet. En wat Riryd betreft: Meredydd was blij dat hij nu ver weg woonde, want hij was een man die niets magisch in zijn ziel bezat.

Waar is Madoc? vroeg Meredydd zich af. Dat hij veilig mag zijn! Dat hij nu onderweg naar huis mag zijn!

Toolakha siste en met een ruk haalde Meredydd zijn vinger uit zijn neus vandaan.

Als Madoc dit jaar nog niet terugkwam of als er bericht kwam dat hij daar in die verafgelegen dalen was omgekomen, dacht Meredydd, opeens huiverend, zou er tussen Annesta, de koningin, en prins Riryd een strijd om de macht losbarsten. Het zou een bloedige strijd worden. En wie van de twee overleefde zou, ondanks al mijn beste pogingen, de inboorlingen waarschijnlijk van zich vervreemden!

Drie dagen later daalden de honderd lijfwachten van de koningin, onder wie tachtig Euchee-krijgers, het hachelijke, kronkelende pad over de steile rotswand naar de met stenen bezaaide rivierbedding af. Annesta zat in een leren draagstoel die door vier jonge vrouwen gedragen werd. De Euchee-mannen wilden geen lasten dragen; zij beschouwden zichzelf als lijfwachten en jagers. 'Het zijn zulke hooghartige knechten,' had ze zich tegen Meredydd beklaagd. 'Als ik onze Welse soldaten opdracht zou geven om me te dragen, zouden ze dat zeker doen.'

'Doet u dat alstublieft niet, majesteit,' had Meredydd haar geadviseerd, 'want het zou die soldaten in de achting van de krijgers verlagen. En onze soldaten moeten hun respect hebben. Zij geloven dat soldaten en krijgers voorbestemd zijn om alleen hun wapens te dragen en klaar voor de strijd te zijn.'

Ze had op dit punt toegegeven en gezegd dat het er voor haar eigenlijk niet toe deed. De Euchee-vrouwen hadden immers even sterke benen als de mannen en stonden zekerder op hun voeten. Bovendien lieten ze niet zo grof winden gaan.

Nu stond Meredydd op de borstwering van het kasteel hoog daarboven en keek de processie na. Hij wilde dat hij hen kon terugroepen.

De sjamaan had een voorteken gezien, een uil die door de boomtoppen zweefde. Zon Arend had de expeditie willen afgelasten. Om een rechtstreekse confrontatie met Annesta te vermijden, had Meredydd Zon Arend verzekerd dat hij een ceremonie met ijzer en vuur kon verrichten die iedereen zou beschermen tegen willekeurig welk kwaad dat de uil aankondigde.

Meredydd had nog nooit tegen Zon Arend gelogen. Deze had hem dan ook geloofd en, met de met tegenzin gegeven toestemming van zijn stamraad, zijn krijgers laten gaan.

Meredydd voelde zich nu afschuwelijk over hetgeen hij had gedaan. Hij had geen ceremoniën. Uit zwakheid voor Annesta had hij gelogen tegen een oude man die, sinds de eerste dag dat hij hem had horen zingen en magische geluiden had horen maken, in hem had geloofd.

Het enige dat Meredydd had kunnen doen was bidden dat Annesta en haar gevolg geen kwaad zou overkomen en dat God hem mocht vergeven dat hij tegen Zon Arend had gelogen. En om de leugen een beetje te ontkrachten, had hij bij het licht van een ijzeren lamp gebeden en maakte er zodoende een ijzer-en-vuur-ceremonie van, zoals hij had beloofd.

Maar zijn gebed bij de ijzeren lamp had weinig gedaan om zijn akelige voorgevoel te verminderen. Hij herinnerde zich iets, een droom waarover Annesta hem had verteld toen Madoc en Cynan wegzeilden...

Hij ging naar zijn studeerkamer en sloeg de lederen omslag van zijn Kroniek van Madoc open. Hij ging met zijn vinger naar een plek op de laatste bladzijde.

Annesta, koningin, stond aan de waterkant
En wuifde zolang ze koning en prins kon zien.
Daar gleden ze weg, uit het gezicht verdwenen.
Maar in haar boezem welde donk're dreiging op –
Gedroomd had zij dat zij hen nimmermeer zou zien!

De processie van de koningin kronkelde voort door het laagliggende land langs kreken en wildsporen en steile rotswanden, maar bleef altijd binnen gezichtsbereik van stromend water, dat beneden door het geel verkleurend gebladerte te zien was. Gestaag gingen ze in noordwestelijke richting naar de doorwaadbare plaats van de Ten-nes-see. De honderd Welse en Euchee-krijgslieden liepen achter elkaar in een rij voor en achter de draagstoel van de koningin. Zacht knerpten de voetstappen; kettingen en enkelbanden van beretanden, schelpen en hertehoeven rammelden en kletterden op de maat van het lopen; de wapenrusting van de Welse soldaten knarste en rinkelde.

De koningin zat zich in haar stoel slaperig met haar waaier van blauwe gaaieveertjes toe te wuiven. Opeens suisden er, als horzels uit een nest, pijlen met stenen punten door de lucht die een chaos van schreeuwende, wegrennende en vallende mensen teweegbrachten. De koningin viel in haar draagstoel met een schok opzij door een pijl die door haar linkertepel vloog. De draagstoel sloeg over de kop toen een van de draagsters in elkaar zakte. Uit haar hals stak een pijl. De draagstoel tuimelde tussen rotsblokken, dode bladeren en boomwortels langs de steile helling naar beneden. De koningin viel eruit. Nog een speer sloeg precies ter hoogte van haar middel in haar ruggegraat.

Het was een hele opschudding in het dal. Er klonk een demonisch gekwetter en gegil. Je hoorde de plotselinge slingerbewegingen en het met een smak neerkomen van lichamen, hout en steen die op metaal sloegen en metaal tegen vlees en bot. En je hoorde onophoudelijk het gesnor van ontelbare pijlen die doel troffen.

Een uur later was het weer stil in het dal. Toen lagen alle Euchee-krijgers en Welse soldaten dood tussen de varens en de gevallen bladeren. De tweehonderd man die hen met zo'n doorslaand succes vanuit een hinderlaag hadden aangevallen – Cherokee die sinds de tijd van de grootvaders van hun grootvaders hun vijanden waren geweest – verzamelden de paar doden die onder hen gevallen waren en verdwenen weer uit het dal.

De roeiers trokken enthousiast aan de riemen en de acht curraghs voeren gestaag tegen de snelle stroom van de Ten-nes-see op, naar huis toe, bijna thuis. Opgewekt en verlangend tuurde Madoc langs de hoge wallekant omhoog. 'Kijk boven de bomen uit,' zei hij tegen Cynan terwijl hij met zijn vinger wees, 'dan ziet ge Dolwyddelan liggen... een klein stukje verder... Daar! Thuis, mijn zoon!' De vierkante stenen kantelen glansden drie mijl naar het zuiden en hoog boven op het klif geelgrijs in de gloed van de namiddagzon – maar Madoc besefte dat hij er door een bewegende, zwarte wolk gieren naar keek.

De ontelbare hoeveelheid zwarte aasvogels cirkelde rond en zakte voorbij de boomtoppen van de rivierbocht die voor hen lag naar beneden. Kennelijk was het bij de doorwaadbare plaats, vlak boven de ankerplaats. Dat hij bij zijn terugkeer van zijn lange ontdekkingsreis zo werd begroet was verontrustend.

De Euchee-bemanningsleden raakten opgewonden toen ze de gieren zagen en nog voor de boten konden worden vastgemaakt, sprongen ze al overboord het water in om het smalle dal van de kreek in te rennen. Nog nooit op de lange reis hadden ze de discipline op die manier aan de kant gezet. En voordat Madoc aan land kon gaan, hoorde hij hoe al hun stemmen zich in het pulserende geweeklaag verhieven dat alleen een klaagzang voor de doden kon betekenen. Terwijl Madoc en een bleke Cynan met één arm het pad oprenden, werd de griezelige klaagzang in de war gestuurd door het donderende geraas van vleugelslagen van wegstuivende gieren.

Hij zag onmiddellijk dat dit een slagveld was geweest. Overal op de beboste hellingen lagen kadavers waaruit gebroken pijlen staken. Ook uit de vertrapte grond staken gebroken pijlen omhoog. Overal lagen bebloede flarden van kleren. Madoc, die hard slikte om niet te hoeven overgeven bij de aanblik en de lucht van de van vliegen vergeven slachting, nam eerst aan dat Zon Arends Euchee hier hadden gevochten. Misschien hadden ze Dolwyddelans rivierpad tegen een van de stammen die vanuit het oosten of westen waren binnengedrongen moeten verdedigen. Toen riep Cynan hem en wees naar iets dat op de grond lag. Het was een dof geworden stuk metaal: de gebroken kling van een ijzeren zwaard. Opeens zag Madoc overal metalen wapens en stukken wapenrusting liggen – spiesen, strijdbijlen, helmen, hier een beenplaat, daar een schede. Zijn hart bloedde bij het besef dat er ook mannen van Wales bij deze strijd waren omgekomen. Hij wist nog niet of het zijn eigen mannen waren of die van Riryd, maar het waren mannen van Wales, van wie er al zo weinig waren.

Enkele Euchee die over het slagveld liepen te zoeken en pijlen opraapten, schreeuwden opeens: 'Cherokee! Cherokee!'

Het was een tafereel van smart, afschuw en waanzin: de Euchee en de halfbloeden van zijn bemanning strompelden jammerend in het rond. Zijn eigen mannen staarden voor zich uit. Het begon nu pas tot hen door te dringen. De gieren fladderden met tegenzin op en gingen vervolgens ergens vlakbij weer zitten wachten. En boosaardig klonk het dreunende gezoem van duizenden, duizenden vliegen. Stom liep Madoc tussen dat alles door. Opeens werd zijn blik getrokken door een besmeurd stuk verkreukelde stof. Hoewel het hem bekend voorkwam, betekende het in zijn gedachteloze toestand in eerste instantie niets voor hem. Maar hij bleef ernaar staan kijken. Het lag midden tussen de boomwortels en brokken rots onder het pad, in de richting van de kreek naast een kapotgeslagen draagstoel. Het was het soort stof dat Annesta en Gwenllian uit geel vlas hadden leren maken. Madoc tuurde ernaar. Naar adem happend begon hij te beven.

De brok verscheurd, verrot vlees in dat besmeurde kleding-stuk, de oogkassen aan flarden geplukt, kin en kaken weggeknaagd zodat de rijen rottende tanden zichtbaar werden, haarvlechten die samengeklonterd van bloed, maar onmiskenbaar zilverblond waren...

Het was Annesta geweest, zijn koningin, zijn geliefde echtgenote.

Opeens hoorde Cynan, die een paar passen achter zijn vader was blijven staan om naar een lichaam in wapenrusting te kijken, Madoc een gebrul van pijn en woede uiten. Zijn hart kromp ineen. Gieren fladderden in alle richtingen uiteen. In zijn hele leven had Cynan nog nooit zo'n gebrul gehoord en het was iets dat hij ook absoluut nooit meer vergeten zou.

'Dood aan de Cherokee!' brulde Madoc met donderende stem terwijl hij zijn vuisten tegen de hemel schudde. 'Ik zweer dat ik mijn kling niet ter ruste zal leggen zolang er nog één Cherokee in deze sterfelijke wereld ademhaalt!'

Gwenllians kind kwam in een chaos ter wereld. Soms, op de grenzen van het delirium van de pijn, dacht Gwenllian dat ze een klein meisje was dat zo uit bed door een koude, druipende, stenen tunnel werd gebracht terwijl om haar heen wapengekletter en gebrul van stemmen weerklonken. Maar dan werd haar geest weer helder en wist ze dat het herinneringen waren van een verschrikking uit haar kinderjaren in het Oude Wales. Dan wist ze weer dat het geschreeuw en gekletter hier in kasteel Clochran de geluiden waren van mannen die zich opmaakten om ten strijde te trekken terwijl zij, een volwassene, in haar slaapkamer in barensweeën neerhurkte met aan haar beide zijden vroedvrouwen.

En als ze zich dat weer herinnerde, werd haar hart door smart verscheurd. Want ze wist dat ze ten strijde trokken om de dood van haar moeder, koningin Annesta, te wreken. Het nieuws van het bloedbad was op kasteel Clochran gearriveerd op het moment dat de weeën bij Gwenllian begonnen. Haar moeder, zeiden de boodschappers, was op weg naar Clochran geweest om bij haar te zijn als haar kind werd geboren.

'Milady, alstublieft,' wond een van de vroedvrouwen zich

op. 'Ge verspilt uw kracht als ge zo huilt! Ge moet werken om deze baby naar beneden te brengen!'

Maar ze slaagde er niet in het krampachtige snikken te beheersen. Ze probeerde uit te leggen dat de dood van haar moeder haar schuld was, maar kon de woorden niet vormen.

Soms dacht Gwenllian dat het geruis in haar hoofd het geluid van de waterval was, waar ze zich op Dolwyddelan had verborgen. In haar delirium zag ze zichzelf, eenzaam en alleen in haar subtiele mysterie en voelde zich vrij en gelukkig. Maar opeens zag ze daar dan weer de trol, het beest met rottend vlees. Dan hapte ze naar adem en schreeuwde het van doodsangst uit; vervolgens sloegen haar gedachten weer om en dacht ze opnieuw aan de dood van haar moeder, wat haar opnieuw doodmoe van het huilen maakte.

Ten slotte werd de inspanning om de massa tussen haar smalle heupen door te persen zo groot en zo pijnlijk en vergde zoveel van haar, dat die elk plekje van haar geest, ziel en zenuwen overnam. Ze kon niet meer in schuld, spijt of dromerij wegglijden; ze kon alleen maar de bedpost vasthouden en persen, en nog eens persen. Haar handen zag ze slechts door een waas van tranen en zweet dat over haar ogen vloeide.

En toen was het achter de rug. Een tijdje later kwam ze bij uit een droom waarin ze in het zonnetje, met Meredydds harptonen om haar heen, op haar vaders schip zat. Ze kwam tot de ontdekking dat ze in haar eigen bed lag en dat een glimlachende, verfomfaaide vroedvrouw een baby met een lijkbleek gezichtje en donkere haren op haar borst legde met de woorden: 'Ge hebt een prachtige dochter, milady en dank zij God de Almachtige is het een gezond kind. Zal ik de vader halen, als ik hem bij al die opschudding kan vinden?'

Toen Owain ap Riryd binnenkwam, kwamen zijn vader Riryd en moeder Danna met hem mee. Ze zagen er allemaal verhit en gehaast uit, als vreemdelingen die even een omweg maakten. Owain was al in volledige wapenrusting gehuld. Zijn ogen stonden wild en hij scheen zich evenmin als zij zich zijn echtgenote voelde met deze geboorte verbonden te voelen; Owain was een domme, stinkende bruut met als enige passies het jagen op wild en zuipen van aal; hij kon nauwelijks lezen. In de tijd dat ze hier als de jonge echtgenote van haar neef woonde, had ze zich eenzaam en verlaten gevoeld, ver van haar vader en moeder vandaan, ver van Meredydd en Toolakha vandaan. Als Owain gemeenschap met haar had, leek hij altijd een of andere meedogenloze indringer die je maar geduldig moest verdragen tot hij over zijn hoogtepunt heen was en klaar was om te vertrekken. Nu zei hij: 'Jammer dat het een meisje is. Ik had liever een zoon gehad.'

De moed zonk Gwenllian in de schoenen. Maar toen won haar boosheid het. 'Ge moogt dankbaar zijn! Het is een mooi kind, geen knokig monster dat uit incest met een onbehouwen neef geboren had kunnen worden!'

'Bij God, kleine teef!' brulde Owains vader, paars van woede. 'Hoe waagt ge het om zo over uw echtgenoot te spreken!' Riryds vrouw was bleek geworden en greep het lijfje van haar kleed beet. Maar ze zei niets en stond slechts als een vis uit de vijver naar lucht te happen.

'We gaan op pad om met gevaar voor eigen leven de dood van uw moeder te wreken. Ik hoop dat ge u zult herinneren waarom, voor het geval we niet mochten terugkeren: het is *uw* moeder, niet die van mij! En als ik terugkeer, zal ik zeker een zoon bij u verwekken!'

'Natuurlijk, natuurlijk,' mompelde ze. 'Dat is uw goed recht, ongeacht wat mijn verlangens zijn. Maar zoudt ge u, voor ge vertrekt, misschien willen verwaardigen uw kind aan te raken en een naam voor haar te noemen?'

Nors schuifelde Owain houterig naar het bed en raakte met een dikke wijsvinger het hoofdje van de baby aan. Zijn gezicht verzachtte zich geen zier. 'Noem haar Dena,' zei hij.

Dat trof Gwenllian als een mes in het hart. Dena was immers de naam van Owains maîtresse, de hoerige dochter van een van de wapensmeden. 'Bij mijn God, dat zal ik niet!' riep Gwenllian.

'Bij mijn God, dat zult ge wel!' bulderde Owain in haar gezicht. 'Zij zal Dena heten of ik zal, voor ik deze kamer verlaat, haar vervloekte ademhaling onder een kussen smoren! Ik waarschuw u: ik ben in een gevaarlijke stemming; ik ben tot doden aangescherpt!'

En hoewel zijn kwaadaardigheid Owains ouders schokte, schaarden zij zich achter hem. De naam van het kind werd Dena.

De Welse soldaten en de Euchee-krijgers slopen geluidloos over de door de maan verlichte sneeuw naar het slapende dorp van de Cherokee. De hutten van boombast in de vorm van broden, ongeveer honderd in getal, stonden in concentrische cirkels. Alle paden ertussendoor liepen naar beneden naar de rivieroever. Bleke rook van hout hing als een sluier boven de stad. De Welse mannen en hun medestanders verspreidden zich over de sneeuw en liepen door de streepschaduwen van bladerloze bomen door. Het maanlicht fonkelde als kleine sterren op de sneeuw.

Madocs mannen slopen geconcentreerd als wolven verder. Sommigen liepen stroomopwaarts, anderen stroomafwaarts om de ontsnappingsroutes af te grendelen. In zijn hart voelde Madoc zich een wolf, even hongerig naar wraak als een wolf naar vlees. Ja, binnenkort zou hij deze Cherokee tussen de tanden hebben! Sinds de herfst had hij zes dorpen binnen de periferie van zijn koninkrijk verwoest en nu had hij oorlog in hun eigen land gebracht. Als een oude vijand van de Euchee, was het Cherokee-volk politiek gezien jarenlang ook zijn vijand geweest. Maar tot het moment dat zij plunderend zijn land waren binnengevallen en zijn geliefde koningin hadden vermoord, hadden zij van hem geen gevaar te duchten gehad. Nu kende hij echter geen genade meer. Nu beteugelde hij zichzelf niet langer; hij zou hun hele stam wegvagen, hoe talrijk en ver verspreid ze ook waren.

Zon Arends Euchee-krijgers sloten zich onmiddellijk met hart en ziel bij Madocs zaak aan. Ze hunkerden ernaar de dood van hun broeders en zusters, die met de koningin en de twintig Welse soldaten in de hinderlaag bij Dolwyddelan waren afgeslacht, te wreken. Toen Madoc vorig jaar van zijn ontdekkingstocht was teruggekeerd, had hij het gewicht van de ouderdom gevoeld. Maar ondanks het feit dat zijn botten pijn deden en hij tijdens deze winterse marsen kortademig was, stond zijn hart weer in volle gloed omdat hij een wreker was. Op het laatst van zijn leven kon Madoc de passie die zijn vader voor de oorlog had gehad begrijpen. De grote koning had de harde waarheid die koningen moesten kennen begrepen: een koning moest zo machtig zijn, dat geen enkel buurvolk het zou wagen inbreuk te maken. Als Madoc deze Cherokee tien jaar geleden ten behoeve van zijn vrienden de Euchee met geweld had onderdrukt, zouden ze het niet gewaagd hebben een inval in zijn koninkrijk te doen.

En dan zou mijn koningin nog leven en getuige zijn van de geboorte van onze kleindochter! dacht hij. Dan zouden we nu in vrede en veiligheid voor ons haardvuur in Dolwyddelan bij elkaar zitten. Maar het duurt zo lang voor we de wijsheid van onze vader aanvaarden! Slechts kracht verzekert van vrede.

Ik ben net een dwaas lam geweest, volkomen blind voor gevaar, omdat ik me verbeeldde dat ik in het Paradijs verkeerde!

Maar dat was nu voorbij. Nu liep Madoc als een wolf hier in het westen met Cynan aan zijn zijde, terwijl Riryd met zijn zoon Owain de naburige stammen in de bergen ten oosten van het koninkrijk aanviel.

En naarmate ze de stammen om zich heen onderwierpen, groeide hun geduchte reputatie. Zij waren de IJzeren Krijgers, de Mannen die Stenen Houwen. Wie zou ooit nog eens lichtvaardig handelen met een volk dat stenen kon houwen en zwaarden uit de rotsen van de berghellingen kon maken?

Madoc draaide zich naar Cynan toe die rechts van hem liep. De helm en borstplaat van zijn zoon glansden in het maanlicht, evenals zijn zwaard. Onder de Welse soldaten en Euchee-krijgers was Cynan de enige die geen schild droeg; zonder zijn linkerarm kon hij geen schild vasthouden, dus vocht hij zonder schild. Maar zijn zwaardarm had hij zo krachtig gemaakt, dat hij even snel en geducht was als een man met twee handen en zijn wapenrusting vormde een bescherming tegen stenen pijlpunten. Minder dan een jaar geleden was hij nog maar een jongen. Het verlies van zijn arm en de moord op zijn moeder hadden hem echter gehard en nu was hij een vurig wreker die geen angst voor pijn of de dood kende. En terwijl hij samen met zijn vader naar de hutten van de slapende Cherokee sloop, was de wolf ook in zijn hart. Nu bevonden ze zich slechts op een paar passen afstand van de rand van het dorp waar ze door het open gedeelte van de tuinen heen op één punt samenkwamen. En nog steeds had niet één hond in de hele stad alarm geslagen. Bij elk dorp dat Madoc tot nu toe had aangevallen, hadden ze het eerste hondegeblaf als signaal gebruikt om erop af te gaan. Soms hadden de aanvallers nog wel een furlong vooruit moeten stormen om de stad te bereiken; in die paar minuten dat het kostte hadden de krijgers in een stad soms tijd gehad hun wapens op te pakken en de aanvallers tegemoet te treden. Maar meestal waren ze zo verschrikkelijk bang voor het donderende geluid van de signaalhoorns, dat ze niet veel weerstand boden. Dit was echter de eerste nacht dat Madoc door sneeuw dichterbij was gekomen. Het leek erop of het een volkomen verrassing zou worden.

En dus hief Madoc nu de hoorn die over zijn schouder hing naar zijn mond en begon lang en hard te blazen; dat brullende, diepe geluid dat al zo vaak zulke goede diensten bewezen had. Toen barstte hij met het ontblote zwaard voor zich uit door de lederen voorhang voor de deuropening de eerste hut binnen en begon in het schimmige licht van de vuurplaats op de vragende, roepende gestaltes van de mensen die wakker werden en overeind probeerden te komen in te hakken. Buiten klonken er nu andere hoorns, bonzende voetstappen, schreeuwende mannen, gillende mensen en honden die als een wilde blaften. Het kon Madoc niet schelen of een bewegend lichaam een man, vrouw of kind was; hij hakte op iedereen in. Toen pakte hij van zijn middel vandaan een korte fakkel van met hars doortrokken hout, hield die in de vlammen van het vuur en stak de droge matten en boombast langs de muren aan. Vervolgens schopte hij met zijn voet de stukken gloeiend hout uit de vuurplaats in alle richtingen. Hij rende de hut uit en vloog de volgende binnen. Alle Welse soldaten en Euchee-krijgers droegen zo'n fakkel bij zich en even later flakkerden die door heel de stad geel in het zilveren maanlicht op. Menselijke gedaanten vlogen de hutten uit om slechts te worden neergeknuppeld of neergesabeld of met speren in de aanslag te worden doorboord. De hoorns blaatten en loeiden. Vrouwen gilden. Euchee-krijgers lieten hun vibrerende, opgewonden oorlogskreten horen. En overal weerklonken de slagen en ploffen van het vechten. Binnen enkele minuten was het bleke blauw van het maanlicht verbleekt door de felgekleurde vlammen van brandende hutten, door gelige rook, door omhoogwervelende zuilen met vonken. Roet en gloeiende stukken hout vlogen in de donderende hitte omhoog en bevlekten, toen ze weer naar beneden vielen de sneeuw, die nu ook overal bloedsporen vertoonde.

Zo ging de slachting in dit brullende inferno nog bijna een uur verder. De Cherokee die niet op hun bed waren gedood of in hun instortende hutten levend waren verbrand, werden in de straten achternagezeten en afgerammeld tot ze over de grond kropen. Daarna werden ze met de speer doorboord, neergeknuppeld of werden hun ingewanden eruit getrokken. Met zijn pezige, gespierde arm kon Cynan zijn zwaard boven zijn hoofd ronddraaien en er dan als een zweep mee slaan. Een man of vrouw die wegholde kon hij zodoende even keurig als de beul met zijn bijl op het blok onthoofden. Tussen de brandende huizen smolt de sneeuw en de grond werd een bloederige, modderige massa. De meeste Cherokee waren naakt, omdat ze in hun slaap verrast waren. En als de Welse soldaten een vrouw of meisje te pakken kregen dat nog leefde, pinden ze haar op de grond en verkrachtten haar om beurten, terwijl ze haar uitgespreid op de ijzige modder vasthielden. Ook jongens grepen ze beet. Nadat ze sodomie met hen bedreven hadden, werden ze door messteken gedood of doodgeslagen. Een paar maanden geleden zouden de Welse soldaten niet zulke brute daden hebben durven uitvoeren omdat ze de ridderlijke nobelheid van hun koning Madoc kenden. Nu wisten ze echter dat ze zijn toestemming hadden om zich zo beestachtig te gedragen; ze wisten dat deze Cherokee in zijn ogen als ongedierte, als luizen, moesten worden uitgeroeid en dat zelfs de imbecielen zonder scrupules, aarzeling of genade gedood moesten worden.

Toen de zon boven het besneeuwde dal opkwam, was de

hemel besmeurd met donkere rookslierten. Madoc stond met roodomrande ogen en een gezicht als beroete steen van een heuvel naar beneden te kijken. Van de honderd huizen restten slechts verkoolde palen en hopen verbrand huisraad. Het hele gebied, misschien drie hectare in omvang, was onder honderden rennende voeten en dodelijke gevechten vertrapt en omgewoeld. Bijna vijfhonderd Cherokee lagen naakt en verminkt in de bizarre, pijnlijke houdingen van de dood. Er staken palen uit de grond met afgehakte hoofden erbovenop. Bij het centrum van de stad lag een enorme hoop verbrande overblijfselen; dat was het Grote Stamhuis geweest, waar de mensen bij elkaar kwamen om godsdienstoefeningen te houden. Madoc had in eigen persoon het altaar omvergetrokken en de gewijde veren, beenderen, huiden, houtsnijwerk en totems op een hoop gegooid en in brand gestoken. De Euchee waren achteraf blijven staan, bang om bij zoiets toe te kijken. Heel even waren ze ontnuchterd door de ondenkbare daad van heiligschennis die de oude, blanke reus pleegde. Met geweld de stameigendommen mee te nemen of ze door slimheid en durf te stelen was een spannend avontuur, dat veel aan het prestige van de persoon die daarin slaagde toedeed. Maar wie had zo weinig ontzag, zo weinig vrees voor de Grote Geest dat hij een altaar in elkaar sloeg en de Heilige Schatten vernietigde?

Enkele Euchee-dorpshoofden keken deze dag naar de blanke grootvader die Madoc heette en slechte vogels schreeuwden zwijgend in hun ziel. Uiteraard zouden ze Zon Arend moeten vertellen wat deze waanzinnige had gedaan. Zon Arend geloofde dat deze man een god was, wisten ze; een hele generatie lang had Zon Arend gedaan wat deze machtige, oude man-god hem had gevraagd. En meestal had Zon Arend zich er zelf van kunnen overtuigen dat het goede dingen waren, en op zijn beurt de mensen in de raad ervan overtuigd dat ze de blanke man-god moesten helpen die dingen uit te voeren.

Maar de goden van de Cherokee waren machtig; de Cherokee waren een talrijk en machtig volk. En zelfs als de blanke, oude reus alle Cherokee doodde – wat de Euchee goed van pas kwam – dan kon hij nog hun geesten aan Gene Zijde van de

Wereld niet doden. En die geesten konden komen en onheil brengen aan de Euchee, die deze man die altaren vernietigde en schatten verbrandde hadden geholpen onheil te brengen.

De oorlogsopperhoofden van de Euchee waren nu bang. Ze begonnen nu banger te worden voor hun bondgenoot dan ze voor hun vijanden waren geweest.

8 *Kasteel Dolwyddelan*
1201 A.D.

Na twaalf jaar moorden had Madocs oorlog zich tegen hem gekeerd. Hij zat nu gevangen in een val van zijn eigen maaksel.

De oude koning lag rechtop in een smerig bed in de kussens, om ervoor te zorgen dat zijn longen niet volliepen. Hij luisterde naar de sombere geluiden van de belegering buiten zijn stenen muren. Ja, God heeft een afschuw van mij, dacht hij. Ik sta op het punt mijn grondgebied te verliezen.

'Zeg op, wat is er?' kraakte hij tegen Meredydd en Rhys, die mismoedig naast zijn bed stonden. Het haar van de bard was nu wit en zijn huid was zo glad en geel als perkament. Hij keek medelijdend neer op zijn koning, die in wraakzuchtige woede alle heilige geesten van Jargal had ontstemd. Meredydd was nu een gevangene in zijn trouw aan zijn eens zo geliefde koning. Hij zuchtte en vertelde hem wat naar zijn mening de waarheid was:

'We moeten de Cherokee om vrede smeken, majesteit. We verhongeren. De meeste mensen hier zijn ziek. Het enige dat ons nog rest is om vrede te vragen of hier binnen te blijven tot we allemaal dood zijn.'

Met een zucht draaide Madoc zich naar Rhys, zijn oude minister der wapenen, toe. Ergens in de verte schreeuwde een stem uitdagend woorden in het Cherokee. Madoc zei tegen Rhys: 'Gij zijt het eens met onze bard, is het niet?'

Rhys sloeg zijn ogen neer en knikte. Zijn verweerde gezicht met grijze haren stond stuurs en beschaamd. 'Ja, majesteit. Dat klopt.' Hij haalde zijn schouders op en keerde zijn handpalmen

315

naar boven. 'Als we naar beneden hadden kunnen gaan en op het open land tegen hen hadden gevochten, hadden we misschien gewonnen. Maar zoals uwe majesteit weet, konden we niet beneden komen.'

Madoc sloot zijn ogen en kreunde hardop. De afschuwelijke, absurde ironie van het geheel stak hem als een zweepslag. Hij had deze onneembare vesting zo ontworpen, dat niet meer dan één of twee aanvallers tegelijk bij de poort op het pad aan de kant van de steile rotswand konden aanvallen. Maar door diezelfde nauwe doorgang kon ook slechts één van zijn Welse mannen tegelijk passeren om naar beneden te gaan. De slimme Cherokee hadden eenvoudigweg het pad buiten de poort bezet en op die manier het hele Welse leger met de Euchee-krijgers in het kasteel opgesloten. In een poging de kleine bende Cherokee van het pad te verdrijven, hadden Rhys' soldaten gloeiende stukken hout en hete olie van de muren naar beneden gegooid. De Cherokee hadden echter volgehouden tot er geen olie of zelfs brandhout meer in het kasteel was. Vervolgens hadden ze met succes de poort nog eens drie weken lang geblokkeerd terwijl de belegerden, die nu niet meer konden koken of naar buiten gaan om te jagen, hun slinkende voorraden graan, zaden, wortels en notenmeel rauw aten en ziek van dat voedsel werden. En omdat er meer dan tweeduizend mensen in dit kasteel op de bergtop gevangenzaten, was het voedsel schoon op, waren de waterreservoirs bevuild en bijna leeg en was iedereen ziek. De Cherokee waren nu meester over het open land. Ze jaagden daar vrijelijk en visten op de rivieren. De dol makende geur van hun feestmaaltijden dreef op de rook van hun kookvuren naar boven en bracht het moreel van de hulpeloze verdedigers nog verder omlaag. De buitenmuren van het kasteel en de steile rotswanden daaronder waren aangekoekt met de uitwerpselen die de mensen tijdens de belegering over de borstweringen hadden gegooid. Nu waren ze zo zwak en lethargisch geworden, dat ze zelfs dat niet meer konden en hun vuil gewoon in de straten en op de gemeenschapsgrond achterlieten. Het zwermde in het kasteel van de vliegen; alles scheen te vibreren met miljoenen rondkruipende vliegen. Ze verduisterden de lucht en aanhoudend klonk hun gezoem. Elke

316

dag stierven er nu wel een stuk of tien mensen. Ze konden niet op de uitstekende stenen rots worden begraven en er was geen hout voor brandstapels om de lijken te verbranden. Vanwege hun godsdienstige overtuiging wilden de Euchee niet toestaan dat hun doden eenvoudigweg over de muren werden gegooid en dus lagen de lichamen, omringd door hun weeklagende familieleden, in rijen op de zonovergoten rots te bakken. Uit respect voor hun overtuiging stond Meredydd ook niet toe dat de Welse doden van de rotswand naar beneden werden geworpen; dat zou het respect dat de Euchee nog steeds voor hun bondgenoten hadden nog verder uithollen.

Trouwens, veel respect was er niet meer. Omdat Madoc de afgelopen twaalf jaar doorgegaan was met zijn oorlog die alle wraak te boven ging, doorgegaan was hun vrouwen te verkrachten en hun kinderen af te slachten en doorgegaan was hun gewijde voorwerpen te vernietigen, was hij de gesel van de Cherokee en hun aanverwante stammen geworden. En daarmee had hij een oorlog zonder eind over zichzelf en zijn Euchee gebracht. Vijf jaar geleden was opperhoofd Zon Arend overleden, weeklagend over de dag dat hij voor het eerst de ceremoniële pijp met Madoc had gerookt. Zit op Veel Grond volgde hem als opperhoofd van de Euchee op. Hij was een welgedane man van middelbare leeftijd, die plichtmatig trouw bleef aan de Welse meesters omdat hij eenvoudigweg geen keus had. Hij wist dat zijn volk voorgoed besmet was door de vriendschap met de Grote Blanke Koning. De helft van de Euchee-kinderen en -jongeren had bloed van de blanke mannen in hun aderen en had een hun vreemde taal moeten leren. Zit op Veel Grond had op het punt gestaan met zijn dorpshoofden over een breuk met de mensen van Wales te beraadslagen en te proberen weer echte Euchee te worden. Maar voordat die raad bijeen kon worden geroepen, waren de Cherokee met een federatie van geallieerde stammen, benden van duizenden krijgers, Madocs koninkrijk binnengevallen en hadden de Euchee voor zich uit naar deze plek op de rotsige berg verdreven. En daar hadden ze hen belegerd. Zit op Veel Grond zat nu somber buiten de slaapkamer van de zieke, oude koning Madoc te wachten en luisterde naar de stemmen van de blanke mannen die binnen waren.

Hoe zwak de oude Madoc ook was en hoezeer zijn longen ook aangetast waren, hij had nog steeds een luide stem. Opeens hoorde Zit op Veel Grond hem aan Meredydd vragen:

'Wat zullen we winnen als we een verdrag met de Cherokee sluiten? Als we ons overgeven, dunkt me, zal onze dood alleen een paar dagen eerder zijn dan wanneer we hier blijven en sterven zoals we al doen. Want ge gelooft toch zeker niet dat zij ons enige genade zullen betonen?' De moord op duizenden onschuldige mensen drukte op Madocs geweten en naarmate hij dichter naar zijn ontmoeting met zijn Schepper kwam, dacht hij meer over hen na. Hij wist dat hij geen genade van de Cherokee verdiende en die ook niet zou hoeven verwachten. Het feit dat zijn wraakzuchtige uitspattingen misschien zijn weg naar de hemel zouden hebben geblokkeerd en dat hij misschien geen vergeving meer kon krijgen zat hem nu echter dwars in zijn dromen. O, wat had hij deze laatste maanden verlangd naar de priesters die dertig jaar geleden zo nutteloos hadden geleken!

De neus van de oude Meredydd trok krampachtig terwijl hij over zijn antwoord nadacht. Toen antwoordde hij:

'Hoogheid, ik kan slechts met hen onderhandelen om uit te vinden wat hun voorwaarden zullen zijn. Als ze er geen beloven, kunnen we evengoed hier weerstand bieden tot we dood zijn. Maar als ze ons wel iets in het vooruitzicht stellen – laten we zeggen dat ze bereid zijn de levens van enkelen te sparen of ons als slaven te laten leven – kunt ge beslissen of ge dat wilt aanvaarden. Dat, hoogheid, is het enige dat we kunnen doen. Ik ben bereid hen om een wapenstilstand te vragen en naar beneden te gaan om met hen te praten. Zit op Veel Grond heeft erin toegestemd om met me mee te gaan om ten behoeve van zijn Euchee-volk besprekingen te voeren.'

Vol twijfel schudde Madoc langzaam zijn hoofd. Zijn ogen stonden hol en hij trok een grimas. 'Ze... Als ge naar beneden gaat, mijn beste bard, doden ze misschien alleen u... Of wanneer ze beloven ons te sparen, ons allemaal te sparen, doden ze ons misschien allemaal wanneer we ons overgeven.'

318

Meredydd boog zich dichter naar het bed toe. Zijn gezicht stond nu heel gespannen en hij antwoordde: 'Roept u zich alstublieft de bewondering die u onze eerste jaren in Jargal voor deze inheemse volken had in herinnering, hoogheid, voordat deze oorlog met de Cherokee onze blik met donkere rook vertroebelde. Dat smeek ik u. Herinnert u zich het vertrouwen en de begaanheid die u toen in uw hart voelde? Als uw hart toen niet zo tolerant en hoopvol was geweest, zou u geen vriendschap met de Euchee hebben gesloten. En dat zou het eind van onze ellendige kolonie hebben betekend. Herinnert u zich alstublieft hoe u zich toen voelde, sire.'

Madoc lag zwijgend in bed en dacht na. Hij zei echter niets.

'Van al de Euchee weet ik dat deze Cherokee hun woord altijd gestand doen als ze het geven,' ging Meredydd verder. 'Ze zijn niet verraderlijk.'

'Niet verraderlijk!' ontplofte Madoc. 'Ze hebben mijn mannen afgeslacht en mijn koningin vermoord!'

Madoc maakte met allebei zijn handpalmen een kalmerend gebaar naar beneden en zei: 'Ze vielen hun oude vijanden, de Euchee, aan. Koningin Annesta bevond zich toevallig uit eigen vrije wil onder de slachtoffers. Ze is tegen mijn weloverwogen advies in op reis gegaan. Rhys, is dat niet waar?'

'Ja, sire, dat klopt,' antwoordde Rhys. 'Dat herinner ik me ook.'

'Ja, dat hebt ge me maar al te vaak onder de neus gewreven,' kreunde Madoc. 'En ik was er na aan toe om u beiden te onthoofden omdat ge haar hebt laten gaan!'

Zoals ik ook verdiende, dacht Meredydd. Hij herinnerde zich nog steeds met grote schaamte dat hij de waarschuwing van de Euchee-sjamaan over het voorteken van de uil in de wind had geslagen. Als de Euchee niet zo hevig op wraak op de Cherokee belust waren geweest, zou Zon Arend vanwege Meredydds bedrog de mensen uit Wales waarschijnlijk diezelfde dag verloochend en in de steek gelaten hebben.

Madoc bleef een hele tijd met gesloten ogen liggen, zo lang zelfs, dat Meredydd dacht dat hij in slaap gevallen was. Maar ten slotte begon hij hoorbaar op zijn tandvlees te bijten. Zijn witte baardje wipte ervan op en neer. Toen deed hij zijn ogen open en keek Meredydd aan.

'Maar ge hebt me altijd verstandige raad gegeven, trouwe bard. Hoe vaak hebt gij me niet gesmeekt om niet zo genadeloos tegen de Cherokee oorlog te voeren. Ik had moeten luisteren, zoals we nu ontdekken. Gij zijt mijn trouwste vriend en helper geweest. Goed... probeer dus een wapenstilstand te bewerkstelligen... maar laat hen niet weten hoe dicht bij het einde we zijn... Als ze denken dat we nog tot vechten in staat zijn, is de kans groter dat ze ons iets zullen toegeven...

En luister: voor ge het met hen ergens over eens wordt, moet ge uitvinden wat het lot van Clochran is – van mijn broeder Riryd... mijn dochter en kleindochter... of zij ook belegerd zijn, of ze nog leven of dood zijn...'

'Ik zal mijn best doen, majesteit.'

'En kom me vertellen wat ge daarover hoort, want het zal ongetwijfeld in mijn beslissing meewegen.' Weer zuchtte Madoc, sloot zijn ogen en kuchte vermoeid. 'Houd mijn hand een tijdje vast, oude bard en ga daarna om een wapenstilstand vragen,' zei hij. 'Doe voor ons wat ge kunt. En... Gods zegen.'

Met Zit op Veel Grond en twee andere dorpshoofden hobbelde Meredydd het pad over het klif af met vóór en achter zich Cherokee-krijgers. Het feit dat hij na zo lange tijd buiten de stinkende ellende van het kasteel was, overweldigde Meredydd bijna. Het leek of de frisse lucht en de open ruimte hem een gevoel van ouderdom, zwakte en kwetsbaarheid gaven. Hij voelde zich zo licht in zijn hoofd, dat hij zwaar op zijn staf moest leunen om bij de afdaling langs het hoge, smalle pad de duizeligheid af te weren. Het steenachtige riviertje recht beneden hen pruttelde en klaterde alsof het hem riep zich op zijn rotsen en in het witte water te storten, om zodoende snel en radicaal een eind aan alles te maken. Meredydd had het gevoel of hij de last van het stervende Koninkrijk Jargal maandenlang op zijn zwakke schouders had gedragen. Nu wist hij nog steeds niet wat er van hem verwacht werd of wat hij namens het koninkrijk moest lijden. Zouden de Cherokee hem als vergelding voor Madocs wreedheden martelen, vernederen? Welk een verschrikkelijke gevangenis Dolwyddelan ook was geworden, het was in ieder geval een wapenrusting van stenen muren om hem heen geweest.

Meredydd keek naar de krijgers voor zich om zijn aandacht van de afgrond af te houden. Deze Cherokee waren gedrongener en vierkanter gebouwd dan de Euchee en heel gespierd. Ze droegen weinig versieringen, maar hadden hun gezichten en lichaam met vele kleuren in gruwelijke patronen beschilderd.

Ze brachten hem en zijn dorpshoofden naar beneden, door een doorwaadbare plaats heen en vervolgens een klein stukje het bos in op een tegenover gelegen helling. Daar was op een open plek een oorlogskamp opgezet. Een koerier was vooruitgelopen om de wapenstilstandsonderhandeling aan te kondigen en dus stond een groep Cherokee-hoogwaardigheidsbekleders hen op te wachten. Hun leider was klaarblijkelijk de zeer gedrongen man met het ronde gezicht die iets vóór de anderen uit stond. Hij was gekleed in een crèmekleurig hemd dat over de borst met felgekleurde veren van verschillende tropische vogels was afgezet. Zit op Veel Grond en die man kenden elkaar duidelijk van gezicht; allebei keken ze elkaar doordringend aan. Allebei waren ze zeer omvangrijk, maar het Cherokee-opperhoofd straalde in tegenstelling tot de zachte pafferigheid van Zit op Veel Grond lichamelijke kracht uit.

Even later zaten alle opperhoofden en dorpshoofden op de grond en met behulp van Zit op Veel Grond, die zowel Euchee als Cherokee en Wels sprak, werd Meredydd aan het Cherokee-opperhoofd, Beer die Drijft, voorgesteld.

Drijvende Beers gespannen aandacht ging algauw van de Euchee naar Meredydd en zijn ogen priemden tijdens het roken van de ceremoniële pijp dwars door hem heen. Toen begon Drijvende Beer vragen te stellen en Zit op Veel Grond bracht de essentie van de besprekingen aan Meredydd over.

'Hij wil weten of u leider van de blanke stam bent. Ik heb hem gezegd nee, u bent tweede opperhoofd en zanger van het land, en de koning heeft u gestuurd. Drijvende Beer is boos dat onze koning zelf niet naar beneden gekomen is. In mijn antwoord zeg ik hem dat onze koning te boos is om nu te spreken en erop vertrouwt dat u beter spreekt.'

Meredydd keek de Euchee verbaasd aan en wilde weten: 'Waarom hebt u hem dat verteld? U zult hem nog bozer maken!'

'Ik durfde hem niet te vertellen hoe zwak onze koning Madoc is. Terwijl we hier het woord voeren, moeten we sterker lijken dan we zijn.'

'Ja,' was Meredydd het met hem eens. 'Goed dan. Zeg hem dan nu dat we genoeg van deze oorlog hebben die ons van alle goede dingen in het leven weghoudt en dat we willen weten waarom zij ons koninkrijk zijn binnengekomen en de echtgenote van onze koning hebben gedood. Vraag hem wat hij moet hebben om hem te laten ophouden tegen ons te vechten en weer naar zijn eigen land terug te gaan.'

Zit op Veel Grond was een intelligent man en een goed spreker. De volgende paar minuten voerden hij en het Cherokee-opperhoofd een levendig gesprek. De woorden kwamen snel na elkaar. Dat ging van beide kanten met zoveel handgebaren vergezeld, dat Meredydd de discussie bijna kon volgen.

Nu bleek dat de Cherokee die de Euchee zoveel jaar geleden vanuit een hinderlaag hadden overvallen, niet hadden geweten dat zich blanke mensen in de colonne bevonden. Ze hadden geen wrok tegen de blanke mensen gekoesterd en zouden de echtgenote van de koning niet hebben gedood als ze het hadden geweten. 'Drijvende Beer zegt dat het hem spijt, nu hij weet dat dat gebeurde,' legde het Euchee-opperhoofd uit. 'Maar Drijvende Beer zegt dat de onvoorziene moord op één vrouw niet voldoende was om tientallen honderden Cherokee-mannen en -vrouwen in hun slaap te vermoorden. En hij zegt dat de blanke mannen ziekten in het dal van de Moeder der Rivieren hebben gebracht, zodat de Cherokee door het land moesten trekken om weg te komen van de stervenden. Hij zegt dat de blanke koning het bij het verkeerde eind heeft als hij denkt dat deze gebieden van hem zijn. Ze zijn het vroegere thuis van de Cherokee en hun vrienden, hun door de Schepper gegeven. De blanke koning is slechts een generatie geleden hierheen gekomen, dus hij moet niet denken dat dit land van hem is.'

Meredydd zat te luisteren en dacht na. In zijn hart vond hij dat het Cherokee-opperhoofd gelijk had. Meredydd had zelf ook geprobeerd om deze dingen aan Madoc te vertellen. Maar in zijn wraakzuchtige woede had deze niet had willen luisteren. Dus zei Meredydd nu: 'Zeg tegen Drijvende Beer dat ik, de Eerste Zanger en Tweede Opperhoofd van het Welse volk op de stenen berg, zijn woorden redelijk vind en goed te begrijpen en dat ik die woorden naar onze koning zal meenemen en in zijn oren leggen.'

Zit op Veel Grond vertaalde dat alles. Het Cherokee-opperhoofd knikte uitdrukkingsloos, maar het licht in zijn ogen veranderde en verzachtte zich. Na nog meer discussie zei Zit op Veel Grond tegen Meredydd:

'Drijvende Beer zegt dat zijn mensen ook genoeg van oorlog hebben en graag weer naar hun vrouwen en kinderen terug willen.'

'Goed!' riep Meredydd uit. 'Zeg hem dat wanneer ze gaan, wij geen kwade gevoelens meer over hen zullen hebben. En zeg hem dat ik onze koning zal overhalen om nooit meer tegen de Cherokee ten strijde te trekken, tenzij zij eerst weer iets slechts doen.'

Terwijl Zit op Veel Grond dit vertaalde, kwam er eerst een geamuseerde uitdrukking op de gezichten van Drijvende Beer en enkele van zijn dorpshoofden, die overging in boosheid. Even later stonden ze druk met elkaar te mompelen. Toen volgde er een tirade van woorden van Drijvende Beer waarbij hij steeds met zijn vinger wees en waarbij zijn ogen priemden. Gedwee vertaalde Zit op Veel Grond de woordenvloed voor Meredydd:

'Deze man Drijvende Beer zegt dat het niet rechtvaardig is. Hij zegt dat de blanke koning te veel Cherokee-vrouwen en -kinderen heeft gedood om hier nog welkom te zijn. Wil er sprake van vrede zijn, zegt hij, dan moeten de blanke mensen ver weg trekken. En mijn volk de Euchee moet ook weggaan, omdat wij uw koning bij die slachtingen hebben geholpen.'

Meredydd was verbijsterd. Hoe kon hij met zo'n eis naar Madoc teruggaan? Voor hij ook maar zijn mond kon opendoen om te antwoorden, begon het Cherokee-opperhoofd alweer te praten. Meredydd wist uit de handgebaren dat hij het over de mensen van kasteel Clochran had. Zit op Veel Grond bevestigde dat toen hij het vertaalde:

'Drijvende Beer zegt ons dat zijn krijgers het andere stenen dorp van de blanke mannen al hebben verslagen' – hij wees naar het noordwesten – 'het dorp dat u Clochran noemt. Ze hebben het verslagen en verbrand, zei hij.' Meredydds hart was pijnlijk opgeschrokken. Bij de gedachte aan Riryd, Gwenllian, Owain ap Riryd, aan Madocs kleinkinderen, was het hevig gaan bonzen en sloeg nu onregelmatig. En Zit op Veel Grond praatte verder en gaf al antwoord op de vragen voordat Meredydd ze hoefde te stellen.

'De Cherokee houden de meeste bleekgezichten die daar woonden gevangen. Ze hebben vele Euchee-krijgers en een paar bleekgezicht-soldaten gedood. Hij zegt dat de bleekgezicht-koning daarboven gedood is... en dat de vrouw van de koning zichzelf gedood heeft... dat de jonge mensen en de kinderen van het grote, stenen huis allemaal nog leven en dat enkele bleekgezicht-soldaten met hun vrouwen ook nog in leven zijn. Drijvende Beer zegt dat hij al die mensen zal doden als wij dit land niet verlaten. Dat was alles wat hij zei, Zanger.'

Meredydd vocht tegen zwakte en verwarring. Even had hij verondersteld dat het eind van de oorlog zo gemakkelijk verkregen kon worden; hij was vergeten dat een inheemse beraadslaging je door alle beleefdheden kon laten vergeten dat serieuze zaken nog steeds onopgelost waren.

En de dood van zoveel onschuldige Cherokee was uiteraard een ernstige zaak.

Ondanks al zijn ceremoniële beleefdheid, was Drijvende Beer niet vergeten dat er maar al te veel van zijn mensen vermoord waren. Hij zocht daarom niet slechts vrede, maar ook gerechtigheid.

Ten slotte herwon Meredydd zijn tegenwoordigheid van geest weer zover dat hij kon zeggen: 'Belooft Drijvende Beer dat hij die gevangenen ongedeerd en wel naar ons zal terugzenden als wij dit land verlaten? En staat hij ons toe dat we onze...' Meredydd moest even stoppen om na te denken hoe hij hierom kon vragen, '...gewijde voorwerpen met ons meenemen?' Voor Meredydd waren de boeken en zijn harp even heilig als het leven zelf.

Nu volgde er opnieuw een paar minuten lang een heftig tweegesprek in het Cherokee tussen de Euchee en de Cherokee-dorpshoofden. De Cherokee-dorpshoofden plaatsten opmerkingen tussendoor. Hun gezichten stonden hard en vastberaden. Op het laatst slaakte Zit op Veel Grond een zucht, tuurde een tijdje naar de grond en zei toen tegen Meredydd:

'Deze man Drijvende Beer zegt: wanneer alle bleekgezicht-mensen en alle Tsoyaha Euchee dit land verlaten, zal hij al zijn gevangenen inruilen tegen één man, uw koning. Deze man heeft zoveel Cherokee-vrouwen en -kinderen gedood, dat hun geesten roepen dat hij evenveel pijn moet lijden; ze roepen dat alleen dit hun geesten zal bevrijden, zodat ze in rust en vrede naar de Wereld van Gene Zijde kunnen overgaan. Pas wanneer dat gebeurd is, zullen de anderen worden bevrijd om met ons het land te kunnen verlaten. En hij zegt dat u uw gewijde zaken mag meenemen. In tegenstelling tot uw koning, zegt hij, zouden zij nooit iets heiligs vernietigen.

Zanger, dat is het aanbod dat hij heeft gedaan.'

Cynan bracht Meredydd en Zit op Veel Grond nu terug naar Madocs slaapkamer. Cynan was lang en zongebruind en met uitzondering van de arm die ontbrak een toonbeeld van wat Madoc zelf op zijn vijfentwintigste was geweest. Rhys kwam achter de drie mannen aan en deed de deur dicht. Ze gingen om Madocs bed heen staan. Een dienstmeisje bewoog langzaam een veren waaier op en neer om ervoor te zorgen dat er geen vliegen op de koning gingen zitten. Madoc greep Meredydds hand beet, wat Meredydd een enorme brok in de keel bezorgde. 'Goddank dat ge veilig zijt, bard. Goed. Vertel me dan nu wat ge hebt gehoord over de mensen op Clochran. Was hun vesting ook belegerd? Houden ze nog stand? Ge hebt toch antwoorden gekregen, is het niet? En zeg me wat ons koninkrijk te wachten staat.' Hij hield nog steeds Meredydds hand vast en er voer zo'n stroming tussen de twee oude kameraden heen en weer, dat Meredydd wist dat hij niet over de eisen die Drijvende Beer had gesteld kon liegen of ze kon verdoezelen; Madoc zou voelen of hij werkelijk met alles voor den dag kwam.

'Hoogheid,' begon Meredydd, 'prinses Gwenllian en Owain ap Riryd en hun kinderen zijn veilig, maar worden door de

Cherokee gevangen gehouden...' Hij zag dat Madoc zijn ogen van schrik en, misschien, boosheid opensperde, maar hij bleef zwijgen en Meredydd ging verder: 'Kasteel Clochran is verwoest. Enkele Welse soldaten en hun vrouwen worden gevangen gehouden...'

'En Riryd?' viel Madoc hem met gefronst voorhoofd in de rede. 'Voor den dag ermee, bard!'

'Hij stierf bij de verdediging van zijn kasteel, hoogheid. En Danna, zijn koningin, heeft zichzelf om het leven gebracht, zeggen ze...'

Madocs gerimpelde gezicht verstrakte zich tot een grimas. Hij kneep zijn ogen dicht om de tranen binnen te houden en slaakte een lange zucht die eindigde in een geratel uit zijn borst. Toen kreunde hij het uit. Terwijl hij vocht om zijn zelfbeheersing te bewaren, leken de geluiden van ellende van buiten door het smalle raam naar binnen te wellen: weeklagende vrouwen, uitgehongerde, huilende kinderen, het gegons van miljoenen vliegen en een chaotisch geschreeuw en gefladder als mannen de kalkoengieren van de rijen lijken probeerden weg te jagen.

Uiteindelijk vermande Madoc zichzelf. 'Goddank dat mijn kinderen leven,' zei hij. 'De Cherokee zullen wel een losgeld voor hen willen hebben, neem ik aan.'

'Losgeld, milord?' riep Meredydd uit. 'Lieve hemel, we bezitten niets dat zij willen hebben! Wat wij schatten noemen, kunnen ze helemaal niet gebruiken.' Zelfs in de geestestoestand waarin hij verkeerde besefte Madoc onmiddellijk de waarheid van die alarmerende opmerking; geschokt en wanhopig nam hij aan dat ze hun vrijheid met geen mogelijkheid konden kopen.

Nu was echter het ogenblik aangebroken om met het moeilijkste voor den dag te komen, wist Meredydd.

'Hoogheid, het Cherokee-opperhoofd, Drijvende Beer, eist van ons dat we ver van dit land wegtrekken. Waarheen we gaan interesseert hem niet, als het maar ver weg is. En als we dat doen, zal hij onze mensen gezond en wel vrijlaten...'

Weer verscheen er een opeenvolging van gevoelens, variërend van angst tot boosheid, op Madocs onverzettelijke gezicht. 'Ik ben te oud om nog eens ergens anders een koninkrijk te gaan opbouwen,' prevelde hij nauwelijks hoorbaar. Hij schudde zijn hoofd en keek neer op het beddegoed op zijn schoot en naar zijn slappe, spichtige, bleke benen met blauwe aders waarvan hij het dek had afgeworpen.

'Mijn beste, geliefde koning,' mompelde Meredydd nu tegen hem terwijl hij hem in zijn grote hand kneep, 'als ze dat kunnen, zullen uw kinderen het koninkrijk moeten herbouwen. Uw Jargal zal, wil het blijven bestaan, via hen verder leven. Want luister goed, excellentie, nu komt de essentie van ons lot en het lot van Jargal:

Ge zult uw eigen persoon moeten offeren.'

Het leek of het een hele tijd duurde voordat Madoc de woorden van zijn bard begreep. En Cynan, die achter Meredydd stond, hapte naar adem toen hij plotseling besefte wat hij had gehoord. Hij schudde met zijn hoofd van nee. In deze verbijsterde stilte legde Meredydd uit wat de eisen van het Cherokee-opperhoofd waren. Na een lange stilte vroeg Madoc zacht en gespannen:

'Stel dat ik ermee zou instemmen, welke waarborg heb ik dan dat de Cherokee onze familieleden gezond en wel aan ons zullen teruggeven en niet ook hen zullen doden?'

'Zijn woord, hoogheid.'

'Alleen zijn woord?'

'Dit zijn geen Europeanen, heer; hun woord is hun eer.'

En terwijl Madoc dacht aan de twintig jaar dat hij onder de Euchee en andere inheemse stammen ervaring had opgedaan, knikte hij beamend. Een droevig, vredig licht begon in zijn ogen te schijnen.

'Ja,' zei hij ten slotte. 'Ik moet inderdaad voor duizenden moorden boeten... en als het offer van één koning dat kan bewerken... Ga, oude bard, en vertel de Cherokee dat ik me bij zijn voorwaarden neerleg. Ik geef me aan hem over.'

De Cherokee zouden de mensen met de blanke huid laten toekijken, zodat ze deze les nooit meer zouden vergeten.

Alle Welse gevangenen waren van hun kleding en wapenrusting ontdaan. Hun handen waren stevig op hun rug vastgebonden. Ze moesten in een halve cirkel staan, zodat ze allemaal met hun gezicht naar de brandstapel stonden, die midden op de binnenplaats van kasteel Dolwyddelan was opgetrokken. Heel de vorige dag hadden de arrogante Welse soldaat-leenmannen in opdracht van de Cherokee hout en takken langs het smalle pad naar boven, naar het kasteel, gedragen. Dat was een vernedering voor hen, omdat het vrouwenwerk was. En de Cherokee hadden de Euchee opdracht gegeven de ontbindende lijken van hun stamgenoten naar beneden te dragen om die in het bos te begraven. Nu was het morgen geworden. De Euchee werden gevangen gehouden in een deel van de rivierbedding onder het kasteel. Alleen hun opperhoofd met de dorpshoofden bleven boven. Zij moesten getuige zijn van de executie van de grote moordenaar.

Aan één paal recht tegenover de brandstapel vastgebonden stonden alle leden van Madocs eigen familie. Zijn zoon Cynan was met zijn rechterpols aan de paal vastgebonden. Zijn grote gestalte werd asymmetrisch gemaakt door het roze stompje van de linkerarm en de verschrompelde schouder- en borstspieren die hij altijd door kleding en capes verborgen had gehouden.

Aan de andere kant van die paal stond Gwenllian met haar tarwekleurige haar en lange benen. Ze was nu zesendertig en haar taille was nog steeds slank, hoewel haar onderbuik door het baren vooruit was geduwd en haar heupen breder waren geworden. Cherokee-mannen en -vrouwen gaapten haar uitgebreid aan en lachten haar uit om het blonde haar op haar vrouw-delen.

Naast Gwenllian stond haar echtgenoot, de rossige, zwaargebouwde Owain ap Riryd. Hij was dertig. Hij had donkere oogkassen en een rode baard. Zijn gezicht stond boos van woede en schaamte en hij keek niet één keer in Gwenllians richting. Hij was knap van uiterlijk, maar hij was nooit schoon op zijn lichaam geweest. Zodoende onthulde zijn naaktheid een weerzinwekkend gevlekte huid die onder de littekens van karbonkels, zweren en uitslag zat. Dena, de twaalfjarige dochter van Gwenllian en Owain, en Gower, hun zevenjarige zoon, allebei slanke, knappe, kinderen, stonden verlamd van angst. Gwenllian had er geen idee van of ze enig begrip hadden van hetgeen zo meteen zou gaan gebeuren. Zelf was ze gaan geloven dat er executies zouden plaatsvinden. Misschien zouden alle blanken wel gedood worden. Ze had nu al dagenlang gebeden, niet voor hun leven, maar voor de redding van hun ziel. De trommen die al sinds de dageraad als een harteklop roffelden, hadden bijna al haar eigen trotse moed uit haar weggeroffeld en ze had het opgegeven om haar kinderen met woorden te bemoedigen. Ze voelde zich loodzwaar van vermoeidheid. Owain en zij waren zolang vijandige vreemden voor elkaar geweest, dat ze zelfs niet naar elkaar keken om de ander gerust te stellen. Ze had nu grotere minachting voor haar echtgenoot dan toen hij gewoon nog haar onstuimige, luidruchtige neefje was. Hij was zelfs niet eens een middelmatige vader voor hun kinderen en ze wist wat hij in zijn mannenwereld buiten hun huwelijk was: een verduivelde schurk, een kindermoordenaar en verkrachter van vrouwen en meisjes op het land. En thuis was hij een aalzuiper en lichtzinnig minnaar en de leider van een brute, wrede kliek van leenmannen die helmen met hertegeweien droegen en glorieerden in geruzie, verkrachting en sodomie. Als hier één man van Wales het verdiende om door de Cherokee te worden geëxecuteerd, was dat haar man, geloofde zij.

Nu en dan kwam op het briesje het geruis van de waterval uit de kloof onder het kasteel mee. Dan herinnerde Gwenllian zich de koele rust en intimiteit van die plek uit haar kinderjaren. Wat verlangde ze ernaar om daar te zijn!

Ver beneden het kasteel zaten er bijna tweeduizend Euchee onder bewaking in het smalle ravijn. Opeens begon een slanke vrouw met scherpe, zwarte ogen onmerkbaar naar een wirwar van klimplanten aan de rand van de rivier te kruipen.

Toolakha wist niet welk lot er voor de Euchee voorzien was, maar zij was geen Euchee en wilde niet samen met hen sterven. En er bestond een mogelijkheid dat iemand haar als de vrouw van de Eerste Zanger van de Welse koning zou kunnen thuisbrengen; dat zou ongewenste aandacht zijn.

Toen Toolakha gedeeltelijk tussen de ranken van de klimplanten verborgen was, liet ze zich snel, zonder ook maar enig gespetter, in het water van de rivier glijden. Toen trok ze zich tussen de rotsen door het snelstromende water heen verder.

Toen ze bij de poel waar ze zich altijd had gebaad aankwam, ging ze weer onder water zwemmen om die over te steken. Ze gleed door het schuimende, woelige water tot ze wist dat ze zich op de geheime plek achter de waterval bevond, het plekje dat prinses Gwenllian had ontdekt toen ze een meisje was. Hoe de beslissing van de Cherokee ook zou uitvallen, hier zou Toolakha zich verbergen tot de Cherokee verdwenen waren en het lot van de mannen uit Wales beslist was.

Toolakha had dertig zomers, het grootste deel van haar leven, bij haar blanke overweldigers doorgebracht. Hoewel ze hen altijd was blijven haten omdat zij haar haar vrijheid hadden ontnomen, had ze hen in veel opzichten geholpen, met name door hun zanger en onderopperhoofd Meredydd. Hij was minder slecht dan de meesten van hen; hij was een verstandig man. Toolakha had zijn bed gedeeld en zijn eenzaamheid verlicht. Zij had hem geholpen vele zaken te begrijpen. Ze had zijn smerige gewoonten verdragen en hem geprobeerd te troosten als hij gekweld werd door schaamte om de bruutheid van die oorlog van wraak die zijn koning voerde. Toolakha had nooit van hem gehouden, maar dat had hij nooit hoeven weten.

Zijn lot zou worden hoe het komen moest. Toolakha was nu echter vrij, vrij zoals ze sinds ze in de rivier bij de zee was gevangen niet meer was geweest. Ze trok haar zware, doorweekte, hertsleren kleed uit, wrong er het water uit, spreidde het over de stenen uit en ging er tussen de bemoste rotsen achter de donderende waterval op zitten. Zo wachtte ze af tot de kust veilig was. En in haar hart bedankte ze de blanke prinses voor het feit dat zij deze fijne schuilplaats had ontdekt.

Wie weet woonden er ergens, over de bergen, terug de groene Ala Bamu-rivier af, misschien nog wel mensen van haar volk de Coo-thah die niet gestorven waren door de zieke geesten van de mensen uit Wales. Zij zou naar hen op zoek gaan.

Opgewonden gemurmel van honderden stemmen wekte Gwenllians aandacht. Uit de grote deur van de donjon van het kasteel kwamen mensen naar buiten gelopen. Toen ze zag wie het waren, kromp haar hart in haar borst ineen. Een gekreun ontsnapte aan haar keel.

Voor hen uit strompelde een magere, ziekelijk bleke man met grijze baard. Zijn vel hing los om hem heen. Zijn gezicht was zo uitgemergeld dat Gwenllian even tijd nodig had om te beseffen dat het haar vader Madoc was. Hij was geheel ontkleed en zijn handen waren op zijn rug vastgebonden. Ze had hem nooit anders gezien dan als een machtige, knappe koning. Dat hij nu zo afgrijselijk werd teruggebracht verbijsterde haar zo, dat ze heel even haar eigen schaamte en ellende vergat. Ze riep hem bijna iets toe, maar kon zichzelf inhouden, omdat ze niet wilde dat hij haar smerig en naakt zou zien. Ze beet op haar lippen. Ze begon alles door een waas van tranen te zien, maar ze zag de oude Meredydd tussen de Cherokee- en Euchee-dorpshoofden achter Madoc lopen. Gwenllian besefte dat de bard de enige man uit Wales was die niet naakt en geboeid was; hij liep in zijn gewone, eenvoudige kleed en was duidelijk geen gevangene zoals de andere blanken. Gwenllian voelde een afschuwelijke verdenking: Zou Meredydd het Welse volk misschien hebben verraden? Maar op dit moment kon ze zo'n serieuze, gecompliceerde gedachte niet hanteren.

Onder het angstaanjagend geroffel van de trommen werd Madoc naar de brandstapel in het midden geleid. De Cherokee-dorpshoofden duwden hem rond tot hij met zijn rug naar de brandstapel stond. Toen bonden ze zijn polsen zo stevig aan de brandstapel vast, dat zijn gezicht ervan vertrok. De mensen uit Wales begonnen te jammeren, want ze beseften inmiddels dat hun koning nu als enige een of andere straf zou krijgen.

Toen ze hem hadden vastgebonden en de dorpshoofden achteruit waren gelopen, hief Madoc zijn hoofd op en ging zo rechtop staan als hij kon. Hij keek naar de gevangenen die daar voor hem verzameld waren. Zelfs op deze afstand in de ingesloten ruimte stond er ontzetting op zijn gezicht te lezen. Toen trokken zijn wenkbrauwen zich in woede samen. Gwenllian wist niet of de blik die hij over de mensen had laten glijden haar zelfs maar herkend had. Ze hoorde hem met die onvergetelijke bulderstem schreeuwen:

'Bard! Waarom staan mijn mensen daar vastgebonden? Ze zouden toch vrijgelaten worden?'

331

Meredydd liep vlug naar hem toe. Het geweeklaag en gejammer van de gevangenen zakte weg.

'Ze zullen ook vrijgelaten worden, hoogheid!' zei Meredydd. 'Ze zijn alleen maar vastgebonden om hen tijdens de... tijdens dit... tegen te houden. Geloof me, ze zullen vrijgelaten worden!'

Madoc keek tartend in het rond. Toen zei hij luid: 'Ik heb mijn mensen nog het een en ander te zeggen. Bard, laat niemand me onderbreken. Cynan, zoon!'

'Ja, vader!' Cynan riep met schorre stem terug. Zijn ogen glommen, zijn kin hield hij vooruitgestoken. Madoc keek hem aan.

'Jij, als mijn enige zoon, bent na mij koning van Jargal!'

'Ja!' riep Cynan. Hij keek woest om zich heen. 'Ge hebt hem gehoord!'

Opeens vond Gwenllian haar stem terug en riep: 'Maar ik was uw eerstgeborene!' De mensen draaiden zich haar kant op en keken haar aan. Madocs geschrokken blik zwierf naar haar toe. Hij bleef de naakte vrouw een ogenblik aanstaren. Toen verzachtte zijn gezicht zich en gaf zijn gevoelens weer.

'Geliefde dochter,' zei hij, van zijn stuk gebracht. Hij zag er confuus uit, alsof hij haar was vergeten of had gedacht dat ze dood was. 'Ja... Ja,' zei hij, 'jij bent mijn eerstgeborene... Jij...'

Luid klonk Cynans stem: 'Ik! Ik, vader, ik! Ik ben uw mannelijke erfgenaam! Er kan geen koningin zijn terwijl er een mannelijke erfgenaam in leven is...'

Madoc zag er nu volkomen beduusd uit en de Cherokee-dorpshoofden begonnen te mompelen en boze uitroepen te slaken. Klaarblijkelijk verstoorde dit geschreeuw onder de gevangenen hun executieceremonie.

Madoc had zich heel zijn leven in Wales verre van het koninklijk hof gehouden. Al de tijd dat hij in Jargal woonde, had hij eigenlijk niet over het probleem van de opvolging nagedacht. Nu keek hij weifelend, wanhopig in Meredydds richting, zijn gebruikelijke bron van antwoorden. Maar Meredydd merkte dat niet, omdat Drijvende Beer tegen hem tekeerging. Enkele Cherokee-dorpshoofden renden naar de vastgebonden gevangenen toe. Eén zwaaide met een knuppel en gaf Cynan een harde klap die hem velde. Bewusteloos viel hij op de grond.

Een ander greep Gwenllians lange haren beet, draaide die rond en stopte ze in haar mond om haar het zwijgen op te leggen. Een krijger bond leren riemen om haar gezicht, om ervoor te zorgen dat ze het haar niet kon wegwerken. Ze kon zich slechts wringen en wat murmelen, niet in staat om te schreeuwen en nauwelijks in staat om adem te halen.

Toen Madoc deze aanvallen op zijn kinderen zag, bulderde hij het uit van woede. Hij verzette zich zo hevig tegen zijn boeien dat de brandstapel ervan heen en weer bewoog. Deze was echter zo stevig opgezet, dat hij hem niet kon loswrikken.

Het Cherokee-opperhoofd keek nu woedend bij dit gebrek aan decorum. Uit alle macht schreeuwde hij een paar woorden. Onmiddellijk kwamen krijgers met armenvol droge takken, boombast en aanmaakgras aangelopen en begonnen dat alles ongeveer drie voet van Madocs voeten verwijderd in een cirkel om hem heen op de grond neer te leggen. Nog steeds furieus schopte Madoc naar de hopen maar de krijgers bouwden ze, net buiten bereik van zijn schoppende voeten, opnieuw op. Ze maakten de stapels tot heuphoogte en liepen toen naar achteren. Madoc stond te hijgen en keek dreigend om zich heen.

Weer riep Drijvende Beer iets. Nu kwamen twee rijen Cherokee-vrouwen op de binnenplaats naar voren. Hun naakte lichamen waren met vet en houtskool zwart gemaakt. De twee vrouwen voorop droegen een pot met zand tussen zich in. Erbovenop smeulde een klein vuur dat veel blauwe rook afgaf. De rest van de vrouwen droeg lange, rechte stokken met aan de bovenkant een vettige dot vastgebonden, zoals fakkels. Toen Madoc deze demonisch-uitziende vrouwen naar hem toe zag komen, hield hij op met worstelen, hield op met bulderen en bleef rechtop staan. Meredydd had hem verteld dat de moeders en zusters van de vermoorde kinderen zijn straf zouden uitvoeren en hij scheen te begrijpen dat zij de uitverkorenen waren om dit te doen. Hij keek hen met opeengeklemde kaken aan en probeerde hen zijn angst niet te laten blijken.

Maar Madoc was wel bang. Hij voelde een angst zoals hij nog nooit eerder had ervaren. Het was geen angst om te sterven; hij was al overeengekomen dat hij voor zijn misdaden zou en moest sterven. Maar het was angst voor wat hij in hun ogen zag. In hun zwartgemaakte gezichten was het wit van hun ogen, dat wit had moeten zijn, rood. Voor zover Madoc wist, had geen mens ooit haat voor hem gekoesterd. Hij was nooit het voorwerp van iemands woede of minachting geweest. Nu was dat wel het geval. En hij verdiende dat ook. Hij wist ook dat hij niet snel en genadig terechtgesteld zou worden, maar dat deze vrouwen zouden proberen hem evenveel pijn te laten lijden als hij ontelbare honderden mensen had toegebracht. En dus zette hij zich schrap en begon woordeloos te bidden. Hij keek daarbij omhoog naar de hemel vol rook, zodat hij niet die onbeschrijflijk gruwelijke ogen van de wraakzuchtige vrouwen hoefde te zien.

Kreunend keek Gwenllian toe terwijl de vrouwen hun fakkelstokken bij de vuurpot aanstaken. Met de prop van haar in haar mond kon ze slechts kreunen en murmelen. De andere Welse mensen schreeuwden en jammerden het uit.

De vrouwen stonden buiten de ring van aanmaakhout en -gras en begonnen hun fakkels tegen Madoc aan te duwen. Hij kromp bij elke aanraking ineen maar gaf geen geluid. Algauw was zijn hele huid bedekt met zwarte brandblaren. Eén vrouw hield haar fakkel bij zijn baard tot die helemaal van zijn gezicht weggebrand was en toen brandde ze zijn wenkbrauwen en het haar van zijn hoofd weg. Madocs mond, bedekt met glimmende blaren, bleef in zijn stille gebed bewegen. Weer een andere vrouw hield haar fakkel tegen zijn geslachtsdelen aan. Toen daar al het haar was weggebrand, hield ze de fakkel er dichter tegen aan en roosterde zijn geslachtsdelen. Hevige sidderingen en stuiptrekkingen trokken door zijn lichaam, maar nog steeds schreeuwde hij het niet uit.

Gwenllian werd duizelig en viel bijna om, maar dwong zichzelf uit alle macht om ook sterk te zijn. Ze stond zichzelf niet toe om flauw te vallen, zelfs niet haar ogen te sluiten. Als ze niet de moed had haar vaders lot te volgen, zou ze hem naar haar gevoel in zijn lijden in de steek laten. En dus bleef ze bij bewustzijn en keek toe.

Op een gegeven ogenblik was hij niet meer iets dat ze als haar vader of nauwelijks zelfs als een man zou hebben kunnen herkennen. Hij was een lang, geschroeid, krampachtig bewegend, kronkelend dier op twee benen. Op het laatst viel Gwenllian flauw.

Het duurde misschien een half uur tot het verkoolde lichaam één enorme stuiptrekking maakte. Toen het lichaam in elkaar zakte en de darmen zich ledigden, brulden de zwartgemaakte vrouwen het uit van vreugde.

De blanke reus, de moordenaar van Cherokee-vrouwen en -kinderen, was dood. Hij was moedig, zonder een kik te geven, gestorven, maar alle pijn uit hun hart was nu in zijn lichaam overgegaan en dat wisten ze. Nu waren ze tevredengesteld; nu hoefden ze niet langer te rouwen.

Ze staken hun fakkels in de ring met ontvlambaar materiaal om zijn voeten heen, dat brullend en knappend ontvlamde. De rest van de huid van de dode koning krulde op en verkoolde en de lucht van zijn brandende vlees hing in de lucht van de binnenplaats van kasteel Dolwyddelan. En toen de vlammen wegstierven, hing er van de zwart geworden brandstapel slechts een tors van verkoold vlees. Onder de Cherokee ging een geweldig, hartstochtelijk gebrul op. De mensen van Wales waren nu stil. De oude Meredydd zag zo wit als een doek en wankelde op zijn benen.

Drijvende Beer zei iets tegen Zit op Veel Grond, die zich naar Meredydd toedraaide en hem vertelde wat Drijvende Beer had gezegd.

'Het is rechtvaardig gegaan in de ogen van de Schepper. Nu moet uw volk naar de grote boten gaan en de rivier afzakken. En nooit, nooit mag u naar het land van de Cherokee terugkeren.'

Dit moet het eind zijn van deze koningskroniek.
De ziel van die grote reiziger is niet meer.
Stilte zal heersen waar eens de bard van Madoc zong.
Het leven is voorbij; het verhaal is compleet.

Misschien zal er eens een jongere bard komen
Om het verhaal van zijn erven te bezingen;
Maar deze bard zal nooit meer kunnen getuigen
Van hetgeen de toekomst voor hen verborgen houdt.

Verbannen vluchtten zij met spoed uit Madocs land,
Over rivieren, in schepen, trokken zij weg;
Cynan, zijn zoon, ging hen voor en bracht hen ver.
Vallend Water, de plek die hij exploreerde,
werd hun doel, de plek waar nu hun kastelen staan.

Een droeve koning is hij, Cynan-met-één-arm.
Zijn mensen van Wales en de Euchee doen zijn wil.
Ziek van oorlog is hij en vreedzaam zijn bewind.
In eenzaamheid zijn fust en vat zijn toeverlaat.

De mooie Gwenllian verging het slecht, helaas.
Het zien van Madocs eind verstoorde haar verstand.
Simpel en vredig als een kind is haar bestaan.
Nu is ze weefster terwijl haar hart zich herstelt.

Nu legt deze bard zijn ganzepen terzijde
en geeft voortaan zijn al aan het ministerschap
van Cynans koninkrijk. Zo gaan de jaren voort
Tot bard zich voorgoed met koning Madoc vereent!

9 *De Plaats van Vallend Water*
1245 A.D.

De oude Gwenllian, de weefster-koningin, zag een schaduw over haar weefgetouw vallen. Ze keek op en streek haar lange, witte haar van haar slaap naar achteren om te zien wie er was. Het was prins Gower. Hij stond in silhouet tussen het weefgetouw en het raam afgetekend. Ze glimlachte, haar gezicht een en al rimpels.

'Mijn zoon, wat fijn dat ge bij me langskomt. Maar wees zo goed om uit mijn daglicht te gaan. Ik zie al slecht genoeg zoals het is en ge zijt zo opaak, dat ge een schaduw maakt en een heel dichte schaduw bovendien.' Ze moest om haar woorden lachen. Ze gebruikte vaak woorden die Gower niet kende, en 'opaak' was zo'n woord.

'Moeder, ge moet de schietspoel een poosje opbergen,' zei Gower, inmiddels een robuuste, vastberaden man van vijftig jaar. 'Cynan heeft ons ontboden…' Hij aarzelde om te zeggen waarom.

'O, nee,' wond ze zich op. 'Het is veel te lastig om daar helemaal heen te gaan. Vertel…'

'Moeder, het is alleen maar over de rivier heen.'

'Zeg tegen de beste dwaas dat ik hem, zoals altijd, met Kerstmis zal zien. Nou, schiet op. Ge staat nog steeds in mijn daglicht.'

'Het spijt me moeder, maar we moeten vandaag oversteken. Het gaat niet goed met Meredydd en hij heeft naar u gevraagd.'

'O!' De schietspoel viel kletterend op de stenen vloer en ze bracht de vingertoppen van beide handen naar haar mond. 'Ja. We moeten erheen, nu, onmiddellijk!'

Gwenllians kasteel, in feite een klein, versterkt stenen herenhuis aan de noordzijde van de grote watervallen, lag volgepropt met balen en bundels lindebast, geel vlas en verschillende grassen. Op zoek naar goede vervangingsmiddelen voor de wol en katoen die ze hier niet konden krijgen, waren de weefsterkoningin en haar helpsters hier voortdurend mee aan het experimenteren. In huis stonk het naar de vaten waarin het vlas en het gras geroot werden, naar de verfstoffen. En als je door het kasteel liep, moest je wel niezen van het stof en de pluizen en kwam je onder pluksel, pluizen en dons te zitten. Hoewel de verbanning van haar volk uit het oude koninkrijk van Madoc hen volkomen van dat wonderbaarlijke goedje dat katoen heette had afgesneden, had Gwenllian de afgelopen veertig jaar haar experimenten gecombineerd met de methoden van de inheemse bevolking. Zo was ze erin geslaagd uit plantevezels en dierehaar verschillende stoffen te maken en de stof van de weefster-koningin vormde de basis van een groot deel van de vreedzame handel met de stammen langs de Mooie Rivier, zowel stroomopwaarts als stroomafwaarts van de Plaats van Vallend Water, waar haar kasteel en dat van Cynan stonden.

Op Gowers arm geleund, haar bleke, gerimpelde gezicht van verdriet samengetrokken, liep Gwenllian nu onzeker het lange, opgehoogde voetpad naar haar aanlegsteiger af. Ze werd in de lange roeiboot getild, waar op de achtersteven een met houtsnijwerk versierde troon stond. Gower stond naast haar en schreeuwde boven het diepe, ruisende geluid van de waterval uit de roeiers iets toe. De boot sneed door het schuimende water onder aan de watervallen naar het zuiden, naar koning Cynans kasteel aan de andere kant toe. Vanuit de boot leek het of het kasteel als een stenen schip op de mist en het opstuivende water van de waterval dreef. Gwenllian kon het niet meer duidelijk zien. Haar ogen waren slecht geworden door het weven. Maar ze had het kasteel daar, aan de andere kant van de rivier, over een periode van bijna een halve eeuw zien oprijzen, zich uitbreiden en veranderen toen Cynans metselaars het van kalkstenen blokken uit de steengroeve optrokken en er een dak van grote balken oplegden van hout dat uit het beboste laagland in de rivierbocht kwam. Het was eigenlijk een grootser kasteel dan Dolwyddelan was geweest. Cynan had werkelijk geweldige prestaties geleverd; Gwenllian wist dat. Door een verslagen volk, bestaande uit een aantal mensen uit Wales en een paar honderd Euchee, uit Madocs land naar dit brede, vruchtbare dal toe te brengen, had Cynan, de man met één arm, op de plek waar de kracht van de rivier hem in zijn jongensjaren bijna had gedood, een nieuw Jargal gesticht. Dit was een dal met geweldige, oeroude beschavingen, een dal met tempels, versterkte steden en handelsroutes. Maar het was door de grote pestilentiën des doods ontvolkt en Cynan, die de waterscheiding even goed kende als de aderen op zijn hand, was met zijn bijzondere karakter en zijn eed dat hij de luister van zijn vader niet zou laten verdwijnen in de leegte gestapt. En hij had weer bouwwerken en handel in de vallei gebracht. Hij had in de hele lengte van het dal versterkte bakentorens neergezet, die in één nacht over een lengte van negenhonderd mijl boodschappen konden overbrengen. Hij had voor zijn blanke mensen uit Wales het leenmanschap ingesteld, en zijn leenmannen in de provincies de macht over leven en dood van de inheemse bevolking gegeven. Hij was doorgegaan met de Euchee en de halfbloeden in het steenhouwen en smeden te oefenen en was op zoek geweest naar erts en andere ruwe grondstoffen. Gwenllian was uiterst dankbaar voor al hetgeen haar jongere broer had gedaan, met inbegrip van het brouwen en distilleren, een kunst die hij zich nog maar pas meester had gemaakt en die nu het grootste deel van zijn energie en intelligentie vergde. Ja, Gwenllian wist dat haar broer een groot koning was geweest. Timide en afwezig als ze was, was ze zich van dat alles heel goed bewust; Cynan en zijn volgelingen hadden haar dat trouwens eindeloos verteld. Maar Gwenllian wist ook dat een groot deel van Cynans aanzien uit dezelfde bron was voortgekomen als haar vaders grootheid:

Meredydd. De wijsheid en visie van de oude, lelijke Meredydd die honderd jaar geworden was en nu, vreesde ze, aan het eind van zijn levensweg was gekomen. Heel haar lange leven was Meredydd haar leermeester, mentor en vertrouwensman geweest. Als ze aan hem dacht, wat vaak het geval was, was de kans dat ze zijn gezicht zag zoals het er zeventig jaar geleden had uitgezien even groot als de landkaart van huidplooien en rimpels die het nu was. O, wat had ze van de bard gehouden. Wat was ze afhankelijk van hem geweest; hij stond haar nader dan zelfs haar echtgenoot Owain ap Riryd ooit was geweest. In de dertig jaren sinds Owains dood had ze, wat mensen doen bij hun meest onplezierige herinneringen, zijn gezicht zelfs volledig uit haar geheugen gewist.

Hoewel het een prachtige boottocht tussen de watervallen was, kwam Gwenllian nat van de mist van het vallende water aan toen de boot bij de aanlegsteiger aanmeerde. Dat was ook een van de redenen waarom ze het niet prettig vond om naar de overkant te gaan. Er stonden mannen met een draagstoel te wachten om haar naar boven, naar het kasteel, toe te brengen. Ze zeiden dat Meredydd naar de kamer die Cynan zijn Elixerkamer noemde was overgebracht, in de zonnigste, mooiste vleugel van het kasteel. De kamer keek uit over een geplaveide tuin die recht boven de watervallen eindigde.

Daar zat de oude bard rechtop in de kussens op een gecapitonneerde bank onder een zachte, witte deken van Gwenllians fijnste koninginnedoek. En daar, in diezelfde kamer, zat de koning met een zilveren drinkbeker met zijn geliefde elixer in zijn hand, zijn ogen in zijn kwabbige gezicht al half glazig door de drank. Gwenllian raadde onmiddellijk de werkelijke reden dat Meredydd van zijn eigen studeerkamer hierheen was overgebracht: zodat de koning op zijn aftakelende minister kon letten zonder al te ver van zijn vaten verwijderd te zijn.

De oude Meredydd leek te slapen. Zijn tandeloze mond hing open en zijn diepe oogkassen waren bijna even donker als een gapend gat; alles aan zijn gezicht leek van zijn lange, puntige neus af te hangen. Zijn kinloze kaak was verloren in zijn halskwabben. Licht van het raam glansde in het spaarzame, witte haar dat zo fijn en dun was, dat het als een mist zijn gezicht omringde. Het leek bijna of hij niet meer leefde. Maar toen hij Gwenllians stem hoorde, gingen zijn ogen open. Ze puilden uit en met troebele, verflauwde pupillen keek hij in haar richting.

'Aha, kind, ik heb aan u gedacht,' raspte hij. 'Of droomde ik?... Ik heb... Ik moet bepaalde dingen... tegen u... zeggen... Kom dichtbij zitten... en houd mijn hand vast...'

Zijn hand en die van haar waren zo teer en knokig dat het handen van skeletten hadden kunnen zijn die elkaar vasthielden. Maar Gwenllian voelde warme kracht van zijn droge vingers in haar hand stromen.

'Gij en ik, meisje,' begon hij terwijl Cynan een beker elixer voor Gower inschonk en nog een voor zichzelf, '...gij en ik herinneren ons Wales...'

Dat deed ze nauwelijks, maar nu hij het had gezegd, kwam haar een kasteel in gedachten en wazige bergen en het afschuwelijke, fronsende gezicht van een oude man die, ja, inderdaad, Owain Gwynedd, haar grootvader de koning moest zijn geweest. En ze herinnerde zich een vochtige, donkere, schuin aflopende stenen tunnel vol angstaanjagende echo's.

Meredydd begon opnieuw: 'Niemand... niemand anders op dit continent herinnert zich ons geboorteland... Beseft ge dat? Alleen de oude Rhys... en een paar oude boeren... kwamen uit Wales. Alle anderen zijn... in Madocs land geboren... of hier, in het land van Cynan...

Wie is er om... zich de grote storm... de grote reis te herinneren?'

Uitgeput leunde hij achterover en Gwenllian vertoefde een tijdje in haar eigen sombere herinneringen voor ze begreep wat hij eigenlijk zei. Ze vroeg: 'Kan ik misschien iets doen? Moet ik iets doen?'

Meredydd zuchtte. 'Is het niet triest?... Alle mensen van Wales die aan de andere kant van de Grote Zee wonen... zelfs Madocs familieleden... zullen nooit iets weten over het koninkrijk dat hij stichtte... de oorlog die hij voerde... ze zullen zelfs niet weten dat hij een zoon had... een zoon die hier een ander groot koninkrijk opgebouwd heeft... Cynan...'

Cynan was zeventig. Hij was mollig en had een kaal hoofd. Nu draaide hij zijn beker rond en tuurde in de prachtige, amberkleurige likeur erin. Als hij Meredydds eerbetoon aan hem al hoorde, gaf hij daar geen blijk van. Cynan hield evenveel van dit elixer dat hij zo had geperfectioneerd als van het leven zelf. Deze prachtige, lichte kamer was er de tempel van. In het oude land was een likeur van gedistilleerde mede het narcoticum van koningen en prinsen. Maar in het land Jargal waren er kennelijk geen bijen. Er was dus ook geen honing om mede van te maken. Maar Cynan had ontdekt dat de inboorlingen in dit dal een uitmuntende siroop maakten door het sap van een soort ahornboom in te koken. Jarenlang had Cynan met de distillatie van die siroop geëxperimenteerd. Hij had ook brouwsels gemaakt van inheems graan of de vlezige planten die zij *squash* noemden, een soort pompoen. En van wilde druiven en bessen. Zo had hij zich voortdurend beziggehouden en daarbij had hij drank en likeur gemaakt die afschuwelijk zoet waren en sterk verdovend werkten; een aantal dranken was zelfs dodelijk gebleken of had bij de onfortuinlijke arbeiders in zijn distilleerderij blindheid veroorzaakt. Er waren verschillende teleurstellende jaren geweest waarin de subtiele zoetheid van de ahornsiroop niet tegen het brouwen en distilleren bestand was gebleken. Er bleef slechts een weeïg, walgelijk vocht met de droge, bittere smaak van looizuur achter. Maar toen had Cynan zijn kuipers vaten laten maken uit dezelfde boom waaruit het sap werd afgetapt in plaats van eikehouten vaten. En eindelijk was daar deze onvergelijkelijke, amberkleurige drank uit te voorschijn gekomen. Meredydd had ervan gezegd dat deze ongetwijfeld de nectar was die de onsterfelijken op de Olympus dronken. Nu keek Cynan van zijn drinkbeker op en zei: 'Ja, het is jammer dat niemand in dat oude land mijn elixer ooit zal smaken! Ach! Had vader nog maar geleefd om dit te proeven!' Hij schudde zijn hoofd en tranen biggelden langs de diepe lijnen naast zijn neus naar beneden.

Gwenllian keek hem verdwaasd aan en keerde zich toen weer naar de oude Meredydd. Haar hart kromp ineen toen ze tranen over zijn uitgedroogde gelaat zag lopen. Hij hoestte, slikte, hapte naar adem en was op het laatst tot spreken in staat. 'Dit is een kroniek geweest om te bezingen... Maar o... wat verdriet het mij... dat onze roem nooit in het geboorteland kan worden bezongen! O, was er nog maar een zeevaarder als Madoc... die een schip naar huis kon zeilen!'

En dat waren Meredydds laatste woorden. Met zijn hand in

die van Gwenllian liet hij zijn ogen dichtvallen en zijn mond openhangen. Zijn laatste adem was onhoorbaar in het geruis van de watervallen van de Mooie Rivier.

Als een kind, niet als een vrouw van tachtig jaar, zat Gwenllian te huilen. Haar zoon Gower stond achter haar en hield haar bij haar magere schouders vast. Ondertussen wandelde Cynan, de koning, dronken rond en dronk hij nog meer van zijn wonderbaarlijke, troostende likeur. Hij liep tegen zichzelf te mompelen hoe hij zijn koninkrijk nu zonder Meredydd moest regeren. Cynans lichaam, dat scheefgegroeid was vanwege het verlies van zijn arm, had tijdens de afgelopen halve eeuw pijnlijke tics ontwikkeld en hij was mank gaan lopen. Als hij niet dronk om de pijnen te onderdrukken, liep hij maar weinig. Nu liet hij zijn zuster huilend achter en hobbelde naar buiten, de rotsachtige tuin boven de waterval in. Daar stond hij hijgend naar de zonsondergang te kijken, die heel dat enorme tafereel van groene, steile hellingen en naar beneden vallend water en mist in een gouden gloed zette. Overal in de tuin lagen de keiharde botten van reusachtige dieren en gigantische schedels zo groot als stoelen; deze oeroude curiositeiten kwamen overal in het dal te voorschijn. Ze vielen uit de oevers van kreken die aan erosie onderhevig waren of werden naar boven gehaald door de arbeiders in de steengroeve en vulden Cynans tuin als standbeelden. Niemand in het koninkrijk had ooit een van die enorme dieren in leven gezien en dus veronderstelde men dat ze allemaal weggetrokken waren of misschien lang geleden door jagers gedood waren. Het gros van Cynans mensen had ook nog nooit schapen gezien. Maar vroeger waren ze voor de mensen uit Wales heel belangrijk geweest, dat leefde in de herinnering voort; Cynan zelf had op zijn troon nog een oude schapevacht liggen die zijn vader Madoc had toebehoord. Het dier paard herinnerde men zich ook; Meredydd, Gwenllian en Rhys konden zich herinneren dat ze in hun Welse geboorteland op de rug van deze dieren hadden gereden. En in het bestiarium stond een plaatje van een man op zo'n beest. De oude verhalen spraken er zelfs over dat een koning in het Oude Land nauwelijks buiten liep, maar altijd te paard ging...

343

Cynan stond aan de rand van zijn tuin en dronk. Hij was een koning die nooit op een paard had gezeten, een schaap had gezien of op de bodem van het land had gestaan waarvan zijn soevereiniteit was afgeleid.

Ook had Cynan nog nooit een koningin gehad; hij was bijna een halve eeuw koning geweest, maar hij was de enige Welse koning die nooit een koningin had gehad... omdat er geen vrouw van koninklijken bloede was die hij had kunnen trouwen. Hij had meer vrouwen gehad dan hij zich kon herinneren; tijdens zijn jonge jaren op kasteel Dolwyddelan waren het de ondergeschikte Euchee-meisjes, Cherokee-vrouwen en -meisjes geweest, die hij bij honderden tijdens de lange oorlog van zijn vader had verkracht en hier, in zijn eigen kasteel, was het een lange rij van bijzitten en maîtresses geweest. Hij had talloze kinderen en kleinkinderen van gemengd bloed in het koninkrijk verwekt. Maar toch was hij een koning zonder erfgenaam.

Dit was dus de oude koning die, net na het verlies van de beste minister die een koning zich kon dromen, nu in zijn tuin stond en in dezelfde maalstroom keek waarin hij meer dan een halve eeuw geleden bijna zijn leven had verloren. Hij dronk het laatste elixer uit de beker op en draaide zich toen met dronken onhandigheid om om binnen meer te gaan halen. Opeens struikelde hij over het heupbeen van een skelet van een monster en viel opzij. De beker viel uit zijn handen. Het onschatbare voorwerp kletterde de steile helling af. Hij deed er een wanhopige greep naar en tuimelde toen van rots naar rots naar beneden en dook in het naar beneden stortende, donderende water van de waterval. Niemand zag hem.

Gwenllians gesnik over de oude Meredydd werd onderbroken door de stem van haar zoon Gower. Hij vroeg haar iets. 'Wat?' bracht ze er hijgend uit. Ze deed haar ogen open naar het door de zon overgoten, door tranen mistige beeld van het lichaam van de oude Meredydd.

Gower zei: 'Ik denk dat Oom de dood van zijn minister behoort aan te kondigen, maar ik kan hem niet vinden. Zoëven was hij hier nog... Nou ja, misschien is hij al weggegaan om het nieuws te verstrekken...'

Twee dagen lang heerste er in het koninkrijk in de vallei de grootste verwarring over de verdwijning van de koning. Toen zagen een paar inheemse jongens die stroomafwaarts op de rivier aan het vissen waren opeens een kleurig stuk stof dat aan een tak van een boom die in het water dreef was blijven haken. Ze probeerden het los te maken en haalden daarbij het opgezwollen lichaam van de koning met één arm naar boven.

Zo werd Gwenllian de weefster, dochter van Madoc, tachtig jaar na haar geboorte in Wales, koningin van heel Jargal. 'O, nee,' protesteerde ze tegen haar zoon. 'Moet ik dan mijn weven aan de kant zetten en naar deze kant van de rivier verhuizen?'

'Gij zijt de koningin van Jargal, moeder. Ge moogt doen wat ge wenst.'

'Dan zal ik onmiddellijk aftreden en jou koning laten zijn, mijn zoon!'

'En dat moogt ge niet doen,' zei hij, 'omdat ik zolang ge in leven zijt de troon niet zal overnemen.'

En dus legde Gwenllian zich er met een zucht bij neer dat ze koningin was.

10 *De Plaats van Vallend Water*
1250 A.D.

Van Meredydds *Kroniek van Madoc de koning*, het verhaal van
de kolonisatie van Jargal, was een stapel gemaakt die, zo ongeveer op dezelfde manier als de koninklijke bijbel of het bestiarium, ruw tussen lederen omslagen was ingebonden. Het
boek was nu een van de schatten van de koninklijke familie.
Het lag op een tafel naast koningin Gwenllians bed. De omslag
van het boek was van elandshuid gemaakt, die opgevouwen,
gestoomd en in een kuil onder de grond gebakken was tot het
leer zo stijf was dat het niet meer gebogen kon worden. De
Euchee gebruikten deze techniek om tegen pijlen bestande
schilden te maken, en voor Meredydds boek vormde dit leer
een praktisch onverwoestbaar omslag. Het boek lag in een poel
van licht van de lamp en Gwenllian kon het vaag zien liggen
als ze naar rechts keek.

Ze zag nu dat een man die in een stoel naast de tafel zat
Gower, haar zoon, was. Zijn kin met grijze baard rustte op zijn
hand. Met krakende stem murmelde ze:

'O, mijn ogen! Wat heb ik er een hekel aan! Ik kan geen
woorden op een bladzij meer zien...' Gower knikte toen ze
zweeg en nadacht. Ze ging verder. 'Ik kan niet meer weven...
Het doet pijn als ik naar de rivier kijk als de... als de zon erop
staat te schijnen... O, wat vind ik het afschuwelijk dat mijn
ogen me in de steek hebben gelaten!'

Gower boog zich naar haar toe en raakte het boek aan.

'Wees dankbaar dat ge nog zo goed kunt zien als ge doet,

moeder. En ge kunt *wel* woorden op een bladzij zien. Ik zag u gisteren nog in dit boek lezen.'

'O, was dat maar waar! Ik hield het alleen maar vast en dacht aan dat verhaal dat erin staat, dat wonderbaarlijke verhaal van je grootvader. En ik herinnerde me hoe die goede, oude Meredydd er dan zijn verzen met inkt van bessen of wat dan ook in zat te schrijven... O, had hij maar geweten wat ik later over verfstoffen en kleuren voor stoffen heb geleerd! Dat zou alles zo'n stuk gemakkelijker voor de oude bard hebben gemaakt...' Ze slaakte een zucht, hield haar hoofd schuin en dacht eraan hoe de oude Meredydd vijf jaar geleden in een zonnige kamer was gestorven. Zo bleef ze een tijdje in droevige dromerij zitten. Toen zei ze: 'Lees het me alsjeblieft voor. Dat boek is prachtig, maar het doet geen mens enig goed... O, wat een verhaal staat erin!' Ik moet het horen in de eigen woorden van die goede bard!

Gowers antwoord verbijsterde haar. 'Ik kan niet lezen, moeder. Weet ge dat niet?' In eerste instantie dacht ze dat hij een grapje maakte.

'Wat zeg je daar! Een prins die niet kan lezen? Heb ik je geen lezen geleerd? De bijbel, het bestiarium... Heeft de oude Meredydd –'

'Nee, moeder. Hij begon me letters te onderwijzen toen ik een jongen was. Maar we waren dit kasteel aan het bouwen en iedereen had het verschrikkelijk druk. Het is er gewoon bij ingeschoten, denk ik. Ik kan niet lezen.'

Koningin Gwenllian was nijdig over deze nalatigheid. Ze zei: 'Wie zal me *dan* voorlezen? Laat iemand halen! Er gebeurt nooit iets! Ik lig hier maar en hoef niet meer te leven. Ik wil de kroniek horen! Mijn hoofd is net een lege kamer, met nog niet eens een lamp erin! Het verhaal van de bard is net een lied!'

Gower boog zich met het boek in beide handen naar haar bed over en keek naar het kleine, rimpelige masker van verontwaardiging en ergernis dat haar gezicht was.

Wat Gwenllian aangaat: zij kon zijn gezichtsuitdrukking niet onderscheiden. Of hij nu dichtbij of ver was, ze zag alleen zijn vage omtrekken, alleen een grote massa en schaduw. Maar door het eindeloze, fluitende gegons in haar oren hoorde ze wel zijn stem.

'Moeder, *wie* kan er dan komen om u voor te lezen? Meredydd is al vijf jaar dood; mijn oom, koning Cynan, ook... Ik weet niemand die kan lezen. Alleen u.'

Gwenllian had een hele tijd nodig om het volle gewicht van zijn woorden te bevatten en ze wilde het niet aanvaarden. Op het laatst zei ze: 'Nee, ik kan niet meer lezen... ik kan de woorden niet zien... Aha! Je zuster Dena! Zij kan lezen! Ik weet zeker dat wij haar hebben onderwezen –'

'Nee, moeder. Geen haar beter dan ik. Zij heeft het nooit gedaan, ook nu niet.'

Gwenllian, de koningin, voelde in haar boezem de hevigste, droefste smart sinds het verdriet dat ze om de afschuwelijke dood van haar vader, de koning, had gevoeld. Hier was een prachtig boek, een kroniek die geschreven was over het pas ontdekte continent Jargal, in Jargal geschreven door de grote minister van het koninkrijk die meer dan wie ook over het land had af geweten – en nu was er niemand in heel dat continent die kon lezen!

Ze sprak al haar geestelijke vermogens aan nu ze met een schok harder aan het denken was gezet dan ze in jaren gewend was geweest. Ten slotte riep ze: 'Nee! Dat wil ik niet geloven! Breng Rhys bij me. Hij is vanaf het begin bij mijn vader geweest. Hij is de helft van zijn leven onze minister der wapenen geweest. Ik weet zeker dat hij kan lezen... of weet wie dat kan... Breng hem bij me.'

Toen Gower vertrokken was probeerde Gwenllian zich te concentreren op het afschuwelijke besef dat ze zojuist over haar enige zoon had gehad. Gower was een goede, energieke man van zesenvijftig. Hij was handelaar, jager en visser en zeer beslist niet een van die godslasterlijke, brute leenmannen van het soort die tot de dag dat hij stierf met haar echtgenoot Owain hadden opgetrokken; op de een of andere manier had Gower kunnen vermijden dat hij door zijn vader besmet werd. Maar Gower had maar weinig visie en bezat niet veel leiderseigenschappen. Hij had weinig te maken gehad met de opbouw van dit tweede koninkrijk van Jargal, want toen Cynan en Meredydd daarmee begonnen, was hij nog maar een jongen geweest. Er waren geen oorlogen of zelfs minder belangrijke conflicten met de inheemse bevolking uit het dal geweest. Afgezien van de gebruikelijke training in boogschieten, schermen en stokschermen was hij daarom geen krijgsman geworden. Het had hem aan koninklijke ambitie en elk besef van een hoger doel ontbroken. Hij weigerde dan ook de kroon zo lang zijn moeder de koningin nog leefde. Hoewel hij de koninklijke afstammeling was en een van de weinige mensen in Jargal met nog zuiver Wels bloed in de aderen, had hij zonder vooropgezette bedoelingen onnoemelijk veel halfbloedkinderen verwekt zonder ook maar te denken aan wie hem zou opvolgen. Voor zover Gwenllian wist, was er in heel Jargal geen kind meer dat niet van gemengd bloed was. De paar vrouwen die nog zuiver Wels bloed hadden, waren de tijd dat ze kinderen konden krijgen voorbij. Zelfs wanneer Gower buiten de koninklijke lijn of zelfs onder de families van de leenmannen zou willen trouwen om een raszuivere Welse erfgenaam te verwekken, was het te laat.

Maar dat alles was onbelangrijk naast het feit dat hij nooit de moeite had genomen zijn letters te leren en, hoe ongelooflijk ook, een ongeletterde prins was!

En zijn zus Dena was een ongeletterde prinses! Een kwart eeuw geleden was zij met Dylan, de zoon van Heer Rhys en een halfbloed, getrouwd. Dylan was nu eenenzestig. Dena had Dylan één zoon geschonken die Llewellyn ap Dylan heette. Met zijn blauwe ogen, kastanjebruine haar en lichte huid zag hij er op en top als een Welse prins uit, maar was in feite voor een kwart Euchee: zijn grootmoeder was een inheemse vrouw van Zon Arends volk in het zuiden geweest. Gwenllian sloot haar ogen en schudde haar hoofd. Ze slaakte een lange zucht en probeerde zich al die dingen waarvoor ze zo lang geleden alle belangstelling had verloren te herinneren. Gwenllian wist nog dat Llewellyns geboorte in de ministeriële papieren van de oude Meredydd was beschreven, met de aantekening dat er Euchee-bloed in zijn aderen vloeide. Maar als niemand in het land dat kon lezen, was het van geen enkel belang. Misschien zouden de mensen vergeten dat Llewellyns vader een halfbloed was geweest. Misschien zou hij op een goede dag na Gower koning van Jargal zijn. Dat zou niet best zijn, dacht Gwenllian. Llewellyn is een bruut en een lomperd.

Had ik maar meer aandacht gegeven aan Dena's onderwijs, dacht ze, en erop toegezien dat ze de bijbel kon lezen. Dan zou ze misschien een fatsoenlijke zoon hebben grootgebracht...

Misschien vergeet iedereen wel dat de koning van zuiver bloed hoort te zijn, dacht ze. Als dat ook een geschreven waarheid is, kan die misschien gemakshalve ook vergeten worden.

Als een volk kan vergeten hoe het moet lezen, kan het alles vergeten!

Gwenllian zuchtte van verwarring en hulpeloosheid. Zoals de dingen goddelijk waren voorbeschikt, zouden alleen haar kinderen Gower en Dena nu aanspraak op de troon kunnen maken. En voor allebei was dat een afgesloten weg, want geen van beiden konden ze een koninklijke, Welse erfgenaam produceren.

Als er geen mensen van koninklijken bloede meer zijn, is dat net zoiets als wanneer er geen mensen meer zijn die kunnen lezen, dacht ze. Dan kun je gewoon niet meer verder!

Lieve, almachtige God, dacht ze. Kon er maar iemand met een goede naam uit Wales komen en ons hier vinden of konden wij maar daar naar ze toe gaan!

'Moeder.' Gowers stem drong door haar gepieker heen. 'Hier is Rhys.'

Heer Rhys was bijna honderd jaar oud of ouder; hij wist het niet en niemand anders wist het. Maar hij kon nog steeds wat rondsukkelen en was meestal helder van geest. Hij stond nog steeds bekend als Minister der Wapenen. Zijn wangen zaten vol ouderdomsvlekken en waren ingevallen omdat hij geen tanden meer had. Maar zijn ogen stonden opgewekt en alert. Hij maakte een lichte buiging en met een zucht van vermoeidheid van het lopen ging hij in een stoel zitten die dicht bij het bed dat Gwenllians troon was geworden was neergezet. Gower zat er ook. Gwenllian tuurde naar de onduidelijke gestalte van de oude man.

'Heer Rhys, eerbiedwaardige leenman, het gaat u goed, hoop ik?'

'Majesteit, voor iemand van mijn leeftijd gaat het me goed.

350

Wat is het in dit land dat ons zo lang laat leven? Ik herinner me dat ze vroeger geloofden dat je hier de onsterfelijkheid kon vinden.'

'Nou, maar dan hebben alleen u en ik die onsterfelijkheid gevonden, heer. Alle anderen zijn er niet meer.'

'Dat is waar,' zei hij terwijl hij met een sluw lachje zijn hoofd schudde. 'Maar dat komt doordat ze van bergen en watervallen vallen... of dat soort ontijdige ongelukken. Of door oorlogen. Veel minder door de ouderdom.'

'Heer Rhys, ik heb u ontboden om me te helpen een aantal dingen die we moeten weten te herinneren. U en ik zijn nu nog de enige zielen die met mijn vader, koning Madoc, naar dit land zijn toe gekomen, is het niet?'

Rhys kneep zijn ogen dicht en dacht hard na. Toen antwoordde hij: 'Ja, dat klopt. Uwe majesteit en ikzelf zijn de laatsten! Denk je eens in! Er was nog een vrouw. Ze was weduwe van een van onze smeden. Maar ze is onlangs, een maand geleden misschien, overleden...'

Gower riep: 'Ach! Helaas! Ik heb niet van die oude vrouw af geweten!'

'En ik ook niet,' zei Gwenllian. 'We zouden haar eer hebben bewezen!... Goed, heer Rhys, heb ik het bij het rechte eind als ik denk dat u kunt lezen?'

'Lezen, majesteit?'

'Geschreven schrift lezen,' zei Gower en pakte het leren boek van de bard op.

De oude soldaat keek eerbiedig naar het boek en zei: 'Ja, zoals een soldaat leest. Ik kan tellen en de cijfers schrijven. Ja.'

'Maar kunt u ook woorden lezen? De geschreven taal van Cambrië, uw geboorteland?' hield Gower aan.

'Hoogheid, ik was slechts soldaat!' Hij schudde zijn hoofd. 'Nee. Leestaal ging me boven het verstand. Ik dacht dat alleen uw koninklijke familie en de priesters leerden lezen.'

Treurig zei Gwenllian: 'God sta ons bij, dat is waar, vrees ik. Dus dan kent u ook niemand anders die kan lezen?'

'O, nee, niemand!' De oude man schudde zo nadrukkelijk zijn hoofd dat hij leek te trillen. Het was alsof hij ervan beschuldigd werd dat hij iemand kende die de geheime kennis gestolen had. 'Er zijn een paar bouwers en handelaars die cijfers om te tellen kunnen maken... Er zijn zelfs enkele Euchee die dat kunnen. Maar niemand, en zeer zeker de inboorlingen niet, kan taal lezen. Ja! Lang geleden heeft Meredydd die bijzit van hem lezen geleerd, dunkt me...'

'Maar zij is al lang weg.' Gwenllian zuchtte en leunde achterover; het was het antwoord dat ze had gevreesd. Iedereen die haar moedertaal kon lezen, bevond zich over de bergen en over de zeeën in Cambrië.

Nu zei Gower, terwijl hij zich dicht naar het oor van de oude man boog: 'Heb ik het goed als ik dacht dat ge op beide reizen van mijn grootvader meegevaren bent?'

'Ja, en daar ben ik trots op ook! Jawel! Drie keer heeft die geweldige zeevaarder ons over de Grote Zee gebracht!' Om het weer in zijn geheugen te brengen, bewoog hij een knokige hand van zijn linker- naar zijn rechterknie, weer naar zijn linkerknie en toen weer naar zijn rechterknie. 'Drie keer zijn we overgestoken, ja.'

Gwenllian voelde alweer een sprankje hoop en vroeg: 'Wat denkt u, eerbiedwaardige leenman, zou iemand met een schip terug naar Wales kunnen varen? En hier weer kunnen terugkeren?'

Rhys, die daar de laatste helft van zijn honderd jaren niet veel over nagedacht had, zat met opgetrokken wenkbrauwen, een gerimpeld voorhoofd en zijn mond slap ingespannen na te denken om zo'n vraag onder te brengen. Ten slotte deed hij een poging een eerlijk antwoord te geven.

'Uw vader, onze grote koning en de beste zeevaarder die ooit de zee bevoer, kende de weg. Laat ik me herinneren hoe hij het zei...' Hij wreef over zijn slappe oogleden en zocht in zijn vage herinnering. 'Van de oostkust van dit land zoekt ge een sterke stroming – als een onzichtbare rivier, zei hij altijd – en dan drijft ge misschien heel de weg terug naar de wateren van Brittannië op de stroom mee. Dat hebben we die keer dat we teruggingen om iedereen op te halen gedaan. Maar om de weg naar die oostkust te vinden! Ach! Kan ik me zelfs wel herinneren wat hij zei? Want we hebben het nooit gedaan, weet ge...

Hij heeft een landkaart gemaakt, maar die is kwijtgeraakt, is het niet? Laat me nadenken hoe hij het zei:

Ge zakt deze rivier af naar de Moeder der Rivieren en verder stroomafwaarts tot de Zuidelijke Zee... dan onder die lange kust van woestijn en moeras door waar we de draken aantroffen...'

'O ja,' herinnerde Gwenllian zich. 'Dat waren de *krokodilos*.'

'...Een schip zou van die Zuidelijke Zee naar de Grote Zee kunnen overgaan en die stroming te pakken krijgen,' zei Rhys. 'Zo zei hij het, voor zover ik me kan herinneren. Alleen om het denken zelf heb ik daar vaak over nagedacht.'

Gower, die met intense belangstelling vooroverleunde, vroeg: 'Als de stroom van de zee zelf u naar Brittanniës wateren brengt, hoeft men toch niet zo'n groot zeevaarder te zijn om de overtocht te maken?'

'O, excellentie! Er zijn zoveel gevaren! Slechts een echte zeevaarder kan de zeeën begrijpen... Neem uw grootvader Riryd. Hij is heel zijn leven kapitein van een schip geweest. Maar toch twijfelde hij of hij wel bekwaam genoeg was om de overtocht te wagen.' De oude man schudde treurig zijn hoofd. 'Nee, lang geleden kwam ik tot het besef dat ik Wales nooit meer zou terugzien. Toen Madoc nog leefde, zou zo'n reis misschien nog tot de mogelijkheden hebben behoord... Maar toen hij dood was... Nee, toen niet meer. Het zijn niet alleen de stormen, jonge heer, met golven hoger dan de muren van dit kasteel... of de wind die uw zeilen aan flarden trekt en uw rondhouten afknapt... En tenzij ge de sterren kunt lezen en weet waar ge zijt, kunt ge voorgoed de weg kwijtraken. Madoc kende de sterren.'

'Kunt ge die sterren lezen?' vroeg Gower aan de oude soldaat. 'Ge zegt dat ge de oceaan drie keer bent overgestoken.'

De oude man schudde grinnikend zijn hoofd. 'Heer, ik kan nauwelijks de volle maan boven mijn hoofd onderscheiden, laat staan de sterren! En als ik keek hoe Madoc met zijn stokjes en hoeken waarnemingen van de sterren deed, had ik evengoed naar een tovenaar kunnen kijken, zoveel begreep ik ervan.'

Niets van dit alles was ook maar in het minst bemoedigend.

Gwenllian, doodmoe van het nadenken, voelde de tranen op haar gezicht.

Maar Gower trilde bijna van een energie die hij heel zijn leven nauwelijks had getoond. Nu tilde hij in beide handen het boek van Meredydds kroniek op en Gwenllian hoorde hem dingen zeggen die ze van die alledaagse zoon nooit zou hebben verwacht:

'In Godes naam, wat een leegte is mijn arme ziel!' zei hij met bevende stem. 'Schrijven is magie. Er is magie in de opstelling van de sterren en er is magie in het bloed van koningen. Maar ik kan de geschiedenis van ons koninkrijk niet lezen; ik weet niets van de sterren af; en ik kan ons koninklijk bloed niet doen voortduren! En al deze magische zaken zijn in nog geen eeuw verdwenen, ook al was mijn grootvader die allemaal meester!'

Hij kneep zo hard in het boek dat Gwenllian het leer kon horen kraken en zijn stem siste emotioneel:

'Maar ik zou vast en zeker op een stroming terug naar Wales kunnen varen. En daar zou ik kunnen leren lezen! Daar zou ik topzeevaarders kunnen vinden om mij de kunst te onderwijzen! En daar zou ik onze familieleden vinden, met ons eigen bloed in hun aderen... en een vrouw van koninklijken bloede... en ik zou hen hierheen kunnen brengen om onze lijn, de familielijn van Owain Gwynedd en Madoc, voort te zetten!

Als ik naar Wales zou kunnen varen, zou ik mijn naam als vorst even sterk kunnen vestigen als zij gedaan hebben!'

Met Meredydds boek tussen zijn sterke handen alsof hij aan die beschreven bladzijden de kracht van zijn grootvaders kennis zou kunnen onttrekken, liep hij heen en weer te ijsberen. Ondertussen zat de oude Rhys hem met zijn tandeloze mond openhangend aan te gapen.

'Ik *kan* het doen en ik *zal* het doen; dit heilige boek zal ik meenemen en in een sterke curragh zal ik naar Wales terugvaren. En wanneer ze daar over dit rijke land en de dingen die mijn grootvader hier deed horen... en dat we hier nog steeds leven... zal iedereen hierheen willen komen!' Hij draaide zich om en boog zich over het bed van de koningin heen.

'Geliefde moeder, geef me verlof om een zeeschip te bouwen dat groot genoeg is voor... veertig roeiers. Weef sterke zeilen voor me en sta me toe dit kostbare boek van de zijde van uw bed mee te nemen. En dan zal ik naar ons geboorteland terugkeren, waar woordlezers zijn en al dat soort magische zaken die wij ook bezaten, of gelukkig bij die poging ten onder gaan!'

Gwenllian hoorde haar zoon hijgen van de pure kracht van die eerste inspiratie in zijn leven. Haar hart zwol op en schrijnde. Ze dacht:

Lieve God, hij is een laatbloeiende dwaas, maar eindelijk is hij een echte prins van Wales!

'Om mijn moederliefde voor jou zou ik je van zo'n langdurig gevaar weerhouden,' mompelde ze vanuit haar kussens. 'Maar, zoals ik in je stem hoor, is je wil groter geworden dan mijn wil!'

Koningin Gwenllian lag op een bank in de tuin boven de waterval en keek hoe Gowers schip door de rivierbocht voer en uit het gezicht verdween. Duizenden onderdanen liepen langs de rivieroevers mee. Het schip was een onduidelijke vlek op de groene watervlakte. Haar gezichtsvermogen ging toch al achteruit, maar door de tranen zag ze nog slechter en ze kon de mensenmassa's op de kant nauwelijks onderscheiden; slechts het gemurmel van hun uitroepen en zingen zeiden haar dat ze daar waren. Tegen Dena, haar grijze dochter die naast de rustbank stond, zei Gwenllian:

'Ik zal mezelf vijf jaren van hoop toestaan. Als ik dit moede leven voor die tijd verlaat, moet jij de rest van die jaren tellen. Als ik er niet meer ben, zul jij koningin van Jargal zijn... tenzij hij terugkeert.'

Dena was neergeknield om het boven het geruis van het vallende water uit te horen en ze antwoordde in haar moeders oor: 'Ik wil geen koningin worden, moeder.'

'Je zult wel moeten, dochter. Je bent de enige van ons die over is. En zo erg is het ook niet. Het is alleen een gezeur.'

'Als ik koningin word, zal mijn zoon de troon van me afnemen.'

'Dat kan hij niet. Hij heeft Euchee-bloed.'

'Maar hij zou het wel doen. Hij zou me erom doden!'

'O ja? Zo, zo! Als je dat van hem gelooft, zou hij vanaf vandaag in de kerker moeten zitten!'

'Hoe kan een moeder haar zoon gevangenzetten?'
'Hoe kan een zoon zijn moeder doden?'
'Hij zou het kunnen,' zei Dena. 'En ik zou het nooit kunnen.'
Gwenllians gedachten waren al verward door de opwinding en het verdriet over het vertrek van haar zoon. Ze kon nu alleen maar denken: dat is een afschuwelijke zaak! Als zij niets wil doen om zo'n huichelaar tegen te houden, zal *ik* dat moeten doen. En snel...

Maar de gedachte gleed weg in de lethargie van haar oude hoofd; zij werd een nieuwe donkere draad in het weefsel van haar altijd door elkaar wevende gedachten overdag en kwelde 's nachts soms haar dromen. Maar dan werd ze wakker door de pijntjes en stuiptrekkingen van haar oude lichaam en probeerde het hoofd te bieden aan moeilijke dingen, zoals haar kamerpot, zich met de bedienden bezighouden, voedsel binnenkrijgen, er koninklijk genoeg uitzien om elke dag mensen met petities en ministers het hoofd te bieden wier belangen ze gemakkelijk vergat. Zo verstreken de dagen en de weken. Alle zaken vermengden zich zoals de verfstoffen in natte stof en dus verdween het akelige probleem van Llewellyn de halfbloed. En Dena sprak er niet meer over. Gwenllian had meestal het gevoel dat er een heel lange tijd mee gemoeid was om de dagen af te tellen die het duurde tot er bericht van haar zoon Gower en zijn gewichtige missie kwam. Soms kon Gwenllian zich herinneren wat zijn missie was, soms ook niet helemaal, maar wel dat die van doorslaggevende betekenis voor de soevereiniteit in Jargal was en iets met Wales te maken had. En ze had het gevoel dat ze nog vijf jaar in leven moest blijven. Mensen die dat soort dingen bijhielden zeiden dat ze vijfentachtig was en nog eens vijf jaar erbij scheen haar hetzij ondraaglijk, hetzij een giller toe. Dat was afhankelijk van haar stemming wanneer ze eraan dacht.

Maar nog geen twee maanden nadat Gower uitgevaren was, arriveerde een groep krijgers van de Cherokee aan de rand van een akker met maïs en zonnebloemen waar Welse vrouwen en Euchee-vrouwen aan het oogsten waren. Ze herinnerden de vrouwen eraan dat de Euchee en de bleekgezichten het verbod hadden gekregen om ooit door het land van de Cherokee en hun bondgenoten te trekken, zelfs over de Moeder der Rivieren. Ze vertelden de vrouwen dat ze naar het grote, stenen huis van hun heersers bij de Plaats van Vallend Water moesten gaan en die heersers ervan op de hoogte stellen dat de Cherokee en de Natchez een grote vleugelboot op de Moeder der Rivieren hadden gevangen en alles en iedereen daarin hadden verbrand. Ze waarschuwden dat hetzelfde zou gebeuren met andere boten die ooit de rivier afzakten. Toen gaven ze de vrouwen iets om aan de heersers van de bleekgezichten te geven: een koord met tachtig oren eraan en het rottende hoofd van een man van Wales dat op het uiteinde van een speer gespietst was. En even vlug als ze waren gekomen, waren ze ook weer verdwenen.

Toen Gwenllian de weefster-koningin het hoofd zag en begreep dat het van Gower was, hapte ze naar lucht en liet zich in haar kussen achterovervallen. Haar gezicht was lijkbleek. Een nacht en een dag lang haalde ze nauwelijks adem en haar tandeloze kaak hing kwijlend en zenuwtrekkend open. De volgende avond opende ze heel even haar ogen. Ze zag heel veel mensen om haar bed staan, maar ze scheen niemand, zelfs niet haar dochter Dena, te herkennen. 'Lees… me het… verhaal…' prevelde ze. Toen was ze niet meer, niets meer dan een skelet met zilveren haren en een dunne, getaande huid onder een deken van haar eigen koninginnedoek.

Later die avond verdronk haar dochter Dena in haar bad in de badkamer onder de waterval en riep Llewellyn ap Dylan, kleinzoon van Rhys, zichzelf tot koning van Jargal uit. Een paar mensen uit Wales waren verontrust door een vage notie dat slechts een afstammeling van zuiver bloed van een grote koning van Oud Wales de troon van Jargal kon bestijgen. Maar het was slechts een notie en er was geen bewijs voor dat het zo was. En niemand wilde de brute Llewellyn betwisten. En dus praatte niemand er ooit meer over. Er waren tenslotte geen andere rechtstreekse afstammelingen van Madoc in leven.

357

Deel twee

1404-1750

'Ik verkeerde onmiddellijk in de overtuiging dat [de Mandan] een amalgaam van een inheemse stam met een of ander beschaafd ras waren; en van wat ik van hen heb gezien en heb opgemaakt uit de restanten op de rivieren de Missouri en de Ohio, ben ik ervan overtuigd dat deze mensen van laatstgenoemde rivier zijn weggetrokken en dat ze... met een groot deel van hun gewoonten van de *bijna volledige* vernietiging van de onverschrokken kolonisten van Madawc zijn bewaard. Naar mijn mening heeft deze Madawc zich ongeveer een eeuw lang op de rijke, vruchtbare oevers van de Ohio gevestigd en dat land bewoond...'

– George Catlin

11 *Stad bij het Vallend Water*
1404

Rook van Sweetgrass, dochter van Steenhouwer was in haar dertiende zomer toen haar grootmoeder besloot dat ze mooi genoeg was om een van de Maagden van de Regenkamer te worden. En dus werd Rook van Sweetgrass, om haar daarop voor te bereiden, als eerste stap met een lemmet van obsidiaan besneden. Ze gilde het uit bij de ongelooflijk scherpe pijn, toen het beschermende membraan van haar clitoris werd gescheiden. Maar haar grootmoeder vertelde haar dat ze er later blij om zou zijn.

'Toen ik nog jong was,' vertelde de oude vrouw haar, 'was ik ook uitverkoren om Maagd van 's Konings Bad in de Regenkamer te zijn. En onze familie werd in veel opzichten bevoorrecht, omdat ik de koning van die tijd zo behaagde. Toen ik een zoon kreeg, jouw vader, was één goede zaak, dat hij gekozen werd om te leren steenhouwen en kastelen te bouwen. Zodoende is hij nu zo belangrijk als een man maar kan zijn die niet bij de leenmannen behoort.' Als belangrijk man in het kasteel van de koning, kon Steenhouwer toegang tot de koning verkrijgen en hem aanbieden zijn dochter aan de bewaarsters van de Regenkamer te tonen. Zij zouden immers degenen zijn om haar uit te kiezen. En dus nam Steenhouwer Rook van Sweetgrass in haar veertiende jaar, samen met haar grootmoeder, mee naar het kasteel en bracht hen naar de Regenkamer. 'Ik ken de weg hier al,' zei grootmoeder de hele tijd trots tegen haar zoon toen ze door de bekende tunnels en gangen liepen.

361

Ze glimlachte tegen Rook van Sweetgrass en zei: 'De tijd die ik hier als jong meisje doorbracht was de beste van mijn leven!'

Steenhouwer liet zijn moeder en dochter bij de deur van de Regenkamer achter. Daarachter klonk een onophoudelijk, ruisend geluid. De deur werd opengetrokken. Een kleine, aantrekkelijke Euchee-vrouw, gekleed in een lang kleed van de stof die koninginnedoek heette, bracht hen een prachtige, kleine grot binnen die verlicht was door muurkandelaars. Door een gat in het dak viel water melodisch in een stenen poel naar beneden. Er waren nog verschillende andere vrouwen in de ruimte. Ze droegen kleden van dezelfde stof en allemaal heetten ze de grootmoeder welkom. Toen keek de eerste vrouw Rook van Sweetgrass aan en zei: 'Trek je kleed uit, kind.'

Ze glipte uit de tuniek van herteleer. Zo stond ze daar. Van boven viel een straal daglicht op haar neer en om haar heen flakkerde het licht van de muurkandelaars. De vrouwen knikten tevreden. Ze liepen om haar heen en onderzochten haar van alle kanten. De eerste vrouw knielde voor haar neer en onderzocht haar met haar vinger om vast te stellen of ze maagd was en besneden. Het meisje Rook van Sweetgrass had van haar grootmoeder gehoord dat ze dat moest verwachten, maar desalniettemin verkrampte ze. Haar ogen flitsten.

De vrouwen stonden haar te bestuderen terwijl de eerste vrouw haar uitlegde wat de Regenkamer was. 'Deze grot bevindt zich onder de rand van de waterval. Boven komt er water van de rivier naar binnen en het overlopende water van de poel gaat door dat kanaal heen en valt neer in de rivier beneden. De koning die Llewellyn heette, ontdekte zo'n honderd zomers geleden deze grot. Hier kwam hij elke morgen om zich te laten wassen. De koningen die na hem kwamen, Daffyd en daarna Cynoric, deden hetzelfde en nu doet onze huidige koning, Alengwyned, het ook. Het waren allemaal koningen die een grote behoefte aan genot hadden. Je grootmoeder was een favoriet van Cynoric. Daarom kan ze jou leren hoe je een koning kunt bevredigen. Wanneer ze dat gedaan heeft, zullen we je hierheen roepen om zijne hoogheid Alengwyned te dienen. Hij zal je hier houden zolang je hem genot brengt. Nu mag je je kleren weer aantrekken.'

362

'Dus u hebt me uitgekozen?' vroeg Rook van Sweetgrass.
'Ja, je bent gekozen. Het is een eer. Slechts de mooiste meisjes worden uitverkoren. En jij bent mooi. Maar denk eraan dat alleen de koning beslist of hij je zal houden. Als hij dat besluit, kom je met de andere Maagden van de Regenkamer in het kasteel te wonen. Je zult dan heel goed behandeld worden.'
'Baadt u de koning ook?' vroeg Rook van Sweetgrass.
Het oog van de vrouw trok en werd even hard. Rook van Sweetgrass zag de fijne lijnen in het gezicht van de vrouw, waaruit bleek dat ze ouder was dan ze eruitzag. De vrouw zei: 'Ik heb Alengwyned al heel lang gebaad. Ik heb hem nooit misnoegd en dus ben ik de bewaarster van deze ruimte geworden. Je grootmoeder moet je leren dat je de koning nooit onwelgevallig mag zijn. Ga nu naar huis en leer wat je grootmoeder je kan bijbrengen.'

Rook van Sweetgrass knielde die avond op een mat bij het kookvuur neer om haar moeder te helpen maïsdeeg te kneden. Opeens viel er een schaduw door de deuropening van hun hut naar binnen. Steenhouwer bukte zich om naar binnen te komen. Rook van Sweetgrass was aan het dagdromen geweest over de tijd dat zij, als favoriete baadster, in het kasteel zou mogen wonen en geen deeg meer hoefde te kneden, meel te stampen, brandhout te verzamelen of kleren te naaien. Ze keek glimlachend naar haar vader op en wilde hem vertellen dat de Bewaarsters van de Regenkamer haar hadden goedgekeurd. Opeens zag ze aan zijn abrupte bewegingen en zijn ogen dat hij niet in een opgewekte stemming was. Dus hield ze haar mond en keek hem aan.
Toen Steenhouwer had gegeten en zijn pijp had gerookt, vroeg zijn vrouw hem of hij wilde zeggen waarom hij zo boos was en niet sprak. Hij zat een tijdje in het vuur te turen en zei toen:
'De mannen met haar op hun gezicht van Alengwyned zijn te arrogant en wreed. De Schepper kan vast en zeker niet prettig vinden wat zij doen.' Met gefronst voorhoofd bleef hij een tijdje naar het vuur zitten kijken. Hij kneep zo hard met zijn rechterhand in zijn linkerpols, dat de machtige spieren in zijn onder-

arm als pezige kabels overeind stonden. Toen praatte hij zacht verder:

'Ze hadden een jager van de Lenapeh van verder stroomopwaarts te pakken. Ze hadden hem gevangen en zeiden tegen hem dat hij niet op Alengwyneh-land mocht jagen. Ik was in het kasteel, in de kamer waar ze hun wapens repareren, bezig een muur te plaatsen. Ze brachten de Lenapeh binnen, helemaal vastgebonden. Ze lachten hem uit en staken hem tot bloedens toe. Maar hij wilde geen geluid laten horen. En dus bonden ze een koord van natte, ongelooide huid om zijn schedel en lieten dat opdrogen. Ze lachten hem uit toen hij begon te zweten en te beven van de pijn. Ten slotte stierf hij zonder een kik te geven. Toen waren ze teleurgesteld. Ze gooiden hem over de waterval in de rivier. Zijn lichaam is voor zijn volk verloren. Ze kunnen het niet begraven en daarom zal zijn geest voor eeuwig in dit dal verloren zijn. In dit dal zijn er al te veel geesten die door de leenmannen van Alengwyned zo ongelukkig zijn geworden.'

'Verbiedt de koning zulke dingen dan niet?' vroeg de vrouw van Steenhouwer. 'Kan niemand hem dan vertellen wat ze doen?'

Sissend zei Steenhouwer: 'Toen ze de Lenapeh aan het martelen waren, kwam de koning zelf binnen en zei hen hoe ze zijn hoofd met touw van ongelooide huid konden samendrukken. Hij zei dat dat iets was dat ze kenden in het oude land over het grote water waar zijn voorvaderen lang geleden vandaan kwamen.' Steenhouwer keek nu naar Rook van Sweetgrass die met wijd opengesperde ogen zat te luisteren. 'Dochter, je bent heel mooi, maar ik hoop dat je niet gekozen zult worden om in de Regenkamer van die koning te komen.'

Met ogen als van een geschrokken hert keek ze naar haar grootmoeder en toen weer naar Steenhouwer. 'Maar ze hebben me wel uitgekozen, vader.'

Hij kromp in elkaar en keek zijn moeder beschuldigend aan. 'Had u dit maar niet bedacht. U hebt altijd al te veel van de gunst van de bleekgezicht-koningen gehouden. En nu zal ons enige kind in wrede handen terechtkomen.'

Met boze, zwarte ogen, zelfs in haar ouderdom een knappe

vrouw, deinsde de oude vrouw achteruit en snauwde: 'Toon wat respect als je tegen je moeder spreekt! En luister. De koning heeft mij nog nooit pijn gedaan.'

'Ik respecteer mijn moeder en ik eer haar. Maar Cynoric was een andere koning. Misschien was hij minder wreed dan Alengwyned.'

Rook van Sweetgrass had haar vader en haar grootmoeder nog nooit zulke scherpe woorden met elkaar horen wisselen. Zowel het geluid van hun stemmen als wat ze over de koning zeiden, maakte dat haar maag in opstand kwam. Ze werd steeds banger om baadster te worden. Ze keek er niet langer naar uit.

'Vader, als hij me slecht behandelt, hoef ik hem alleen maar met een of andere onbenulligheid te misnoegen. Dan houdt hij me daar niet. Dat heeft de Bewaarster van de Regenkamer me verteld.'

Steenhouwer leunde achterover en keek zijn dochter met tedere, bevreesde ogen aan. Toen wreef hij met twee vingers over zijn voorhoofd en zei: 'Nee, dochter van me. Je wilt je niet het misnoegen van zo'n soort man op de hals halen. Zelfs niet een heel klein beetje.'

De twintig steenhouwers van Alengwyneds Land, die in ovens bij een nieuwe steengroeve bij de Mooie Rivier kalksteen verbrandden om ongebluste kalk te maken, waren zich er niet van bewust dat ze van bovenaf door donkere, boze ogen in de gaten werden gehouden.

Vier krijgers en een hoofdman van de Unam lagen in een bosje op de rand van een steile rotsmassa honderd voet boven de ovens naar hun vreemde werkzaamheden te kijken. De hitte liet de lucht boven de ovens trillen. Voor het Unam-opperhoofd zagen die eruit als kleine, grijze hutten. De rook van hout bleef zwaar in de steengroeve hangen. Een aantal arbeiders was hout aan het hakken en sleepte het naar de ovens toe; anderen stonden met zware hamers op de brokken kalksteen te stampen. Vlak bij de waterkant werden vierkant uitgehouwen blokken kalksteen, die door andere arbeiders waren uitgehouwen en in de vorm afgebikt, op vlotten van boomstammen getrokken.

365

Zulke stenen werden voortdurend op vlotten naar de enorme stenen huizen vervoerd, had het Unam-opperhoofd opgemerkt.

Het opperhoofd, dat Wind Gemaakt door Vleugels heette, keek scherp naar twee arbeiders die aarden heuvels bij de rivier kapotreten. Ze haalden beenderen eruit en gooiden ze op een hoop. Die waren bestemd om naar de ovens te gaan.

De krijgers keken vol haat, maar tevens enigszins bevreesd, naar de werkende mannen. Deze mannen met een lichte huid van de Plaats van Vallend Water hadden stevige spieren. Ze waren zeer beslist een heel stuk sterker dan gewone mannen. Ze werkten altijd zo hard, dat wolken stof omhoogdwarrelden. En dan was er ook nog al die rook uit hun vuurhutten. Het was een vreemd, machtig volk dat vreemde, vreselijke dingen deed, zoals de beenderen van de voorouders kapotmaken en die, samen met de kalksteen die ze vergruizelden, in de ovens gooien.

Het Unam-volk van Wind Gemaakt door Vleugels was een van de drie stammen die samen de Lenapeh vormden. Eens waren de voorouders van deze volken even talrijk als de bladeren aan een grote boom in de zomer geweest. Eens waren het even noeste werkers geweest als deze stam van bleekgezichten met haar op hun gezicht. Eens hadden ze grote voorraadschuren en aarden piramiden met tempels op de top gebouwd. Maar toen had de Schepper een Wind des Doods onder hen gestuurd. Nu waren de Lenapeh als de bladeren aan een boom in de herfst, wanneer de wind al het blad, behalve een paar honderd bladeren, heeft afgewaaid. Naar men geloofde, was de Wind des Doods gestuurd om het volk te straffen omdat ze de Schepper beledigd hadden. Ze hadden hem beledigd door heel hard te werken om voedsel en rijkdommen te vergaren in plaats van vertrouwen te hebben in de overvloed die hij hen altijd via hun Ware Moeder, de Aarde, gaf.

Nu waren de Lenapeh naar de oude gebruiken en tradities teruggegaan; ze jaagden en oogstten wat Moeder Aarde hen voor ieder jaar gaf. De rest van hun tijd brachten ze door met het maken en versieren van de paar eigendommen die ze bezaten en hun kinderen bij te brengen dat ze grootmoedig en milddadig moesten zijn en de Schepper liefhebben.

Het kon Wind Gemaakt door Vleugels niet schelen dat de

lichte mensen die Alengwyneh heetten zichzelf zo opdreven; dat was een fout die hun goden naar alle waarschijnlijkheid op een gegeven ogenblik wel zouden corrigeren. Maar een aantal dingen die de Alengwyneh deden moest nu worden stopgezet. Wind Gemaakt door Vleugels zou in de volgende raadsbespreking van zijn volk over deze dingen spreken.

Wind Gemaakt door Vleugels was een van de beste jonge mensen van zijn volk. Hij had eerbied voor zijn voorouders en was een groot jager en fel beschermer van zijn volk. Hij was mager; al zijn spieren waren duidelijk onder zijn huid zichtbaar en ook de scherpe beenderen in zijn gezicht staken af. Als hij in de bossen hard rende, was hij als zijn naam: een fluistering in de wind, alweer vertrokken voor iemand hem had kunnen zien.

Hij had met zo'n hevige woede en minachting naar beneden in de steengroeve van de Alengwyneh staan turen dat zijn keel vanbinnen heet aanvoelde. Zijn ogen glinsterden en brandden. Zijn zwarte haar was in het midden gescheiden en werd door een met zwarte en witte slagpennen versierde reep leer uit zijn gezicht weggehouden; die reep was als een hoofdband vlak boven zijn wenkbrauwen om zijn hoofd gebonden. Naast zijn linkeroor hing een haviksveer die vastgemaakt was aan een rond plaatje van parelmoer en met een dunne haarvlecht was samengevlochten. Hij droeg een pijlkoker met lange pijlen met stenen punten, een grote handboog met aan de bovenkant een vuurstenen punt en een strijdknots met een lang handvat en een stenen kop.

Wind Gemaakt door Vleugels gaf nu zwijgend een teken aan zijn vier krijgers. Ze schuifelden weg van de rand van de steile rotswand en gingen in de bossen, waar ze verborgen waren, weer staan. Toen ging Wind Gemaakt door Vleugels hen hard lopend voor naar hun dorp, verderop langs de rivier.

Rook van Sweetgrass vroeg haar grootmoeder: 'Waarom wilde de Bewaarster van de Regenkamer weten of ik nog nooit bij een man gelegen heb?'

'Omdat de koning gelooft dat hij het recht heeft om als eerste bij je binnen te komen.'

367

De mond van het meisje viel open. 'Wat? Een baadster...
moet je *dat* met de koning doen? Dat had u helemaal niet gezegd!'
'Je lessen beginnen nu, omdat je nu gekozen bent!'
'Maar als ik de koning niet aardig vind, wil ik niet dat hij
mijn lichaam binnengaat!'
Haar grootmoeder siste: 'Kind, dacht je dat een man niet
naar je verlangde als je hem baadt? En de koning krijgt altijd
wat hij verlangt! Hij kan doden wie hem iets ontzegt. Toen een
baadster zich een keer tegen de koning verzette, heeft hij haar
hoofd afgehakt.'
Rook van Sweetgrass was nu doodsbenauwd en wilde hierover praten. Ze dacht na over het meisje dat zich had verzet.
Ze wilde weten wie ze was en wat ze had gedacht.
'Niemand weet wat ze dacht,' antwoordde haar grootmoeder. 'Toen haar hoofd eraf rolde, sprak het tegen niemand. Als
je je hoofd dus wilt houden, geef je aan het verlangen van de
koning toe. Je zou vereerd moeten zijn dat je bij een koning
mag liggen, dom kind! Het laat zien dat je een van de mooiste
meisjes bent. Toen ik jong was en de oproep kreeg om koning
Cynoric in de Regenkamer te baden, was iedereen trots en ja-
loers op mij. Toen werd mijn zoon geboren. Hij stond toen hij
opgroeide in de gunst van de koning. Daarom is je vader nu
steenhouwer in het paleis.'
Rook van Sweetgrass had opeens een verbazingwekkende
gedachte. 'Was koning Cynoric dan de vader van mijn vader?
Is mijn vader de zoon van een koning?'
De oude vrouw haalde haar schouders op. 'Misschien,' zei
ze.
'Weet u dat niet? Dat moet u toch zeker wel weten!'
'Dat soort zaken gaan je niet aan,' zei de oude vrouw. 'We
hebben het erover hoe jij de koning een welgevallen gaat doen.'
Maar Rook van Sweetgrass had nog meer vragen in haar
hoofd. 'Is mijn moeder nooit voor de Regenkamer gekozen?'
'Nee, nooit,' zei de grootmoeder. 'Ze was niet mooi genoeg.'
'Mijn moeder is wel mooi!'
'Misschien wel,' antwoordde de vrouw, 'maar net niet mooi

genoeg.' De grootmoeder had het tenslotte over een schoondochter.

Rook van Sweetgrass dacht aan het gevaar waarin ze verkeerde als de koning inderdaad even wreed was als haar vader had verteld. Het bleek dat ze zich op een manier die ze niet op prijs stelde aan de koning moest onderwerpen. Ze vroeg zich af of ze hem wel zo tevreden kon houden dat ze niet zou worden onthoofd. Na een tijdje vroeg ze haar grootmoeder: 'Vond u wat de koning bij u deed prettig?'

'Of ik het prettig vond?' antwoordde haar grootmoeder met op haar gezicht een vermaakte en tegelijk onzekere uitdrukking. 'Vindt iedereen dat op sommige keren wel prettig, maar op andere keren niet?'

'Ik weet het niet, grootmoeder. Bij mij is het nog nooit gedaan.'

'Ja, dat is waar. Nou, je zult maar al te gauw weten of jij, wat koning Alengwyned bij je doet, prettig vindt. Wat koningen betreft kan ik alleen maar iets over Cynoric, zijn vader, zeggen. Alle mannen zijn anders, een beetje anders, ook al is hetgeen ze doen hetzelfde. Ik kan je alleen maar aanraden dat je hem laat denken dat jij zijn manier prettig vindt, of dat nu zo is of niet.'

'Hoe vaak zal hij het bij me doen?'

'Je zult hem elke morgen baden als hij jou boven alle anderen verkiest, behalve op dagen wanneer je in je bloedmaan bent; die dagen zal iemand anders het doen. En als deze koning op Cynoric lijkt, zal hij het elke keer dat je hem baadt bij je doen. Zelfs toen hij ouder werd had Cynoric mij elke morgen nodig.' Er klonk zoveel hooghartige trots in haar grootmoeders stem door, dat Rook van Sweetgrass zich afvroeg of haar grootmoeder misschien loog om over haar begeerlijkheid op te scheppen.

Het meisje zuchtte. Had haar grootmoeder haar hiervoor maar nooit aangeboden; ze wenste zelfs dat ze minder mooi was geweest. Dan was dit haar ook niet overkomen. Maar aangezien het te laat was om daar verandering in te brengen, kon ze slechts wensen dat het voorbij was. Ze was doodsbang voor dingen die ze niet kende. Op de een of andere manier leek het onrechtvaardig dat een man, zelfs een koning, iemand iets kon

369

aandoen waarvan de koning zelf had verordonneerd dat alleen echtgenoot en echtgenote dat bij elkaar mochten doen. Maar volgens haar grootmoeder hadden de koningen dat recht al vele generaties lang gehad. Volgens haar grootmoeder kon alleen een koning zeggen of iets goed of slecht was.

En dus kon Rook van Sweetgrass alleen maar dingen van haar grootmoeder blijven leren en het ogenblik dat ze zou worden ontboden afwachten. Tot die tijd zou ze heel veel over de koning nadenken. Ze had hem al een paar keer eerder vanuit de verte gezien; hij was groot en sterk. Misschien zag hij er zelfs wel als een god uit. Deze Alengwyneh hadden door de woorden in hun Heilige Bundels gehoord dat ze geschapen waren om er als hun god uit te zien. Als dat zo was, had hun god een behaard gezicht en blauwe ogen, droeg hij glanzend metaal om zijn borst en had hij een glimmende, metalen helm met een hertegewei en veren op zijn hoofd. Als hij uit zijn kasteel naar buiten kwam, was hij altijd omringd door andere mannen met dikke lichamen, die er ook als hun god uitzagen. Deze mannen waren zijn leenmannen, omdat er slechts weinig bloed van het Ware Volk door hun aderen vloeide, maar voor het merendeel het bloed van de mensen die tweehonderd zomers geleden van over het Water van de Zonsopgang waren gekomen. Rook van Sweetgrass wist iets over hun overlevering, omdat haar vader die op het kasteel had geleerd. Het was bovendien onderdeel van het verhaal van haar eigen Euchee-volk. De huidige koning, Alengwyned, was genoemd naar de godkoning aan de andere kant van het Water van de Zonsopgang. Diens zoon Madoc was de eerste geweest die, rijdend op een enorm, zwemmend reptiel met een donderende stem dat mensen kon neervellen en zelfs doden, over het Grote Water naar dit land was gekomen.

'In heel het land is hij machtig,' zei haar grootmoeder altijd tegen haar. 'Je moet dankbaar lijken voor elk voorrecht dat hij je geeft en dat tot het uiterste uitbuiten!'

Maar de oude verhalenvertellers van de Euchee hadden ook andere verhalenseries die ze soms, heimelijker, vertelden; dat waren verhalen over lang vervlogen tijden, nog vóór de komst van de Alengwyneh-koningen. Het waren vrolijke, blije verhalen, verhalen over een tijd dat het Ware Volk vrij was geweest om te komen en te gaan waar het wilde en te doen wat in hun gedachten juist was. De oude voorvaderen, zeiden de verhalenvertellers, geloofden dat het ook zo hoorde te zijn. Soms zeiden ze dat de oude voorvaderen bedroefd en boos waren dat de mensen onder de Alengwyneh bleven. Soms kon Rook van Sweetgrass de voorvaderen in de wind over de verloren vrijheid horen huilen. Ze was lang niet zo gelukkig als ze hoorde te zijn over het feit dat ze als Maagd van de Regenkamer was uitverkoren.

Hoewel Wind Gemaakt door Vleugels nog jong was, was hij een favoriet spreker van zijn Unam-volk. De belangrijkste dorpshoofden en oudsten zaten vol respect te luisteren als hij hen in de grote vergaderwigwam toesprak. De rook van het vuur en de ceremoniële pijpen kringelden door het rookgat in het hoge dak naar buiten en droegen de gebeden en woorden van de raad mee naar het zonlicht en naar de Schepper, die voorbij de zon woonde.

'Grootvaders, vaders, broeders,' begon Wind Gemaakt door Vleugels met zijn heldere, diepe stem. 'Dank zij aan onze Schepper dat hij ons hier bij elkaar heeft gebracht om te spreken over hetgeen we op onze weg tegenkomen. Luister:

In andere raadsvergaderingen hebben we al eerder boven dit eeuwige vuur over het volk dat nu bij de Plaats van Vallend Water woont gesproken. Toen ze kwamen, heetten onze grootvaders hen welkom zoals het onze gewoonte is om anderen welkom te heten. Zelfs nu gebruiken we nog enkele dingen die zij maken en met ons verhandelen: de kleding die ze weven en met ons verhandelen, de gereedschappen, de boorpunten, de tomahawks en pijlpunten die ze van het gesmolten-steen-metaal maken, want die breken niet en maken ons het leven iets gemakkelijker. En de naalden en priemen maken het werk van onze vrouwen gemakkelijker.'

Wind Gemaakt door Vleugels zweeg even, keek in het rond naar zijn toehoorders die zaten na te denken en te knikken, en ging verder:

'Toen deze mensen voor het eerst naar dit dal kwamen, waren

371

het rechtvaardige, respectabele mensen. Ze hadden een goed, eerlijk opperhoofd met één arm, die met onze grootvaders bijeenkwam en onze toestemming vroeg voor ze dingen ondernamen. Ze vertelden onze grootvaders dat ze in een oorlog met het Cherokee-volk uit de zuidelijke landen verdreven waren. Onze grootvaders zeiden toen dat het goed was om hen hier te hebben als het vijanden van de Cherokee waren. Toen leefde hun oude weefster-koningin nog een tijdlang. Ook zij was een goed mens.

Maar daarna werd elk opperhoofd van een volgende generatie erger dan degene die vóór hem was geweest. Ze begonnen ons land binnen te vallen. Ze begonnen, zonder het aan ons te vragen, te nemen wat ze wilden hebben. Ze dolven de rode steen waar ze die maar vonden. Ze hakten grote bomen om waar ze hun grote boten maar wilden maken. En om stof te maken, stripten ze overal de bast van de hartebladbomen. Ze doodden onze jagers in de bossen en zeiden dat de bossen hen toebehoorden. Ze namen zelfs onze likstenen over en zeiden dat we met hen om zout moeten handelen!'

Wind Gemaakt door Vleugels' woorden werden steeds hartstochtelijker. Zijn ogen flitsten en ontmoetten de ogen van iedere man in de raad.

'Hebben we daarmee een goed volk in onze buurt? Nee, zeg ik! En luister naar wat ze de laatste tijd verder hebben gedaan terwijl wij onze mond hielden. Ik spreek over die stenen torens die ze op hoge rotswanden langs de rivier hebben gebouwd. Hun eerste opperhoofd vertelde ons dat die torens zowel ons volk als dat van hem zouden helpen. Als onze vijanden de Irokezen tegen ons optrokken, zouden de seinvuren daar hoog boven ons immers waarschuwen. Dat leek onze grootvaders goed toe en ze zeiden ja omdat hij het hun had gevraagd…

Maar de laatste jaren ziet u dat ze meer seintorens bouwen zonder het aan ons te vragen. En u ziet dat ze die op voor onze voorouders heilige plaatsen bouwen, zoals de toren op de Vogelkoprots. Dat is voor ons een heilige plaats. Daar wilden hun soldaten onze sjamaans niet op de Vogelkoprots laten om hun ceremoniën uit te voeren, weet u dat nog? Dat is een grote schande die op ons volk gelegd is! Waarom zijn we niet tegen die bleekgezicht-mensen opgestaan? Waarom hebben wij hen niet uit ons land verdreven toen ze dat deden? Ik, Wind Gemaakt door Vleugels, was nog niet op deze wereld geboren toen dat gebeurde. Maar als ik toen een man was geweest, zou ik naar Vogelkoprots zijn gegaan en die indringers naar beneden hebben gegooid!'

De mannen in de Raadswigwam waren in verlegenheid gebracht en begonnen te mompelen. Wat dit jonge opperhoofd zei, zond sommigen het schaamrood naar de kaken. Anderen werden er boos om. Degenen die dorpshoofden en krijgers waren geweest toen dat gebeurd was, wisten dat ze niet als man gehandeld hadden. Ze waren bang geweest voor de witte reuzen die zich in een glanzend materiaal harder dan schildpadschild hulden en niet door stenen pijlpunten konden worden gedood. En ze hadden wapens die van een afstand van wel tweehonderd passen of meer een schacht door het lichaam van een man konden schieten. Ze waren bang geweest voor de Alengwyneh en vonden het vervelend om daaraan nu herinnerd te worden.

Maar de jongere krijgers hadden die vrees voor de mannen met de witte gezichten nog niet ervaren. Zij spanden zich bij de woede die ze in de stem van Wind Gemaakt door Vleugels hoorden. Nog steeds boos, ging deze nu verder:

'U weet dat die krijgers van de Alengwyneh-koning met hun behaarde gezichten nog andere dingen deden die schande op ons volk – en op al onze volken langs de rivier – hoopten. U weet het! Ze kwamen dan van die wachttorens naar beneden en haalden onze jonge vrouwen van het veld waar ze de maïs aan het schoffelen waren en bezig waren de zonnebloemen te oogsten of grepen hen als ze mosselen in de rivieren aan het verzamelen waren. En als ze hen zwanger hadden gemaakt, konden die jonge vrouwen alleen nog maar met die reuzen samenleven en hun kinderen ter wereld brengen. En vervolgens werkten zij en hun kinderen voor die slechte mannen. Zelfs wanneer ze dat soort slechte dingen deden, waren onze oude dorpshoofden nog te bang voor hen om de hand naar hen op te heffen.'

Weer sloegen degenen die in die periode opperhoofd en dorpshoofd waren geweest hun ogen neer of probeerden de jonge spreker niet rechtstreeks aan te kijken. Maar hij had het niet op hen gemunt om hen uit te dagen. Hij probeerde alleen alle mannen in de raad eensgezind te maken.

'Tijdens mijn eigen leven,' zei hij, 'toen ik nog een jongen was, viste ons volk bij de Plaats van Vallend Water. Dat recht hebben we altijd gehad. En hoeveel vis zat daar niet! De Schepper liet de vis, meer dan iemand kan tellen, daarheen komen. En ook al had de jacht geen succes en waren de tuinen slecht, toch hoefden onze volken geen honger te lijden, omdat we naar de Plaats van Vallend Water konden gaan en vis vangen.

Maar nu is het anders! Nu zegt het opperhoofd van de Alengwyneh dat alleen zijn haargezichten bij de Plaats van Vallend Water mogen vissen! Hij zegt dat heel dat gebied zijn eigendom is. Hij bewaakt het met een groot, stenen huis aan weerszijden van de rivier en heeft steden met stenen muren. En als wij het wagen om daar te gaan vissen, worden we door soldaten weggejaagd! Ik vraag iedereen die hier vandaag naar mijn woorden zit te luisteren: Gelooft u dat onze Schepper dat Alengwyneh-opperhoofd de visgrond heeft gegeven die vanaf het eerste begin voor onze volken is geweest?'

De tientallen mannen in de Raadswigwam werden nu door heel het scala van emoties, van woede tot angst, beroerd. Een aantal oudere dorpshoofden was even boos op Wind Gemaakt door Vleugels als op de bleekgezichten omdat hij hen beschaamd om zichzelf deed staan en hen uitdaagde zich tegen de machtige indringers te verzetten.

'U weet dat alles wat ik heb gezegd waar is,' zei het jonge opperhoofd nu met een krachtige stem die in de grote wigwam weergalmde. 'Alle slechte dingen die de harige mensen hebben gedaan zijn allemaal dingen die ze al heel lang hebben gedaan, en dat weet u.

Maar ik ben nu hier om u over hun andere daden te vertellen. Dit is iets dat ik met mijn eigen ogen heb gezien.' Veel toehoorders bogen zich nu voorover want de andere overtredingen kenden ze allemaal wel. Maar dit zou waarschijnlijk nieuwe brandstof voor de gloeiende as van hun verontwaardiging vormen.

'U weet dat ze steen verbranden om een poeder te maken dat hun huizen bij elkaar houdt,' zei hij. 'Dat hebben we hen

374

al lange tijd zien doen. Overal is er steen die ze kunnen gebruiken. Maar luister naar wat ik u nu ga vertellen: Ik heb hen steen uit plaatsen zien graven waar de Ouden hun doden begroeven!'

Die woorden van de boze, jonge spreker brachten onmiddellijk opschudding in de Raadswigwam teweeg. De mannen schenen groter te worden. Kreunend haalden ze diep adem en gromden vervolgens geschokt met wijd opengesperde ogen en open mond. Door de beenderen van de doden te verstoren maakte je het hun geesten moeilijk en bracht je hun lange reis naar Gene Zijde van de Wereld in de war. Dat wisten ze allemaal. En ze wisten ook dat er vaak grote problemen voor de levenden ontstonden wanneer de geesten lastig gevallen werden. Vooral het verstoren van de graven van de Ouden werd als een zeer ernstige zaak opgevat. Zij waren immers mensen met grote kracht geweest, maar waren in zulke grote aantallen aan ziekte overleden dat hun priesters hen niet met de gebruikelijke zorg hadden kunnen begraven. Veel mensen geloofden dat de geesten van veel van de Ouden in de honderden seizoenen sinds hun dood maar nauwelijks hadden gerust. Als ze lastig gevallen werden, brachten ze de ziekte misschien wel met zich mee terug. En dus heerste er bijna doodsangst in de Raadswigwam toen Wind Gemaakt door Vleugels zei:

'Ik zag hen de stenen graven van de oude opperhoofden kapotmaken. En toen ze de stenen kapothamerden, vermorzelden ze zelfs de oude beenderen en verbrandden die samen met de vermorzelde steen!'

Het duurde een hele tijd tot de rust weer zover in de raad was weergekeerd dat ze verstandig over het probleem van deze laatste misdaad konden praten. De raad kwam nog eens drie dagen bij elkaar, en iedereen die er iets over wilde zeggen, kreeg gelegenheid zijn woordje te doen tot hij uitgesproken was. Wind Gemaakt door Vleugels bood aan om met een delegatie naar alle andere stammen in het dal te gaan en hen over te halen zich voor een oorlog tegen de mensen met de harige gezichten te verenigen.

Maar de oudere dorpshoofden weigerden. En ten slotte vertelden de oude dorpshoofden na nog eens twee dagen van discussie en meningsverschillen wat ze van plan waren.

'Waarschijnlijk weet dit nieuwe opperhoofd van de haargezichten niet wat zijn mensen met de graven van de Ouden doen,' zeiden ze. 'Of misschien begrijpt hij niet waarom het slecht is. Maar als wij in vrede naar zijn steden bij het Vallend Water gaan en hem zeggen dat zijn steengravers de oude Geesten verstoren, zal hij hen waarschijnlijk wel laten ophouden. Hij is immers opperhoofd en moet wijsheid bezitten. Hij zal ongetwijfeld slechte dingen willen voorkomen. Als hij luistert, hoeft er geen oorlog te komen.'

Wind Gemaakt door Vleugels ging staan en nam opnieuw het woord. 'Vaders, ga er dan heen en probeer dat opperhoofd door zijn oren verstand bij te brengen. Ik hoop dat u goed zult spreken en dat hij goed zal luisteren. Maar bedenk dat hij, toen wij met hem probeerden te bespreken of wij hier niet konden vissen, onze dorpshoofden met zijn tong beledigde en wegstuurde.

En in de tijd dat u dus op weg gaat om met dat slechte opperhoofd te spreken, zal ik naar de andere stammen toe gaan. Ik zal hen dit alles voorleggen. Ik zal zelfs naar de Irokezen toe gaan, wier neven, de Cherokee, eens tegen de harige gezichten in het geweer moesten komen. Hoewel zij voorheen onze vijanden waren, zullen zij begrijpen dat mensen die beenderen van de voorvaderen kapotslaan en verbranden vijanden van ons allemaal zijn. En zij zijn niet bang voor hen! Ik zal proberen alle stammen zover te krijgen dat ze geloven wat wij geloven. Als het Alengwyneh-opperhoofd naar u luistert en met zijn slechte daden ophoudt, zullen we allemaal blij en opgelucht zijn. Maar als hij niet luistert, zullen we vele bondgenoten klaar hebben staan om hem te verdrijven. Vaders, ik vraag u geen verlof om weg te gaan en te spreken, omdat ik dat gewoon moet en zal doen. Maar ik vraag u wel om uw zegen om me daarbij uitgeleide te doen.'

En dus gaven de oude dorpshoofden hem hun zegen en begonnen zichzelf klaar te maken om de rivier af te zakken voor hun gesprek met koning Alengwyned. Wind Gemaakt door Vleugels ging ondertussen de andere kant op.

De oude dorpshoofden van de stammen langs de rivier waren

geen bange, timide mannen. In het kasteel bij de Plaats van Vallend Water waren ze stil en ingehouden in hun manier van doen, omdat de koning en zijn soldaten angstaanjagende mannen waren. Doordat ze zich met de Euchee verbroederd hadden, was uit deze vermenging van de rassen een mensenras geproduceerd dat met elke generatie groter en sterker werd en het merendeel van de grote mannen had blauwe of grijze ogen. Velen hadden geel of lichtbruin haar en in sommige families was het haar, en waren zelfs de wenkbrauwen en de wimpers, wit. De dorpshoofden vonden vooral deze albino's angstaanjagend, omdat ze door hun krachtige uiterlijk en witte haren tegelijk jong en oud leken. Het leek daarom of ze een of andere schokkende, verontrustende magie bezaten. Deze mannen met wit haar waren gunstelingen van de koning. Velen van hen hield hij als lijfwacht om zich heen. Ze droegen helmen en een wapenrusting van koper, messing of ijzer. De helmen hadden een neusstuk dat de neus beschermde, en oogspleten. Ze waren versierd met geweien. Dat maakte dat de reusachtige soldaten er heel anders dan alles wat bekend was, mens of dier, uitzagen. De inheemse dorpshoofden durfden nauwelijks een blik op hen te werpen. De koning van deze reuzen zag deze heimelijke vrees in de ogen van de dorpshoofden en reageerde met minachting.

De dorpshoofden zaten in een halve cirkel en koning Alengwyned stond vóór hen te wachten tot ze hem het doel van hun komst zouden vertellen. Deze koning kende een aantal legenden van zijn voorvaderen en in zijn gedachten hadden die de omvang van mythen aangenomen. Het besef dat het bloed van Eerste Man Madoc in zijn aderen vloeide, gaf hem enorm veel trots. Maar aangezien hij van Llewellyn afstamde, had hij ook Euchee-bloed. Hij was de eerste koning van gemengd bloed. En hoewel hij blond haar en blauwe ogen had en even groot als zijn voorvader Eerste Man was geweest, had hij het brede, verweerde, scherpgesneden gezicht en het vooruitstekende voorhoofd van de Euchee. Kaarsrecht en trots stond hij daar met een boze, agressieve adelaarsblik. Je moest wel heel sterk zijn durfde je hem in het gezicht te kijken. Door zijn golvende, gouden baard was zijn goedgevormde, maar wrede mond zichtbaar. De dorpshoofden die gekomen waren om hem hun ongenoegen mee te delen, keken hem aan en zagen weinig hoop voor enige beleefdheid of redelijkheid. De koning zag eruit als een boze god.

Hij maakte een slecht begin bij de bespreking door zijn weigering om samen met hen de pijp te roken. 'Zeg hun dat zij degenen zijn die om deze bespreking hebben gevraagd,' zei hij tegen de tolk, 'en dat ik me met andere zaken moet bezighouden. Ik zal geen tijd verdoen met formaliteiten. En zeg hen dat ze meteen vertellen wat ze op hun hart hebben. Ik heb geen geduld om van alles over hun goden, hun afkomst en alles wat ze vanaf het allereerste begin weten aan te horen! Zeg hun dat ik geen geduld heb met oude mannen die te veel praten.'

Toen de tolk die waarschuwing had vertaald, verhardden de gezichten van de dorpshoofden zich, hoewel ze niet hardop protesteerden. Ze wendden zich tot hun belangrijkste opperhoofd in leeftijd, Staat bij Zonsopgang. Hoewel hij stram van ouderdom was en leek te slapen, voelde hij hoe zij zich op hem concentreerden en hij kwam overeind om voor de koning te gaan staan. Staat bij Zonsopgang had wit haar dat tot op zijn schouders viel en over zijn gerimpelde voorhoofd droeg hij een met stekelvarkenpennen versierde hoofdband. Zijn neus hing zover neer, dat hij bijna zijn vooruitstekende kin raakte. Tot verbazing van Alengwyned sprak het oude opperhoofd hem in het Welsh aan.

'Broeder,' zei hij, 'u hebt ons, als het opperhoofd van het Alengwyneh-volk, gevraagd om snel te spreken zodat u zich met andere zaken kunt gaan bezighouden. Goed. Ik ben oud. Ook ik heb nog maar weinig tijd beschikbaar. Misschien zijn u en ik het erover eens dat beleefd zijn te veel tijd verspilt. En dus zal ik, evenals u, geen tijd aan beleefdheden verspillen. Daarom wil ik u meteen het volgende meedelen:

Wanneer u zich van deze bespreking wegspoedt om u aan belangrijkere zaken te wijden, vraag ik u, broeder, om alstublieft naar uw mannen te gaan die steen uit de aarde halen. Breng hen over wat wij willen. Zeg hun dat de wereld vol steen is en dat ze, met uitzondering van de plaatsen waar het gebeente van onze voorouders ligt begraven, zoveel kunnen nemen als ze willen. Zeg hun dat het gevaarlijk is om het gebeente te verstoren. Dat het buitengewoon gevaarlijk is om de beenderen van de Ouden te verstoren.'

Alengwyneds mond vertrok zich in een zelfgenoegzaam lachje. Hij keek in het rond naar zijn leenmannen en lijfwachten en zag dat zij even zelfgenoegzaam lachten. Toen wendde hij zich weer met een spottend gezicht naar het oude opperhoofd toe en antwoordde: 'Dank u voor die waarschuwing. Maar zeg me, oude man: In welk opzicht is het gevaarlijk? Krijgt een steenhouwer soms per ongeluk een klap van een oud dijbeen en kneust daardoor zijn hand?' Hij proestte het uit. Zijn leenmannen en lijfwachten lachten mee en, aangemoedigd in zijn grap, ging de koning verder: 'Of bijten een paar tanden in een oude schedel soms tot bloedens toe in zijn voet?' Nu schaterden en bulderden de blanke mannen in de kamer het uit. De inheemse dorpshoofden in het midden van de kamer zwegen. Maar hun gezichten verhardden zich. Hoewel ze de woorden niet begrepen, zagen ze wel dat de spot gedreven werd met de woorden van hun opperhoofd. Het was onvergeeflijk een opperhoofd te bespotten dat een vurig betoog houdt. Geen enkele beschaafde man van welke stam ook zou zoiets doen. De dorpshoofden zaten gespannen op de grond. Hun woede verteerde hen vanbinnen, hoewel dat uit niets dan hun strakkere gezichten en rechtere ruggegraat bleek.

Op het gezicht van Staat bij Zonsopgang stond helemaal niets te lezen. Zijn ogen schoten vuur, maar stonden zo diep in hun gerimpelde, oude kassen dat de blanke mannen niets zagen. Nu zei het oude opperhoofd, in de taal van zijn eigen volk in plaats van in het Welsh: 'Blijf rustig. Aan boosheid hebben we niets. Terwijl we hier zijn, moeten we proberen onszelf duidelijk te maken zodat hij ons zal begrijpen…'

'Spreek zodat ik je kan begrijpen!' schreeuwde de koning hem, met zijn voet stampend, in het gezicht.

Het oude opperhoofd knikte. Zijn mantel van elandsvel hield hij krampachtig om zich heen getrokken. Daaronder greep hij zijn vuurstenen mes beet en trok het uit de schede, niet zeker wetend of hij het nodig zou hebben, maar bang dat hij het misschien toch zou moeten gebruiken. Toen keek hij Alengwyned in de ogen en zei in het Welsh: 'Broeder, ik vraag u om niet te lachen wanneer ik over deze beenderen spreek. Als ik zeg dat het gevaarlijk is om ze te verplaatsen, is dat waar. Ik zeg u dit om zowel u als mijn eigen volk van kwaad te vrijwaren...'

'Ik begin me af te vragen,' zei de koning scherp, 'of u nu bezig bent me te bedreigen.' Alsof zij dat ook zo opgevat hadden, klonk er onder zijn mannen die tegen de muren stonden opeens een onheilspellend gemompel.

Staat bij Zonsopgang antwoordde: 'Broeder, uit mijn mond komt geen dreiging. De dreiging komt van de geesten van degenen wier beenderen door uw steengravers worden gebroken en verbrand. Misschien begrijpt u niet wat wij geloven: zolang deze beenderen nog geen stof in de aarde zijn, zoals ze waren vóór ze leven hadden, zijn hun geesten nog steeds in De Wereld van Deze Zijde. Slechts wanneer ze tot stof teruggekeerd zijn, kunnen die geesten naar De Wereld van Gene Zijde overgaan. En dan geven ze er ook niet meer om wat er in De Wereld van Deze Zijde gebeurt. Daarom waarschuwen wij u voor het gevaar.'

Met een half ongelovige glimlach had Alengwyned hiernaar staan luisteren. Nu zwaaide hij met zijn enorme hand voor het gezicht van het oude opperhoofd heen en weer en riep lachend uit:

'Nou, oude man! Luister! Beenderen zijn goed in kalk, even goed als steen. Wanneer we dus met de hamer en de oven die oude botten tot stof reduceren, hoeven je oude voorouders niet zo lang te wachten voor ze naar het paradijs gaan! Snap je wel? Ha ha!' En opnieuw sloten zijn reuzen die door de kamer verspreid stonden zich brullend van het lachen om de grap bij hem aan.

Ziedend van woede en geschokt doordat de koning zo weinig eerbied vertoonde, riep Staat bij Zonsopgang: 'Dus het is waar dat uw steengravers de beenderen kapotslaan, zoals onze jonge man zei? En dat u, hun hoogste opperhoofd, weet dat zij dat doen en het hen niet verbiedt?' De oude man begon vlug in zijn eigen taal tegen de dorpshoofden te praten en vertelde hun over deze ongelooflijke onthulling.

Alengwyned schreeuwde uit alle macht: 'Wat een dwaasheid! Wanneer een mens sterft, gaat zijn ziel onmiddellijk naar de Hemel! Of naar de Hades! Wat doen oude botten er helemaal toe!' De koning wist niet veel over de godsdienst van Oud Wales, maar verhalen van Christus, de Opstanding en de Eeuwige Beloning waren door de generaties doorgegeven. En ook al herinnerde hij zich die maar vaag, toch had hij genoeg overtuiging om te schimpen op de bijgelovigheid van deze kleine, bruine mannen met hun veren. 'En dus houwen we stenen waar we dat willen!' schreeuwde hij. 'Als dat het enige is waarover jullie je kwamen beklagen, verspillen jullie je tijd en daar stoor ik me aan!'

Staat bij Zonsopgang bleef heel even peinzend, maar zonder uitdrukking op zijn gezicht, de koning aankijken. Toen zei hij: 'Nee. Dat is slechts één slecht ding dat u doet. Wij willen dat u zegt dat u daar een eind aan zult maken en dan zullen we over andere zaken praten, over het feit dat onze mensen weer bij de Plaats van Vallend Water zullen mogen vissen, zoals we altijd hebben gedaan. En over de versterkingen met de seinvuren op onze heilige plaatsen. En over het feit dat uw soldaten komen en jonge vrouwen meenemen uit onze...'

'Genoeg uit uw ellendige mond!' snauwde Alengwyned, zijn tanden ontbloot en zijn hoofd achterovergeworpen. Zijn ogen puilden uit van woede en om de irissen was rondom het wit zichtbaar, iets dat volgens de opvattingen van de inboorlingen betekende dat een man gek was. 'Ik ben de vorst van dit land en als zodanig zal ik doen en nemen zoals het mij behaagt! Hoe waag je het om hierheen te komen en me uit te dagen!'

Gealarmeerd reageerden de dorpshoofden op zijn stem en handelingen. Vlug gingen ze staan en begonnen zacht en snel onder elkaar te praten. Verschillende mannen, die zichzelf als lijfwacht van het oude opperhoofd beschouwden, gingen in een kring om hem heen staan om hem tegen de reusachtige, waanzinnige koning te beschermen. De anderen draaiden zich behoedzaam om, hun ogen gericht op de massieve soldaten in hun wapenrusting die door de kamer verspreid stonden. De grauwbruine gezichten van de soldaten werden rood. Instinctief grepen ze naar hun wapen.

Zelfs op dit punt had de orde misschien nog gehandhaafd

kunnen worden. Er waren waarheden gezegd en beleefd waren er verzoeken gedaan. Er zouden overeenkomsten of beloften zijn gevolgd. Er zou zelfs op redelijke wijze een koppige discussie kunnen zijn gevoerd, zoals vaak in een bespreking noodzakelijk was. Maar de verklaring die de koning met het harige gezicht had uitgeschreeuwd, had voor Staat bij Zonsopgang geen hout gesneden. Hij moest uitleggen waarom dit land van de Schepper niet door indringers van elders kon worden geregeerd. Dus riep hij boven het geroezemoes uit: 'Koning der Alengwyneh, dit is úw land niet!'

De koning haalde met zijn vuist naar het gezicht van het oude opperhoofd uit alsof hij ongedierte wegmaaide. Maar het lichaam van de oude man had de grond nog niet geraakt of drie dorpshoofden waren al met getrokken mes op Alengwyned toegesprongen. Eén haalde diens gezicht van de slaap naar het rechteroor open. Een volgende stak naar zijn buik, maar het stenen lemmet brak tegen de wapenrusting af. Met een sprong sneed de derde hem de hals door. De rondzwaaiende onderarm van de koning trof hem echter en wierp hem op de stenen vloer. Verblind door bloed bleef de koning staan.

Inmiddels hadden al Alengwyneds leenmannen en lijfwachten zwaarden en dolken getrokken en wierpen zich tussen de groep oude dorpshoofden die in het midden van de troonkamer rondliepen. Geschreeuw, gekreun en dreunende geluiden stegen uit het strijdgewoel op. Het duurde echter maar kort.

De paar inboorlingen hadden met hun stenen messen en knuppels niet echt een kans tegen de in metaal gehulde reuzen. Nog geen twintig ademtochten later lagen de afgezanten van de stammen dood, bewusteloos of verminkt op de stenen vloer. Drie waren er onthoofd. Bij vijf mannen waren de pezen bij de knieën en hielen doorgesneden. Wanhopig kropen ze op de gladde, bebloede vloer rond tot ze door de strijdbijlen die op hen inhakten de dood vonden. Terwijl deze slachting tot het eind doorging, werd de koning door twee leenmannen naar zijn troon gebracht. Hij kon niets zien vanwege het bloed dat in zijn ogen stroomde en zijn tuniek was doorweekt van het bloed uit zijn hals. Zowel hijzelf als zij wisten niet hoe ernstig de steekwond was, maar ze namen aan dat hij dodelijk gewond was.

Tegen de tijd dat ze het bloed van Alengwyned hadden weggeveegd, was de laatste kreun, de laatste ademtocht van de bloederige gestalten op de grond, weggestorven. Twintig oude Unam-opperhoofden, Unam-dorpshoofden en Unam-lijfwachten lagen dood op de grond. Tussen hen in lagen vier grote mannen in wapenrusting dood te bloeden door snijwonden die de oude mannen met hun stenen wapens hadden toegebracht.

Die avond lag koning Alengwyned, zich in bochten wringend en kreunend, vastgebonden terwijl zijn gezicht en nek werden dichtgenaaid. Verderop werden de lijken van de inheemse oudsten en dorpshoofden uit het kasteel weggesleept en van een rotsrichel in de ruisende waterval geworpen. Het was dezelfde richel waarvan de goede koning met één arm, dronken van zijn elixer, vele generaties terug zijn dood tegemoet was gevallen – maar dat was een onderdeel van hun legende dat niemand kende.

Ongeveer honderd inboorlingen, familieleden van de twintig dorpshoofden, hadden in een kamp op de zuidelijke oever van de rivier gewacht. Vol spanning keken ze naar het stenen kasteel bij de Plaats van Vallend Water en wachtten af tot hun oudsten uit de bespreking met de koning van de Alengwyneh zouden komen. Deze mensen hadden op enige afstand van de grote, ommuurde steden van de haargezichten gewoond. Toen het avond was geworden en de zon ver rivierafwaarts was ondergegaan, hadden ze hun kleine kookvuren ontstoken. Het was steeds stiller geworden. Ze wachtten nog steeds tot de oude mannen uit het stenen huis te voorschijn zouden komen. Toen de nacht viel en er, behalve de gebruikelijke soldaten en handelaars, niemand naar buiten was gekomen, legden de mensen zich er bij neer dat de oudsten kennelijk waren uitgenodigd om de nacht in het grote, stenen huis van de koning door te brengen. Weinig op hun gemak gingen de mensen slapen om de morgen af te wachten.

De volgende dag kwam er op het middaguur een visser uit een van de inheemse dorpen verder de rivier af langs de oever aangerend. Hij liep in de richting van het kasteel. Toen hij het kleine kampement zag, stopte hij daar in plaats van op het kasteel en vertelde hen over een vreselijk gebeuren.

Vissers hadden de lichamen, hoofden en ledematen van oude mannen in de rivier ontdekt.

Zwijgend braken de mensen het kleine kamp op en glipten stilletjes weg. Ze gingen naar beneden, naar het dorp bij de rivier. En luid weeklagend en jammerend herkenden ze de resten van enkele oude mannen.

De volgende dag zonden ze koeriers langs de rivier naar boven om het jonge oorlogsopperhoofd, Wind Gemaakt door Vleugels, te vertellen welk lot de oude mannen die met de koning van de Alengwyneh waren gaan praten had getroffen.

12 *De bovenloop van de Mooie Rivier*
Herfst 1404

In het halfduister van voor de dageraad stond Wind Gemaakt door Vleugels naast een vooruitstekende rots bij de bergtop en tuurde naar de stenen toren een paar passen verderop, die boven op de top stond. De toren was in silhouet tegen de ondergaande maan afgetekend. Er dreef rook langs de maan. De lucht was koud en er lag rijp op de heuveltoppen en bomen. Maar Wind Gemaakt door Vleugels en zijn honderd krijgers droegen slechts lendendoeken en mocassins. Hun lichaam en gezicht waren bedekt met vet en kleurstoffen die in patronen geschilderd waren. Heel de linkerkant van Wind Gemaakt door Vleugels, met inbegrip van zijn gezicht, was met vet en roet zwart gemaakt; zijn rechterkant was bedekt met vet en rode oker. Die kleuren vertegenwoordigden dood en oorlog. In zijn rechterhand hield hij een lange, versierde strijdknuppel bij het notehouten handvat beet. De kop was een zwarte steen zo groot als een ganzeëi.

Onder deze bergen en voorbij een keten van lagere heuvels, stroomden twee rivieren samen. Hier was het begin van de grote, lange rivier, die alle mensen de Mooie Rivier noemden. De stenen toren op deze bergtop was de eerste, meest oostelijk gelegen toren van de seintorens die de Alengwyneh over heel de lengte van het dal van de Mooie Rivier hadden gebouwd. Het volgende baken dat je kon zien was een heuveltop bij de rivier. Je kon nog net een zwakke rookpluim onderscheiden. Het derde baken lag uit het gezicht, verder het dal in, aan de rivier, een halve dagmars stroomopwaarts. De meeste seintorens waren klein en met vijf tot tien soldaten bemand. Deze toren was echter de verste Alengwyneh-buitenpost en net een klein bastion. De toren werd bemand door ongeveer vijfentwintig soldaten in wapenrusting. In hutten eromheen woonden de vrouwen van de soldaten. Voor een deel waren het vrouwen met geel haar van gemengd bloed, voor een ander deel inheemse vrouwen die van hun stammen waren weggelokt of ontvoerd.

Wind Gemaakt door Vleugels was nu opperhoofd van zijn volk. Hij was gekozen nadat de haargezichten Staat bij Zonsopgang hadden vermoord. In de drie manen sinds hij opperhoofd was geworden, was Wind Gemaakt door Vleugels heel de Mooie Rivier langsgetrokken. Hij bezocht ieder dorp van enige omvang van een stam en sprak de vergadering van oudsten toe. Hij had al die vergaderingen over de moord op de oudsten verteld en elke stam ervan overtuigd dat het tijd werd om de indringers met de harige gezichten van de Plaats van Vallend Water te verdrijven, hen zo nodig zelfs te doden; ze waren te arrogant geworden. De reus van een koning van de Alengwyneh scheen te denken dat heel de rivier zijn eigendom was, dat hij stamoudsten kon doden, vrouwen stelen, begraafplaatsen kon verwoesten en de oorspronkelijke bevolking kon verbieden bij de Plaats van Vallend Water te vissen.

De krachtige woorden die Wind Gemaakt door Vleugels sprak, hadden de dorpshoofden en krijgers ervan overtuigd dat de geesten van de Ouden verstoord waren en dat die pas tevreden zouden zijn wanneer alle haargezichten uit het dal zouden zijn verdwenen. Wind Gemaakt door Vleugels had inmiddels zovelen zover weten over te halen, dat hij wist dat honderd honderd vurige krijgers voor hem klaar zouden staan en zelfs op enige honderden Irokezen kon rekenen, die vanouds de vijanden van zijn volk waren geweest.

Maar nu het licht werd en hij daar onder de stenen toren stond, dacht Wind Gemaakt door Vleugels niet aan al die soldaten in hun wapenrusting tegen wie zijn krijgers zouden moeten vechten. Hij dacht alleen aan de soldaten op deze berg.

Hij hoopte dat hij hen nog in hun bed zou kunnen verrassen, voordat zij de metalen kleren konden aantrekken die hen tegen vuurstenen wapens beschermden. Hij had nog nooit tegen een man in een wapenrusting gevochten en kende ook niemand persoonlijk die dat wel had gedaan. Maar sinds zijn jongensjaren had hij geweten dat het moeilijk is een schildpad pijn te doen die zich helemaal in zijn schild heeft teruggetrokken.

Nu was het net licht genoeg geworden dat je de rotsen, bomen en struiken van elkaar kon onderscheiden. Wind Gemaakt door Vleugels gaf zijn signaal, de roep van de Kleine Uil met Oren. Toen liep hij onhoorbaar, op stille voeten, naar de stenen toe, terwijl hij zich in gedachten onzichtbaar maakte.

De meesten van de honderd krijgers die hij bij zich had, bevonden zich buiten zijn gezichtsveld. In een steeds kleiner wordende cirkel liepen ze omhoog naar de bergtop om de toren en hutten in te sluiten. En hoewel hij slechts een paar van hen kon zien, voelde hij dat ze, naarmate de stenen toren steeds dichterbij opdoemde, met hem mee optrokken.

Wind Gemaakt door Vleugels had zijn krijgers verteld dat sommige soldaten waarschijnlijk nog met hun vrouwen in hun hutten zouden liggen te slapen. Anderen sliepen misschien in de toren, maar er zou ongetwijfeld een aantal wakker zijn. In elk kamp was er op elk tijdstip van de nacht of de vroege morgen, zelfs in de slaperigste ogenblikken vlak voor het licht werd, altijd wel iemand half wakker, iemand die moest plassen of waren er mannen en vrouwen die stilletjes gemeenschap hadden terwijl hun kinderen sliepen. En natuurlijk waren er in de meeste kampen honden. Alle krijgers wisten deze dingen uit hun eigen leven. En dus zorgen we dat we zover mogelijk ongezien en ongehoord in het kamp of de toren komen, had hij hun verteld, maar zodra een hond of mens een kik geeft, beginnen we iedereen te doden. De geesten van de Ouden zullen niet rusten, had hij gezegd, voordat dit boze ras tot de laatste man is gedood of ver uit het dal van de Mooie Rivier is verdreven.

Nu glipte Wind Gemaakt door Vleugels om de hoek van een met boombast bedekte hut heen. Opeens bemerkte hij langs de bovenrand van de stenen muur die tegen de verblekende hemel stond afgetekend een beweging: de punt van een speer en een hertegewei, naar hij wist de versiering op een soldatenhelm.

Wind Gemaakt door Vleugels zag dat de ladders, die de soldaten en vrouwen gebruikten om naar binnen en buiten te gaan, nog tegen de buitenkant van de toren stonden. De toren had geen poort. Als de soldaten iemand buiten wilden houden, trokken ze de ladders op en borgen die binnen op. Maar zelfs als de ladders binnen waren geweest, zou het voor de krijgers niet moeilijk zijn om over deze stenen muren heen te komen. Het waren geen hoge muren. Op sommige plaatsen waren ze maar net iets hoger dan manshoog en ze helden iets naar binnen over, omdat ze aan de onderkant met grotere stenen waren gemaakt. Met een korte aanloop en een sprong en met behulp van handen en tenen, kon een lenige krijger even gemakkelijk over deze muur klauteren als hij een stenen rotswand kon bedwingen. Een soldaat met zijn schildpadachtige schild zou dat uiteraard naar alle waarschijnlijkheid niet kunnen. Daarom dachten de haargezichten misschien ook wel dat ze binnen zulke muren veilig waren. Met stenen muren en kleding als het schild van een schildpad, voelden ze zich ongetwijfeld veiliger dan ze in werkelijkheid waren. Wind Gemaakt door Vleugels voelde hoe zijn haat en minachting bij elke stap die hij naar de muur zette groter werden.

Uit de deur van een hut die hij zojuist voorbijliep, kwam een vrouw naar buiten gekropen. Haar bruine haar hing naar voren en verborg haar gezicht en om haar schouders had ze een mantel van herteleer. Ze hurkte op het pad neer, trok de mantel op, liet een windje en begon te plassen. Deze mensen maken pal waar ze lopen een vieze boel, dacht Wind Gemaakt door Vleugels vol afkeer terwijl hij onzichtbaar, nog geen twee stappen bij haar vandaan, stond.

Op dat ogenblik hief ze een hand op en trok haar haar uit haar gezicht weg. Ze keek om zich heen en zag een krijger met over heel zijn lichaam zwart geverfde stippen over het pad naar zich toe komen.

Haar adem stokte. Ze wilde roepen, maar haar schreeuw kwam niet: ze zakte in haar eigen urine in elkaar. De stenen bijl van Wind Gemaakt door Vleugels had haar nek aan de schedelbasis gebroken.

Maar het geluid van de slag of misschien het uitvliegen van

haar geest maakte dat een hond vlakbij begon te blaffen; ergens links klonk opeens een gil van doodsangst, van boven kwam het gekletter van een wapenrusting en een norse, knorrige stem riep iets van boven op de toren. Op hetzelfde ogenblik klonken van verder rechts naar beneden op de heuvel grommende, dreunende, schreeuwende, hakkende en versplinterende geluiden.

Dit was het begin. Wind Gemaakt door Vleugels liet een pulserende, schrille kreet horen en vloog als een spin over de torenmuur heen. En daar, vlak voor hem, stond stomverbaasd en met uitpuilende ogen de reus van een soldaat met de helm met het hertegewei. De krijger zwaaide zijn stenen bijl in een wijde boog die één tak van de helm stootte, een deuk in de helm maakte en de zijkant van de schedel van de soldaat insloeg. Op hetzelfde moment dat de soldaat opzij naar beneden viel, nam Wind Gemaakt door Vleugels in één blik alles in de toren in zich op: hoog in het midden het grote komfoor voor het vuur om mee te seinen, waarvan de as nog oranje gloeide en rookte; een stuk of vijftien soldaten die beneden lagen, bezig waren op te staan of opeens gealarmeerd zijn richting op keken. Een enorm, bleek lichaam sprong van opzij op hem af. Wind Gemaakt door Vleugels voelde een dikke arm om zijn bovenlichaam heen en een sterke hand die hem bij de nek greep. Maar als een kronkelende slang bevrijdde hij zijn ingevette lichaam van zijn aanvaller en doodde die met een klap van zijn bijl tussen de ogen. En nu zag Wind Gemaakt door Vleugels dat zijn krijgers van alle kanten tegen de torenmuur opsprongen. Ze joelden; hij joelde. En allemaal sprongen ze als panters boven op de opgewonden, struikelende, verbijsterde soldaten.

Nog voordat de ondergaande maan aan de horizon tegenover de opgaande zon was verbleekt, waren alle Alengwyneh op de berg dood. En tegen de tijd dat de ochtendzon de rode en gele bladeren op de berghellingen verlichtte en de rijp op de hellingen smolt, liepen de krijgers van Wind Gemaakt door Vleugels met lange, soepele passen de helling af, door de bossen heen naar de volgende seintoren. Beneden was de rivier nog steeds in een mistige, blauwe schaduw gehuld. Sommige krijgers droegen nu Welse zwaarden, speren met ijzeren punten en strijdbijlen met brede, scherpe, metalen koppen. Langs heel het dal van de Mooie Rivier zouden met ingang van vandaag de bastions en seintorens van de bleekgezicht-indringers door de bondgenoten worden aangevallen. Wanneer al deze seinplaatsen waren verwoest en de stammen ongemerkt door het dal konden trekken, zouden alle krijgers tezamen, honderd honderd, de kastelen en steden van de Alengwyneh om de Plaats van Vallend Water heen overvallen en ze voorgoed verwoesten.

Wind Gemaakt door Vleugels had vandaag een goed begin gemaakt.

Op de eerste dag dat Rook van Sweetgrass de koning moest baden, werd ze vóór de dag aanbrak wakker gemaakt door de knappe Euchee-vrouw die de Bewaarster van de Regenkamer was. De vrouw nam haar door klamme galerijen mee naar de deur van de Regenkamer en liet haar binnen. De ruimte was een druipende, klaterende grot, maar toch was het er warm en dampig. Er stond een diep komfoor te gloeien en te roken. Erbovenop stonden pannen met water te koken. In nissen aan de wand hingen lampjes en wierookbranders die glinsterden en rookten. Aan de rand van de poel was een smalle bank vastgemaakt, die bekleed was met geolied leer dat met glimmende, metalen kopspijkers was vastgemaakt. De andere dienares van de Regenkamer stond naakt bij een dampend bad vlak bij het komfoor en klopte met snelle bewegingen met een klopper in de inhoud. Rook van Sweetgrass herkende de geur van het brouwsel; het werd van de wortels van zeepkruid gemaakt. Haar moeder maakte hetzelfde schuim om te baden en kleren te wassen.

'Kleed je uit,' zei de Bewaarster van de Regenkamer. 'Je moet gebaad hebben en schoon zijn voor je de koning aanraakt.'

De bewaarster controleerde of ze zweertjes had en vergewiste zich ervan dat ze niet in haar bloedmaan was. Ze zorgde ervoor dat er geen haartje ongeplukt op haar geslachtsdelen bleef, controleerde haar maagdelijkheid nog een keer en onderzocht toen het resultaat van haar besnijdenis. De clitoris van het meisje, die uit de schacht was losgesneden, stak zichtbaar naar voren. De bewaarster trok er met haar vingertoppen aan. 'Je grootmoeder heeft goed werk gedaan,' zei ze. 'Maar je moet haar nog verder uitrekken. De koning schept er behagen is als ze lang is.'

De dienares baadde Rook van Sweetgrass vervolgens met warm water en zeepkruidschuim, spoelde haar af, smeerde geparfumeerd vet in haar zwarte haren en op haar huid en masseerde dat in tot heel haar lichaam gloeide en glansde. Tegen die tijd scheen er vanuit het gat bovenin waar het rivierwater naar binnen stroomde een parelachtige gloed van de vroege ochtendhemel en de rook van de wierook kronkelde in dat bleke licht omhoog. Het was op een vreemde manier een prachtige ruimte. Rook van Sweetgrass voelde zich na het bad en de massage met vet prettig en hoewel ze nog steeds door een vage vrees werd achtervolgd, voelde ze toch een vreemde nieuwsgierigheid. Zo moest, naar haar idee, een bruid zich voelen. Nu vertelde de bewaarster haar: 'We gaan. Zo meteen is het de tijd dat de koning naar beneden komt. Denk aan alles dat je grootmoeder je heeft opgedragen om te doen. Hier, je moet deze scheplepel gebruiken. Hij is een schat van grote waarde.' De vrouw gaf haar een prachtige, glanzende kom. Het metaal deed haar denken aan de zijkanten van een forel die in het zonlicht springt. Daarna liep de vrouw met een wierookvat met brandende kruiden om haar heen en wervelde de rook met sierlijke bewegingen van haar handen over het meisje heen met de woorden: 'Je bent rein. Dat je koning Alengwyned maar veel genot mag brengen.'

De twee vrouwen gingen door de deur van de tunnel weg en lieten Rook van Sweetgrass in de prachtige, dampige grot met de zoete geuren en de muziek van het vallende water achter. Haar grootmoeder had haar verteld dat ze het besneden deel moest uitrekken en prikkelen, zodat de koning het zou zien. Dat deed ze dus maar onder het wachten. Haar grootmoeder had haar deel over de jaren heen zo uitgerekt, dat het bijna op de grond kwam als ze gehurkt zat.

Rook van Sweetgrass wachtte, bijna bang zich te bewegen of om zich heen te kijken, alsof de vrouw haar precies op de plek had achtergelaten waar de koning haar verwachtte te vinden. En dus stond ze daar ook toen ze opeens zijn voetstappen in de tunnel hoorde.

Maar niet alleen zijn voetstappen. Er kwamen meer mannen aan; ze waren over iets aan het praten. Hun diepe stemmen echoden door de stenen gang.

De eerste die de Regenkamer binnenkwam was niet de koning, maar een van zijn lijfwachten in wapenrusting, een man die ze wel eens door het dorp had zien lopen. Hij had spleetogen en bezat geen voortanden. Hij bleef staan en staarde haar even aan. Toen keek hij de grot door alsof hij naar gevaren op zoek was. Hij deed een stap opzij om de anderen uit de tunnel binnen te laten. Ze waren allemaal heel groot en torenden ver boven haar uit. Het leek wel of hun grote, brede schouders alle ruimte in beslag namen. Ze roken allemaal naar zuur zweet. Ze dacht aan alles wat de vrouwen hadden gedaan om de grot te reinigen en vroeg zich af waarom de koning zijn stinkende mannen binnenliet om de boel te bevuilen. De grote mannen cirkelden allemaal om haar heen en bekeken haar van top tot teen met hun vulgaire blikken. Ze gromden en gniffelden en Rook van Sweetgrass begon zowel boosheid als schaamte te voelen.

Toen kwam koning Alengwyned binnen. Hij was zelfs nog langer dan zijn lijfwachten. Hij droeg geen wapenrusting, maar alleen een lang kleed van de dunne stof die koninginnedoek werd genoemd. Zijn lijfwachten liepen een beetje rond en hij kwam naar haar toegelopen. Hij bleef staan om Rook van Sweetgrass te bekijken. Zijn ogen gingen wijder open en werden donker. Toen haalde hij diep adem. Ze zag dat ze hem beviel.

Hij was angstaanjagend groot. Voorheen had ze hem slechts vanuit de verte gezien. Ze wist dat hij boven de meeste mensen uittorende. Nu merkte ze dat ze nauwelijks tot aan zijn ribben kwam.

Zijn kleed werd door een staafje van hoorn door een lus op zijn plaats gehouden. Hij maakte het los. En terwijl hij het kleed van zijn schouders liet glijden, zei hij: 'Vertrekken jullie allemaal. Behalve jij, Gruffyd. Ga zitten en vertel me over de problemen.'

Rook van Sweetgrass kende als dochter van de steenhouwer

van het kasteel genoeg Welsh om te begrijpen wat hij had gezegd. Ze stond met de glanzende kom in haar handen en wist niet precies wat ze moest doen. Ze had niet verwacht dat er nog iemand anders in de Regenkamer zou zijn. Daar had grootmoeder nooit iets over gezegd. Ze was blij dat de meesten van hen naar buiten gingen, maar was in verwarring gebracht doordat die ene man bleef en op een stenen richel tegen de muur ging zitten. De koning wierp zijn kleed weg en stond met zijn gezicht tegenover het meisje. Ze deinsde terug bij de aanblik van zijn omvang.

Hij had een gelig, welgedaan uiterlijk en zware spieren. Zijn dijen waren elk even groot in omtrek als haar romp; om zijn middel zat een dik vetkussen, zodat het bijna even breed als zijn schouders was. Over zijn gezicht liep een lang litteken en over zijn nek liep er nog een. Zijn lichaam was bedekt met warrig, lichtgekleurd haar. Rook van Sweetgrass was verbaasd over zijn uiterlijk; in wapenrusting leek het of hij net zulke harde borst- en maagspieren als haar vader, de steenhouwer, had; naakt was hij vormeloos. Zij kon ook niet weten dat de gespierde vorm die van de wapenrusting was.

Nu liep de koning naar de rand van de poel en strekte zich met zijn gezicht naar beneden op de beklede bank uit. Met een handgebaar ontbood hij haar, liet zijn kin op zijn over elkaar geslagen armen rusten en begon tegen de andere man te praten. Zij liep naar de ketel toe en vulde de kom. Ze kwam terug en stond naast de grote massa van zijn lichaam. Hij keek naar haar op en knikte en terwijl zij het warme water over hem uitgoot, zuchtte hij. Ze liet zeepkruidschuim over zijn rug lopen en smeerde dat met haar handpalmen en vingers dik over zijn rug uit, zoals haar grootmoeder haar had geïnstrueerd. Haar hart bonsde snel. Ze raakte zowaar de koning van de hele Alengwyneh aan die over iedereen die zij kende regeerde en naar wie het hele land was genoemd!

'Vooruit dan, Gruffyd,' zei hij met een diepe, rommelende stem en haar vingers op zijn rug konden de vibraties van zijn stem horen, 'vertel wat u zo dwarszit.'

'Majesteit, ik kreeg vanmorgen te horen dat er van de seintoren boven, bij de grote bocht in de rivier, geen licht kwam.'

Alengwyned zuchtte van genot onder de handen van Rook van Sweetgrass. Hij mompelde: 'Ach, iemand vergeet een vuur aan te maken. Of iemand anders ziet het over het hoofd. En daarvoor stoort u het genot van uw vorst? Val me daar niet mee lastig! Stuur iemand naar de toren om poolshoogte te nemen! En als de bewakers die voor het vuur moeten zorgen tijdens hun dienst hebben zitten slapen, brandmerk dan hun handen. U kent de straf; en zij kennen die ook...' Hij gromde en kreunde toen het meisje de achterkant van zijn dijen inzeepte. Het schuimige water dat van zijn rug en middel afdroop koelde af. 'Warm water,' gromde hij naar haar en bang voor de toon van zijn stem, ging ze vlug meer warm water halen en goot dat over zijn rug heen.

'Majesteit,' zei de leenman nu, 'ik heb inderdaad iemand weggestuurd om dat uit te vinden.' Geurige dampen stegen op; water droop over stenen heen.

'Dan hebt u mijn aandacht dus niet meer nodig,' zei de koning. Kronkelend draaide hij zich op zijn rug en toen de ogen van het meisje zich opensperden bij de enorme erectie die haar strelingen hadden opgewekt, bulderde hij: 'Was hem. Was hem goed, hoor je me?' Ze knikte en haalde meer dampend water en schuim. Heel even aarzelde ze. Toen pakte ze hem beet en begon te wassen.

Gruffyd, die met zijn ogen het volgzame kleine meisje verslond, schraapte zijn keel. 'Majesteit, ik hoor dat andere... dat andere torens *stroomafwaarts* ook hun vuren niet hebben laten zien... Aah, ja, daar zal ik ook... naar laten kijken...'

De ogen van de koning waren gesloten en hij sidderde onder de handen van het meisje die hem wasten. Dus zweeg Gruffyd maar. Hij vroeg niet of hij mocht vertrekken, maar zat zwetend, in elkaar gedoken, toe te kijken.

Rook van Sweetgrass had nog nooit zo'n afschuwelijk, weerzinwekkend voorwerp aangeraakt. Ze vond het erger nog dan ingewanden van dieren na de slacht. Maar als ze probeerde haar handen naar een andere plek, naar zijn benen of zijn middel, te verplaatsen, greep hij haar polsen beet en bracht ze weer terug. Toen begon hij tussen haar benen te grijpen en kneep en rolde haar clitoris zo hard dat ze ineenkromp. 'Vooruit meisje,' gromde hij. 'Laat nu je heer en meester binnen.'

Ze had geweten dat ze dat zou moeten doen. Ze had er echter zo tegenop gezien, dat ze er niet aan had willen denken. Ze geloofde eenvoudig niet dat iets van zo'n omvang een plaats waar zelfs nog nooit een vinger naar binnen was gegaan kon binnendringen.

'Toe dan!' beval hij en kneep nog harder.

Ze dacht aan het meisje van wie het hoofd was afgehakt. Ze wist dat ze zou moeten gehoorzamen. Haar grootmoeder had haar eraan herinnerd dat baby's bij een vrouw door datzelfde gat naar buiten kwamen. Ze had haar verzekerd dat het binnendringen van alleen maar een man-orgaan haar niet echt pijn zou doen.

Maar het deed wel pijn. Terwijl ze schrijlings boven op hem ging zitten en deed wat hij haar had opgedragen, voelde ze een messcherpe pijn die haar uitrekte en scheurde. Haar lichaam verkrampte in zijn pogingen eraan te ontkomen. Hij hield zijn sterke handen om haar middel en dwong haar omlaag, terwijl hij tegelijk omhoog stootte en nog dieper binnendrong. Alleen haar angst om gedood te worden weerhield haar ervan het uit te schreeuwen. Ze beet hard op haar lippen en er voeren huiverende snikken door haar heen. Haar ogen waren gesloten en de pijn binnen in haar was in haar gedachten zichtbaar als een rood, duivels dier met fonkelende klauwen. Ze hoorde in het geruis van water opeens een laag gemompel. Ze deed haar ogen open en zag de wilde ogen in het vertrokken gezicht van de koning. Hij hield zijn tanden op elkaar geklemd en zijn rode lippen waren verwrongen. De kracht van zijn handen hield haar hele romp in bedwang en zij, met hem vergeleken niet groter dan een pop, kon zich zelfs niet verzetten. Weer sloot ze haar ogen, beet op haar lippen en probeerde het te verdragen.

Toen gebeurde er iets anders. Opeens werd de duivelse, rode pijn teruggetrokken. Het leek wel of haar binnenste meeging en ze werd opgetild, opzij geduwd en omgedraaid. Genadeloze handen grepen haar armen beet; haar voeten gleden op de natte steen uit; warm vocht sijpelde langs haar dijen naar beneden. Ze deed haar ogen open en zag bloed langs haar benen naar beneden lopen. De koning was van het bankje opgestaan en stond nu met de andere man te praten. De man die Gruffyd heette ging staan en kwam naar haar toe, greep haar bij de armen en boog haar toen voorover waarbij hij haar nek tussen de maliën op zijn arm en het messing van zijn wapenrusting nam. Met raspende ademhaling probeerde ze lucht te krijgen. Ze dacht dat haar nek in zijn greep zou breken. Gehoorzaamheid of niet, nu moest ze toch echt vechten om los te komen. Maar deze man in zijn wapenrusting was te sterk voor haar.

De koning stond achter haar. Hij tilde haar op. Ze voelde dat er nog eens ruw tegen haar gevoelige delen werd geduwd.

Toen ze tot het besef kwam van wat er nu met haar gebeurde, gaf ze razend van woede een gil die als een half-afgeknepen gekreun klonk.

Onder haar volk was dit zo'n weerzinwekkende, walgelijke daad, dat iedereen van wie bekend was dat hij dat had gedaan tot non-persoon werd verklaard en uit de stam werd gezet. En een vrouw die toestond dat het bij haar gebeurde, was eveneens een non-persoon. De Schepper had alle dieren, met inbegrip van mensen, geleerd dat ze dat gat alleen mochten gebruiken om zich te ontlasten en dat de Schepper woedend zou worden als dieren, met inbegrip van mensen, dat gebruikten zoals deze koning nu deed. Andere dieren deden dat nooit. Maar mensen deden het soms wel. De grootmoeder van Rook van Sweetgrass had haar toevertrouwd dat het voor de mannen met de haargezichten niet ongewoon was om dat bij hun vrouwen te doen – en soms zelfs bij hun jongens en bij elkaar.

Nu probeerde de koning zelf dat onuitsprekelijke iets bij haar te doen; hij maakte van haar een non-persoon.

De pijn hiervan was nog erger dan die andere pijn. Ze bewoog zich krampachtig. Huiveringen voeren door haar heen. Haar benen probeerden van de pijn naar voren te rennen, maar haar voeten hingen boven de grond en beide mannen die haar vasthielden waren te sterk. Steeds meer baande de stijfheid van de koning zich een weg naar binnen. Ze had het gevoel of ze vanbinnen verschroeide en verscheurd werd. En de koning begon heen en weer te pompen, in haar darmen te stoten. Kreunend en grommend liet hij zijn lendenen tegen haar romp slaan.

Ze leek nu alleen nog maar één klomp schaamte en pijn die met vlammende uitbarstingen van rode, wervelende vonken opzwol en ineenkromp. Toen kwam er midden in die pijn een gigantische siddering en door het gieren van de demonen in haar hoofd hoorde ze de grommende, donderende stem van de koning.

Haar ziel scheen uit haar weg te vlieden. Eindelijk ontsnapte ze aan de pijn. Ze had het gevoel of ze op de grote Mooie Rivier wegdreef, ver, ver wegdreef naar een uitgestrekt, geel land zonder bomen.

Alengwyned keek geërgerd. Dit nieuwe baadstertje was niets waard geweest. Haar enige reactie was verzet geweest. Soms deden nieuwe meisjes dat. Een keer eerder had hij een meisje daarvoor onthoofd. Dit kind had hem in verlegenheid gebracht door haar afkeuring te laten blijken terwijl een leenman toekeek. Daarom was hij zo fel geworden en had hij sodomie met haar bedreven. Morgen zou hij een ander meisje nemen; er hadden er altijd een paar tegelijk dienst. Dit meisje was, als hij het zich goed herinnerde, een dochter van een van de steenhouwers van het kasteel. Hij zou de man vernederen voor het feit dat deze hem zo'n wriemelende, kronkelende vis had gebracht. Hij liet haar op de grond neervallen en ging de kom vullen om haar bloederige vuil van zijn lendenen te wassen. Hij gromde: 'Ga uw gang met haar, leenman Gruffyd. Ge hebt al genoeg over haar lopen kwijlen. Maar wanneer ge met haar hebt afgedaan, zorg dan voor die kwestie van het baken. Iemand moet daar rekenschap over geven; ik duld geen mensen die hun werk niet goed doen.'

Met die woorden spoelde hij zich schoon en droogde zich af. Tegen de tijd dat hij zijn kleed had aangetrokken, had Gruffyd, nog steeds in maliënkolder en borstplaat, het bewusteloze meisje bestegen en begon tegen haar bloederige stuit te stoten. Alengwyned liep met grote passen de grot uit en zei tegen de soldaten en lijfwachten die buiten de deur stonden te wachten:

'U mag uw kompaan Gruffyd helpen dat stuk vlees af te maken. Toe maar. Ik heb haar al voor u opgewarmd. Ha!' Hun ogen flitsten en ze probeerden te verbergen hoe gretig, hoe verrukt ze waren. Dit gebeurde niet vaak. Maar wanneer de koning hen een van zijn mooie wezentjes toewierp, vochten ze als honden om een been. Hij was hen nog niet voorbijgelopen of ze zaten al in de deuropening vastgeklemd, omdat ze allemaal tegelijk de Regenkamer wilden binnengaan.

Toen het begon te dagen, gleden meer dan honderd kano's van boomstammen en van iepeboombast stroomafwaarts door de mist van de Mooie Rivier naar de Plaats van Vallend Water. Voortgestuwd door sterke paddelaars, gingen ze sneller dan de stroom. Elke boot trok een aantal grote palen van cederboomstammen, waar nog enkele centimeters takken aan zaten.

Wind Gemaakt door Vleugels, oorlogsopperhoofd van de Lenapeh, zat gehurkt op de voorsteven van de voorste boot. Hij keek naar links en rechts en kon in de verte langs beide oevers beweging zien, een beweging zoals een zacht windje in de bladeren maakt. Daar renden de honderden krijgers van de Irokese dorpshoofden langs de rechteroever mee en aan de linkeroever nog eens honderden mensen van zijn eigen volk en een paar honderd bondgenoten van de stammen die langs de rivier woonden. Allemaal liepen ze met lange, soepele passen over de paden langs de rivier, op weg om de Alengwynehdorpen op beide oevers en het oude kasteel van de weefsterkoningin op de rechteroever van de rivier aan te vallen. Wind Gemaakt door Vleugels zou met zijn krijgers landen op het eiland waar de blanke koning in zijn stenen kasteel woonde. Alle kleinere versterkingen en seintorens waren de afgelopen dagen al vernietigd en alle soldaten erin waren gedood. Langs de rivier zou er zodoende niet vooraf een waarschuwing komen. Wind Gemaakt door Vleugels wist zeker dat het volk van de haargezichten bij de Plaats van Vallend Water niets vermoedde.

Vanmorgen had hij met de andere stamopperhoofden in de koude rivier gebaad. Ze hadden zichzelf gedwongen om over te geven om zodoende hun binnenste te reinigen en ze hadden hun gezicht en lichaam volgens de tradities van de stam opnieuw beschilderd. Wind Gemaakt door Vleugels was aan één kant rood en aan de andere kant zwart. Ook al hun honderden en honderden krijgers hadden zich voor de strijd gereinigd en de gebeden van hun respectievelijke tradities opgezegd. Als ze moesten sterven, waren ze daartoe bereid, want Wind Gemaakt door Vleugels had de rook voor hun ogen weggewaaid en hen laten zien dat ze vandaag zouden strijden om een groot kwaad uit hun eigen land te verdrijven.

Deze koningen gingen er prat op dat hun kasteel niet kon worden aangevallen en de stammen in het dal hadden die grootspraak geloofd. Het kasteel kon vanwege de watervallen en de stroomversnellingen niet vanaf de overkant van de rivier worden benaderd. Het kon ook niet vanaf de andere oever worden aangevallen, omdat het op een eiland stond. Een ophaalbrug, met een valhek op de poort, vormde de verbinding. En het eiland kon bovendien niet van stroomopwaarts benaderd worden, omdat boten door de snelle stroming over de rand van de waterval heen zouden worden meegesleept.

Wind Gemaakt door Vleugels kende al die gevaren. Hij wist dat de haargezichten met hun soldaten in wapenrusting en hun kruisbogen die zo ver schoten de stammen vele generaties lang in vrees hadden laten leven.

Maar Wind Gemaakt door Vleugels had in zijn jongensjaren bij de Plaats van Vallend Water gevist en gejaagd. Hij kende elke barst, elke grot en elke stroming. Hij wist dat het mogelijk was om een kano uit de hoofdstroming boven het Vallend Water te sturen en op het bovenste gedeelte van het kasteeleiland aan wal te gaan. En hij wist een plek in de rotsen van de waterval met een gat erin, waar rivierwater een grot binnenliep. Het was een soort badkamer die via een tunnel in verbinding met het kasteel stond. Hij was nog nooit in die grot geweest, maar een aantal Euchee dat in het kasteel werkte wist ervan. De Unam hadden er weer van hen over gehoord. En Wind Gemaakt door Vleugels had al bewezen dat je door snelheid, het verrassingselement en moed forten om te seinen kon innemen en Alengwyneh-soldaten kon doden.

Zijn vloot kano's bereikte de plek waar de hoofdstroom van de rivier zich begon te versnellen. Hier draaide Wind Gemaakt door Vleugels zich om en gaf de mannen aan de paddels opdracht om naar de linkeroever te sturen. Hij zwaaide met zijn arm om de mensen in de andere kano's duidelijk te maken dat ze hetzelfde moesten doen en even later volgden ze hem allemaal in de veiliger stroming die hen aan het bovenste uiteinde van het eiland zou brengen. Hij stond weer met zijn gezicht naar voren in het morgenbriesje. Hij kon de houtrook van de Alengwyneh-steden al ruiken. Ook andere bekende, weerzinwekkende luchtjes waaiden mee: de lucht van uitwerpselen en urine, de zure, pulpachtige lucht van rottend afval buiten hun dorpen, de bittere stank van hun looierijen, de prikkelende lucht van hun kalkovens en houtskoolputten en de lucht van de vaten waarin vlas, hennep en bast van de hartebladboom geroot werden om vezels voor stoffen te maken. Deze Alengwyneh waren een stinkend, rampzalig en bovendien arrogant volk. Wind Gemaakt door Vleugels geloofde dat het de wil van de Grote Goede Geest was dat hij hen uit het dal van de Mooie Rivier zou verdrijven. Hij hoopte dat hij degene zou zijn die de bleekgezicht-koning, de koning die alle oude dorpshoofden had gedood, zou vinden en tegemoet treden. In zijn dromen had hij zichzelf door het strijdgewoel heen recht op de koning af naar voren zien gaan en in zijn dromen had hij Alengwyned op een hoge plaats gezien. Daar was hij hem met zijn strijdbijl in zijn rechterhand, met de kracht van de Schepper vibrerend in zijn arm, achternagegaan. De dromen hadden hem nooit de uitkomst van het gevecht laten zien. Maar omdat hij de macht van de Schepper in zijn arm voelde, was Wind Gemaakt door Vleugels er zeker van dat hij de koning zou doden. Zelfs op dit moment voelde hij die kracht. Zijn hand beefde ervan.

De mist dreef uiteen en vlak voor zich uit zag hij de lage, begroeide oever van het eiland en de grijze muren van het kasteel, die in het eerste licht van de zonsopgang geel leken. Daar doemde de hoge toren op die in zijn dromen de plek was waar hij de koning zou vinden en doden. Rechts van het kasteel zag hij het opstuivende water dat altijd in de vorm van wolken boven het Vallend Water in de lucht hing en kon hij het onophoudelijke, diepe geruis van het water horen. Alle bossen op de hoge, bochtige rotswand lichtten nu geel en rood in het licht van de zonsopgang op. Ze waren prachtig. Heel zijn leven waren ze al prachtig geweest, maar vanmorgen nog meer dan anders. Vandaag zou het immers de dag zijn dat de stammen langs de rivier alle Alengwyneh zouden doden en zich weer meester zouden maken van het land van hun voorouders. Hij was dankbaar dat er geen wolken aan de hemel waren, want het felle licht van de vroege ochtendzon zou wachtposten die misschien over de rivier uitkeken verblinden. Zijn hart klopte als een razende. Hij was onstuimig en gelukkig. Dit was een dag die de Lenapeh in hun legenden zouden gedenken.

De krijgers die hard langs de oever renden, waren nu vlak bij de buitenrand van de dorpen van de Alengwyneh en Euchee.

De Euchee zouden ook moeten worden gedood. Zij waren te veel onderdeel van de Alengwyneh geworden en deugden daarom niet meer als kinderen van de Schepper. De meesten hadden zich inmiddels met de blanke stam vermengd en waren aan die koning gehoorzaam. Ze dolven steen en maakten, net als de haargezichten, ijzer en stoffen. Lang geleden waren deze Euchee om deze zelfde redenen uit hun geboorteland in het zuiden verdreven. En door de Alengwyneh te helpen bij het opgraven van de beenderen van de voorouders uit de begraaf-plaatsen, hadden zij zichzelf ten dode opgeschreven.

Wind Gemaakt door Vleugels probeerde met al zijn geest-kracht de kano sneller vooruit te laten gaan, zodat ze op het kasteeleiland aan wal konden gaan voordat de soldaten ge-alarmeerd konden worden en zij zich naar de landingsplek zouden haasten; ze zouden allemaal gealarmeerd worden wan-neer het doden en gillen in de steden begon. De landing zou gevaarlijk zijn, omdat het bovenste deel van het kasteeleiland altijd vol lag met een wirwar van drijfhout dat daar door de rivier werd opgehoopt. Zijn krijgers zouden er overheen en doorheen moeten klauteren voor ze het eiland onder de voet konden lopen; en zolang ze zich tussen dat drijfhout bevonden, zouden ze een gemakkelijke prooi voor de pijlen en kruisbogen van de blanke soldaten zijn.

Maar de hoog opgehoopte wirwar van drijfhout was nu vlak-bij en nog steeds kwamen er geen soldaten uit te voorschijn.

Boven het geruis van het water uit hoorde hij in de verte geschreeuw en gegil. Dat betekende dat de krijgers nu in de dorpen waren. Het zou de Alengwyneh in het kasteel alarmeren, maar misschien ook hun aandacht van deze landingsplek, waar nu de kano's aankwamen, afleiden.

Wind Gemaakt door Vleugels ging staan en reikte over de voorsteven heen om een door de zon gebleekte boomstomp beet te pakken en zijn kano af te houden. Zijn spieren stonden strak gespannen toen de stroming de lange boot hard tegen de kant aanduwde en dwars draaide. De mannen aan de paddels staken hun handen ook uit en hielden de boot op zijn plaats. Wind Gemaakt door Vleugels sprong het drijfhout op en begon er overheen te klauteren. De anderen trokken intussen de kano uit het water. Andere kano's en uitgeholde boomstamkano's hadden nu ook de kant bereikt en de krijgers zwermden over het land uit. Een aantal boten sloeg bonzend en krakend kapot toen ze op het eiland sloegen.

Even later was Wind Gemaakt door Vleugels al door het drijfhout heen en flitste door het kreupelhout en onkruid naar de muur van het kasteel. De uitverkoren krijgers uit zijn eigen kano renden met hem mee. Anderen renden gebukt, in groepjes, naar het kasteel toe en droegen hun kano's en de lange, cederhouten palen mee.

Er kwamen nog geen pijlen of projectielen van het kasteel vandaan, maar een krijger vlakbij hijgde hoorbaar toen hij struikelde. Kreunend kwam hij languit op de grond terecht. Met een vertrokken gezicht greep hij naar zijn voet. Ook anderen vielen met een gil in het gras en onkruid neer. Wind Gemaakt door Vleugels bleef bij een van de gevallen krijgers staan. Er was een ijzeren pin dwars door de voet van de man gegaan. Wind Gemaakt door Vleugels keek in het gras. Overal waren ijzeren voorwerpen neergestrooid, die net op grote klitten leken. Ze waren zo gemaakt, dat er altijd één van de drie of vier pinnen recht overeind stond. Boos klemde hij zijn tanden op elkaar. Hij ging langzamer lopen en speurde bij elke stap over de grond. Nu moesten zijn krijgers zowel op de grond als op het kasteel letten. Sommigen hadden een schreeuw gegeven toen de voetangels hun voeten doorboorden. De wachtposten op de muren hadden hen ongetwijfeld gehoord.

Op de stenen muur vlak voor zich uit zag hij zon op metaal flitsen. Hij wist nu dat er inderdaad soldaten boven op de muur waren. Hij zag metalen helmen met hertegeweien, schilden, speren en strijdbijlen glinsteren. Er zoefde een pijl langs zijn hoofd. Hij hoorde de bulderende stemmen van de soldaten op de muur. Opeens scheen het pijlen te regenen. Links en rechts vielen krijgers neer of lieten zich voor dekking in het gras vallen. Maar ze bleven naar de muren gaan. Een aantal krijgers verzamelde zich onder de omgekeerde kano's die ze droegen. Even later ritselden de rompen als stekelvarkens van alle pijlen die erin vlogen.

De muur was op de laagste plek zo hoog als drie mannen. Wind Gemaakt door Vleugels wist dat en had al zijn krijgers verschillende manieren geleerd om een muur te beklimmen. Hij had hun verteld dat ze de kano's naar de muur moesten brengen, die er rechtop tegen aan zetten over de binnenkant van de kano's naar de bovenkant van de muur te klimmen. En de rode, cederhouten palen met over de hele lengte uitstekende takken, kon je tegen een muur aan zetten en binnen enkele tellen beklimmen.

Veel krijgers die geen kano's of palen droegen, spanden nu hun boog en zonden een storm van pijlen terug naar de boogschutters boven op de muur. Er waren ook krijgers die in plaats van bogen atlatlstokken bij zich hadden. Hiermee konden zij hun speren bijna even ver en recht afschieten als de pijlen uit een boog.

Wind Gemaakt door Vleugels pauzeerde net lang genoeg om te zien dat de krijgers de eerste kano's en palen schuin tegen de muur aan zetten en massaal naar boven begonnen te klauteren. Toen liet hij zijn pulserende oorlogskreet horen die door iedereen, door de honderden die hier, op het eiland, waren en door de duizenden op beide rivieroevers werd overgenomen. Het was een luid, op en neer gaand gejammer dat zelfs het donderend geraas van het vallende water overstemde.

Toen sprintte Wind Gemaakt door Vleugels met de dertig sterke, jonge krijgers die zijn kano hadden gepagaaid naar de plek waar het water van de rivier in de grot onder de kasteelmuur stroomde. Onder het rennen sprongen ze om de pinnen op de grond heen, zodat ze leken te dansen.

Hij ging zijn krijgers voor naar het rechter eind van de kasteelmuur, die ophield op de uitstekende kalkstenen wand pal boven de waterval. Ze renden gebukt tussen wilgen en onkruid door, in de hoop dat de soldaten boven op de muren hen niet zagen.

Zonder dat ze iemand kwijtraakten, bereikten ze de onderkant van de muur. Met zijn strijdbijl in zijn rechterhand, met een leren riem aan zijn pols bevestigd en een vuurstenen mes in een schede die aan een leren band om zijn hals hing, kroop Wind Gemaakt door Vleugels om de rand van de muur heen en liet zich op de verweerde voorkant van het klif, vlak boven het donderende water, glijden. Hier had het water door de jaren heen richels en handgrepen uitgeslepen en als spinnen klauwden Wind Gemaakt door Vleugels en zijn krijgers zich in de kalksteen vast en werkten zich naar de plek toe waar het water in een ondiep gedeelte door het gat naar beneden, in de grot, kolkte. Hij had groot vertrouwen in zijn kennis van deze plek gesteld, omdat hij geloofde dat het de enige onbewaakte plek was waar mannen ongemerkt onder de fortificaties van het kasteel door konden glippen en konden binnenkomen.

Het gegil, geschreeuw en wapengekletter van de aanval werden hier door het donderende gesis van de waterval gedempt. Met zijn beschilderde lichaam nat van het opstuivende water, gleed hij op de bemoste rots en liet zijn benen in het gat zakken waar het water in de grond stroomde. Er kringelde warme lucht met een geur van rook en wierook naar boven. Hij werkte zich naar beneden, zich met zijn handen afzettend tegen de zijkanten, die glibberig van het mos waren. Hij had er geen idee van hoe diep het gat was en of hij op rots of in water zou terechtkomen. Hij greep zich met beide handen aan een stuk natte rots beet en hing daar even in het ruisende donker. Toen liet hij zich vallen.

Hij kwam op zijn voeten in een ondiepe poel terecht.

Hij had verwacht dat er niemand in de grot zou zijn, maar er weerklonken diepe stemmen en ruw gelach in de dampige, schemerige ruimte. Zelfs in het plotselinge schemerduister kon hij zien dat er mannen rondliepen en schreeuwden. En in het halfduister flikkerden vlammetjes.

Een haargezicht, een grote man, had hem in de poel zien

neerplonzen. Zijn mond viel open. Hij wilde zijn hand omhoogbrengen om naar Wind Gemaakt door Vleugels te wijzen. Maar toen was het oorlogsopperhoofd al uit de poel gesprongen en had met een slag van zijn stenen bijl de schedel van de man gekraakt.

Hij was midden in een nest vijandige soldaten terechtgekomen. Ze begonnen juist zijn aanwezigheid op te merken. Sommigen waren in het midden ergens mee bezig geweest en keken nu in zijn richting. Nog vóór een van zijn andere krijgers de grot kon binnenglijden om hem te helpen, flitste hij met zijn mes stotend en zijn strijdbijl zwaaiend tussen de geschokte Alengwyneh heen en weer. Even later stond een krijger naast hem, toen een volgende en nog een volgende. Bloed en water stroomden over de bodem van de grot. Een krijger knuppelde een grote soldaat neer die op zijn handen en knieën zat en overeind wilde komen. Toen het lichaam opzij rolde, zag Wind Gemaakt door Vleugels daar een naakt meisje met haar gezicht naar beneden liggen. Ze zat onder het bloed en slijm en was een en al kneuzingen. Ze bewoog zich niet. Het was duidelijk dat ze een Euchee-meisje was en dat al deze soldaten haar hadden misbruikt, zoals groepjes soldaten zo vaak de vrouwen van de stammen langs de rivier gebruiken. Heel even voelde Wind Gemaakt door Vleugels medelijden voor het arme schepsel door zich heen gaan. Maar toen dacht hij er weer aan dat een deel van deze missie was om zowel de Euchee als de haargezichten uit te roeien.

De laatste paar soldaten vochten voor hun leven. Ze zwaaiden met hun zwaarden, messen en vuisten naar de behendige, beweeglijke krijgers. Sommigen probeerden de deur uit te komen. Dat wilde Wind Gemaakt door Vleugels niet. Hij sloeg alarm en ging zelf bij de deuropening staan, en doodde elk haargezicht dat erdoorheen probeerde te gaan.

Op het laatst waren ze allemaal dood. De rest van de krijgers had zich nu ook in de grot laten vallen. Twee krijgers lagen in de poel, waar ze door de wanhopige Alengwyneh waren gedood.

Nu bevond Wind Gemaakt door Vleugels zich in de grot en had via de tunnel toegang tot het binnenste van het kasteel.

Met vlammende ogen, zijn gezicht stralend van woeste vreugde, prees hij zijn krijgers voor hetgeen ze hier zo snel en goed hadden gedaan. En met zijn mes zwaaiend riep hij: 'Vooruit, mijn broeders! Kom me meehelpen hun boze koning te doden en onze geliefde voorouders te wreken!'

Ze volgden hem door een lange, naar pek en urine stinkende tunnel die naar boven liep. Fakkels aan de muren gaven een schemerig licht. Geschreeuw weerklonk als de stemmen van goden. Even later renden ze uit de tunnel een grote, rokerige ruimte met een hoog plafond in. Door spleten viel daglicht door de berookte lucht naar binnen. Blanke mensen, gekleed in lange gewaden, liepen door de kamer heen. Het waren er misschien een stuk of tien, twaalf. Een vrouw onder hen kreeg de beschilderde krijgers in het oog en begon te gillen. Er waren ook een paar heel grote mannen in ijzeren wapenrusting bij. Voordat iemand ook maar een stap kon verzetten, stonden de krijgers al met hun strijdbijlen en messen tussen hen in. Slechts een van de mannen was gewapend. Nog voor hij echter zijn zwaard uit de schede had kunnen trekken, was zijn schedel al ingeslagen. Wind Gemaakt door Vleugels sloeg het hoofd van een man in en zwaaide toen weer met zijn knots in het rond. Hij brak de nek van een lange vrouw met licht haar en toen hij om zich heen keek om er nog meer te doden, waren ze allemaal dood.

Hij wist niet of deze mensen koningen en koninginnen, hoofdmannen of arbeiders waren geweest. Hij geloofde echter niet dat koning Alengwyned zich onder hen bevond, want hij had gedroomd dat hij hem op een hoge plaats zou vinden en daar met hem zou vechten. Dit kwam niet met zijn droom overeen.

De lichamen lieten ze verspreid over de vloer van de grote zaal liggen. Hij riep zijn krijgers bij elkaar en ging hen door een andere gang voor die weergalmde van de geluiden van strijdgewoel. Met glinsterende ogen en zwoegende borst rende hij met onhoorbare voetstappen deze gang door.

Bij een deur die op de gang uitkwam, zag hij een lange, gespierde, knappe man van gemengd bloed, die bleef staan toen hij de krijgers zag. De man had iets in zijn hand dat er als een wapen uitzag, maar het wapen was met iets wits besmeerd.

Toen Wind Gemaakt door Vleugels op hem afrende, sprong de man door de deuropening achteruit en sloeg de zware deur met een klap dicht. Wind Gemaakt door Vleugels duwde tegen de deur aan, maar kreeg hem niet open. Andere krijgers hielpen hem duwen, maar op de een of andere manier was de deur geblokkeerd. Er was geen tijd om hier tegen een deur te gaan duwen die even stevig en solide als een muur was, om alleen die ene man te pakken te krijgen. Tenzij die man de koning zelf was. Maar dat was niet het geval, want de koning had lang, geel haar op zijn hoofd en in zijn gezicht, wisten ze. Dus verzamelde het oorlogsopperhoofd zijn krijgers weer. Door de gang liepen ze achter hem aan in de richting van de geluiden van het vechten.

Hijgend en met bonkend hart stond Steenhouwer met zijn schouder tegen de vergrendelde deur te luisteren naar de wegstervende voetstappen en stemmen van de krijgers in de hal daarbuiten. Hij hield nog steeds zijn troffel in zijn hand. Nog nooit in zijn vreedzame leventje was hij zo vreselijk geschrokken.

Vanmorgen was Steenhouwer bezig geweest om wat stenen die waren losgeraakt in de kleine kamer waar de Magische Bundels van de koning werden bewaard vast te metselen. Hij was rusteloos geweest onder het werk. Hij had vaak moeten ophouden omdat hij zo hevig over zijn dochter zat te tobben en zich zoveel zorgen om haar maakte. Hij was bang dat zijn geliefde enige dochter, Rook van Sweetgrass, zich in de Regenkamer misschien op de een of andere manier het ongenoegen van de koning op de hals zou halen – maar tegelijk voelde hij zich beschaamd dat ze hem genot gaf, als ze dat deed. Vaak had hij, woedend op zijn moeder die het meisje in die situatie had gebracht, zijn tanden op elkaar geklemd.

En nu vond er weer een of ander afschrikwekkend gebeuren plaats. Net toen hij een blok steen op zijn plaats vastmetselde, had Steenhouwer opeens gegil en tumult gehoord. En toen hij de gang in was gelopen om te luisteren, kwam er opeens een bende gewapende, beschilderde Lenapeh op hem afrennen. Hij was er maar ternauwernood in geslaagd om weer naar binnen te ontsnappen en de deur te vergrendelen om zichzelf in veiligheid te brengen.

Zwetend stond Steenhouwer tegen de deur geleund. Hij was in de war en doodsbenauwd. Hij begreep niet hoe er opeens Lenapeh in het kasteel konden rondlopen. Maar ze waren binnengekomen en renden als wilden rond. Hun wapens zagen rood van het bloed. Wat er buiten gebeurde was duidelijk verschrikkelijk. Hij wist niets van vechten af, omdat er heel zijn leven en zelfs tijdens het leven van zijn grootvader, geen oorlog was geweest. Ja, hij had over moorden en folteringen gehoord. Daaraan ging de koning zich te buiten. Maar de koning was altijd degene geweest die alle geweld in bedwang hield en Steenhouwer viel als trouw onderdaan onder de bescherming van de koning. Maar aan de geluiden te horen die hij zelf door de gesloten deur heen kon horen, was er nu overal geweld. Het was duidelijk dat de koning dat allemaal niet meester was, anders zouden er geen Lenapeh-krijgers door het kasteel rennen. Kreunend dacht Steenhouwer aan zijn vrouw en moeder in het dorp en aan Rook van Sweetgrass in de Regenkamer onder de waterval. Als de koning zich daar ook bevond, was hij zich misschien niet eens bewust van wat er aan de hand was.

Steenhouwer voelde een wanhopige aandrang om iets te doen, maar wist niet wat. Hij was zelfs bang om de afsluitbalk van de deur op te lichten; wie weet waren de Lenapeh nog steeds in de gang en wachtten ze tot hij naar buiten kwam. Steenhouwer wrong zijn droge, eeltige handen en beet op zijn lip. Hij draaide zich in de schemerige, kleine kamer om en keek naar de Magische Bundels van de koning, alsof hij daaraan een antwoord, een kracht die hem in dit twijfelachtige moment behulpzaam kon zijn, afsmeekte.

De kamer had geen raam, zelfs geen opening of ventilatiegat, omdat leer en perkament door de altijd vochtige lucht van de Plaats van Vallend Water beschimmelden en verteerden. Vier lampen die op talg brandden, stonden op een veilig plekje in de kamer met het hoge plafond. Ze werden altijd brandend gehouden om zo een warm, droog klimaat voor de in leer opgeborgen voorwerpen in stand te houden. Ze brandden inmiddels al meer dan honderd jaar. Het was daarom 's winters de aangenaamste kamer in het kasteel en er waren mensen die vermoedden dat de lange uren die de koningen in deze kamer doorbrachten niet zozeer voor gebed dan wel voor hun gemak was. Door het onafgebroken branden van talg waren alle oppervlakken echter bedekt met een ranzig ruikende, donkere, vettige laag, nog erger dan in de keuken of bijkeuken van het kasteel.

Steenhouwer was in zijn leven vaak dicht in de buurt van deze Magische Bundels geweest en had dan altijd het gevoel gehad dat er een macht omheen hing. Hij had er nooit een durven openmaken, hoewel ze eenvoudigweg in een leren vouwtas zaten en met leren koorden waren dichtgeknoopt. Eén tas had hij nooit geopend gezien. De andere twee had hij echter een keer gezien toen de oude Cynoric, de koning vóór Alengwyned, ze een keer open had laten liggen. Binnenin zaten allemaal lichte vellen perkament, bedekt met lijnen vol kleine, zwarte vlekjes van verschillende vormen. Ze waren zo dicht op elkaar in rijen neergelegd, dat het leek of ze trilden als je er van dichtbij naar keek. De macht van de bundels lag kennelijk in de rangschikking van die zwarte vlekjes die, naar men zei, zwijgend spraken. Steenhouwer vond het allemaal heel geheimzinnig – maar de koningen ook; naar men beweerde kon niemand, zelfs Alengwyned niet, de boodschappen van de zwarte merktekens begrijpen.

Een van de bundels bevatte alleen maar rijen merktekens. Een andere bundel – en Steenhouwer had dit met zijn eigen ogen gezien – bevatte echter beelden die op dieren leken. Een van de dieren was duidelijk een hert met een gewei; een andere afbeelding die hij had gezien leek wel op het hert, maar had geen gewei – misschien was het een hinde, of een elandkoe. Het dier steigerde met zijn voorpoten omhoog, in de lucht en op zijn rug zat schrijlings een man. Die afbeelding was het meest raadselachtige ding dat Steenhouwer ooit had gezien. De man die op de diererug stond afgebeeld, was zo te zien gekleed in een soortgelijke wapenrusting als de koning en zijn leenmannen droegen. In zijn hand hield hij een schild en een of andere soort lange speer beet. Steenhouwer wist niet of de afbeelding betekende dat er ergens een plek was waar krijgers werkelijk op de rug van elanden zaten of dat op een goede dag mannen dat *zouden* doen. Aangezien de bundels, naar men zei, door een of ander soort sjamanen uit vroeger tijden waren gemaakt en veel van het werk van sjamanen met voorspelling te maken had, was Steenhouwer geneigd te geloven dat het inderdaad een voorspelling moest zijn – dat op een goede dag mannen dat inderdaad zouden doen. Maar het was vast en zeker nog niet gebeurd!

Steenhouwer zat angstig in elkaar gedoken in de bedompte kamer. Hij voelde de kracht van de bundels. Ze schenen aan hem te trekken, hem met zwijgende stemmen een dringend verzoek te doen.

Hij wist dat het schatten waren; hij wist dat ze, zoals alle Magische Bundels van alle stammen en volken, grote macht hadden. Hij wist dat de bewaarders van de stamgeheimen in tijden van brand of overstroming hun leven zouden wagen om ervoor te zorgen dat de bundels niet verloren raakten of vernietigd werden.

Steenhouwer keek schuin uit een ooghoek naar het oude leer van de drie Magische Bundels. Het leek of ze vibreerden; hij keek ernaar en luisterde naar het tumult elders in het kasteel, dat steeds luider werd. Als er inderdaad opschudding en vernietiging in dit kasteel kwamen, wie zou de Magische Bundels dan in veiligheid brengen?

Hij had heel zijn volwassen leven in het kasteel gewerkt, maar nog nooit gehoord van een Alengwyneh met de titel Bewaarder van de Bundels, tenzij dat de koning zelf was. Hij scheen de enige te zijn die ze ooit bekeek. En dus zei Steenhouwer nu in gedachten een gebed tot de Schepper en vroeg hem of de Schepper hem misschien, op dit moment, hier had gebracht om de bundels van wat er ook gebeurde te redden.

Toen hij het gedacht had, scheen het antwoord 'ja' te zijn.

Angstig liep hij naar de bundels toe. Hij legde er zijn handen op. Hij voelde het warme, vettige oppervlak en had het gevoel dat er kracht doorheen kwam. Hij nam de bundels onder zijn linkerarm. Toen liep hij weer naar de deur, tilde de afsluitbalk eraf en deed de deur op een kier open, klaar die onmiddellijk weer dicht te doen en met de balk af te sluiten.

In de gang was geen mens te zien. Maar hij rook wel meteen een rooklucht, de scherpe lucht van brandend hout. Hij keek omhoog naar het hoge plafond van de gang. Er dreven slierten grijze rook die zo dicht was, dat hij de balken en dakspanten aan het gezicht onttrok. Het kasteel stond ongetwijfeld in brand, dacht Steenhouwer. De rook wervelde van het zuiden naar het noorden door de gang heen, dus moest het gedeelte dat in brand stond, veronderstelde hij, het deel bij de poorten en de brug zijn. Precies de andere kant op, een verdieping naar beneden bevond zich de grot onder de waterval die Regenkamer heette, wist hij, en waar de koning zich elke morgen baadde. De Regenkamer kon niet branden. De koning bevond zich naar alle waarschijnlijkheid nu daar, aangezien dit zijn gebruikelijke tijd was om een bad te nemen. En Rook van Sweetgrass zou daar ook zijn, want zij zou hem moeten baden. Steenhouwers gezonde verstand zei hem dat hij daarheen moest gaan. Daar zou hij zijn dochter vinden. Hij zou de koning laten zien dat hij diens Magische Bundels had gered.

Ja, het was zinnig om daarheen te gaan. En het was onzinnig om hier te blijven of de andere kant op te gaan. Dus begon Steenhouwer, zijn pezige lichaam glimmend van het zweet van angst en twijfel, en met onder zijn arm de met leer bedekte bundels, snel de halfdonkere, grijze hallen door te lopen. Om de paar passen keek hij achterom en voor zich uit.

De koning was hels. Die domme, kleine, bruine wilden met hun stenen wapens hadden het gewaagd Alengwyneds Land, een koninkrijk van bastions, beschermd door in ijzer geklede soldaten met kruisbogen en metalen wapens, binnen te vallen! Hij had een paar minuten nodig gehad om simpelweg tot zich te laten doordringen dat ze zoiets werkelijk deden, ook al had hij uit een raam gekeken en gezien hoe de heen en weer flitsende wilden een hagel van pijlen met stenen punten op zijn kasteel lieten neerkomen. Maar toen hij het eenmaal had gezien, toen hij zijn steden op beide oevers in lichterlaaie had zien staan en het schreeuwen en gillen van de stervende stedelingen hoorde, toen hij besefte dat zoiets schaamteloos, zoiets ongehoords daadwerkelijk gebeurde, was hij witheet van woede naar zijn wapenkamer gesneld. Al gaande riep hij zijn leenmannen en lijfwachten bij elkaar. Terwijl ze hem in zijn maliënkolder hielpen, stuurde hij een koerier naar beneden om Gruffyd en zijn kliek lijfwachten uit de Regenkamer te halen. Terwijl ze hem zijn bronzen borstplaat, gebosseleerd met de Zeemeermin en Harp, omgespten, stuurde hij nog een koerier naar de soldaten op de oostmuur met het bevel zich niet over te geven en met de boodschap dat hij zo meteen aan hun zijde zou strijden.

En terwijl ze hem zijn helm met de pluim roodgeverfde veren op het hoofd zetten, werd een uitzinnige, met bloed bespatte bediende, een jonge jongen, de wapenkamer binnengebracht. Hij vertelde dat er een stuk of tien, twaalf lichamen van in elkaar geslagen vrouwen en mannen in de Grote Hal lagen.

Koning Alengwyned stond even met stomheid geslagen. Dat nieuws moest immers betekenen dat er inboorlingen binnen in zijn kasteel waren!

Nee, dacht hij. Dat bestaat niet. Er moet een andere verklaring zijn: verraad, misschien, door Euchee die in het kasteel wonen?

Maar er was geen tijd om daar nu over na te denken. Er zat niets anders op dan weerstand aan de aanvallende wilden te bieden. 'Kom!' schreeuwde hij tegen de leenmannen en soldaten die om hem heen hun wapenrusting aangordden en zich bewapenden. 'Volg mij naar de muren!' Met zijn zwaard boven zijn hoofd zwaaiend rende hij met tingelende, kletterende geluiden voor hen uit, een gang door naar de borstwering van de oostmuur. Afgezien van hetgeen zijn vader, grootvader en andere oude mannen die zelf ook nog nooit in de strijd hadden gevochten hem hadden verteld, wist hij niets van oorlog af. Veldslagen hadden alleen in legenden bestaan, omdat de inheemse buren generaties lang zo onderdanig waren geweest.

Omdat het zijn erfgoed was, beschouwde Alengwyned zichzelf echter toch als een onoverwinnelijk strijder. Hoewel de legenden met het verstrijken van de tijd vaag waren geworden, was nog steeds bekend dat zijn voorvader met dezelfde naam zo'n tien generaties geleden de grootste veroveraar in de geschiedenis van diens geboorteland over de zee, dat Welege of iets dat zo klonk heette, was geweest. En zijn voorvader Madoc, de eerste man die de zee naar dit continent was overgestoken, was nog zo'n groot strijder geweest, een man die zo moedig, zo vastberaden was, dat hij zelfs toen hij zijn leven voor zijn volk op de brandstapel opofferde, geen kik had laten horen. Zo verhaalden de legenden. En zodoende liet het voor koning Alengwyned geen enkele twijfel of hij was even onoverwinnelijk.

Wind Gemaakt door Vleugels viel nog een man met gele baard in wapenrusting aan. Hij dook onder een zoevende tweehandige slag van het zwaard van de man door en zwaaide zijn strijdbijl naar hem toe. De klap sloeg de helm van de man in en diens linkeroog schoot erdoor uit zijn kas. Zijn grote lichaam zakte op de stapstenen van de borstwering in elkaar. Wind Gemaakt door Vleugels graaide het zwaard uit zijn handen. Nu, met zijn strijdbijl in zijn ene hand en het zware zwaard in zijn linkerhand bewapend, sprong hij op een ander haargezicht af.

Het strijdgewoel waarin hij nu verwikkeld was, vond buiten het kasteel, boven op de borstwering, plaats. Hij was met zijn lijfwachten door de halfduistere zalen en kamers van het kasteel gerend en had onderweg misschien tien, twaalf mannen en vrouwen gedood die ze toevallig tegenkwamen; toen hoorden ze net buiten de muur van een grote zaal het geschreeuw en wapengekletter. Ze waren door een open deur naar buiten gegaan en kwamen midden tussen de soldaten terecht, die nog steeds de hoofdmacht van de Lenapeh die de muur wilden beklimmen trachtten tegen te houden. De soldaten boven op de muur slaagden erin de regen van vuurstenen pijlen te weerstaan en zich op de borstwering staande te houden. Ondertussen duwden ze de uiteinden van de klimpalen en de kano's even vlug als ze rechtop tegen de muur werden gezet weg en gooiden ze om.

Wind Gemaakt door Vleugels zag onmiddellijk waar hij zich bevond en wat er gebeurde. Snel had hij zich met zijn dertig snelle krijgers onder de soldaten begeven. Door met hun strijdbijlen te zwaaien en speren te werpen hadden zijn krijgers de Alengwyneh van hun verdediging van de borstwering afgeleid. Daardoor slaagde een aantal krijgers van beneden erin om tegen de klimpalen en kano's op te klauteren, zich over de muur heen te laten glijden en zich in het strijdgewoel te mengen. Hun gejodel werd schriller, uitbundiger. Als ze eenmaal over de muur waren, wierpen ze zich op iedere man in wapenrusting die ze voor zich zagen. Soms klampten ze zich met drie of vier tegelijk aan de grote kerels met gele baarden vast of haalden naar hen uit.

Behalve de soldaten in wapenrusting waren er nog meer verdedigers op de borstwering. Dit waren licht gewapende Euchee en krijgers van gemengd bloed die een wapenrusting droegen die slechts bestond uit een stuk in het vuur geharde, ongelooide huid om de romp heen en een soort helm van hetzelfde materiaal, die hun schedel, de achterkant van hun nek en hun kaken bedekte. Deze mannen waren kleiner en donkerder dan de geelbaarden en de meesten waren slechts gewapend met speren. Al snel na de aanval waren er misschien zo'n honderd van hen op de borstwering verschenen. Met hun lange wapens hadden ze meegeholpen de inboorlingen die over de muur heen waren geklommen te verwonden en te doden. Hun wapenrusting van huid kon een goed gerichte pijl niet tegenhouden, maar wel een pijl die schampte doen afbuigen en menige speer met stenen punt brak tegen het harde, stugge leer af. Om die reden had Wind Gemaakt door Vleugels een zwaard opgepakt. Hij wist dat het zonder af te breken door de leren wapenrusting van de Euchee zou snijden. Toen een van de Euchee-krijgers met een speer op hem afkwam, reeg Wind Gemaakt door Vleugels hem aan de punt van zijn zwaard. De Euchee viel bloedend en kronkelend op de grond.

Er bleven maar blanke soldaten en Euchee-krijgers uit de kasteeldeuren naar buiten komen en ook al kwamen de Lenapeh-krijgers nu met tientallen over de muur heen, nog steeds werden ze meer dan geëvenaard door de verdedigers.

De zon stond inmiddels hoog boven de boomtoppen op de vlakte ten zuidoosten van de rivier. Die zon werd echter getemperd door de rook van de brandende stad. Schilfers brandende boombast en kringels roet van de in lichterlaaie staande rieten daken vlogen in de heet geworden lucht omhoog. Vonken van de vuren werden naar de bossen beneden de wind, die in de droge herfst waren ingedroogd, meegevoerd. Nu begon het bos langs de zuidelijke oever te branden. Het oeroude hout van de brug had ook vlam gevat en brandde met brullende, knappende geluiden die zelfs boven de stemmen en slagen van de strijd uit konden worden gehoord. Uit een deel van het dak van het kasteel, dat een bedekking had van gekloofde, houten schalen, wolkte nog meer rook omhoog.

Wind Gemaakt door Vleugels vocht door en riep zijn krijgers triomfantelijk toe dat ze sterk moesten zijn. Hij had zijn geolie-de lichaam zo vaak uit de greep van vijandelijke soldaten los-gewurmd, dat het zwart en rood van de verf op zijn lichaam in elkaar waren overgelopen. Hij zat onder de bloedspatten. De hand waarin hij het zwaard vasthield was kleverig van het bloed; zijn rechterhand was zo verkrampt door het vasthouden en zwaaien van de stenen bijl, dat hij zijn vingers naar alle waarschijnlijkheid niet recht had kunnen buigen.

Er waren inmiddels zoveel krijgers en soldaten op de smalle borstwering gevallen, dat je geen stap kon verzetten zonder dat je op de doden en stervenden trapte. Wind Gemaakt door Vleu-gels baande zich slaand en houwend een weg langs vier of vijf Euchee-krijgers om bij een van de blanke soldaten te komen. In zijn overspannen geest kon elke blanke soldaat immers de koning zijn. En Wind Gemaakt door Vleugels leefde bij zijn dromen. Hij had gedroomd dat hij met zijn eigen handen de moordenaar van de oude, brave dorpshoofden zou doden.

Koning Alengwyned keek door een schietgat in de kasteeltoren veertig voet erboven op het strijdgewoel neer. Hij kon nauwe-lijks geloven wat de wilden hadden aangericht, ook al zag hij het met zijn eigen ogen. Uit het dak van het kasteel en de houten brug sloegen brullend de vlammen uit. De steden aan weers-kanten van de rivier stonden in lichterlaaie. En pal beneden hem klauterden gillende inheemse krijgers als mieren over een drempel over de zogenaamd onneembare muur.

De koning had boogschutters en mannen met kruisbogen

opdracht gegeven om naar boven, in de toren, te komen. Met een donderend geraas renden ze de houten trappen in de toren op. Gruffyd, zijn meest competente en vertrouwde leenman, was nog steeds niet gearriveerd om bij de verdediging van de toren te assisteren. Geen mens wist waar hij was.

De toren was het baken van het kasteel. Er stond een groot, ijzeren komfoor dat altijd brandde. Voor de mannen die de zorg voor het baken hadden, waren er ketels met olie en balen berkevezel die daar werden bewaard. En in de planken vloer bevonden zich trapluiken met ijzeren ringen om ze open te trekken. Verdedigers konden daardoor projectielen naar beneden schieten of laten vallen. Deze machicoulis waren gemaakt in de tijd van koningen die nog kennis van fortificatie hadden, iets waarvan Alengwyned en zijn leenmannen geen verstand hadden. Ze hadden nooit gelegenheid gehad ze te gebruiken, maar het was altijd wel duidelijk geweest waartoe ze dienden. En dus gaf de koning nu aan zijn soldaten op het platform opdracht om de valluiken open te trekken; anderen gaf hij opdracht het komfoor op te stoken en olie te verhitten.

Het hout van het platform en de valluiken was heel erg uitgesleten en verweerd van ouderdom. Sommige trekringen vlogen dan ook gewoon los; andere trokken slechts een paar verpulverde, slechte planken los, terwijl de luiken uit elkaar vielen. Toch duurde het maar even of alle machicoulis waren open en Alengwyned en zijn leenmannen konden nu recht naar de strijdenden beneden op de borstwering kijken. Tegelijk konden ze eveneens de trap binnen in de toren, waarover hun kompanen nog steeds naar boven klommen om zich bij hen te voegen, overzien.

Alengwyned greep een angstig kijkende leenman bij de schouder beet en schreeuwde hem toe: 'Geef de boogschutters opdracht die inboorlingen beneden te doden! Gooi de olie als die heet is over hen heen! Gebruik de vezels! Giet vuur over hun hoofden uit! Ze hebben een ontzaglijke dwaasheid begaan door mijn koninkrijk aan te vallen. Daar moeten ze levend voor worden gekookt!'

De leenman keek door een van de valluiken naar beneden. Hij vroeg zich af hoe boogschutters of mannen die vuur naar beneden gooiden de inboorlingen konden treffen zonder de verdedigers met wie ze in gevecht verwikkeld waren neer te schieten of te verbranden. Maar uiteraard sprak hij de koning niet tegen.

Wind Gemaakt door Vleugels wilde net een Euchee neerslaan, toen opeens een pijl boven uit het hoofd van de Euchee leek te spruiten. Met uitpuilende ogen en een bloederig gerochel in zijn keel zakte de man in elkaar. Wind Gemaakt door Vleugels besefte dat een pijl die een man op die manier had getroffen recht naar beneden moest zijn gekomen. Hij zag dat het nog meer pijlen naar beneden regende; sommige sloegen met de ijzeren punten op de flagstones en maakten vonken, versplinterden en ketsten terug, maar de meeste drongen tot aan de baard toe in de lichamen van mannen die al waren gevallen en nu praktisch over heel de borstwering verspreid lagen. Het was alsof de Schepper een regen van pijlen naar beneden zond. Pas toen keek Wind Gemaakt door Vleugels omhoog. De toren van het kasteel, die aan het begin van de strijd zo afgesloten en stil was geweest, wemelde nu van boogschutters en schreeuwende haargezichten. Een deel van de toren die uit de hoge muur opreed, had nu openingen die hij nog niet eerder had gezien. Door die openingen kon hij tegen de rokerige hemel afgetekend mannen en wapens zien bewegen. Hoe moedig en woedend Wind Gemaakt door Vleugels ook was, toch deinsde hij bij de stortvloed van pijlen achteruit; aan het gehijg en gegil kon hij horen dat zijn krijgers werden getroffen. Er zoemde iets langs zijn rechteroor. Het brandde langs zijn rug, sloeg tegen een flagstone achter hem en ketste in de lucht terug. Hij wist niet dat het een ijzeren schicht uit een kruisboog was, maar hij wist dat hij gewond was. Hij haalde diep adem. Hij scheen vanbinnen niet gewond te zijn. Maar hij wist nu dat het ergste, vreselijkste gevaar tot nu toe, vertegenwoordigd werd door die hoge plaats en de Alengwyneh-soldaten daarboven...

De hoge plaats! *Ai!*

De hoge plaats in zijn droom!

Opeens wist Wind Gemaakt door Vleugels dat de donkere, stenen toren die boven hem opdoemde en dood op zijn krijgers deed neerregenen, de plek moest zijn waar zijn vijand, de koning, zich op dit ogenblik moest bevinden. Op de een of andere manier moest hij naar boven toe om die koning te doden, wist hij. In zijn droom had hij dat al zien gebeuren. Hij wist ook dat het moest gebeuren, alleen wist hij nog niet hoe hij daar boven moest komen.

Nu tuimelde er een vuurbal uit de toren naar beneden. Er viel er nog een, en daarna nog een; even later regende het behalve pijlen ook vuurballen. Brandende vezelplukken kleefden aan de mannen vast.

Wind Gemaakt door Vleugels keek verwoed om zich heen. Hij zag dat er ook pijlen omhoog gingen. Zijn krijgers die zich nog buiten de borstwering bevonden, spanden nu hun bogen en zonden zwermen pijlen naar de top van de toren.

Wind Gemaakt door Vleugels gaf een gil van pijn. Iets dat kookte van de hitte schroeide zijn hoofd en schouders. Overal om hem heen waren mannen opgehouden tegen elkaar te vechten en deinsden terug, veegden met hun handen over hun lijf en gaven zich ontzet over aan een ogenschijnlijk wilde dans.

Hij wist onmiddellijk aan die lucht dat er hete olie van boven uit de toren naar beneden gegooid werd. Zijn eigen huid was al verbrand. Maar dat was slechts pijn; pijn kon hem niet doden. Pijn kon hij negeren. Hij moest echter op de een of andere manier proberen die toren te beklimmen en de koning te pakken krijgen.

Nu er zowel olie als brandende vezels van de toren naar beneden werden gegooid, vlogen veel doden en gewonden op de borstwering in brand. De kleding van de blanke mannen vatte vlam; haar schroeide weg. De gewonde mannen lagen te kronkelen en gilden het uit terwijl ze in brand stonden.

Het leek de koning en zijn mannen op de toren niet te kunnen schelen dat hun vuur en projectielen op zowel hun eigen soldaten als de aanvallers vielen. Er was zoveel paniek en verwarring dat praktisch niemand op de borstwering meer vocht; de meesten reageerden slechts op de stortvloed van pijn die van boven kwam.

Met nog steeds het zwaard en zijn strijdbijl in zijn handen, baande Wind Gemaakt door Vleugels zich door de slachting heen een weg naar de grote, houten deur die hij eerder met zijn lijfwachten het kasteel uit, naar de borstwering daarbuiten, was gepasseerd om aan te vallen. Een aantal grote, blanke soldaten probeerde wanhopig de deuren te sluiten. Maar de drempel lag vol lijken en Wind Gemaakt door Vleugels stak een van de soldaten met het grote zwaard in de buik en hieuw toen het vlees van de schouder van een andere soldaat af. Enkelen van zijn lijfwachten waren achter hem aan gelopen en riepen de anderen op om ook te komen. Samen met hem stormden ze door de grote, dubbele deuren heen waardoor die wijd open-vlogen toen ze erdoorheen gingen. Vervolgens maakten ze de rest van de soldaten daar af.

Deze kant van de toren had geen ingang. Wind Gemaakt door Vleugels liep met zijn krijgers langs de onderkant van deze muur en sloeg onderweg een paar verbijsterde Euchee-soldaten neer. Toen liep hij de hoek om naar de westkant van de toren. Hier zagen ze Euchee-soldaten en Alengwyneh in wapenrusting langs een schuine helling, die uitkwam op een deur in de torenmuur, omhoogklauteren en naar binnen gaan. Wind Gemaakt door Vleugels zag onmiddellijk dat dit de in-gang naar de toren was. Hij draaide zich naar twee volgelingen om en vertelde hun dat ze naar het grote gevecht buiten moesten teruggaan en met zoveel krijgers als ze konden weer terug naar deze deur komen. 'Hun koning is daarboven,' zei hij. 'Ik ga naar boven om hem te doden. Maar ik heb hulp nodig om boven te komen. Vlug, kom met meer krijgers terug!' Hij was één vette smeerboel van rode en zwarte verf en bloed. Hij had op verschillende plaatsen op zijn borst en armen snijwonden en over zijn hele lichaam brandblaren. Een deel van zijn steile, zwarte haar was door het vuur gekroesd, en langs de spier van zijn rug naar beneden, precies langs de ruggegraat, liep een lange groef waar de schicht uit de kruisboog zijn huid had ge-schampt. Zijn borst zwoegde van de inspanningen van de strijd. Maar nu hij wist waar koning Alengwyned zich bevond, was hij zeker. Hij voelde zich zo sterk en enthousiast door wat hem voor ogen stond, dat hij zich nauwelijks in toom kon hou-den.

Met een felle schreeuw sprintte hij, met zijn krijgers op de hielen, naar de deur van de toren toe. De Euchee-soldaten werden als bladeren voor een wervelwind opzij geveegd en drie van de vier mannen in wapenrusting bij de deuropening werden simpelweg door de bestorming onder de voet gelopen. Toen ze overeind probeerden te komen, werden ze bewusteloos geslagen. Wind Gemaakt door Vleugels wierp zich met zijn krijgers op de soldaten en Euchee die zich op de eerste overloop van de houten trappen bevonden.

Maar nu weifelden ze. Ze kwamen iets tegen dat voor de meesten geheel nieuw was: een trap.

In het donkere, schimmige binnenste van de toren had het een steile helling geleken, waar de vijand tegen oprende. Maar de voeten van de krijgers kwamen niet op een schuin oppervlak als de helling van een heuvel terecht, maar op vlakke traptreden. Dit was zo volkomen onverwacht, zo onbekend, dat de meeste krijgers struikelden en vielen en vervolgens op handen en voeten naar boven trachtten te klauteren. Met wapens in de hand was dat praktisch onmogelijk. Zelfs Wind Gemaakt door Vleugels, die bij zijn aanvallen op de riviertorens al een paar trappen had beklommen, raakte even uit zijn evenwicht en wankelde. De Euchee en de soldaten op de trappen hoorden de commotie beneden en toen ze de massa struikelende, kruipende inboorlingen zagen, draaiden ze zich om en vielen hen met pieken, zwaarden en strijdbijlen aan. Wind Gemaakt door Vleugels stond meteen overeind en begon naar hen uit te halen, maar toen hadden ze al een aantal van zijn lijfwachten neergehouwen.

Nu werd de oude, houten trap in de toren een nieuw slagveld – een krap, steil, smal, donderend, weergalmend, stoffig slagveld waar op een gegeven ogenblik niet meer dan vier of vijf mannen naar elkaar konden uithalen. Degenen daarboven en eronder drongen zo op en tegen hen aan, dat een bewegend wapen geen vlees kon missen. Intussen begonnen soldaten die zich op de volgende trap naar boven bevonden, pieken en speren te werpen naar de inheemse krijgers die zich achter Wind Gemaakt door Vleugels verdrongen. Een aantal van zijn lijfwachten werd getroffen. Ze vielen gewond de trap af of stortten naar beneden, op de stenen vloer. Er klonk een oorverdovend geschreeuw, gejoel, gebonk, gebons en wapengekletter en het halfduister in de toren, waarin slechts zwak daglicht door de open valluiken ver daarboven doordrong, creëerde een angstaanjagend, onbekend gevoel dat een benauwende, deprimerende invloed op de geest van de inheemse krijgers had.

Wind Gemaakt door Vleugels had tijdens deze ene morgen al meer van zijn kracht gebruikt dan ooit eerder in zijn leven. Zijn armen, benen en romp brandden van uitputting en zijn ademhaling ging met raspende stoten. Alles aan hem deed pijn en stak. Hij voelde zich hier in het heetst van de strijd ingekneld en in de val zitten. Hij kon nauwelijks een voet naar voren of achteren verzetten. Schreeuwende, gezichten trekkende, stinkende mannen in metalen en lederen wapenrusting hieuwen op hem in. Hij trachtte die eindeloze opeenvolging van slagen te pareren en zelf tot de aanval over te gaan. Zijn kracht welde echter even snel in hem op als hij die spendeerde en nu en dan viel er een vijand dood of gewond op de trap neer. Dan klom Wind Gemaakt door Vleugels één stap verder omhoog naar die plek hoog daarboven, waar hij, zoals in zijn droom, tegenover zijn grote, boze vijand zou komen te staan en hem voor de moord op de brave, oude dorpshoofden zou terechtstellen. Zijn lichaam protesteerde dat hij niet langer kon blijven doorvechten, maar zijn geest werd steeds vuriger.

Er kwam geen eind aan de strijd op de trap. Het leek of die nooit op zou houden. Maar op een gegeven moment hadden Wind Gemaakt door Vleugels en zijn volgelingen toch zoveel blanke soldaten gedood en teruggedrongen, dat ze eerst de eerste trap en vervolgens de tweede trap beklommen hadden. Meer krijgers waren van buiten, van de borstwering, achter zijn lijfwachten aan gekomen. Ze waren opgelucht dat ze beschut waren tegen de regen van pijlen, vuurballen en hete olie. En hoewel het lawaai en de opschudding in deze grote, vierkante, ingesloten ruimte vreemd en intimiderend waren, kwam in ieder geval de dood niet als een stortbui op hen neer. Over de lichamen van zowel broeders als vijanden klauterden ze naar boven. Hoe hoger ze op de gevaarlijke trap kwamen, hoe lawaaiiger en heter het werd. De regen van speren en andere naar beneden geworpen projectielen werd ook steeds intimiderender. Om de paar tellen viel een of andere strijder of doken twee vijanden die in een dodelijke strijd verwikkeld waren de afgrond van het trappehuis in en kwamen met een harde klap en gebroken lichaam op de stenen vloer ver daarbeneden terecht.

Terwijl hij op dat laatste deel van de trap aan het vechten was, werd Wind Gemaakt door Vleugels zich opeens bewust van een uitzonderlijk harde stem die van boven van de toren klonk. Het was een resonerende, luide, irriterende stem, duidelijk van een man met een enorme borstkas. Ook al was Wind Gemaakt door Vleugels nog met lichaam en ziel op de strijd geconcentreerd, toch zei iets hem dat dit de stem van de koning der Alengwyneh zelf was. De stem scheen bevelen te schreeuwen en tegen mensen uit te varen. Wind Gemaakt door Vleugels werd bijna gek van die stem, in de wetenschap dat hij op slechts een paar passen afstand van de koning was, maar nog steeds al zijn kracht moest gebruiken om op die soldaten die hem de weg versperden in te houwen. Boven aan de trap kwam een groot valluik uit op de vloer van de torenzolder. Af en toe ving Wind Gemaakt door Vleugels een glimp op van de hemel daarboven, van smerige rook en van de gestalten van mannen die boven op dat dak heen en weer liepen, van een hoofd met een helm met een gewei erop, een gezicht met een baard. En altijd vlogen er pijlen door dat stukje lucht, zoveel, leek het wel, als de grote zwermen vogels boven de rivier...

Plotseling bulderde die harde stem daarboven met zoveel aandrang, zo fel, dat hij boven al het lawaai van de strijd scheen uit te komen. De soldaten die nog boven aan de trap stonden te vechten begonnen zich terug te trekken en klauterden wanhopig achteruit de trap op. Vervolgens persten ze zich door de opening van het luik heen naar de verdieping daarboven. Wind Gemaakt door Vleugels, met zijn krijgers op de hielen, bleef hen aanvallen. En toen was de weg vrij; daar zag hij de heldere hemel, de opbollende rookwolken, de pijlen die overvlogen...

En de koning!

Op hetzelfde moment dat Wind Gemaakt door Vleugels de enorme gestalte in blinkende wapenrusting op nog geen drie passen van zich verwijderd boven zich zag opdoemen, herkende hij hem: het was de koning op de hoge plaats. Hij stond precies zoals Wind Gemaakt door Vleugels hem in de droom gezien had. Nu was het ogenblik gekomen om hem te doden! Wind Gemaakt door Vleugels had nooit het eind van de droom gezien. Maar hij kende dat al: hij had de plaats waar de koning der Alengwyneh stond bereikt en hij wist dat niets die boze reus meer kon redden; op deze dag zou hij voor zijn moorden en zijn arrogantie in een land dat hem niet toebehoorde sterven!

Op dat ogenblik deed de koning een stap opzij. Wankelend kwamen er twee mannen aangelopen. Ze droegen iets zwaars tussen zich in – een grote, ijzeren ketel. En net toen Wind Gemaakt door Vleugels met een sprong die laatste paar treden nam, goten zij de inhoud van de ketel naar beneden.

Kokende, bruine olie gutste omlaag. Wind Gemaakt door Vleugels werd er vanaf zijn middel naar beneden door doordrenkt. Hij voelde een pijn zoals hij heel zijn leven nog niet had meegemaakt. Hij voelde hoe zijn huid verbrandde, hoe zich blaren vormden. Hij voelde een ongelooflijke, brandende pijn die hem tot in zijn gebeente leek te koken. Zijn krijgers op de traptreden vlak onder hem kregen de lading van top tot teen over zich heen. Gillend van doodsangst en pijn bleven ze ter plekke staan. Toen zakten ze in elkaar en vielen de trap af.

Maar Wind Gemaakt door Vleugels viel niet. Hij kon nog zien en bewegen en hij had niets te vrezen dat erger zou zijn dan de pijn die hij nu leed. Met een sprong was hij op het platform. Met zijn zwaard en strijdbijl doodde hij de twee mannen die de omgekeerde ketel nog vasthielden. Kletterend viel die door het trappehuis naar beneden. Een van de soldaten, met nog steeds het handvat vastgeklemd in zijn hand, tuimelde mee.

Boven op het platform van de toren bevonden zich misschien twintig, vijfentwintig mannen in wapenrusting en Euchee. Een flink aantal stond bij de schietgaten of zorgde voor het fel brandende vuur in het komfoor. Ze waren druk bezig nog meer olie te verhitten en plukken vezel aan te steken. Een stuk of tien boogschutters en mannen met kruisbogen schoten door de machicoulis naar de vechtende mannen ver beneden. Maar Wind Gemaakt door Vleugels zag slechts de koning. Door de rode sluier van pijn en woede zag hij alleen die ene gestalte, precies zoals hij hem in zijn droom had gezien: die ene reusachtige, slechte man op die hoge plaats. Hij liet een monotone, vibrerende kreet horen, ging recht op de man af, zwaaide het lange handvat van zijn bebloede strijdbijl rond en gaf een harde klap tegen de slaap van de koning. De koning was zo verbaasd toen hij deze spookverschijning van bloed, roet en verbrand vlees plotseling op zich af zag komen, dat hij niet alert genoeg was. Hij slaagde er echter in om nog net weg te duiken, zodat de strijdbijl zijn schedel miste. Maar de bereklauw op het uiteinde van de strijdbijl reet Alengwyneds neus van zijn gezicht. Die schok verblindde de koning heel even. Hij wankelde achteruit naar het komfoor. Maar hij schudde ogenblikkelijk zijn hoofd om beter te kunnen zien. Het bloed gutste van zijn gezicht en spetterde in het rond. Hij trok zijn zwaard om de krijger neer te houwen. Wind Gemaakt door Vleugels was niet opgehouden en met het zwaard in zijn linkerhand deelde hij een horizontale klap uit die de koning op de borstplaat trof. Die sneed niet door de wapenrusting heen, maar maakte er een deuk in. Weer wankelde de koning onder de slag. In de lucht weerklonk het geluid van metaal dat op metaal sloeg.

Deze persoonlijke strijd was zo snel losgebarsten, dat de meeste Alengwyneh op het dak, al druk in beslag genomen door hun eigen aandeel in de strijd, er nog geen notitie van hadden genomen. Ze hadden zelfs niet eens gemerkt dat een van de wilden zich hoog hierboven, tussen hen, bevond. Een oude leenman met grijze baard beende aan de andere kant van het komfoor op en neer en deelde bevelen aan zijn mannen met de kruisbogen uit. Andere leenmannen van de koning liepen schreeuwend in het rond, slechts schimmen in de sluier van rook die van het komfoor wolkte en uit de brandende daken van de kasteelgebouwen beneden omhoog kwam. De eerste soldaat die zag dat de koning werd aangevallen, was iemand die vuurballen maakte. Hij had plukken in olie gedrenkte vezels aangestoken om als vuurballen op de inboorlingen beneden te gooien. Hij hield een lange, ijzeren tang met een vuurbal ertussen vast. Deze soldaat zag nu de krijsende wilde naar de koning slaan. Vlug liep hij met de fel brandende pluk naar het oorlogsopperhoofd toe en drukte die hard tegen zijn dij aan.

Maar Wind Gemaakt door Vleugels voelde overal al zo'n hevige pijn en zijn woede was zo intens, dat hij nauwelijks iets van de verbranding voelde. De vuurbal viel uit de tang en rolde over het houten platform heen, dat al glibberig van de gemorste olie was. Toen stak de soldaat de hete tang naar Wind Gemaakt door Vleugels uit. Helaas bevond hij zich net binnen de boog van een houw met het zwaard die de koning op de wilde had gericht. Bijna onthoofd werd de soldaat opzij geworpen, viel bij het trappehuis op de grond en bleef daar liggen. De vloer, die vet was van de olie, begon om het lichaam heen te branden.

Alengwyned was bijna twee keer zo groot als de afzichtelijke wilde die hem aanviel. Hij was buiten zichzelf van woede, maar tegelijk bang. Nog nooit in zijn leven had hij immers tegenover zo'n duivel gestaan. Zijn hele gezicht stak en klopte van een doordringende pijn. Hij had geen idee van de ernst van zijn verwonding, maar hij wist dat het bloed uit hem weggutste en dat zijn gezichtsvermogen zo door de klap was aangetast, dat hij weinig meer dan de waanzinnige ogen en witte tanden in het wilde gezicht voor zich kon onderscheiden. En dus zwaaide en hieuw Alengwyned met het zwaard in beide handen naar dat gezicht.

Een van zijn houwen trof Wind Gemaakt door Vleugels op zijn linkerpols. Hand en zwaard vlogen door de lucht en vielen los van elkaar op de brandende vloer. Toen hij zag dat zijn hand verdwenen was en het bloed overvloedig uit de stomp gutste, liet het oorlogshoofd nog een luide, pulserende kreet horen en zwaaide opnieuw met zijn strijdbijl naar het hoofd van de koning. De slag verpletterde een van de takken van het gewei en wierp de helm van diens hoofd, die nu wervelend door de lucht vloog. Toen de helm werd afgeslagen, sloeg de rand een grote snee in de schedel en het rechteroor van de koning. Verbijsterd stond hij te wankelen op zijn benen. Inmiddels had de oude leenman de aanval op zijn koning gezien. Een andere leenman en een piekenier zagen ook wat er gebeurde en met zijn drieën gingen ze tegelijk tot de aanval op de rood-metzwarte duivel over. De piek ging dwars door zijn middel heen en kwam er aan de andere kant weer uit. Iemands zwaard legde de linkerschouder van de krijger open en met een ander zwaard kreeg hij een stoot in de nierstreek. Zelfs toen slaagde Wind Gemaakt door Vleugels erin om de koning nog één keer een slag met zijn strijdbijl toe te brengen, die zijn tanden verbrijzelde en de kaak uit het gewricht sloeg. Door de beweging van deze laatste slag brak de schacht van de piek in de handen van de piekenier af. Ten slotte zakte Wind Gemaakt door Vleugels op de vloer in elkaar.

Hij wist dat hij stervende was. Hij was er nu ook klaar voor, want zelfs hij kon zo'n hevige pijn niet verdragen en zijn bloed stroomde uit hem weg. Hij had gehoopt dat hij de vijandelijke koning dood op de grond zou zien liggen, maar in zijn droom had hij niet gezien wat het einde zou zijn. Wind Gemaakt door Vleugels had zijn best gedaan. Nu kon hij zich zelfs niet meer verroeren. En hij geloofde dat dit alles met de dood van de koning zou eindigen; zo had hij al die tijd zijn droom opgevat.

Maar het was erg om op de grond te liggen en de koning nog steeds boven zich te zien staan.

Om hem heen was er overal vuur en rook. Wind Gemaakt door Vleugels begon aan een grote zwakte te bezwijken en de reusachtige koning vervaagde achter een sluier van zwart en rood. Hij keek op naar het bloederige wrak van een gezicht dat geen gelaatstrekken meer had en zong zijn eigen dodenlied.

Schepper, Grote, Goede Geest
Hoor mijn lied
En zie me komen
Ik kom ik kom
Terug naar het Begin
Toen ik me in uw hand bevond
En u mij creëerde
Nu
Schepper

Door en door geschokt door pijn en afschuw, keek koning Alengwyned neer op de bloederige, rode duivel die daar zingend aan zijn voeten lag.

Alengwyneds hele hoofd en gezicht stak en deed pijn en alles zweefde voor zijn ogen; bloed uit zijn gezicht doordrenkte zijn

426

handen en armen, zijn baard, zijn kleding. Maar hij had niet het gevoel dat hij dodelijk gewond was en zo te zien was de aanval vanuit het trappehuis met de kokende olie afgewend. De pijlen vlogen nog steeds door de lucht en van beneden klonk nog steeds het lawaai van het strijdgewoel. Toch stond Alengwyned nog levend op beide benen, klaarblijkelijk onsterfelijk, zoals hij had geloofd. En hierboven, en ongetwijfeld ook beneden, waren er nog steeds meer dan genoeg gezonde verdedigers. Alles was misschien nog niet verloren.

Toen werd Alengwyned zich ervan bewust dat de hitte steeds doordringender werd. Hij moest hoesten van de scherpe rook.

Opeens verloor hij alle moed. Hij begreep wat er gebeurde: Uit het trappehuis laaiden de vlammen op. De olie beneden had vlam gevat en het oude hout stond in lichterlaaie. Tussen de spleten tussen de oude, grijze vloerdelen door sijpelde overal witte rook omhoog. Zijn voetzolen schroeiden. De hele zoldervloer op de toren waarop hij zich met zijn verdedigers bevond, stond van onderaf in brand.

De stenen toren was nu net een reusachtige schoorsteenpijp die lucht naar boven zoog om de brand aan te wakkeren, en dit bouwwerk van oeroud, droog hout vormde de brandstof.

En naar beneden konden ze niet. De trap was al een inferno.

'Majesteit,' hijgde een oude leenman, 'we zijn ten dode opgeschreven. Vaarwel…'

Het grote gewicht van het komfoor met de stenen vuurkuil was het begin van de ineenstorting; het metselwerk zakte met een knappend, krakend geluid door de vloer heen en brullend laaiden de vlammen door de kapotte planken eromheen omhoog. Het komfoor kantelde, de ketels schommelden heen en weer en vielen toen om. De kokendhete olie viel met donderend geraas in de hel daarbeneden. Een bal van vuur explodeerde boven de top van de toren. Het metselwerk vloog erdoorheen. Kolen, as, ketels, olie en lichamen stortten door het vlammende gat naar beneden, en op hun weg naar omlaag verhevigde de trek naar boven door de toren zich tot een pulserend gebrul. Trappen, stutten en balken verteerden; zelfs het kalkstenen metselwerk explodeerde. Alengwyned, zijn leenmannen, boogschutters, iedereen die boven op de toren was, ademden schroeiende hitte in. Wenkbrauwen, baarden en haar verdwenen. Alengwyneds laatste gedachte was aan de donderende waterval met koel water ver beneden; in gedachten zag hij zichzelf springen, erin vallen...

Maar toen de fel opvlammende vloer het begaf en hij met alle anderen in het vurige inferno viel, was hij al dood, zijn longen verschroeid. Hun verdedigingstoren was hun lijkstapel.

Er werd bijna niet meer op de borstwering gevochten. Soldaten en inboorlingen renden weg om niet te worden verpletterd door enorme, vallende brokken van de kantelen en de meeste soldaten bleven rennen. Nog meer brandende daken van de kasteelgebouwen stortten in en vlamden op en de kamers en gangen weergalmden van het gegil van de Alengwyneh en hun Euchee-bedienden die in de val zaten.

Aan de andere kant van de rivier, onder de waterval, stond het andere kasteel, het kasteel waar lang geleden de weefsterkoningin had gewoond, ook in brand. In de stad eromheen waren de Irokezen bezig de honderden Alengwyneh en Euchee die ze gevangen hadden genomen te executeren. In dat kasteel of dorp was er praktisch niet gevochten; de Irokezen hadden simpelweg alles onder de voet gelopen en de mensen bijeengedreven en hen, of ze nu weerstand boden of niet, aan stukken gehakt en aan speren gespietst. Overal in het dal waar rook hing, hoorde je boven het tijdloze geraas van het Vallend Water schrille kreten en het brullende, knappende geluid van brand. Soldaten, arbeiders, vrouwen en kinderen waren op de vlucht geslagen. De krijgers van de Lenapeh en hun bondgenoten zouden hen door het dal achterna moeten zitten en allemaal doden. Bijna tweehonderd jaar lang hadden deze haargezichten en halfbloeden de volken lastig gevallen en de geesten van de Ouden op deze heilige Plaats van Vallend Water verstoord. Deze mensen hadden bewezen dat ze niet geschikt waren om onder de ware Kinderen van de Schepper te leven. Ze mochten hier nooit meer terugkomen om zich opnieuw uit te breiden.

Het was zoals Wind Gemaakt door Vleugels had gezegd.

Rook van Sweetgrass kwam kreunend en zacht jammerend bij

uit een droom, waarin mannen haar in bedwang hielden en pijn deden en zij zich schoppend en worstelend tegen die beperking van haar vrijheid verzette. Maar toen ze haar ogen opendeed, zag ze dat de sterke armen die haar vasthielden de armen van haar vader, Steenhouwer, waren. Zijn gezicht was vertrokken en zijn ogen waren nat van tranen. Hij tilde haar op de beklede bank aan de rand van de poel. Alles deed haar pijn, vooral onder haar middel. Ze had het gevoel of haar lendenen en ingewanden met fijn grind rauw geschuurd waren. Elk gewricht in haar lichaam deed pijn en elke beweging liet withete pijnscheuten door haar hoofd flitsen. Steenhouwer legde haar op haar rug op de bank neer. Haar hoofd hing slap en tussen de uitbarstingen van pijn zag ze de flakkerende lichten en het bleke daglicht van boven. Ze hoorde het ruisende water en herinnerde zich weer dat ze zich in de Regenkamer, die plaats van verschrikking, bevond.

Toen zag ze voor het eerst overal de bloederige lichamen, de lichamen van de leenmannen en soldaten die haar zo vreselijk pijn hadden gedaan, liggen. Weer ging er een golf van witte pijn door haar heen en ze bezwijmde, voor een tijdje weg van de pijn en de verwarring, naar een weids, geel land zonder bomen waar een wind blies en blies. Toen ze weer bijkwam en haar ogen opendeed, voelde ze de flitsende pijn op de plekken waar Steenhouwer haar aanraakte en warm water over haar uitgoot. In het halfdonker van de grot was zijn gezicht een masker van emoties dat steeds veranderde. Hij zag er boos en tegelijk bang uit. Maar ze zag hem ook huilen. Haar vader had haar nog nooit op de plaatsen waar hij haar nu aanraakte aangeraakt en hij had haar, sinds ze een klein meisje was, niet meer volkomen naakt gezien. Maar ze besefte dat hij uiterst voorzichtig het bloed en de vuiligheid afwaste. Ze zag het metaal van de kostbare kom in het licht glinsteren.

Opeens begon ze te praten. Hij schrok van haar stem en liet de kom vallen. 'Vader... hebt ú deze mannen gedood? Vlug boog hij zich over haar gezicht en keek haar in de ogen. Ze kon het door haar tranen of door water niet duidelijk zien en een van haar ogen was zo gezwollen dat het bijna dichtzat. Weer

kreunde ze; de mannen hadden haar keel zo hevig dichtgeknepen, dat het pijn deed om te spreken.
'Ik?' vroeg hij. 'Hen gedood? O, dochter, nee! Toen... toen
ik je kwam zoeken, heb ik hen zo aangetroffen... De Lenapeh
moeten hen gedood hebben. Daar liggen twee krijgers. Dochter, hebben de Lenapeh je zo verwond en zoveel pijn gedaan?
En waar is onze koning? Ik heb zijn Heilige Bundels voor hem
meegenomen, maar ik zie hem hier niet!'
Ze werd door een stortvloed van tranen en verschrikkingen
meegesleept en huilde zo heftig, dat elk gewond plekje in haar
lichaam opeens verschrikkelijk pijn deed. Toen ze weer wat
gekalmeerd was, vertelde ze haar vader wat ze zich kon herinneren.
Dat nam een hele tijd in beslag, omdat haar keel bij elke
herinnering dichtgeknepen werd. Maar op het laatst wist Steenhouwer – of hij het kon geloven of niet – dat de koning zelf
haar zo bruut gebruikt had en haar vervolgens aan zijn leenmannen had toegeworpen om het af te maken.
Steenhouwer was geen dapper man. Door zijn werk was zijn
lichaam gespierd, pezig en vereelt geworden, maar hij had nooit
als soldaat dienst gedaan. Hij was zelfs nooit voor zijn gezin
op jacht geweest; zijn lichaam was een stuk gereedschap, geen
wapen en hij had niet de gewoonte om aan geweld te denken.
Rook van Sweetgrass probeerde haar verstand bij elkaar te
houden en wijs te worden uit de dingen die haar vader met zijn
bevende stem zei terwijl hij ondertussen haar kneuzingen en
ontvellingen met de balsems en zalven uit de Regenkamer behandelde. Ze kon hem nauwelijks boven het spetterende water
en het geruis in haar hoofd uit horen. '...misschien hier... voor
een tijdje veilig... Lenapeh rennen door kasteel... kasteel staat
in brand... maar als we blijven en die krijgers terugkomen...'
Toen riep hij uit:
'Maar je bedoelt toch niet echt dat de koning je zoveel pijn
heeft gedaan? Wat heeft mijn dochter gedaan, gezegd, dat ze
de woede van de koning gewekt heeft?'
'Nee, nee, nee! Ik probeerde te doen wat hij wilde, zoals
grootmoeder me heeft opgedragen! Maar hij heeft me toch pijn
gedaan! Alsof hij het prettig vindt om pijn te geven!'

Steenhouwer schudde zijn hoofd en zuchtte. Ja, dat klopte, wist hij; dat had hij al eens eerder meegemaakt. Hij steunde zijn gezicht in zijn handen en keek haar op het laatst doordringend aan. Toen keek hij de andere kant op en zei iets dat haar hart een schok gaf. 'Je bloedt van achteren. Heb je mannen toegestaan je daar te onteren?' Toen drong een van de afschuwelijke dingen die hij dacht tot haar door: dat zij zichzelf een non-persoon had *laten* maken!

Ze begon hevig te snikken en kon eindelijk antwoorden: 'Ze hielden me vast. De koning heeft het gedaan! Ik kon hem niet tegenhouden!'

Steenhouwer klemde vol ongeloof zijn handen voor zijn gezicht in elkaar. 'Kan dat werkelijk waar zijn?' Hij schudde zijn vuisten tegen het plafond. 'Is de koning dan een non-persoon?' Hij zonk neer en begon iets te mompelen.

Ze vroeg of hij haar tuniek van de haak waar zij hing wilde pakken. Met ondraaglijke pijn trok ze die aan. De inspanning putte haar uit en ze moest weer gaan liggen. En terwijl het water niet aflatend naar beneden ruiste, dreef ze afwisselend haar pijn en schaamte binnen en weer uit.

'Straks wordt het nacht,' hoorde ze Steenhouwer zeggen. Ze deed haar ogen open. Het licht uit de spleet waardoor het water naar binnen stroomde was zwak geworden. Ze herinnerde zich hoe het die ochtend vroeg licht was geworden. Het leek wel alsof ze hier altijd had vertoefd. Steenhouwer zei: 'Op dit uur van de dag ging ik altijd naar huis in het dorp... Je moeder, je grootmoeder en jij gaven me dan te eten... Ik heb me afgevraagd of de Lenapeh, behalve het kasteel, ook de dorpen hebben aangevallen!'

En ten slotte, na een tijdje, zei hij: 'Ik kan het niet verdragen om me hier te verbergen en niets te weten! Ik zit in angst om ons gezin, ons volk! Dochter, kun je lopen?'

Ze zag er tegenop om het te proberen, maar spande zich in om op te staan. Toen ze haar voeten op de grond had neergezet en overeind zat, barstte de pijn zo hevig door haar heupen en ingewanden los dat ze bijna weer in zwijm viel. Langzaam en stram ging ze staan, gebukt als een oude, oude vrouw. Ze voelde het warme bloed uit haar lichaam sijpelen, waar het tussen haar

431

benen en de achterkant van haar dijen afkoelde. Elke ademtocht was snakken naar adem.

Het vuur in de Regenkamer gloeide nog slechts. Het werd koud. Er brandde nog maar één lamp.

Steenhouwer keek door de deur van de Regenkamer naar buiten. De gang was niet verlicht. Hij pakte een fakkel van de muur en hield die boven de laatste lamp. Hij vatte vlam en gaf een vettige walm af. Bij het licht ervan zag Rook van Sweetgrass dat hij een paar leren voorwerpen van een richel oppakte en die onder zijn linkerarm stopte. Hij zei: 'Dit zijn de Magische Bundels van de Alengwyneh. Ik moet...' Hij haalde zijn schouders op. 'Ach, ik weet eigenlijk niet wat ik ermee aan moet. Ik zou ze veilig moeten bewaren tot we de koning vinden of...'

Op dat moment steeg Rook van Sweetgrass boven haar jammerende ellende uit en riep: 'De koning? De koning is een non-persoon!'

Steenhouwer knikte. 'Ja...'

Ze liepen nu langzaam door de gang heen naar het kasteel, de helling op. Het meisje wankelde. Ze hijgde. Om de paar stappen moest ze blijven staan om tegen de muur steun te zoeken. Haar vader tuurde gespannen in de lichtkring van de flakkerende fakkel voor zich uit en naarmate het geraas van de waterval achter hen wegstierf, luisterde Steenhouwer naar de geluiden van de strijd voor zich uit. Maar er was geen lawaai. Toen ze de hoofdtunnel van het kasteel inliepen, rook hij de zware lucht van verbrand hout en, naar hij dacht, verbrand vlees. Hij was uitgehongerd, besefte hij; plotseling liep het speeksel hem in de van angst droge mond.

Ze kwamen in de Grote Hal van het kasteel uit. Verbijsterd bleven ze staan voor wat er, verlicht door de schemerdonkere hemel daarboven, het zwakke licht van de fakkel en overal om zich heen lekkende vlammen, voor hen lag.

Het kasteel had geen dak meer. De vloer van de Grote Hal was één grote chaos van rokende, verkoolde planken en balken van het dak en kalksteenpuin en de lucht in de ruimte zonder dak was heet en rokerig.

Naar adem happend zwaaide Rook van Sweetgrass op haar benen heen en weer en staarde naar iets op de vloer.

Een been stak onder een verbrand stuk hout uit. Het been zelf was zo verbrand en gerimpeld, dat alleen aan een sandaal aan de gedeeltelijk verbrande voet te zien was dat het iemands been was. En toen haar vader en zij om zich heen keken, zagen ze opeens overal in het puin handen, hoofden en benen, die allemaal verkoold waren. Ze klemde zich aan haar vaders elleboog vast om niet nog eens het bewustzijn te verliezen. Links van hen lag een zwartgeblakerde schedel in een koperen helm die gedeeltelijk uit model gesmolten was. Rook van Sweetgrass besefte dat de brand in de ruimte zo heet als in een kiln moest zijn geweest om de helm zo zacht te kunnen maken. Het verschroeide vlees dat ze hadden geroken, was het vlees van verbrande mensen. De kalkstenen muren waren half ingestort en nog steeds knapten en kraakten stukken muur en vielen om.

'Hier kunnen we niet doorheen,' zei hij. 'We moeten terug door de tunnel.' Hij besefte ook dat de kamer van de Heilige Bundels verwoest moest zijn, dus had het geen zin om te proberen ze daarheen terug te brengen.

Niemand kende het ontwerp van het kasteel beter dan de steenhouwers. Hij bracht haar door de tunnel terug, langs de ingang van de gang naar de Regenkamer, daarna door een lange, nauwe passage die altijd was gebruikt om vaatjes en wijnhuiden naar de Grote Hal te brengen. Het plafond was hier zo laag, dat ze gebukt moesten lopen. De gang was gebouwd op de slaven en Euchee-dienaren die er doorheen moesten lopen, niet voor de grote Alengwyneh die nooit gediend hadden. Terwijl hij voor zijn hijgende, kreupel lopende dochter uit door de bedompte tunnel liep, liet hij zijn gedachten over zulke onbekende ideeën gaan. De dingen in dit koninkrijk hadden een orde gehad, die terugging tot de tijd van zijn grootvaders. En hij, en alle anderen die hij kende, waren gehoorzame onderdelen van die orde geweest die geen vragen stelden. Binnen die orde hadden de langere, blankere mensen altijd bovenaan gestaan en konden alle anderen alles laten doen; hoe kleiner en bruiner de anderen waren, des te zwaarder hun leven was. Helemaal onderaan waren de slaven geweest, gevangenen van verafgelegen stammen. De slaven konden door iedereen op willekeurig welke manier worden gebruikt.

Maar vandaag was die hele orde van dingen in Steenhouwers hoofd uit elkaar geslagen. Wilde Lenapeh-krijgers hadden dreigend en dodend door het kasteel gerend. De koning had laten zien dat hij een non-persoon was. En Rook van Sweetgrass, de dochter van een gerespecteerd ambachtsman van het kasteel, was door nutteloze, brute leenmannen die in de orde van dingen slechts één stap boven hem stonden als een slavin misbruikt.

Aan het eind van de doorgang bevond zich een stevige, eikehouten deur die vanbinnen met een balk was afgesloten. Hij legde een oor tegen de deur. Hij hoorde buiten niets en lichtte voorzichtig de balk op, liet hem zakken en trok de deur open. Frisse, koude lucht stroomde naar binnen en beroerde de guirlandes van spinnewebben en joeg de vlammen van de fakkel op. De lucht was ranzig van rook en vochtig door het opstuivende water van het Vallend Water, dat met een luid geraas voorbij de binnenplaats en de omheinde tuin een paar el verderop naar beneden viel.

Met de Heilige Bundels tegen zijn borst gedrukt doofde Steenhouwer de fakkel tegen het plafond en sloop toen heel voorzichtig de binnenplaats op. Daar bestudeerde hij de hemel, de muren vlakbij en de afstanden. De zon was al lang ondergegaan. Langs de horizon stroomafwaarts op de rivier zag je nog iets van de kleuren van de zonsondergang. De maan was in het kwartier en stond hoog aan de hemel, maar werd voortdurend door wolken rook verduisterd.

Door die rooksluier leek heel het uitgestrekte rivierdal vol met een rossige vuurgloed. Het felste vuur brandde aan de overkant van de rivier. Hij wist onmiddellijk dat het om het kasteel van de oude weefster-koningin ging. Hij kon af en toe de omtrekken zien wanneer rook en mist opzij waaiden, het lage, zwarte profiel dat een en al vlammen was die hoger en lager brandden en op het woelige water onder de waterval reflecteerden. Voor zover hij kon zien stonden er op de werf aan de oever aan de overkant ook curraghs in brand.

Punten licht van vuur en lange, brede lijnen vuur brandden langs beide rivieroevers. Hij kende dit dal goed. Heel zijn leven had hij hier immers gewoond. Hij zag meteen dat de grote dorpen aan weerskanten van de rivier, met bovendien alle vissers-kampementen, de looierij en de werven, in brand stonden. De vlammen lekten ook aan de steile, beboste hellingen en in de ravijnen aan de noordkant van de rivier. Door de steeds van plaats wisselende rook en riviermist werd zoveel van de doffe vuurgloed die van overal scheen verstrooid, dat je zonder fakkel die de aandacht zou trekken je weg kon zien. Hij draaide zich om naar de deur. 'Kom, dochter.'

Huiverend van pijn en zwakte stond ze in de vochtige lucht. Zelfs in haar schaamte en ellende had ze iets gemerkt dat haar diepbedroefd maakte. Heel haar leven was de Plaats van Val-lend Water, zelfs boven het geruis van het water uit, niet zonder stemmen geweest – de stemmen van de honderden dorpelingen. Maar nu had Rook van Sweetgrass de onheilspellende stilte in de nacht opgemerkt. Ze had geen stemmen gehoord. Ze hoorde zelfs niemand roepen.

13 *Bij de Plaats van Vallend Water*
Herfst 1404

Ze troffen niemand op heel het kasteeleiland in leven aan, maar struikelden in de donkerte langs de kasteelmuren over talloze lichamen. Hun voeten werden kleverig van het bloed. Op de grond en de borstwering lagen verwrongen, verminkte lijken uitgespreid, misvormde, zwarte klompen in de spookachtige vuurgloed, die soms zacht schitterde op een deel van een wapenrusting of een gebosseleerd schild. Steenhouwer hield de Heilige Bundels stevig beet en bracht zijn versufte, moeizaam voortploeterende dochter door binnenhoven en tuinen heen die zo vol met pijlen bezaaid lagen, dat het leek of je over dode takken in een bos liep. Hoewel het een avond in het najaar was, lagen de oude kasteelmuren zo vol met heet puin en gloeiende houtas, dat de lucht droog en warm leek en bezwangerd was met de stank van bloed en uitwerpselen.

De kasteelpoort en valhekken waren tot een zwartgeblakerde ruïne ineengestort en de korte brug van de kasteelpoort naar de zuidelijke oever was verbrand en ook ingestort. Ze moesten dus door de koude stroming heen lopen. Ze hielden zich daarbij aan verkoolde palen vast om niet met de rivier mee naar beneden te worden meegesleept. Steenhouwer balanceerde de bundels op zijn hoofd en hield ze daar met zijn vrije hand vast tot hij op de oever kon klauteren en zijn dochter omhoog kon helpen. Het water droop langs hun lichaam, maar ze hadden het niet koud omdat de grond door de brand in de stad gebakken was en hutten, houtstapels, hekken van palen en bergen gedroogd riet voor dakbedekking nog opvlamden en smeulden.

De lucht was een en al roet, vonken en dikke rook. De stad was gebouwd geweest van palen, boombast, dekriet en rieten matten – geen steen – en met de grond gelijkgemaakt. Er lagen hier veel meer lichamen dan op het kasteeleiland. De meeste ervan waren verbrand. Honden trokken aan het vlees; gelukkig was het duister zo diep en de rook zo dicht, dat je dat slechts vaag kon onderscheiden.

Ze liepen somber langs de rivieroever. Rook van Sweetgrass was zich er vaag van bewust dat ze de kant uitliepen waar hun hut had gestaan, op de rivieroever, een paar honderd passen stroomafwaarts vanaf de brug. In gedachten zag ze onder het lopen het gezicht van haar moeder, Mos op de Boom, en het gezicht van haar grootmoeder; maar dan stapte ze weer op een stuk gloeiende as en deinsde terug. De schok zond flitsen van pijn door haar buik heen en het bloed begon weer uit haar lichaamsopeningen te gutsen. Haar ogen staken van de rook en traanden hevig. Ze moest ze voortdurend met een vinger afvegen om te voorkomen dat haar blik door haar tranen vertroebeld werd. Haar neus en keel waren rauw. De rook vermengde zich met de mist van de waterval, waardoor de lucht nog scherper werd.

Langs de waterkant was geen huis overeind gebleven. Opeens bleef Steenhouwer echter op een plek stilstaan en legde de bundels neer. Rook van Sweetgrass keek om zich heen en had inderdaad het gevoel dat ze hier altijd gewoond had. Maar dat was vroeger geweest, in dat andere leven, voordat ze als Maagd van de Regenkamer naar het kasteel was gegaan. Dat was een andere wereld, een andere tijd geweest; dat kon toch niet pas gisteren zijn geweest?

Maar dit was de plaats waar ze had gewoond, in dat eens gelukkige leven met haar vader, moeder en grootmoeder; daar liep het pad naar de oever; bij het rode licht van de brandende kastelen en berghellingen kon ze zien waar het pad en de twee grote katoenbomen waren; hoewel de bladeren allemaal weggeschroeid waren, kende ze de vorm van de boomstammen. Maar er waren geen stemmen. In dat andere leven waren er altijd stemmen geweest.

Haar vader schuifelde met zijn voet door de as. Een scherf

aardewerk, een stuk half-verbrande huid die een deken was geweest, stenen van de vuurplaats in het midden van de hut waren de enige herkenbare dingen die hij oprakelde.

Opeens klonk er een zacht gerinkel. Steenhouwer bukte zich over de warme as en tastte met zijn handen. Even later had hij zeven stuks steenhouwersgereedschap te voorschijn gehaald, onder andere zijn beitels en de kop van een hamer. Het handvat was verkoold. Het waren oude gereedschappen. Ze hadden aan generaties steenhouwers vóór hem toebehoord. Hij rolde ze in het stuk verschroeide leer op en legde ze bij de Magische Bundels.

Op zijn beroete, vettige gezicht verscheen een bleek glimlachje. Hij had hier geen lichamen, geen zwartgeblakerde beenderen van zijn vrouw of moeder gevonden. Hij mocht dus hopen dat ze ergens, verborgen, nog in leven waren. 'Misschien vinden we mensen,' zei hij, 'en kunnen we met deze gereedschappen gaan bouwen...' Zijn stem was de eerste stem die ze in deze verlatenheid had gehoord. Hij klonk vreemd en ze schrok ervan.

'Ik wil moeder en grootmoeder zien,' kreunde ze. Haar geest werd helemaal in beslag genomen door alles wat haar als vrouw in de Regenkamer was aangedaan. Ze had die vrouwen van haar leven nodig om haar te helpen dat alles te bevatten. Alleen vrouwen, haar moeder of grootmoeder, konden haar vertellen of ze werkelijk een non-persoon was.

'We zullen naar hen op zoek gaan. Maar nu moeten we een plek vinden waar we ons verborgen kunnen houden en slapen. Als de Lenapeh-krijgers ons vonden, zouden ze ons, denk ik, doden.'

Ze wankelde, een en al pijn, zwak; in de wervelende mist van haar geest zag ze een gezicht dat aan één kant rood en aan de andere kant zwart was geverfd, met vurig fonkelende ogen. Ze had haar vader over Lenapeh-krijgers horen praten, maar ze had nauwelijks begrepen wat hij zei. Zou zij soms Lenapeh-krijgers hebben gezien? Of was ook dat allemaal onderdeel van die afschuwelijke droombeelden geweest?

Hij pakte de bundels en de gereedschappen op en ze liepen verder langs de rivieroever. Moeizaam zochten ze zich door de bittere mistsluiers van de nacht een weg tussen de as en brokstukken door. Ze hoorden slechts het ruisen van de waterval achter zich en in de verte het geschreeuw en gejank van uilen en prairiewolven. Door de rook heen die in de lucht zweefde, probeerde een druilerige maan zijn gezicht te laten zien.

Die nacht sliepen ze als dieren in een hol in een hoop opgewaaide bladeren onder een kalkstenen richel langs de kant van een kreek, ver weg van de paden langs de rivieroever waar misschien nog Lenapeh zouden langskomen. Het meisje lag in haar slaap vaak zachtjes te jammeren en schopte haar vader uit zijn slaap met de stuiptrekkingen van haar scherpgekante dromen. Thuis had er boven elk bed een kleine hoepel, doorweven met een netwek van koorden, gehangen. Daar konden goede, zachte dromen doorheen gaan terwijl de scherpe kanten van boze dromen bleven haken en veilig van de dromers werden weggehouden. Omdat hier niet zo'n dromenvangersnet was, werd Rook van Sweetgrass steeds weer wakker door de scherpe, stekende weerhaken van boze dromen. Dan lag ze een tijdje wakker en draaide haar pijnlijke, koude lichaam op de steenachtige grond om en om, tot de vermoeidheid haar naar nog meer dromen wegtrok. En daarna werd ze weer wakker van de pijn. In één droom stonden enorme heuvels zonder bomen in brand. De vlammen vlogen sneller vooruit dan een man kon hardlopen, maar zij was niet in gevaar omdat ze midden op een brede rivier in een boot zat. Maar anders als de Mooie Rivier, leek die rivier weg van de zonsondergang te stromen in plaats van ernaartoe. Toen het vuur verder getrokken was, liep ze op de beaste heuvels en at het heerlijke vlees van dieren die door het vuur overvallen en gebraden waren.

Toen de dag aanbrak en ze wakker werd, keek ze naar een stenen richel boven haar hoofd. Haar vader lag niet naast haar. Reikhalzend keek ze naar hem uit, maar haar ogen waren zo gezwollen door kneuzingen en rook, dat ze slechts vage, smalle strepen daglicht zag. Ze herinnerde zich dat ze misschien een non-persoon was. Misschien had haar vader haar wel in de steek gelaten. Maar de leren bundels en de ijzeren gereedschappen die hij had meegedragen, lagen er nog; ze besefte dat hij van plan was om terug te komen.

Het kostte haar een hele tijd voor ze kon besluiten dat ze zou proberen op te staan, en nog langer om daadwerkelijk zover te komen. Al haar gewrichten waren een en al pijn en haar buik en darmen voelden aan of ze vol kokend water waren. Eindelijk was ze op en hurkte in de bladeren neer. Met haar onderlip tussen haar tanden geklemd deed ze kreunend en hijgend haar behoefte. Ze had het gevoel of haar lichaamsopeningen door wat er naar buiten stroomde verbrand werden. Een groot deel van wat ze op de grond achterliet bestond uit bloed.

Geleidelijk aan kwam ze overeind en keek omhoog. Ze zag vegen rood met geel en ze besefte dat het herfstbladeren in de boomtoppen waren. In de grauwe lucht achter de boomtoppen zag ze een heleboel kleine, donkere plekjes zweven. Ze kneep haar ogen dicht en opnieuw dicht en kon toen zien dat de dingen in de lucht gieren waren. Ze keek omhoog, zelfs door haar ellende heen verbijsterd. Nog nooit, zelfs niet wanneer kudden bizons die de rivier overstaken over het Vallend Water heen stortten en hun kadavers op de rivieroevers aanspoelden, had ze immers zoveel gieren in de lucht gezien. Ze mocht dan wel eens honderden gieren in de lucht gezien hebben, maar nu leken het er wel honderden honderden te zijn.

Rook van Sweetgrass zuchtte. Ze wilde gaan liggen en haar geest misschien gewoon maar naar de Wereld aan Gene Zijde laten glijden. Maar toch kon ze dat niet. Haar vader zou terugkomen. Dan zou ze iets te eten voor hem klaar hebben. Dat deed een vrouw 's morgens.

Overal in dit ravijn stonden hoge, rechte hickorybomen en de grond lag bezaaid met noten. Eekhoorns dribbelden rond, druk bezig ze te verzamelen. Rook van Sweetgrass kon noten rapen en *pawcohickory* maken; als ze geluk had, kreeg ze ook een eekhoorn te pakken om erin te doen.

Hijgend, krom lopend, zocht ze eerst sprokkelhout en licht ontvlambaar materiaal en raapte, terwijl ze de met bladeren bedekte grond afzocht, meteen noten op. Daarna groef ze met een stuk gereedschap van haar vader een gat in de grond. In het leer waarin de gereedschappen hadden gezeten, haalde ze

440

water uit het beekje dat over de bodem van het ravijn stroomde. Het leer zette ze in het gat neer en zo maakte ze er een kom water in de grond van. Ze was er doodmoe van geworden en bleef tegen de pijn heen en weer wiegen tot ze zich sterk genoeg voelde om vuur te maken. Dat was het zwaarste werk. Ze moest een stokje in een groef in een blok hout ronddraaien tot er rook kwam en er een vonkje begon te gloeien. Heel de wereld brandt, en ik moet hier vuur zitten maken, dacht ze. Het was eigenlijk een gek idee en ze moest erom lachen.

Ze stookte een flink vuur en legde er stenen in om die te verhitten. Toen ging ze nog meer noten rapen. Ze trok haar tuniek uit en gebruikte die om er de noten in te dragen. Twee keer gooide ze stenen naar eekhoorns die vlakbij zaten, hoewel de gooibeweging haar heel veel pijn deed. De derde steen die ze gooide, verdoofde een eekhoorn en ze krabbelde ernaartoe en draaide hem nog voor hij zich kon bewegen de nek om.

Terug bij het vuur trok ze haar tuniek weer aan en ging noten doppen. Ze stampte ze tussen de stenen tot ze een grote hoop gebroken noten had. Die gooide ze in de met leer beklede waterkuil. Met het steenhouwersgereedschap droeg ze hete stenen uit het vuur en liet ze sissend in het water vallen tot het kookte. Door het koken scheidden de doppen zich van de noten en kwamen bovendrijven, zodat zij ze gemakkelijk kon afschuimen. Met de scherpe randen van stukken steen die ze als mes gebruikte, vilde ze de eekhoorn en haalde de ingewanden eruit. Het kadaver liet ze ook in het water vallen. Toen haar vader van zijn verkenningstocht terugkwam en het ravijn inliep, zag ze de hevig verraste uitdrukking op zijn gezicht omdat er vuur was en een goed maal om te eten. Met tegenzin doofde hij het vuur. Het zou immers vijanden kunnen aantrekken, zei hij. Maar ze zag dat hij uiterst ingenomen was met het voedsel en terwijl ze zo samen zaten te eten, zag ze in zijn gezicht dat hij haar geen non-persoon vond.

Ze rustten een tijdje uit, want hun maag moest weer wennen aan het eerste voedsel sinds anderhalve dag. Zij lag op de bladeren onder de kalkstenen richel terwijl hij zwijgend het leer bij de warme as droogde en er zijn gereedschappen weer inwikkelde. Na de middag zei hij eindelijk: 'Heb je al die gieren in de lucht gezien?'

'Ja, ik heb ze gezien. En het zijn er zoveel.'

Hij zei: 'Ik ben naar de plek gegaan waar dit beekje uit de rotswand naar buiten stroomt. Daarbeneden, in het laagland, ziet de grond zwart van de gieren. Alle Alengwyneh, mannen, vrouwen en kinderen, en ook alle Euchee, zijn voer voor de gieren. Ik geloof dat de Lenapeh-krijgers iedereen die bij het Vallend Water woonde hebben gedood. En desondanks is ieders schedel ingeslagen.'

Ze was gaan staan en wiegde kreunend op haar hielen heen en weer. Na een hele tijd zei ze: 'Ik wil er graag heen om naar moeder en grootmoeder te zoeken.'

'Nee, dochter.'

'Vader, ik moet het weten.'

'Dochter, je zou ze nooit vinden.' Toen vertelde hij haar hoe het daarbeneden was geweest. Hij vertelde haar over de kapotgeslagen hoofden, over de gezichten die al door de vogels afgepikt waren. 'Ik heb naar hen gezocht zolang ik het kon opbrengen, maar hen niet gezien.'

Ze ging op haar hurken heen en weer zitten wiegen. Ze schokte van het huilen en praatte er niet meer over om naar beneden te gaan om te kijken.

Steenhouwer en Rook van Sweetgrass bleven nog een dag bij het kreekje bivakkeren. Ze aten noten, wortels en rivierkreeft, schildpadden en iepebast, een kleine kalkoen, mos en stuifzwammen en ten slotte een opossum die Steenhouwer vroeg in de morgen vlak bij het kamp had verschalkt. Hij maakte een dromennet om die nacht boven hun hoofd te hangen en diep in een hoge berg bladeren onder het overhangende stuk steen genesteld, sliepen ze rustig.

De volgende morgen deed Steenhouwer de Magische Bundels van de koning open om ze aan haar te laten zien: de bladen vol geheimzinnige, kleine merktekentjes, de afbeeldingen van dieren. 'Dat zijn de verhalen van het Alengwyneh-volk en hun dieren,' legde hij zo goed en kwaad als hij kon uit. 'Naar men zegt is deze bundel het verhaal van hun god. Het is een heilig voorwerp, vol met machtige boodschappen. Op een goede dag zullen er priesters komen die naar al die lijnen met vlekjes kunnen kijken en de boodschappen begrijpen. De koning zelf kan ze niet begrijpen, zegt men, ook al doet hij alsof.' Hij dacht een poosje na en zei toen: 'Als alle Alengwyneh gedood zijn en de koning bovendien, is dit' – hij raakte de bundel aan die het dichtstbij lag – 'het enige wat er nog van hen rest. Denk je eens in.'

Ze vroeg: 'En wat zit er in de derde bundel, vader?'

'Het is een ding dat gebruikt wordt om iemands vijanden te beheksen, hebben ze me verteld,' zei hij, terwijl hij de oeroude harp uitpakte. 'Het is een uiterst heilig voorwerp, dat lang geleden alleen door een grote sjamaan-zanger van de Alengwyneh is gebruikt. Het lijkt een boog met vele snaren. Ik zal hem weer inpakken. Alleen al door ernaar te kijken raak ik in verwarring.'

Toen het later op de dag warmer werd, dreef er zo'n stank van het slagveld, dat ze wisten dat ze niet nog een dag zo dichtbij konden blijven. Dus pakten ze de gereedschappen en de Magische Bundels bij elkaar en trokken, met Steenhouwer voorop, over de lagere heuvels heen op weg naar het zuidwesten. Ze hoopten dat ze daardoor tegen de wind in van het bloedbad zouden komen. Steenhouwer had er geen flauw idee van waar hij heen ging of wat ze moesten beginnen. Alles dat hij in de wereld had gekend, was in één dag veranderd. Samen met zijn dochter was hij nu alleen op de wereld. Hij was bang om te denken aan de dagen van morgen die zouden komen. Dus zat er voor hem niets anders op dan lopen en nog eens lopen, in de hoop dat ze aan de stank van al die doden zouden kunnen ontsnappen. En in de hoop dat ze geen Lenapeh zouden tegenkomen, voor het geval die zich nog steeds in dit dal mochten bevinden.

Zo kwamen ze na nog geen uur lopen al uit het bos, op de oever van de Mooie Rivier terecht, die daar een hele tijd naar het zuiden stroomde alvorens weer naar het westen af te buigen. Ze bevonden zich nu misschien drie mijl ten zuidwesten van de kastelen. De dorpen van enige omvang waren ze voorbij. Zodoende mocht hij hopen dat de Lenapeh zover naar beneden niet hadden aangevallen. Hier, in het laagland, waren slechts visserskampementen, had hij gehoord, en hoog boven op de steile rotswanden, op grote afstanden van elkaar, seintorens. Als ze ergens zo'n seintoren konden bereiken, dacht hij, zouden de soldaten daarbinnen in leven zijn. Zij konden hem wel vertellen wat hij moest doen.

Ze stonden bij de rand van het water en de wind die in hun gezichten blies stonk niet naar de dood, maar droeg wel een rooklucht met zich mee – en misschien dus nog meer gevaar. Met gefronst voorhoofd liep hij voor haar uit over het pad langs de rivier. Na een paar honderd passen kwamen ze uit het struikgewas te voorschijn en zagen nog een tafereel van verwoesting: uit de verkoolde ruïnes van een groepje vissershutten kringelde rook omhoog.

Hij zei: 'Ik vrees dat de Lenapeh langs heel de rivier zijn gegaan.' Zijn angst voor deze veranderde wereld was in zijn binnenste steeds groter geworden. Nu wist hij dat het zijn eigen onwetendheid was waarvoor hij bang was. Wie moest, als er niemand meer over was, alle dingen doen die hij nooit had hoeven weten? Omdat hij altijd een ambachtsman voor de koning was geweest, had het kasteel altijd voor hem gezorgd. Hij was geen jager; hij wist maar heel weinig over vallen zetten, over vissen of over de vogeljacht af. Voor degenen wier geesten dicht bij Moeder Aarde en haar schepselen bleven, was dit een land van overvloed. Generaties lang hadden de Euchee het vlees, de vis en de vogels, de zonnebloempitten en maïskorrels, de bonen en pompoenen, de eetbare wortels en bladeren gebracht en klaargemaakt voor de tafels van de mensen die met vaardige, kundige handen voor de Alengwyneh werkten. Steenhouwer kon muren bouwen, metselspecie maken en kroonlijsten maken. Maar hij kon zichzelf niet van voedsel voorzien of kleren maken. Alles wat hij sinds de dag van de strijd had gegeten, was door zijn dochter gedood of verzameld. En zij was zo beroerd en gewond, dat ze nauwelijks kon lopen. Als ze niet beter werd, zou hij misschien van honger omkomen, wist Steenhouwer. Binnenkort zou het winter worden.

Hij herinnerde zich het jonge beertje dat de koning had gehad. Als vermaak had Alengwyned het in een kooi of aan een halsketting gehouden. Toen het volwassen was, werd het dier lastig en had de koning de beer aan de kant van de rivier losgelaten. Maar het dier kwam steeds weer bedelend om voedsel naar het kasteel terug en ging vervolgens, tot het werd weggejaagd, naar de dorpen. Een tijdje later had men de beer dood in de struiken aangetroffen. Hij had niet geweten hoe hij voor zichzelf moest zorgen. Steenhouwer besefte dat hij net als die beer was. Daarom was hij bang. Welk nut had een steenhouwer als niemand kastelen nodig had?

Terwijl hij naar het nasmeulende kampement keek en die verloren gedachten door zijn hoofd speelden, liet Rook van Sweetgrass een gilletje horen. Ze wees met haar vinger.

Van achter een scherm van wilgen dreef een schip in hun gezichtsveld. Het was een van die met huid bespannen curraghs die tot de handelsvloot van de koning behoorde.

Het zeil was niet gehesen. Het schip werd zelfs niet geroeid. Het dreef alleen maar zijwaarts met de stroom mee.

Maar het was niet leeg. Integendeel. Het was afgeladen. Er waren veel meer mensen op dan waarvoor het schip gebouwd was. Het waren er zoveel, dat de dolboorden laag in het water hingen. Steenhouwer wist weinig van schepen af. Maar hij wist wel dat deze curraghs met hun tenen geraamte soms uit elkaar vielen en zonken wanneer ze te zwaar met stenen of kalk uit de steengroeven waren beladen.

Zelfs vanaf deze afstand kon hij zien dat de mensen die in het vaartuig zaten gepakt Alengwyneh en halfbloeden waren – mensen met gele haren, grijze haren, een paar met helmen. Het waren echter hoofdzakelijk vrouwen. Wie het ook waren, ze waren zijn volk en geen Lenapeh. Zijn hart sprong op. Het moesten mensen zijn die op de een of andere manier aan de slachting waren ontsnapt en scheep waren gegaan om veiligheid op de rivier te zoeken!

Nu zag hij ook dat er achter het schip een stuk of tien coracles als jonge eendjes achter een moedereend aan kwamen. Ook die waren overladen, met drie, soms vier mensen in een boot. Een aantal werd gepaddeld. Andere boten dreven alleen maar voort en een paar waren met touwen aan elkaar geknoopt. Van deze bizarre vloot kwam op het suizen van de koude rivierwind een

445

gemurmel en gekwetter van stemmen en hier en daar het schrille gejammer van een kind mee.

'Dank u, Schepper,' riep Steenhouwer. 'We zijn niet allemaal dood!'

Rook van Sweetgrass, die zich met een bevende hand aan zijn arm vastklemde, zei met een bijna tot een fluistering dichtgeknepen stem: 'Is moeder daarbij? Grootmoeder?' Steenhouwer, die al had aangenomen dat het hele volk dood zou zijn, had daar nog niet eens op durven hopen. Maar nu rende hij naar de waterkant en begon naar de boten te zwaaien en te roepen. Rook van Sweetgrass schommelde moeizaam achter hem aan en sleepte de onhandige bundels en het rammelende gereedschap mee.

Toen ze hen zagen, begonnen de mensen in de boten in het rond te drijven en te roepen, alsof ze bang waren dat ze werden aangevallen. Toen riep een schrille, doordringende mannenstem in het Euchee: 'Wie bent u daar?'

'Steenhouwer! Een steenhouwer van het kasteel! Met mijn dochter! Ik zoek mijn vrouw, Mos op de Boom!' De boten dreven met de stroom verder en hij moest met grote passen langs de oever meelopen om ze bij te houden. Steenhouwer sprak tegen de wind in en de mensen kwetterden zo hard, dat ze zijn woorden niet konden verstaan. Maar de boten waren nog geen honderdvijftig el van hen verwijderd. De mensen in de boten zouden hem wel herkennen als ze hem kenden. Als Mos op de Boom zich onder hen bevond, zou zij naar hem roepen.

Nu riep hij: 'Kom, neem ons mee! Wij zijn uw volk!'

'Wat?' riep de stem hard van het schip terug. Steenhouwer herhaalde zijn verzoek luider. Hij hoopte dat er geen Lenapeh in de buurt waren die al dit geschreeuw konden horen.

'Er is geen plaats!' riep de harde stem terug. 'Loop maar langs de kant met ons mee!'

En dus probeerde Steenhouwer hen bij te houden. De rest van die dag probeerde hij, met Rook van Sweetgrass hijgend en strompelend achter zich aan, de wegdrijvende boten in het oog te houden. Maar toen ze kreken en moerassen moesten oversteken en door dicht struikgewas heen moesten lopen, kwamen de boten steeds verder stroomafwaarts voor hen uit.

Hijgend en struikelend van vermoeidheid kwamen ze tegen de avond bij een plek aan waar de rivier na zijn lange loop naar het zuiden naar het westen afboog. En zelfs in het afnemende licht kon Steenhouwer zien dat de seintoren boven op de rotswand in puin lag en dat het struikgewas eromheen verbrand was; er kringelden nog steeds slierten rook van de heuveltop omhoog.

Hij was er nu nog zekerder van dat de Lenapeh inderdaad het hele dal van begin tot eind, het hele koninkrijk van de Alengwyneh, hadden vernietigd. Het schip en de coracles waren allang uit het oog verdwenen. Waarschijnlijk zouden ze heel de nacht verder drijven. Zodoende verloor hij bijna alle hoop om ze in te halen, ze zelfs ooit terug te zien.

'We zullen over die verbrande rotswand heen moeten klimmen,' zei hij, terwijl hij naar boven wees. 'Hier is geen laagland. Laat mij die bundels dragen.' Ze gaf ze graag aan hem over; haar handen waren verkrampt omdat ze er de hele dag mee had gesjouwd.

De schemering ging over in duister toen ze langs de met as bedekte wand omhoog klauterden. Rook van Sweetgrass hinkte kreunend mee. Ze had vandaag te hard gelopen en was weer gaan bloeden. De achterkant van haar kleed was doorweekt en het bloed droogde als een korst op haar benen op. De herfstige avondwind was guur op deze hoogte en bibberend kneep ze haar ogen half dicht. Ze vroeg zich af hoe haar vader de koude wind kon verdragen; hij had alleen maar een lendendoek om. Al deze dagen en nachten in de kilte van de herfst had zijn huid strak over zijn spieren gespannen gestaan en meestal had hij kippevel gehad.

'Dochter!' Zijn stem waaide met de wind mee. 'Het schip ligt daar aan de kant! We kunnen naar de mensen toe!'

Dicht bij de rand van het water beneden, stroomafwaarts, brandden drie vuren. Het aangemeerde schip was in de rand van de vuurgloed nog net zichtbaar. De coracles waren aan wal gedragen en op hun kop neergezet om enige beschutting te geven. Het kleine kampement leek, met de vuren in het midden, bijna een dorp.

Rook van Sweetgrass stond met haar hand over haar borst geklemd te luisteren.

Stemmen! De stemmen van haar eigen volk! Vrouwenstemmen!

Steenhouwer zei: 'Wat dom om zulke grote vuren aan te leggen! Maar ze zullen ons helpen onze weg naar beneden te vinden...'

Om ervoor te zorgen dat niemand schrok en ze door wachtposten aangevallen zouden worden, riep Steenhouwer naar beneden voor zich uit, terwijl hij zijn dochter bij de afdaling door de ritselende bladeren op de steile helling hielp. Hij riep zijn naam en zei dat hij van het kasteel kwam. Een aantal mannen kwam behoedzaam met speren en strijdbijlen op hem af en hoewel hij niemand zag die hij van naam kende, waren er twee jagers bij die hij wel eens eerder had gezien. Vergeleken met de rest van hen, was Steenhouwer een enorme man. Vanwege zijn lichaamslengte, of het feit dat hij het kasteel genoemd had, kwamen ze beleefd en timide lachend naar hem toe. Hun wapens hielden ze echter wel in zijn richting in de aanslag.

Een paar mensen kwamen kijken toen hij met Rook van Sweetgrass de lichtkring van het vuur binnenhinkte. Maar de meesten leken te veel door hun eigen ellende in beslag genomen om veel aandacht aan hen te schenken. Hij zag dat sommigen gewond waren en anderen vreselijke brandwonden op armen en benen hadden. Zo te zien waren er hier zo'n honderd zielen, die allemaal in verschillende stadia van ellende verkeerden.

Er waren heel veel vrouwen met de kenmerken van de Alengwyneh bij: het lichte haar, de blauwe of grijze ogen, de tanige, lichte huid. Er waren echter niet veel mannen met de eigenschappen van dat ras. Een aantal gewapende mannen was van gemengd bloed en had kastanjebruin haar of blauwe ogen, maar in het kamp was niet een van de reusachtige soldaten met gele baarden te bekennen. Bijna niemand droeg een wapenrusting. Een paar oudere vrouwen kwamen Rook van Sweetgrass aanstaren of haar helpen. Haar verfomfaaide kleed was één massa bloed en vuil. De mensen die naast hen meeliepen zaten vol vragen.

'Is de koning dood?'

'Wat hebt u daar? Is het voedsel?'

'Gereedschappen,' zei hij, 'en de Heilige Bundels van de koning.'

'Zijn Heilige Bundels!'

'Hij heeft de Heilige Bundels van de koning!'

'Ai-a-haiee!'

'Hoe komt u aan die bundels, man?'

Opeens was Steenhouwer bang dat hij ervan beschuldigd zou worden dat hij ze gestolen had en hij vertelde de waarheid zoals hij zich die herinnerde: 'Ik was in de Kamer van de Bundels aan het werk toen de aanvallers kwamen. Toen het kasteel in brand stond, heb ik de bundels gered.'

'Had u toegang tot de Kamer van de Bundels?' riep een man met wijd opengesperde ogen.

'Ja. Ik ben bouwer van de koning.'

'Aha. En is de koning dood?'

'Dat weet ik niet. Ik heb hem die dag niet gezien. Mijn dochter heeft hem 's morgens gebaad, maar hij is weggegaan.'

'Was uw dochter zijn baadster?' riep een vrouw.

Aangetrokken door het opgewonden gepraat kwamen er steeds meer mensen bij een vuur om hen heen staan. Steenhouwer kreeg het gevoel dat deze mensen geen hoofdman hadden en dat ze tegen hem als een belangrijk man opkeken. Een vrouw achter Rook van Sweetgrass zei:

'Uw dochter zit onder het bloed. Is ze in haar maan?'

'Ze is door de leenmannen misbruikt,' antwoordde Steenhouwer. 'Ze is vanbinnen verwond. Ze –' Hij zweeg. Hij vertelde haar niet dat ze haar in haar ingewanden pijn hadden gedaan.

'Kom mee, kind,' zei een vrouw. 'Mijn moeder is een geneesvrouw. Ze is hier.' Rook van Sweetgrass keek met ogen die diep in hun kassen lagen en donker van pijn en vermoeidheid waren naar haar vader op. Ze was klaar om door zorgende handen te worden opgevangen.

'Ga met hen mee,' zei hij tegen haar. Zelf ging hij op een

449

aangespoeld stuk drijfhout bij het vuur zitten, legde de bundels en de gereedschappen aan zijn voeten neer en warmde zijn door en door koud geworden handen en benen. Hij zuchtte. 'Ik ruik voedsel,' zei hij. 'Wat hebt u hier te eten?'

'Vis, zonnebloemwortel. Rust wat, Okimeh, dan zal ik u wat brengen.' Een vrouw met geel haar sprak deze woorden. Ze liep vlug weg en Steenhouwer keek haar verbaasd na. *Okimeh* betekent 'Onze leider'. Zo hadden de Euchee geprobeerd het woord *koning* uit te spreken, wat 'leider' was gaan betekenen. Steenhouwer wist dat hij geen leider was. Hij had zelfs nooit een *okimeh* ontmoet, omdat de koning van de Alengwyneh de Euchee niet had toegestaan dat ze door hun oude stam- of familieraden werden geregeerd. Generaties lang waren er, afgezien van de Alengwyneh-koningen, geen leiders geweest. *Okimeh* was slechts een woord dat in de herinnering voortleefde, een woord dat door de oude verhalenvertellers werd gebruikt. Maar het was nog steeds een goed woord met een sterke betekenis. Het bleef in Steenhouwers hoofd hangen, ook al praatten andere mensen voortdurend tegen hem. Een magere Euchee met een leren helm en een boog met pijlkoker ging op zijn hurken voor hem zitten en zei:

'Ik geloof dat de koning dood is. Ik heb hem boven op de toren gezien toen wij tegen de Lenapeh vochten. En toen stortte de toren in terwijl de vlammen er aan alle kanten uitsloegen. Ja, de koning moet dood zijn.'

'Dan is dat misschien zo,' zei Steenhouwer.

'De andere mensen hier geloven het niet,' zei de boogschutter. 'Op het schip hebben we er al over getwist. Zij geloven niet dat de koning gedood zou kunnen worden...'

'Hebt u het dode lichaam van de koning gezien?' vroeg een man die vlakbij stond spottend.

'Nee,' zei de boogschutter boos. 'Dat heb ik u al gezegd. Het was zo'n enorm vuur, dat zelfs botten zouden verbranden. En op datzelfde moment werd ik bovendien bewusteloos geslagen. Het verbaast me zelfs dat ik nu nog leef. Ik zou niet naar het gebeente van een koning hebben kunnen zoeken.'

'Nu zegt u er even niet bij dat u gevlucht bent,' zei de spotter.

'Wie deed dat niet?' was het antwoord van de boogschutter.

'De gieren doen zich te goed aan degenen die dat niet deden,' zei iemand. Het bleef een tijdje stil, maar even later kwam de stem van de spotter weer vanuit het donker. 'Niemand heeft gezien wat u hebt gezien. Moeten wij geloven wat één klein mannetje over de dood van de grote koning zegt?'

Steenhouwer wist niet of hij het al dan niet moest geloven, maar hij herinnerde zich wel hoe het kasteel er na de brand had uitgezien. Hij herinnerde zich de verbrande lichamen en dat er geen levende mensen meer in het kasteel waren geweest.

Hoe dan ook, dacht hij met een zekere kwaadaardige voldoening, Alengwyned is òf dood, òf een non-persoon.

De vrouw met het gele haar kwam met een kalebas vol voedsel terug en gaf hem die aan. Ze lachte heel aantrekkelijk en zei erbij: 'Eet, Okimeh.' Ze hurkte bij zijn voeten op de grond neer en keek naar hem op. Haar manier van doen gaf hem een vreemd sterk, belangrijk gevoel. Met zijn vingers plukte hij warme vis en wortels uit de soep en kauwde er uitgehongerd op. Maar voor zijn kalebas helemaal leeg was, wachtte hij even en vroeg of zijn dochter al te eten had gehad. De vrouw met het gele haar knikte hem lachend toe. Hij dacht dat hij haar al eerder, in het kasteel, had gezien.

Steenhouwer begon weer tegen de boogschutter te praten en vroeg: 'U hebt dus tegen de Lenapeh gevochten? Wilt u me erover vertellen? En wat hebt u, behalve de toren die in brand stond en instortte, nog meer gezien? Hoe zijn de Lenapeh op het kasteeleiland gekomen?' In gedachten moest hij zich een aantal van die grote, afschuwelijke dingen die zo snel waren gebeurd en de wereld waarin hij had geleefd hadden veranderd voor de geest halen. Die dag had hij alleen maar een paar Lenapeh-krijgers in een gang gezien. Daarna had hij met zijn dochter een hele tijd tussen de lijken in de Regenkamer zitten wachten. Hij wilde horen wat de boogschutter hem over zo'n grote strijd en hoe het was geweest om daarin mee te vechten kon vertellen. Hij keek naar de aantrekkelijke vrouw met het gele haar en vroeg zich ook af wat zij had gezien. En die andere man, de spotter.

En iedereen die hier is, dacht hij.

Als iedereen het deel dat hij ervan zag vertelt, zullen we het misschien begrijpen. Dan zullen we misschien weten wat we moeten doen.

Hij had nog tal van andere vragen, maar in eerste instantie wilde hij verschrikkelijk graag weten of de Lenapeh allemaal waren vertrokken. En of er meer mensen van zijn volk waren ontkomen aan de grote slachting die de Lenapeh in het laagland, waar hij de ontelbare gieren had gezien, hadden gehouden.

Toen, net alsof er een stem in zijn hoofd sprak, kwam hij opeens op de gedachte dat je de dingen die veel mensen vertelden in elkaar kon passen, zodat je een algehele interpretatie kreeg, precies zoals je van blokken steen, lateibalken en draagstenen tezamen een kasteel bouwt. Hij bukte zich en pakte de Heilige Bundels op.

Steenhouwer had de koning een keer met deze zelfde in leer gebonden voorwerpen op zijn knieën in de Kamer van de Bundels zien zitten. Hij had daarbij zijn ogen gesloten en ondertussen stonden een paar leenmannen tegen hem te praten. Steenhouwer had zich toen afgevraagd of de bundels de koning door hun magie hielpen horen en begrijpen. Dus legde Steenhouwer de bundels nu op zijn schoot neer en zei tegen de boogschutter:

'Ik vraag u: zeg me wat u deed en wat u zag.'

En alsof ze zijn vrouw was, leunde de vrouw met het gele haar dichter tegen Steenhouwers been aan en zei tegen de boogschutter: 'Ja, kleine soldaat. Praat tegen deze *okimeh*. Mensen! Kom mee luisteren!'

En terwijl de boogschutter over de strijd begon te vertellen, keek Steenhouwer de vrouw nieuwsgierig aan. Ze was een sterke vrouw die haar woordje klaar had, heel anders dan zijn eigen vrouw. Ze geloofde dat hij inderdaad een *okimeh* was, òf ze wilde om een of andere reden dat de mensen dat geloofden, een van de twee.

'Toen ze om de boogschutters riepen,' vertelde de man, 'waren de Lenapeh al bij de muur en probeerden naar boven te klimmen...'

Eén voor één vertelden de mensen Steenhouwer wat ze hadden

gezien. Sommigen waren ontsnapt omdat ze aan het jagen waren. Bij hun terugkeer had alles in brand gestaan. Sommigen waren voor dood achtergelaten. Toen de krijgers vertrokken, waren ze onder de lijken uitgekropen. Sommigen hadden zich kruipend in veiligheid gebracht toen hun brandende hutten rond hen instortten. Velen hadden gezien dat hun familieleden werden gedood. De Lenapeh waren genadeloos geweest, daar was iedereen het over eens.

'Welnee,' zei een jager. 'De krijgers die ik zag waren Irokezen.' Hij vertelde dat hij zich op de noordelijke oever bevond toen hij hen bij het aanbreken van de dag het pad af naar het dorp had zien lopen. Een ander zei: 'Ja, ik geloof ook dat het Irokezen waren.'

Iemand zei: 'Maar de Lenapeh en de Irokezen zijn elkaars vijanden. Zouden ze dan toch naast elkaar vechten?' De toehoorders waren onthutst. Allemaal keken ze naar Steenhouwer, alsof die misschien een of andere verklaring had. Hij streek over de leren bundels op zijn schoot en begon na een tijdje te spreken. Hij uitte een gedachte die op de een of andere manier in zijn hoofd was opgekomen:

'Onze koning... was een wreed, hooghartig, zelfvoldaan man. Zelfs het land noemde hij naar zichzelf, zelfs de bergen die de Lenapeh en de Irokezen van elkaar scheidden. Twee zulke vijanden zouden kunnen hebben gezegd: "Die koning bij het Vallend Water is voor ons een erger gevaar dan wij voor elkaar zijn." En ze zouden het erover eens zijn geworden hem te doden.' Hij wist niet waar dit idee vandaan gekomen was. Het leek echter antwoord te geven op de vraag en de vrouw met het gele haar aan zijn voeten keek hem met een doordringende blik aan en zei:

'Onze *okimeh*, de kasteelbouwer, begrijpt zulke dingen. Luister naar hem! Kijk, hij raakt de Heilige Bundels aan en zij vertellen het hem. Is dat niet zo, Okimeh?'

Weer verbijsterde het hem dat hij zo werd aangesproken. Maar de manier waarop deze vrouw naar hem keek en hem behandelde, gaf hem het gevoel dat hij sterk was. Het leek inderdaad of hij in ieders gedachten was. Hij leek inderdaad de vibrerende kracht te voelen op de plekken waar zijn vingers de bundels aanraakten. Zijn gedachten zweefden en het vuur voor zijn ogen vervaagde. Hij dacht aan de bundels en aan het gevoel dat ze hem gaven. Opeens schokte hij op. Hij keek om zich heen. Alles was zoals het was geweest. Hij besefte dat hij in de warmte van het vuur in slaap was gevallen; zelfs terwijl hij met open ogen rechtop zat, was hij in slaap gevallen.

'We moeten allemaal maar naar bed gaan om te slapen,' zei de vrouw aan zijn voeten; ze had hem zien soezen.

'Ja, we moeten gaan slapen,' was Steenhouwer het met haar eens. 'Bij het krieken van de dag moeten we in de boten. De vijandelijke krijgers zitten ongetwijfeld overal in het land. We moeten de vuren doven.'

'De *okimeh* heeft gelijk,' zei de vrouw ernstig. 'De vuren moeten uit. Waarom heeft niemand van jullie stommelingen daaraan gedacht?'

'Als de wachtposten vannacht alarm mochten slaan,' zei Steenhouwer, 'moeten we allemaal klaarstaan om in het schip en de coracles te gaan en de rivier op te gaan. Ergens anders is het niet veilig.'

Weer zei de vrouw: 'De *okimeh* heeft gelijk. Luister naar hem!' Toen legde ze een hand op zijn blote dij en zei tegen hem: 'Op het schip zijn vandaag drie gewonde mannen doodgegaan. We hebben ze in het water laten glijden. Nu is er aan boord ruimte voor u en uw dochter.'

De mensen begonnen de vuren in te dammen en vier jagers begaven zich naar de rand van het kamp om de wacht te houden. Naarmate de vuurgloed minder werd, voelde Steenhouwer de kilte van de najaarslucht en herinnerde zich dat hij inmiddels al dagenlang praktisch naakt was. En hier was er geen nis vol bladeren waarin hij zich samen met zijn dochter voor een beetje warmte kon nestelen.

De vrouw met het gele haar scheen te weten wat hij dacht. Ze zei: 'Uw dochter is warm en slaapt al. Okimeh, kom bij mij, kom in mijn mantel liggen.'

Een paar mensen hoorden haar en sloegen hun ogen neer of keken de andere kant op. Steenhouwer deed zijn mond open om haar te vertellen dat zijn eigen vrouw misschien nog leefde of dat hij, als ze dood was, om haar moest rouwen. Maar hij zei het niet. De wereld was verwoest. Niets was er nog over. Hij geloofde niet dat zijn vrouw nog leefde.

Het was een wettig huwelijk van een koninkrijk dat niet meer bestond.

Bovendien kon Steenhouwer zich zijn vrouw nauwelijks herinneren. Omdat hij geloofde dat ze dood was, had hij geprobeerd haar naam in zijn gedachten uit te vagen, zodat er geen enkele echo achterbleef.

In de ogen en het gezicht van deze vrouw met geel haar die hem steeds maar *okimeh* noemde, was er ook een kracht die hem het gevoel gaf dat hij een hoofdman was. Het scheen Steenhouwer toe dat zij een ongewoon sterke vrouw met een gezond verstand was en dat zij al veel van wat hij zou moeten weten wist. Dus kwam hij met de leren bundels van zijn plekje bij het vuur overeind. De mensen deden alsof ze niet zagen dat zij samen in het donker verdwenen.

De vrouw ging bladeren en wilgetenen verzamelen om de plek onder aan de rotswand, waar ze zouden slapen, te bekleden. Intussen huiverde Steenhouwer in de herfstige nachtlucht. Hij probeerde een manier te bedenken om de Heilige Bundels van de koning te beschermen tegen mensen die eens op het idee mochten komen ze te stelen. Opeens bedacht hij dat deze vrouw de bundels misschien wel wilde bezitten. Misschien had ze daarom wel vriendschap met hem gesloten en hem gevleid. En terwijl zij bezig was hun slaapplaats in gereedheid te maken, stond Steenhouwer daar met de Heilige Bundels tegen zijn borst geklemd. Bijna ongemerkt sloop een achterdocht tegen haar tussen de nieuwsgierigheid en het verlangen die zij al in hem had opgewekt door. Steenhouwer was vreselijk moe. Hij geloofde niet dat hij goed kon denken. Zelfs onder optimale omstandigheden had hij nooit veel vertrouwen in zijn denkvermogen gehad, tenzij dat denken te maken had met steen uithakken, steenhouwen en gereedschappen. Nu hij zo moe was, leek alles heel onwerkelijk. Hij vreesde dat dit een sluwe vrouw was die veel slimmer was dan hijzelf. Ze scheen zelfs sluwer en verstandiger dan alle andere mensen hier. Hij was een beetje bang voor haar. Ze leek een vrouw te zijn die hem dingen zou kunnen laten doen die hij volgens zichzelf niet hoorde te doen, zoals een slaapplaats met haar delen terwijl hij nog in onzekerheid over het lot van zijn vrouw verkeerde.

Hij was bang voor haar, maar hij geloofde dat hij haar nodig had. Zij had hem te eten gebracht toen hij erom vroeg. Nu bood ze hem de warmte van haar mantel aan, alsof er geen andere haven van warmte voor zijn koude, uitgeputte lichaam te bedenken viel.

'Kom nu maar, Okimeh,' kwam haar stem uit het duister. Onhandig, zenuwachtig, gehoorzaamde hij. Hij legde de bundels op een plekje tussen de onderkant van de rots en het bed van wilgetenen neer, zodat je over hem heen zou moeten reiken of klimmen om erbij te komen.

De takken en bladeren ritselden toen ze opzij schoof en hij voelde haar lichaam, voelde de warmte die opsteeg en wist dat zij haar mantel voor hem openhield.

Hij schoof naast haar en ze sloeg de huid over hem heen. Van haar kleed, een fijne stof, het soort stof dat de vrouwen in het kasteel droegen, had ze een kussen voor hem gemaakt. Ze was helemaal naakt en drukte zich dicht tegen hem aan. Allebei waren ze koud en het duurde een tijdje voor een van hen beiden warmte begon af te geven. Huiverend lag hij daar en ademde haar muskusachtige lichaamsgeur en ademhaling en de vermolmde lucht van de mantel van bizonvel in. Zijn hart sloeg snel. Hij lag doodstil en raakte haar nauwelijks aan; tegen zijn wil moest hij steeds aan Mos op de Boom denken. Opeens was ze in zijn geheugen teruggekeerd. Hij zag haar gezicht duidelijk voor zich.

De vrouw zei heel zacht: 'Kom dichterbij liggen, Okimeh, en word warm. U bent net het ijs in de rivier in de winter. Ik hoop dat u niet zult wegsmelten.' Diep in haar keel klonk een lachje. Elders in het kamp klonken er maar heel weinig stemmen, afgezien van kinderen die opgewonden praatten en de kalmerende stemmen van hun moeders. De vuren gloeiden nu alleen nog wat na en het enige licht kwam van de maan.

'Waarom noemt u me Okimeh?' vroeg hij haar op het laatst.

Het bleef even stil. Toen zei ze, niet fluisterend, maar murmelend: 'Hebt u dan niet naar de mensen gekeken? En naar uzelf? Wie anders zou hen kunnen leiden? U bent sterk. U hebt van koningen gehoord. U weet meer. U kunt bouwen. En u hebt de Heilige Bundels van de koning. Daarom noem ik u Okimeh. Alleen u zou hun opperhoofd kunnen zijn en hen leiden!' Tegen de tijd dat ze uitgepraat raakte, siste haar stem van opwinding. Hij werd nog banger.

'Hen leiden?' vroeg hij. 'Maar waarheen dan? En ik weet niets meer dan zij. Ik heb juist zitten denken hoe weinig ik weet.'

'Weten dat je niets weet is de beste manier om te beginnen,' zei ze. 'U bent als vers gevallen sneeuw zonder sporen. Ik zal u onderwijzen. Zij zullen u onderwijzen. Luister,' murmelde ze. 'Vanavond zag ik u bij het vuur net zolang naar ons zitten luisteren tot u alles van de oorlog af wist. Maar zelf had u die niet gezien, omdat u tijdens de gevechten in een grot was. Maar nu weet u alles over de oorlog, meer zelfs dan degenen die er getuige van waren. Zo gaat een grote *okimeh* te werk!' Ze rolde op haar zij iets meer naar hem toe en legde haar rechterbeen over zijn dijen heen. Haar borsten lagen groot, zacht en warm tegen zijn rechterarm. Hij was zich nu zo van haar bewust, dat hij nauwelijks kon nadenken. Al zijn waarneming scheen naar zijn lendenen te gaan en het duurde even voor hij merkte dat ze weer met een stem zacht als een briesje en de voortkabbelende rivier tegen hem sprak: '...zaad als we de rivier afzakken,' zei ze. 'We moeten bij de akkers stoppen en alles oogsten wat de Lenapeh niet vernietigd hebben. De maïs, de bonen, de pompoenen. Als we genoeg vinden, zullen die ons van de winter in leven houden. En vervolgens moeten we al het zaad bewaren en dat volgend voorjaar uitzaaien, zodat het gaat groeien. Zoals dit machtige ding onder mijn been nu groeit.' Ze lachte door haar neusgaten heen en stak vlug een hand in zijn lendendoek. Door haar aanraking moest hij al bijna zijn zaad uitstorten. Hij deinsde terug. Ze giechelde en zei: 'Ik denk dat *dat* daar al klaar is om zaad in de aarde van mijn buik te planten. Is het klaar, Okimeh?' Hij kon alleen maar slikken en ja knikken. Hij was bijna bang voor haar; ze was zo in de aanval. Maar hij wilde nu wanhopig graag binnen in haar zijn, ook al snorde zijn lichaam, dat inmiddels al warmer werd, van vermoeidheid. Haar vingers rommelden met de knoop in zijn gordel en hun aanraking deed onzichtbare vonken op zijn huid overspringen.

Het kleine kledingstuk viel opzij. Nu was hij even naakt als de vrouw. Met een sterke, vereelte hand greep ze zijn lid beet, zodat hij naar adem hapte en zich uiterst ongemakkelijk voelde. 'Wilt u dan onze *okimeh* zijn, met mij als uw koningin?' murmelde ze.

'U brengt me in de war,' zei hij. 'Ik ben maar een steenhouwer. Ik geloof niet dat ik een *okimeh* zou kunnen zijn! Ik zei u al dat ik maar heel weinig weet.'

Ze scheen zich van hem terug te trekken, te bekoelen. Ze haalde haar hand weg.

'Toch zou u onze *okimeh* kunnen zijn,' zei ze. 'En als u het zou worden, zou ik de uwe zijn, nu en in de toekomst. Dan zou ik een hulp voor u zijn. Want ik weet wel van dat soort dingen af. Maar als u geen *okimeh* was, nee, dan niet.'

Steenhouwer wilde dat ze haar verlangen weer toonde. Hij was bang dat ze genoeg van zijn twijfels en verontschuldigingen zou krijgen en hem in de kou zetten. Hoe uitgeput hij ook was, hij dacht niet dat hij in slaap zou kunnen vallen zolang zijn verlangen naar haar niet was bevredigd. Met schorre stem fluisterde hij: 'Kom weer dichterbij. Ik heb u nodig.' Hij stak zijn hand naar haar uit, maar ze deinsde terug en trok de mantel met zich mee tot hij de koude lucht op zijn rug voelde.

'Alleen als u zegt dat u *okimeh* zult zijn en mij aan uw zijde neemt.'

'Hoe kan een arme steenhouwer zoiets in één nacht beslissen?' protesteerde hij, bijna jammerend.

'Waag het niet me aan te raken voor u uw besluit genomen hebt.'

Opeens ging Steenhouwers frustratie om deze onbeschaamde, ambitieuze vrouw over in woede. Ze had hem gevleid en in haar bed gelokt, waar ze naakt naast hem lag. Ze had hem zo schaamteloos als je je maar kunt indenken gestreeld. En nu probeerde ze hem door verlangen tot iets te brengen dat hij niet wilde doen, en wees hem nu af omdat hij dat niet wilde. Een golf van verontwaardiging welde in hem op en hij dacht, zoals hij nog nooit tevoren gedacht had: hij zou haar toch wel kunnen nemen. Hij was sterk. Ze had hem verleid en geprikkeld. Dus drukte Steenhouwer met een heftigheid die helemaal nieuw voor hem was een hand op haar mond en kroop boven op haar. Ze begon te kronkelen en te worstelen. Hij drukte haar met zijn gewicht naar beneden en duwde eerst één knie en daarna zijn andere knie tussen haar benen. Hij was wild in zijn buik en klaar om los te barsten. In deze donkerte was ze een paradijs van naaktheid.

Ze gaf toe. Ze opende zich als een bloem en weer reikte haar hand naar zijn lies.

Hij voelde een volkomen nieuw soort verrukking. Nog nooit in zijn leven had hij iets gekregen dat hij wilde hebben door dat met geweld te nemen; het was of hij een koning was. Voor het eerst was hij opgetogen over zijn macht als man en zijn wilskracht. Het gaf hem zo intens het gevoel dat hij leefde, dat hij zich nauwelijks meer kon inhouden.

De hand van de vrouw ging over zijn tintelende orgaan alsof ze het bij zich naar binnen wilde brengen. Maar toen ging haar hand verder, helemaal om het scrotum heen. Ze kneep harder.

En harder.

Steenhouwer hapte haar adem. Hij probeerde van haar af te rollen, maar haar sterke hand draaide zijn balzak om en haar vingertoppen scheidden zijn testikels van elkaar. Hij werd bang om zich te verzetten. Als hij een arm probeerde te verroeren om haar een klap te geven of haar te smoren, kneep ze nog harder, en hulpeloos, met open mond naar adem happend, gaf hij het op. Het kortstondige ogenblik dat hij zich machtig had gevoeld, was voorbij. Ze siste in zijn oor:

'U wordt onze *okimeh*.'

'Ja, goed,' hijgde hij.

'Ik zal uw koningin zijn.'

'Anggh! Ja, ja!'

'We zullen deze mensen uit het gevaar wegleiden, naar de andere kant van de Moeder der Rivieren, weg van de Lenapeh. Belooft u dat?'

'Aggh! Ja, ik beloof het!'

'U houdt die belofte?'

'Ja. Ja.'

'U zult blij zijn, Okimeh. Het is voor het bestwil van ons volk die de Kinderen van Eerste Man zijn. U zult zien...'

459

'Laat me los, vrouw.'

'Doe uw belofte gestand, dan zult ge een groot koning zijn en zal ik u het hoogste genot brengen en u elke dag bijstaan.'

'Ik... ik zal mijn gelofte gestand doen,' kreunde hij hoewel hij niet wist hoe hij over de belofte zou denken als de pijn weer was verdwenen. Hij zou haar niet nog eens de gelegenheid willen geven dat ze hem ooit weer zo te pakken nam.

Ze liet los en met zijn tanden op elkaar geklemd en met rollende ogen rolde hij van haar af, op zijn rug. Dat ze hem niet meer vasthield, deed een poos evenveel pijn als de greep zelf. Hij wilde op adem komen, opstaan en van deze vreemde, geduchte vrouw, die zo volkomen anders was dan alles dat hij ooit had gekend, weggaan. Maar nu zei ze hartelijk:

'Okimeh, kom bij me liggen. We zullen elkaar warm houden. We zullen bespreken wat de *okimeh* allemaal moet doen.'

'Niet praten,' mompelde hij, dubbel uitgeput door wat ze hem zojuist had laten doorstaan. 'Ik moet slapen!'

Iemand in de buurt zuchtte luid hoorbaar en zei: 'Ja. Ga slapen.'

'Hou je mond, jij!' snauwde de vrouw terug. 'Je spreekt tegen onze *okimeh*!'

Steenhouwer wreef met zijn handpalm over zijn gezicht en kreunde het uit van ellende. *Okimeh?* dacht hij. Is er wel eens eerder iemand op deze manier *okimeh* geworden?

Haar hand raakte zijn buik aan en bijna was hij met een sprong uit de mantel weg. Maar ze pakte hem niet opnieuw zo beet. Ze streelde zijn lies en mompelde: 'Okimeh, ik ben uw koningin en ik zal u genot geven.'

'Wees na morgen mijn koningin. Ik heb nu te veel pijn voor genot.'

Ze kroop dichter tegen hem aan. Haar adem rook naar paddestoelen. 'Ik kan de pijn in genot veranderen,' fluisterde ze.

En nog voor de maan was ondergegaan deed ze dat inderdaad.

Later lagen ze met elkaar te fluisteren. Hij hoorde dat ze de vrouw van een leenman die Gruffyd heette was geweest en alleen maar minachting voor hem had gevoeld. 'Hij was meer met de koning dan met mij getrouwd. Alengwyned was een schijthond en Gruffyd was zijn sul.' Ze wist niet of ze dood waren, maar geloofde daar opgewekt in.

Ze vertelde hem ook dat ze hem vaak in het kasteel gezien had en hem om zijn kracht en waardigheid bewonderd had. 'Na wat u met me hebt gedaan, heb ik die alle twee niet meer,' mompelde hij en ze glimlachte.

Haar grootouders waren Euchee geweest en hadden haar Zingt tegen Slangen genoemd. De grootvader was verhalen-verteller en zanger in het kasteel geweest, en ze herinnerde zich het merendeel van zijn verhalen uit de Tijden van Weleer, met inbegrip van hun verhaal over Eerste Man, Madoc, die van over het Water van de Grote Zonsopgang was gekomen. 'De verhalen die ik ken zijn de verhalen in de Heilige Bundels,' fluisterde ze. 'Van Eerste Vrouw die uit de zijde van Eerste Man gemaakt is. Over een vloed over de wereld en over Eerste Man die een duif uitliet om naar land te zoeken. Of over Eerste Man die met twee anderen naast zich opgehangen werd om voor zijn volk te sterven... Ziet u wel, de Schepper heeft ons hier bij elkaar gebracht! Alleen *wij* hebben het verhaal van Eerste Man: u en ik! Met mij aan uw zijde kunt u waarlijk koning zijn voor deze mensen op de vlucht, die een veilige woonplaats zoeken, een nieuw thuis, zonder zo'n schijthond van een koning! En evenals Eerste Man, gaan wij naar dat nieuwe land in een schip, vanuit het oosten, ziet u wel? U bent de *okimeh* die de Eerste Man van dit volk zal zijn. En ik zal Eerste Vrouw, aan uw zijde, zijn!'

Na dagen van pijn en vermoeidheid, en nu dit grote genot, was dat een fantastische gedachte bij het slapengaan. Hij nestelde zich dicht tegen haar aan. Hij wilde haar geloven en wist dat hij nooit ver van Zingt tegen Slangen, zijn koningin, vandaan wilde zijn. Maar toen hij wegdoezelde, vroeg hij zich opnieuw af of iemand ooit op deze manier *okimeh* was geworden. Het was niet bepaald iets dat een *okimeh* ooit tegen iemand zou vertellen.

14 *Een steile rotswand boven de Modderrivier*
Herfst 1492

In de harde wind kneep Jongen met Man-gezicht zijn ogen tegen de zon dicht. Hij sloeg het zware bizonvel over zijn schouders en luisterde naar de laatste instructies van Sterk Been, de Lokbizon. Het haar van Sterk Been was wit, maar dat kwam niet van ouderdom. Hij was een van de Lichte Mensen, de stam wier voorouders lang geleden onder leiding van de grote *okimeh* Steenhouwer naar het Mandan-volk waren gekomen. De Lichte Mensen hadden zich bij het Volk aangesloten en hadden onder hen gewoond. En op een gegeven ogenblik was Steenhouwer opperhoofd van alle Mandan geworden en Steenhouwers vrouw, Zingt tegen Slangen, was de Verhalenvertelster en Bewaarster van de Bundels geworden.

Van de Lichte Mensen die op die dag waren gekomen, was Rook van Sweetgrass, de dochter van die grote *okimeh*, de enige die nog in leven was. Rook van Sweetgrass was inmiddels al meer dan honderd zomers oud geworden en sinds de dood van Zingt tegen Slangen was zij de Bewaarster van de Bundels.

Vandaag was het de dag van de *pishkun*, de dag dat Jongen met Man-gezicht zich op het grote gevaar voorbereidde. Hij was niet zo heel erg bang, omdat hij wist dat de oude Rook van Sweetgrass voor zijn veiligheid bad; zelfs op deze grote afstand van de plek waar zij zich in het dorp bevond, kon hij haar gebeden *voelen*. Het was heel gevaarlijk om een Lokbizon te zijn en Rook van Sweetgrass zou hem zeker niet laten sterven terwijl hij dat was, omdat zij hem had gekozen om de Verhalenverteller en Bewaarder van de Bundels te worden wanneer het haar tijd zou zijn om naar de Wereld van Gene Zijde over te gaan.

Het was voor een jongen zowel een eer als een last om voor een belangrijke plicht uit alle andere jongens te worden gekozen. Jongen met Man-gezicht was al twee keer gekozen, hoewel hij nog geen veertien zomers oud was. Hij zou een Lokbizon worden omdat hij een onovertroffen hardloper was en als een dier kon denken. Dat was uit zijn vaardigheid bij de jacht wel gebleken.

En hij zou Verhalenverteller en Bewaarder van de Bundels worden, omdat de geesten hem aan Rook van Sweetgrass hadden aangewezen. Aangezien de geesten de tijden die zouden komen konden zien, was dat voor Jongen met Man-gezicht de geruststelling dat hij niet vandaag bij de *pishkun* gedood zou worden. Soms gebeurde dat namelijk met Lokbizons. Hij zou echter blijven leven om datgene te doen waarvoor de geesten hem hadden uitverkoren.

Maar nu moest hij eerst dat moedige ding dat Sterk Been van hem verwachtte doen, namelijk meehelpen de bizonkudde over de rand van het klif te lokken, zodat ze op de rotsige rivieroever daarbeneden dood zouden neervallen.

'Ze zijn er bijna,' zei Sterk Been terwijl hij naar de top van de heuvel wees. Je kon daarboven het stof van de trekkende kudde al zien hangen. Jongen met Man-gezicht kon bizons ruiken. Door zijn voeten op de grond kon hij ook het trappelen van de kudde voelen. De bizons kwamen nu langzaam naar boven. Nu en dan bleven ze even staan om te grazen, maar waren toch op hun hoede voor de mannen die de bizons geleidelijk aan naar deze steile rotswand opdreven. Jongen met Man-gezicht kon de kudde en de drijvers nog niet zien, maar wist dat de eerste donkere koppen en hoge ruggen voorbij het wuivende gras op de top van de heuvel te voorschijn zouden komen. 'Bedek jezelf nu, zodat ze geen mens, maar een soortgenoot zien,' zei Sterk Been. 'En verlies nooit je merkteken op het klif uit het oog. Denk als de bizon. Bid dat hij je vertrouwt en je volgt. En wanneer je de jager hoort schreeuwen, breng je de kudde naar je gemarkeerde plek en spring je eroverheen. Nu ga ik naar mijn eigen plek.' Sterk Been trok het bizonvel over zijn hoofd en ging gebukt lopen. 'Moge Maho Peneta over je leven waken, jonge broeder!' prevelde hij van onder het vel. Toen liep hij naar zijn eigen plek, verder op de hoge rots, toe. Met zijn zwartgeverfde benen en de staart van het vel achter zich aan zwaaiend, met het wollige haar op de schouderbult hoog boven op zijn hoofd, dat hij laag voor zich uitgestoken hield, leek Sterk Been inderdaad net op een oude stier die wegliep als je de benen niet telde.

Jongen met Man-gezicht zat nu alleen op de winderige heuveltop. Hij trok zijn lokmantel om zich heen en deed of hij een andere oude stier was. Biddend zat hij te wachten. En in de wind kon hij het geluid, maar niet de woorden, horen van het gebed dat Rook van Sweetgrass voor zijn veiligheid uitsprak.

Na een poosje verscheen de kudde boven op de heuvel en kwam langzaam zijn kant op. Een paar bizons keken nietsvermoedend in zijn richting, begonnen te grazen, hieven hun kop omhoog, kwamen dichterbij en graasden verder. Hij zond bizongedachten naar hen toe. *Ik ben een van jullie. Vertrouw op mij als er gevaar dreigt, want ik weet waar jullie heen moeten lopen. Deze kant op. Hierheen, naar deze kant, zijn er geen tweevoeters, er is alleen maar open ruimte.* Terwijl hij dat gebed naar hen toe zei, stond hij zichzelf niet toe om aan het klif te denken. Dat zou ze immers de gedachte aan de steile rotswand in de kop kunnen brengen. En dan zouden ze in een andere richting, weg van de wand, wegrennen.

Onder het bizonvel was Jongen met Man-gezicht nat van het zweet. Hij hield de ruigbehaarde kop voor zich omhoog. Zijn armen brandden van de inspanning ervan. Hij stond nu op nog geen vijftien passen afstand van de rand van de kudde, tussen de bizons en het klif in, precies op de plaats waar hij moest zijn. Hij kon ze met hun tanden aan het taaie gras horen rukken, kon hun gesnuffel op de grond, het geblaat van de kalveren, zelfs het gespetter van hun mest op de grond en het stampen van hun hoeven horen. Van onder de rand van zijn bizonvel kon hij de poten en hoeven van de dieren die wat dichterbij stonden zien en was zich scherp van het gevaar van die hoeven bewust.

De kudde, meer dan honderd dieren in getal, was nerveus.

Ze waren zich bewust van de tweevoeters, wier geur steeds met de wind mee naar hen toewaaide; dagenlang hadden de tweevoeters nu al in de verte rondgehangen. Hun aanwezigheid vormde geen sterke bedreiging, maar het was genoeg geweest om de kudde naar deze plek boven op het klif te brengen. Jongen met Man-gezicht, die nu als de bizon dacht, kon voelen hoe nerveus de kudde was.

Hij merkte ook hoe zenuwachtig hijzelf was en hoe hevig hij zweette. Als de wind ook maar iets draaide, zouden de dieren hem, nu hij zo dicht bij ze was, misschien ruiken en van het klif wegvluchten. Om zijn mensenlucht te verwijderen, had hij zichzelf in het zweethuis gebaad en gereinigd en zijn lichaam met salie afgewreven. Hij wist echter dat dit zweten hem weer de lucht van de tweevoeter die hij was gaf. Hij hoopte dat de wind de sterke lucht van de kudde naar hem toe bleef blazen en niet andersom, van hem naar de kudde, blies.

En dus snuffelde en liep Jongen met Man-gezicht een tijdlang die wel een eeuwigheid leek als een oude, grazende stier tussen de kudde en het klif rond. Hij wachtte op het signaal en hield daarbij de plek die hij op de rand had gemarkeerd goed in het oog. Er kwam wel eens een lokbizon om. Maar dat gebeurde bijna altijd omdat die de plek op de rand van het klif waar hij zou ontsnappen niet kon vinden of niet op tijd kon bereiken. Jongen met Man-gezicht bleef er uit een ooghoek naar kijken; het was de plek waar een kluit alsem, donkergroene alsem die waaiervormig afstak tegen de heiige ruimte daarachter, trilde in de wind. Het was op nog geen honderd passen afstand van de plek waar hij nu zich nu bevond; zijn voeten stonden klaar om zich er, op het moment dat de drijvers achter de kudde het signaal schreeuwden, heen te spoeden. Hij likte zoutig zweet van zijn lippen en probeerde ervoor te zorgen dat zijn tweevoetersgedachten niet in de koppen van de bizons terechtkwamen.

Ik ben een van jullie. Volg mij wanneer jullie gealarmeerd raken.

Opeens: de schreeuw!

En daarna meer luide kreten die tot een vibrerend gejoel aanzwollen. De kudde verstrakte en begon onmiddellijk, met rollende ogen, staarten die omhoog gingen en zwaaiende koppen, rond te lopen. Jongen met Man-gezicht zag dat enkele dieren al zijn richting uit kwamen. Hij maakte het geluid van een stier, draaide zich om en liep op de kluit alsem aan. Het bizonvel op zijn rug flapperde en zwaaide tegen zijn benen aan. Nu hoorde hij het roffelend geluid van hun hoeven achter zich steeds luider worden. Ze kwamen achter hem aan! Ver opzij ving hij een glimp op van Sterk Been die, met de wegvluchtende bizons als een snelle, donkere donderwolk achter zich aan, naar zijn eigen ontsnappingsplek op het klif rende. Het hart klopte Jongen met Man-gezicht nu in de keel. Hoe hard hij ook kon rennen, de bizons renden harder. Hij zou ze dolgraag ver, ver vooruit zijn, maar als lokbizon mocht hij niet te ver vooruit gaan. Dan zouden ze immers nog van richting kunnen veranderen en hem niet meer naar de rand volgen. Distels en zegge zwiepten tegen zijn blote benen aan. Zijn instinct als tweevoeter was om de zware mantel af te gooien, rechtop te gaan staan en voor zijn hachje te rennen. Maar hij moest nu de instincten van de bizon gebruiken, en niet die van hemzelf.

Door het zweet in zijn ogen zag hij, juist op het moment dat hij helder moest zien, alles als door een waas. Naar zijn gevoel waren de bizons pal achter hem.

Toen was hij bij de rand. Recht onder zijn neus gaapte de lege, heldere lucht, met ver daarbeneden de geelgroene rivier.

Hij dook door de alsem heen zoals hij bij het oefenen had gedaan, krabbelde naar opzij, liet de mantel los en liet zich met zijn gezicht naar beneden op een smalle, stenen richel net onder het overhangende klif vallen. Daar klemde hij zich aan de rots vast. Recht onder hem liep de rotswand steil naar beneden. Onderaan zag hij de heldergroene toppen van wilgen. De rots waarop hij lag trilde van de hoeven die eroverheen denderden. De heldere lucht boven hem werd verduisterd door grote, donkere lichamen die naar beneden suisden. Jongen met Man-gezicht kromp op zijn kleine richel ineen. Zijn hart bonkte wild. Hij werd bekogeld met aarde, stukken rots, stukken alsem en vlokken kwijl van de bizons. Hij tilde zijn hoofd op en keek naar beneden. Langzaam zag hij stieren, koeien en kalveren in de lucht ronddraaien. Sommige vielen met de kop naar bene-

466

den, andere met de buik naar boven; als in een droom zag hij bizons naar beneden, naar de boomtoppen zweven. In eerste instantie sidderden de bomen en slokten de bizons op. Maar even later waren alle takken gebroken en zag hij andere bizons boven op de dieren op de grond vallen. Sommige lagen stil; andere schopten, kronkelden en loeiden. Van beneden zwol er een storm van geluid op: op elkaar ploffende lichamen, afknappende bomen, naar beneden kletterende rotsen, gegil en droevig geblaat. Heel die kakofonie van geluiden werd op een omhoog wolkende stofwolk naar zijn oren getild.

Over het laagland beneden zag hij nu de jagers met hun speren komen aanrennen om de dieren die niet meteen bij de val waren gedood alsnog te doden. Achter de jagers kwamen de vrouwen met hun slachtmessen, palen, touw en manden.

Er stortten geen bizons meer over hem heen. Een paar el verder naar beneden hing zijn lokmantel aan een uitstekende punt in de wind heen en weer te zwaaien. De zon brandde op zijn rug. Hij leefde, hoog boven alle dood verheven. De vrouwenstemmen trilden van blijdschap toen ze door het water aan kwamen waden. Ze werkten naakt, zodat hun kleren niet met bloed doordrenkt zouden worden bij het oogsten van de overvloed van de Schepper die hij, Jongen met Man-gezicht, aan hen had helpen uitleveren. Dit alles zou hen dagenlang hard werk bezorgen: vlees moest worden gesneden, gebraden en opgehangen om te drogen; ingewanden en magen moesten worden schoongemaakt, om als waterzakken en omhulsels om vet in te bewaren te worden gebruikt; tongen en rugvet moesten worden gekookt voor het dankfeest voor vanavond; huiden moesten worden geflenst en gedroogd om er mantels, tentbedekking en mocassins van te vervaardigen; hoeven en kraakbeen moesten worden bewerkt voor lijm; zenuwen om te drogen, te stampen en fijn te maken om er garen om mee te naaien van te maken; botten om te kraken voor het merg, staarten voor zwepen en vliegemeppers, horens voor lepels en versieringen, haar om als opvulsel, om te weven en als bekleding te gebruiken – alles wat het Volk nodig had was er en alles zou worden gebruikt. Jongen met Man-gezicht lag op de richel. De zon droogde het zweet op zijn rug en hij probeerde zijn trillende

467

benen onder controle te krijgen, zodat hij kon gaan staan. Ondertussen dankte hij de Schepper voor het feit dat hij in veiligheid was en zo goed zijn Volk had kunnen dienen. Enkele jagers beneden wuifden lachend in zijn richting. Hij ging op de richel staan en zwaaide naar hen terug. Hij had deze moedige taak goed volbracht. En vanwege het doel dat Rook van Sweetgrass voor hem voor ogen had, was hij voor letsel gespaard gebleven. Hij voelde dat de geest van de oude vrouw de Schepper voor zijn leven dankzegde.

Er viel een schaduw over hem heen. Afgetekend tegen de zon, die door zijn witte haren glansde, keek Sterk Been vanaf de punt van de rots op hem neer. Achter hem stonden alle drijvers die de bizons naar deze hoge plaats hadden opgedreven. 'Kom naar boven,' zei Sterk Been met blije stem. Hij stak zijn hand uit om hem te helpen. 'Ik zal je mee naar beneden nemen en ons Volk een man laten zien. En zij zullen je de schedel geven van de stier die je zo eerlijk verdiend hebt. Kom, Man Gezicht.'

Ja, hij had het gemerkt: Sterk Been had hem niet Jongen met Man-gezicht genoemd, maar Man Gezicht.

Uitgeput door de jacht en het dansen, sliep Man Gezicht de nacht na het feest een tijdlang heel diep. Het hout was verkoold en het vuur was uitgegaan. Een tijdje later werd hij opeens wakker. Hij hoorde zijn ouders, broers en zussen in hun slaap ademhalen. In de hut was alles kalm en rustig, maar zelfs met zijn ogen gesloten zag hij dat er iets was dat wit opgloeide.

Hij keek. Het was de witte schedel van de bizonstier die hij had gekregen. In het duister zweefde en gloeide die als de volle maan en begon hem over dingen uit zijn leven, de belangrijkste dingen die hij kon weten, te vertellen. Dat gebeurde niet met woorden, maar de schedel liet hem twee visioenen zien. Het waren net dromen, alleen kon Man Gezicht er niet slechts in zien, maar ook in horen, proeven, voelen en ruiken.

In één visioen was hij de Eerste Jager van het scheppingsverhaal van zijn volk. Hij werd van onder de grond omhoog getrokken. Licht kwam uit een gat boven. In het verhaal was Eerste Jager tegen de stengels van klimplanten opgeklauterd om bij het licht te komen, maar de koorden die Man Gezicht omhoog trokken waren in het vlees van zijn borst vastgepind. Toen hij zo in het licht van de huidige wereld aankwam, ontdekte hij de viervoeters, hun gedachten en taal en leerde hoe hij ze moest jagen.

In het andere visioen zat Man Gezicht schrijlings op de rug van een prachtig dier. Het had wel iets van de *omepah*, de eland, weg. Het dier liep namelijk met een ongelooflijke snelheid en kracht. Het had alleen geen gewei. De Geest Eland was niet bang voor hem, maar nam hem mee waarheen hij wilde en het was alsof Man Gezicht en het dier één geest waren. Het visioen eindigde met bliksemflitsen en de donkere vleugels van de Donder Vogels overschaduwden hem. Toen vervaagde de bizonschedel als een maan die achter de wolken verdwijnt. Man Gezicht viel weer in slaap, maar herinnerde zich 's morgens de visioenen weer. Hij stond op om naar Rook van Sweetgrass toe te gaan. Zij zou hiervan af weten. Hij had iets te zien gekregen van zijn leven verder op de Cirkel van de Tijd, iets uit zowel vóór als na zijn leven in het heden. Het was zowel vóór als na, omdat alles weer terugkomt als het rond is geweest.

De zon stond nog maar net boven de heuvels aan de andere kant van de Modderrivier. Het had gevroren en er lag rijp op de smalle paden langs de hutten met de ronde daken van de stad van zijn Volk. De vrouwen waren bij de houten veranda's van hun hutten al aan het werk. Ze hingen repen bizonvlees op om in de zon te drogen, of waren op handen en knieën bezig het vet uit de bizonhuiden te schrapen die strak op de grond gespannen lagen. De vrouwen die hem voorbij zagen lopen, lachten naar hem en bedankten hem. Hij lachte naar hen terug, maar liep vlug door naar de hut van Rook van Sweetgrass.

De hutten in de Mandan-stad stonden binnen de stenen muren zo dicht op elkaar, dat je er maar nauwelijks met twee of drie mensen tegelijk tussendoor kon lopen. Hier was het anders als in de open steden van andere stammen op de grote vlakten. Rook van Sweetgrass had hem uitgelegd dat dit de manier was waarop haar vader, Okimeh Steenhouwer, een veilige stad had gebouwd, omringd door een muur van vierkant gehouwen stenen om de vijand buiten te houden. Alleen in het midden van de stad was er een open ruimte van enige omvang. Dit ronde plein was de plek waar de dansen en ceremonieën van het volk plaatsvonden. De hut van de *okimeh* en de hut van de sjamaan hadden allebei de deuropening naar het plein toe. Ook de hut van Rook van Sweetgrass kwam met de deur op het plein uit. Midden op de open ruimte stond de zogenaamde Heilige Kano. Hij zag eruit als een rechtopstaande romp, maar was gemaakt van gekloven planken. Hij was hoger dan manshoog. Binnenin werden de Magische Bundels van Eerste Man en de heilige relieken van het Mandan-volk bewaard. De Heilige Kano vertegenwoordigde volgens de overlevering het schip waarin Eerste Man het Grote Water was overgestoken. Hij was gemaakt van hout van het schip waarin Okimeh Steenhouwer de Lichte Mensen stroomopwaarts over de rivier naar deze plaats had gebracht. De Heilige Kano was het middelpunt in het centrum van het dorp, waar alles om draaide. Wanneer iemand binnen een armslengte afstand van de kano kwam, voelde hij de trillingen van zijn kracht. Behalve de *okimeh*, de sjamaan of de Bewaarder van de Bundels, mocht niemand de Heilige Kano binnengaan en iets daarbinnen aanraken.

Onder het voorbijgaan voelde Man Gezicht de kracht ook en kon nog steeds nauwelijks geloven dat hijzelf op een goede dag de Bewaarder van de Bundels zou worden.

Vlak voor de hut van de *okimeh* stonden drie lange palen tegen de wijde, heldere morgenhemel afgetekend. Boven in iedere paal hing een bizonvel in de vorm van een menselijke beeltenis. De bovenkant was opgestopt en tot een ronde bal vastgebonden, zodat die net een menselijk hoofd leek, en was met haar en veren versierd. De rest van de huid hing daaronder als een los kledingstuk in de wind te wapperen. Die palen vertegenwoordigden, volgens de onderwijzingen van Rook van Sweetgrass, de ophanging-ter-dood van Eerste Man, met naast zich onbelangrijkere mannen die waren opgehangen. Het was een glorieuze, ontzagwekkende gebeurtenis geweest, die ontelbare generaties in het verleden had plaatsgehad. Twee van de huiden waren gewone, donkere bizonvellen, maar de huid in het midden was gemaakt van de huid van een Wunestu, een witte bizon. Witte bizons waren heel zeldzaam; het gebeurde

470

dat een man er heel zijn leven geen zag. Elk wit dier werd als de geestelijk leider van zijn soort beschouwd en dus was Eerste Man vertegenwoordigd door de huid van de Wunestu. De *okimeh* van het Mandan-volk maakte, als hij erover hoorde, om een wit bizonvel altijd lange tochten naar de gebieden van andere stammen. Hij betaalde er een hoge prijs voor – misschien wel zijn hele bezit. En dan vormde hij het tot de gestalte van Eerste Man die Hangt en hing het daar hoog boven in de paal op. En daar bleef het in regen en zonneschijn, sneeuw en gierende winden hangen tot de huid verrot was en aan flarden was gegaan.

Volgens de onderwijzingen van de oude vrouw was een offer van kleine waarde een belediging voor de Schepper. En, zei ze er dan altijd bij, Eerste Man was licht van kleur als een Wunestu geweest.

Man Gezicht dacht aan Eerste Man die daar voor het welzijn van zijn volk had gehangen en vervolgens naar een hoger leven was gegaan. En hij herinnerde zich hoe hij in het visioen ook voor het welzijn van het volk was opgehangen en naar boven getrokken. Man Gezicht geloofde dat hij die visioenen juist op dit moment had gehad, omdat hij vanmorgen naar Rook van Sweetgrass zou toe gaan.

Tegen een ruggesteun van wilgetenen en riet geleund, zat ze in het licht van het rookgat boven haar hoofd al op hem te wachten. Haar witte haar was dik en lang en in de bundel daglicht die van boven viel, glansde het als mist.

Haar ogen glinsterden in haar gerimpelde kassen. Haar ademhaling ging raspend en rochelend. Met een gebaar gaf ze aan dat hij naast haar moest gaan zitten. Hij zag dat de Magische Bundels, de drie pakken oeroud bruin leer, op een stapeltje naast haar lagen.

Ze gaf hem een takje gedroogde salie en een waaier van slagpennen van de adelaar. Ze wees naar het bergje as in haar vuurkuil. Man Gezicht boog zich voorover, legde de salie boven op de as en begon te waaieren. Even later steeg er witte, geurige rook omhoog en met het kuiltje van zijn handen schepte hij die op en waste zijn gezicht, borst, armen en bovenbenen met de rook af. Toen gaf hij haar de waaier aan en langzaam wervelde ze rook naar zichzelf toe. Daarna bleef ze een tijdje zwijgend zitten kijken terwijl de rook door het licht naar het rookgat omhoog kringelde.

Ze bleef een hele tijd zwijgen, een klein hoopje beenderen, rimpels en ademende geluiden. Maar haar stilte was als een gebed en hij voelde er kracht van uitgaan. Op het laatst zei ze, met een stem zo droog als ritselende bladeren: 'Je hebt goed werk op de *pishkun* verricht. Iedereen spreekt over je. Mijn hart is blij omdat je veilig bent.'

'Grootmoeder, ik dank u voor uw gebeden. Ik voelde ze.'

'Ja. Het waren sterke gebeden.'

'Ik kom u vertellen wat ik vannacht gezien heb. De schedel van de bizon heeft me twee visioenen laten zien en ik kwam in beide verhalen voor. Het eerste visioen was een van de verhalen van ons Volk in het allereerste Begin.' Toen vertelde hij haar, zich zorgvuldig elk detail voor de geest halend, het visioen waarin hij van onder de grond omhooggetrokken werd. Toen hij het vertelde, had hij bijna het gevoel dat hij zich weer in het visioen bevond, omdat het binnen in de hut, met het daglicht dat van boven naar beneden scheen, zoveel leek op die plek onder de grond van waaruit hij omhoog was gekomen, of op die grot waaruit Eerste Man in het andere verhaal uit de dood was opgestaan. En de aarden vloer hier rook precies zoals die plek onder de grond.

'Ja,' zei de oude vrouw. 'Ja, zo is het Volk, lang vóór de vloed zelfs, op deze wereld gekomen. Ze zijn naar het licht toe geklommen en door het gat op deze wereld gekomen. En geboren worden, op deze wereld komen, gaat nog steeds op dezelfde manier. Ze klommen een voor een naar boven, totdat een grote, dikke vrouw naar boven probeerde te klimmen. Ze viel naar beneden en brak daarbij de omhoograkende stengels af. Toen kon de rest niet meer naar boven komen. Zij bevinden zich nog steeds daarbeneden. Wanneer we ons hoofd ter ruste leggen, proberen ze door de aarde heen tegen ons te praten. Hun woorden komen in onze dromen en ze vertellen ons dingen die zij weten.'

'In het visioen klom ik niet met mijn handen tegen de ranken op,' ging Man Gezicht verder. 'Ik werd eraan opgehangen en door een kracht omhooggetrokken.'

De oude vrouw schrok op. Haar ogen glinsterden. 'Hoe was je opgehangen? Met scherpe dingen door je vlees?'

'Ja!' Hij stond altijd weer verbaasd dat zij details van zijn dromen en gedachten kon weten.

Langzaam schudde ze haar hoofd. Ze haalde een paar keer diep, rochelend adem. 'Zo is Eerste Man ook opgehangen, met scherpe dingen door zijn vlees. Heb je de pijn daarvan gevoeld?'

Terwijl hij eraan terugdacht, dacht hij over zijn antwoord na. 'Ik kende de pijn, maar was die te boven.'

Weer volgde een lange stilte zonder woorden. Ten slotte vroeg ze: 'Wat denk je dat er zal komen van wat je zag? Er is maar één echt antwoord.'

Hij zei: 'Iets dat ik zal gaan doen. De schedel heeft het me laten zien en zo zal het gebeuren.'

'Dat is de ware betekenis,' zei Rook van Sweetgrass. 'Zo zal het gebeuren. Je zult evenals Eerste Man hangen.' Ze dacht een poosje na en hief toen een hand omhoog die net een tak met ruwe schors met twijgen leek. Ze zei: 'Eerste Man stierf doordat hij aan zijn vlees was opgehangen, hoewel hij sterker was dan alle mensen. Geloof je dat jij door het ophangen zult sterven?'

'In het visioen stierf ik niet. Dus geloof ik ook niet dat ik erdoor zal sterven.'

'Dat is zo en dat is goed, want jij moet de Heilige Bundels voor het volk bewaren.' Ze ging met haar tong in haar mond over haar tandeloze tandvlees heen en zei toen: 'Je zei dat de schedel je twee verhalen vertelde.'

'Hier komt het andere verhaal, grootmoeder.' Toen hij haar vertelde dat hij op de rug van de Geest Eland had gezeten, legde ze een hand op haar borstbeen en begon zo zwaar te ademen dat ze bijna hijgde. Daarna bleef ze een hele tijd met glasheldere, glinsterende ogen in het licht naar boven kijken; hieraan kon hij merken dat ze heel erg ontroerd was, ook al had ze zulke diepe rimpels in haar gezicht dat je nauwelijks de gezichtsuitdrukking kon aflezen.

Opeens klonk haar stem als een ritselend geluid: 'Heb ik de

Heilige Bundels al eens met je opengedaan en je de binnenkant laten zien?'

'Nee, oude grootmoeder.'

'O. O, o!' Ze wiegde heen en weer. 'Het laat me zien dat ik het niet verkeerd had toen ik jou als Bewaarder van de Bundels zag! Ja, de geesten zeiden dat jij het moest zijn. Daar bestaat geen twijfel over!' Nog nooit had Man Gezicht iemand die zo oud was zoveel geestkracht zien tonen. 'Door wat je in je droom hebt gezien,' zei ze, 'kan ik nu de bundels voor je openen!'

Zijn hart bonsde even snel als toen hij de bizonkudde had gelokt. Hij slikte. Zijn ademhaling ging zwaar toen de oude, oude grootmoeder van opzij een van de leren bundels oppakte. Het leek een zwaar pakket en zij was zwak, maar zij pakte het met zo'n gemak op, dat hij dacht dat het leeg moest zijn – of misschien zo vol lichte geest dat het zweefde.

'Maak het los en sla het open,' zei ze, terwijl ze hem het boek overhandigde. Tot zijn verbazing was het loodzwaar. 'Je zult bladen vinden, vele bladen boven op elkaar,' zei ze. 'Doe het open waar een lint tussen de bladen ligt.'

Hij sloeg het open zoals ze had gezegd. Er steeg een bedompte geur uit op.

Hij hield zijn adem in bij wat hij zag: het was zijn droomgezicht!

Het was een afbeelding van een man die op de rug zat van het dier dat op *omepah*, de eland, leek. Met bonzend hart keek hij ernaar en herinnerde zich hoe het in het visioen was geweest. Hij wees ernaar en zei: 'Ja, zo zat ik erbovenop! Het betekent dat het zal gebeuren! Zulke dieren zijn er en ze zullen hierheen komen! Ze zullen ons op hun rug laten rijden. Zo is het toch, grootmoeder?'

'Alles zegt dat het zo zal zijn. Vouw het nu weer op zoals het was. Er staat nog veel meer in die bundel en je zult hem heel goed leren kennen. Maar nu heb je gezien wat je vandaag moest zien. Geef hem aan me terug en sla deze open.'

De tweede bundel was ook heel zwaar, maar Man Gezicht voelde er kracht naar zijn armen van uitgaan. 'Kijk erin,' zei ze. 'Ik zal je proberen te vertellen over wat je zult zien.'

Hij sloeg de omslag om. De binnenkant was plat, glad en

licht en had de kleur van fijn, gelooid herteleer met randen die donkerder waren geworden en met bruine plekken. 'Hierin vind je ook bladen. Sla er nog een om.' Hij begon de bladzijden om te slaan, verbaasd dat ze zo dun waren. Toen zag hij opeens een prachtig patroon, zoals de Mandan-vrouwen soms met hun stekelvarkenpennen en blauwe kralen maakten, maar geen afbeelding van iets zoals de Geest Eland. Ze gebaarde hem om nog meer bladzijden om te slaan. En toen zag hij opeens lijnen en lijnen vol met kleine merktekentjes voor zich, elk zo klein als een muskiet. Er waren zoveel tekentjes en lijnen met tekentjes, dat ze voor zijn ogen die er niet aan gewend waren schemerden en trilden. Snel sloeg hij nog meer bladzijden om, bang dat het slechte medicijn voor zijn hoofd zou zijn als hij te veel naar één plek tuurde.

Op het laatst keek hij Rook van Sweetgrass verbijsterd aan. 'Deze tekens zijn... woorden,' probeerde ze het met haar droge, oude stem uit te leggen. 'Het zijn net... afbeeldingen van woorden. Het volk dat de... eh... Alengwyneh heette, wist lang geleden hoe ze naar die merktekens moesten kijken en de woorden moesten spreken. Veel van die woorden, achter elkaar gesproken... zouden als een verhaal klinken. Het is iets magisch, maar de magie is nu verloren; niemand kan het meer. Maar de woorden' – ze wees met een knokige vinger naar een bladzij – 'de woorden zijn er nog steeds. Iemand die de magie kende, zou ze kunnen bekijken en het verhaal vertellen. Ook al had hij het nog nooit eerder gehoord!'

Man Gezicht kon de oude vrouw slechts vol verbazing aanstaren. Hij keek naar een bladzij vol met de kleine tekentjes en dan weer terug naar haar. Er waren heel veel soorten toverij in de wereld en over sommige moest hij nadenken. Maar dit was wel iets heel anders dan alle magie waarvan hij had gehoord.

Ze ging verder: 'De magische merktekens in je handen zijn, naar men zegt, het verhaal van het Alengwyneh-volk voordat het over het water naar dit land is toe gekomen... Het zou het verhaal zijn van de Schepper die de wereld maakte... en van Okee-hee-dee de Boze God... van Gods zoon Eerste Man, die zonder het zaad van een man in zijn moeders buik gedragen werd... het vertelt over de grote Vloed...' Vermoeid zweeg ze.

'Maar grootmoeder,' riep Man Gezicht uit. '*U* vertelt die verhalen aan ons! Hoe kunt u dat als u de magie van deze woorden niet kent?' Het was bekend dat ze veel kracht en wijsheid bezat en veel wist van de Lichte Mensen uit het oosten. Bekend was dat ze zelfs met een *maho peneta okimeh* van het oude Reuzenras had gelegen, die nu allemaal dood waren. 'U moet de magie van de woorden bezitten, anders zou u toch niet kunnen...'
Maar ze schudde langzaam haar hoofd.
'Ik ken de verhalen alleen door mijn oren. De oude verhalenvertelster en Bewaarster van de Bundels, Zingt tegen Slangen, die een vrouw van mijn vader Steenhouwer was... ze stierf voordat jij werd geboren... Zingt tegen Slangen kende de verhalen...'
'Had Zingt tegen Slangen dan de magie van die kleine woordtekentjes?'
'Zelfs zij niet. En ook haar grootvader, een Euchee-verhalenverteller die haar de verhalen leerde, niet...
Ze vertelde me dat de magie van die merktekens al vóór de grootvaders van haar grootvader verloren was gegaan. In dit land hebben alleen de Alengwyneh die magie gehad, maar zij hebben die verloren... dat maakt me zo treurig.' Weer liet ze haar gedachten een tijdje rusten. Buiten waren de vrouwen onder het werk met het vlees en de huiden nog steeds opgewekt met elkaar aan het praten. Blij als de roep van de vogels klonken de stemmen van kinderen. Maar al die stemmen waren zwak, gedempt door de dikke aarden muren en het ronde dak van de hut. Rook van Sweetgrass ging weer verder:
'Jij hebt naar die bundel gekeken en geen woorden gehoord. Ik heb er heel mijn leven als vrouw naar gekeken. Soms denk ik dat ik een woord hoor, maar nee. Het is een verloren kracht, een van de ernstige dingen die een volk overkomen... zoals sprinkhanen die heel de oogst opvreten... of grasbranden die de oogsten verbranden, of jaren waarin de bizons nooit dichtbij komen. Hele stammen zijn door geesten van ziekte ten onder gegaan. Dit verlies is ook zoiets. Wanneer jij de Bewaarder van de Bundels bent, mag je zo lang je wilt naar de woorden kijken en als de woorden naar je oren komen, zul je een groot man

zijn... Maar Zingt tegen Slangen zei dat er slechts één manier is waarop de woorden ooit weer zullen worden begrepen.'

'Hoe dan, oude grootmoeder?' Man Gezicht tintelde helemaal van verwondering over dit alles.

'Slechts als andere Lichte Mensen van over het Water van de Zonsopgang komen. Als zij de magie van die woordtekens niet hebben vergeten, zouden zij naar deze bladen kunnen kijken en de verhalen vertellen.' Ze slaakte een zucht. 'O, wat ben ik moe.'

Het gezicht van Man Gezicht klaarde opeens op. Hij ging kaarsrecht overeind zitten en zei: 'Maar oude grootmoeder! Wees niet bang om het verlies! Luister: de Lichte Mensen zullen komen en zij kunnen ons de magie van die woordtekens teruggeven! En ze zullen komen! Nog tijdens mijn leven! Dat is waar! Dat weten we al!'

Doordringend, met toegeknepen ogen, keek ze hem aan. Haar ogen waren verloren in gerimpelde huid. 'Hoe weten we dat?'

'De Geest Eland!' zei hij. 'De Geest Eland komt toch uit dat land? Ik zag dat ik op de rug van een Geest Eland zal zitten. En die moeten zij meebrengen! En dat zal gebeuren. En wanneer ik hen ontmoet om op de Geest Eland te gaan zitten, zal ik hen de bundel laten zien en hen vragen: Vertel me deze verhalen!'

Daarna bleef ze een hele tijd zwijgend zitten maar leek te glanzen. Ze maakte nog eens rook van salie en waaierde die over de bundels heen. 'Wat je de afgelopen nacht hebt gezien zal belangrijk voor het Volk zijn. Wat in deze bundels staat is belangrijk. Het staat met elkaar in verband. Je moet er altijd aan denken en trachten meer van de betekenis te begrijpen.' Hij dacht er al aan; hij was in een trance omdat hij er zo aan dacht. Het was zoiets wonderbaarlijks in zijn gedachten, dat hij gisteren al helemaal was vergeten, dat hij alles over de kudde over het klif lokken was vergeten. Hoe geweldig dat ook was geweest, nu leek dat iets uit een tijd uit een ver verleden, een tijd die minder belangrijk was.

Opeens voelde hij iets in zijn handen. Hij zag dat ze hem de derde Heilige Bundel had gegeven.

Binnen in het harde, leren omhulsel zat iets dat in zacht, geprepareerd herteleer was gewikkeld en met veters was dichtgebonden. Hij maakte ze los en pakte een voorwerp uit zoals hij nog nooit had gezien.

Het was licht in gewicht, gemaakt van glanzend geboend, donker hout. Twee kanten waren gebogen op een manier die hem aan een boog deed denken, de derde kant was breed, maar hol. De gebogen, houten zijkanten waren vastgemaakt met iets dat eruitzag als een rij boogpezen. In het licht draaide hij het voorwerp om en om. Het was prachtig. Het voelde in zijn handen precies zo aan als een goed uitgesneden wapen of stuk speelgoed. Maar hij kon niet begrijpen waarvoor het diende, tenzij het misschien bedoeld was om een heleboel kleine pijlen tegelijk af te schieten. Het voelde sterk, maar tegelijk licht en teer aan. Hij tikte tegen de holle kant. Het klonk als een kalebas of schildpadschild, maar het gaf ook een vreemde toon af, bijna als een vrouwenstem die uit de verte roept. Hij tikte er nog eens tegenaan en hoorde de zachte stem weer. De haren rezen hem te berge. Hij keek naar Rook van Sweetgrass. Ze glimlachte naar hem, een ingezonken, tandeloze maar lieve glimlach. Toen stak ze een hand uit en ging lichtjes met haar vingernagels over de snaren heen. Opeens weerklonken er in de stille hut allemaal zachte stemmen, sommige zo diep als een mannenstem, sommige zo hoog als vogelgezang. Ze weergalmden en weerklonken als gezang. Toen werden ze zwakker tot ze in zijn ziel bleven hangen.

'O, zo'n geluid heb ik nog nooit gehoord!' riep hij uit. 'Mag ik het nog eens horen?'

'Ga er met je vingertoppen overheen,' zei ze, 'maar doe het zachtjes, want de snaren zijn als zenen, heel oud. Ik heb er drie gebroken toen ik probeerde ze strakker te spannen.'

Hij ging er met zijn vingers overheen en maakte alle stemmen. Maar het leek toch minder op stemmen dan hij eerst had gedacht; het klonk meer als allebei, een stem en een trommelslag tegelijk. 'Mag ik er één tegelijk aanraken?'

'Als je voorzichtig doet.'

Hij sloeg één snaar tegelijk aan en begon met de lange snaren met hun diepe gebrom en eindigde met de korte, tinkelende snaren. Hij was blij dat er geen enkele snaar brak. 'Is dit ding dus alleen maar gemaakt voor het geluid dat er uitkomt?'

'Ik geloof van wel,' zei ze. 'Zingt tegen Slangen kende dit voorwerp en kon het laten zingen. Ze zei dat de Lichte Mensen die in het grote gebouw woonden, het aansloegen om het geluid van hun stemmen bij het zingen groter te maken. Maar dat was alleen op geheiligde tijden. Want dit voorwerp, deze geluids-maker, is een heilig ding. Nu moeten we het weer inpakken en een tijdje laten rusten.'

'Oude grootmoeder,' zei hij na een poosje met een hart dat zo opgezwollen leek dat hij het moest wegslikken, 'ik heb nog nooit van deze dingen gehoord. Ik heb nog nooit zo'n dag mee-gemaakt. Ik zal mijn leven gebruiken om te proberen dit alles te begrijpen!'

'Man Gezicht,' zei ze, 'ik heb vele seizoenen op je gewacht. Ik had al lang naar Gene Zijde hebben moeten overgaan. Een generatie is gekomen en groot geworden sinds ik klaar was om naar de andere kant te gaan. Maar ik heb moeten wachten tot jij was geboren en een man geworden was. Wanneer je het Ophangen hebt volbracht dat je moet doen en ik je heb geleerd wat ik over al deze dingen weet, zul je klaar zijn om de Heilige Bundels over te nemen. En dan zul je er misschien meer mee doen dan ik ermee gedaan heb. Ja, dan zullen de geesten me eindelijk toestaan om over te steken. O, ik ben er klaar voor!'

Rook van Sweetgrass was werkelijk zover om naar de Wereld aan Gene Zijde over te steken. Ze kon niet meer rechtop zitten en had genoeg van de moeite en inspanning van het ademhalen. Ze hadden een plek in de hut van de sjamaan gemaakt waar ze kon liggen, zodat ze bij de ceremoniën voor Nu-mohk-muhk-a-nah, Eerste Man, aanwezig kon zijn. Elk jaar bezocht Eerste Man de stad en vroeg om offers om een andere Watervloed te voorkomen. Buiten de hut van de sjamaan roffelden de trom-mels en de mensen liepen te schreeuwen en te juichen bij al het gedans en de spektakelstukken rond de Heilige Kano. Rook van Sweetgrass wist aan elke verandering in het tromgeroffel en de stemmen precies wat er op een willekeurig moment ge-beurde, omdat ze meer Eerste Man-feesten had bijgewoond dan wie dan ook. Maar de geest die haar nog restte had ze geconcentreerd op het helder gekleurde, onduidelijk geworden visioen van de jonge man die halverwege tussen plafond en vloer hing en in het daglicht dat van boven kwam glom van zweet en bloed. Man Gezicht had daar lange tijd zonder ook maar een kreet te uiten in ondraaglijke pijn gehangen en de oude, oude grootmoeder geloofde dat zij aan Deze Zijde moest blijven tot ze wist dat hij zou blijven leven om de Bewaarder van de Bundels te worden. Als hij het niet overleefde, zou zij in leven moeten blijven en de bundels blijven bewaren tot er een andere persoon als Man Gezicht was gevonden en opge-leid. En daar scheen gewoon geen hoop op te zijn. Uit alles bleek dat Man Gezicht de uitverkorene was.

Rook van Sweetgrass kon alleen maar naar hem kijken en haar gebed in hem uitgieten en hem in Deze Wereld houden, zodat zij naar de Andere Wereld kon gaan. En zo goot ze het restant van haar leven in hem uit. Daarmee was ze bezig. Die dag dat hij ver boven de rivier op een steile rotswand, uit het gezicht, voor het eerst Lokbizon was geweest, had ze gebeden en hem in leven gehouden. In ieder geval kon ze nu het kostbare leven zien waarvoor ze bad. De gebeden moesten echter nog steeds even ver naar de andere kant reizen als toen. De kring van oudsten en sjamanen die onder Man Gezicht zaten, keken naar hem op. Ook zij baden voor zijn leven. Zij hielden het vuur van de gebedsrook brandend.

Rook van Sweetgrass probeerde er geen zelfzuchtig gebed van te maken. Ze probeerde niet alleen te bidden om eindelijk van haar versleten, oude lichaam verlost te worden. Ze begreep dat hier een wonderbaarlijk, heilig iets gebeurde, dat Man Ge-zicht een persoon van de hoogste magie werd en dat niets in deze natie van volken ooit meer hetzelfde zou zijn. Man Gezicht gaf het Volk een inspiratie die de mensen, zolang ze een Volk waren, niet meer zouden vergeten.

Ze keek over de tijd heen. Ze zag Eerste Man voor alle andere mensen lijden om hen te genezen. Ze keek zelfs nog verder terug, helemaal naar het Allereerste Begin, toen Eerste Jager aan klimranken van onder de grond omhoog getrokken was om leiding te geven aan het Volk dat zo op deze aarde geschapen was. Ze kon de stengels zien waaraan hij hing en de andere mensen die onder hem in de spelonkachtige duisternis wachtten tot hij omhoog ging.

Rook van Sweetgrass had lang genoeg geleefd. Ze kende het karakter van mannen goed genoeg – ze had drie echtgenoten overleefd – om zeker te weten dat zij zowel de laatste als de eerste vrouw zou zijn die van dit wonder getuige was. Zolang de Kinderen van Eerste Man als Volk bestonden, zouden er herhalingen van deze ceremonie komen. Maar de sjamaan had de moeder van Man Gezicht en de andere oudste vrouwen verboden om te komen kijken en dus wist Rook van Sweetgrass dat dit, zoals zoveel heilige dingen, een zaak van alleen mannen zou worden. Het aandeel van de vrouwen zou daarbuiten en eromheen zijn, en al het werk dat erbij hoorde zou op hun schouders neerkomen. Zo gebeurde het altijd. Ze had het keer op keer gezien, vanaf de tijd dat ze in de groene bossen bij de Plaats van Vallend Water woonde tot de tijd dat haar vader Steenhouwer *okimeh* van dit volk was geworden; en Zingt tegen Slangen, die alle magie en wijsheid bezat waardoor hij een groot *okimeh* was geworden, bleef in de schaduw op de achtergrond en leidde hem onzichtbaar. Wij vrouwen zijn de werkelijke levenskracht, dacht ze. De mannen beseffen dat en zijn er bang voor. Dus halen ze alle ceremoniën binnen hun eigen kring en laten ons in de donkere schaduw staan...

Maar haar geest was van de concentratie van haar gebed afgedwaald. Ze was bang dat ze Man Gezicht in de steek zou laten.

Op dat ogenblik kwam er een geluid dat klonk alsof een van de lange snaren op het instrument in de Magische Bundel brak. De hangende gestalte viel draaiend naar beneden en stuiterde terug. De mannen in de cirkel schreeuwden het uit. Opeens klonk er nog een dof, brekend geluid. Het lichaam van Man Gezicht viel met uitgespreide armen en benen op de grond en de touwen met de bloederige haken dansten in de hoogte op en neer. Uiteindelijk waren ze door het strak gespannen vlees van Man Gezicht gescheurd en hadden hem losgelaten.

Ze slaakte een lange, diepe zucht. O, hij was vast en zeker

dood, net zoals Eerste Man ook door het Ophangen was gestorven.

De mannen waren een en al opwinding. Ze riepen en schreeuwden, sprongen op en liepen om de gevallen gestalte heen. Rook van Sweetgrass kon hem niet meer zien omdat de mannen in de weg stonden. Mannen stonden immers altijd in de weg en hielden vrouwenogen van het midden weg. De touwen met de bebloede pennen bleven in het licht, tussen de spinnewebben, heen en weer zwaaien. De oude, oude grootmoeder kon ze maar ternauwernood onderscheiden en dat was ook het enige dat ze zag. Maar ze durfde haar ogen niet dicht te doen uit angst dat ze misschien vergeten zou om te blijven ademhalen en naar de zielerust van de Wereld aan Gene Zijde zou wegzweven. Ze kon haar ogen echter niet openhouden; ze prikten van tranen ook al dacht ze dat haar tranen al lang geleden, als de rest van haar, waren opgedroogd.

'Geliefde grootmoeder,' zei een zwakke stem. Ze opende haar ogen.

Man Gezicht, of zijn geest, stond hologig, zwak, zijn huid geel en besmeurd met zijn eigen bloed, voor haar aan het voeteneind van het bed. Uit het kapotgescheurde vlees op zijn borst en schouders sijpelde nog steeds vers karmozijn. Hij zag er zo afgemat uit, dat het vlees van zijn lichaam tussen zijn botten in scheen te hangen. Maar in de donkere, diepe, gepijnigde oogkassen gloeiden zijn ogen met een grote, kalme diepte en ze wist dat hij over de hemel heen had gekeken.

'Nu mag u naar boven gaan, waar u zo op hebt gewacht,' zei hij met een stem als de wind over de grote vlakten. 'Het is mooier dan je zou kunnen dromen en je kunt tot de uiteinden der aarde en in de zeeën daarachter kijken. De grote vleugelboten van het andere land komen eraan, zoals ik u al vertelde; ik zag er drie ver in het zuidoosten. Op een goede dag zullen ze bij ons zijn en de mensen brengen die ons kunnen leren de Taal der Merktekens weer te begrijpen. Ik zal de bundels meenemen en die mensen gaan zoeken. Van hen zal ik proberen die taal te leren. En van hen zal ik ook een Geest Eland krijgen die mij op zijn rug zal dragen. Het is allemaal zoals ik in het visioen zag. Ik ben hier en zal de bundels zorgvuldig bewaren. Ga maar naar boven toe.'

In de Mandan-taal was er geen woord om afscheid te nemen. Ze blies haar laatste adem uit en ging door de grote warmte en het grote licht heen dat zich om het gezicht van Man Gezicht bevond. Haar handen waren weer jong en sterk. Ze deden geen pijn meer. En met die handen klom ze tegen de rankende stengels omhoog, weg uit het duister, meer een zwemmen dan een omhoogklimmen, in een helder licht als van de zon. Ze was als haar naam, als rook die omhoog ging. Als rook zweefde ze naar boven en ging op in alle andere rook die ooit omhoog was gegaan.

Toen ze ver naar beneden terugkeek op het dorp waar ze het laatst had gewoond, zag ze in de Stad der Doden buiten de muur een stellage. In een vers bizonvel gewikkeld en vastgenaaid op die stellage lag een lichaam. Ze wist dat het lichaam op die stellage, de begraafplaats van haar lichaam, haar kleine, oude lichaam was geweest. En Man Gezicht, Bewaarder van de Bundels, stond met verse littekens op zijn borst en schouders bij die stellage en keek omhoog naar het kleine, ingezwachtelde bundeltje beenderen. Ze voelde haar naam in zijn gebed.

Man Gezicht keek omhoog naar het omwikkelde lichaam dat tegen de helderblauwe lucht stond afgetekend. Hij dacht terug aan de oude, oude grootmoeder en bespeurde in de gure, winterse wind een zweem van de geur van brandend sweetgrass. Hij glimlachte.

'*Shu-su,*' zei hij. Goed.

15 *In het dal van de Moeder der Rivieren Herfst 1541*

Voor hen uit was er rook en Man Gezicht wist zeker dat zij het waren.

In de veertig jaar dat Man Gezicht de *maho okimeh* van de Kinderen van Eerste Man was geweest, had hij tal van grote daden verricht. Verschillende keren had hij zijn Volk van de nederlaag tegen de Pawnee gered. Ten langen leste had hij zijn mensen er echter toe gebracht om verder stroomopwaarts langs de Modderrivier, uit de buurt van hun vijanden, nieuwe dorpen te stichten. Bij die volksverhuizing hadden ze het gebeente van Rook van Sweetgrass meegenomen, de eerste stoffelijke resten die op de nieuwe begraafplaats van hun nieuwe woonplaats begraven zouden worden. Man Gezicht stond nu op de voorsteven van zijn kano, ver, ver stroomafwaarts op de rivieren van zijn Volk vandaan en tuurde voor zich uit naar de rook die van de oever van de Moeder der Rivieren omhoog kringelde. Hij was er heilig van overtuigd dat hij zo meteen de belangrijkste, verrassendste daad zou gaan verrichten die hij ooit had gedaan – belangrijker nog dan de uitvinding van de Okeepah, het Ophangen.

Zijn enthousiasme was bijna in extase overgegaan. Hij wist zeker dat de rook die van de oever omhoogrees afkomstig was van het kamp van de mannen die metaal droegen en op dieren reden, van de mannen die de Taal der Merktekens konden spreken, van de mannen die in boten met vleugels het Grote Water waren overgestoken: al die dingen die hij in zijn visioenen had gezien. Heel zijn leven als volwassene had hij over deze mannen gedroomd en op zijn speurtochten naar hen had hij, uitgezonderd Eerste Man zelf, langere tochten gemaakt dan welke *okimeh* van zijn Volk ook. Hij was zelfs door de gebieden van vijandige volken getrokken. Nu lagen de onderwerpen van zijn visioenen op niet meer dan een boogschot afstand van hem vandaan! De paddelaars in zijn lange boomstamkano van katoenhout waren ook gespannen van geestdrift, want hij had hen steeds weer over het belang van deze ontmoeting verteld. 'Het zijn onze broeders!' had hij hun verteld. 'Ze komen uit het oude land ten oosten van het Grote Water. Dat is ook de plek waar onze voorvader Eerste Man vandaan kwam!'

Een jaar geleden had Man Gezicht ver stroomopwaarts op de Modderrivier de eerste geruchten gehoord over de aanwezigheid van de mannen die op dieren reden. Handelaars die over de rivier naar de Mandan toe kwamen, hadden gezegd dat er in het zuidoosten zulke mannen waren.

De verhalen over deze mannen waren beangstigend en nauwelijks te geloven. De handelaars zeiden dat de mannen meer dan tweehonderd van deze rijdieren bezaten, plus een kudde luidruchtige dieren op korte poten, die ze onderweg voor vlees slachtten. Zo hadden ze nergens lang oponthoud om op wild te jagen. Naar men zei hadden ze grote honden die getraind waren om mensen die zich tegen hen verzetten of voor hen probeerden weg te vluchten te verscheuren. Naar men zei droegen deze mannen op hun lichamen en hoofd metalen schelpen die pijlen konden afweren, en glansden ze in het zonlicht als goden. Het waren angstaanjagende, ontzagwekkende mensen die de stammen tot slaven maakten en de vrouwen ervan verkrachtten.

Dat waren de geruchten. Maar hoe verschrikkelijk die geruchten ook waren, Man Gezicht was er steeds opgewondener door geworden, omdat hij er iedere keer meer van overtuigd raakte dat zij de afstammelingen van de familieleden van Eerste Man in het verre land waren. Rook van Sweetgrass had hem verteld dat de Alengwyneh bij de Plaats van Vallend Water ook zulke metalen overkleden en hoeden hadden gedragen. Ze had hem verteld dat zij mensen onderdrukten en tot slaven maakten en zichzelf met geweld aan de inheemse vrouwen opdrongen; als meisje was ze zelf door de Alengwyneh-mannen aangevallen – zelfs door hun *maho okimeh*, die zij koning noemden.

En de afbeelding in de Heilige Bundel van een man van over het Grote Water die op de rug van een dier leek, had er precies zo uitgezien als de handelaars beschreven: een man in een metalen overkleed met hoed, die stoutmoedig het vurige dier bereed. Ja, had Man Gezicht gedacht, dat zijn ze!

De verhalen die de handelaars vertelden, zeiden dat deze mannen overal waar ze gingen grote problemen veroorzaakten. Overal probeerden ze de stammen te dwingen hun wrede god te aanbidden en droegen ze een soort donder met zich mee die mensen op een afstand kon doden. Man Gezicht had nog geen idee wat dat was, aangezien Rook van Sweetgrass het daar nooit over had gehad. Maar hij was er niet bang voor, omdat hij geloofde dat die mannen op de dieren hem onmiddellijk als broeder zouden herkennen. Om meer dan één ding dat de handelaars hadden gezegd, had hij daar alle vertrouwen in:

De mannen op de dieren droegen altijd een paal met een afbeelding van een man die er aan opgehangen was voor zich uit!

En zodoende stond Man Gezicht nu op de voorsteven van zijn lange kano onder de paal uit zijn hut waaraan het witte bizonvel hing, dat de Ophanging van Eerste Man voorstelde. Zij zouden hem zodra ze zijn kano zagen herkennen. Man Gezicht geloofde inmiddels vast dat deze mannen op dieren van over het Grote Water van de Zonsopgang waren gekomen om zijn lang verloren volk te vinden, dat zo lang geleden uit hun land was weggevaren.

Zo meteen zou het gebeuren, die langverwachte hereniging tussen de mannen op de dieren en de Kinderen van Eerste Man. Man Gezicht zag al voor zich hoe het zou gebeuren en was er volledig op voorbereid. De mannen op de dieren zouden zijn kano zien aanleggen met Eerste Man hoog aan een paal opgehangen. Hun *maho okimeh* zou dan op de rug van zijn steigerende dier komen aanrijden en zowel berijder als rijdier zou vriendelijk lachen. Ze zouden elkaar begroeten en hun taal zou heel veel op elkaar lijken; hoewel de Alengwyneh-taal van de

Lichte Mensen zich de laatste vier of vijf generaties met de Mandan-taal had vermengd, zou het opperhoofd van de mannen op de dieren onmiddellijk weten dat hier niet zomaar een of ander opperhoofd van een inheemse stam sprak, maar een afstammeling van Eerste Man. Vervolgens zou de *maho okimeh* van de mannen op de dieren Man Gezicht voor de maaltijd mee naar zijn hut nemen en daarna zou Man Gezicht hem de Heilige Bundels overhandigen en de *okimeh* vragen om hem te leren de Taal der Merktekens te verstaan. En de andere *okimeh* zou Man Gezicht dan de gelegenheid geven om op de rug van een van de Geest Elanden te klimmen en die, precies zoals hij in zijn visioen van een half honderd jaar geleden had gezien, te berijden. Man Gezicht was nu meer dan zestig zomers oud. Zijn haar was wit. Hij was echter nog sterk en lenig en wist dat hij op de rug van het dier kon rijden. Hij had er in zijn leven zo vaak aan gedacht en van gedroomd, dat hij het gevoel had dat hij het al kon. Hij had zich nooit precies kunnen voorstellen hoe je op de rug van het dier moest komen, maar hij zou kunnen zien welke slimmigheid de mannen op de dieren gebruikten om erop te klimmen. Waarschijnlijk zou hij zichzelf niet eens in verlegenheid hoeven te brengen door ernaar te vragen.

Man Gezicht had zich voor deze ontmoeting in zijn mooiste tuniek met stekelvarkenpennen en beenbeschermers gekleed en droeg op zijn hoofd een muts die gemaakt was van het wollige voorhoofdshaar van een bizon, met de horens er aan weerskanten uitstekend, en bovenop de adelaarsveren die hij voor zijn talloze gevechten tegen de Pawnee, de Dah-koh-tah, Arikara en andere vijanden had gewonnen. Dit soort kleding van de winderige vlakten was eigenlijk veel te warm om op zo'n vochtige, warme dag zo ver naar het zuiden te dragen. Maar zo zag een *maho okimeh* van de Kinderen van Eerste Man eruit en op zo'n heilige dag zou hij zich dan ook vol trots op die manier voorstellen. En dus droeg hij zwetend zijn kledij, voortdurend zijn ogen dichtknijpend tegen het prikkende zweet dat hem langs het gezicht stroomde.

Trots stond hij op de voorsteven van de boomstamkano. In zijn rechterhand hield hij de paal van Eerste Man die Hangt beet en met zijn andere hand wees hij naar een open plek in de bossen op de oever, waar de grond met iets geels en grijs was bedekt. Het leken wel houtsnippers. Hij nam aan dat dit de landingsplaats van het kamp van de mannen op de dieren was, omdat er kano's af en aan voeren. Het waren zowel kano's van boombast als van boomstammen en er zaten mannen, vrouwen en kinderen van de stammen langs de rivier in, mensen uit het zuiden die praktisch naakt en heel bruin waren. Al roepend en met de vinger wijzend keken die mensen nieuwsgierig toe terwijl de lange boomstamkano van Man Gezicht dichterbij kwam. Waarschijnlijk waren deze mensen de afstammelingen van de oude vijanden van Eerste Man. Maar Man Gezicht stond daar met alle waardigheid die hij bezat en negeerde hen.

Hij zocht de rivieroever af om de *okimeh* van de mannen op de dieren te ontdekken. Hij hoorde kloppende geluiden als van trommen.

Maar wat hij op de oever zag was teleurstellend en verwarrend. De gele substantie op de oever was inderdaad houtsnippers. Verder op de oever tussen de kano's lagen een paar nieuwe, grote boten en er werden er nog een aantal gemaakt. De kloppende geluiden die Man Gezicht had gehoord waren geen trommen, maar gereedschappen om te hakken en te hameren die voor de boten werden gebruikt. De meeste botenbouwers waren mannen van de stammen uit het zuiden. Ze hadden kort, zwart haar en waren slechts in flarden huid of stof gekleed. Ze waren verschrikkelijk smerig en zagen er ellendig uit. Onder hen bevonden zich een paar vreemde, woest uitziende mannen met harige lichamen en gezichten. Ze waren half gekleed in voddige kleren die verschrikkelijk vuil waren. Een aantal van die vreemde mannen was met gereedschap bezig, maar anderen hadden speren en lange werpspiesen met punten en lemmeten die wapens leken te zijn in hun hand. Deze mannen hadden boze gezichten waarop een kwade verdorvenheid lag die Man Gezicht aan Okee-hee-dee, de Boze Geest, deed denken. Hij had zulke gezichten niet verwacht en met moeite bewaarde hij de waardige, vriendelijke uitdrukking op zijn eigen gezicht, vooral toen ze merkten dat hij dichterbij kwam en hem nieuwsgierig, met dreigende blikken, aankeken. In de gezichten van zijn eigen Volk, zelfs van de andere stammen tegen wie hij had gevochten, had hij nooit zo'n gemene uitdrukking gezien. Zelfs in deze benauwde, verstikkende hitte, kreeg hij het er koud van. Hij hoopte dat dit niet de echte mannen op de dieren waren. De mannen op de afbeelding in de bundel hadden geen haar op hun gezicht gehad.

Zijn lange kano stevende op de oever af en bonsde harder tegen de bodem aan dan Man Gezicht had verwacht. Als hij zich niet aan de Paal met de Witte Mantel had vastgehouden, zou hij misschien recht voorover in het ondiepe water zijn gevallen. Vanwege zijn waardigheid ging hij snel rechtop staan, maar een paar van de gemeen uitziende mannen hadden hem zien wankelen en lieten een minachtend, ruw gelach, net hondegeblaf, horen. De krijgers van Man Gezicht begonnen boos te mompelen en raakten gespannen. Maar met een gebaar van zijn linkerhand kalmeerde hij hen en met een stap die voor een man van meer dan zestig winters heel licht was, sprong hij boven op de houtkrullen aan de wal en keek de mannen vriendelijk aan. Toen draaide hij zich om, greep met beide handen de Paal met de Witte Mantel beet en tilde die uit het gat waarin hij was vastgezet. De paal was topzwaar en onhandelbaar met de grote mantel er hoog bovenop. Het vergde heel wat kracht van zijn armen om hem rechtop te houden. Toen hij een paar stappen op de oever had gezet, stopte Man Gezicht dan ook en liet de onderkant van de paal op de grond rusten. Honden met hangoren en honden zo groot als herten met rechtopstaande oren als wolven liepen in het rond te snuffelen, te hijgen, met hun achterpoten te krabben of lagen overal te slapen. Maar een stuk of tien dieren kwamen met platliggende oren aangeslopen om de lucht van Man Gezicht op te nemen. Hij was er een beetje bang voor; hij had nog nooit zulke grote honden gezien, zelfs niet op de afbeeldingen in de Magische Bundel.

Man Gezicht bleef staan en keek om zich heen. Ondertussen stapten zijn krijgers ook uit de kano's en trokken die op de wal. Het ergerde hem dat er geen *okimeh* was gekomen om hem te begroeten en dat de smerige mannen hem alleen maar beledigend stonden op te nemen, zonder ook maar het minste teken van herkenning te tonen voor zijn paal met daaraan Eerste

Man die Hangt. Nee, dacht hij weer, dit zijn vast en zeker niet de grote mannen op de dieren, de familieleden van Eerste Man! Toen zijn krijgers allemaal aan wal waren en trots met hun versierde speren, schilden en bogen achter hem stonden, hief Man Gezicht zijn linkerhand omhoog en zei met krachtige, heldere stem:

'Wij die hier staan zijn Si-poska-nu-Maq-Muk, de Kinderen van Eerste Man. We zijn honderden winters geleden naar dit land gekomen en wij zijn het Volk dat u zoekt. Nu hebben wij in plaats daarvan u gevonden!' De smerige mannen op de oever keken elkaar eens aan, krabden zich en haalden meesmuilend de schouders op. Misschien deden ze of ze hem niet begrepen, ook al geloofde hij dat zij dezelfde taal moesten kennen. Ook zij waren immers van over het Grote Water van de Zonsopgang gekomen. Hij ging verder:

'Mijn naam is Man Gezicht. Mijn Volk, de Kinderen van Eerste Man, hebben mij als hun *maho okima* gekozen. Toen ik jong was, was ik een lichtvoetige, snelle Lokbizon en ze werden het er ook over eens dat ik de Bewaarder van de Magische Bundels van Maq-Muk zou zijn. En nu sta ik hier voor u!' Hij keek naar opzij en wees naar de drie leren bundels. Een jonge krijger met grijze ogen hield ze in zijn handen. Zijn zwarte haar was geolied en glad achterover tegen het hoofd geplakt, zodat het steil naar achteren afhing. 'Deze Magische Bundels,' zei Man Gezicht terwijl hij nog steeds vol ongeduld de lompe, bekrompen gezichten voor zich afspeurde om een teken van wellevendheid of begrip te ontdekken, 'deze Magische Bundels zullen u het bewijs leveren dat wij uw broeders zijn van het land waar u vandaan komt, zoals ik u al zei. Hier boven mij ziet u Maq-Muk, Eerste Man die Hangt, die opgehangen werd om voor het welzijn van al zijn kinderen te sterven. Ik, Man Gezicht, heb mijzelf als eerste man sinds zijn dood ook zo voor het welzijn van heel het Volk laten ophangen! Nu doen veel van onze jonge mannen het ieder jaar. U ziet dat al degenen die hier bij me staan de littekens dragen die bewijzen dat zij de pijn te boven zijn, omdat zij zichzelf opgehangen hebben.' Hij draaide zich om en wees naar de littekens op hun borst. De vreemde mannen keken er nieuwsgierig naar.

Weer zweeg Man Gezicht om een reactie af te wachten. Maar de smerige mannen toonden geen begrip. Een van hen peuterde in zijn neus, een ander stond in zijn kruis te krabben, anderen pakten hamer en dissel weer op om verder aan de boten te werken. De scherpe geur van gehakt groenhout hing overal in de lucht en rook, vergeleken met de stank van hun smerige lichamen, heel vers. Ergens in de verte klonk een van de donderslagen die Man Gezicht en zijn krijgers de vorige dag al verbijsterd hadden doen staan. Het waren enkele donderslagen onder een heldere hemel met rollende echo's: de donder die, naar men zei, dit Volk van over de Zonsopgang met zich meedroeg.

Man Gezicht, die nu zijn ergernis bij de onbeleefdheid van deze mensen moest zien te beheersen, zei:

'Zeg me wie van u de *okimeh* is! Wij zijn van ver gekomen om u te zoeken, dus nu kunt u ophouden naar ons te zoeken. Wij zijn gekomen om de God-woorden die in de Magische Bundels staan afgebeeld weer te leren spreken. En ik ben gekomen om op de rug van een van uw vriendelijke dieren te rijden...' Hij zei tegen de jonge man achter zich dat hij de bundel met platen moest opendoen. Even later hield de jongeman deze geopend omhoog. Man Gezicht keek naar de dichtstbijzijnde man en legde zijn vinger op een afbeelding. De man kwam met zijn hoofd schuin en naar zijn oksel graaiend dichterbij. Met toegeknepen ogen keek hij naar de afbeelding. Hij stonk naar vlees dat al lang dood was en naar oude urine. Hij trok zijn wenkbrauwen op, gromde iets en zei tegen zijn eigen mannen, maar niet tegen Man Gezicht:

'¡Hnh! *Es caballo... jinete.* ¡Hnh!'

Man Gezicht was teleurgesteld door die woorden. Spraken deze mannen van over het Grote Water dan niet de taal van over het Grote Water? Een paar andere smerige mannen kwamen voorzichtig dichterbij om ook naar de afbeelding van de man op de rug van het dier te kijken en terwijl Man Gezicht zijn vinger op de bladzijde tekst legde, vroeg hij:

'Kunt u naar deze afbeeldingen van woorden kijken en ze zeggen? U moet het ons leren! Voor ons is dat van het uiterste belang!'

'Es libro,' merkte de man die het dichtstbij stond tegen de anderen op. Ze keken elkaar aan en verveeld en met dichtgeknepen lippen keken ze vervolgens naar Man Gezicht. Ze begonnen zijn kleding en versiering te inspecteren, het schone, zachte leer, de ingewikkelde versiering van stekelvarkenpennen. Ze begonnen zich om zijn trots rechtopstaande, schone krijgers te verdringen en tuurden ingespannen naar hun bogen, speren en strijdbijlen. Deze mannen schenen niets te geven om de Heilige Bundel, zelfs niet om de paal met Eerste Man die Hangt. Alleen de wapens schenen hen te interesseren.

'Verre Ogen,' zei Man Gezicht tegen een van zijn jonge hoofdmannen, 'laten we kijken of deze mannen de taal van de handen kennen.' Verre Ogen kwam naar voren en ging dicht naast Man Gezicht staan. 'Vraag hen waar hun *okimeh* is.' De jonge man beschreef met zijn handen een cirkel. Toen maakte hij een vuist en stak zijn duim naar de mannen uit. Toen stak hij zijn wijsvinger uit en bracht die in een hoge boog naar voren en eindigde naar beneden wijzend. Daarna bewoog hij zijn eerste drie vingers met de handpalm naar boven een paar keer heen en weer om 'vuur' te laten zien en bracht ten slotte de hand naar zijn rechterschouder terug. Het betekende: 'Is het vuur van uw opperhoofd in de buurt?'

De blanke mannen hadden vuil grijnzend toegekeken. Toen maakte de man die het dichtstbij stond een losse vuist met zijn linkerhand, stak er zijn rechter wijsvinger in en stak een paar keer op en neer. Zijn metgezellen begonnen hard te lachen en zich op de benen te slaan. Man Gezicht kneep zijn ogen toe. Zijn blik verhardde zich; zijn mond vormde een rechte, stevige streep. Ze dreven de spot met zijn oprechte poging om met hen over belangrijke zaken te spreken. Tegen Verre Ogen zei hij: 'Haal uw wapens op. Bedankt voor het proberen.'

Toen de haargezichten zagen dat de jonge krijger zich omdraaide en zijn wapens pakte, begonnen ze gealarmeerd te brabbelen. Ze deinsden een paar passen terug en een paar mannen legden hun hand op het heft van hun mes. Eén man draaide zich om en schreeuwde: '*¡Soldados! ¡Soldados! ¡Peligro! ¡Vengan aquí!*' De anderen deinsden nog verder achteruit en sommigen trokken hun mes. Een aantal kwam met lange spiesen

492

langzaam tussen de geraamtes van de rompen van de boten en de houtstapels uit. Aarzelend zwaaiden ze met de wapens, maar bleven over hun schouder achterom kijken. De werklieden in de boten hielden hun gereedschap als wapen vast en namen de alarmkreten over.

Man Gezicht probeerde de haargezichten te kalmeren. Hij gaf de Heilige Paal aan een krijger over en stapte op de haargezichten toe die wat dichterbij stonden. Hij hield beide handen met de wijsvingers naast elkaar, omhooggericht, voor zich, het gebaar van vriendschap makend. Dit gebaar kalmeerde hen niet in het minst; ook deze taal schenen ze niet te kennen. Man Gezicht voelde wanhoop. Hij wilde niet dat deze heilige missie, deze lange speurtocht zou mislukken en puur en alleen vanwege de stompzinnigheid van deze mannen in zinloos bloedvergieten zou uitlopen. Man Gezicht was niet bang om te vechten, maar hij was verschrikkelijk bang dat dit op een gevecht zou uitlopen en dat hij nooit een antwoord op zijn opzienbarende vragen zou krijgen. Hij was bijna bang om überhaupt een gebaar met zijn handen te maken, uit angst dat het door deze vreesachtige vreemdelingen met slechte manieren voor een vijandige zet zou worden aangezien.

Hij dacht eraan zijn krijgers terug naar de kano's te sturen en vlak bij de oever te blijven liggen tot er een manier om met elkaar te praten kon worden vastgesteld. Hij draaide zich om en nam de Heilige Paal weer van de krijger over die hem had vastgehouden. Daarbij werd hij zich bewust van een geluid dat hij sinds de jacht op de bizon niet meer had gehoord: hoefgetrappel. Hij hoorde het en voelde de grond trillen. En hij hoorde ratelende, klingelende geluiden en geschreeuw dichterbij komen.

Nog voor hij zich had omgedraaid wist Man Gezicht al wat hij daar zou zien. Zijn hart begon als een razende te slaan.

Daar zag hij het prachtigste visioen voor zich dat hij ooit met zijn levende ogen had aanschouwd; alleen met zijn dromende ogen had hij dit eerder gezien. En het was precies zoals dit geweest. Ja, hier kwamen de grote, krachtige, prachtige dieren steigerend tussen de botenbouwers door, met op de rug van elk dier een blinkende man. Man Gezicht kon zijn gedachten nauwelijks snel genoeg laten gaan om dat alles te bevatten. Hij had in zijn leven geleerd dat een visioen van de droomogen dat je met de werkelijke ogen ziet kleiner en minder kleurig dan eerst wordt. Maar nu was dat niet het geval. Ook nu hij met zijn werkelijke ogen keek, moest zijn droom groeien om het te halen bij de pracht die nu voor zijn ogen wervelde.

De dieren waren veel groter dan in zijn dromen; het leek of de mannen die erop zaten hun hoofden boven, in de toppen van de bomen, hadden. De dieren hadden een soort dansende elegantie in hun bewegingen, die zelfs de elanden en herten niet hadden. Hun ogen schitterden en fonkelden van energie, trots en zachtheid; in één ogenblik wist Man Gezicht met zekerheid dat hij tijdens de lange reis van zijn ziel in de ogen van zulke dieren had gekeken en dat zij met liefde in zijn ogen hadden teruggekeken. Man Gezicht had ook niet verwacht dat de rijdende dieren zoveel verschillende kleuren zouden hebben. In de wereld van de jager hadden alle dieren van een bepaalde soort dezelfde kleur en dezelfde merktekens. Maar hier waren er lichte dieren en sommige zo donker als de bizon. Andere hadden de kleur van door rook geprepareerd herteleer en weer andere waren zilverachtig als het haar op het hoofd van een oude man en sommige waren gevlekt.

De mannen op de ruggen van deze schitterende schepsels zagen er imposant en krijgshaftig uit. Weer moest het droombeeld van Man Gezicht worden bijgesteld. De mannen zagen er namelijk niet uit als de vriendelijke mannen met ronde gezichten en ronde ogen in de bundel met afbeeldingen. Hun donkere gezicht was bedekt met donker, zwart haar; hun ogen stonden woest en wreed maar waren bijna onder hun blinkende hoofdbedekking verborgen. Hun hele hoofd, behalve het onderste deel van hun gezicht, ging er schuil onder. Zij bedekte zelfs hun nek en oren. Hun tors was door hetzelfde blinkende materiaal omhuld. De rest van hun kledij was felgekleurd, maar smerig en haveloos. De mannen droegen speren en lange bijlen en sommigen droegen iets dat net een lange knuppel leek en pluimen witte, scherp ruikende rook afgaf. Man Gezicht en zijn krijgers keken vol verbazing toe hoe deze spectaculaire mannen hun sterke dieren onder controle hielden; de bewegingen van de mannen en dieren waren zo goed op elkaar afgestemd, dat Man Gezicht, als hij er niet al uit de bundel met afbeeldingen en uit de legenden van de oude verhalenvertellers van af zou hebben geweten, zou hebben gedacht dat dier en berijder één schepsel met twee verschillende hoofden was. Zijn hart bonkte van vreugde en bewondering. Hij was onuitsprekelijk blij dat zijn levenslange droombeeld nu bewaarheid was geworden.

Dit moeten inderdaad de Blinkende Mannen zijn die van over het Water van de Zonsopgang zijn gekomen om ons te zoeken; die anderen zullen een onbelangrijkere stam zijn die ze gebruiken om boten voor hen te bouwen. En er opnieuw van uitgaand dat zij de taal van zijn mensen zouden begrijpen, hief Man Gezicht zijn hand naar de dichtstbijzijnde man op een dier uit en zei met zijn krachtigste stem:

'Wij die hier voor u staan zijn Si-poska-nu-Maq-Muk, Kinderen van Eerste Man, die evenals u van over het Grote Water kwam! Honderden winters geleden kwam onze voorvader Maq-Muk hier in een grote, heilige kano naar toe! Hier staan wij voor u! Uw lange, moedige speurtocht naar ons is voorbij. Zeg me wie van u uw *maho okimeh* is! Ik wil dat hij me de woorden leert die in onze Heilige Bundels staan afgebeeld. En ik wil op een van die geweldige dieren rijden!' Met de Heilige Paal in één hand, zijn andere in een plechtige begroeting omhooggeheven en met een lach van uiterste vreugde op zijn gezicht, wachtte Man Gezicht, zwetend onder zijn hoofdtooi van bizon, het antwoord af.

Een van de ruiters bracht zijn dier zo dicht bij Man Gezicht, dat hij de zuivere, zoete adem en het glanzende zweet op de zwarte schoft kon ruiken. De ruiter keek op Man Gezicht neer, klopte met zijn knokkels op zijn borstplaat en zei: *'¡Soy Capitán! ¡Yo hablo!'* Hij had een mes zo lang als zijn arm in zijn hand.

Opnieuw teleurgesteld fronste Man Gezicht zijn wenkbrauwen en kneep zijn ogen toe. Hij schudde met de Heilige Paal in een poging de aandacht van de ruiter erop te vestigen. Ook al kende de man de taal niet, dan moest hij toch vast en zeker wel af weten over het Ophangen van Eerste Man! De groezelige, oude witte mantel van bizonhuid flapperde heen en weer.

De ruiter raakte het vel even met de punt van zijn lange mes aan en gromde: *'¿Cómo se llama esto?'*

Met een ruk trok Man Gezicht de Heilige Paal terug. Opeens flikkerden zijn ogen van woede en hij berispte de ruiter: 'Wilt u de Schepper tarten? Wilt u uw eigen pad verduisteren? Dit is de paal van Eerste Man! Kijk ernaar en toon respect!'

De man op het paard begreep er duidelijk geen woord van. Hij staarde alleen maar op Man Gezicht neer, terwijl hij touwen in zijn linkerhand gebruikte om het dier, dat wilde dansen, onder controle te houden. Man Gezicht voelde dat het dier bang was; misschien wist het dat zijn domme berijder Eerste Man had beledigd. Man Gezicht had vaak meegemaakt dat dieren eerbiediger waren dan mensen. Ook de krijgers van Man Gezicht waren met een dreigend gemurmel in hun kelen naar voren gestapt. De situatie werd er niet beter op. Het visioen van Man Gezicht over deze grootse hereniging van de volken van over het Grote Water van de Zonsopgang kromp ineen, zodat het paste bij wat zijn werkelijke ogen zagen.

'Het land van de Alengwyneh!' riep hij een en al frustratie uit. 'Is er hier dan niemand die de taal van het Land van de Alengwyneh spreekt? Verre Ogen!' riep hij naar achteren. 'Kom en spreek met uw handen tegen *deze* man!'

Weer kwam de jongeman naar voren en maakte de gebaren. De krijgers van Man Gezicht waren nu helemaal omringd door een muur van ruiters op hun machtige, dansende, briesende dieren en allemaal hielden ze hun wapens in de aanslag op de krijgers gericht. Waarschijnlijk waren enkele krijgers bang. Maar ze lieten in niets merken dat ze bang voor de wapens waren; het waren jonge mannen die opgehangen waren geweest. Zij stonden boven pijn. Maar toch was het beangstigend om hier te midden van zoveel misverstand te staan, terwijl de ogen van de mannen met harige gezichten die hoog op deze wonderbaarlijke dieren zaten op hen neerstaarden. En een van de geheimzinnigste, meest intimiderende dingen die de krijgers opmerkten, was de vreemde lucht van de rook die uit de knuppelstokken van de ruiters bleef kringelen. De mensen hadden nog nooit zoiets geroken. Ze hadden salie, sweetgrass, tabak, ceder en wilg verbrand om gebedsrook te maken. Maar die gaven allemaal een prettige, aangename geur af. Deze had een kwade lucht, zoals de zwarte rotsen op sommige hellingen ver stroomopwaarts op de Modderrivier in de tijd van de prairiebranden hadden, wanneer de rotsen gloeiend heet werden. Als deze kwaad ruikende rook de gebedsrook van deze mannen op dieren was, baden ze misschien tot Okee-hee-dee en niet tot de Grote, Goede Geest. Misschien beschimpten ze daarom wel Eerste Man die Hangt.

Maar Man Gezicht kreeg weer een beetje hoop toen hij zag dat het opperhoofd van de mannen op de dieren in ieder geval enige aandacht aan de handgebaren van Verre Ogen gaf. Hij maakte geen aanstalten om antwoord te geven, maar scheen te beseffen dat de jonge krijger probeerde iets te zeggen. Aan het gezicht van de ruiter was te zien dat hij nadacht.

Ten slotte zei het opperhoofd van de mannen op de dieren tegen Man Gezicht: *'¡Venga conmigo. Solo!'* Hij maakte een gebaar met zijn hoofd dat Man Gezicht opvatte als: *Kom deze kant op.* Man Gezicht voelde een enorme opluchting. Nu zou hij misschien een *okimeh* zien die in hun taal zou praten, een vriendelijke man met een rond gezicht en ronde ogen, die de glorie en belangrijkheid van de missie van Man Gezicht zou inzien! Hij hoopte dat dit het geval zou zijn.

Het opperhoofd van de mannen op de dieren schreeuwde de andere mannen op de dieren een paar woorden toe en opeens brachten ze hun dieren in beweging. Een aantal ging tussen Man Gezicht en zijn krijgers in staan en scheidde hen van elkaar terwijl de mannen met hun scherpe spiesen tegen de krijgers aan porden.

'Okimeh!' schreeuwde Verre Ogen boven het lawaai uit. 'Wat moeten we doen?'

Man Gezicht, die het gevoel had dat hij weggeduwd en weggedrukt werd, was gealarmeerd maar geloofde niet dat de mannen hem of zijn krijgers letsel zouden toebrengen. Hij wilde niet van zijn lijfwachten gescheiden worden, maar bovenal wilde hij met de leider van deze rijdende mannen praten. Hij was bereid om daarvoor alleen te gaan. Hij riep naar Verre Ogen terug:

'Blijf, mijn zoon! Houd je kalm, maar wees niet bang. Vecht

alleen als ze je grieven en beledigen...' Hij dacht aan het ergste dat zich zou kunnen voordoen en schreeuwde naar de jongen: 'Als ik met hun *okimeh* kan praten, zal ik je laten halen om me de Magische Bundels te brengen. Mocht ik echter niet terugkeren, dan moet je naar huis gaan en de bundels meenemen! Zul je dat doen?'

Door het stof en het lawaai hoorde hij de jonge hoofdman 'ja' antwoorden. Glimlachend keek hij op naar het opperhoofd van de rijdende mannen, knikte en begon te lopen. Met beide handen hield hij de Paal van Eerste Man recht omhoog voor zich uit. Dit was naar zijn gevoel een heilige processie en moest dat ook zijn; hij ging waardig met Eerste Man voor zich en boven zich naar voren door het vrijgemaakte pad van de rivier naar de plek waar het vuur van hun *okimeh* brandde. Daar zou hij ongetwijfeld plechtig en waardig, met ceremonieel, door een groot, wijs opperhoofd uit het Land der Alengwyneh worden ontvangen. En na al deze verwarring en dit onbegrip zou hij zijn missie kunnen volbrengen en zouden ze in blijdschap met elkaar verenigd worden. Zijn hart zong en de hemel en boomtoppen van de wereld zagen er prachtig uit. Het zweet had in zijn ogen geprikt, maar nu voelde hij hoe tranen van geluk zijn oogleden uitwasten en alles vaag werd. Hij voelde de zachtaardige kracht van de grote dieren die naast hem liepen en zou een hand uitgestoken hebben om er een aan te raken als hij niet allebei zijn handen voor de Heilige Paal nodig had gehad. Aan weerskanten reed een man op een dier naast hem en het opperhoofd van de rijdende mannen bevond zich vlak voor hem. Man Gezicht liep met grote passen mee en bewonderde de prachtige gang van het zwarte dier, het slaan met de staart om vliegen weg te zwiepen; vol verbazing keek hij naar zijn hoeven. Voor de eerste keer in heel zijn leven zag hij hoeven van dieren die niet in tweeën waren gespleten. Toen het dier met zijn staart naar opzij sloeg, zag Man Gezicht dat het een wijfje was. De welgevormde billen deden hem aan de goedgevormde vrouwen van zijn Volk denken en met de verrukking van een oude man haalde hij zich hen voor de geest. Man Gezicht was intens gelukkig; zijn hart was vol van de gevoelens uit zijn lange leven, zelfs de pijnlijke herinneringen. Zijn oude hart zwol zo in zijn borst op, dat hij maar ternauwernood genoeg adem kon krijgen. Dit was een heilig ogenblik waarvoor hij heel zijn leven had geleefd, voelde hij. Hieraan zou hij de rest van zijn leven terugdenken. Voor zijn geestesoog schilderde hij het beeld van deze dag al op de mantel die de geschiedenis van zijn leven vastlegde: de *pishkuns*, de oorlogen die hij had gewonnen, het Ophangen in de Okeepah waarmee hij de eerste was geweest en de mannen van zijn Volk had laten zien hoe zij hem moesten navolgen om zichzelf boven pijn verheven te maken, om zich sterk voor het welzijn van het Volk te maken... Ja, hij, Man Gezicht, had vele dingen gedaan waarvoor zijn volk hem altijd zou gedenken en dankbaar zijn. Maar wat hij nu, vandaag, deed zou het langst in de herinnering blijven voortleven. Hij zag zijn schildering op de mantel al voor zich: hijzelf, die tussen twee andere mannen in met de Heilige Paal in zijn handen achter een man op een dier aan liep. Onder het lopen hoorde hij de hoeven van de dieren met een plezierig, zacht ploffend geluid op de aarde neerkomen, hoorde hij het ritme van hun stappen en hun ademhaling. En hij vroeg zich af hoe hij zijn vrouwen en kleinkinderen over de geluiden van deze dag zou kunnen vertellen...

Trippe trappe trippe trap...

Zo zou hij het geluid voor hen weergeven; hij moest het in zijn geheugen prenten; het leek net een andere taal, een nieuwe taal om mensen het geluid van iets dat ze nog nooit hadden gehoord te vertellen. Hij herinnerde zich die eerste keer dat hij het geluid van het instrument met de vele boogpezen uit de bundel die Rook van Sweetgras voor hem had opengemaakt hoorde...

Hij was van zoveel dingen de eerste van zijn Volk geweest die ze had gezien, gehoord en gedaan! Man Gezicht bedacht dat misschien niemand, Eerste Man uitgezonderd, zoveel dingen voor het eerst had gedaan.

Dit dacht en voelde Man Gezicht allemaal en hij probeerde zich voor te stellen hoe hij de *okimeh* van de Blinkende Mannen zou schilderen die hij nog moest ontmoeten. Hij vroeg zich ook af hoe hij zichzelf op de rug van een van deze grote dieren zou schilderen. En terwijl hij daar zo allemaal over nadacht en zich erover verwonderde, stak het zwarte paard voor hem opeens haar staart in de lucht en draaide die naar opzij. Haar zwarte anus opende zich, rekte zich, werd groter en groter en stootte scherp ruikende, bruine keutels uit. Ze vielen op het stoffige gras voor Man Gezicht neer. En terwijl hij eroverheen stapte, haalden zijn ogen een grap met hem uit: het leek net of de billen van het dier het achterste van de man die erbovenop reed waren en dat de keutels uit de man waren gekomen. In zijn fantastische toestand van geluk vond Man Gezicht dit wel de gekste gedachte die ooit in zijn hoofd was opgekomen en voor hij zich kon inhouden begon hij hardop te lachen, te lachen van opperste blijdschap en lage humor. Het opperhoofd van de mannen op de dieren keek verbaasd naar hem achterom. Hij zag er echter helemaal niet uit als een man die het prettig vond om gelach te horen, integendeel. Hij keek juist als iemand die zichzelf zoëven in verlegenheid heeft gebracht door zijn uitwerpselen pal onder iemands neus te laten vallen. Bij die gedachte moest Man Gezicht nog harder lachen. De man op het dier schreeuwde hem iets toe en keerde zijn rijdier om. Toen trok de man zijn lange mes en zwaaide er dreigend mee door de lucht.

Man Gezicht slaagde erin zijn vrolijkheid onder controle te krijgen. De ongemanierdheid van het opperhoofd van de mannen op de dieren was net een schaduw en Man Gezicht bedacht dat hij de *okimeh* misschien wel zou vertellen hoe onaangenaam hij deze ruiter vond. De man moest wat beleefdheid leren.

Even later kwamen ze over een lelijk stuk grond waar heel veel bomen waren gekapt. Overal op de grond lagen boombast en takken. Er hing een mist van rook in de lucht en verspreid in de bende stonden tal van armoedige, slecht gemaakte hutten van palen en boombast. Het waren er misschien een honderd. Er liepen hier ook veel smerige, naakte bruine kinderen rond. Ze waren echter niet levendig en vrolijk zoals de kinderen van zijn eigen Volk. Ze zaten op de grond of stonden buiten de hutten op hun vingers te zuigen. De meesten waren zo mager dat Man Gezicht hun ribben door hun huid heen zag. Ze hadden oude gezichten. Ze waren ziek, besefte Man Gezicht met een schok van droefheid. Hij had nooit meer dan een of twee kinderen tegelijk ziek gezien. Een paar ellendig uitziende vrouwen stonden of hurkten bij de kookvuren voor de hutten. Ook zij zagen er ziek uit. Behalve schortjes van gras waren ze naakt en hun gezichten zagen er afgetobd van pijn en ellende uit. Man Gezicht vroeg zich af waar de mannen van dit dorp – als je het een dorp kon noemen – heen waren. Toen herinnerde hij zich iets, iets dat hij in zijn lange leven bijna vergeten was. De oude vrouw Rook van Sweetgrass had hem dat verteld toen hij nog een jongen was: toen zij nog kind was, hadden de *okimeh's* bij de Plaats van Vallend Water mensen van sommige stammen gevangengenomen en gedwongen voor hen te werken. De mannen moesten steen uit de grond houwen en naar de plaatsen waar ze muren bouwden dragen. De vader van Rook van Sweetgrass, Steenhouwer de Okimeh, had ook wel eens gevangenen onder zich werken, had ze gezegd. Nu moest Man Gezicht daar opeens aan denken en hij vroeg zich af of deze mannen op de dieren de mannen van dit dorp voor dat soort werk gebruikten. Hij herinnerde zich dat hij vandaag inheemse mannen op de plek waar boten werden gebouwd, naast de rivier, aan het werk had gezien. En in het bos kon hij nu slagen horen die klonken alsof er bomen gekapt werden. Die gedachten verontrustten Man Gezicht. Zijn eigen krijgers zouden misschien ook worden overmeesterd en gedwongen zo te werken. Hij maakte zich ongerust over hen en de Magische Bundels, die hij langs de kant van de rivier bij hen had achtergelaten. De noodzaak om de *okimeh* van dit volk te ontmoeten werd met elke stap groter. Intussen brandden zijn armen en rug van vermoeidheid van het dragen van de Heilige Paal en zijn pezige, oude lichaam droop van het zweet. De lucht in dit land in het zuiden lijkt de stoom in een zweethut wel, dacht hij. Het scheelde niet veel of hij liep bij elke ademhaling naar lucht te happen. Maar natuurlijk kon hij de Heilige Paal niet loslaten of aan iemand anders overgeven. De pijn van het dragen alleen kon hij verdragen, die was minder dan de pijn van de Okeepah. Maar hij vreesde dat zijn ademnood hem misschien te zwak zou maken om verder te gaan.

Voorbij de hutten van het dorp stond een palissade met puntige palen en door een open poort zag hij een aantal beter ge-

501

maakte hutten. Aan weerskanten van de poort stond een man met een lange piek. De twee mannen droegen dezelfde blinkende hoofdbedekking en bedekking voor hun lichaam als de mannen op de dieren. Man Gezicht zag dat hij naar die poort werd gebracht.

Toen ze dichterbij kwamen, schreeuwde de ruiter vooraan een paar woorden. Een van de mannen die daar stond, verdween door de poort en riep iets. Even later kwam hij weer te voorschijn, met naast zich een andere persoon. Man Gezicht schrok van diens uiterlijk. Hij wist zeker dat hij deze man al eens eerder had gezien. Hij kneep het zweet uit zijn ogen weg, tuurde en probeerde het zich voor de geest te halen. De man was gekleed in een zwart kledingstuk dat van zijn nek tot zijn enkels reikte. Om zijn middel was een touw gebonden. Hij had een rond gezicht en alleen op zijn kin groeide wit haar. Behalve een paar witte plukken haar boven zijn oren, had hij verder geen haar op zijn hoofd.

Man Gezicht besefte dat hij deze man – of net zo'n soort man – op een van de afbeeldingen in de Magische Bundel had gezien. Hij werd er opgewonden van. Opeens was er weer hoop. De aanwezigheid van deze man gaf ongetwijfeld het verdere bewijs dat hij werkelijk zijn eigen volk van over het Grote Water van de Zonsopgang had gevonden!

De man liep naar voren. Met zijn witte handen over zijn buik geklemd, keek hij Man Gezicht aan. Van dichterbij gezien zag hij er niet gezond uit. Zijn voorhoofd was wit als sneeuw en zijn wangen en neus zagen vuurrood en waren vlekkerig door helder karmozijnrode zweren. Maar hij had levendige ogen, die niet arrogant stonden zoals de ogen van de mannen op de dieren.

Opeens sloeg de ruiter voorop zijn been over de rug van zijn dier heen en kwam met een zwaai op de grond terecht. Het was een schokkende aanblik voor Man Gezicht. Toen de onaangename man op de grond stond, was hij wel een kop kleiner dan Man Gezicht.

Terwijl de man zijn dier aan de touwen die naar zijn bek liepen vasthield, begon hij rad tegen de man in het zwarte kleed te praten. Hij wees een paar keer naar Man Gezicht zonder hem aan te kijken. De man in het zwarte kleed bleef Man Gezicht met zijn hoofd knikkend en met zijn ogen knipperend onafgebroken aankijken. Hij maakte kleine geluidjes in zijn keel. Een paar mannen met donker haar en harige gezichten kwamen door de poort wandelen en keken nieuwsgierig toe. Een paar naakte, jonge inheemse vrouwen kwamen naar buiten geslopen en hurkten op de grond neer om te kijken. Eén vrouw had een grote kneuzing aan één kant van haar gezicht en een andere vrouw had grote en kleine blauwe plekken op haar bovenbenen. De andere twee ruiters stapten van hun dieren af en een van hen hield beide dieren bij de touwen aan hun mond terwijl de ander door de poort ging. Even later kwam hij met een soort vat terug en bood dat de eerste ruiter aan. De man hield even op met praten en dronk ervan. Toen dronk de andere ruiter en bracht het naar de man die de dieren vasthield. Hij gaf het lege vat aan een van de mannen die bij de poort stonden. Man Gezicht keek toe terwijl een van de rijdende mannen zijn linkervoet in een lus stak die langs de zijde van het beest hing, de schoft van het dier beetpakte, zichzelf op zijn rug hees en vervolgens wegreed. Zo stappen ze er dus op en af! dacht Man Gezicht. Als hun *okimeh* me straks op een van hun dieren laat rijden, hoef ik nu niet meer te vragen hoe ik erop moet komen. Ik steek gewoon mijn voet in de lus en stap op zoals een man die afstamt van andere ruiters. Man Gezicht slaakte een zucht van verlangen en keek toen weer naar het gesprek tussen de rijdende man en de man in het zwarte kleed. De zwartrok had net zijn handen in een soort gebaar uitgespreid en voor het eerst zag Man Gezicht hier, onder deze mensen, een van de visioenen waarnaar hij het grootste deel van zijn leven had gezocht:

Aan de gordel van de man in het zwarte kleed hing een klein beeldje van Eerste Man die Hangt!

'Daar! Kijk! Het is hetzelfde ding als ik hier op de Heilige Paal meedraag! Het is Eerste Man! Dan hoort u dus *toch* tot mijn volk van over het Grote Water van de Zonsopgang! Broeder, laten we in onze eigen taal tegen elkaar spreken!' Hij wees van de gordel naar de stok.

Bij deze uitbarsting deinsde de man in het zwarte kleed enigszins terug.

De rijdende man vooraan hief simpelweg zijn handen ten hemel en rolde met zijn ogen. Toen nam hij hoofdschuddend de kans waar om zijn dier weg te brengen. De spraakzame inboorling liet hij bij de priester staan. De man sloeg de teugels om een paal bij de poort en bleef even naar de naakte vrouwen kijken. Toen liep hij, achter de man in het zwarte kleed blijvend, naar het groepje vrouwen toe, draaide zijn vuist in het haar van de aantrekkelijkste vrouw, trok haar overeind en duwde haar door de poort heen, een van de hutten in.

Man Gezicht besefte algauw dat zelfs deze man in het zwart de taal van zijn Volk niet begreep of sprak. Hij voelde een grote vermoeidheid door deze nieuwe teleurstelling over zich komen. Het probleem moest de taal zelf zijn, kwam hij tot de slotsom. Alles wees erop dat dit werkelijk mensen van over het Grote Water van de Zonsopgang waren, dat zij inderdaad van Eerste Man hadden gehoord. Misschien konden zij al zijn woorden wel niet verstaan omdat de taal in de honderden winters sinds Eerste Man het water was overgestoken veranderd was. Man Gezicht was zich ervan bewust dat taal veranderde; hij was vergeten hoe Rook van Sweetgrass sommige woorden had uitgesproken en de taal van de Lichte Mensen was vermengd met die van de Mandan.

Maar als ik hun laat weten dat we lang geleden uit hetzelfde land zijn gekomen, zullen ze blij zijn. Dan kunnen we met elkaar leren praten. De Oude Grootmoeder vertelde me dat de Taal der Merktekens niet verandert. Maar ik moet deze oudste in zijn zwarte kleed laten zien dat we geen vreemdelingen zijn! Man Gezicht liet de Heilige Paal op de grond rusten en hield hem met zijn linkerhand rechtop. Hij wees naar de Eerste Man die Hangt die de man met het zwarte kleed droeg, vervolgens naar de witte mantel van bizonhuid aan de lange stok en weer terug, en nog eens terug, tot hij zeker wist dat de man in het zwarte kleed moest inzien wat hij hem probeerde te laten zien.

Toen legde Man Gezicht twee vingers in zijn mond, haalde ze er weer uit en wees ermee naar de mond van de man in het zwarte kleed, het teken dat ze samen aan dezelfde borst hadden gedronken en dus familie van elkaar waren.

Bij dat gebaar lichtte er een glimp van begrip in de ogen van de man in het zwarte kleed op. Hij hield zijn rechterhand voor zijn mond en stak zijn duim en wijsvinger verschillende keren naar Man Gezicht uit en Man Gezicht wist dat hij bedoelde: 'Laten we praten.' Man Gezicht knikte gretig, maakte het teken voor 'Goed' en maakte nog een keer het gebaar voor 'familie', waarbij hij wees naar de grote Eerste Man die Hangt aan zijn paal en de kleine Eerste Man die Hangt aan de gordel van de man in het zwarte kleed.

Om de een of andere reden bracht dat een rimpel in het voorhoofd van de man in het zwarte kleed. Het was òf iets dat hij niet begreep òf iets dat hij vervelend vond. Maar Man Gezicht hield vol, knikte heftig en bleef naar de twee dingen wijzen.

Kon ik die lange paal nou maar even opzij leggen en allebei mijn handen gebruiken, dacht Man Gezicht ongeduldig, dan zou ik het hem echt kunnen laten begrijpen. Deze oudste schijnt de taal van handen namelijk wel te begrijpen. Was Verre Ogen maar hier geweest. Man Gezicht gebaarde dat de man in het zwarte kleed hem moest volgen en droeg de paal naar de omheining in de buurt van het vastgebonden rijdier en zette hem tegen de muur aan. Toen draaide hij zich met een brede lach naar de man in het zwarte kleed om en begon met beide handen te spreken.

Bent u de *okimeh* hier? vroeg hij.

Nee, antwoordde de oudste. Onze leider is daarbinnen. Hij wees naar een gebouw binnen de palissade.

Breng me naar hem toe, gebaarde Man Gezicht opgewonden, intussen bedenkend hoe grof en beledigend het voor een *okimeh* was om niet naar buiten te komen en de *okimeh* van een andere plaats die op bezoek komt te begroeten.

Nee, gebaarde de man in het zwarte kleed. Hij is heel ziek. Hij is stervende.

Man Gezicht toonde zijn droefheid en gebaarde toen: Ik kan beter maken.

Nee, gebaarde de man in het zwarte kleed. Veel sjamanen, veel stammen die hem alleen maar zieker hebben gemaakt. Hij wil niemand meer zien.

Man Gezicht slaakte een zucht van frustratie. Hij wilde zo verschrikkelijk graag de *okimeh* van dit volk zien om te ontdekken of deze zich de taal van Eerste Man die alle anderen vergeten schenen te zijn nog herinnerde. Hij gebaarde: Spreek voor mij de naam van uw *okimeh*. Man Gezicht had een idee hoe hij de *okimeh* te zien kon krijgen.

De man in het zwarte kleed zei: *'El suyo nombre es De Soto.'* Man Gezicht probeerde vergeefs zich dat te herinneren en vormde de naam met zijn mond. Maar het was een te lange, te vreemde naam. Een paar geluiden van de lip en tong kon hij niet eens maken. Man Gezicht had gedacht dat hij, als hij de naam van de *okimeh* hoorde, net zo lang zou gaan schreeuwen tot de *okimeh* antwoord zou geven. Maar Man Gezicht kon diens naam nog niet eens uitspreken! Wat een probleem was deze kwestie van talen! Zijn dromen hadden hem absoluut niet op dit obstakel voorbereid, hem daar niet eens voor gewaarschuwd. Het was overduidelijk dat de man in het zwarte kleed hem niet mee naar binnen zou nemen om de *okimeh* van dit volk te zien. Dus zuchtte Man Gezicht, maakte het gebaar voor vraagteken en gebaarde: 'Bent u van die kant, heel ver weg, van over het Water van de Zonsopgang gekomen?'

De man in het zwarte kleed dacht na en knikte toen van ja.

'Net als mijn voorouders!' zei Man Gezicht en maakte daarbij tegelijk de gebaren. Hij verwachtte dat de man in het zwarte kleed opgetogen over die kennis zou zijn en verwondering in zijn gezicht zou tonen. Hij fronste echter alleen zijn voorhoofd. De oude man leek vermoeid en verveeld en Man Gezicht begon zich af te vragen of hij misschien even dom was als de rijdende mannen en de botenbouwers.

'Luister!' zei Man Gezicht en snel en met gevoel gebaarde hij:

Ik moet uw *okimeh* ontmoeten. Ik ben twee manen lang de Moeder der Rivieren en de Modderrivier afgezakt om hem te zien. Ik heb Magische Bundels met God-woorden bij me, die ik hem wil laten zien! U hebt ons, de kinderen van Maq-Muk, toch ook gezocht? Hier ben ik! Waaier de rook weg van uw ogen en open uw oren! Wat ik zeg is belangrijk voor uw *okimeh*! Mijn Volk is het volk dat u zoekt! Ik vraag u: Wat zoekt u?

De man in het zwarte kleed stak ingespannen nadenkend zijn onderlip naar voren en begon toen te gebaren:

506

Wij zoeken de zeven grote steden van... Hij wachtte even en sprak toen een woord uit: '...Cibola.'

Man Gezicht dacht na en gebaarde toen: Zijn de mensen in die steden de Kinderen van Eerste Man? Wij zijn de Kinderen van Eerste Man!

De man in het zwarte kleed wuifde ongeduldig met zijn hand. Hij gebaarde: Wij zoeken geen volk. Wij zoeken... Hij hield zijn rechterhand met duim en wijsvinger ongeveer ter grootte van een noot apart voor zijn schouder en zei een woord: *'Oro.'*

Man Gezicht herhaalde het gebaar en het woord. 'Oro.' Toen schudde hij zijn hoofd en maakte het vraagtekengebaar, daarmee aangevend dat hij niets van oro af wist. De man in het zwarte kleed gebaarde ongeduldig en hield zijn linkerhand omhoog die om de wijsvinger een gouden ring had.

'Oro,' zei hij.

Man Gezicht raakte in de war. Hij gebaarde: Wat u zoekt is aan uw hand?

Om de een of andere reden werd de man in het zwarte kleed hier vreselijk boos om. Hij trok zijn mond samen, zijn ogen puilden uit en hij schudde zijn gebalde vuisten in de lucht. Toen draaide hij zich om en liep, tegen de wachtposten mopperend, met grote passen door de poort. Man Gezicht, die nog steeds op een missie was die tot nu toe vruchteloos was geweest, was nog niet bereid de enige man te verliezen die, hoe gebrekkig ook, met hem kon praten. Hij riep:

'Ik ga naar mijn boot om de Heilige Bundels op te halen: Ik wil dat u de woorden ziet die erin staan afgebeeld! Dan zult u het begrijpen! Blijf wachten en luister, Oud Zwart Kleed...'

Maar bij de poort kruisten de twee wachtposten die daar op wacht stonden hun pieken en hielden Man Gezicht tegen.

Stomverbaasd legde hij zijn hand op een van de pieken en probeerde die opzij te duwen. Maar de wachtpost hield stevig vast. 'Ik ben *okimeh* van mijn Volk!' riep hij naar de piekenier. 'En ik praat met zwartmantel! Maak de weg vrij!'

De wachtposten duwden hem weg. De vrouwen begonnen te giechelen; sommige omstanders lachten.

Op het laatst deed de grofheid van deze mensen een vuur in Man Gezicht ontbranden. Zijn hart bonsde van een woede zoals het, behalve in de strijd, nog nooit had gevoeld. Zijn gezicht verhardde zich. Hij keek om zich heen. Daar stond zijn Heilige Paal tegen de palissade aan, naast het vastgebonden rijdier. Opeens wist Man Gezicht wat hij moest doen. Hij liep naar het dier toe, ging ernaast staan en pakte de mondtouwen in zijn ene hand. Hij zette zijn voet in de hangende lus zoals hij de rijdende mannen had zien doen en moeiteloos en snel klauterde hij boven op het dier en ging er schrijlings op zitten. Hij zat op Geest Eland! Zoals hij in visioenen had gezien, zat hij op een rijdier! Zijn hart zweefde hoog als een adelaar. De twee wachtposten kwamen schreeuwend van verbazing en woede van de poort naar hem toe rennen. Maar ze leken zo klein en ver beneden hem, dat ze onbeduidend werden. 'A-haj-ieee!' riep Man Gezicht. Een brede lach spleet zijn gezicht in tweeën. Zijn hart lachte.

Vanwege de schreeuwende vreemdeling op haar rug en de twee schreeuwende piekeniers die om haar heen renden, stapte het dier opzij tot haar romp tegen de palissademuur botste en sprong toen naar voren. Man Gezicht stak een hand uit en greep de Heilige Paal beet, die in zijn opwinding licht als een speer aanvoelde. Overal liepen mensen te schreeuwen. Man Gezicht raakte twee of drie keer bijna zijn evenwicht op het dansende dier kwijt, wat alles nog opwindender maakte. Maar hij herstelde zich iedere keer snel en lachte opgetogen. Hij had er geen idee van hoe hij het dier richting moest geven. Met zijn linkerhand hield hij haar mondtouwen beet, maar hij trok er niet aan om haar in bedwang te houden, omdat hij zich met diezelfde hand voor steun in haar manen had vastgegrepen. Doodsbenauwd door al het tumult om haar heen zette het dier het ten slotte op een galop over het pad door het dorp van hutten heen. Vrouwen en kinderen vlogen opzij.

De vlucht bracht Man Gezicht terug naar de rivier waar zijn krijgers waren. Dat was ook precies wat hij wilde. Hij wilde de Magische Bundels zo snel hij kon meenemen en naar Zwart Mantel of zelfs naar de *okimeh* van dit volk brengen, zodat zij naar de woorden konden kijken en alle dingen die hij hen niet aan het verstand kon brengen konden begrijpen. Dat was zijn bedoeling; daarom was hij ook op het dier geklommen; en tot zijn grote vreugde zat hij nu precies zoals hij altijd in zijn visioen voorzien had op het rennende dier. Ze vloog als de wind, zo snel, dat de grond onder hem vervaagde. Nog nooit was Man Gezicht zo gelukkig geweest; hij voelde dat hij naar de betere wereld van Gene Zijde was overgegaan nu hij het gewicht van zijn oude lichaam niet meer voelde. Het was alsof hij vloog! Hoe harder hij gilde, des te sneller ging het dier lopen. Man Gezicht had nog steeds zijn linkervoet in de stijgbeugel, maar zijn andere voet was vrij en stootte tegen haar flank aan; dat, met de fladderende mantel aan de Heilige Paal, gaf voedsel aan haar paniek.

Het pad liep het haveloze dorp uit en verder tussen de bomen van het bos. Opeens zag Man Gezicht uit een ooghoek dat twee mannen op dieren achter hem aan vlogen en aan weerskanten van hem kwamen rijden. Ze schreeuwden iets naar hem. Maar naarmate het pad door het bos smaller werd, moesten ze achterblijven en achter hem gaan rijden.

Zo snel door de bossen rijden maakte hem nog blijer. Ledematen en bladeren suisden in een groen waas voorbij; hij dook met zon gespikkelde schaduw en weer plekken zonlicht binnen en vloog dan weer terug in de schaduw. Hij joelde en juichte bij die sensatie. Bij zijn geboorte was hij voorbestemd geweest om op het snelle dier te rijden; hij wist het! Hij hield van dit dier met een liefde die zijn hart zo groot als de wereld maakte.

Door de bladeren voor zich uit zag hij de open plek waar de botenbouwers werkten. Hij zag de brede, enorme rivier, de mannen op hun dieren die de krijgers van Man Gezicht naast hun kano's bewaakten, de botenbouwers die in en om de onafgemaakte bootrompen stonden. En iedereen draaide zich naar hem om toen hij joelend, met het geschreeuw van de twee andere ruiters achter zich, de open plek op kwam gereden. Zijn vreugde werd nog verhoogd door de wetenschap dat zijn krijgers hem nu op de rug van het beest uit zijn visioenen zagen rijden, zoals hij hen had geprofeteerd. Hij, Man Gezicht, had als eerste van zijn Volk als Eerste Man die Hangt hoog in de lucht gehangen. Hij, Man Gezicht, was als eerste van zijn Volk zowel *okimeh* als Bewaarder van de Bundels geweest. Hij, Man Gezicht, was de eerste *okimeh* van zijn Volk geweest die defensieve gevechten tegen de vijandige stammen had gewonnen. Hij, Man Gezicht, had door zijn visioenen uit twijfel en verwarring de ceremoniën en gewoonten van zijn Volk gevormd. Hij, Man Gezicht, had als eerste naar zijn visioenen gehandeld en deze lange, stoutmoedige reis stroomafwaarts langs de Moeder der Rivieren ondernomen om de Blinkende Mannen te zoeken. En nu was hij, Man Gezicht – en zijn krijgers konden het zelf zien – de eerste van zijn Volk die ooit op een viervoeter had gereden en nu de open plek bij de rivier op kwam gesneld. Op zijn manier was Man Gezicht een nieuwe Eerste Man.

Toen de rijdende mannen op de open plek tegen hem begonnen te schreeuwen en probeerden hem te grijpen, zwenkte het dier opzij en rende weg. Ze denderde tussen de rompen van de boten door naar de kant van het water toe. Daar draaide ze om en rende langs de oever tot ze opeens dicht struikgewas voor zich zag. Vervolgens galoppeerde ze verder langs de rand van de open plek. Man Gezicht joelde opgetogen en had niet het minste verlangen om het dier te sturen. Hij geloofde dat zij de snelste, slimste van alle rijdieren was; daarom had ze waarschijnlijk aan de leider van de rijdende mannen toebehoord; hij geloofde dat zij een spel met hen speelde en dat zou winnen. En dan – hij maakte zich geen zorgen wanneer of hoe dat zou gebeuren – zou ze stilstaan, hem de Magische Bundels laten pakken en hem weer terugbrengen, zodat hij die aan de man in het zwarte kleed of de *okimeh* kon laten zien. Man Gezicht had het gevoel dat hij één van geest met dit prachtige, geweldige dier op vier voeten was en dat zij hem zou helpen met wat hij wilde. Hij vertrouwde haar inmiddels zo, dat hij geen enkele noodzaak zag om zich aan haar vast te houden. Hij had haar manen en mondtouwen losgelaten; de touwen lagen los over haar hals. Hij hield de Heilige Paal nu met beide handen hoog omhoog en bleef alleen door de greep van zijn benen en een soort balancerende geest in zich die wist wanneer en hoe zij zich bewoog, op haar rug zitten.

Nu was zijn prachtige, geliefde viervoeter met de anderen achter haar aan, over heel de open plek waar de boten werden gebouwd gerend en kwam weer op de plek terecht waar de krijgers van Man Gezicht vol ontzag opgetogen lachend en juichend naast hun kano's stonden. Man Gezicht ving een glimp op van een van de Blinkende Mannen die met zijn rokende knuppel niet ver bij hen vandaan stond. De man had gepoogd die op Man Gezicht te richten. Met de magische rook wilde hij misschien de vlucht van het dier stoppen.

Toen het dier zo dicht langs de man heen zwenkte dat Man Gezicht hem bijna met het uiteinde van de Heilige Paal had kunnen aanraken, klonk er opeens een donderslag. Een rookwolk verscheen precies op de plek waar de Blinkende Man stond.

Met een schok vloog Man Gezicht omhoog. Het dier rende onder hem vandaan.

Vanboven zag Man Gezicht zijn krijgers naar hem toe rennen. Ze raapten zijn lichaam van de grond op en droegen het naar zijn kano. Hij zag hen moedig op de rivieroever tegen de Blinkende Mannen met de harige gezichten strijd leveren, tot ze in de kano konden ontsnappen en met zijn lichaam de terugtocht naar huis aanvangen.

Vandaag had Man Gezicht als allereerste van zijn volk op een dier met vier benen gereden. En hij was ook de allereerste van zijn volk geweest die door een donderslagstok van mannen van over het Water van de Zonsopgang was gedood.

De geest van Man Gezicht rees hoger en hoger in de lucht en begon het aroma van de rook van sweetgrass te bespeuren.

16 *Mannah Sha's stad aan de Modderrivier*
1680

'Het is alleen maar een van die dwaze ideeën die mannen kunnen hebben,' zei de grootmoeder van Pompoen Bloesem terwijl ze vet door het dikke, gele haar van het meisje kamde. Er klonk vrolijke spot in de stem van de oude vrouw door. 'Je hoeft er alleen maar vanbinnen om te lachen en er een ernstig gezicht bij te zetten. Het heeft niets om het lijf. Het is ongevaarlijk. Je doet het om je echtgenoot ter wille te zijn. De oude mannen doen trouwens alleen nog maar of ze het kunnen. Mannah Sha is een groot *okimeh* geweest, maar zijn wortel is verlept.'

'Ik hou van Stier met Staart Omhoog, maar dit wil ik niet voor hem doen,' mopperde Pompoen Bloesem.

Haar grootmoeder gaf haar een tik op haar bil. 'Je zult het wel doen. Stier met Staart Omhoog is een goede echtgenoot. Hij gelooft dat hij via jou iets van de wijsheid en kracht van de oude *okimeh* krijgt. Bovendien zul je er de oude *okimeh* mee vleien en hem gelukkig maken. En dat verdient hij ook. Mannen hebben dit al gedaan sinds ver verleden tijden, toen onze voorouders nog aan de andere kant van de Moeder der Rivieren woonden en zij hun vrouwen aan degene die zij Koning noemden aanboden. Sta op, Kleindochter.'

Pompoen Bloesem stond naakt in het licht van het vuur en de oude vrouw wreef haar ledematen en bovenlichaam met verse berenolie in. Het meisje was nog warm en schoon van de zweethut bij de oever van de rivier. Haar grootmoeder kwebbelde verder en deed alsof het weinig voorstelde. 'Je loopt gewoon over de rode stokken heen en biedt jezelf aan Mannah

Sha aan. En dan loop je met hem de bosjes in en wacht net zo lang tot het genoeg lijkt. En wanneer je dan terugwandelt, is je jonge echtgenoot gelukkig omdat hij denkt dat de *okimeh* hem door jou kracht gegeven heeft. Wat is er zo erg aan een stukje lopen als dat hen zo gelukkig maakt? Jonge vrouw die van haar echtgenoot houdt! Ha ha ha! Sla nu de mantel om je heen. Ik hoor de trom en de fluit. Hun spel gaat beginnen. Je echtgenoot is ongeduldig.'

Pompoen Bloesem vatte weer een beetje moed. Haar angst werd wat minder door het geheim dat haar grootmoeder haar over oude mannen had verteld. Maar ze was er nog steeds niet erg gelukkig mee. 'Ik wilde dat ik niet naakt voor oude mannen hoefde te staan.'

De oude vrouw lachte. 'Kind, elke man in deze stad heeft je je eerste acht zomers bloot gezien en niemands lendendoek zwol toen op. En vanavond zullen er ook geen lendendoeken opzwellen, omdat er in een roede van een man die zo oud is als Mannah Sha geen zwelling meer over is. Ik zeg het je!'

Stier met Staart Omhoog, de jonge echtgenoot van Pompoen Bloesem, stond hen bij de deur van de hut van Mannah Sha op te wachten. De naam van de oude *okimeh* betekende 'tabak'. Boven de deur doemde, hoog in het licht van de volle maan, de beeltenis van Eerste Man die Hangt op. Verder stond Witte Horen, een van Mannah Sha's kleinzoons, bij de deur te wachten. Zijn jonge vrouw was ook in een bizonvel gewikkeld. Zachte muziek kwam uit de deur naar buiten.

De grootmoeder van Pompoen Bloesem ging het eerst naar binnen. Ze droeg de zes rood geschilderde stokken voor de ceremonie en de tabak, salie en sweetgrass die ze zou verbranden om de hut te zuiveren. Na een tijdje kwam ze naar de deur en zei tegen de jonge mensen dat ze mochten binnenkomen.

Mannah Sha en de andere grote, oude man die geëerd zou worden, Lachende Schildpad, zaten aan de andere kant van de hut. De zes rode stokken lagen in een lijn voorbij de vuurkuil op de grond tot de plek waar de *okimeh* zat. De lucht was bezwangerd met de geurige rook. Een jongen van een jaar of dertien blies op een houten fluit, een andere jongen sloeg op een tamboerijn en een derde tokkelde voorzichtig op het instrument met snaren uit de Heilige Bundel. De oude Bewaarders van de Bundels hadden uitgevonden hoe ze om de paar jaar nieuwe snaren van zenen konden maken, maar het voorwerp werd nog steeds als heilig en teer beschouwd en alleen voor enkele ceremoniën gebruikt. Het geluid klonk dus onbekend.

Stier met Staart Omhoog liep naar de vuurkuil toe. Hij hurkte neer, vulde een rode pijp en stak die met een gloeiend takje aan, bracht die naar de oude Mannah Sha toe en reikte hem uiterst zorgvuldig en kalm de pijp aan. Mannah Sha pakte die met beide handen aan, draaide de steel in een cirkel rond, trok een mond vol met rook en liet die met gesloten ogen langzaam uit zijn mond naar buiten stromen en ademde die tegelijk door zijn neus naar binnen. Toen gaf hij de pijp aan oude Lachende Schildpad naast zich door. Lachende Schildpad, die zo dik was geworden dat zijn gezicht niet gerimpeld was zoals voor een man van zijn hoge leeftijd normaal was, trok aan de pijp en gaf hem door aan Witte Horen, die een trek nam en hem aan Stier met Staart Omhoog doorgaf. Stier met Staart Omhoog moest vervolgens de pijp leegroken. Hij liep met de pijp naar de vuurkuil, schraapte er de as uit, deed salie in de kop en zette hem vervolgens weer in zijn houder van gevorkte stokken. Toen liep hij naar Pompoen Bloesem toe en bleef een paar slagen van de kleine trom naast haar staan. De jonge vrouwen begonnen op het ritme van de trom met de ene voet na de andere pas op de plaats te maken. Pompoen Bloesem hield haar ogen neergeslagen. Ze wilde nu in niemands ogen kijken. Haar echtgenoot raakte haar arm aan. Even ademde ze in, deed toen haar armen open en gaf hem de mantel aan.

En even wierp ze een verontwaardigde blik op haar echtgenoot, maar hij zag het niet. Hij keek naar de *okimeh* en op zijn gezicht stond te lezen hoe trots hij op haar naakte lichaam was.

Ze danste tot aan de eerste rode stok naar voren en ging eroverheen staan. Toen hurkte ze neer. Haar clitoris, die besneden was en volgens de oude gewoonte van haar Volk was uitgerekt, hing ver genoeg naar beneden om de rode stok aan te raken. Haar echtgenoot liet een trots gemurmel horen en keek naar de oude Tabak, die glimlachte en knikte. Nu ging Pompoen Bloesem weer staan. Ze schuifelde twee passen op het trommelritme naar voren en hurkte boven de tweede stok neer, deed vervolgens hetzelfde boven de derde, vierde en vijfde stok. Toen ze boven de laatste stok neerhurkte, was ze binnen een armslengte afstand van de oude *okimeh*. Haar ogen waren op gelijke hoogte met zijn ogen. Ze keek hem aan. Hij knikte en glimlachte naar haar en ze ging staan en schuifelde terug naar Stier met Staart Omhoog, die naar haar glimlachte en heel zachtjes zei *'Shu-su! Shu-su!'* Goed, goed! Dat gedeelte was achter de rug. Ze was blij toen haar echtgenoot de mantel om haar heen sloeg, omdat de Mandan-vrouwen eerbare vrouwen waren en dit een onprettig gebeuren was.

Nu deed de vrouw van Witte Horen haar mantel af. Op de hartslag van de instrumenten liep ze over de stokken heen en keek de oude Lachende Schildpad glimlachend aan. Nu was het de beurt van Witte Horen om trots te kijken.

Later liep Pompoen Bloesem de hut uit, door het door de maan verlichte dorp heen. De oude Mannah Sha liep hinkend naast haar. Beiden zwegen ze op weg naar de wilgenbosjes langs de rivieroever.

Pompoen Bloesem wist alles over Mannah Sha, oude Tabak, af. Hij was de zesde generatie die rechtstreeks afstamde van de legendarische *okimeh* Man Gezicht, de eerste en enige van het Volk die ooit op een Geest Eland had gereden. De Mannen die IJzer Droegen hadden hem daarvoor gedood, maar zijn afstammelingen vertelden het verhaal, waarvan Verre Ogen getuige was geweest, over en over. Verre Ogen was de volgende grote *okimeh* geworden. Oude Tabak had altijd gepoogd om even groot als zijn voorvader te zijn. Hij had verre tochten over de rivieren gemaakt om alle oude plaatsen uit de geschiedenis van het Volk te zien en had zoveel mogelijk de Kennis uit het verleden geprobeerd te onthouden. Aan elke generatie vertelde hij de verhalen over en over. Hij had ook veel gedaan om zijn Volk in aantal te doen toenemen. Hij had nu dertig kleinkinderen en meer dan honderd achterkleinkinderen.

Zoals alle mensen van haar Volk, bewonderde en respecteerde Pompoen Bloesem de oude *okimeh*. Op dit moment vond ze hem echter geen groot man, maar meer een zwakke, oude man die bijna al zijn tanden verloren had. En nu speelde hij het trotse mannenspel van doen alsof hij de vrouw van een jonge krijger wilde bezitten, zodat de jongeman kon denken dat iets van de grootheid van de oude man aan hem werd doorgegeven. Nu leek het even onschuldig als haar grootmoeder haar had verteld, een grappig ritueel. Nu het onbetamelijke deel voorbij was, was het precies zoals grootmoeder had gezegd, alleen maar wat in het rond wandelen.

Toen ze bij de rand van de wilgenbosjes aankwamen, ging ze langzamer lopen en vroeg: 'Hier, Grootvader?'

'*K'hoo,*' antwoordde hij. Ja.

Ze hield de mantel strak om zich heen vast en bleef op haar lippen knagend staan. Ze keek over de rivier heen, omhoog naar de maan en wachtte tot de tijd voorbijging en ze weer naar de hut konden terugwandelen en doen alsof.

Maar toen zei hij tot haar verbazing: '*K'hoo*, ik zei ja, dit is voor ons een goed plekje om te gaan liggen.'

Nu staarde ze niet meer om zich heen, maar keek hem recht in zijn gezicht aan. De maan glinsterde in haar verbaasde ogen. Hij wees weer naar de grond. Op haar door de maan verlichte gezicht verscheen een twijfelend lachje. Ze knielde neer en ging toen, nog steeds in de mantel gewikkeld, op de grond liggen. Hij knielde met knakkende knieën naast haar neer en gooide haar mantel open om haar aan de maan en weer aan zijn eigen ogen te onthullen. Heel even gingen zijn ogen van haar naar de hemel en hij bewoog zijn lippen alsof hij aan het bidden was.

Toen knoopte Mannah Sha de band van zijn lendendoek los en ze ging geloven dat hij helemaal niet deed alsof. Hij was oud en knokig, maar hij bewees dat haar grootmoeder sommige dingen leerde die verkeerde veronderstellingen waren.

Later, toen ze boven op de waterkant langs de rivier terugliepen, kon Pompoen Bloesem zich niet weerhouden om te zeggen: 'Onze geliefde *okimeh*, u hebt me verbaasd. Ik geloofde dat we alleen maar zouden wandelen.'

'*Sook meha,*' zei hij grinnikend. 'Kindlief, ik weet wat oude grootmoeders je over oude grootvaders vertellen. Ik ben blij als ik een grootmoeder kan verrassen.' Hij leunde op haar. Ze vroeg:

'*E da ta hish?*'

'*Megosh, wah e da ta hish,*' zei hij. Nee, ik ben niet moe. Hij hijgde van de klim, maar zijn verweerde, oude gezicht glimlachte in het maanlicht. 'Ja, het is goed om een grootmoeder te verrassen. En het is nog beter om jezelf te verrassen!'

Oude Tabak had de jongeman gelukkig gemaakt door hem iets van zijn kracht door te geven. Hij geloofde echter dat hij jongemannen op een reëlere manier macht zou kunnen geven door kennis aan hen door te geven. Wanneer hij hen ook maar van hun jongemannen-bezigheden kon weghalen, zat hij samen met hen in zijn hut en vertelde hun van de dingen die hij op zijn verre reizen en in zijn lange leven had gezien en gedacht.

Zijn zoon, die de vader van Witte Horen was geweest, was al heel lang dood. Hij was gedood in een gevecht met de Oto, ver stroomafwaarts langs de Modderrivier. Op een goede dag, wanneer Tabak overging, zou zijn kleinzoon Witte Horen waarschijnlijk *okimeh* van het Volk worden en Tabak wilde dat hij alles wat er maar te weten viel ook wist.

Vandaag rookte hij een pijp en vertelde Witte Horen en Stier met Staart Omhoog over de reis die hij lang geleden gemaakt had naar de Plaats van Vallend Water die in het oosten aan de Mooie Rivier lag. Hij was er met de kano naar toe gegaan, omdat daar de voorouders van de Lichte Mensen van het Volk meer dan tien generaties geleden door de woudlandmensen waren afgeslacht.

'Op die plek zag ik ingestorte stenen muren, grote, lange, dikke muren. Op sommige plaatsen waren ze door overstromingen weggespoeld, maar het was een stenen hut geweest zo groot als ons hele dorp hier. En er lagen daar tanden zo groot als mijn hand...

Ik vond hele beddingen van kreken vol skeletten. En schedels met metalen hoofddeksels en ook skeletten met oude, oude metalen kleding zoals een schildpad in zijn schild.

Kleinzoon! De geesten van de doden waren bij die vele skeletten zo verontrustend, dat veel van mijn krijgers niet meer konden lopen of spreken. We zijn daar weggevlucht.

Luister, want de dingen die ik heb gezien hebben diep in mijn hart een betekenis: ik zag heuvels die door mensen gemaakt waren en aarden medicijnwielen die tweehonderd passen maten. Ik zag de resten van steden die tien keer zo groot als die van ons waren. Maar nu wonen er niet veel mensen meer langs die Mooie Rivier, niet veel meer dan langs onze Modderrivier. Wie was dat volk daar dat zo talrijk was? Waar zijn ze heen getrokken?' De gezichten van de jongemannen lieten blijken dat ze gepast onder de indruk waren en even verwonderd waren als hij.

'Ik zal jullie vertellen wat ik in mijn hart over die dingen denk,' zei hij. 'Dat alles is een Verloren Kennis, zoals de Verloren Kennis van hoe we de rijen merktekens in de Heilige Bundels moeten verstaan. Zoals alle *okimeh's* vóór mij heb ik de bundels in de Heilige Kano beschermd. Ik heb over de geheimenissen daarin nagedacht. Mijn hart deed pijn om al die Verloren Kennis.' Hij hief een wijsvinger op om hun aandacht te trekken. 'Ik bid dat geen Verloren Kennis voor eeuwig verloren is. Zo langzamerhand moet bij het verder draaien van de Tijd de cirkel weer vol worden, zoals alle dingen opnieuw terugkomen: de seizoenen, de regens, de zonsopgangen, de volle maan. Is Eerste Man, blank van huid, met haar op zijn gezicht, lang geleden, in het begin niet van over de Zee van de Zonsopgang gekomen? En zijn er daarna, in de tijd van Man Gezicht, niet andere blanke mannen met harige gezichten van over de Zonsopgang gekomen?

En luister nu goed: er zijn nu nog meer bleekgezichten in het land! Onze mannen die vorig jaar naar het heilige rode-steenklif zijn geweest om steen voor pijpen te verzamelen, kregen van jagers van het Volk dat op Stenen Kookt te horen dat er nog niet zo lang geleden blanke mannen langs waren gekomen die handel zochten. Ja, op sommige plaatsen op Schildpad Eiland zijn er nu blanke mannen en nieuws over hen komt met de vier winden mee.

Op een goede dag zullen ze hierheen komen. Zij zullen de Verloren Kennis terugbrengen. Ik, Mannah Sha, Tabak, wilde

518

degene zijn die de Verloren Kennis terugkrijgt. Maar ik ben nu oud en betwijfel of dat nog bij mijn leven zal gebeuren. Misschien ben jij wel degene die hen ontmoet, kleinzoon. Als dat zo is, moet je hongerig naar kennis zijn, zoals ook ik hongerde om te weten. Het verlangen moet in je hart leven, zodat je er altijd aan denkt en er altijd naar zoekt. Als dat niet zo is, ben je als de jager die naast het wildpad slaapt. De prooi loopt ongezien langs hem heen en hij heeft niets om zijn gezin te voeden.

Zeg me, kleinzoon, dat je zult luisteren naar hun taal als je de blanke mannen ooit tijdens jouw leven zult ontmoeten. Als ze ook maar één woord zeggen dat je kent, zullen het ongetwijfeld familieleden zijn van lang geleden, uit dat verre land. Pak vreedzaam hun hand aan en zeg hen dat wij degenen zijn die zij zoeken. Ze kunnen de Verloren Kennis aan ons teruggeven. Zij kunnen ons de vriendelijke viervoeters geven, de dieren waarop onze voorouders in dat oude land reden en waarvan je de afbeeldingen in de bundel hebt gezien. Wij willen die dieren ook hebben en moeten hun gedragingen leren. Ten zuiden en ten westen van ons zijn er stammen die de viervoeters al van de Mannen die IJzer Dragen hebben gehad. Er zal een tijd komen dat die dieren ook in ons land komen. En je mag niet naast het spoor slapen wanneer dat gebeurt, want anders gaan ze je voorbij en zal je Volk geen gebruik van hun kracht kunnen maken.

Luister, kleinzoon: die Kennis die wij verloren hebben, komt misschien niet meer tijdens ons leven bij ons terug. Wij hebben er al sinds vóór de tijd van Man Gezicht op gewacht. Vele keren hebben we die dingen van grootvader op kleinzoon gezegd en ernaar uitgekeken. Als je vindt dat een leven lang duurt, ga dan naar die oude, stenen muren en de grote hopen aarde kijken die lang geleden zijn gemaakt. Wij leven slechts een ogenblik, zoals ieder mens. Maar het Volk leeft verder naarmate de tijd draait en weer terugkomt. Voor het Volk moeten we blijven kijken tot de Kennis weer rond geweest is.'

De ogen van Witte Horen glinsterden. 'Dit zal ik nooit vergeten, grootvader. U geeft me door dit geweldige verhaal macht.'

Stier met Staart Omhoog was eveneens vol verwondering. Hij zei: 'Grote Okimeh, met uw woorden maakt u me sterk zoals u me niet zo lang geleden sterk gemaakt hebt door mijn vrouw. Mijn hart is rijk van de wijsheid en grootheid van mijn oudere.'

Met glinsterende ogen dacht de oude *okimeh* aan die nacht terug. Hij vroeg zich af of Pompoen Bloesem deze jonge echtgenoot had verteld hoe hij haar had verrast. Oude Tabak had zijn leven besteed aan het zoeken naar Kennis. Maar een man was beter af als hij geen kennis van dat soort geheimen had!

Hij gniffelde. Hij hoopte wel dat ze het haar grootmoeder had verteld.

Pompoen Bloesem was bij het jachtkampement in de diepe sneeuw brandhout aan het sprokkelen. Opeens hoorde ze in de verte een schreeuw. Ze ging rechtop staan om te luisteren en te kijken. Het kamp bestond slechts uit de kleine, met huiden bedekte tipi's, die naast een kronkelend riviertje op een open plek tussen wilgen op de zandbank waren neergezet. Het was een paar dagen lopen van Mannah Sha's Stad verwijderd.

Het was de stem van haar echtgenoot. Hij was die morgen al vroeg op sneeuwschoenen naar het noorden vertrokken en in de sneeuwjacht verdwenen. Pompoen Bloesem glimlachte toen ze Stier met Staart Omhoog schreeuwend zag aankomen; zo snel als hij de helling naar het kamp toe kwam aflopen, had ze nog nooit iemand op sneeuwschoenen vooruit zien komen. Ze kon nu ook zijn woorden thuisbrengen.

'Roo hoo tah! Roo hoo tah! Ptemday!' Kom, riep hij naar de jagers, ik heb bizon gevonden!

Ze reageerden met opgetogen kreten en liepen her en der door elkaar om hun sneeuwschoenen, boog en speer te pakken. Met glinsterende ogen en een brede lach op zijn gezicht kwam hij hijgend aangelopen. Pompoen Bloesem rende naar hem toe om hem te verwelkomen. Haar gele haar wapperde in de wind. Ze haakten hun armen om elkaar en hij trok haar naar zich toe en raakte met zijn voorhoofd het hare aan. Het bijna uitgillend riep ze: 'O, je hebt ze gevonden! Zijn het er veel? En zijn ze ver weg?'

'Ja, heel veel! Ze zitten in een ravijn waar heel dik sneeuw
ligt. Daar schuilen ze voor de wind.' Hij riep naar de vrouwen
van de jagers: 'Ze zitten ver die kant op! Breek het kamp op
en kom ons achterna!' Het was gemakkelijker om het lichte
kamp te verplaatsen dan zware vrachten vlees en huiden terug
te dragen. Enkele ogenblikken later gleden de zes jagers al achter Stier met Staart Omhoog aan, de wit geworden wind in. Ze
waren nog maar nauwelijks uit het gezicht verdwenen of de
vrouwen volgden al met het hele kamp, palen, brandhout en
rantsoenen op tobogans of op hun rug.

Pompoen Bloesem dankte de Schepper dat haar echtgenoot
degene was die de prooi had mogen vinden. Stier met Staart
Omhoog had in de manen sinds de oude Tabak hem via haar
zijn kracht had doorgegeven in alles veel geluk gehad. Ze was
er zelf ook in gaan geloven en geloofde de spot die haar grootmoeder ermee had gedreven niet meer. Het was precies zoals
Stier met Staart Omhoog zei: De Schepper had het zo ingericht,
dat alles in een Cirkel rondging. En in die Cirkel beloonde
leven altijd ander leven. Een mens ontving dan ook datgene
wat zijn eigen edelmoedigheid hem waardig maakte te ontvangen. Stier met Staart Omhoog was ruimhartig geweest ten opzichte van Mannah Sha en werd daar nu met de ene zegening
na de andere voor beloond. Pompoen Bloesem waggelde een
stukje achter de anderen aan door de sneeuw. Ze trok een tobogan met een tentovertrek en wat brandhout erbovenop.

Een van de zegeningen die Stier met Staart Omhoog zou
krijgen, was dat Pompoen Bloesem binnenkort een kind ter
wereld zou brengen.

De sporen van de sneeuwschoenen van hun echtgenoten volgend, kwamen de vrouwen van de jagers op de top van de derde
heuvel aan. Niet ver voor zich uit hoorden ze hun geschreeuw
en het geloei van de bizons al. Dus haastten ze zich door de
diepe sneeuw heen de helling af en de volgende heuvel op.
Vanaf de top van de volgende heuvel keken ze een ravijn in.
Daar was de goede jachtpartij die Stier met Staart Omhoog
had beloofd. Het was precies zoals hij had gezegd. De bizons
– het waren er een stuk of vijftig – ploeterden tot hun schoften

door de opgewaaide bergen sneeuw heen. Het lukte ze nauwelijks om vooruit te komen, terwijl de jagers op hun sneeuwschoenen over de sneeuw vlogen en naast de dieren gingen lopen. De dieren vielen naar hen uit, maar zonder enige moeite troffen de mannen ze met hun speer of schoten ze door het hart. De sneeuw in het ravijn werd rood. Terwijl de vrouwen dichterbij kwamen en het slachtkamp opzetten, splitsten een stuk of twintig dieren in de achterhoede zich af en konden tegen een helling opkomen waarvan bijna alle sneeuw was weggewaaid. Die dieren ontkwamen aan de slachting.

Maar de jagers doodden ongeveer dertig dieren. Door zo'n groot aantal dieren kwamen de armen van de vrouwen onder het bloed van het slachten te zitten. Ze werden er moe van en werkten in de bloederige sneeuw door tot de zon onderging en de wolven begonnen te huilen. Zelfs de mannen hielpen mee met slachten.

In de sneeuw slachten was een moeizame, pijnlijke aangelegenheid. Handen, armen en benen werden nat en doof en soms bevroor het vlees, nog voor het in stukken kon worden gesneden, tot een harde klomp. De prettige kant van jagen in de winter was dat er geen vliegen waren en dat het vlees niet bedierf.

Ze waren tot op drie dagreizen ten westen van de stad van Tabak gekomen voor ze de kudde hadden gevonden. De dag daarop begonnen ze de terugreis. Het vlees droegen ze op hun rug en trokken het met de tobogans, met de huiden bovenop. Met al dat gewicht was het een langzame, zware tocht en toen de avond viel, bevonden ze zich op een vlakte waar de wind bijna alle sneeuw had weggewaaid. Als beschutting maakten ze een soort afdaken die ze tegenover elkaar neerzetten en legden ertussenin een vuur aan voor wat warmte. Vervolgens kropen ze dicht bij elkaar onder verse huiden en gelooide mantels, zodat hun lichamen elkaar konden verwarmen. Zo vielen ze in slaap. Ze lieten niemand op wacht staan omdat het verschrikkelijk koud was.

Pompoen Bloesem werd wakker omdat ze moest plassen. Ze wilde niet haar warme plekje tussen haar echtgenoot en de man en vrouw die aan haar andere kant sliepen verlaten. Het vuur flakkerde nog maar heel zwakjes op en de maan was bezig onder te gaan.

Nu er een baby binnen in haar groeide, moest Pompoen Bloesem er 's nachts vaak uit om te plassen. Ze drukte hier en daar met haar handen tegen de lichte welving van haar buik aan. Ze lachte. Haar echtgenoot Stier met Staart Omhoog was trots dat hij vader werd. Maar soms zei Pompoen Bloesem in haar intiemste gedachten wel eens plagend tegen zichzelf dat dit misschien wel het zaad van Mannah Sha, het oude opperhoofd Tabak was, die haar die avond van het Stokken Lopen zo had verrast. Sommige mannen van hoge ouderdom bleven, als ze jonge vrouwen kregen, kinderen verwekken. Waarschijnlijk bestond er dus een kans dat ze die nacht het zaad van Tabak had gekregen. Misschien zou ze wel nooit weten of dit zijn kind of het kind van Stier met Staart Omhoog was. Maar wat zou het verrukkelijk voor de oude Tabak zijn om in ieder geval te denken dat het van hem was!

Op een vreemde manier hoopte Pompoen Bloesem bijna dat het kind van Tabak zou zijn, omdat hij haar had bevredigd en op haar had gewacht – iets dat Stier met Staart Omhoog nooit had gedaan, omdat hij zich, zodra hij binnenkwam, altijd onmiddellijk liet gaan. Haar moeder had Pompoen Bloesem een keer toevertrouwd dat oudere mannen soms beter waren omdat ze langzamer waren.

'Dat,' had ze gezegd, 'of zorg dat je echtgenoot een paar andere vrouwen krijgt zodat ze hem, door hem zo bezig te houden, wat langzamer voor jou kunnen maken!'

Pompoen Bloesem vond het heel vermakelijk om te luisteren naar wat vrouwen over mannen zeiden en om te horen wat mannen van vrouwen vonden wanneer ze onder elkaar aan het praten waren. 'O, een man heeft zijn nut,' zei haar grootmoeder altijd, 'maar een hond draagt een last en komt misschien wanneer je hem roept.'

Ze vond haar grootmoeder vermakelijk. Pompoen Bloesem zou nooit de uitdrukking op haar gezicht vergeten toen ze haar over de verrassing van Tabak had verteld!

Pompoen Bloesem zou liever in de warmte zijn blijven liggen

523

waar ze over grootmoeders, mannen, baby's en honden kon nadenken en niet naar buiten, in de verschrikkelijke kou, zijn gegaan om te plassen. Maar ze had geen keus. Je baby zou binnen nog kunnen verdrinken als je niet vlug gaat, schertste ze tegen zichzelf.

Ze wilde de anderen niet wakker maken door naar mocassins en beenwarmers te rommelen, dus glipte ze in haar blootje tussen de mantels uit, liep vlug door de bijtende kou naar de bosjes toe en hurkte op de sneeuw neer. De tijd dat ze nodig had om te plassen kon ze het zo wel in de kou uithouden. Als ze weer naast haar echtgenoot terugkroop, zou hij uiteraard voor haar koude huid en voeten terugdeinzen, maar alles zou vlug genoeg weer opgewarmd zijn. Huiverend luisterde ze naar het sissen van haar plas in de koude sneeuw. In de ijzige buitenlucht rook ze de geur.

Pompoen Bloesem hoorde iets dat klonk als hard rennende bizons, als het getrappel van hoeven op bevroren grond. Het geluid kwam steeds dichterbij en werd steeds luider. Haar hart schokte op van schrik. Ze had verhalen gehoord van op hol geslagen kudden in de nacht die kampementen onder de voet liepen, waardoor de slapende mensen verwond en soms zelfs gedood werden. Misschien moest ze er vlug heen rennen en het kamp wakker maken. Ze ging op weg. Haar blote voeten kraakten in de door de maan verlichte sneeuw.

Opeens bleef ze stokstijf staan bij wat ze toen zag.

Over de sneeuw kwam heel snel een donkere massa van bewegende, grote vormen aan. Het was echter geen kudde bizons. Ze zag mannen in de vuurgloed komen, maar ze waren veel langer, dikker en luidruchtiger dan mannen hoorden te zijn. Opeens begonnen ze te joelen. Ze liepen het kleine, slapende kamp onder de voeten. Het waren mannen die reden op de ruggen van wat Geest Elanden moesten zijn! Vanaf hoog boven op de dieren schoten ze pijlen af en staken speren in de kleine schuilplaatsen van de slapende mensen.

Dat kon toch niet echt gebeuren. Maar behalve het gegil en gekreun van haar Volk, hoorde ze de oorlogskreten van de aanvallers. De beesten waarop deze aanvallers reden dansten en trappelden om het vuur heen, bijna in het vuur. Ze hadden vurige, wilde ogen en enorme, vlugge lichamen.

Omdat dit niet gebeuren kon, bleef Pompoen Bloesem stokstijf in het struikgewas staan. Vanbuiten werd ze steeds kouder, maar vanbinnen gloeide ze van angst.

Algauw sprongen enkele mannen van de ruggen van hun dieren af en sloegen en staken op de plekken waar haar Volk op de grond lag. Haar echtgenoot!

Ja, het gebeurde echt. Duivels die op beesten kwamen aangereden hadden vlak voor het aanbreken van de morgen het jachtkamp overvallen en de slapende mensen aangevallen. Nu pakten ze alles, het vlees en de huiden, mee. Pompoen Bloesems ziel beefde en kromp ineen. Ze hurkte weer neer, sloeg haar armen om haar knieën heen, sloot haar ogen en probeerde onzichtbaar te worden. En ze bad en probeerde de rest van haar warmte naar binnen te laten gaan om de baby warm te houden.

Gehuld in een verschroeide helft van een huid, met aan één voet een vrouwenmocassin en aan de andere een mannenmocassin, hinkte Pompoen Bloesem vijf dagen later de stad van Tabak binnen. In haar hand hield ze de bloederige schacht van een gebroken pijl geklemd. Ze leefde nog maar ternauwernood en kon niet praten. Sommige vingers en tenen waren zwart bevroren en de pink van haar linkerhand was verdwenen. De families van de jagers en hun echtgenoten maakten luid misbaar en wilden weten wat er met hun Volk gebeurd was. Ze wisten niet of ze nu moesten rouwen of naar hen op zoek gaan. Ze voerden Pompoen Bloesem merg en vleesbouillon, waarop ze van het ene middaguur tot het andere sliep. Toen ze wakker werd was ze in staat om moeizaam fluisterend te zeggen dat ze met Okimeh Mannah Sha zou praten en werd naar zijn hut gedragen.

Ze liet hem de gebroken pijl zien die ze uit het lichaam van haar man had getrokken. Hij zag dat die van de Shienne afkomstig was. Dat zat hem dwars. Dat betekende namelijk dat die mensen nu de Omepah Peneta, de Geest Elanden, bereden en die nieuwe macht gebruikten om hun buren kwaad te doen. En daarbij gingen ze ver van huis ook. Ze vertelde hem dat de aanvallers alles wat ze niet meenamen hadden verbrand, met inbegrip van de lichamen en kleren. Toen ze bij zonsopgang waren vertrokken, was ze uit de besneeuwde bosjes naar voren gekomen en had zichzelf bij het afgrijselijke vuur verwarmd. Ze had een hele dag hard gewerkt in een poging de verkoolde, gescalpeerde lichamen in de bevroren grond te begraven, zodat de wolven ze niet zouden opvreten. Ze maakte zich er echter zorgen over dat ze niet diep of afgedekt genoeg lagen. Daarna was ze op weg gegaan om te proberen terug naar huis te lopen. Het was een zware, koude, hongerige tocht geworden. Ze had geen mes gehad om haar pink als teken van rouw voor haar echtgenoot af te snijden, dus toen hij broos bevroren was, had ze die gewoonweg afgebroken. Dat was alles. Er was grote rouw in Mannah Sha's Stad, want de verloren jagers met hun vrouwen waren van bijna elk gezin familie geweest.

Pompoen Bloesem vertelde de *okimeh* over de baby die ze verwachtte, als die tenminste haar lijden had overleefd. 'Misschien bent u de vader wel,' zei ze tegen Tabak.

Zo werd Pompoen Bloesem, de vijftienjarige weduwe van Stier met Staart Omhoog, de jongste vrouw van Tabak. En hij had zoveel bewondering voor haar, dat hij haar leerde om de eerste vrouwelijke Bewaarder van de Bundels sinds Rook van Sweetgrass te zijn. Ze gaf hem een zoon die Dikke Benen heette en een bron van genot in Tabaks laatste jaren vormde. Hoewel Pompoen Bloesem Tabaks echtgenote was, kwam hij nooit meer bij haar liggen; zij hield Dikke Benen drie jaar aan de borst en tegen de tijd dat hij gespeend was, was Tabak te oud en zwak geworden om haar nog te kunnen verrassen.

Heel vredig en tevreden ging hij naar Gene Zijde over, een zeer oude, geëerde *okimeh* met een heel jong zoontje. Hij had in alle Vier de Richtingen veel van de wereld gezien en ervoor gezorgd dat de Verhalen van zijn Volk niet vergeten werden. En hij had zelfs Pompoen Bloesems grootmoeder overleefd, zodat die geen kleine onwaarheden over hem kon vertellen als hij er niet meer was.

Een jaar nadat Mannah Sha gestorven was kwam zijn kleinzoon, Witte Horen, wiens vrouw in het kraambed was gestorven, naar Pompoen Bloesem toe en verklaarde haar zijn liefde. Korte tijd later trouwden ze en het Volk moest gewoon het curieuze feit dat Witte Horen de weduwe van zijn grootvader huwde over het hoofd zien. Maar er waren wel mensen die plagend zeiden dat hij de man van zijn eigen grootmoeder was, en dat hij ouder dan zijn eigen grootmoeder was, en dat zijn stiefzoon zijn oom was, en allerlei variaties van dat soort roddeltjes. Toen hij *okimeh* werd, verdwenen dat soort grappen echter, omdat de mensen groot respect voor hem en zijn bruid hadden.

Wat de mensen ook hadden gedacht, Witte Horen en Pompoen Bloesem, die beiden gele haren hadden, waren heel goed voor elkaar. Ze geloofden dat niemand ooit zo gelukkig was geweest. De droefenis die ze achter zich hadden liggen, verdiepte hun geluk. Vaak lagen ze nog lang na de geslachtsgemeenschap in de stilte van de door het vuur verlichte hut na te praten over hun grote behoefte aan elkaar, over hoe lang het duurde voordat de Tijd rond was gegaan en over de kortstondigheid van het leven. Het waren de dingen waarover de oude Tabak hen aan het denken had gezet. En soms maakte Pompoen Bloesem zich er ongerust over dat ze door de dood gescheiden zouden worden als er met de een iets voor de ander gebeuren zou. Op een nacht stelde hij haar gerust: 'We vinden elkaar vast en zeker aan Gene Zijde weer. De Schepper heeft ons over een lang, kronkelig pad bij elkaar gebracht en zou zijn werk niet ongedaan laten worden.'

Maar zij had zo haar eigen herinneringen en zei: 'Het lijkt mij dat de dood moet zijn als de winterwind die alle gele bladeren van de bomen waait. Hoe zouden twee bladeren die aan dezelfde tak hadden gezeten elkaar ooit weer terugvinden als ze zo ver van elkaar verspreid waren? Hoe zouden onze twee geesten elkaar terugvinden als ze in de Wereld aan Gene Zijde verspreid worden? Daar ben ik bang voor. Ik wil nooit meer zonder je leven.'

In het licht van het vuur, met zijn armen om haar heen, bleef Witte Horen een hele tijd liggen nadenken. Op het laatst zei hij:

'Luister. Het doet er niet toe dat de twee dode bladeren uit elkaar raken nadat ze zijn weggewaaid. Ze zullen deel van dezelfde aarde worden. En zoals alles rondgaat en opnieuw terugkomt, zal de aarde die boom voeden. En op dezelfde tak waaraan ze die laatste zomer groeiden, zullen er in de nieuwe zomer opnieuw twee bladeren naast elkaar groeien en zullen onze twee geesten weer in die nieuwe bladeren naast elkaar leven.'

In hun vijfde zomer als man en vrouw samen kwamen drie jagers van de verdroogde vlakten aangesneld. Witte Horen was toen nog maar heel kort *okimeh*. De mannen vertelden Witte Horen dat ze op een bergkam in de verte tien Shienne-krijgers op de ruggen van Omepah Peneta's hadden zien rijden. Omdat zij slechts met z'n drieën en te voet waren, hadden de jagers de ruiters niet gevolgd, maar waren vlug teruggekomen om dat door te geven.

Witte Horen riep onmiddellijk veertig krijgers bij elkaar. Met laaiende ogen kwam hij zijn hut binnen. Hij schilderde een streep oker over zijn neus en jukbeenderen en pakte zijn boog en speer. Hij gaf een kneepje in Pompoen Bloesems pols en zei:

'Shienne zijn ons land binnengereden, zoals die keer toen ze je man en het jachtgezelschap hebben gedood. Ik heb nooit enige hoop gehad dat ik die moorden kon wreken, maar de Grote Geest, Maho Peneta, heeft me deze kans in handen gegeven en wil dat ik die grijp!'

Pompoen Bloesem trachtte de angst die ze voelde te verbergen. Ze wilde niet dat hij wegging, zelfs niet om dat afschuwelijke wat haar was overkomen te wreken. Ze pleitte: 'Hoe kunnen mannen te voet mannen die op de dieren rijden te pakken krijgen? Echtgenoot, ik heb gezien hoe hard ze kunnen lopen!'

'Zoals wij de snelle herten en de gevorkte horens jagen. We zullen hen ongezien opsporen en in hun slaap verrassen. Wij zullen de wraak smaken waarop we hebben gewacht. En' – zijn ogen stonden zo wild dat ze er bang van werd – 'we zullen hun rijdieren mee terugnemen!'

De angst benam haar de adem en ze fluisterde het bijna uit.

'Ik smeek je, geliefde echtgenoot, ga niet weg!' Ze dacht aan de twee gele bladeren die door de wind verspreid werden. Maar hij was te geïnspireerd om naar waarschuwingen te luisteren. Hij wilde dat de Shienne zouden sterven voor het lijden van Pompoen Bloesem, waaraan hij iedere keer dat ze hem met de stompjes van haar afgevroren vingers aanraakte herinnerd werd.

En hij was ook geïnspireerd om als eerste van zijn Volk sinds Man Gezicht de Geest Eland te bezitten en op zijn rug te rijden.

Pompoen Bloesem keek haar man en zijn veertig krijgers, die hard lopend in de verre heuvels verdwenen, na. De drie jagers die diezelfde ochtend de Shienne hadden gezien, liepen voorop. Ze wist dat ze onvermoeid de hele dag konden doorlopen en dat het de beste krijgers waren. Maar zij hadden nog nooit gezien hoe mannen konden zijn wanneer ze op de hoge, machtige dieren reden.

Ze nam de Heilige Bundels die avond mee naar binnen in de hut en bleef er heel de nacht door mee bidden. Verontrust door de vurigheid van haar gebeden, kwam haar zoon Dikke Benen die nacht twee keer uit bed. Op het laatst vroeg ze hem om samen met haar te bidden. Dat deed hij tot het laatste duister voor de morgen inviel. Toen werd hij te slaperig om door te gaan.

Bij het eerste dagen ging Pompoen Bloesem naar boven, de muur van het dorp op, en bad naar de zonsopgang aan de overkant van de rivier. Toen tuurde ze naar de heuvels in het zuidwesten om te zien of ze Witte Horen al zag terugkomen. Het was die dag al heel vroeg warm. Bijna een maan lang was er geen regen gevallen. Er waren elke dag Regen Makers op de daken geweest die de Donder Wezens opriepen.

Halverwege de ochtend klauterde een hoopvolle Regen Maker op een van de ronde daken in een afgelegen deel van de stad en begon zijn bezweringen. Hij richtte zijn boog op de hemel en riep dat de wolken moesten komen. Sommige mensen keken naar hem en baden met hem mee, maar er kwamen meer mensen boven op de muur om samen met Pompoen Bloesem uit te kijken naar de terugkeer van hun jonge *okimeh* met zijn krijgers. De zon brandde. Behalve hun mompelende gesprek-

529

ken en gebeden was het enige geluid het gejammer en geroep van de Regen Maker.

's Middags riep iemand vlak naast Pompoen Bloesem uit: 'Kijk! Hij brengt regenwolken!' Ze zag langs de horizon in het westen een donkere wolk, die steeds groter werd.

De mensen stonden een hele tijd naar de donkere wolk te kijken en luisterden of ze de donder hoorden. Op het laatst zei iemand: 'Kijk er eens goed naar! Ruik eens! Daar komt geen regen aan! Dat is grote rook!'

'K'he cush,' zei een man. Slecht. 'Het gras staat weer in brand.' Ze hadden in dit hete seizoen de grasvlakten aan de andere kant van de rivier al in brand zien staan; de lange, kronkelende lijnen van vuur hadden de nacht met rode rook gevuld. Nu brandde het gras aan deze kant van de rivier. Jagers keken ernaar en probeerden te voorspellen naar welke kant het vuur de gevorkte horens en de bizons zou opjagen.

Niet lang daarna hing de donkere rook hoog aan de hemel en was de zon een vage, gele cirkel die erdoorheen probeerde te schijnen. Pompoen Bloesem bad met al de kracht van haar ziel, want niemand had iets gezegd over het feit dat Witte Horen met zijn krijgers ergens daarginds was. De rook prikte in haar ogen en keel. Roetvlokken van gras dwarrelden als zwarte sneeuw uit de lucht naar beneden.

Die nacht was de hemel rood. Maar het vuur was nog steeds aan de andere kant van de heuvel. Vanuit de stad kon je geen vlammen zien.

Pompoen Bloesem bleef op de borstwering van de muur staan bidden tot ze in haar slaap bad.

Ze werd wakker van koude regen die op haar neerstriemde. Er huilde een krachtige, naar as ruikende wind over de stad heen, gevolgd door een stortvloed van regen die de straten sneller overstroomde dan het water kon weglopen. De nacht was zwart; nergens was er meer de gloed van de grasbranden te zien. Stemmen taterden en lachten over de geliefde regen en prezen de Regen Maker; terwijl Pompoen Bloesem stram, met doorweekte kleren en natte haren naar beneden klauterde en naar huis, naar haar hut, spetterde, hoorde ze de stemmen in flarden door de ruisende regen heen.

Ze lag in bed met de bundels te bidden. Dikke Benen lag te slapen. Het vuur brandde verder tot het nog maar vaag gloeide en de regendruppels die door het rookgat naar beneden kwamen vielen er sissend in en maakten wolkjes stoom. Al biddend viel ze in slaap. Ze droomde van een wind die door bomen waaide. Ze zag twee gele bladeren aan het uiteinde van een tak. Ze trilden en wuifden in de wind, maar hielden vast...

En toen rukte de wind een van de bladeren van de tak af en blies het in een gele wolk van afgeblazen bladeren weg.

De volgende dag gingen de jagers er op uit, op zoek naar de antilopes met gevorkte horens, naar bizons, konijnen en herten die vaak in grote aantallen door branden naar de rivier werden opgedreven.

De volgende dag kwamen de jagers terug. Toen ze dichter bij de stad kwamen, zongen ze rouwliederen.

Ze waren het verbrande gedeelte van de vlakten opgegaan en hadden de neerspiralende gieren gevolgd. Toen hadden ze de verkoolde lichamen van de krijgers en jagers en hun *okimeh*, Witte Horen, gevonden. Er was geen teken van Shienne of rijdieren geweest. Er staken geen pijlen uit Witte Horen en zijn krijgers en ze hadden geen wonden.

Niemand kon een prairiebrand van hoog gras voor blijven.

Pompoen Bloesem, Bewaarster van de Bundels van de Kinderen van Eerste Man, was nog maar net in de twintig. Nu was ze voor de derde keer weduwe geworden. En er waren nog heel wat meer jonge weduwen in de stad.

17 *Dorp aan de Modderrivier, westelijke oever 3 december 1738*

De oude vrouw klemde de mantel van bizonvel dichter om haar keel om ervoor te zorgen dat de wind hem niet wegwaaide. Ze leunde op haar wandelstok en zei tegen de hond:

'Ja, ja, trek maar, hoor! Als je wilt eten, moet je werken!' Ze gniffelde. 'Allemensen, vroeger droeg ik dat allemaal op mijn rug!'

De hond zag eruit als een wolf met bruin haar. Het leek of hij grijnsde. Zijn lippen waren enigszins weggetrokken, zodat de witte punten van zijn tanden zichtbaar waren en hij had zijn ogen bijna helemaal tot spleten tegen de gure, bijtende wind gesloten. Hij trok aan het tuig van leren riemen en klauwde met zijn poten op het ijs om daar greep op te krijgen. De hoog met brandhout beladen tobogan gleed op het grijze ijs vooruit.

De oude vrouw was Pompoen Bloesem. Ze bevond zich ongeveer halverwege de bevroren rivier. Ze was in haar tweeënzeventigste jaar en al heel lang weduwe van Witte Horen. Al honderden keren in haar leven had ze zo over de bevroren Modderrivier gelopen, met een vracht brandhout op haar rug of de honden mennend die ladingen brandhout op de slee trokken. In de manen dat de rivier niet was dichtgevroren, was ze met vlotten van hout en drijfhout erachteraan vastgebonden in haar kleine, ronde, met leer bedekte schaalboot naar de overkant gepaddeld. De stad stond er al zo lang, dat er op de westelijke oever nauwelijks nog hout te vinden was. Aan de andere kant van de rivier waren er in de ravijnen en het laagland nog steeds stukken bos en struikgewas. Er waren bovendien plekken waar de stroming aan die kant van de rivier meer drijfhout depo- neerde dan aan de westkant. Terwijl ze het bevroren oppervlak overstak, dacht ze aan de rivier. De mensen zeiden dat deze rivier in de Schitterende Bergen ontsprong, die zo ver naar het westen lagen dat praktisch niemand van het Volk ze ooit gezien had. Enkele jagers op bizon en bever waren wel eens, vele over- nachtingen ver, die kant opgegaan. Zij hadden de toppen van de Schitterende Bergen in de verte gezien. Pompoen Bloesem had ze nooit gezien. Geen enkele vrouw had ze ooit gezien. Maar toch voelde ze de wonderbaarlijk lange rivier nu ze op het ijs liep precies zo als wanneer ze er in een boot op dreef en precies zo als toen ze er in haar jonge jaren overzwom. In die dagen was ze net een otter of een vis geweest. Ze had zich even goed in de rivier als op de wal thuis gevoeld. En haar oude lichaam, dat nu voortdurend overal pijnen en pijntjes had en stram was geworden, kon zich nog steeds de wonderlijke licht- heid van drijven en zwemmen herinneren, het vreemde gevoel dat het deel uitmaakte van de rivierstroming. Ook nu, op dit moment, stroomde de rivier onder haar voeten onder het dikke ijs waarop ze liep zoals ze altijd had gedaan en altijd zou doen. Ook nu leefden er vissen onder het ijs. Deze rivier maakte even- zeer deel uit van het leven van de Kinderen van Eerste Man als maïs en de bizon. Zolang ze maar langs de rivier konden wonen, zou het Volk nooit verhongeren of ongelukkig zijn.

De wind trok gretig aan de bizonmantel en blies het deel dat ze als een kap over haar hoofd had getrokken voor haar gezicht. Schuin uit een ooghoek zag ze andere mensen en honden met sleden in beide richtingen over het ijs heen kruipen. Ver stroom- opwaarts, voorbij de bocht van de rivier, zag ze andere mensen in colonne oversteken. Het waren de mensen uit de Mandan- steden die aan beide rivieroevers lagen. In haar jeugd had een vuur in haar gebrand, een vuur dat zo groot was dat ze tussen de brokken ijs door kon zwemmen wanneer de rivier ontdooide. Dan werd ze vanbinnen bijna niet eens koud. Maar sinds die keer dat ze bijna bevroren was geweest, na de moord op Stier met Staart Omhoog, bezat ze dat innerlijke vuur niet meer. Haar Volk was heel taai, vol vuur. Zodoende konden de mensen ook in dit ruwe, harde land met korte zomers en lange, winderige winters leven. Doordat ze in staat waren hier te leven, konden ze ruimte om zich heen houden. Pompoen Bloesem had gehoord dat ver stroomafwaarts naar het zuiden en oosten zoveel mensen woonden, dat ze vaak oorlog met elkaar voerden.

Misschien zou het goed zijn om ergens te wonen waar de winters minder streng waren, dacht ze. Maar de winterkou is ongetwijfeld minder erg als de hitte van de oorlog!

Ze herinnerde zich die vreselijke tijd, meer dan een half honderd jaar geleden, toen de Shienne het jachtkamp waren binnengereden en iedereen, met inbegrip van haar echtgenoot, hadden gedood. Zij was toen als enige ontsnapt. Oorlog is erger dan kou, dacht ze. 'Doorlopen, hond,' kakelde ze. 'Wil je niet naar onze hut toe en bij het vuur liggen? Nou, ik wel, hoor!'

Ja, oorlog is erger dan kou, dacht ze. Kou kan maken dat je overal, behalve in je hart, pijn hebt. Maar oorlog doet je hart pijn. De pijn van de kou verdwijnt als de zomer komt. Maar na de oorlog blijft je hart altijd pijn doen.

Pompoen Bloesem ploeterde voort. Voorzichtig zocht ze haar weg over het ijs. Soms, wanneer ze op het ijs viel en er niemand aan kwam om haar op de been te helpen, had ze al haar kracht en inspanningen nodig om weer overeind te komen. Terwijl ze daar zo liep, moest ze opeens aan een droom denken die ze al heel vaak had gehad sinds zij de Bewaarster van de Bundels was geworden. In de droom liepen bleekgezichten naar de steden van haar Volk toe en droegen een lange stok met een vaandel in top. In de droom was zij de prairie opgegaan om te kijken terwijl zij eraan kwamen en had over de Oude Taal van het Volk van Eerste Man tegen hen gesproken. Zij hadden het niet begrepen, dus had ze hun verteld van de Taal der Merktekens in de Magische Bundels. Toen was ze in een ander deel van de droom met die Magische Bundels ver de Modderrivier afgezakt. Ze vroeg zich af wat die visioenen te betekenen hadden. Ze had meer dan vijftig winters geleefd waarin ze steeds diezelfde droombeelden had gezien. Waarschijnlijk had ze niet zoveel jaren meer te leven. Toch was er nog geen enkele gebeurtenis uit de visioenen gebeurd. Hoe zou ze nog genoeg tijd in haar leven hebben dat ze konden gebeuren?

Uiteraard gebeurden de dingen uit de dromen niet altijd tijdens het leven van de persoon die ze gedroomd had, maar later, dat wist zij ook wel.

Pompoen Bloesem herinnerde zich dat de dromen waren begonnen nadat zij tot Bewaarster van de Magische Bundels was gekozen. De oude Mannah Sha had haar vóór zijn dood geëerd door haar die verantwoordelijkheid te geven. Hij was misschien de grootste van alle *maho okimeh's* sinds Eerste Man zelf geweest en ze was blij dat ze één keer een deel van zijn leven was geweest. Hij had haar grotelijks geëerd. Ze herinnerde zich de nacht toen Stier met Staart Omhoog haar naar het oude opperhoofd had laten lopen, de nacht van het Rode Stokken Lopen.

Dat was slechts één van de vele ceremoniën die in haar geheugen allemaal in elkaar waren overgelopen. Wanneer vrouwen of mannen een nieuwe periode in hun leven begonnen, hielden ze ceremoniën om de leeftijdsgroep die volgde van hun oudsten te kopen. Voor elke groep was er een ander ritueel: Het Stinkdier Vrouwen-genootschap, het Ganzen-genootschap, het Rivier Vrouwen-genootschap, het Witte Bizonkoe-genootschap. En de mannen van alle leeftijden hadden ook hun geheime genootschappen, van het Jonge Vos-genootschap tot het Half Geschoren Hoofden-genootschap. Aangezien elk vrouwengenootschap verbonden was met minstens één mannengenootschap, waren de mannen en vrouwen vaak bij elkaars ceremoniën aanwezig. Een ceremonie was de belangrijkste, meest intense gebeurtenis in het leven van een persoon. Wanneer een oude vrouw of man echter over een heel leven terugblikte, viel het niet altijd mee om alle herinneringen tot in detail te onthouden en keurig op een rij te houden. Eén ding was zeker: al die gebeurtenissen die met de genootschappen te maken hadden hielden, samen met de jaarlijkse religieuze ceremoniën in de Medicijn Hut, de levens van het Volk rijk en interessant. Voor je het wist was je oud!

Oude Pompoen Bloesem was vol met de herinneringen aan haar hele Volk. Ze vloeiden onophoudelijk door haar geest en ziel, precies zoals deze grote Modderrivier waarlangs ze honderden jaren lang hadden gewoond. Zoals de rivier waarvan ze had gedronken en waarin ze had gezwommen, waren haar herinneringen zowel binnen in haar als buiten haar, als een steun. In haar hoofd kon ze zichzelf als jongere vrouw zien die zich herinnerde wat ze zich toen had moeten herinneren.

Nu vond ze langs haar rivier van herinneringen de honderden mensen die ze had overleefd.

Haar zoon Dikke Benen leefde nog. Hij was een magere man met dunne benen, die nu *okimeh* van de hele natie van de Kinderen van Eerste Man was. Een van haar vele kleinzoons, Pijl Veder, was nu *okimeh* van het dorp het verst stroomafwaarts. Ja, de geest van Pompoen Bloesem die al zo lang bestond, was zelf een rivier die door generaties heen stroomde. Ze was belangrijk.

Toch ging ze er in het zware weer zelf op uit om brandhout te verzamelen en mee te nemen. Dat deed ze, want ze wilde niet nutteloos zijn. Wanneer ze alleen maar bij de Heilige Kano bleef nadenken over de Magische Bundels en haar oude droomvisioenen, en verder niets deed, maakten de vreemde gedachten die op haar afkwamen haar bijna gek, had ze gemerkt. Het was beter om iedere dag iets te doen dat de inspanningen van haar fysieke lichaam vereiste. Totdat ze naar de Wereld aan Gene Zijde zou overgaan, leefde ze immers in een lichaam dat bedoeld was om dingen te doen. En dus sprokkelde ze elke dag hout of liep naar de Stad der Doden toe om Tabak op te zoeken, of hielp haar kleindochters en de vrouwen van haar kleinzonen met het looien van bizonhuiden of pottenbakken. Pompoen Bloesem mocht dan vol herinneringen zijn en een deel van de herinnering van het Volk uitmaken, ze was nog niet zover dat ze slechts een herinnering wilde worden – trouwens, zolang ze nog leefde was ze dat ook beslist niet van plan.

De oude vrouw bevond zich bij de oever van haar eigen stad, nog geen honderd passen van de besneeuwde oever verwijderd, toen een hardere windvlaag de kap van haar hoofd waaide. Ze draaide haar rug naar de wind toe en probeerde de mantel weer omhoog te sjorren. Opeens zag ze een warm in een mantel ingepakte man de rivier oversteken. Hij liep veel sneller dan iedere verstandige man over het ijs zou lopen. Het was duidelijk dat hij grote haast had. Dat trok de aandacht van de oude vrouw. Toen herkende ze het profiel van de man. Het was een man uit de stad van haar kleinzoon, Pijl Veder. Deze man was half Hidatsa; sinds een stam van de Hidatsa zich bij de steden van de Kinderen van Eerste Man had gevestigd, waren er verschillende Hidatsa-halfbloeden. Ze kende deze man en riep hem; haar schrille oudevrouwenstem droeg helemaal naar hem toe. *'Roo-hoo-tah!'* Kom hier!

Hij week van zijn koers af en kwam dichterbij. Zijn gezicht was een en al ongeduld, maar ze was tenslotte de grootmoeder van zijn dorpsopperhoofd en hij kon haar niet negeren toen ze hem had geroepen. Zijn ogen had hij bijna helemaal dichtgeknepen en zijn donkere, brede, bottige gezicht was een grimas tegen de scherpe, bijtende wind. 'Oude Grootmoeder,' zei hij terwijl hij naast haar ging lopen en met dezelfde hand waarin hij zijn speer hield zijn mantel probeerde dicht te houden, 'uw kleinzoon Pijl Veder vroeg me om u zijn groeten over te brengen.'

Ze keek hem twijfelachtig aan. 'Heeft hij je alleen maar hiernaar toe gestuurd om me dat te vertellen?'

De Hidatsa gromde. 'Ik kom Dikke Benen iets vertellen. Maar uw kleinzoon zei dat ik u zijn groeten moest doen terwijl ik hier was.' Hij keek voor zich uit, erop gebrand om vlug verder te gaan. Ze zei:

'Aha, dat dacht ik al. En wat kwam je Dikke Benen vertellen?'

Hij antwoordde: 'Dit: dat haargezichtmannen in aantocht zijn!'

Haar hand schoot uit en greep zijn mantel beet. 'Wat! Haargezichten?' Ze herinnerde zich haar oude droom-visioen. Ze kon zich het visioen voor de geest halen zoals ze het de allereerste keer had gezien. 'Zijn ze met velen? Zijn ze te voet of rijden ze op de Omepah Peneta's?'

'Het zijn geen ruiters. Een jager die uit het noorden kwam vertelde het Pijl Veder. Ze marcheren vanuit het noorden over de vlakte. Ze hebben een groot aantal mensen van het Volk dat Kookt op Stenen als gids die hen naar ons gebied brengen. Meer zei de jager niet. Nu, Oude Grootmoeder! Ik moet nu opschieten om het aan uw zoon te vertellen!' Hij liep vlug verder en was in een paar minuten van het ijs af. In volle vaart rende hij het steile pad naar de stad op.

537

Het hart van de oude vrouw ging sneller slaan en ze begon zo hard ze kon te lopen. 'Hond!' riep ze. 'Opschieten! Ze hebben het brandhout nodig en ik moet mijn zoon al die keren dat ik gedroomd heb dat deze mannen eraan kwamen in herinnering brengen!'

Oude Pompoen Bloesem wilde niet dat Dikke Benen haar achterliet, maar ze was niet in staat om ver te lopen. Ze wikkelden haar dus in bontmantels, bonden haar op een opgeladen tobogan vast en tuigden er drie trekhonden voor in. Dikke Benen had veertig van de trotste krijgers uit zijn eigen stad en enkele vrouwen bij zich. Zij droegen zakken maïs, bundels fijne pelzen en een paar parflechetassen met mengsels om in de pijp te roken, versierde veren, snoeren met de prachtige, blauwe kralen die de Kinderen van Eerste Man na honderden jaren nog steeds konden maken en hoeveelheden poeder om klei te verven.

Het zou niet goed zijn om erop uit te gaan en belangrijke bezoekers zonder geschenken te begroeten, had Dikke Benen gezegd. En als er veel mensen van het Volk dat Kookt op Stenen waren, wilden die vast en zeker ook wel wat handeldrijven en wat gokken. In de wetenschap dat zij waarschijnlijk het onderwerp van zijn moeders oude visioenen waren, was Dikke Benen duidelijk zenuwachtig over de komst van de vreemdelingen met de harige gezichten. Dikke Benen stak met zijn gevolg vlak voor de avond inviel de rivier over en liep langs de noordoostelijke rivieroever naar Pijl Veders stad. Daar zouden ze tot de volgende morgen blijven en vervolgens met nog een respectabel aantal krijgers uit die stad de vlakten opgaan. Vervolgens zouden ze net zo lang blijven lopen totdat ze de haargezichten die de jager voor het eerst twee lange dagmarsen van de rivier vandaan had gezien zouden ontmoeten. 'We zullen hen ongetwijfeld morgen, later op de dag, ontmoeten,' zei Dikke Benen.

Pijl Veder zei: 'Het moet een sterk volk zijn dat ze in dit zware seizoen, tegen de wind in die de afgelopen maan niet opgehouden heeft te waaien, zo'n stuk hebben afgelegd!'

De wind was de volgende morgen gaan liggen; hij was nog steeds sterk, maar gierde niet meer zo hevig. De hemel bestond uit een ononderbroken wolkendek dat aan de onderkant zwart

538

was. De wolken kropen laag over de met een dun laagje sneeuw bedekte vlakte met dood gras. Toen Dikke Benen en Pijl Veder met ongeveer honderd krijgers en met oude Pompoen Bloesem voortgetrokken op haar tobogan uit Pijl Veders stad vertrokken, stuurden ze dertig krijgers met verschillende zakken veelkleurige maïs en een paar handenvol tabak in bontvellen gewikkeld vooruit om de reizigers als geschenk aan te bieden. Joelend van opwinding en met hun versierde speren boven hun hoofd zwaaiend, verdwenen ze over de bovenkant van de steile rots heen.

Pompoen Bloesem had er vanmorgen hooghartig en chagrijnig op gestaan dat ze niet met haar gezicht naar achteren op de tobogan wilde meerijden, maar rechtop tegen kussens, met haar gezicht naar voren, wilde zitten. Dan zou ze kunnen zien waar ze heen ging, in plaats van waar ze al geweest was. Ze wilde deze haargezichten zien als ze eraan kwamen. Ze wilde zien in hoeverre ze overeenkwamen met het droom-visioen dat ze al die jaren geleden van hen had gehad. En zo zat ze nu dus op de slee, tegen een bundel huiden en brandhout geleund. Ze klaagde er niet over dat ze met haar oude ogen eigenlijk alleen maar de staarten van de sledehonden kon zien. Dat bleek enerverend te zijn, want de honden kwamen al in het eerste deel van de morgen een paar keer grauwend met elkaar in gevecht. De ploeg kon pas verder toen ze erin geslaagd waren de honden uit elkaar te halen.

Haar zoon Dikke Benen en haar kleinzoon Pijl Veder liepen vlakbij. Elk droegen ze een hoofdtooi gemaakt van wol van de bizonkop met de horens er nog aan. Het leek net of de twee mannen een en dezelfde man op een verschillende leeftijd waren, zo leken ze op elkaar. Terwijl ze over de immense vlakte meegleed, kwamen haar soms beelden uit haar kinderjaren in gedachten. Ze herinnerde zich hoe ze vol medelijden, angst en pijn tijdens hun respectievelijke beproevingen bij de Okeepah had zitten wachten. Maar dat soort herinneringen waren slechts vluchtig. Ze probeerde zich te concentreren op haar herinnering van het droom-visioen van de komst van de haargezichten. Steeds tuurde ze naar de horizon, elk moment verwachtend dat ze de donkere lijn van lopende gestalten in hun vreemde kledij zou zien. Dan sloot ze haar ogen en zag ze in haar herinnering het visioen, deed ze weer open en verwachtte de vreemdelingen daar te zien. Maar het was een lange, lange tocht met horten en stoten voor ze op het laatst iets in de verte kon onderscheiden. Verschillende keren sukkelde ze in slaap bij het geluid van voetstappen, pratende mensen, windvlagen over de sneeuw, gespannen stemmen, gekletter van wapens en schilden, een gesmoorde hoest...

Opeens werd ze wakker door het geluid van mannenstemmen die gespannen van opwinding klonken.

Oude Pompoen Bloesem deed haar ogen open en keek voor zich uit. Ze stak haar hoofd omhoog om over de honden die haar trokken heen te kijken.

In eerste instantie was hetgeen ze zag niet duidelijk. Maar er was een veeg op de witte horizon, een donkere vlek die haar oude ogen nog net konden onderscheiden. Ze bleef ernaar turen terwijl de slee vooruitgleed. Ze voelde de spanning in de mannen, zag hoe ze zenuwachtig met toegeknepen ogen voor zich uit keken. Haar zoon Dikke Benen keek onder het lopen achterom op haar neer, alsof hij wilde zien of ze wakker was. Met zijn bizonkap met horens op, zijn mantel hoog over zijn schouder getrokken, leek hij net een bizon met slechts twee benen. Ze knikte naar hem, keek voor zich uit en wachtte. Dikke Benen gaf zijn krijgers opdracht om hier te stoppen en een vuur te maken. Ze laadden stokken en aanmaakmateriaal af van de slee waarop Pompoen Bloesem zat. Met een pot gloeiende as die ze uit de stad hadden meegenomen, hadden ze al snel een flink vuur voor de plaats van ontmoeting branden.

De donkere lijn in de verte werd groter en begon zich te verspreiden en zich in door mist vervaagde fragmenten te delen. Daarna kregen de fragmenten vorm als hardlopende mannen, die duidelijker werden naarmate ze groter werden en dichterbij kwamen. De eerste mannen waren als haar eigen volk gekleed. Pompoen Bloesem besefte dat zij degenen waren die vooruit waren gestuurd en de vreemdelingen hadden ontmoet, en hen nu op weg terug voorgingen. Deze boodschappers kwamen juichend en joelend, hun speer en boog in de lucht omhooggeheven, hard teruggerend. Hun tred was zo licht, dat hun mocassins nauwelijks de sneeuw schenen te raken.

De grote kluit mensen verder weg bleef bij elkaar en bewoog zich slechts langzaam voort. Ze kon echter zien dat het een enorme massa mensen was, enkele honderden mannen te voet. Pompoen Bloesem probeerde moeizaam haar stramme, oude lichaam van de slee overeind te krijgen, want ze wilde staan als ze eraan kwamen.

Nu waren de boodschappers bij Dikke Benen aangekomen. Allemaal tegelijk probeerden ze tegen hem te praten. Ze zeiden dat de haargezichtmannen werden geleid door een sterk opperhoofd met grijze haren in een donkere mantel die niet van huid was gemaakt. Ze zeiden dat hij ongeveer vijftig haargezichtmannen bij zich had, van wie er twee zoons van hem waren en dat er ongeveer driehonderd mensen van het Volk dat Kookt op Stenen, overwegend krijgers, maar ook een aantal kinderloze vrouwen, met hen meeliepen. Een van de boodschappers zei:

'Waar wij hen tegenkwamen, hadden ze twee keer zoveel mensen van het Volk dat Kookt op Stenen bij hen, meer dan wij ooit te eten zouden kunnen geven. En dus deden wij hen het aanbod om zich bij ons in de strijd tegen de Dah-koh-tah te voegen. Toen riepen ze de raad bijeen en besloten om niet verder te komen. Nou, dat Volk dat Kookt op Stenen is geen moedig volkje, hoor.'

Dikke Benen gniffelde. 'Dat was een slimme zet. We kunnen al die mensen niet van eten voorzien. Maar u zei dat er nog steeds driehonderd meekomen?'

'Het opperhoofd van de haargezichten zei dat hij geen lafaard is en verder gaat. Hij heeft de stokken die ver weg met donder en bliksem doden. Hij heeft die ook aan het Volk dat Kookt op Stenen gegeven. Dus besloot een deel met hem mee te komen.'

'Heeft het Volk dat Kookt op Stenen ook de stokken die doden?' riep Dikke Benen verbaasd uit. 'Hebben die Nakodabi ze echt?'

'Dat is niet best!' fluisterde Pijl Veder.

Dikke Benen fronste zijn wenkbrauwen. Hij mompelde alsof

541

hij tegen zichzelf sprak: 'Stammen ten zuiden en westen van ons bezitten de rijdieren die ze van de haargezichten die in ijzer gekleed gaan hebben gekregen. En nu zullen we niet ver ten noorden van ons ook nog het Volk dat Kookt op Stenen hebben, dat de stokken die doden van de haargezichten daar ter plekke heeft gekregen! We zitten tussen twee gevaarlijke dingen in! Dat is geen goede zaak! Hoewel ik met blijdschap naar een ontmoeting met deze haargezichten heb uitgekeken, vraag ik me af of ze slecht voor ons zullen zijn!'

'Maar vader, luister,' zei Pijl Veder. 'Als het Volk dat Kookt op Stenen die wapens heeft, kunnen wij ze binnenkort toch ook hebben! Wie weet geeft het opperhoofd van de haargezichten ons ook een aantal, zoals hij ook aan het Volk dat Kookt op Stenen heeft gegeven. Waarom zou hij dat niet doen?'

'Dat zou kunnen,' zei Dikke Benen peinzend, terwijl hij in de verte naar de grote massa keek die steeds dichterbij kwam gemarcheerd. 'Ja, misschien heb je gelijk, zoon. Ik hoop dat hij inderdaad zo eerlijk is.'

'En zoals u weet, vader,' voegde Pijl Veder eraan toe, 'zijn de mensen van het Volk dat Kookt op Stenen enorme klungelaars in handel en in gokken. Als zij met hun stokken die doden naar onze steden komen, zullen velen waarschijnlijk weer zonder die wapens naar huis vertrekken, maar terugkeren met veren, kralen, tabak en mooie dingen die door onze vrouwenhanden zijn gemaakt. U weet dat die mensen helemaal gek zijn van blauwe kralen.'

Dikke Benen knikte. Er kwam een sluw lachje op zijn gezicht. 'Ha! Ja, dat klopt! Ik heb nog nooit een van die stokken die kunnen doden gezien. Misschien wil ik ze niet eens hebben. Maar als onze buren ze bezitten, moeten wij ze ook hebben om ons Volk te beschermen.' Hij knikte heftig van ja en gromde. Toen keek hij weer naar de langzaam naderbij komende vreemdelingen. 'Maar wanneer iemand iets bezit dat macht in zich bergt,' zei hij na een tijdje, 'zal hij dat niet zo gemakkelijk verhandelen als een voorwerp dat alleen maar nuttig of mooi is. Je weet hoe de stammen met de rijdieren hun dieren bij zich in de buurt houden. De keren dat we hebben geprobeerd ze tegen iets te ruilen, wilden ze dat nooit doen.'

Terwijl de opperhoofden met elkaar stonden te praten, had Pompoen Bloesem de hete as en gloeiende takken om een pot voedsel opgerakeld om die op te warmen. Het was een pasta van maïsmeel met meel van gedroogde knollen, gekookt met zoete pompoen en op smaak gebracht met krenten. De pot bevatte slechts genoeg voor de hoofdmannen van beide partijen – het was alleen een ritueel maal bij hun eerste ontmoeting. Het echte feestvieren voor iedereen zou later beginnen, wanneer de groep vreemdelingen naar de stad van Pijl Veder zou meegaan. Pompoen Bloesem tuurde naar de mensen in de verte en probeerde te raden of het voedsel warm genoeg zou zijn wanneer ze arriveerden. Wat liepen ze langzaam. Maar ze waren inmiddels wel zo dichtbij gekomen dat ze kon zien dat ze er niet als vreemde monsters uitzagen. In feite begonnen ze precies op het beeld van het droom-visioen te lijken dat ze zo lang in haar gedachten had meegedragen.

Het eerste dat ze herkende was de witte vlag die aan een stok wapperde en door een van de mannen vooraan, in het midden, van de menigte werd gedragen. Die had ze in haar droom gezien. Omdat ze niet wist wat een vlag was, had ze die aangezien voor een huid van een witte bizon aan een stok, zoals de bizonhuid die aan een lange stok boven op de hut van de *maho okimeh* hing. Het kostte moeite het vaandel vast te houden omdat het erg groot was en de prairiewind er hard aan trok. De man die het droeg was groot en leek sterk. In zijn dikke kleren zag hij er potig en stevig als een beer uit. Even later kwam een andere potige kerel hem ervan verlossen en ook hij moest de vlag met alle kracht die hij in zijn armen had in de wind dragen.

'Kijk,' zei Pijl Veder tegen Dikke Benen. 'Dat zal hun *maho okimeh* zijn.' Dikke Benen knikte en hield zijn lange speer met de roodgeverfde linten en de volle kam met adelaarsveren die in de wind heen en weer bewogen omhoog. 'Leg nu de mantels om ons vuur heen,' zei hij, 'want onze bezoekers zullen er zo meteen zijn.'

Ze kwamen over het laatste, lange stuk besneeuwde helling aangeploeterd. Ze zagen er moe, maar nog steeds ontzagwekkend uit; hun gezichten waren gewoon gezichten van mensen, maar ze keken op een andere manier voor zich uit, alsof ze naar iets zochten dat zowel de Kinderen van Eerste Man als het Volk dat Kookt op Stenen die ze bij zich hadden niet konden zien. Ja, op de een of andere manier stonden hun ogen anders. De geest van Pompoen Bloesem zong, omdat ze precies zo waren als zij had voorzien: een volk met gezichten als van haar eigen mensen, in plaats van de gezichten van de andere stammen. Goed, bij veel van deze mannen groeide er haar op hun kin, maar in hun ogen en de kleur van hun haar zag ze een overeenkomst met haar volk.

Ze keek naar het vaandel dat ze met zich meedroegen en zag dat het geen huid van een witte bizon was, maar meer een uiterst lichte, gladde stof. Die was ook niet zo wit als ze zo op het eerste gezicht had gedacht. Er liepen drie felgele patronen als speerpunten overheen. Ze keek naar het gezicht van de man die het vaandel droeg. Ze verwachtte dat hij hun opperhoofd zou zijn, maar nee, hij was een jonge man met een enigszins domme, bange uitdrukking in zijn ogen. De man die vóór hem de vlaggestok had gedragen was ook jong en zag er dom uit. En op hetzelfde ogenblik kwamen zowel Pompoen Bloesem als haar zoon en kleinzoon tot de slotsom dat geen van de vaandeldragers het opperhoofd was; het moest eerder de oudere man zijn die tussen hen in marcheerde.

De ogen van deze man hadden zware oogleden en keken slaperig en aangezien hij met zijn hoofd achterover liep, leek het net of hij langs zijn vlezige, rode neus naar beneden keek. Hij had een brede mond met dunne lippen en een ver vooruitstekende kin, die maakte dat zijn onderlip voor de bovenlip uitstak. Zijn gezicht was smerig en hij had een stoppelbaard. Maar in tegenstelling tot de meeste anderen, had hij geen harig gezicht. Zijn huid was niet blank en niet bruin, maar meer een gevlekt grijs, bijna de kleur van de wolken vol sneeuw. Hij had een baardje, een grijze pluk haar op zijn kin, dat Pompoen Bloesem aan het baardje op de onderkaak van een bizon deed denken. De man droeg een modderige, bruine cape die tot zijn knieën reikte en zijn benen en voeten staken tot halverwege zijn dijen in puntige laarzen van dik leer. Af en toe waaide zijn cape open. Dan zag je metalen voorwerpen glinsteren, dingen die hij op zijn kleding droeg. Maar hij was niet in ijzer gekleed als de wrede haargezichten die verder stroomafwaarts bij de Moeder der Rivieren woonden.

Op zijn hoofd had hij een uiterst opmerkelijke tooi, gemaakt van zwaar, zwart materiaal dat op een knappe manier gevouwen was, zodat het drie hoeken had. Links voorop zat een soort glanzend, wit versiersel waaruit een dikke, witte pluim stak die bijna zo lang als een mannenarm was. De pluim wuifde en trilde in de wind. Die pluim hield de aandacht van het opperhoofd evenzeer gevangen als zo pas de vlag; het was een prachtig ding om op een mannenhoofd te zien.

Achter dat haargezicht-opperhoofd kwamen zijn honderden volgelingen. Zij vormden een verbazingwekkend schouwspel. Het waren kleine, vierkante mannen met gezichten die even wollig als van een bizonstier waren, met op hun rug zulke dikke pakken dat het net bulten van de bizon leken. Veel mannen waren lelijk, lelijker dan enige persoon die Pompoen Bloesem ooit ontmoet had. Hun vertrokken gezichten vertoonden puntige, smerige tanden. Sommigen hadden littekens op hun gezicht of hadden nog maar één oog. Anderen leken kromme demonen. Maar er waren ook mannen die sterke, knappe, vriendelijke gezichten hadden, sommigen nog jongensachtig, met opengesperde ogen, met gladde gezichten. En het was duidelijk dat ze bang waren.

De meeste mannen droegen iets wat op een staf leek, alleen leunden ze er onder het lopen niet op. Het waren ook geen speren of bogen en ze waren te lang om strijdbijlen te kunnen zijn.

Alle anderen waren, aan hun kledij en versieringen te zien, Nakodabi, die bekendstonden als het Volk dat met Hete Stenen Kookt, een volk dat ver naar het noorden, over de Schildpadberg heen, twintig nachten slapen van de Modderrivier vandaan, woonde en jaagde. Ze stonden al heel lang op vriendschappelijke voet met de Kinderen van Eerste Man en reisden de lange afstand om handel te drijven. Ze wilden graag het leer en de versierde tunieken, het aardewerk en de blauwe kralen die het Volk zo mooi kon maken bezitten. De laatste paar handelsseizoenen had het Volk dat Kookt op Stenen metalen voorwerpen die zij van de haargezichten hadden gekocht bij zich gehad: metalen priemen en naalden, ijzeren hakmessen en messen, ijzeren kookpotten die je zo, zonder dat ze barstten, op het vuur kon zetten en glanzende, metalen messen die veel sterker en gemakkelijker in gebruik waren dan vuursteen. Ze hadden ook gebogen, metalen slagijzers meegenomen die je tegen vuursteen kon slaan zodat je vonken kreeg om een vuur aan te maken. De vrouwen van het volk van Dikke Benen waren dol op die metalen voorwerpen. Die maakten hen het leven een stuk gemakkelijker. Toen de grote menigte haargezichten en Steen Kokers een klein stukje verderop bleef staan, door de heldere stem van de man met de pluim een halt toegeroepen, keken Dikke Benen en Pijl Veder elkaar aan. Allebei zagen ze dat veel krijgers van het Volk dat met Stenen Kookt inderdaad de vreemd uitziende stokken droegen.

Een poosje zette niemand de stap om de afstand tussen de twee groepen te overbruggen. De vlag fladderde als een witte vlam in de wind; de wind wapperde door kledingstukken en veren. De belangrijkste haargezichten spraken zachtjes tegen elkaar en tegen een paar Stenen Kokers op de voorgrond. Achter in de mensenmassa hoorde je een paar vrouwen die gillend hun grauwende, vechtende pakhonden uit elkaar haalden.

Toen kwam het opperhoofd met het grauwe gezicht van de haargezichten met de twee vaandeldragers naar Dikke Benen en Pijl Veder toelopen. Ze hadden een lange, elegante man van de Stenen Kokers bij zich, die de afgelopen jaren al een paar keer naar de steden van de Kinderen van Eerste Man was geweest. Hij kende hun taal. Deze man bleef pal voor Dikke Benen staan en deed een stap opzij. Zijn blik ging tussen Dikke Benen en het opperhoofd met het grauwe gezicht heen en weer en hij zei iets in een taal die Pompoen Bloesem nog nooit had gehoord. Ze luisterde scherp of ze woorden van de oude taal die met het doorgeven van de Magische Bundels was onderwezen herkende, maar hoorde tot nog toe geen enkel woord. Als dit inderdaad het volk van onze voorouders uit het verleden is, zullen ze toch vast en zeker wel een paar woorden van Eerste Man spreken, dacht ze.

Mannah Sha zei dat we moesten luisteren of we woorden hoorden die we kenden, dacht ze. Luister!

Toen zei de tolk in de Mandan-taal tegen Dikke Benen:

'Vader en vriend, Dikke Benen, dit grote opperhoofd heeft met zijn mensen twee manen lang in dit zware weer gelopen om u in uw land op te zoeken. Hij heeft allerlei moois om te verhandelen bij zich en hoopt dat u hem zult helpen om meer over uw land en plaatsen naar de zonsondergang toe te leren kennen. Hij wil uw hand pakken en u omhelzen.'

Dikke Benen keek de grijze man doordringend aan. Toen bewoog zijn mond even zonder woorden en vormde zich tot een lach. Hij strekte zijn hand uit om de hand van de grijze man aan te raken. Even knepen ze stevig in elkaars hand, elk de kracht van de ander aftastend. Toen bogen ze zich naar elkaar toe en sloegen een arm om elkaar heen. De man met het grauwe gezicht bracht zijn mond naar de rechterwang van Dikke Benen en vervolgens naar zijn linkerwang. Dikke Benen deinsde bijna terug bij de stank uit de mond en van het lichaam van de man waarin hij gehuld werd. De man stonk nog erger dan een lijk dat al lange tijd dood was. Dikke Benen leunde achterover, ademde wat frisse lucht in en zei toen tegen de tolk:

'Zeg deze man dat Dikke Benen, *maho okimeh* van de Kinderen van Eerste Man, grote vreugde voelt omdat hij hierheen is gekomen. Zeg hem dat mijn Volk hem en zijn Volk te eten zal geven en onderdak zal verlenen. Dat wij hem, zo goed als onze kennis ons toestaat, zullen antwoorden wanneer hij ons iets vraagt. Maar zeg me allereerst wat de naam van deze sterke man is die van zover gekomen is om mijn Volk te zien.'

De tolk dacht over de vraag na en glimlachte zwakjes.

'U vraagt me de naam van deze man? Die is moeilijk uit te spreken. Hij heet...' De tolk likte zijn lippen af en sprak zorgvuldig uit: 'Lah-vah-lan-da-ie.'

De man met het grauwe gezicht raakte zijn eigen borst aan en zei: *'Je suis Pierre Gaultier de Varennes, Sieur de la Verendreye.'* De woorden klonken nasaal en rolden en klaterden zo overvloedig dat Dikke Benen nog verder terugdeinsde, bang dat de man op het punt stond om over te geven. Toen keek de man langs zijn neus op Dikke Benen neer, alsof hetgeen hij zag niet zijn goedkeuring kon wegdragen.

Dikke Benen, die heel graag beleefd wilde blijven tot hij kon beoordelen hoe hij deze vreemde, stinkende, maar belangrijke vreemdeling moest behandelen, glimlachte en gebaarde naar de mantels die om het vuur op de grond lagen uitgespreid. 'Zeg tegen hem dat we zullen zitten, eten en roken en wanneer hij is uitgerust, zullen we omdraaien en naar de stad teruggaan, waar er voedsel en onderdak voor al zijn mensen is.'

De Stenen Koker-tolk ging met handgebaren en vreemde geluiden aan het werk en hoewel hij niet dezelfde misselijke geluiden in zijn keel kon maken, slaagde hij er op de een of andere manier in de boodschap over te brengen; de man met het grauwe gezicht en de twee mannen die hij bij zich had gingen op een mantel zitten en strekten hun handen naar het vuur uit. De wind blies rook in hun gezichten. Dikke Benen en Pijl Veder zaten tegenover hen. Pompoen Bloesem gaf Dikke Benen een grote schep die gemaakt was van de horen van een bergschaap. Hij stak hem in de warme graanbrij met het handvat naar het opperhoofd met het grauwe gezicht toe en gebaarde hem om te eten.

In het begin nipte de man voorzichtig van de rand van de lepel. Toen werd zijn uitdrukking er een van verrassing en genoegen en even later had hij de dampende brij op de lepel helemaal naar binnen gewerkt. Toen glimlachte Dikke Benen en gebaarde de anderen om ook te eten. Daarna aten hij en Pijl Veder. Al die tijd zaten de opperhoofden en de vreemdelingen met grote nieuwsgierigheid elkaars gezichten te bestuderen, hoewel ze probeerden om niet al te ongemanierd te staren. Toen de pot leeg was, pakte Dikke Benen zijn lange, lederen pijpezak onder zijn mantel vandaan, schraapte de houten steel en de kop van rode steen leeg en zette de pijp in elkaar. De kop was met salie gevuld. Hij schraapte er de salie uit en strooide die over het vuur terwijl hij de geurige rook over de vreemdelingen waaierde – hoewel de ijzige wind dat al deed. Toen begon hij de pijp te stoppen met een mengsel van tabak, rode wilgebast en beredruifbladeren. Met een brandend stuk houtskool, dat hij met zijn vingers uit het vuur greep, stak hij de pijp aan. Hij zoog aan de steel tot er rook kwam en toen sloot hij zijn ogen, keerde de steel naar elk van de Vier Winden, omhoog naar de hemel en naar beneden naar de aarde. Daarna gaf hij hem aan de man met het grauwe gezicht.

Het was duidelijk dat het opperhoofd met het grauwe gezicht de tabak niet lekker vond; hij trok een vies gezicht en gaf de pijp door. Dikke Benen was geïrriteerd en angstig tegelijk. Hij wilde deze machtige vreemdeling een genoegen doen, maar vond de man maar ongemanierd. Intussen mengden de krijgers van Dikke Benen zich lachend, gebaren makend, pratend en handelend overal tussen het Volk dat op Stenen Kookt. Het ging er allemaal heel gezellig en uitgelaten aan toe, ook al vond de ontmoeting op een gure, besneeuwde, winderige helling zonder horizons plaats.

Ze bleven een hele tijd bij elkaar zitten. De tolk deed zijn best en geleidelijk aan begon zich in het hoofd van Dikke Benen een vaag idee over de missie van de vreemdelingen te vormen. De man met het grauwe gezicht kwam van een volk dat de Fransen heette. Zij waren vele generaties geleden van over het Grote Water van de Zonsopgang gekomen en hadden nu steden ten oosten van de grote zoetwatermeren. Ze waren al meer dan honderd jaar bezig naar het westen te trekken en hadden in de landen van vele volken handelsposten gevestigd. Nu waren ze tot hier gekomen. Het opperhoofd met het grauwe gezicht zei dat hij naar een waterweg naar de Zee van de Zonsondergang zocht en dat hij afbeeldingen van het land, de heuvels en de rivieren maakte, zodat anderen van zijn volk op deze uitgestrekte grasvlakten hun weg konden vinden. Het leek het opperhoofd met het grauwe gezicht een uiterst moeilijke taak toe en Dikke Benen dacht dat het inderdaad heel moeilijk moest zijn als het al honderd winters had geduurd om nog maar zo ver te komen. Dikke Benen zei tegen de tolk dat hij de man met het grauwe gezicht moest uitleggen dat er overal door het hele land paden liepen en volken waren en dat de volken allemaal wisten hoe ze van de ene plaats naar de andere moesten gaan. 'Bent u niet via de noordelijke overslagplaats, De Stenen Kokers-route en om de Schildpadberg gekomen?' vroeg hij. De tolk zei dat dit het geval was. 'Het is allemaal heel gemakkelijk,' zei Dikke Benen. 'Als de Dah-koh-tah geen vijanden van u zijn, kunt u toch gaan waar u wilt? Ik begrijp niet waarom een volk één honderd winters nodig heeft om een land over te steken waar je, zelfs wanneer er vrouwen en kinderen bij zijn, in twee jaar doorheen kunt trekken.'

Terwijl de man met het grauwe gezicht hem aanstaarde, dacht de tolk een tijdje na en zei toen in een mengelmoes van woorden en gebaren iets tegen hem dat de man met het grauwe gezicht kennelijk niet verstond.

Oude Pompoen Bloesem had, gebukt bij het vuur zittend om de lege etenspot uit te schrapen, meegeluisterd. Voor haar scheen dit alles nergens heen te leiden. Als deze vreemdelingen van ver inderdaad van de grote stam aan de andere kant van het Water van de Zonsopgang kwamen, zou nu wel eens gezegd moeten worden dat ze allemaal broeders waren. Pompoen Bloesem was gaan twijfelen aan de vaardigheid en de bedoelingen van de tolk. Ze had naar de woorden van de man met het grauwe gezicht zitten luisteren en hoewel ze nog nooit eerder een mensenmond zulke vreemde woorden had horen spreken, dacht ze zo nu en dan dat hij een woord had gezegd dat in haar herinnering de klank van de spraak van Vroeger Tijden had. Maar als ze zo'n bekend woord hoorde, kon ze zich niet meer herinneren wat het moest betekenen. Ze kon zich vanwege haar leeftijd, scheen het, praktisch niets meer herinneren. Dat was frustrerend.

Maar toen ze langs de vreemdelingen die op de grond zaten heen liep en naar het felgekleurde, glanzende embleem en de lange pluim op zijn hoed keek, herinnerde ze zich het woord dat 'mooi' betekende.

'*Prydfa!*' kakelde ze terwijl ze naar de versiering wees. '*Prydfa! Prydfa!*' Ze danste bijna van blijdschap. Geschrokken draaiden de vreemdelingen zich met een ruk om en keken de oude vrouw aan. Verstomd bleef ze staan. 'Wat? Kennen ze dat woord niet? Kennen ze hun eigen woord voor "mooi" niet?'

De tolk was duidelijk met de situatie verlegen. Hij zat een tijdje tegen de bezoekers te brabbelen en te zwaaien en opeens begonnen ze allemaal te lachen. Het hoofd van de blanke mannen tikte zichzelf op de borst en riep: *'Qu'est-ce qu'on dit? La vieille me juge beau? Ha ha!'*

Een van de jongere mannen lachte en stootte de elleboog van de man met het grauwe gezicht aan. *'Peut-être elle veut coucher avec toi, papa!'* Allemaal begonnen ze te lachen en te snuiven en de oudere man schudde zijn hoofd. Even later gromde hij:

'Il fait froid! Allons au ville!' Heel stram kwam hij overeind. Verbijsterd gingen de opperhoofden ook staan. Van wanhoop vervuld hobbelde Pompoen Bloesem om de grote mannen heen en probeerde hen bij de mouw te pakken. Ze kon niet geloven dat ze een belangrijk woord van hun eigen taal niet konden verstaan. Pas toen kwam de twijfel op. Ze dacht:

Misschien is het wel niet hun taal! Misschien zijn dit uiteindelijk toch niet de andere Kinderen van Eerste Man!

Ze schenen zich klaar te maken om naar de stad te gaan. Pompoen Bloesem dacht:

De Magische Bundels! De taal van Eerste Man staat in de bundels! Ze verstonden het woord niet omdat ik misschien niet wist hoe ik het op hun manier moest zeggen. Ja, het is al honderden jaren geleden. Misschien worden woorden niet meer op dezelfde manier als lang geleden gezegd. Maar de woorden die op de bladen staan geschreven veranderen vast en zeker niet met het verstrijken van de jaren! Met een zucht klauterde ze weer op de slee voor de tocht terug naar de stad. Misschien kon ze morgen het ijs oversteken en een van de Magische Bundels meenemen om aan de vreemdelingen te laten zien. Nu was ze erg moe en niet bepaald gelukkig met de manier waarop deze eerste ontmoeting met de vreemde mannen was verlopen.

Anderen waren echter wel gelukkig. Hier en daar liepen mensen vrolijk lachend door de sneeuw mee. Ze droegen de vreemde, lange knuppels waarvan men dacht dat het de stokken die konden doden waren.

Altijd slimmer en overtuigender dan de Nakodabi, het Volk dat op Stenen Kookt, hadden ze hen hetzij door hun scherpe handelsgeest of door gokken al enkele van deze belangrijke bezittingen afhandig gemaakt. Dikke Benen zag het. Hij lachte.

———

Toen de grote groep mensen laat die middag op de vlakte boven de stad van Pijl Veder arriveerde, kwamen honderden inwoners van de stad blij over de sneeuw naar buiten gerend. Ze gilden en joelden, begeleid door talloze opgewonden honden. Nog meer mensen, misschien wel duizend, stonden langs de borstwering van de palissade en de droge gracht daarbuiten samengepakt. Ze waren allemaal gekleed in bizonhuiden die geverfd, versierd met stekelvarkenpennen en veren waren en hadden staven en speren versierd met felgekleurde, wapperende linten in de hand. Het was een overvloed van kleuren tegen de sneeuw, de grauwe lucht en de huizen met ronde daken in de kleur van klei. Nog eens honderden mensen zaten ondanks de ijzige wind boven op de daken te kijken.

Op nog geen honderd passen van de palissade vandaan liet de Franse leider zijn mensen stilstaan. Alle mannen met stokken die konden doden – misschien een honderd haargezichten en Koken op Stenen-krijgers – gingen schouder aan schouder in één rechte rij staan. Een van zijn onderhoofdmannen stapte vier passen uit het midden van de rij naar voren en plantte de stok van de wit met gouden vlag in de grond naast zijn voeten. Met geschreeuw gaf de man met het grauwe gezicht de honderd man opdracht hun stokken naar de schouder te brengen en ze naar de hemel te richten. Zijn stem was zo sterk dat hij het gebrul van de aanstromende dorpelingen, die nu binnen honderd passen afstand van de rij kwamen te staan, overstemde. Pompoen Bloesem stond met haar zoon en kleinzoon, de opperhoofden, tussen de vlag en de toestromende dorpelingen. Op haar slee keek ze naar de blije, opgewonden gezichten van haar Volk dat naar haar toe kwam. Opeens barstte de donder los.

Het was het hardste geluid dat ze ooit gehoord had. Het klonk zo hard, dat haar hoofd er pijn van deed. Even voelde ze zelfs de lucht ervan beven. Het was een krakend, sputterend gedreun dat wegstierf in nog meer gesputter en het gejuich van de Koken op Stenen.

Haar volk reageerde alsof het door de machtigste Dondervogels getroffen was. Sommigen vielen op de grond. Anderen bleven staan. Weer anderen botsten tegen elkaar aan. Allemaal schreeuwden ze het van pure doodsangst uit. Even later renden er een paar terug naar de stad, terwijl sommigen in de sneeuw lagen te kronkelen en het met hun armen om hun hoofd geslagen uitsnikten. Op datzelfde ogenblik, terwijl haar oren er nog van tuitten en haar hart bijna uit haar borst vloog, zag Pompoen Bloesem rook over het tafereel voor zich rollen. Het was rook met een scherpe, zware, akelige lucht. Haar zoon Dikke Benen en kleinzoon Pijl Veder, moedige mannen die zichzelf goed konden beheersen, vielen niet op de grond of renden weg, maar bleven waardig en waakzaam staan. Hun gezichten waren echter verwrongen van angst.

Weer schreeuwde het Franse opperhoofd en zwaaide met zijn arm. Alle mensen langs de lijn hadden hun stokken die doden voor zich staan en deden er iets mee. Even later richtten ze die weer naar de hemel. Veel van deze mannen lachten om de angst en de beroering die de rokerige knallen onder de honderden dorpelingen hadden veroorzaakt. Zelfs de mensen op de borstwering en in het dorp in de verte liepen jammerend en joelend rond; sommigen vielen zelfs van de daken.

Nog een schreeuw van de man met het grauwe gezicht. Weer brulde de donder en een honderdvoudige vonkenregen vloog de lucht in. En weer rolde de stinkende rook door de menigte heen. Weer lag het Volk in de sneeuw te kronkelen en bedekten de mensen jammerend hun hoofd. Een aantal, dat geschokt was blijven staan, draaide zich nu om en rende terug naar de stad. De honden die voor de slee van Pompoen Bloesem vastgebonden waren, hadden sinds die eerste knallen zitten janken en huilen; deze keer gingen ze er als één man vandoor, achter de vluchtende mensen aan. De oude vrouw bukte zich en greep de zijkanten van de slee beet en klemde zich vast alsof ze voor haar leven vreesde. Nog nooit in haar lange leven was ze zo snel gegaan. De grond vervaagde. De honden vlogen langs rennende mensen heen en de wild slingerende slee sloeg tegen benen van verschillende mensen aan en wierp hen tegen de grond. Pompoen Bloesems hart bonkte in haar keel. Sneeuw waaide in haar gezicht en benam haar het uitzicht. Ze was halverwege de mensenmenigte toen ze voor de derde keer donderslagen hoorde afgaan. Maar deze keer klonken die zo ver achter haar, dat haar hoofd er geen pijn van deed.

Toen ze zag dat de honden van koers veranderden en op het punt stonden de slingerende tobogan tegen de muur te gooien, liet ze los en rolde eraf. Ze gleed en tuimelde over de besneeuwde grond heen, totdat ze tot stilstand kwam tegen het lichaam van een gillende, dikke vrouw, die zojuist door de voortdenderende slee omver was geworpen. Pompoen Bloesem bleef een tijdje te midden van de herrie van al die joelende, bange dorpelingen liggen en kwam ten slotte tot de conclusie dat haar oude lichaam niet gebroken was.

De doodsangst was weggeëbd en de dorpelingen waren bijna uitzinnig van opwinding. Nog nooit hadden ze zo'n geweldige angst gevoeld zonder dat er verwoestende of droevige gevolgen waren. Nu waren de haargezichten naar het dorp gekomen om te worden bewonderd om hun vreemde kledij en vreemde stank. Het Volk van Pijl Veder verdrong zich om hen heen. De mensen keken verbaasd, terughoudend, vermaakt. Het dorp was een en al stemmen, trommen en blaffende honden. De lucht was opgeklaard en de daken en palen van het dorp glansden in het roodgouden zonlicht van de namiddag en zonnestralen schenen schuin door de mist van rook en stof. Volgens de gewoonte werd het Franse opperhoofd met het grauwe gezicht op de schouders van krijgers naar de hut van Pijl Veder gedragen. De hut was groot en ruim, maar er pakten zich zoveel mensen in samen, dat het moeite kostte om te ademen of iets te horen. Pijl Veder en Dikke Benen, die tegen de hoofdmannen van de haargezichten werden aangedrukt, moesten door hun mond ademhalen om niet door de stank uit hun mond en van hun lichamen overweldigd te worden. Door alle opgewonden stemmen kon het opperhoofd met het grauwe gezicht zich zelfs een tijdlang niet eens aan zijn tolk verstaanbaar maken. Maar op het laatst liet hij hem aan Pijl Veder vragen om een paar mensen de deur uit te zetten, zodat zijn Fransen wat meer ruimte hadden en de kans kregen hun bagage ergens neer te zetten waar ze die konden bewaken. Er zaten namelijk waardevolle geschenken voor het Mandan-volk in. Toen hij deze boodschap eindelijk begreep, zette Pijl Veder een flinke stem op, pleitte en duwde tot er ten slotte nog maar tien vreemdelingen met hun tolk, drie hoofdmannen, Pompoen Bloesem en twee vrouwen van Pijl Veder in de hut over waren. Toen de hut zo was schoongeveegd, keek de man met het grauwe gezicht opeens de hut naar alle kanten door en begon met zijn handen te zwaaien en te schreeuwen. Even later deden alle andere bezoekers hetzelfde. Dikke Benen en Pijl Veder keken elkaar verbijsterd aan. Ze hadden geen idee waarom hun gast geïrriteerd was.

Op het laatst slaagde de tolk erin de oorzaak van dat alles over te brengen: de zak waarin de leider van de haargezichten de geschenken had meegenomen was er niet meer. De drager die hem naar binnen had gedragen had hem neergezet en er niet meer naar omgekeken; kennelijk had toen iemand van de vertrekkende dorpelingen of van de Koken op Stenen-stam de zak opgepakt en naar buiten gedragen toen ze uit de hut gejaagd werden. En er zaten allemaal waardevolle dingen in, riep de tolk – allemaal grote schatten! Het gezicht van de leider was van grijs naar paars verschoten en de tolk en de Koken op Stenen die nog in de hut waren begonnen al over schurken te roepen. Eén zei dat hij onmiddellijk onder zijn eigen Volk zou gaan zoeken en vloog naar buiten. Een ander probeerde Pijl Veder een fikse uitbrander te geven dat hij zijn mensen van een bezoeker die net was aangekomen had laten stelen. Pijl Veders ogen gloeiden boos op. Hij schreeuwde dat de Kinderen van Eerste Man geen dieven waren. 'Alleen uw Koken op Stenen-volk kon weten dat het een kostbare zak was!' riep hij. 'Alleen zij zouden eraan hebben gedacht die te stelen! Is uw eigen man niet zojuist naar buiten gerend om er bij hen naar te zoeken?' Met ogen die gloeiden van verontwaardiging vroeg hij de Franse leider vervolgens: 'Wat gaat u nu doen, aangezien deze ongelukkige kwestie een schaduw over ons heeft geworpen? Bent u van plan om ons in woede achter te laten? Bent u van plan mijn volk met uw stokken die doden kwaad te doen? Haat of wantrouw ons alstublieft niet omdat dit is gebeurd! U hoeft ons geen geschenken te geven om te maken dat wij u hier welkom heten! Wij willen dat u bij ons blijft om over de dingen te praten waarover u wilt spreken en waarvoor u zo'n lange reis gemaakt hebt. We zullen u te eten geven en u geven wat u maar wilt. U hoeft ons niet met geschenken te betalen!'

Terwijl de tolk deze woorden overbracht, stonden Pijl Veder en Dikke Benen daar ondanks de angst en gekrenktheid in hun hart met alle waardigheid die ze konden opbrengen. Ze stonden dicht bij elkaar, vader en zoon en Pijl Veder vroeg: 'Moeten we de stad doorzoeken?'

'Nee,' antwoordde Dikke Benen. 'Nee. Ik denk dat de Koken op Stenen, en niet ons Volk, de zak hebben meegenomen. Als wij bij ons eigen Volk gaan zoeken, zal dit Stinkend Opperhoofd nog denken dat wij ons eigen Volk niet vertrouwen. We moeten weigeren naar de zak te zoeken, maar hem ondanks het gebeuren vrede in zijn hart geven.'

Dikke Benen keek naar de druk brabbelende tolk. Hij zei tegen Pijl Veder: 'Kijk hem eens aan met zijn loze praat! En we weten niet eens of hij het Stinkend Opperhoofd wel vertelt wat hij van ons moest zeggen! *Keks cusha!* Heel slecht! We wilden zo graag dat de haargezichten kwamen, maar ze brengen meteen al problemen met zich mee! Ik vraag me af of we er nog spijt van zullen krijgen dat ze kwamen!'

'Vader,' zei Pijl Veder, 'of dit bezoek goed of slecht uit zal vallen, in ieder geval bezitten we nu al een aantal stokken die doden, die onze krijgers door te handelen en te gokken hebben gekregen. We zullen blij zijn dat ze gekomen zijn, al was het alleen maar om die dingen. Luister, vader. Het oude opperhoofd van de haargezichten ziet er nu al minder ongelukkig uit. Misschien heeft deze woordveranderaar van de Koken op Stenen hem werkelijk verteld wat we bedoelden! O, ik hoop zo dat hij zich bij ons op zijn gemak voelt!'

De tolk begon. Hij gebruikte zijn meest weidse gebaren en was zich ervan bewust dat hij een knappe verschijning was. 'Lah-vah-lan-da-ie hoort u met zijn oren en zijn hart. Hij heeft medelijden met u en uw volk en zal, ondanks de diefstal, deze winter een tijdje bij u blijven en met u spreken. Ook mijn volk zal hier bij u blijven, want wij houden van onze vader Lah-vah-lan-da-ie en willen niet bij hem weggaan.'

Pompoen Bloesem hoorde dit en zag de opluchting op de gezichten van haar zoon en kleinzoon. Hoewel haar hele lichaam haar pijn deed door de val van de tobogan, voelde ook zij zich warm en gelukkig van opluchting. Als de haargezichten een tijdje bleven, zou er ongetwijfeld een gelegenheid komen hen de Magische Bundels te laten zien. Wie weet zouden ze mettertijd het vergeten deel van de taal van Eerste Man opnieuw kunnen leren.

Maar tegelijk dacht ze:

Hoe zal ons Volk van de winter al die honderden Koken op Stenen en ook nog onszelf te eten geven?

De hoofdmannen wisten dat ze, zelfs met al het voedsel dat ze in hun steden aan weerskanten van de rivier hadden opgeslagen, niet alle Koken op Stenen-mensen te eten konden geven. En dus spanden ze samen om het gerucht weer onder hen te verspreiden dat er in de buurt Dah-koh-tah waren gezien en dat die elk ogenblik konden aanvallen.

De list werkte. De volgende dag al hadden de leiders van de Nakodabi het besluit genomen om weer met hun mensen naar het noorden, naar het kamp met hun vrouwen en kinderen, te vertrekken. Daarvandaan zouden ze de tocht terug naar hun stad, ver voorbij de Schildpadberg, maken.

Aangezien Dikke Benen en Pijl Veder niet wilden dat de haargezichten met het Koken op Stenen-volk zouden wegvluchten, moesten zij het opperhoofd met het grauwe gezicht op de een of andere manier over hun list vertellen. Ze konden hem dat niet via de tolk vertellen omdat die zelf een Koken op Stenen-man was. De zaak lag heel gevoelig. Maar door middel van handgebaren en slimme gezichtsuitdrukkingen, en omdat een van hun eigen jagers de taal van de Koken op Stenen een beetje kende, maakten ze het Franse opperhoofd duidelijk dat er eigenlijk geen Dah-koh-tah in de buurt waren. Ze meenden zelfs op zijn gezicht te kunnen lezen dat hij hun benarde positie begreep en zijn goedkeuring hechtte aan hun sluwheid. Met veel moeite vertelde Dikke Benen hem: 'We kunnen uw mensen te eten geven. Zij zijn hier van harte welkom. Maar we kunnen niet al die Koken op Stenen-mensen voeden.'

En toen de Franse leider die dag met de opperhoofden van beide stammen in raadszitting zat, legde hij zijn handen op de hoofden van hen beiden en vertelde hij dat hij op niemand boos was, niet omdat hij zijn schatten was kwijtgeraakt en niet om de beslissing van de Koken op Stenen-mensen om te vertrekken. Er gingen kreten van blijdschap en opluchting in de hut op. Uiteindelijk leek het allemaal uitstekend te zijn afgelopen. De tolk van de Fransman zou hier bij hem blijven. Ook vijf moedige Nakodabi-krijgers zouden achterblijven om als gids voor de Fransen te fungeren voor het moment dat deze zouden besluiten om weer naar het noorden terug te gaan. Vier Fransen zouden met de Koken op Stenen naar het noorden teruggaan. Zij zouden het nieuws dat de Fransen hier bleven overwinteren naar de Franse steden in het noordoosten brengen. Toen alles geregeld werd, maakte iedereen zich klaar voor een avond van feestvieren, handelen, gokken en flirten met de knappe jonge meisjes uit Pijl Veders stad. Die avond klonken er, behalve de geluiden van de gierende winterwind, de gedempte geluiden van gelach en gegiechel. Er klonken fluiten, trommen en ratels en de kreten en het gemompel van mensen die hard bezig waren af te dingen en weddenschappen af te sluiten. Zo'n fijne, gezellige avond konden de mensen zich niet heugen. Vooral oude Pompoen Bloesem voelde zich verschrikkelijk blij, want zij keek ernaar uit om de Magische Bundels aan deze mannen van ver te laten zien, de Magische Bundels die zij, zoals generaties van Bewaarders van Bundels vóór haar, in afwachting van de voorzegde komst van de andere afstammelingen van Eerste Man had bewaard.

En die nacht ontdekte menige Fransman tot zijn verbazing en vermaak dat sommige Mandan-echtgenoten in een gebaar van gastvrijheid hun vrouwen aanboden en dat veel vrouwen tussen hun dijen een vreemd, opwindend aanhangsel hadden dat zij de Kleine Tong noemden en waarin zowel zij als de mannen groot genoegen schepten.

Heel laat klonk buiten de hutten nog een muziek van opgewonden stemmen. Naakte vrouwen en mannen stonden van hun slaapplaatsen op en wikkelden zich bij de gloed van het vuur in bizonmantels om naar buiten te gaan. Onder het slaken van uitroepen en het opzeggen van gebeden keken ze met open mond omhoog naar de nachtelijke hemel.

De meesten hadden het al eens eerder gezien, omdat ze heel hun leven hier in het koude land gewoond hadden. Maar ze hadden het niet vaak gezien en het was zeer beslist een beeld dat de Schepper hun gegeven had om hen eraan te herinneren dat ze hem moesten vereren. Sommigen dachten dat het de Schepper zelf was, die met zijn enorme, witte bizonmantel in de nachtelijke hemel zwaaide. Het glansde als het licht van de sterren, vouwde en ontvouwde zich, rimpelde zich. En soms leek het van groengeel in parelachtig over te gaan; nu en dan leek het bovenaan een zweem van blauw te hebben, en aan de onderkant een zweem van rood, zoals de zoom van een witte mantel wanneer de drager over rode, stoffige aarde heeft gelopen.

Na afloop hielden sommige mensen er een fijn gevoel aan over, anderen een slecht, al naar gelang hun gevoelens over andere zaken.

Toen het licht verdwenen was en de mensen naar hun slaapplaatsen teruggingen, droomden velen erover of lagen op zachte toon met elkaar over de betekenis ervan te praten. Het viel immers samen met het bezoek van de mannen met baarden.

Bij het eerste daglicht ging de oude Pompoen Bloesem op weg om de bevroren rivier naar de stad van Dikke Benen over te steken. Ze wilde de Heilige Bundel ophalen die de woordtekens bevatte. Ze dacht dat haar zoon het te druk met de Franse leider had om met haar mee te gaan en alle anderen in Pijl Veders stad hadden het te druk met de aanwezigheid van de vreemdelingen om eraan te denken naar de stad van Dikke Benen te gaan. Er kwamen juist voortdurend mensen uit de stad van Dikke Benen de rivier naar Pijl Veders stad overgestoken om naar de haargezichten te komen kijken en met het Koken op Stenen-volk handel te drijven. Om dus geen oude vrouw te zijn die jongere mensen die drukker waren lastig te vallen, ging Pompoen Bloesem kromgebogen en op haar wandelstok leunend op pad, de helling af naar het laagland waar ze enigszins beschut voor de wind van de vlakten kon lopen. Haar botten deden pijn van ouderdom en slijtage en de val van de tobogan. Daar liep ze moeizaam door de opgewaaide sneeuw en de wilgenbosjes heen, stroomopwaarts langs de rivier naar de bocht in de rivier, waar ze het ijs naar de stad van Dikke Benen zou oversteken. Het was zwaar lopen, maar niet te zwaar voor een vrouw die dezelfde tocht al ontelbare keren in haar lange leven had gemaakt en dan meestal grote lasten brandhout of huiden op haar rug droeg. Boven op de rotswand zag ze groepjes mensen over het hooggelegen pad naar de stad van haar zoon lopen. De wind ranselde op hen los. Nu en dan passeerden gezinnen die ook in die richting gingen haar op het pad in het laagland. De meesten van hen groetten haar en uitten hun verbazing wanneer ze zagen dat zij de andere kant opging. Maar ze hadden duidelijk te veel haast om te blijven staan en te praten. Zij vond het best. Zij had zelf ook haast. Naar huis lopen en vervolgens met de Magische Bundels naar Pijl Veders stad teruggaan, zou haar vast en zeker de hele dag kosten. Ze wilde daarom niet worden opgehouden door mensen die wilden praten. Toch vroegen ze haar dingen. Dus vertelde ze hen eenvoudigweg: 'De Koken op Stenen-mensen vertrekken vandaag.' En dan liep haar Volk vlug verder, want ze wilden geen kans missen om hen vóór hun vertrek nog een paar dingen te verkopen.

Pompoen Bloesem ploeterde over het besneeuwde pad voort, langs de rivier waarvan het bevroren oppervlak er als gladgepolijste vuursteen uitzag.

Ten slotte bereikte ze de oversteekplaats en stapte het ijs van de rivier op. De oversteek nam een hele tijd in beslag. Ze klom de heuvel naar de stad van haar zoon op. Onderweg moest ze vaak even blijven staan om uit te rusten. Ze liep tussen de huizen door naar de Heilige Kano toe. De stad lag bijna verlaten. De paar mensen die er nog waren hadden haast om de rivier over te steken en naar beneden te gaan, want zij wilden de vreemdelingen ook zien. De wind zong om de Heilige Kano heen.

Ze maakte de knopen los die de verboden deur afsloten, zette de deur opzij neer en ging het schemerige duister in. Daar lagen de bekende bundels en zakken op hun verhoging. Ze pakte de twee in leer gebonden Woord Bundels op en voelde, zoals altijd, de vibraties van hun geheim. Toen ging ze naar buiten, legde ze op de grond terwijl ze de deur afsloot, pakte ze op en begon de terugweg door de stad heen. Ze kwam langs haar eigen huis en wilde dolgraag naar binnen gaan om te rusten en iets te eten. Maar er was geen tijd. Teruglopen naar Pijl Veders stad zou de rest van de dag, zolang het nog licht was, in beslag nemen.

Ze liep naar beneden, stak weer de rivier over en strompelde langs de route waarlangs ze was gekomen. De opgewaaide sneeuw had inmiddels haar voetafdrukken al bedekt. Nu en dan drong er door het ruisen in haar hoofd een door de wind en de afstand gedempte schreeuw door. Dat ruisen was zeker het geluid van haar geest die als een rivier door haar heen stroomde. Zo'n stem die riep klonk daardoor zwak en woordeloos als de roep van een vogel. Vergeleken met de eeuwigheid, had haar echtgenoot een keer tegen haar gezegd, is het leven van een mens ongetwijfeld even kort als het leven van een kleine vogel.

En, dacht ze, onze stem is slechts een getsjilp.

Haar voet bleef achter een wilgetak in de sneeuw haken en ze viel voorover. De val werd opgevangen door de sneeuw en takken. Ze had haar stram geworden, oude lichaam niet eens bezeerd. Ze grinnikte zachtjes. Wat fijn was het om geen pijn te voelen. Ze klemde de Woord Bundels tegen zich aan.

Ze had het gevoel alsof ze in een warm bed lag en nog te moe was om nu alweer op te staan. Ze zuchtte in de witheid van de sneeuw om haar gezicht heen. O, zo moe was ze nog nooit, nooit in haar leven geweest.

De Magische Bundels drukten tegen haar ribben aan alsof ze haar vertelden dat ze vlug moest opstaan voor het te laat was om ze aan het haargezicht-opperhoofd te laten zien. Maar voor het ogenblik had ze die opdracht gewoonweg vergeten. Nu lag ze lekker in de sneeuw en dacht na over de woordtekens op de bladeren in de Magische Bundels, zoals ze daar al zoveel jaar in bed over had nagedacht. Als ze naar die merktekens keek, meende ze soms stemmen te horen die vreemde woorden zeiden – onbekende woorden, maar woorden die ze bijna verstond. Ze dacht aan *prydfa*. Vaag herinnerde ze zich dat het woord in de speciale taal van de Bewaarders van de Bundels, de taal uit het verleden, altijd 'prachtig' had betekend. Ze herinnerde zich dat ze soms, als ze naar de woordtekens op de bladen van de Magische Bundel keek, een stem had gehoord – of, als het niet precies een stem was, de roep van een vogel – die *prydfa* zei, alsof hij haar wilde vertellen: dat zijn de merktekens die 'prachtig' betekenen. O, wat was ze soms dicht bij de Kennis van die merktekens geweest!

Heel dichtbij!

Canu: Zingen. *Tefyn*: dat voorwerp met snaren in de andere bundel. *Canu* en *tefyn*. Die woorden had ze zo vaak samen in haar hoofd. En ze begreep waarom. Het was als zingen en trommen; ze hoorden bij elkaar.

Ze wilde dat het Stinkende Opperhoofd het woord *prydfa* had begrepen toen ze het over de grote veer op zijn hoofdtooi had gehad.

Ik moet opstaan en verder gaan met deze Magische Bundels, dacht ze, zodat hij zal begrijpen dat ook wij de Kinderen van Eerste Man zijn. Ik ben al bijna één keer doodgevroren. Ik moet verder.

Maar toen ze dacht dat ze de rest van de moeizame weg naar de stad van haar kleinzoon Pijl Veder aflegde, droomde ze alleen dat ze dat deed. Zodoende dacht ze dat ze op weg was, terwijl ze in werkelijkheid bewusteloos in de sneeuw lag.

En de sneeuw die door de wind werd opgewaaid bedekte haar terwijl zij in haar gedachten verder ging, niet meer als iemand die loopt, maar als een geel blad dat van een boom is gewaaid.

Dikke Benen was verbijsterd. Het Franse opperhoofd met het grauwe gezicht was in een slechte bui. Hij maakte zich klaar om weer naar het noorden te vertrekken, ook al had hij gezegd dat hij de rest van de winter zou blijven om met de hoofdmannen te praten.

Het was voor hen een verschrikkelijke teleurstelling. Ze hadden immers gehoopt dat ze met het Franse opperhoofd konden praten en hem konden bewijzen dat zij via Eerste Man, lang geleden, in het Eerste Begin, familie van hem waren.

Dikke Benen en zijn zoon Pijl Veder spraken hier met grote ongerustheid over. Pijl Veder zei:

'Vader, ik weet dat hij niet erg met ons ingenomen is. Hij

verwachtte dat wij in grote steden als de stad waar hijzelf vandaan komt woonden en de geweven kleren zoals hij die draagt dragen. En hij verwachtte dat we veel dingen bezitten, zoals zijn eigen Volk. Dat verwachtte hij en daarom is hij teleurgesteld in ons. Dat heeft zijn man, de man die tussen ons praat, me verteld.'

'Maar,' protesteerde Dikke Benen, 'ook als dat zo is, zou hij bij ons blijven en luisteren wat we hem over de gebieden en de volken die kant op konden vertellen.' Hij wees naar het zuidwesten.

'Ja,' zei Pijl Veder. 'Dat zou hij doen, zei hij. Maar hij is van gedachten veranderd.'

'Waarom is hij boos op ons?' tobde Dikke Benen. 'Als wij niet op zijn Volk lijken zoals hij verwachtte, is dat toch niet onze schuld?' Hij zuchtte ellendig. 'Ik begrijp het niet. Ik wil meer weten.

Mijn zoon,' zei hij en zijn gezicht klaarde opeens op, 'laten we zijn man-die-tussen-ons-spreekt halen! Als we hem vertellen wat we willen, kan hij het Franse opperhoofd misschien duidelijker laten begrijpen dat wij echt graag willen dat hij blijft.'

Pijl Veder keek zijn vader verbaasd aan en het licht van het vuur van beneden maakte dat zijn verbazing duidelijk aan zijn ronde mond en grote ogen te zien was.

'Vader, wist u het niet over die man-die-tussen-ons-spreekt?'

'Wist wat niet over hem?'

'Dat hij weg is!'

'Wat? Is hij weg? Degene die tussen onze taal en hun taal spreekt?'

'Ja, vader. Hij is samen met de andere Koken op Stenenmensen die bang waren dat de Dah-koh-tah zouden komen om ons aan te vallen vertrokken. Hij is ver weg. Daarom is het Franse opperhoofd niet met ons komen praten sinds de Koken op Stenen zijn vertrokken.'

'Maar we hebben die man nodig! Hoe kunnen we zonder hem praten?'

'Ja, vader. Maar toch is hij vertrokken, ook al had hij beloofd

563

dat hij aan de zijde van het Franse opperhoofd zou blijven. Dat is de belangrijkste reden dat de Fransman vol donder is!' 'Dus dan is hij boos op hem en niet op ons! Dat is goed! Ik ben blij dat ik dat in ieder geval weet!' Zijn hele gezicht lichtte op van opluchting.

'Ja, vader, maar ook al is hij niet boos, als hij er niet beter van wordt, blijft hij van de winter toch niet hier. En zonder zijn man-die-tussen-ons-spreekt kan hij de kennis van het land waarvoor hij hierheen kwam niet verkrijgen.'

Dikke Benen knikte. 'Dat is zo.' Hij zuchtte. 'Maar we moeten hem nu niet naar het noorden laten teruggaan. Het is het koudste seizoen. Laten we hem vertellen dat hij hier moet blijven tot de warme winden komen.'

'Ja, vader. Maar daar heeft hij al aan gedacht. Hij vertrekt liever terwijl de grond nog hard is. Hij zei dat je in die noordelijke gebieden waar zijn Volk woont niet in de modder kunt lopen.'

Bij dat nieuws versomberde het gezicht van Dikke Benen opnieuw. Toen haalde hij diep adem, ging rechterop zitten en zei: 'We moeten de Magische Bundels ophalen en aan hem laten zien. Dat moeten we doen. Nu deze man om te spreken vertrokken is, hebben wij geen manier om met hem te spreken en wij herinneren ons niet hoe we de Oude Woorden moeten spreken. Maar als zijn volk werkelijk van over het Grote Water van de Zonsopgang komt, zal hij de woorden die op de bladen van de Magische Bundel getekend zijn begrijpen en muziek uit de *tefyn* kunnen halen. Hé! Het is zoals mijn moeder zei! Hij moet de Magische Bundels kunnen bekijken voordat hij bij ons weggaat. Misschien dat we dan zullen leren elkaar te begrijpen. Misschien dat hij dan wel bij ons zal blijven! Ze is zo'n wijze vrouw. Maar waar is ze eigenlijk? Ik heb haar sinds het Heilige Licht aan de hemel verscheen niet meer gezien.'

Pijl Veder trok zijn wenkbrauwen op en stak zijn onderlip naar voren, ten teken dat hij het niet wist. 'Is ze dan al niet naar huis gegaan?' Hij draaide zich om en riep een van zijn jongste vrouwen. Ze had vlak achter hem gezeten en was bezig stekelvarkenpennen tussen haar tanden te pletten om ze klaar te maken om tot patronen te weven. 'Ga eens bij de vrouwen informeren waar onze grootmoeder Pompoen Bloesem heeft geslapen. En als je haar vindt, vraag haar dan om hierheen te komen.' De jonge vrouw schoot in haar mocassins en trok een bizonhuid met de harige kant naar binnen over haar schouders. Toen liep ze door de voorhang naar buiten, de stad in. Dikke Benen en Pijl Veder rookten samen een pijp met tabak op die het Franse opperhoofd met het grauwe gezicht hen bij zijn aankomst had gegeven. Vergeleken met hun eigen mengsel van zelf verbouwde tabak, boombast en bladeren was hij verschrikkelijk sterk, zo scherp dat ze het nauwelijks konden verdragen om te inhaleren. Hij maakte echter dat hun hoofd en vingers zoemden en tintelden en dat was een nogal prettig gevoel. Pijl Veder zei na een tijdje:

'Vijf van mijn krijgers hebben met de Koken op Stenenmannen gehandeld en bezitten nu hun stokken die doden. Ze noemen ze bij een Franse naam: *tvu-zie*.'

Dikke Benen knikte. 'Drie van mijn krijgers hebben ook een paar van die *tvu-zies* kunnen krijgen. De Koken op Stenen hebben hun laten zien hoe ze die moeten gebruiken. Er is een soort zwart stof, dat brandt. Daar moet je iets van hebben, anders is de stok alleen maar een knuppel. Dan maakt hij geen donder en spuugt geen vuur.'

'Ja, dat heb ik ook gezien,' zei Pijl Veder. 'Het is geen Magische Kracht, maar alleen een trucje dat ze hebben.'

'Als er al Magische Kracht is,' peinsde Dikke Benen, 'zit die in het zwarte stof, en niet in de stok. Maar zelfs het zwarte stof kan best een truc zijn die ze zelf maken. Wij kennen toch ook die zwarte steen in de heuvel die brandt als er een prairiebrand voorbij is gegaan?'

'Dat is waar. Dat hebben we met onze eigen ogen gezien. Waarschijnlijk maken die haargezichten gewoon hun stof en is het helemaal geen Magische Kracht. Volgens zeggen konden onze Oude Grootvaders, de Kinderen van Eerste Man, steen verbranden en een witte lijm maken die stenen aan elkaar plakte om hoge muren te maken.'

Hij wees naar het zuidoosten waar vele generaties geleden vroegere steden van het Volk hadden gestaan. Daarbeneden stonden nog steeds van die stenen muren. En ze waren zo sterk, dat ze de stenen niet konden wegduwen of eruit tillen. 'Maar,' ging hij verder, 'zelfs wanneer je niet meer van dat brandende stof had, zouden de *tvu-zies* handig zijn om vonken te maken.'

'Ja,' was Dikke Benen het met hem eens terwijl hij aan de vuursteengeweren dacht die La Verendreye voor zijn verwonderde ogen had gedemonstreerd. 'Ik heb nog nooit iets gezien dat zo goed vonken slaat. Als een vrouw zoiets had zou ze, wanneer het maar nodig was, onmiddellijk vuur kunnen maken.' De meesten van het Volk draaiden nog steeds met behulp van de boog een stokje in een stuk hout om vuur te maken, hoewel de hoofdmannen en de Bewaarders van Bundels soms de gereedschappen van de vroegere steenhouwers hadden gebruikt om voor bijzondere ceremoniële vuren vonken uit vuursteen te slaan.

Dikke Benen had aan het probleem gedacht dat de stokken die doden alleen maar hun nut hadden zolang er zwart stof dat kon branden was. En aangezien de haargezicht-mannen het geheim van dat stof bezaten, was het logisch dat een opperhoofd een lange vriendschapsband met hen wilde aangaan. Daarom maakte Dikke Benen er zich vreselijk zorgen over dat het Franse opperhoofd zich klaarmaakte om te vertrekken. Nu scheen hun hoop nog te liggen in de Magische Bundels met hun oude woorden. Aangezien Pompoen Bloesem de Bewaarster van Bundels was, moesten ze met haar mee naar de andere stad gaan om ze te halen. Zodra ze haar hadden gevonden, zou hij krijgers er op uitsturen om haar op een slee mee te nemen, zodat de missie sneller in haar werk ging.

Dikke Benen schuifelde ongeduldig heen en weer. Ook Pijl Veder werd ongeduldig en zei tegen een andere vrouw dat ze achter de eerste vrouw aan moest gaan en overal informeren. Maar op dat ogenblik kwam de eerste vrouw terug en zei tegen Pijl Veder:

'De mensen hebben uw grootmoeder naar de andere stad zien lopen. Dat was op de dag na het Heilige Licht aan de hemel.'

'Aha! Nou, dan sturen we zodra het dag wordt onmiddellijk mensen om haar met de Magische Bundels hierheen te brengen,' zei Dikke Benen. 'Dan gaat het nog sneller.' Tegen de echtgenote, die uit haar mantel was geglipt en ging zitten om met haar stekelvarkenpennen verder te gaan, zei hij: 'Dank je wel dat je bent gaan kijken.'

Ze zei: 'Het opperhoofd van de vreemdelingen is ziek.'

'Wat?'

'De vrouwen in zijn hut zeggen dat hij heel erg ziek is en sinds gisteren niet overeind heeft gezeten.'

Dikke Benen sloeg de schrik voor de gezondheid van de bezoeker om het lijf, bang dat zijn volk daar op de een of andere manier de schuld van zou krijgen. Toch kwam er weer een glimpje hoop in zijn ogen. 'Als hij ziek is, vertrekken de Fransen dus niet!'

'Kom, vader,' zei Pijl Veder die naast het vuur zat en nu ging staan. 'We kunnen onze belangrijke bezoeker niet ziek in onze stad laten liggen! Laten we naar de hut van Gevlekte Slang, de Medicijnman, gaan en hem naar het Franse opperhoofd toe brengen. Het zou een schande voor ons Volk zijn als deze belangrijke reiziger hier ziek zou worden en overlijden en nooit over onze Magische Bundels zou horen!'

Toen de boodschappers de volgende ochtend de bevroren rivier naar de stad van Dikke Benen overstaken en hoorden dat de oude Pompoen Bloesem daar al sinds dagen niet was gezien, gingen ze vlug weer op weg naar Pijl Veders stad. Aan de Magische Bundels dachten ze helemaal niet meer. Bij hun terugkeer troffen ze Dikke Benen en Pijl Veder hevig overstuur aan. De Franse leider had geweigerd zich door hun genezer te laten behandelen en bleef hardnekkig bij zijn besluit om, zodra hij kon staan en lopen, de reis terug naar het noorden te beginnen. Maar toen ze de opperhoofden vertelden dat ze Pompoen Bloesem ook niet in de andere stad hadden aangetroffen, was de angst op hun gezichten zo groot, dat de Franse vreemdelingen net zo goed niet hadden kunnen bestaan.

De opperhoofden riepen iedereen in de stad, mannen, vrouwen en jongens, op om de paden tussen de twee steden uit te kammen. De sneeuwjacht die er was geweest had alle sporen, behalve nieuwe sporen, uitgewist. Niemand wist dus welke kant de oude vrouw op was gegaan. Niemand wist eigenlijk met zekerheid of ze wel vanuit de stad van Dikke Benen op weg was gegaan. Ze stuurden er spoorzoekers op uit die in steeds groter wordende cirkels het gebied rond Pijl Veders Stad afspeurden. Ze zochten alle richtingen af. Ze zochten in de Stad der Doden, de kreupelbosjes van wilg en populier in het laagland, in de ravijnen en op de winderige hellingen. Sommigen renden een halve dag in de richting waarin de groep Koken op Stenen was vertrokken. Hoewel het niet waarschijnlijk was, bestond de mogelijkheid immers dat ze op de een of andere manier met hen weg was gegaan. Maar het spoor van de Koken op Stenen was door sneeuw uitgewist en ze waren al zoveel dagen vertrokken, dat die zoektocht werd gestaakt toen het in de namiddag donkerder begon te worden.

Het lage pad langs de rivier was bijna onzichtbaar. Hier, waar de winden van het westen langs de kromming van de rivier waaiden, was alle sneeuw die op het ijs van de rivier was gevallen in de struiken opgewaaid en kwam tot het middel of soms tot de borst. Het hoofd biedend aan de door de wind gebeeldhouwde sneeuw, waadden de mannen en vrouwen bijna schouder aan schouder door dit kreupelhout heen. Maar ze konden de grond slechts met hun voeten afzoeken. En hun voeten werden verstijfd van de kou.

Pijl Veder bevond zich tussen al deze zoekende mensen op het laaggelegen pad. Hij wist dat zijn grootmoeder 's winters liever dit pad gebruikte, omdat het uit de wind lag. Dikke Benen bevond zich bij de zoekenden op het bovenpad. Pijl Veder kon hen in het gouden licht van de ondergaande zon ver daarboven zien.

De mensen waren nu zo ver gekomen dat ze bij de oversteekplaats waren toen het donker werd. Pijl Veder kon de daken en palissaden en de rook van de kookvuren aan de andere kant van de rivier zien. Hij duwde zijn moede, natte benen door de sneeuw, die tot zijn middel reikte, naar voren en tastte met zijn half verstijfde, verdoofde voeten over het onzichtbare pad. Af en toe stootte zijn in een mocassin gehulde voet op een tak die onder de sneeuw verborgen lag. De tak gaf dan mee en kwam naar boven of brak met een door de sneeuw gedempte krak onder zijn gewicht doormidden.

Nu stapte hij weer op een tak. De tak gaf onder zijn voet mee en Pijl Veder ploegde verder. Zijn adem vormde wolkjes in de avondlucht. Die laatste tak was het dijbeen van zijn grootmoeder, de oude Pompoen Bloesem geweest. Maar dat wist hij niet.

De sneeuw die het lichaam van de oude Pompoen Bloesem bedekte, smolt pas het volgende voorjaar weg. Toen was de Franse ontdekker met zijn mensen al lang vertrokken. De ziekte van hun leider had zich echter verspreid en honderden van het Volk gedood. Er waren vele begrafenissen geweest en het verdriet was groot. Maar op het laatst kwam het voorjaar, dat nieuwe hoop bracht. Het dikke ijs op de Modderrivier ging kapot en bewoog zich rommelend en knarsend stroomafwaarts. Het Volk bleef de rivier tussen de steden nog steeds een tijdlang over het ijs oversteken door lenig van de ene op de andere schots te springen. Maar op een gegeven ogenblik was het water zover ijsvrij geworden, dat ze hun kwetsbare, kleine, met huid bedekte schaalboten weer konden gebruiken, zonder gevaar te lopen dat die in ijsophopingen zouden worden verpletterd. Dat voorjaar kwam een groot aantal bizonkadavers de rivier af drijven. De dieren waren ergens stroomopwaarts bij een instorting van de rivieroever of in een wak in het ijs verdronken. De mensen renden opgetogen naar de rivier en sprongen van ijsschots naar ijsschots of paddelden er met hun kleine bootjes heen om touwen om de kadavers te leggen en ze naar de kant te trekken. Deze kadavers werden als een gulhartig geschenk van de Schepper beschouwd en hoewel het vlees niet vers meer was, was het toch ook niet helemaal bedorven. En ze konden de huiden, horens, hoeven en de blaas nog allemaal gebruiken. De slachters werkten zingend en lachend in groepjes langs de rivier en oogstten deze onverwachte buit. En soms liepen mensen op nog geen paar ellen verwijderd van de plek waar het ontdooiende lichaam van Pompoen Bloesem langzamerhand in de smeltende sneeuw zichtbaar begon te worden. Het kon nu elk ogenblik worden gevonden. De aaseters en de vroege vliegen waren er al op afgegaan. Maar gieren en vliegen waren er vanwege het slachten al overal. Het wilgenbosje waar een paar aaseters aan het werk waren, trok daarom niet de aandacht van het Volk.

Toen kwamen de voorjaarsregens. Het water in de rivier, die door gesmolten sneeuw al gezwollen was, steeg en wervelde tussen de wilgenbosjes op het laagland door. En op een regenachtige nacht spoelde het koude water het kleine kluitje kleding, beenderen, rottend vlees en de Heilige Bundels los van de wortels, draaide het om en om en rolde het ten slotte mee in de stroming die de oude vrouw in haar gedachten zo vaak als de levensstroom had gezien.

En zo ging zij, de Bewaarster van Bundels in de tijd dat de haargezichten voor het eerst waren gekomen, oude Pompoen Bloesem, de rivier af die haar Volk zo lang geleden op was gekomen. Haar zoon en kleinzoon, de opperhoofden, kwamen nooit te weten wat er van haar geworden was. Ze rouwden, hoewel er voor haar in de Stad der Doden geen graf was.

Toen de Heilige Kano geopend werd om de heilige relikwieen, de watertrom en het altaar voor de Okeepah-ceremonie te voorschijn te halen, waren de Woord Bundels er niet. Het was een geweldige catastrofe. Er was echter geen verklaring voor. Men wist alleen dat Pompoen Bloesem, de Bewaarster van Bundels, en de Woord Bundels zelf, zonder een spoor achter te laten waren verdwenen. Het was beschamend, onheilspellend. De sjamanen vreesden dat het jaren van rampspoed voor de Kinderen van Eerste Man zou kunnen betekenen. Eén sjamaan had een droom die hem vertelde dat het Volk over honderd jaar dood zou zijn, dat degenen die nu aan de ziekten van de haargezichten waren overleden nog maar het begin waren.

De stamraad kondigde af dat vanaf die tijd geen vrouw meer bewaarster van de rest van de waardevolle dingen in de Heilige Kano mocht worden en dat het Volk de naam Pompoen Bloesem niet levend zou houden.

Waar ze was, zou ze zonder naam zijn.

18 *Stad van Slaat op het Water*
1750

Door een sluier van opgewaaide sneeuw keken de veertig Shienne-krijgers neer op het ommuurde dorp in de rivierbocht beneden en baden om kracht en geluk bij de aanval.

De Shienne hadden honger. Ze waren ver van huis. De lente was begonnen en had hen naar het noorden gebracht. Maar toen was de winter weer ingevallen en nu zaten ze hier, in het land van hun vijanden, dat vreemde volk dat Mandan heette, gevangen. Hoewel ze op hun magere paarden die zij *ka vah yoh's* noemden grote afstanden hadden afgelegd, hadden de Shienne geen bizons gevonden. Over deze eindeloze vlakten had sneeuw het ontspruitende lentegras bedekt en de *ka vah yoh's* verzwakten. In de stad van de Mandan zou er graan voor de paarden en vlees voor de krijgers zijn.

Het zou voor veertig man veel durf en het verrassingselement vereisen om een stad binnen te vallen. Maar ze hadden een groot aantal van de mannen van de stad op jacht zien gaan, dus zou de stad amper verdedigd worden. De Mandan hadden bovendien geen paarden en paarden waren in een oorlog een groot voordeel. Dat was wanhoop ook en de Shienne waren wanhopig. Ze konden aanvallen, plunderen en de Mandan achterlaten zoals ze in het verleden bij jachtkampen van de Mandan hadden gedaan. Een grote stad aanvallen zou een behoorlijk risico inhouden. Maar als ze daarin slaagden, zou het een grote overwinning zijn. Daar had hun leider hen van overtuigd en de Shienne-krijgers stonden, zo leek het tenminste, al gretig klaar.

Maar de jonge krijger die Man op een Paard heette, stond niet zo te springen om aan te vallen. Hij had de leider de vraag gesteld: 'Moeten we, alleen om aan voedsel voor onszelf te komen, werkelijk een inval op een stad met vrouwen en kinderen doen? Als we met een vredesteken naar beneden gingen en hen om vlees en graan vroegen, zouden ze ons te eten geven, zoals ons eigen Volk ook vreemdelingen die hongerig bij hen langskwamen te eten zou geven.'

Maar de leider, een man die op oorlogsveren uit was, had hem doordringend aangekeken en was er tegen ingegaan: 'Nee. De Mandan zijn al te lang vijanden van ons Volk geweest om ons te verwelkomen. We zullen *nemen* wat we willen hebben.' Toen had hij Man op een Paard gevraagd of de kou en de honger soms een lafaard en een bedelaar van hem hadden gemaakt. Met ieders ogen op zich gericht, had Man op een Paard geantwoord:

'U weet heel goed dat ik geen lafaard ben. Ik vraag alleen dat we bidden om wijsheid en dan beslissen wat we doen. Als iedereen wil aanvallen, rij ik met u mee, misschien voor u uit, de strijd in.'

Onder het uitdagend oog van hun leider hadden ze allemaal vóór de aanval gestemd. De leider wees de weg door een geul heen, die hun nadering zou verbergen tot ze nog maar een klein stukje van de palissademuur van de stad verwijderd waren. Hij liet hen de opening in de muur zien waar de Mandan-jagers door naar buiten waren gekomen. Er waren geen wachtposten bij de poort. De Mandan verwachtten geen gevaar in tijden dat er sneeuw lag. De enige dorpelingen die je zag rondlopen waren een paar mensen die bij de rivieroever drijfhout verzamelden en voor het vuur van hun zweethutten zorgden.

En dus baden de Shienne-krijgers voor een snelle overwinning en begonnen door de geul naar beneden te rijden. Sneeuw wervelde om hen heen. Man op een Paard dacht aan de mensen die hij zo meteen zou aanvallen, zoals een jager over de ziel van zijn prooi nadenkt. Deze Mandan waren een apart soort. Hun positie aan de grote Modderrivier maakte hen tot een centrum waar stammen van ver heen kwamen om met elkaar handel te drijven. De Mandan werden vaak door hun buren de

Dah-koh-tah en de Rickaree lastig gevallen, maar ze waren vasthoudend en sterk in hun ommuurde steden. Ze hadden geen *ka vah yoh's* en jaagden nog steeds op de oude manier op bizons, door ze op te drijven, te omsingelen en met behulp van *pishkuns*. Ze waren daar enorm bedreven in en hadden een goed bestaan. Dit waren de Lichte Mensen van wie velen, naar men zei, zelfs als ze jong waren wit en geel haar hadden. Man op een Paard had enkele van hun lichtgekleurde scalpen in de hutten van zijn grootvaders gezien. Bij de dieren bezaten de witte dieren speciale krachten van geesten en hij vreesde dat hetzelfde voor deze mensen gold. Afgezien van het feit dat ze in tegenstelling tot de Shienne een volk waren dat nog geen paarden bezat, was dat het enige dat hij van hen wist. En vandaag zou dat goed zijn. Maar hij vroeg zich af of deze mensen, in tegenstelling tot de Shienne, misschien van die donderstokwapens bezaten. Man op een Paard was een van de beste ruiters van zijn volk en hij was geen lafaard. Maar hij vroeg zich iedere keer dat hij aan een verrassingsoverval meedeed af of hij tegenover de legendarische donderwapens zou komen te staan. Hij hoopte dat de Mandan ze nog niet hadden.

En als dat wel het geval is, dacht hij, hebben hun jagers ze waarschijnlijk meegenomen toen ze vertrokken. Laten we dat maar hopen!

Sneeuw Haar, een achterkleindochter van de verloren oude vrouw wier naam niet langer werd uitgesproken, zat op de rivieroever op een plekje bij de vuurkuil gehurkt. Ze voelde de warmte ervan zonder dat de rook in haar ogen prikte. Ze wachtte tot meer stenen warm waren. De wind die door het brede dal geselde, blies sneeuw op die in de zijkant van haar gezicht beet. Ze had liever haar moeder in de hut geholpen, waar er geen wind was. In dit seizoen hield de wind maar zelden op te waaien. Vandaag was de hemel verborgen door donkere wolkenflarden die over de stad heen snelden en de rivier was grauw, met een korte golfslag en zag eruit als vuursteen. Afgebroken ijsschotsen stapelden zich nog steeds aan de andere kant van de rivierbocht op. Hoewel het een paar dagen lente was geweest waarin alles groen werd, was de grond van de rivieroever nu weer bevroren en droog, zodat de sneeuw niet smolt maar weg-waaide en zich op de lage plekken ophoopte. De wind woei de as in de vuurkuil op en blies de gloeiende takken aan zodat ze geel van de hitte werden. Dat was goed. Zo werden de stenen warm.

De wind zwiepte het haar van Sneeuw Haar om haar gezicht heen. Hoewel ze nog maar vijftien winters telde, waren haar haren wit. Ze waren altijd al wit geweest. Haar ogen waren even grijs als de koude hemel. Sneeuw Haar had een lief ge-zichtje en een gladde, tanige huid, wat betekende dat haar voor-ouders de grote *okimeh's* in de Tijden van Weleer waren ge-weest. Maar zij was daar niet blij mee. Ze benijdde de glanzend zwarte vlechten die de meeste vrouwen hadden. Er waren jonge mannen in het dorp die zich zo voor hun lichte haar schaamden, dat ze een groot deel van hun tijd bezig waren om het met roet en olie zwart te maken. Waarom zou ik moeten geloven dat wit haar goed was als de moedigen onder ons dat al deden? dacht ze vaak. Als de mensen met zwart haar vet in hun haar smeer-den glansde het, maar als de mensen met licht haar dat deden, zag het er alleen maar dofgeel en vuil uit.

Haar vader zat in de zweethut vlakbij te hoesten; het geluid werd door de huiden die de hut bedekten en door de sissende wind gedempt. Maar ze hoorde hem toch. Hij zoog de naar salie ruikende damp net zolang door zijn neus en zijn open mond naar binnen tot hij moest hoesten. En dan hoestte en piepte hij tot hij uitgehoest en uitgepiept was. Hij deed het om zijn longen schoon te maken en te zuiveren.

Naar men zei waren de stoombaden een traditie van de Ou-den. Naar men zei had Eerste Man de traditie van over het Water meegebracht toen hij hiernaartoe was gekomen. Ze wer-den gebruikt voor verlichting van de pijn bij pijnlijke botten, gewrichten en pezen en de verstopte borst van mensen die een hard bestaan in een koud land hadden. Maar haar vader, Slaat op het Water, was nooit ziek. Hij gebruikte de stoom alleen om zichzelf te louteren, om erin te bidden en als luxe.

Ze hoorde hem om meer warmte roepen. Met een tang van jong, groen hout pookte ze in de as en tilde er een ronde steen ter grootte van haar hoofd uit. Op de plek waar de hete steen het hout schroeide steeg sissend de stoom omhoog. Ze tilde de onderkant van de voorhang met haar voet op en liet de steen in het dampende duister glijden. Vervolgens haalde ze er een van de afgekoelde stenen uit en liet de voorhang weer vallen. Ze droeg de steen naar de vuurkuil toe en stopte hem diep in de as. Nadat ze nog eens twee hete stenen naar de hut had gebracht, legde ze nog wat drijfhout op het vuur en ging er zo dicht mogelijk op haar hurken bij zitten om nog wat warmte te krijgen. Een paar zweethutten van andere gezinnen waren ook in gebruik. Als haar vader klaar was, zou zij in de zweethut gaan en het vuur en de hete stenen goed gebruiken.

Haar vader was het dorpsopperhoofd. Hij was een goed, zelfgenoegzaam man die trots was op zijn directe afstamming van Man Gezicht. Man Gezicht was een legendarisch opperhoofd van lang geleden en de enige Mandan die ooit een Omepah Peneta had bereden en door een donderklap was gedood – die, dat begrepen de mensen nu, waarschijnlijk een *tvu-zie*, zoals de Fransen een paar jaar geleden hadden meegenomen, was geweest.

De huidige *okimeh* van het hele Volk was Dikke Benen, een grootvader van Sneeuw Haar. Via de Koken op Stenen-mensen uit het noorden kon Dikke Benen nog steeds nu en dan wat van het zwarte poeder dat brandt bemachtigen, waardoor de *tvu-zies* werkten. Sneeuw Haar had te horen gekregen dat haar vader, Slaat op het Water, waarschijnlijk de *okimeh* van het hele Volk zou worden wanneer Dikke Benen daartoe niet meer in staat was. Dan zou hij waarschijnlijk degene worden die om het poeder dat brandt zou handeldrijven. Er waren echter nog maar een paar *tvu-zies* in de stam over. De meeste waren inmiddels kapot en alleen de haargezicht-mannen wisten hoe zij ze moesten repareren.

De moeder van Sneeuw Haar, Volgt Hond, was een van de drie vrouwen van Slaat op het Water, maar niet zijn lievelingsvrouw. De twee vrouwen met zwart haar had hij liever, hoewel Volgt Hond degene was die het hardst werkte. Sneeuw Haar vond het eigenlijk natuurlijk dat hij het minst van Volgt Hond, zijn vrouw met de grijze haren, hield.

Nu kwam Slaat op het Water naakt uit de zweethut gekropen.

De damp sloeg van zijn verhitte lichaam af. Hij rende naar de rivieroever toe, waarbij zijn lange spieren onder zijn warme, bruine huid bewogen en zijn lange, natte haar tegen zijn rug sloeg. Toen dook hij de ijzige, grijze rivier in en verdween. Even later kwam zijn hoofd een heel stuk verder weer boven water. Hij blies hard zijn adem uit, keerde om en zwom naar het ondiepe gedeelte terug. Daar kwam hij de rivier weer uit. Al zijn spieren stonden gespannen tegen de kou. Ze liep hem op de oever tegemoet en wikkelde zijn bizonmantel met de wollige kant naar binnen om hem heen. Hij bedankte haar met op elkaar geklemde tanden en zette er stevig de pas in naar het dorp en zijn hut. Daar zou hij dan in zijn mantel bij het vuur een dutje gaan doen.

Nu was de zweethut van haar. Gretig haalde ze vlug de koude stenen weg en verving ze door hete. Ze trok haar kleed uit, dook de hut in en deed de voorhang ervoor om zichzelf in het hete duister in te sluiten. Met een kalebas schepte ze water uit een pot en sprenkelde dat over de roodgloeiende keien, zodat er een dichte, naar salie ruikende wolk stoom in de krappe ruimte opsteeg. Het werd zo heet en nat, dat het leek of haar poriën prikten. Toen klauterde ze op het rieten bed dat op het platform boven de stenen lag en ging er met haar ogen gesloten languit op haar rug op liggen. Haar huid tintelde en ze begon te hoesten. Het zweet droop van haar lichaam en nam de gespannenheid van haar spieren weg, die tegen de kou verkrampt waren geweest. Ze lag languit, met haar knieën opgetrokken terwijl het zweet naar beneden droop. Hier, op dit schemerige, warme plekje zou ze in haar moeders buik hebben kunnen zitten. Ze zou in een lijkwade gehuld kunnen zijn. In beide gevallen zou ze aan een van de twee uiteinden van het leven geweest kunnen zijn of op de plaats waar het leven op de Cirkel van de Tijd de dood ontmoette. Als ze hier zo lag te dromen, leek het soms alsof ze een herinnering aan die Vroegere Tijden had, nog vóór de tijd dat het Volk vanuit het duister onder de grond omhoog geklommen was.

Zo lag ze binnen in dat kleine dondergeluid dat de wind maakte doordat hij aan de huid die als dak van de hut fungeerde trok. Daarom hoorde Sneeuw Haar ook het geschreeuw, het gegil en de hoefslagen niet toen de Shienne de stad van haar vader op de rots daarboven aanvielen.

Slaat op het Water was zich zelfs in zijn diepe slaap van het hoefgetrappel bewust. Hij droomde dat hij bij de *pishkun* op bizonjacht was, dat hij de bizons over de kliffen dreef.

Hij werd door het gegil wakker. Met bonkend hart gooide hij zijn mantel af. Nog steeds hoorde hij hoefslagen. Hij voelde ze door de vloer heen. Het klonk en voelde alsof de bizons pal hier, in het dorp, waren.

Hij klauterde overeind. Hij was nog steeds naakt van zijn stoombad en zijn duik in de rivier. Hij had zo diep geslapen, dat hij slaapdronken was. Maar dit waren toch echt hoefslagen. En de vrouwen schreeuwden en gilden echt. En hij hoorde zijn naam roepen. Hij draaide zich om en wilde zijn kleren pakken. Op datzelfde ogenblik hoorde hij opeens iets waarvan zijn bloed koud als de winterse rivier werd.

Het waren de rollende kreten en het gekrijs van krijgers die volop in de aanval waren – en nog wel binnen de muren van zijn eigen stad! De opschudding en het gegil buiten zijn hut gingen over in een afgrijselijk lawaai.

Er was geen tijd om zich aan te kleden. Hij kon nog maar net zijn boog, pijlkoker en mes van de paal waaraan ze hingen pakken, zijn schild in zijn linkerarm nemen en naar de deur van de hut springen. Op dat ogenblik vloog de voorhang van de hut open en met een erbarmelijk gekrijs vloog er een schim op hem af.

Volgt Hond, zijn vrouw met de witte haren, viel door de deuropening naar binnen, tuimelde op de grond neer en bleef daar kokhalzend liggen. Het bloed gutste uit haar mond. Haar bovenlichaam was door een pijl doorboord, en zat zo diep dat slechts de baarden tussen haar schouderbladen naar buiten staken.

En op hetzelfde moment dat de voorhang openging en hij in het licht keek, zag Slaat op het Water een bruin rijdier, even groot als een bizon, dat zich trappelend vlak buiten de deur omkeerde.

Alleen was het geen bizon. En er zat een man op zijn rug!

577

Het was Omepah Peneta, de Geest Eland! Slaat op het Water kon heel even van verbijstering geen vin verroeren.

Maar hij was krijger en *okimeh* van zijn Volk. Ongeacht wat hij tegemoet moest treden, hij moest zijn Volk verdedigen. Ondanks zijn angst stormde hij de deur uit.

Wat hij daarbuiten zag was gewoonweg niet te geloven. Overal waren krijgers op rijdieren die als een wervelwind in het rond reden. Veel mannen, vrouwen en kinderen lagen bloedend op de bevroren grond. Sommigen zaten vol pijlen. De mensen van de stam vlogen gillend overal over het grote plein om de Heilige Kano in de opwervelende sneeuw rond. Sommigen vielen en tolden met de armen over het hoofd over de grond. Mannen waren boven op de daken geklommen om de ruiters op hun machtige, snuivende dieren uit de weg te gaan.

De ruiters waren Shienne, zag hij onmiddellijk. Zij bereden de dieren alsof die onderdeel van hen waren. Zonder inspanning keerden ze en spoorden ze de dieren aan, en hielden daarbij hun handen vrij om boog, speer en strijdbijl te gebruiken.

En wat waren ze hooggezeten en zagen ze er machtig en gevaarlijk uit, die mannen! Van hoog daarboven konden ze andere mensen zien en tegen de grond slaan. En de wilde ogen, het kwijlen en snuiven, en de hoefslagen van de dieren die de aarde deden schudden, maakten hen nog angstaanjagender. Geen wonder dat de mensen van zijn dorp in paniek waren.

Maar al die gedachten flitsten in een fractie van een seconde door zijn hoofd. Hij was niet hun *okimeh* om hier alleen maar met knikkende knieën te staan terwijl zijn vrouw en Volk in hun eigen dorp werden afgemaakt. Met een schreeuw van woede trok hij een pijl uit zijn koker, zette die op de boog en schoot hem af op een ruiter die probeerde een wegvluchtende vrouw met een speer te doorboren. De pijl vloog door het middel van de ruiter. Slingerend liet deze zijn wapens vallen, greep naar zijn middel, boog voorover, verder voorover en viel toen een paar passen van de Heilige Kano vandaan op de grond. Met nog een pijl in de aanslag schoot Slaat op het Water in de borst van een van de dieren, hoewel hij niet wist of een pijl een Geest Eland zou treffen of niet. Het dier steigerde op zijn achterpoten omhoog, waardoor zijn berijder er wijdbeens achterover afgeworpen werd. De ruiter lag daar zo te zien gebroken en Slaat op het Water schoot hem nog een pijl door de keel.

'Mijn Volk!' bulderde hij terwijl hij nog een pijl op de boog zette. 'Niet weglopen! Kijk! Ze kunnen worden gedood! Wees sterk! Vecht! *Roo too hah!*' Kom hier!

Nu hadden de Shienne-krijgers hem gehoord en gezien. Een stuk of twee, drie keerden hun dieren ogenblikkelijk en reden op hem af. Hij schoot één krijger van zijn rijdier af, trof een van de andere dieren in de borst alsof hij een eland schoot en wilde net een andere pijl pakken, toen een speer die een van de andere ruiters had geworpen langs zijn slaap suisde en zijn oor eraf reet. Hij tolde naar opzij en viel op zijn knieën neer. Toen schudde hij zijn hoofd om het helder te maken en zette weer een pijl op de boog. Een ruiter kwam met een speer op hem af. Vlug hief Slaat op het Water zijn linkerarm met het schild op en kon de speerpunt met zijn schild van ongelooide huid afweren. Het dier denderde zo dicht langs Slaat op het Water heen, dat hij de dikke wintervacht langs zijn huid voelde gaan; schreeuwend en met vertrokken gezicht gleed de ruiter langs die kant naar beneden en deed een greep naar Slaat op het Water. Terwijl het dier voorbij zwenkte, trok de man hem naar de grond. Elkaar vastgrijpend en naar elkaar klauwend kwamen Slaat op het Water en de Shienne op de harde grond neer. Ogenblikkelijk zat de krijger boven op Slaat op het Water en duwde de rand van zijn schild tegen diens keel. Het was een zeer sterke, jonge krijger met vierkante kaken. Langs zijn neus en onder zijn ogen zat een ingewikkelde tatoeage in de vorm van een streep. Slaat op het Water kon geen lucht krijgen. Naar het leek een eeuwigheid keek hij naar die tatoeage en worstelde vergeefs, met de gedachte dat het laatste dat hij misschien in zijn leven zou zien die vreemde, curieuze tatoeage was. Slaat op het Water was geen jonge man, en zijn kracht had hij nog maar zo kort geleden in de zweethut laten weglekken...

Opeens gaf iets de man die boven op hem lag een schok. Het gezicht van de man begon te bloeden en het bloed sijpelde over de tatoeage heen. Nog een slag. De man kreunde en Slaat op het Water voelde hoe de kracht van de krijger wegebde en hij begon te worstelen om hem van zich af te duwen.

579

Toen zag hij waardoor de krijger was getroffen.

Wankelend stond Volgt Hond tegen de grauwe hemel afgetekend over hem heen gebogen. De pijl stak nog steeds tussen haar borsten naar buiten en haar grijze haar hing in bloederige plukken langs haar gezicht. Met allebei haar handen hield ze een stenen stamper om maïs fijn te malen vast. Terwijl ze hem omhoog hief om de krijger die haar echtgenoot had aangevallen nog een klap uit te delen, rolden haar ogen weg. Ze wankelde, de stamper gleed uit haar handen en ze zakte op de grond in elkaar.

Met een snik rolde Slaat op het Water de bewusteloze krijger van zich af, graaide een pijl van de grond die uit zijn koker was gevallen en stootte die in de keel van de Shienne. Toen sprong hij overeind. Zijn hart voelde als verpletterd. Hij had slechts een ogenblik om op Volgt Hond neer te kijken. Ze had de laatste adem al uitgeblazen. Haar borsten en gescheurde tuniek zaten onder het bloed. Op de een of andere manier was deze vrouw die hij het minst liefhad in een poging haar man te verdedigen uit de plas met haar eigen bloed waarin ze lag opgestaan. *Moorseh!* dacht hij. O, *vrouw!* Toen moest hij zich omdraaien en tegen de krijgers op de dieren vechten.

Ik moet mijn mensen bij elkaar roepen en hen moed om te vechten geven, dacht hij. Zijn meeste krijgers waren weg voor de bizonjacht, wist hij, maar hij had laten zien dat je zelfs krijgers op dieren kon doden. Hij raapte pijlen van de grond op. Hij zag verschillende Shienne-krijgers op de grond liggen. Hij zag drie grote dieren languit liggen en een ander dier dat op zijn romp zat en zich met zijn voorpoten probeerde af te zetten om overeind te komen. Het dier liet een schril geluid van pijn horen.

En hij zag dat enkele jongens uit de stad, de moedige jonge kerels met verse Okeepah-littekens op hun borst, met boog en speer boven op de daken stonden. Hij zag dat zij over hun eerste angst heen waren en de vijandelijke krijgers van de rug van hun grote rijdieren schoten.

Slaat op het Water, die nog steeds poedelnaakt in de sneeuwige wind liep, stond vanbinnen in brand; onder het uiten van aanmoedigende kreten rende hij gebukt naar voren, een pijl in

580

de aanslag om naar het volgende doel af te schieten. Hij begon te geloven dat Shienne op hun angstaanjagende dieren uiteindelijk zijn dorp toch niet gingen veroveren.

Misschien kunnen we zelfs een paar rijdieren van hen te pakken krijgen, dacht hij, en erop rijden zoals destijds Eerste Man!

Hij liet een uitgelaten gebrul horen en schoot nog een pijl af. Een volgende Shienne-krijger op een dier viel achter zijn prachtige, hard rennende rijdier op de grond. Een Mandan-vrouw vloog naar de plek waar hij lag en sneed hem met een vuurstenen mes de keel door.

Een woedende vrouw gooide een grote steen naar Man op een Paard toe. Hij werd daardoor zo hard op zijn borst getroffen, dat hem de adem werd afgesneden en hij bijna van zijn rijdier werd geworpen. Een versplinterde pijlschacht schraapte langs zijn arm onder zijn schild waarin de pijl zich vastgeboord had en hij bloedde uit een dij. Een klein jongetje had hem daar, terwijl hij voorbijreed, met een speer geschampt. Man op een Paard stuurde zijn gevlekte rijdier her en der in een poging achter de Mandan-dorpelingen aan te gaan die overal heen stoven, dingen naar hem gooiden en probeerden stokken tussen de benen van zijn paard te steken zodat het zou struikelen.

Hij had geprobeerd zijn leider aan het verstand te brengen om geen stad van vrouwen en kinderen aan te vallen, omdat hij medelijden voor hen voelde. Een tweede goede reden bleek echter het feit te zijn dat zij even talrijk en even fel als een nest vol horzels hun stad verdedigden.

In eerste instantie waren ze gillend weggerend en hadden zich verstopt. Het was heel gemakkelijk om ze neer te slaan en de Shienne hadden dan ook een tijd joelend door het dorp gedenderd en iedereen doodsangst aangejaagd. Maar nu werden de indringers steeds dichter op de open plek midden in de stad ingesloten. Er werden pijlen op hen afgeschoten – zelfs de kleine pijlen voor vogels en konijnen van kleine Mandan-jongens – en er werd met stokken en palen naar hen gepookt en gepord. Ze werden met lussen van touw gevangen en op de grond getrokken. Stenen en alles wat maar kon worden gegooid ploften op hen neer en de pijlen die vanaf de ronde daken af werden geschoten kwamen als een regen op hen neer en troffen hun doel. Nu galoppeerden een paar rijdieren van de Shienne zonder berijder over het plein heen. Ze hinnikten van paniek. Er lagen meer Shienne-krijgers op de grond dan dorpelingen. Man op een Paard had bijna een grote snee opgelopen door het mes van een naakte, pezige man die hij had geprobeerd omver te rijden. Het blad had zijn tuniek helemaal kapotgereten. Hier in de rook en opgewaaide sneeuw in het midden van het dorp dook Man op een Paard weg en deinsde terug voor de pijlen, potten, strijdbijlen, stenen en knuppels die op hem afkwamen. Zelfs als hij zich had kunnen herinneren hoe hij bij de poort moest komen, zou hij er niet in zijn geslaagd om tussen de woedende mensenmenigte door te ontsnappen. Man op een Paard had gelijk gehad en de leider van zijn groep ongelijk. Nu zaten de Shienne in de val; het zag er niet naar uit dat iemand het er ook maar levend zou afbrengen. Voor hem uit liep een naakte vrouw te gillen en met een rokend stuk brandhout te zwaaien. Zijn merrie begon te hinniken en steigerde. Iets ketste tegen zijn schild af en iets anders kwam met een bons tegen zijn voorhoofd aan, zodat het hem even groen en geel voor de ogen werd.

Een van de Shienne die nog in leven was en op zijn rijdier zat, was de leider die hen in deze val had geleid. Hij reed een klein stukje opzij, omringd door een menigte grauwende, gillende vrouwen en probeerde hen met zijn strijdknuppel weg te slaan. Op dat ogenblik hoorde Man op een Paard wat hij altijd gevreesd had te zullen horen: de donderslag.

Pal voor zijn ogen vloog een regen van vonken langs, met meteen erachteraan een bal donkere rook. De harde klap deed pijn aan zijn oren en galmde in zijn hoofd. Zijn paard begon te hinniken en maakte een sprong naar opzij en op datzelfde ogenblik zag de Shienne-krijger dat zijn leider de armen wijd uitspreidde, zijn rug kromde en van zijn paard viel.

Daarna zag Man op een Paard nergens meer andere kameraden rijden. Nu en dan deed hij een poging om door de menigte heen te dringen. Dan zag hij een Shienne op de grond liggen die door vrouwen en jongens werd geschopt, geslagen of gestoken. Hij voelde voortdurend handen naar zijn beenbeschermers en voeten graaien. Eén jonge vrouw had met beide handen de staart van zijn merrie beet en bleef vasthouden. Ze gilde het van woede uit, tot het speeksel aan haar lippen vastkleefde. Met uitzondering van misschien de donderstok, vond hij haar even angstaanjagend als bijna al het andere in deze chaotische val.

Nu kwam weer een van zijn kameraden vlak bij hem ten val. Zo te zien brak hij zijn schedel. Hij had zijn boog en speer verloren. Het enige waarmee hij nog kon vechten was zijn rijzweep; met de gierende, striemende leren riemen haalde hij naar gezichten en armen uit.

Door de sneeuw heen zag hij een grijs, open gebied. Op dit ogenblik waren er maar weinig mensen voor hem. Zijn hielen in haar zijden borend, spoorde hij zijn merrie aan en reed naar de opening toe. Het was niet de poort waardoor de krijgers waren binnengekomen, maar een opening tussen de hutten die over de rivier uitkeek. Talloze projectielen sloegen tegen zijn rug en schouders aan terwijl hij de wild geworden merrie vooruit drong. Ze kon nauwelijks wegdraven met de grote, jonge vrouw die nog steeds aan haar staart hing; ze sprong naar voren, struikelde bijna en sprong nog eens naar voren. Het dier had bijna geen kracht meer. Ze kon niet voor de schreeuwende menigte uit komen, maar begon nu een steile helling naar beneden die op de rivier uitkeek af te dalen. Een deel van de moordzuchtige menigte liep achter haar aan en haar berijder bleef haar aansporen, liet voortdurend de bloederige zweep striemend links en rechts, links en rechts neerkomen, greep de zijden van de merrie met zijn pezige, gespierde benen beet om ervoor te zorgen dat hij er niet af werd getrokken en reed voor zijn leven naar de onbevolkte rivierkant. En zelfs terwijl hij naar zijn kwellers die hem opzij vastgrepen keek, moest hij hun felheid ook zonder wapens bewonderen.

Wat een Volk! dacht hij. Wat een Volk!

Sneeuw Haar had in de zweethut liggen stomen tot ze zich zwak voelde worden; ze lag daar en moest diep ademhalen en door het inademen van de naar salie ruikende damp moest ze de hele tijd hoesten. Maar eindelijk kon ze rustig blijven liggen. De wind rukte nog steeds aan de huid die de dakbedekking van de zweethut vormde en floot er zelfs omheen. Hij maakte geluiden die haar, met het gegalm in haar oren, aan zingende of schreeuwende mensen deden denken. Ze lag op het bed van salie en liet het zweet stromen terwijl ze zichzelf voorbereidde op het stuk hardlopen door de koude wind en de duik in de rivier.

Maar ze voelde zich heel vreemd. Op de een of andere manier had ze het gevoel alsof ze niet alleen was. In de geelrode wolken die achter haar oogleden zweefden, zag ze het gezicht van Volgt Hond, haar moeder. Het leek of haar moeder met haar wilde praten. Maar de stem was niet alleen haar moeders stem, het leken tegelijk de stemmen van talloze vrouwen te zijn die er vóór haar moeder waren geweest: haar grootmoeder, die Sneeuw Haar heel duidelijk in haar herinnering kon zien, en haar overgrootmoeder die ze zich nauwelijks kon herinneren. Vervolgens was er een lange opeenvolging van anderen die verder en verder in de mist en damp terugreikten. En allemaal hadden ze hun mond open en spraken met nadruk. Maar er kwamen geen woorden die ze kon begrijpen; ze hoorde alleen het geroffel en gekreun van de wind en het zingen en schreeuwen. En daar, vóór in haar gedachten, was haar moeder met haar vale, grijze haar en grijze ogen. Nadrukkelijk probeerde ze iets te zeggen. Op een gegeven ogenblik verdween het gezicht van Volgt Hond en zag ze ook de gezichten van alle anderen niet meer. Sneeuw Haar was verwonderd dat zoveel geesten in haar dromerij bij haar waren gekomen. Langzaam, onderbroken door hoestbuien, kwam ze overeind. Ze steunde zichzelf met haar armen en hield haar hoofd laag, zodat ze niet zou flauwvallen. Gebukt tilde ze de voorhang opzij en hoewel het buiten nog bewolkt en grauw was, moest ze van het plotselinge licht niezen, niezen en nog eens niezen. Toen pakte ze vlug haar tuniek op en begon wankelend langs de waterkant te rennen. Daar liet ze het kledingstuk vallen en maakte een ondiepe duik in het water. Haar hoofd hield ze boven het oppervlak. Ze hapte naar lucht bij de schok van de kou op haar oververhitte lichaam. Elke ademhaling was een gierend gehijg en ze bewoog zich met de snelheid van een bange, gevorkte horen om net voldoende af te koelen zonder dat ze door en door koud werd. Toen ze ongeveer twintig ademhalingen lang in het ondiepe water had liggen spartelen en met toegeknepen ogen heftig haar hoofd had geschud, krabbelde het naakte meisje op de kant, veegde met snelle handen het koude water van haar lichaam en liet haar tuniek over haar hoofd glijden. Ze ademde zwoegend een paar keer diep in en voelde zich door en door verkwikt. Zoals gewoonlijk barstte ze, puur en alleen vanwege het opwekkende effect, bijna in lachen uit. De wind was kouder dan het water. Sneeuw Haar rende de oever naar het dorp op. Daar zou ze vlug de hut van haar familie inschieten, zich in een mantel wikkelen en een dutje bij het vuur gaan doen. Ze schudde nog een keer met haar hoofd heen en weer om haar natte haren uit haar ogen te zwaaien.

Pas toen besefte Sneeuw Haar dat het geschreeuw dat ze de hele tijd had gehoord ook werkelijk geschreeuw was. Daarboven op de rots, een stukje boven haar uit, zwermde het van de rennende, schreeuwende, joelende mensen die met dingen gooiden.

En als in een droom zag ze tussen het Volk door prachtige dieren, even groot en gracieus als elanden, rennen. Sneeuw Haar bleef stokstijf staan. Haar wild bonkende hart bleef bijna in haar borst stilstaan.

Over de rivieroever kwam een van de prachtige rijdieren met op zijn rug een knappe jongeman naar beneden, op haar af. Zijn ogen stonden wild. Hij werd door jongens en vrouwen achternagezeten.

Sneeuw Haar was verbaasd dat ze het Volk van haar stad achter dit machtige schepsel aan zag rennen en dat ze er niet voor wegrenden. Eén vrouw had het dier zelfs bij de staart vastgegrepen. Haar knieën sleepten over de grond. Ze kwamen allemaal in Sneeuw Haars richting. Ze keerde om, want ze wilde zo snel ze kon voor dat dier dat ze daar zag aankomen wegrennen. Ze liet zichzelf achter een hoop drijfhout op de koude grond vallen en bedekte haar hoofd met haar armen. Dit moest een droom zijn die door de schok van de grote hitte en de plotselinge koude veroorzaakt was, waren haar gedachten.

Ze hoorde hoefslagen op zich afkomen en weer weg gaan en daarna weer dichterbij komen. Overal hoorde ze de boze kreten van het Volk. Ten slotte begreep ze dat de man op het dier het te druk had met zichzelf in veiligheid te brengen om haar kwaad te doen. Dus gluurde Sneeuw Haar van onder haar arm vandaan en kon nog net zien dat haar Volk de krijger op het dier omringde en hem van de rug van zijn rijdier trok. De mensen sloegen hem een poosje met handen en stokken en tilden hem toen van de grond. Hem half meeslepend, half dragend, sjouwden ze hem mee terug naar de stad. Hij zat onder het bloed. Zijn grote rijdier was, na alle haast en de commotie van de achtervolging, heel rustig geworden. De merrie schudde haar hoofd, liet een luide, snuivende zucht horen, liep naar de rivier toe en begon te drinken. Toen begaf ze zich op haar gemak tussen de toeschouwers en bukte zich op het laatst om sneeuw weg te snuiven in een poging te grazen, ook al liep er een mompelde menigte nieuwsgierige mensen om haar heen.

Verbijsterd door al wat er gebeurde en betoverd door de aanblik van het grote, tamme dier, ging Sneeuw Haar staan en kroop huiverend naar de massa mensen toe. Ze zag dat er op verschillende plaatsen afbeeldingen op het dier waren geschilderd: hier een hand, daar een zon, hier een kwart van een hoepel. Op haar rug was een of andere dekmat vastgebonden, zodat haar berijder een plekje had om op te zitten. En door haar mond en om de onderkaak heen was er een touw van gevlochten leren veters vastgebonden. In het lange haar langs de hals waren een paar haviksveren vastgebonden. Het dier had een gespikkelde vacht die nu onder het bloed zat.

Terwijl Sneeuw Haar zich omdraaide en de ruiter achternakeek die naar de stad werd meegesleept, voelde ze een hand op haar arm. Het was Rode Bessen die in de hut het dichtst in de buurt woonde. Het lange, zwarte haar van het meisje wapperde om haar gezicht heen, maar Sneeuw Haar zag een angstige blik in haar ogen die haar vanbinnen een koud gevoel gaf. Rode Bessen legde een arm om haar middel en liep samen met haar mee terug naar de stad.

'Rode Bessen! Vertel me wat er is gebeurd!'
'Zuster, hoe kun je dat niet weten?'

'Ik was in de zweethut. Wat is er gebeurd?'

'Ze zijn naar ons dorp toe gekomen. En velen rijden op deze dieren. Ze hebben een paar van ons gedood en gewond voordat je vader ons het goede voorbeeld gaf door terug te vechten. Hij maakte dat we wonnen. We hebben ze allemaal, behalve die ene daar, gedood.' Rode Bessen keek Sneeuw Haar nu schuin uit een ooghoek medelijdend aan en zei: 'Dan weet je het dus ook niet van je moeder?'

Sneeuw Haar beefde. De angst sloeg haar koud om het hart. De twee meisjes renden struikelend de helling op, langs dode dieren en krijgers en de bebloede lichamen van mensen uit de stad. Verschrikkelijke snikken schokten Sneeuw Haars borst. Ze herinnerde zich hoe sterk haar moeder, toen ze in de zweethut lag, met al de oudere vrouwen achter zich haar dromen was binnengekomen; ze wist nu dat de geest van Volgt Hond naar haar toe was gekomen toen hij vertrok om naar Gene Zijde, waar de Voorouders verkeerden, te gaan.

'Je moedige moeder heeft het leven van je vader gered, zodat hij tegen de krijgers op de dieren kon winnen,' zei Rode Bessen.

Man op een Paard was klaar om te sterven. Dit Volk van de Mandan was meedogenloos. Ze hadden al zijn medekrijgers gedood en nu hadden zij hem alleen in handen. Ze hadden iedere rechtvaardiging om hem door marteling of verbranding te doden.

Zij konden ook niet weten dat hij zich ertegen had uitgesproken om hen aan te vallen. Zelfs als hij hun taal kende om hen dat te vertellen, zou het alleen op het gesmeek van een lafaard lijken als hij dat deed. Trouwens, hij was toch ook, net als de rest, op vrouwen en kinderen in gereden en had hen gedood?

Hij had overal kneuzingen en bloedde over zijn gehele lichaam. Hij zat onder hun speeksel en de wind die op hem waaide sneed als een mes van ijs. Toen ze hem naar een hut met afbeeldingen van bizonhuid hoog boven op palen sleepten en hem voor een knappe, ernstige man met een afgesneden oor neerzetten, herinnerde hij zich dat hij deze man in de strijd gezien had. Ja, dit was de naakte man die zo op hem af was gevlogen en met een mes naar hem had uitgehaald. Hij was nu in een bizonhuid met beschilderingen van oorlogsdaden gewikkeld. In zijn rechterhand hiel hij een versierde speer. Deze man, duidelijk een opperhoofd, had om zich heen gewezen en aanwijzingen gegeven aan de jongens, die nu de paarden die in leven waren gebleven ophaalden en hierheen brachten. Toen Man op een Paard voor hem werd neergezet, hield dit opperhoofd daarmee op en schonk hem toen al zijn aandacht. Voor het eerst in zijn leven keek de jonge Shienne in ogen die zo blauw als de heldere hemel waren. De nabijheid van de dood was Man op een Paard niet vreemd, maar in de kleur van de ogen die deze man had lag een sterke dreiging. Toch durfde Man op een Paard geen angst te tonen en zijn talloze pijnlijke plekken negerend, bleef hij kaarsrecht overeind staan en keek recht in de blauwe ogen terug. Het lawaai van de menigte stierf weg.

Het opperhoofd wees naar de grond naast de deur van de hut. Daar lag een vrouw met wit haar. Uit haar bebloede borst stak een pijl.

'*Ea Moor-seh,*' zei hij. Zijn ogen zwommen in tranen, maar vlamden tegelijk met een gewelddadig vuur. Man op een Paard dacht dat hij begreep dat dit de echtgenote van de hoofdman was geweest. Dat ging hem aan het hart en hij voelde schaamte en spijt. Hij kon echter op geen enkele manier reageren.

Toen wees de man met de blauwe ogen naar een Shiennekrijger die vlakbij lag. Diens hoofd had zulke hevige klappen opgelopen, dat Man op een Paard niet kon zien wie het was geweest. De hoofdman gebaarde: Zij heeft hem gedood. Uit de menigte ging een onheilspellend, angstaanjagend gemurmel en gekrijs op.

De man maakte meer handgebaren naar Man op een Paard die zeiden: Veel vrouwen en kinderen hebben vandaag Shienne-krijgers gedood. Dat was de wil van de Schepper om hetgeen u hebt gedaan.

'*Shu-su! Shu-su!*' riepen de mensen. Maar in andere delen van het dorp weerklonken gejammer en de rollende tonen van het verdriet om de doden. Man op een Paard zag twee jonge vrouwen die aan de buitenkant van de massa mensen tussen hen door glipten. Hij herkende het meisje met het lichte haar als het meisje dat naakt uit de rivier was komen waden toen hij naar beneden naar de rivieroever was gevlucht. Ze liet zich op haar knieën naast het bloederige lichaam van de vrouw van het opperhoofd vallen en begon aan haar natte haren te rukken. Uit haar mond kwam een woordeloze schreeuw. Toen Man op een Paard het opperhoofd aankeek, vlamden diens blauwe ogen hem tegemoet. Man op een Paard wist niet wat op zijn eigen gezicht te lezen stond; hij probeerde om niets te laten blijken. Maar zijn hart kromp ineen. Hij had ver weg in het zuidoosten in zijn Shienne-dorp een moeder en een zuster en opeens voelde hij hoe het zou zijn als hij zag dat een van hen pal onder zijn ogen door indringers in een wrede, zinloze overval werd gedood. Onmiddellijk werd zijn hart zo door verdriet en wroeging overmand dat hij hevig moest slikken om het niet hardop uit te kreunen – en, o, schande der schande, hij voelde hoe tranen koude sporen aan weerszijden van zijn neus trokken. Het opperhoofd van het Volk dat hij had helpen aanvallen stond op een armslengte voor hem en keek hem aan terwijl hij huilde.

Nu hoopte Man op een Paard dat zij hem zouden doden, en snel ook. Hij had zichzelf vandaag te schande gemaakt, in de allereerste plaats door een dorp dat onverdedigd was aan te vallen, vervolgens door zich door vrouwen en kinderen te laten vangen en nu door de zwakheid van zijn hart te verraden.

De blauwe ogen bleven in zijn bevende ziel priemen. Ondertussen spoelden het gejammer, geschreeuw en gesis van het Mandan-Volk over hem heen. De leider zei iets tegen de mensen om zich heen. Sommigen riepen '*Megosh! Megosh!*' of '*Shu-su! K'hoo!*' terug.

Toen werd Man op een Paard door genadeloze handen beetgepakt en te midden van gejoel en gekakel weggesleept. Hij werd stevig aan een paal op het midden van het plein vastgebonden. Mensen spogen naar hem. Hij verwachtte dat ze brandhout om zijn voeten zouden opstapelen.

Maar dat deden ze niet. Ze lieten hem daar vastgebonden, huiverend, met korsten geronnen bloed en speeksel op zijn lichaam en de sporen die zijn tranen in de oorlogsverf op zijn gezicht hadden achtergelaten in de kou staan. Tegenover hem op het plein stonden de strijdrossen van zijn dode kameraden vastgebonden. Met inbegrip van zijn eigen paard waren het twaalf paarden. Huiverend, hongerig en terneergeslagen bleef hij daar twee dagen in de snijdend koude wind staan. De Mandan maakten in die tijd hun eigen doden voor de begrafenis klaar, maar lieten de Shienne-krijgers voor zijn ogen liggen waar ze lagen. De honden van het dorp begonnen er heel omzichtig aan te vreten.

De gevangen Shienne-krijger werd, in eerste instantie tegen zijn wil, in leven gehouden.

Slaat op het Water had voor zichzelf naam gemaakt die in de herinnering zou voortleven: hij was de eerste Mandan-*okimeh* die krijgers op dieren had verslagen en sommige van die dieren had gevangen. Nu bezat zijn Volk er twaalf.

Slaat op het Water gaf er nu blijk van dat hij evenveel inzicht en wijsheid als moed bezat. Hij wist dat de gevangen Shienne uiterst nuttig kon zijn voor het Mandan-Volk, dus behandelde hij hem vriendelijk na die eerste twee dagen straf. Hij bracht een tijdje in gesprek met de Shienne door. Ze praatten door middel van handgebaren en met enige hulp van een oude Mandan die iets van de Shienne-taal af wist. Hij liet de Shienne voor de twaalf rijdieren zorgen, aangezien deze ze goed kende en er veel van scheen te houden. En hij liet het Volk goed kijken hoe de Shienne dat deed en hoe hij met de dieren omging.

Ten slotte hield Slaat op het Water een raadsvergadering met een oude vrouw erbij. Haar zoon was bij de overval om het leven gekomen. Man op een Paard werd aan de familie van die oude vrouw gegeven. Zij konden de keus maken of ze hem uit wraak wilden doden, hem tot hun slaaf maken of hem adopteren om hun verloren zoon te vervangen.

Hun keus was hem te adopteren, iets waarop Slaat op het Water had gehoopt en wat hij ook had verwacht. Nu konden ze erop vertrouwen dat Man op een Paard de Mandan-krijgers alles wat hij over de rijdieren wist zou bijbrengen. De Mandan-krijgers waren snel, sterk en stoutmoedig en werden al heel spoedig uitmuntende ruiters.

De jonge krijger had een waarachtig respect en echte bewondering voor het Mandan-Volk. Hij leerde hun taal, hoewel die heel moeilijk was en volkomen van de andere talen verschilde. In de stam werd hij Nu mohk p' Ka Vah Yoh genoemd, wat evenals zijn Shienne-naam, Man op een Paard betekende. Hij zei dat de Mannen die IJzer Dragen, de Spanjaarden, het dier *ka vah yoh* noemden.

De eerstkomende Dag van Eerste Man werd Man op een Paard bij de Okeepah-ceremonie opgehangen. Dat wilde hij graag, omdat hij een echte man van het Mandan-Volk wilde zijn.

Op een dag kwam hij naar de hut van Slaat op het Water toe om te praten. Toen ze hadden gerookt zei Man op een Paard: 'In mijn hoofd en mijn hart heb ik zaken voor uw oren.'

'Ik luister met belangstelling,' zei Slaat op het Water en leunde tegen een ruggesteun van wilgehout en geweven riet.

'Onze dieren zijn een groot geschenk voor ons, Vader. Ze zijn van groot nut. Maar we hebben alleen maar de twaalf dieren die zijn gevangen toen de Shienne hun aanval kwamen doen.' Hij sprak nu over de Shienne alsof het anderen waren, want in zijn hart was hij nu een Mandan. 'En zoals u hebt gezien, zijn die twaalf die we hebben allemaal van het vrouwelijke geslacht.'

Slaat op het Water knikte alsof hij dat had geweten, hoewel hij er in werkelijkheid nog nooit aan had gedacht. Hij had aan deze prachtige schepselen niet gedacht zoals je aan bizon of gevorkte horens denkt, in termen van stieren en koeien, bokken en hindes. In zijn gedachten waren het meer dier-goden, geen dieren die zich voortplanten en jongen krijgen. 'Vertel me meer,' zei hij. 'Vertel me waarom de Shienne alleen op vrouwelijke dieren hierheen reden om tegen ons te vechten.'

'Het antwoord is nogal eenvoudig. Als mannelijke en vrouwelijke *ka vah yoh's* samen onderweg zijn en het wijfje is bronstig, verliest het felle, sterke mannetje van verlangen het hoofd. Dan is hij heel moeilijk onder controle te houden. Hij maakt te veel lawaai en geeft te veel problemen. Berijders kunnen gewond raken. Ze zijn heel wellustig, die *ka vah yoh's*.'

Slaat op het Water dacht diep over die kennis na en zei ten slotte: 'Dat betekent dus dat alleen de vrouwelijke dieren kunnen worden gebruikt en dat de mannetjes nutteloos voor de mens zijn?'

De jonge man ging even verzitten en antwoordde toen: 'Je kunt ervoor zorgen dat de mannetjes zich in gezelschap van vrouwelijke dieren gedragen door hun zaadballen van onder de man-delen weg te snijden.'

'Wat!' Slaat op het Water maakte bijna een sprong van de plaats waar hij zat. Hij kromp ineen en kneep zijn ogen dicht bij die gedachte.

'Door het snijden worden ze tammer dan de vrouwtjes,' zei Man op een Paard, 'dus kunnen ook de mannetjes gebruikt worden bij het jagen en bij oorlog. Maar de beste mannetjes houden hun zaadballen en worden gebruikt om de vrouwelijke dieren te bevruchten.'

Slaat op het Water knikte. 'Natuurlijk.' Hij stak de pijp weer met een gloeiend takje aan en gaf hem aan zijn gast door, die er peinzend een tijdje aan trok en toen verder ging:

'De Shienne krijgen op twee verschillende manieren de beschikking over de *ka vah yoh's*. Eén manier is door ze van de A-pah-chi te kopen. Zij stelen ze van de Spaanse mannen. De andere manier is door weggelopen, verwilderde *ka vah yoh's* te vangen. Daar zijn er in het zuiden heel veel van en ze breiden zich altijd uit.'

'Dat is goed,' zei Slaat op het Water. 'Ik zou liever een *ka vah yoh* krijgen die losliep dan me in de buurt van de Spaanse mannen wagen. Mijn voorvader Man Gezicht werd, alleen omdat hij een van hun *ka vah yoh's* leende, door die mannen gedood. Hij had hem niet eens gestolen!' De *okimeh* genoot van deze bijeenkomst. Hij leerde er heel veel van. 'Vertel me meer van wat er in je hart en hoofd leeft,' zei hij.

'Vader, u zou moeten begrijpen dat het voor deze stam niet genoeg is om twaalf vrouwelijke dieren te bezitten die jagers en krijgers beiden kunnen gebruiken. U hebt gezien dat de Mandan van de andere dorpen afgunstig worden en ze ook willen hebben. Zoals u hebt gezien, is het niet moeilijk om de *ka vah yoh's* in de strijd te doden, hoe groot en sterk ze ook zijn. Bij de bizonjacht worden ze ook gedood.

Zelfs als onze twaalf *ka vah yoh's* nooit bij de jacht of in een oorlog werden gedood, zouden ze niet eeuwig leven. Ze worden maar half zo oud als een menselijk wezen. Als hun benen en hoeven beschadigd worden, zijn ze nutteloos omdat die niet genezen. Vader, een Volk als het onze zou geen twaalf *ka vah yoh's* moeten hebben, maar twaalfhonderd – zowel vrouwelijke als mannelijke dieren met hun ballen. En dan kunnen ze steeds groter in aantal worden. Elke man en jongen zou er in ieder geval twee moeten hebben.'

'Iedere man en jongen heeft er ook twee,' zei Slaat op het Water.

'Ik bedoel *ka vah yoh's*, geen ballen.'

Slaat op het Water moest lachen. Toen haalde hij diep adem. 'Twaalfhonderd *ka vah yoh's*!' riep hij uit. Hij zou nooit in zulke aantallen hebben gedacht! Hij keek Man op een Paard met een veel grotere belangstelling en meer respect aan. Hier zat een jongeman die met slechts zijn woorden groot inzicht in zijn hoofd bracht. Hier was een man die niet op de kleine, oude manieren dacht. Slaat op het Water deed net of hij minder onder de indruk was dan hij werkelijk was en zei: 'Dan zouden vijftienhonderd *ka vah yoh's* misschien nog beter zijn. Je weet dat we al vele, vele jaren tegen de volkeren van de Dah-koh-tah hebben gevochten en dat ook zullen moeten blijven doen wanneer ze arrogant worden. En dat geldt ook voor de Rickaree. *Ka vah yoh's* zouden ons helpen hen te verslaan.'

De jonge krijger knikte. 'Op een goede dag zal iedereen ze hebben. Ik heb dat gezien in het zuiden waar mijn... waar de Shienne wonen. De volken die de dieren niet hebben, drijven er met de volken die ze wel hebben handel om of plegen er overvallen om. De Spaanse mannen wilden niet dat de stammen *ka vah yoh's* bezaten. Maar het begon en het is gegroeid. Alle volken zullen ze krijgen. En...' Hij zweeg even. 'Op een goede dag zullen alle volken ook de donderschieters hebben zoals u die hebt, alleen zullen het er nog veel meer zijn.'

Slaat op het Water voelde de haartjes achter in zijn nek prikken. Deze jongeman zei voortdurend dingen waaraan hij nooit zou hebben gedacht. Hij stak de pijp weer aan en overhandigde die aan de jongeman. Vervolgens legde hij zijn hand op diens pols en vroeg hem:

'Ben je een profeet?'

De jongeman keek heel verbaasd. Toen glimlachte hij en schudde zijn hoofd. 'Ik heb nooit aan mezelf als aan een profeet gedacht. Ik geloof dat alleen een sjamaan een profeet is. Ik ben krijger, geen sjamaan.'

Nu scheen de jongeman zenuwachtig te worden. Hij keek naar zijn handen, toen naar Slaat op het Water en daarna naar boven, naar het rookgat. Op het laatst zei hij: 'Mijn okimeh, ik heb de zaak waarvoor ik naar u toe kwam nog niet aangestipt.'

'Is er dan nog meer, afgezien van al deze belangrijke zaken? Vertel op, dan.'

'U hebt de dochter, met wit haar.'

Slaat op het Water knikte van ja en wachtte.

'Ik heb bedacht dat ze een goede vrouw zou zijn,' zei de jongeman. 'Ik dacht dat er stoutmoedigheid voor nodig was om naar de *okimeh* te komen en om haar hand te vragen, aangezien ik nieuw onder het Volk ben.'

'Vooruit dus. Je hebt besloten om stoutmoedig te zijn?' Dit streelde Slaat op het Water meer dan hij zou durven laten blijken. Nog nooit had iemand naar Sneeuw Haars hand gedongen. Er waren zo weinig mannen en zo veel vrouwen in de stam. En nu kwam hier opeens een knappe, stoutmoedige krijger met een groot inzicht, die zeer beslist een belangrijk man zou worden. Slaat op het Water verborg zijn enthousiasme door ernstig de pijp opnieuw te gaan stoppen en weer aan te steken. Hij rookte, gaf de pijp toen aan de jongeman door en zei: 'Wat zou je mij en haar familie in ruil geven?'

'Ka vah yoh.'

Slaat op het Water keek de jongeman doordringend aan. 'Maar je hebt slechts het gevlekte vrouwelijke dier en je bent de beste ruiter. Ik zou niet willen dat je zonder rijdier zou zijn. Als echtgenoot van mijn dochter, moet je je rijdier houden, want des te beter kun je jagen en in voedsel voorzien...'

De jonge krijger stak zijn hand naar voren en schudde glimlachend zijn hoofd. 'Nee, Vader. Ik ben niet van plan om u mijn eigen paard te geven. Het is zoals ik u zojuist zei: wil ons Volk genoeg *ka vah yoh's* hebben om sterk onder de stammen

te zijn, dan moet er hier een mannetje komen dat meer nakomelingen bij onze twaalf dieren kan verwekken. Als er hier een
ka vah yoh zou zijn, één *ka vah yoh* maar, zouden onze twaalf
merries in een paar zomers er een paar honderd kunnen worden. Begrijpt u nu wat ik van plan ben?'

'Zeg het me. Ik weet niet zeker of ik morgen zie zoals jij.'

'Ik ben van plan om ver naar het zuiden te trekken en een
sterk mannetje met ballen te zoeken en dat hierheen te brengen.
En dat is voor u, voor uw dochter. En dan zou hij, de vader *ka
vah yoh*, een stam beginnen en ik zou een gezin beginnen.'

Slaat op het Water haalde vlug adem. Te bedenken dat een
man zoiets onverschrokkens zou doen om een vrouw te krijgen
en het Volk te helpen om sterk te worden! Slaat op het Water
had er geen flauwe notie van hoe ver de afstand naar het zuiden
was, maar hij was met zijn krijgers vele overnachtingen over
de grote vlakten getrokken en had het zuiden nog nooit bereikt
– in ieder geval niet het zuiden waar deze jonge man vandaan
was gekomen. Zo'n grote daad was bijna te ongelooflijk om
waar te kunnen zijn! 'Hoe zou je dat aanpakken?' vroeg hij.

'Ik zou dezelfde route nemen als waarlangs de Shienne-krijgers kwamen. Ik herinner me die goed. Dan zou ik op de een
of andere manier zien dat ik een mannetje te pakken kreeg en
dat hierheen terug rijden.'

'Zou je op zo'n reis alleen niet bang zijn?'

'Vader, ik heb in de Okeepah gehangen. Ik ben nergens bang
voor.'

'Maar zou je niet willen dat ik een paar van mijn krijgers
met je meestuur die je rug in de gaten houden? Je komt immers
door gebieden waar de mensen ons vijandig gezind zijn.'

De jongeman keek peinzend in de vuurkuil. 'Ik begrijp niet
waarom u dat vraagt, Vader. Ik alleen breng u de *ka vah yoh*
in ruil voor uw dochter. Waarom zouden andere Mandan-
mannen risico moeten lopen in gebieden die zij niet kennen?
Ik ben degene die uw dochter wil.'

Opeens kwam bij Slaat op het Water een, naar hij vreesde,
onwaardige gedachte op:

Zou deze jongeman een bedrieger, een leugenaar zijn?
Maakte hij plannen om terug te gaan naar de Shienne, die zijn

Volk waren geweest? Hoe meer Slaat op het Water daaraan dacht, een des te grotere hekel begon hij aan zichzelf te krijgen omdat hij dat dacht. Dit was een bijzonder indrukwekkende, moedige jongeman die een uitstekende schoonzoon zou worden. Hij toonde zich enthousiast om de Kinderen van Eerste Man van dienst te zijn – en toch verdacht Slaat op het Water hem ervan dat hij het Volk wilde verraden. Slaat op het Water wilde zo niet denken. Maar waarom stond Man op een Paard er dan op om alleen te gaan? Slaat op het Water zuchtte. Hij vond dat gevoel van achterdocht vervelend. Hij stuurde de jongeman zonder antwoord weg. Toen riep hij de Oudsten bij elkaar om te vragen of de jongeman naar hun mening alleen zou mogen gaan.

Hij had de Oudsten nog nooit zo'n vraag gesteld. Er was nog nooit zo'n omstandigheid geweest.

De oude Botten Kraker, een oom van Slaat op het Water, gaf als eerste zijn mening. Botten Kraker keek hem vol afkeer uit diepe, gerimpelde oogkassen aan. 'Het is klein van je om te twijfelen aan hetgeen deze jongeman wil gaan doen. Is hij nu niet een van ons geworden? Hij heeft toch hoog daar gehangen? Is dat niet voldoende om hem op zijn woord te vertrouwen? Laat hem gaan en laat hem doen wat hij belooft!'

Toen kwam Bemoste Horens, de oudste man in de raad. Hij was van nature een twijfelaar en zei: 'Kun je niet zien dat deze Shienne alleen maar wil ontsnappen en naar huis gaan? Als je hem naar het zuiden laat gaan, stuur dan krijgers mee om hem in de gaten te houden!'

De oude mannen waren hem niet van dienst geweest. In hun woorden hadden zij slechts de twee kanten die hij zelf in gedachten had herhaald.

Beter advies kreeg hij die nacht in zijn slaap. Hij zag het gezicht van Volgt Hond, de vrouw die zijn echtgenote was geweest. De geest van haar stem zei tegen hem:

'Luister. Er zou geen betere echtgenoot voor onze dochter kunnen zijn. Hij zal nog eens een keer *okimeh* worden. Als hij ons in de steek wilde laten, zou hij heel gewoon kunnen vertrekken. Onze dochter zit elke dag naast mijn graf in de Stad der Doden en probeert met haar hart tegen mij te spreken. Ze heeft deze man nodig. Ons Volk heeft de dieren nodig om erop te rijden en het heeft hem ook nodig. Zeg ja tegen hem, echtgenoot! Hij is een geschenk van de Schepper aan ons Volk!'

Toen was haar gezicht verdwenen en werd hij wakker. Hij riep Man op een Paard de volgende morgen naar zijn hut en zei: 'Ga het mannetjesdier maar halen.'

Man op een Paard reed twintig dagen op zijn voortreffelijke merrie naar het zuiden. In een zak over zijn schouder droeg hij een maal van geroosterde maïs en zonnebloempitten, een paar dunne vellen gedroogd bizonvlees en een kluit gedroogde wapatowortels. Maar hij had die dingen niet echt nodig. Onderweg was er altijd vers vlees dat geschoten kon worden en de rivieren die hij overstak zaten vol vis, waterkers en lisdodde. Hij ving schildpadden en ratelslangen, zocht eieren van ganzen en eenden, joeg een kleine kudde bizons op de vlucht om een kalf te doden, schoot een keer een jonge, gevorkte horen neer die kwam kijken wie hij was, en één keer zat hij op een vlakte met kort gras net zolang een prairiehaas achterna tot het dier zo zwak en van streek was, dat hij zo van zijn galopperende merrie naar beneden kon reiken en hem met zijn blote hand bij de oren kon pakken.

Op een avond kwam hij vanaf het noorden naar een rivier toe. De zon ging in een rokerige mist onder. Toen hij bij de rivieroever was aangekomen, zag hij dat de prairie aan de andere oever voor zover zijn oog reikte, misschien door een blikseminslag, in brand stond. Het vuur verspreidde zich langzaam in het korte gras en er stond weinig wind om het op te jagen. De vlammen kwamen niet hoger dan tot zijn knieën en het brandende gras rook lekker. Hij sloeg zijn kamp op op de noordelijke oever van de rivier en zat tot het donker werd te kijken hoe de lange, kronkelige, flakkerende lijnen vuur naar het oosten kropen, geelrode lijnen, die zich tot in de donkere nacht uitstrekten totdat ze in de rook vervaagden. Hij vond het even mooi als een zonsondergang. Hij lag op het gras omhoog naar de sterren te kijken die vaag door de mist heen schemerden terwijl zijn merrie met gekluisterde voorbenen vlakbij stond te slapen. De krijger dacht aan Slaat op het Water en Sneeuw

Haar. Hij herinnerde zich hoe hij het vorige jaar met de veertig bereden Shienne-krijgers deze route had afgelegd. Ze hadden zich allemaal onoverwinnelijk en sterk gevoeld omdat ze op de machtige dieren reden, terwijl alle anderen in het land nog steeds te voet gingen.

Maar we hadden het bij het verkeerde eind, dacht hij. De Kinderen van Eerste Man waren sterker en moediger dan wij dachten.

Hij dacht aan de mensen van zijn geboorteland en vroeg zich af wat er in hun hoofd was omgegaan, wat zij hadden geleden toen geen van de veertig ooit weer naar huis was teruggekeerd. Hij dacht aan de gezinnen van de krijgers. Elke krijger was iemands zoon, iemands broer geweest. Minstens drie van hen waren ook vader geweest. Ja, ook de Shienne waren een sterk en moedig volk; hij had van hen gehouden.

En nu ben ik een van de Kinderen van Eerste Man, dacht hij. Het is een vreemd Volk, dacht hij.

Nee, *wij* zijn een vreemd Volk.

Jonge mensen met wit haar. Mensen met geel haar en blauwe ogen. Mensen met bruin haar en grijze ogen.

Hij dacht aan Sneeuw Haar, voor wie hij deze lange reis terug naar zijn geboorteland maakte – en bovendien als vreemdeling. En toen kwam er een gedachte bij hem op die hem zo dwarszat, dat hij op een elleboog geleund overeind kwam en met zijn ogen wijd open bleef liggen.

Wat zal er gebeuren wanneer ik het land van het Volk van mijn geboorte bereik? Ze hielden daar van me. Ze zouden me graag weer bij hen terug hebben. Ze geloven vast en zeker dat ik dood ben. Mijn echte vader, mijn echte moeder en mijn echte zuster van hetzelfde bloed denken ongetwijfeld nog aan me.

Hij geloofde op dit ogenblik zelfs dat hij het droevige verlangen naar hem dat ze in hun hart hadden, het droevige verlangen om hem op zijn paard terug te zien komen, kon voelen. Hij dacht dat hij hun gebeden aan hem voelde trekken.

Nu voelde Man op een Paard, die voor niets en niemand bang was, een koude, kille vrees binnen in zich.

Waar hoor ik thuis in deze wereld? peinsde hij.

Ik ben als Eerste Man opgehangen en daardoor ben ik een van zijn Volk geworden, dacht hij. Maar toen bedacht hij:

Ik ben als Shienne ter wereld gekomen. Mijn bloed is hetzelfde.

Hij probeerde zich de gezichten van zijn ouders voor de geest te halen.

In plaats daarvan zag hij het jonge, mooie gezicht van Sneeuw Haar, dat tegelijk zo vreemd was met dat witte haar. Zijn ogen werden zwaar. Met het vervagende beeld van de vlammende prairie voor zich, viel hij in slaap. En hij geloofde dat hij bij de Kinderen van Eerste Man hoorde.

De volgende morgen zwom hij over de rivier heen. Heel die dag reed hij door verbrand gras. De hoeven van zijn rijdier wierpen zwart stof en rooksterren op die in de lucht zweefden; zijn merrie werd tot op haar schoften zwart. Hoog aan de glanzende hemel vlogen arenden, haviken en gieren. De meeste dieren hadden vóór de grasbranden uit kunnen lopen, maar hier en daar lagen een verbrand konijn, een verschroeide prairiehond en een verkoolde ekster. En de puntsnavels kwamen naar beneden om zich aan gekookt voedsel te goed te doen.

Laat die dag kwam hij bij de rand van het vuur. Het kroop door het lage gras heen en er dreef een dunne rooksluier boven. Als hij verder naar het zuiden wilde gaan, zou hij door het vuur heen naar het stuk prairie moeten dat nog niet verbrand was. Hij vroeg zich af of hij zijn rijdier door de vlammende rand kon sturen; ze was zenuwachtig en angstig en dat werd nog erger naarmate hij dichter bij het vuur kwam.

Hij probeerde twee keer om er met haar doorheen te gaan. De eerste keer bleef ze staan en wilde pas weer bewegen toen hij haar met de teugel naar rechts liet gaan, weg van het vuur. De tweede keer kreeg hij haar zover dat ze evenwijdig aan de vuurlijn liep en hij probeerde vervolgens om haar te laten omkeren, zodat ze erdoorheen zou rennen of overheen zou springen. Maar ze bleef zo plotseling staan, dat ze hem bijna over haar hoofd wierp en toen hij haar aanspoorde om weer in beweging te komen, steigerde ze.

Man op een Paard liet zich van de paarderug glijden. Hij hield haar bij de teugel die om haar onderkaak was gebonden en keek haar in de ogen om te zien wat ze dacht. Met een zucht trok hij toen de sjerp die hij over zijn schouder droeg af en probeerde daarmee haar ogen af te dekken. Zo geblinddoekt, werd ze uiterst nerveus. Ze week uit en schopte en klauwde met een voorhoef over de grond. Eén keer probeerde ze haar hoofd naar achteren te gooien en te steigeren, maar hij hield haar strak bij de teugel om haar kaak en ze gaf dat op.

Hij streelde haar snoet, praatte zachtjes tegen haar en liep met haar heen en weer. Toen ging hij over in draf en ze draafde gehoorzaam met hem mee, terwijl hij ondertussen zachtjes aan de teugel om haar kaak trok. Op het laatst zwenkte hij naar links en rende snel langs de voortkruipende rand van het vuur. Ze volgde en was nog, voordat de rook in haar neusgaten en de hitte aan haar hoeven haar aan haar angst van zoëven herinnerden, door de kleine vlammen heen, door het gordijn van rook heen, op het gras dat niet verbrand was. Ze gooide een beetje met haar hoofd, maar hij hield haar stevig vast en bleef tegen haar praten. Hij liet haar ongeveer dertig passen voorbij het vuur stilstaan en trok de blinddoek voor haar ogen weg. Ze kromde haar krachtige nek en keek met angstige bruine ogen om zich heen. Toen ze zag dat hij haar van de rook en het vuur wegleidde in plaats van ernaartoe, snoof ze, boog haar hoofd en duwde met haar voorhoofd tegen zijn schouder aan. Hij begon te lachen. Hij deed zijn sjerp weer over zijn schouder, steeg weer op en reed op een draf in de richting van de wazige blauwe plateaus die de horizon in het zuiden markeerden. En die avond kampeerde hij op een laaggelegen grasvlakte waar het gras nog steeds een groene zweem had. Het vuur had hij mijlenver achter zich gelaten. Hier kon het brave dier na haar dag honger in de verbrande prairie grazen. En lachend rolde haar berijder zich in zijn mantel om te gaan slapen en keek omhoog naar de sterren. Hij droomde dat hij de enige man in de uitgestrekte wereld was, want hij begon dat gevoel te krijgen. Maar later droomde hij dat hij in een hut naast Sneeuw Haar zat, die hem te eten gaf.

Onder een stellage in de Stad der Doden zat Sneeuw Haar luid te weeklagen, zoals ze sinds haar moeders dood een deel van

elke dag had gedaan. Het lichaam van de vrouw was in lucht-
dichte lagen ongelooide huid gewikkeld die waren vastgenaaid,
en lag op een latwerk van wilgetenen boven op de stellage, net
hoog genoeg om buiten bereik van mens of dier te zijn. Wanneer
Sneeuw Haar haar hoofd ophief om naar boven te kijken, stond
het lichaam van Volgt Hond tegen de heldere hemel afgetekend.
Op een van de palen van de stellage had Slaat op het Water
een lange reep met bessen geverfde antilopehuid bevestigd.
Deze rode versiering was een eerbewijs voor de moed die Volgt
Hond getoond had door een Shienne-krijger neer te slaan om
het leven van haar echtgenoot te redden. Het gros van de honderden stellages met lichamen had geen versiering; slechts de
graven van opperhoofden en de moedigere krijgers waren gewoonlijk met zulke eerbewijzen gemarkeerd. En hier en daar
in de doolhof van stellages waaiden of wapperden zulke symbolen in de wind.

Ongeveer acht of tien van de stellages in de Stad der Doden
waren nieuw. Erbovenop lagen de lichamen van de dorpelingen die door de Shienne op hun paarden gedood waren. Een
paar waren nog verser, want er waren nog verschillende mensen later aan hun wonden bezweken. En verder waren er de
gebruikelijke, natuurlijke sterfgevallen in het dorp geweest.
Onder de meeste graven van de laatste tijd lagen rouwende
mensen te huilen en te weeklagen. Sommigen brachten zichzelf
snijwonden en littekens toe om hun verlies duidelijk te maken.
Sneeuw Haar zelf had het laatste kootje van haar pink als wee-
klacht om haar moeders dood afgesneden; het stompje was nu
mooi genezen, maar deed nu, na al die manen, nog steeds pijn.

Er stonden honderden nog oudere stellages in de Stad der
Doden die zich buiten de muren van het dorp, op de helling
boven de rivier, bevond. Op enkele ervan stonden nog steeds
de oude, gemummificeerde lichamen in hun stijve, verkruime-
lende lijkwaden van ongelooide huid. Alle lichamen lagen met
hun hoofd naar de zonsondergang en met de voeten naar de
zonsopgang. Vele stellages verkeerden in staat van verrotting
en instorting. De lichamen waren al lang verwijderd en het
gebeente was in de grond begraven. De schedels waren inmiddels in de cirkels van schedels voorbij de Stad der Doden ge-

rangschikt. Als Sneeuw Haar rechtop zat en ophield met huilen om haar stem rust te geven, kon ze haar vader, Slaat op het Water, zien die midden in een van die cirkels met schedels zat te praten met de geesten van enkele van zijn voorouders.

Sneeuw Haar staarde nu naar haar vader in de verte. De wind koelde de tranen op haar gezicht. Het huilen had haar hart gekalmeerd en bevredigd en ze voelde de uitgestrektheid van de wereld en de grote rondheid van de tijd. Als de tijd en de wereld zo immens en helder leken, werden je eigen verliezen en zorgen kleiner en lichter. Dan was het gemakkelijker om de wil van de Schepper te begrijpen. Nu schenen de dingen op de juiste manier met elkaar te zijn verbonden.

Haar vader had ten slotte haar moeder eer bewezen. Nu ze voor hem was gestorven, sprak hij vaak over haar moed en haar goedheid.

Ze dacht aan de krijger die mensen had gedood en toen was geadopteerd. Ze stond verbaasd over zijn verlangen om de echtgenoot van een lichthaar te zijn. Het was vreemd. Misschien wilde hij alleen maar met de dochter van de *okimeh* getrouwd zijn, dacht ze soms. Er waren mannen die zo dachten, had ze wel eens horen zeggen.

Intussen was ze met haar gedachten vaak bij de jongeman. Ze vroeg zich dan af hoe ver weg hij was en hoe lang hij erover doen zou om zo ver te komen – waar dat ook mocht zijn. Zij kon zich daar zelfs geen beeld van vormen en ze vroeg zich af of hij ooit nog wel terug zou komen.

Een jongeman uit het dorp had die twijfel bij haar opgeroepen. Hij had gezegd: 'Ik denk dat Man op een Paard niet van plan is om hier weer terug te komen. Hij holt alleen maar terug naar zijn eigen Volk. Zou hij wel met een lichthaar willen trouwen als hij die nog nooit eerder heeft gezien?'

Ze had geantwoord: 'Hij hoort nu bij ons Volk.' Maar de twijfel was in haar hoofd gezaaid en ze vroeg zich af of hij alleen maar om haar hand had gevraagd om met haar vaders toestemming – waarschijnlijk voorgoed – te kunnen vertrekken.

Voor Sneeuw Haar was de gedachte om over de horizons te gaan en steeds verder weg in één richting te trekken net zoiets als Overgaan naar Gene Zijde, zoals haar moeder had gedaan.

Hoe zou je over de verre heuvels aan deze kant van de Modderrivier of aan de andere kant uit het gezicht kunnen verdwijnen of naar het bovenste eind van de rivier of naar het eind aan de andere kant, naar beneden, gaan en toch nog terugkeren? Zij was nooit buiten gezichtsafstand van het dorp van haar Volk geweest; het was het centrum van de wereld. Jagers trokken verder weg, dat was waar, maar op zoek naar wild of bij hun pogingen een bizonkudde ergens niet ver van de stad naar een *pishkun* te drijven, gingen zij alleen maar in steeds groter wordende cirkels om de stad van het Volk heen. En als die jagers er op uit trokken, was het dorp nog steeds het centrum van de wereld. Daarnaar werden zij teruggetrokken. Maar door dagen en dagen in één richting weg te trekken, raakte je, naar haar gevoel, je greep op het centrum van de wereld kwijt. Dan kon je alleen nog maar naar Gene Zijde gaan.

Het land van de Shienne waar hij naar toe gaat, ligt vast en zeker even ver weg als de Wereld aan Gene Zijde, dacht ze.

Ik vrees dat hij niet meer terugkomt, dacht ze.

Met een zucht ging ze staan. Haar gedachten hadden voor dit ogenblik een eind gemaakt aan haar rouw om haar moeder. Ze stond nog steeds in de schaduw van haar moeders lichaam, maar in de gedachten van Sneeuw Haar zweeg Volgt Hond nu en dus was het voor vandaag tijd geworden om de Stad der Doden te verlaten en iets anders te gaan doen. Zonder woorden nam ze afscheid van Volgt Hond, zwaaide naar haar vader die nog in de cirkel van schedels neergeknield lag en liep om de stadsmuren naar de rivieroever toe, waar alle vrouwen en meisjes in de zomer baadden en zwommen. Ze was warm en stoffig geworden. Ze keek ernaar uit om het koele water te voelen, er naakt als een vis in te zwemmen. Het rivierwater was even belangrijk in haar leven als de stad, het Volk en haar familie, de aarde, maïs en zonnebloemen. Als ze in het water lag, voelde ze zich net een klein dier, zoals de otter, muskusrat of bever. Dan maakte ze zich er niet druk meer over of een man uit Deze Zijde van de wereld zou weggaan en niet meer terug zou komen.

Ver, ver naar het zuiden reed Man op een Paard over een ogenschijnlijk eindeloos laagland van zand, scherp gepunt gras en schijfcactussen waaraan gele bloemen bloeiden. Opeens zag hij een schaduw over de door de zon geblakerde grond flitsen. Met zijn hand voor zijn ogen keek hij omhoog. Tegen de helle hemel in het zuidelijke kwartier vloog, niet zo heel hoog, een adelaar. Hij vloog in een wijde bocht naar het westen. Toen Man op een Paard zich omdraaide om ernaar te kijken, zwenkte de arend naar het noorden toe, cirkelde rond en zweefde in de richting van de zon. Het leek of hij de zon, die helemaal boven aan de hemel stond, zou raken. Op het moment dat de vogel tussen de ogen van de jongeman en de zon doorvloog, knipoogde de fel wit brandende zon heel even. Toen ging de arend recht op het zuiden af. Zijn schaduw flakkerde door de begroeiing heen op de grond. Daarna zwenkte hij weer iets naar het westen toe. Hoewel de jongeman bijna bedwelmd was door de onbeweeglijke, droge hitte, keek hij de arend zolang hij hem kon zien na. Het kon niet anders of de arend was een Boodschapper. Hij had immers twee keer zijn schaduw over hem geworpen. De plek waar hij hem het laatst zag, was boven een kleine onderbreking in de schitterende, blauwe horizon in het zuidwesten – een plek waar een pas door een lang plateau sneed. De ruiter begreep dat de arend als gids voor hem fungeerde: hij kreeg de boodschap dat hij naar die pas in de verte moest rijden en daar overheen gaan. Het leek een dagrit voor hem uit te liggen, ten westen van de route die hij ging. Maar je mocht niet aan een Boodschapper twijfelen of hem negeren.

Op het moment dat hij zijn voortsjokkende merrie in die richting aanspoorde, drong van hoog daarboven opeens een schril gefluit in zijn oren door, dat nog één keer herhaald werd. Hij schermde zijn ogen opnieuw af en tuurde naar de zon.

Tegen het blauw zag hij alleen nog maar een stip; de arend was steeds hoger in de verblindende hemel geklommen. Maar hij had naar hem geroepen om hem te laten zien dat hij naar het noorden terugkeerde. Man op een Paard strekte zijn hals uit en keek hem in die richting na tot de vogel in het felle licht was verdwenen.

Die nacht zette hij onder de pas waar de arend hem naar toe had geleid zijn kamp op bij een ondiepe, inerte poel. Hier doodde en roosterde hij een katfret, het enige dier dat hij die dag, behalve de arend, had gezien. De katfret gaf niet veel voedsel en hij was taai en smaakte sterk, maar het vlees gaf hem kracht. Zijn *ka vah yoh* wreef met haar snoet tegen hem aan toen hij haar beenkluisters omlegde. Even later urineerde ze en hij zag dat de urine niet helder en geel, maar troebel was. Ze hield haar staart opzij en liet haar vrouwelijke deel zien. Het ging voortdurend open en dicht. Hij wist wat dat betekende. Zijn merrie was bronstig.

'Pech gehad,' zei hij. 'Je bent alleen. Net als ik.'

De Avond Ster verdween achter de rand van het plateau en in het tere gebladerte om de poel heen zuchtte een zacht briesje. De krijger lag in zijn mantel gewikkeld om de muskieten van zijn huid weg te houden, hoewel het daarbinnen onplezierig warm was. Het lukte hem maar niet de slaap te vatten en hij moest iedere keer aan de boodschap van de arend denken. Die had hem duidelijk deze kant op geleid en was toen, triomfantelijk krijsend, weer terug naar het noorden gevlogen. Het kon alleen maar betekenen dat hij, door deze route te nemen, zou krijgen waarvoor hij gekomen was en vervolgens zegevierend weer snel naar het noorden zou trekken.

In gedachten zag hij Sneeuw Haar zoals hij haar voor het eerst had gezien, toen ze uit de grijze rivier kwam. Toen ging hij slapen.

Hij werd wakker door gekrijs. Met bonkend hart vloog hij overeind en probeerde zich te herinneren waar hij zich bevond.

Zijn brave merrie was met een andere *ka vah yoh* aan het vechten. Een paar passen van de plek waar hij lag hinnikten ze, steigerden, wervelden in het rond, schopten, wierpen stof op en vertrapten de begroeiing. Nu bracht hun gevecht ze zo dicht bij hem, dat hij van zijn slaapplaats moest wegkrabbelen om hun machtige hoefstappen te ontwijken. Hijgend sprong hij overeind en keek toe.

De merrie, die door de kluisters aan haar voorbenen belemmerd werd, was in de problemen. Ze kon nauwelijks schoppen of zich omdraaien zonder dat ze dreigde te vallen. Haar oren lagen plat achterover, haar ogen stonden wild en het wit was zichtbaar. Om haar open mond waren vlokken schuim te zien en ze had haar tanden ontbloot, klaar om te bijten.

De krijger sprong alle kanten op in een poging de stampende, krijsende, snuivende dieren uit de weg te gaan. Was dit een droom-visioen? Waar was dit tanige, magere, gespierde dier met zwarte manen onder het schuimige zweet vandaan gekomen dat het hier, zonder enige waarschuwing, bij het opgaan van de zon, vele dagreizen van de bekende plaatsen verwijderd, zo opeens verscheen?

Op datzelfde ogenblik merkte de krijger twee dingen op waardoor zijn hart niet meer van verbijstering, maar van blijdschap opsprong.

De vreemde *ka vah yoh* was een mannetje. En de opgewonden toestand waarin de twee dieren verkeerden was geen gevecht, maar een paardans. Het mannetje beet naar het wijfje en probeerde haar te bestijgen. En zij was klaarblijkelijk tegen haar kluisters aan het worstelen.

Dit mannelijke dier was vast en zeker door de Schepper, die hem met zijn merrie door de boodschap van de arend hierheen had geleid, hiernaar toe gestuurd. Man op een Paard had gebeden of zijn reizen hem naar een mannelijke vader-*ka vah yoh* zouden sturen en nu was hier een mooier dier dan hij ooit had gezien. En het was precies op het moment dat zijn wijfje bronstig was aangekomen. Een gebed was verhoord.

Nu wist de krijger dat hij onmiddellijk tot actie moest overgaan. Als hij de kluisters van het wijfje niet doorsneed, zou ze vanwege de kracht van beide dieren gewond kunnen raken.

En omdat hij naar het zuiden was gekomen om een vader-*ka vah yoh* voor *alle* wijfjes te zoeken, moest hij dit sterke dier vangen en naar de stad van Slaat op het Water mee terugnemen.

De trappelende dieren ontwijkend lukte het hem om bij zijn slaapplaats te komen. Met zijn ene hand griste hij de schede van zijn mes van de grond en met zijn andere hand de rol touw. Hij vloog opzij toen ze er weer aan kwamen en zijn mantel in de aarde vertrapten. Hij trok het vuurstenen mes uit de schede en begon de dieren te besluipen. Hij probeerde dicht bij het wijfje te komen zonder daarbij de aandacht van het uitzinnig tekeergaande mannetje naar zich toe te trekken. Ze struikelde vlak bij hem en haar gehinnik snerpte in zijn oren. Vlug bleef hij staan en met één snelle haal van het lemmet sneed hij de kluister tussen haar voorbenen door en sprong toen weer opzij. Ze besefte onmiddellijk dat ze vrij was. Blij en met felle uitbundigheid ging ze het mannetje voor in een spectaculaire paardans in en om het kamp, haar staart omhoog en opzij terwijl hij, steigerend en met zijn benen klauwend achter haar aan ging. Op het laatst kromde ze haar nek en liep achteruit naar hem toe. Bijtend en tekeergaand besteeg hij haar en drong naar binnen.

Snuivend en gierend waren ze met hun indrukwekkende paring bezig. In de schuin invallende zonnestralen van de vroege ochtend wolkte het stof dat ze opwierpen omhoog. De krijger maakte ondertussen een schuifknoop in zijn lasso. Gebukt, vol ontzag voor hun kracht en hartstocht, bleef hij staan afwachten en dacht vooruit aan het moment dat hij, als hij met deze machtige Vader der Dieren uit het noorden zou terugkomen, met het meisje Sneeuw Haar gemeenschap zou hebben.

Hij vroeg zich af wanneer hij het geweldige dier zou vangen. Nog niet meteen. Hij wilde dat het zaad in zijn vrouwelijke *ka vah yoh* kwam. Hij zou wachten tot ze klaar waren. Hij ademde diep in een vreemd soort opwinding terwijl hij tegelijk bad of het mannetje leven in haar zou creëren. Soms moest hij ook bijna lachen, omdat het mannelijke dier zo grappig al zijn waardigheid in deze copulatie had verloren: het schuim stond hem om de mond, zijn ogen stonden wild en hij gierde, kreunde en snoof, pompte en wankelde. Voor het Shienne-Volk waar Man op een Paard was geboren en opgegroeid, vormden mensen die geslachtsgemeenschap met elkaar hadden een bron van vermaak en grappen, uiteraard met uitzondering van degenen om wie het ging; zij waren altijd heel erg serieus. Het was immers het belangrijkste dat de mensen deden, het creëren van leven. Het was daarom te groot om er op een serieuze manier aan te denken. Als mensen dus tijdens de daad betrapt werden, werd de gek met hen gestoken omdat ze er zo mal uitzagen. Hetzelfde was nu met de vader-*ka vah yoh* het geval. Hij was nu in zijn grote moment. Hij snoof, gromde en schokte, wierp zijn hoofd precies zoals het wijfje achterover. Toen zonk hij neer, te zwak zelfs om zijn hoofd omhoog te houden. Even liet hij het, heel teder, leek het, op haar rug rusten. Daarna gleed hij van haar af en liet haar onder zich vandaan weglopen.

Nu! dacht de krijger. Nu moet ik hem vangen! Hij is nu zwak. Zo meteen zal hij weer aan iets anders dan haar kunnen denken. Dan beseft hij dat hier iemand met twee benen rondloopt. Dan zal hij proberen te vluchten!

Het was waar. Op dat ogenblik klaarden de wilde ogen van de hengst op; hij had de krijger geroken en keek om zich heen of hij hem kon ontdekken. Hij draaide zich om en leek klaar om weg te schieten.

Met de lasso losjes om zijn linkerarm gewonden wierp Man op een Paard de lus met de schuifknoop over het hoofd van de hengst en bereidde zichzelf voor op de krachtsexplosie die zou volgen.

Het dier voelde de lasso om zijn nek, sidderde en raakte in paniek. Het steigerde om weg te komen. De krijger trok de lus strak, zette zichzelf schrap en leunde achterover. Bijna trok hij het dier dat probeerde weg te komen tegen de grond. Maar het stormde weg, de helling op, bij de kreek vandaan. De krijger, die feitelijk niet genoeg kracht had om het dier vast te houden, moest achter hem aan rennen. Onder het galopperen liet hij de lasso iets vieren, maar hield de lus net strak genoeg aangetrokken om de ademhaling van het dier te belemmeren.

Om het dier zover af te remmen, had Man op een Paard alle kracht, adem en durf nodig die hij in zich had. Zijn voeten raakten nauwelijks de grond terwijl hij achter het dier aan rende. Hij hield de lasso strak, maar niet te strak. Bij elke stap drongen er cactusstekels in zijn voeten – kleine priemen van pijn. Maar als het dier hem uit zijn evenwicht trok en voortsleepte, zou hij de stekels overal in zijn lichaam en niet slechts in zijn voeten hebben, wist hij.

Het dier cirkelde terug de helling af, naar de kreek toe. Het bokte en sloeg met zijn hoofd en gaf bij iedere ademhaling verstikte, gierende geluiden. Hij dook de schaduw van de wilgen in. De krijger wist dat hij het dier kon tegenhouden als hij het touw om een boom kon krijgen. Maar hij wist ook dat de hengst het touw – of zijn nek – kon breken als hij zich in paniek verzette tegen het feit dat hij zo aan banden werd gelegd. Man op een Paard moest daarom steeds de lasso laten vieren.

En dus galoppeerden ze net zolang op die wanhopige, luidruchtige manier tot de krijger dacht dat zijn longen zouden barsten of zijn armen uit de kom zouden worden getrokken. Nog nooit in al de jaren dat hij *ka vah yoh*'s had gevangen en getemd, had hij zo'n snelvoetig, sterk paard vastgehouden. In de wilde kudden konden de beste paarden altijd sneller galopperen dan hun bereden achtervolgers. Dit was een van die beste paarden, en als hij het bronstige wijfje niet had geroken en was gekomen om te paren, zou er geen enkele kans zijn geweest dat hij zijn lasso ooit om zo'n dier had kunnen krijgen.

Hij is een geschenk van de Schepper, dacht de krijger.

Schepper, help me sterk en vlug te zijn, anders ben ik uw geschenk nog kwijt voor ik het in handen heb! dacht hij.

Ten slotte werd duidelijk dat het dier zwakker werd. Het ging langzamer lopen en haalde moeizaam door de lus adem. Toen bleef het wijdbeens tegenover zijn overweldiger staan. De krijger liep naar hem toe en maakte sussende geluiden, maar hield de lasso strak. Hij gooide het losse uiteinde van de lasso naar de merrie toe om haar in ieder geval voor even uit de weg te hebben en hield de lus om het mannetje strak. Ondertussen haalde hij het touw binnen en liep op het dier toe.

Hoe uitgeput het grote dier ook was, steeds weer opnieuw probeerde het te steigeren of weg te galopperen. Maar nu de lasso ingekort was, kon de krijger het dier ervan weerhouden zichzelf achterover te werpen, wat het in zijn paniek waarschijnlijk zou hebben gedaan. Zijn ogen stonden wild en het rood doorlopen wit was zichtbaar. Heel zijn machtige lichaam was met schuimig zweet bedekt. Hij rukte herhaaldelijk, maar vergeefs, aan de lasso. Die zat echter zo strak om zijn keel dat hij ternauwernood raspend kon ademhalen. Elke spier op zijn prachtige, lenige lichaam bewoog krampachtig en trilde.

Toen hij binnen een armslengte afstand van het hoofd van het dier was, maakte Man op een Paard opeens een lus aan het andere eind van de lasso en liet die over de open mond van het dier glijden, daarmee de onderkaak vastzettend. Zijn controle over het dier was nu zo groot geworden, dat hij het met één hand kon stilhouden terwijl hij met de andere hand de lus om zijn nek losknoopte en de voorbenen vastkluisterde. Het dier, dat nog steeds met een bijna fatale doodsangst stond te trillen, was nu praktisch hulpeloos geworden. Kwijlend, met het schuim om de mond, stond het paard te snuiven en zachtjes te hinniken. Door de tussenkomst van goede geesten, daar leek het tenminste op, bleef het wijfje een eindje uit de buurt. Ze was kalm. Soms keek ze, soms graasde ze, maar ze stond niet in de weg.

'Nu moeten we met elkaar praten, Vader Ka Vah Yoh,' zei hij met sussende stem tegen het dier. 'Ik heb ook een naam die je wel wilt weten. Ik ben Nu mohk p' Ka Vah Yoh. Als je naar me wilt luisteren en mijn vriend wilt zijn, zullen we samen naar het noorden rijden en ik zal je vele wijfjes geven om te bestijgen...' Onder het praten deed hij zijn lendendoek af, liet die aan het dier zien en legde die snel over de ogen van het dier, zodat het verblind werd. Zo hield hij de doek vast. Na één enorme stuiptrekking van angst bleef het dier stilstaan en de krijger bleef ertegen praten.

'Broeder, ik ken jouw soort. Je zult pas in beweging komen als je weer kunt zien. O, wat ben je bang! Maar, broeder, hier, ruik de geur van je nieuwe vriend. Echt, ik heb je nodig en zal je nooit kwaad doen. Samen zullen we lange tochten ondernemen, op jacht gaan en oorlogvoeren. En we zullen altijd vertrouwen in elkaar hebben.'

Met zijn hand hield hij de snoet van het dier naar beneden. Toen blies hij zijn eigen adem in de neusgaten van het dier. Eén keer, twee keer en bij de derde keer was het dier volkomen kalm geworden. De krijger voelde dat de Geest van Angst het dier verliet en dat zijn eigen geest naar binnen ging. Hij liet het uiteinde van de lendendoek naar beneden glijden en liet het dier de lucht van zijn lichaam inademen. Toen maakte hij heel geleidelijk de ogen van het dier vrij.

Nu keek de hengst hem zonder angst aan. Terwijl hij de lasso met zijn tanden vasthield, deed de krijger zijn lendendoek weer om. 'Kom nu met me mee,' zei hij terwijl hij zachtjes trok. Het dier strekte zijn nek tot het touw strak stond en stapte toen naar voren om achter hem aan te gaan.

Hinkend op zijn bebloede voeten liep Man op een Paard voor de hengst uit. Hij nam hem dichter naar de kreek mee. Hij zwenkte naar opzij en het dier trok hard, want het wilde naar het water toe. Maar de krijger gaf een scherpe ruk aan de lasso en liet hem de andere kant opgaan, ondertussen nog steeds tegen het dier pratend. 'Ja, je mag water hebben wanneer ik dat toesta. Je moet eerst afkoelen want je hebt vanbinnen in brand gestaan… Brave *ka vah yoh*, kom mee. Kijk, zij komt ook. Ze wil je vrouwtje weer zijn. Dat komt straks. Eerst zal ik je leren om mij op je rug te dragen.'

Toen het schuimige zweet van het dier was opgedroogd, hield de krijger bij de bomen stil en bleef een tijdje in de schaduw staan. Toen liep hij met het paard naar de waterkant en waadde het water in. Het dier bleef staan en begon te drinken. Man op een Paard bukte zich, maakte een kommetje van zijn handen en dronk ook. Toen trok hij aan het touw en nam het dier verder mee de kreek in, tot het water tot aan zijn schoft kwam.

'Beste broeder,' zei de man, 'wees niet bang.' Hij schoof een deel van de lasso over de schoft van het dier heen en maakte die aan de zijkant van de kaakhalster vast, op die manier aan weerskanten een teugel improviserend. Toen greep hij de lasso en een pluk manen beet, waadde naar de linkerflank van het dier en wierp zich met zijn buik het eerst over de brede rug heen. Het dier spande zich om te bokken, maar draaide zich in plaats daarvan slechts op de plaats waar het stond om en probeerde zijn hoofd omhoog te gooien. De ruiter hield onmiddellijk zijn hoofd met de teugel in toom, zwaaide zijn rechterbeen over de romp en ging schrijlings zitten. Hij was blij dat hij deze machtige hengst in de buurt van water had gevangen; hij wist dat een *ka vah yoh* bang is om te springen of te bokken wanneer het niet kan zien waar het staat. Je kon een nieuw paard uiteraard leren om op het droge een berijder te dragen, maar in water was het gemakkelijker en minder gevaarlijk. En koeler. Nu hij zijn voeten in het water had, staken en brandden de voeten van de jongeman die vol stekels zaten niet, maar tintelden alleen maar. Hij praatte met het dier, mende het met de teugel naar de ene en de andere kant, streelde het, liet het stilstaan en drinken, reed ermee de kreek uit en er weer in en daarna weer eruit op droge grond. Daar spoorde hij het dier tot een draf aan en zweepte hem ten slotte op tot volle galop. Het was aangrijpend. Het vrouwtje liep wanhopig hinnikend achter ze aan. Met een paar snelle, genadeloze correcties met de kaakteugel, genas Man op een Paard zijn nieuwe rijdier van eventuele ideeën om naar haar te luisteren.

De mannelijke *ka vah yoh* had hem bij zonsopgang met zijn aanval op het wijfje wakker gemaakt. Tegen de tijd dat de zon die ochtend halverwege aan de hemel stond, had de krijger hem gevangen en getemd, hem geleerd te gehoorzamen, te galopperen, om stil te staan, om door de teugel of door druk van zijn benen te keren en om bij het opstijgen en afstijgen stil te blijven staan. Voor misschien wel de honderdste keer in zijn leven, had Man op een Paard bewezen dat hij zijn naam waard was. Nu liet hij de dieren weer paren. En op het laatst ging hij bij de kreek zitten om de stekels uit zijn voeten te trekken en ze met riviermodder te behandelen. Hij was heel gelukkig. Hij hield van dit prachtige, sterke fokdier dat hij voor het Volk had gevangen... of liever gezegd misschien, dat de Schepper hem had gegeven om mee naar het Volk te nemen.

En Slaat op het Water zou ook houden van deze prachtige vader-*ka vah yoh*, die het Volk in rijkdom en kracht zou doen toenemen.

En Slaat op het Water zou hem met Sneeuw Haar laten trouwen.

'Grote, goede viervoeter,' zei hij, 'plant vandaag je zaad in haar. En morgen gaan we naar het noorden, naar een plek waar de wind altijd waait en waar ze zeggen dat de bizon zo talrijk is, dat je de grond tussen ze in niet kunt zien. En jij en ik, mijn sterke vriend, zullen voor het Volk van belang zijn. We zullen het sterker maken. We zullen het des te sterker maken, omdat het al een sterk Volk is.'

Maar toen hij dacht aan de Kinderen van Eerste Man, hoorde hij diep in zijn ziel een lied van de Shienne, het Volk wier bloed sinds zijn geboorte in zijn aderen had gevloeid. Hij wist dat hij niet ver van de dorpen van de Shienne verwijderd was. Het dorp van de Kinderen van Eerste Man was tien of twintig keer zover weg.

612

Hoe eenvoudig zou het zijn om niet naar het noorden te rijden, maar simpelweg deze kreek omhoog te volgen, voorbij de bron te gaan en dan nog verder, naar de helling aan de andere kant door te steken, naar de kreek die de andere kant op stroomde, naar zijn vroegere thuis.

Maar zijn enige echte thuis, wist hij in zijn hart, lag naar het noorden, ver naar het noorden. Hij was, net als Eerste Man, hoog in de Okeepah opgehangen geweest. Nu zou het onmogelijk voor hem zijn om niet een van de Kinderen van Eerste Man te zijn.

Ja. Morgen zou hij naar het noorden rijden.

De lucht was groen. Het zag ernaar uit dat het zou gaan regenen. Slechte geesten waren in de twee *ka vah yoh's* gevaren. Ze waren schichtig en angstig als konijnen, even moeilijk te hanteren als die eerste dagen van de terugreis, toen de merrie bronstig was geweest. Nu was ze zwanger en, ontmoedigd doordat ze naar hem beet en schopte, liet het mannetje haar alleen. Het grootste deel van de lange trek terug naar de Modderrivier was rustig verlopen. Man op een Paard reed op afwisselend beide dieren en had het andere dier aan het touw. Maar dit weer had duistere geesten in beide dieren, en daarmee ook in hun meester, gebracht. Hij wist dat de *ka vah yoh*, ook al diende hij de mens, slechts aan de oppervlakte tam was en het hart en oog van een wild dier had. Hij wist dat het dingen kon zien en horen die geen mens kon waarnemen, hoe ingespannen hij ook mocht kijken en luisteren. Als er iets te vrezen was, voelden de paarden dat algauw.

Zelfs de krijger had last van geesten die hem verontrustten. Nu hij de laatste paar dagen dichter bij de stad van de Kinderen van Eerste Man kwam, waren de trots en het blije enthousiasme in zijn hart veranderd in een soort angst, een soort dreiging. Het was al dagen drukkend en warm weer geweest. Er hing een atmosfeer met een of andere kracht erin waardoor zijn huid prikte en zijn hart sneller ging slaan. En op slechts een korte dagrit van de stad vandaan, was het vanmorgen in het westen gaan donderen. Hoge, glinsterende wolken hadden zich tot hoog in de hemel opgestapeld en zich zover uitgebreid dat ze de zon verduisterden. Eronder waren natte winden en spuwden ziedende, lage, donkere wolken koude regen uit. Met zijn mantel over zijn schouders, die door een stukje bot dichtgehouden werd, had hij een tijdje in die koude regen doorgereden. Hij had allebei zijn handen nodig om de dieren met de teugel en de lasso onder controle te houden. Laag boven zijn hoofd wervelden en kolkten de zwarte wolken en de wind had het korte gras plat tegen de grond geblazen. Toen was er zo'n machtig gekraak en gedonder uit de hemel gekomen, dat hij de grote, zwarte vleugels van de Dondervogels had gezien. Het witte vuur uit hun ogen was sissend naar de grond geflitst en had hem bijna verblind. Beide dieren waren in het flitsende licht gaan steigeren. Om niet van de rug van het mannetje te worden getrokken, had hij de lasso waaraan hij het wijfje leidde los moeten laten. Toen hij zijn rijdier weer onder controle had door hevig aan de teugel om de kaak te trekken, was hij door de striemende regen achter de merrie aan gegaan. Vaak verloor hij haar uit het oog. Maar de hengst was haar, zelfs door het brullende duister van de storm, geen enkele keer kwijtgeraakt en met zijn onovertroffen kracht en snelheid haalde hij haar algauw weer in en galoppeerde hoofd aan hoofd naast haar, tot zijn berijder de lasso kon beetgrijpen. Toen beide dieren de uitputting bijna nabij waren, had hij ze ten slotte onder controle gekregen. En ondanks de voortdurende lichtflitsen en het gekraak van de Dondervogels uit de hemel, bleef hij ze de baas.

Man op een Paard was door de storm verder gegaan, omdat hij wist dat hij zich vlak bij de stad die hij als zijn thuis was gaan beschouwen, de stad van Sneeuw Haar en Slaat op het Water, bevond. Hij had lange tijd in de regen doorgereden, hoewel hij zijn richting slechts kon bepalen aan de hand van de wind en de schuin aflopende prairie. Na een tijdje had hij gemerkt dat de merrie steeds naar links trok. In het besef dat zij uit het dorp was gekomen en dat het mannetje daar nog nooit geweest was, steeg hij af, bond de touwen opnieuw vast en klom nu op haar rug, om zich door haar instinct naar huis te laten leiden. Man op een Paard voelde zich vermoeider dan ooit tevoren.

Zo ploeterden ze langs deze route voort. Zijn doorweekte

mantel hing zwaar op zijn rug, zo zwaar, dat hij nauwelijks rechtop kon zitten. Opeens begon de lucht te verbleken en kreeg een groene kleur. De regen werd minder en hield bijna op. Daar was hij blij om. Maar de wind suisde en brulde zo snel over de grond dat hij dacht dat hij van zijn rijdier zou worden afgeworpen. Ondanks het feit dat zijn mantel doorweekt was, fladderde die achter hem aan en trok aan hem. Hij kneep hem bijna de keel dicht, zo groot was de trekkracht. Dus trok hij het bot dat de mantel dichthield eruit. De mantel zeilde weg in de wind. Toen hij zich omdraaide om ernaar te kijken, zag hij achter zich iets zoals hij in heel zijn leven nog nooit gezien had, alleen van gedroomd.

Het leek een kronkelende, draaiende, grijsgroene slang. Maar het was zo'n enorm beest, dat zijn kop in de wolken was en zijn staart de grond ranselde. Man op een Paard deed zijn mond open om te gillen, maar hij was sprakeloos in de wind.

In de oudste legenden van de Shienne waren er verhalen van een grote arend of dondervogel geweest die uit de hemel naar beneden was gevlogen en een sterke, machtige slang van de aarde had gegrist. In sommige verhalen had de dondervogel de slang opgegeten, in andere hadden de dondervogel en de slang zo'n hevig gevecht geleverd dat ze één werden: een slang met vleugels. Wijze, oude mannen zeiden dat beide verhalen, hoe dan ook, gelijk waren: wat wordt gegeten, wordt immers één met datgene waardoor het wordt gegeten. Elk Shienne-kind had echter gedroomd van de dondervogel met in zijn klauwen de slang, de ratelslang waarvan de ratelende staart zo'n angstaanjagend lawaai maakte. En nu bevond Man op een Paard zich aan het eind van een lange, lange tocht alleen op een enorme vlakte. Dagenlang had hij tegen niemand dan zijn dieren gepraat. Hij was koud en nat en dodelijk vermoeid. En nu zag hij dat grote visioen, de strijd tussen de Hemel en de Aarde, in werkelijkheid. Het was een speurtocht geweest naar een edele hengst die stamvader kon worden van de kudden van de Kinderen van Eerste Man. Hij had die ook gevonden. Maar nu had hij tevens een visioen gevonden, een nog groter droombeeld dan dat van de Okeepah-ophanging.

Man op een Paard had doodsbenauwd moeten zijn toen de

machtige, kolkende kracht over de vlakte op hem afkwam en met zijn grote, brullende ratels de graszoden omwoelde, terwijl de zwarte wolkenvleugels van de dondervogel boven zijn hoofd fladderden. Maar hij was niet bang. Integendeel. Hij voelde zich juist geweldig dankbaar en blij, omdat hij nu een man was die twee droombeelden had gezien!

Ja, hij was een man van twee visioenen en zijn hart was vol vreugde van die wetenschap. Hij was niet bang. Maar de twee *ka vah yoh's* hadden geen notie van de twee visioenen. Zij waren wel bang. Ze werden steeds angstiger en het kostte hem weer moeite ze te hanteren. Hij probeerde hun hoofden van het visioen weg te houden. Maar zij hoorden de grote ratels steeds harder klinken. En als de *ka vah yoh's* in dat soort penibele situatie kwamen, konden ze, ook al werd hun hoofd vastgehouden, toch praktisch helemaal in het rond kijken. Ze konden zien dat de grote kracht achter ze in aantocht was en steeds dichterbij kwam. Deze kwam, zo leek het, ongeveer even snel als een hardlopende man over de vlakte aan, waarbij de ratelstaart van de slang de grond leek op te vreten. En zijn enorme, draaiende, rimpelende lichaam, dat zich in de greep van de dondervogel bevond, snelde nog sneller langs de hemel voort. Nu was hij bijna recht boven hem. Man op een Paard kon de panische dieren niet meer onder controle houden. Ze wilden wegrennen en hij was het nu met hun oordeel eens. Het was één ding om eerbied voor een visioen te hebben, maar iets heel anders om de boodschappen van viervoeters te negeren. Hij zag gevorkte horens en heel in de verte ook herten hard rennen. Iets kleins tolde uit de lucht boven hem naar beneden en gleed langs zijn schouder af. Het kwam op de grond voor hem neer. Hij zag hij dat het een bot van een dier was. Stukken gras en wortels striemden en hamerden op zijn blote, natte schouders en rug. Iets bleeks kwam links van hem met een plof op de grond neer. Het bleek een jong konijntje, nog zonder haar, te zijn. En toen de paarden dus per se wilden wegrennen, zei hij: 'Ja! Laten we gaan!' en spoorde zijn rijdier met zijn hielen in de flanken aan. In galop sprong ze naar voren en het mannetje sprong ook naar voren. Even later snelde hij zo vlug vooruit, dat Man op een Paard het eind van de lasso niet meer kon vasthouden en hem moest laten gaan. Daarbeneden ontvouwde het rivierdal zich voor zijn ogen.

Hij bevond zich nu waar hij eerst, in dat andere leven, was geweest, toen hij met de Shienne die eerste keer op de stad had neergekeken. De grond helde naar de rivier af en haastig, roekeloos, galoppeerden ze naar beneden toe. Hij keek achterom en zag de verschrikkelijke slangestaart achter zich aan komen. Hij had de grond nu losgelaten, alsof de dondervogel hem omhoog naar de hemel droeg. Maar het regende nog steeds stenen en allerlei brokstukken. Toen hij weer voor zich keek, kon hij de palen boven op de hut van het opperhoofd zien. De huiden die eraan hingen flapperden horizontaal in de sterke wind. Hij galoppeerde langs de kromming van de heuvel naar beneden en zag de ronde daken van de hutten, de palissade en de stellages op de begraafplaats met daarop de doden. De wind rukte zo hevig aan de stellages, dat de lijken schenen te leven. Hij zag mensen hard rennen. Het oppervlak van de rivier, die hier een bocht maakte, was grijs en er stonden witte koppen op.

In de stad vielen dingen om en werden door de wind meegesleept. De kleine, ronde, met huid bedekte schaalboten en de tobogans die de mensen op hun dak opborgen als ze niet in gebruik waren, waaiden over en om de hutten heen. Een aantal kwam in de rivier terecht.

Terwijl Man op een Paard in volle vaart de heuvel afsnelde, nam hij dit alles in één oogopslag waar. Hij keek naar de stad, deze stad waarvoor hij zo'n eind had gereden. Maar opeens werden zijn gedachten ergens anders bij bepaald, omdat de hengst naar rechts was afgezwenkt. Klaarblijkelijk had hij de stad gezien en wilde eromheen gaan. Hij scheurde met wapperende manen en staart vanaf de stad in volle galop langs de hoge rotswand, rivierafwaarts. De lasso sleepte over de grond of wapperde soms in de wind. Terwijl hij achter hem aan galoppeerde, zag Man op een Paard zijdelings uit zijn ooghoek een aantal mensen lopen die vluchtten om dekking te zoeken en zich hadden omgedraaid om achterom te kijken; sommigen keken naar de dondervogel en de slang in de hemel die dreigend boven hun dorp hingen. Enkelen hadden Man op een Paard echter in de regen langs hen heen zien schieten terwijl hij zich op de rug van zijn vrouwelijke rijdier vastklemde en achter een ander dier aan zat dat ze nog nooit eerder hadden gezien. Met dichtgeknepen ogen en wijd open monden in een schreeuw die onhoorbaar was door het ratelende gebrul van de slangestaart en het gegier van de met kaf beladen wind, keken ze hem na. Zelfs in deze uitzinnige haast vroeg Man op een Paard zich heel even vol verwondering af: Konden ze alleen hem zien of ook zijn visioen? Had hij zijn visioen in feite hierheen gebracht, waar anderen het ook konden zien? Hij had nog nooit gehoord dat een visioen dat iemand had tegelijk door anderen kon worden gezien... Maar nu was er geen tijd om daaraan te denken. Misschien was zelfs de stad een droom en was alleen zijn achtervolging van de hengst realiteit.

Het prachtige dier galoppeerde nu de rivieroever op en liep verder langs de kant. De oever maakte een bocht naar rechts. De krijger wist dat zijn vermoeide merrie, met hem op zijn rug, het mannetje nooit in een rechte lijn zou kunnen vangen. Maar als hij recht de helling afgaloppeerde terwijl het mannetje zijn bocht langs de rivieroever maakte, kon hij hem daar ontmoeten en misschien de pas afsnijden. Hij spoorde de merrie aan en scheurde roekeloos over de helling naar beneden, het visioen en al het andere, behalve de achtervolging, vergetend.

Had ik nog maar een lasso! dacht hij. Die kon ik over zijn hoofd gooien en hem vangen, zoals ik de eerste keer heb gedaan!

Maar de lasso die al van de nek van het vluchtende dier wapperde, was zijn enige lasso. Wilde hij het dier überhaupt vangen, dan moest hij dat doen door te proberen die lasso te pakken te krijgen.

En hij wist dat hij dat ook zou doen als hij kon.

Roekeloos scheurde hij over de kale helling naar beneden in de baan van het dier. Hij keek slechts één keer achterom en zag toen dat de grote slang uit de hemel zich op de rand van de stad wierp en palen van de palissade en planken van de huizen, modder en boten, lijken en stellages van de begraafplaats en enorme wolken aarde omhoog wierp. Hij stopte niet toen hij dat zag. Hij was nu bij de schouders van het dier; vaag zag hij tijdens de snelle jacht de grond onder zich voorbijflitsen. Hij leunde naar links en graaide één, twee, drie keer naar de fladderende lasso. Steeds miste hij. Ten slotte leunde hij voorover, hield zijn rechterarm om de nek van zijn rijdier geklemd en stak zijn hand zo ver en zo laag uit, dat hij de borst van het grote, mannelijke dier kon aanraken. Nu kreeg hij de lasso te pakken en hij greep het modderige, natte koord precies onder de schuifknoop beet. Het dodelijk beangste dier galoppeerde voor de nu moe wordende merrie uit. Ondertussen kwam de krijger weer overeind en ging goed zitten. Hij begon het touw te vieren.

Hij bleef een hele tijd achter de hengst aan rijden, waarbij hij de lus net strak genoeg trok om het dier moe te maken en zijn ademhaling te belemmeren, maar niet zo strak dat hij daardoor nog meer in paniek zou raken. Doordat Man op een Paard de teugel voortdurend naar rechts van de grote hengst trok, kreeg hij hem uiteindelijk bij de rivieroever vandaan. Ze galoppeerden in een brede boog de helling op. Op het laatst werd het dier zo moe, dat het stapvoets ging lopen. Maar toen was de grote slangestaart van een storm al over de Modderrivier heen gesprongen en hoger de lucht ingegaan. Hij was nu nog slechts een zwartachtige werveling in de donkere wolken. Het leek alsof de dondervogel hem had opgevreten. Nog steeds vielen er palen en brokstukken van boven naar beneden, die spetterend in de rivier terechtkwamen. En door het gebrul van de wind heen klonken het gejammer en geweeklaag van vele stemmen. Ver boven op de hellingen galoppeerde een aantal van de andere elf paarden van de stad angstig los in het rond. Mensen begonnen uit de wrakstukken van de huizen te kruipen en van de grond op te staan waar ze waren neergeworpen. Voor zover Man op een Paard kon zien, was meer dan de helft van de huizen verpletterd of open geblazen; van sommige waren alleen de ronde kuilen waarin ze waren gebouwd overgebleven. Elk plekje grond in en om de stad lag bezaaid met rommel: tassen van parfleche, gebroken aardewerk potten, gebarsten manden, kleding, pijlen en gereedschap, mantels, stokken en beenderen, mummies, bizonschedels, lasso's, brokken klei, zonnebloempitten en de rode, gele en paarsrode maïskorrels. Zo verschrikkelijk was de verwoesting, dat de mensen van de stad Man op een Paard kennelijk niet eens met het grote dier zagen aankomen, hoewel zijn vertrek op de lange speurtocht ernaar een van de belangrijkste gebeurtenissen in de herinnering van het Volk was geweest.

Hij zag dat de Heilige Kano in het midden van de stad door een wonderbaarlijk toeval niet beschadigd was. Het huis van Slaat op het Water was in tweeën gebroken, maar het deel van het koepeldak dat nog overeind stond, hield nog steeds de Ophangpalen van Eerste Man, die hij eerder in de wind had zien doorbuigen, overeind; ze waren volledig onttakeld, met uitzondering van de paal van Eerste Man zelf. Daar hingen, zelfs nu nog, een paar flarden van zijn witte bizonhuid aan te fladderen. Dit was ongetwijfeld een teken van de genade van de Schepper.

Nu reed hij met het zenuwachtige dier in touw de rand van de stad binnen. Opeens zag Man op een Paard de bebloede benen van een kind onder de rand van een ingestort dak uitsteken en hij besefte dat de Schepper, als het erop aankwam, misschien toch niet zo genadig was geweest. De mensen waren verdoofd en huilend en roepend strompelden ze rond en renden kriskras voor hem langs zonder hem zelfs maar te zien. Nu begon zijn uitgeputte hart weer sneller te slaan:

Sneeuw Haar! dacht hij. Pas nu werd zijn hoofd weer wat helderder van het visioen, de jacht en de vermoeidheid. Hij besefte dat het meisje dat hij als zijn bruid had gewonnen in deze afschuwelijke verwoesting van de slangestaart misschien wel gewond of gedood was.

Hij reed de verpletterde stad door om haar te zoeken. Te midden van de kreten van andere mensen die liepen te zoeken en het geschreeuw en gekreun van de gewonden en van mensen die familieleden waren kwijtgeraakt, riep hij haar naam. De nieuwe hengst hield hij nog steeds aan het touw, omdat hij niet kon bedenken wat hij er anders mee moest doen. Het dier werd kribbig tussen al die mensen die jammerend en verward in het rond liepen.

De grootmoeders ondernamen het eerst iets om de gewonden te helpen. Grootmoeders waren altijd degenen die het eerst hielpen en genezing brachten. Nu hielpen ze mensen die rondhinkten, verzorgden snijwonden, verzamelden hout voor spalken, wakkerden de vuren aan om kompressen te verwarmen en bouillon en kruidentheeën te trekken. Het was hier hetzelfde als bij de Shienne, het Volk van zijn geboorte: in tijden van pijn en moeite waren de oude vrouwen altijd de besten van het Volk. Maar algauw begonnen de jongere vrouwen mee te helpen, en daarna kwamen de jongens en de mannen. De stad was één grote wanorde van modder, wrakstukken, door de wind weggeblazen rook en druk rondlopende mensen van wie de helft naakt liep en er bloederig uitzag. Vier krijgers liepen naar de Heilige Kano toe. Tussen hen in droegen ze een mummie die uit de Stad der Doden was weggeblazen. Woordeloos legden ze die op de grond vóór de Heilige Kano neer. Een van de mannen keek net op het moment dat Man op een Paard voorbijreed op. De naam van die man was Lachende Donder. Hij was een van de krijgers die van Man op een Paard paardrijden had geleerd.

Lachende Donder zette grote ogen op en hij riep: 'Broeder! Ik zag u vóór de Duivel Wind uit een prachtige *ka vah yoh* achternajagen, maar ik dacht dat het een droom was! Is hij werkelijk de vader-*ka vah yoh*?' Gefascineerd door het indrukwekkende dier kwam Lachende Donder, ondanks het feit dat hij overal om zich heen pijn en ellende zag, vlug het prachtige, nieuwe dier bekijken.

'Ja, dat is hem,' antwoordde Man op een Paard. 'Op zoek naar hem ben ik bijna in het Land van de Zon geweest. En toen kwam hij naar mij toe. Maar vertel me nu eerst waar onze *okimeh* is.'

'O, ergens,' zei Lachende Donder terwijl hij vaag een breed gebaar met zijn arm maakte. 'De Duivel Wind blies zijn dode vrouw uit de Stad der Doden weg. Nu is hij met zijn andere vrouwen en zijn dochter hier overal op zoek naar haar gebeente om het naar de laatste rustplaats terug te brengen.'

Het hart van Man op een Paard sprong op. Sneeuw Haar en haar vader waren in leven! Hij steeg af en overhandigde Lachende Donder de teugel van de vermoeide merrie. 'Neem haar mee,' zei hij, 'en ga alsjeblieft de andere dieren die in de heuvels zijn bij elkaar zoeken, broeder.' Met een zwaai zat hij op de rug van de grote hengst, wat de nodige bewondering van La-

621

chende Donder opwekte. Vóór hij wegreed zei Man op een Paard: 'Die daar draagt nu het zaad van dit dier!'

'*Shu-su!*' riep Lachende Donder en zwaaide hem na. 'Goed, mijn broeder!'

De Mandan-raad zat twee avonden later bij het licht van een kampvuur in de geruïneerde stad bij elkaar om de toekomst van het Volk te overwegen. Alle wolken en stormen die de Duivel Wind met zich had meegenomen waren verdwenen en de sterren straalden helder aan de hemel. De dorps-*okimeh*, Slaat op het Water, stond elegant gekleed in zijn beschilderde mantel met een hoofdtooi van bizonhoren in het licht van het vuur. Naast hem stond Dikke Benen, de *maho okimeh* van de natie. De Heilige Kano stond achter hen. Er zaten mensen op de grond; anderen zaten op de daken van de hutten die nog overeind stonden. De honderden mensen van het Volk die bijeen waren hadden rossige gezichten van de weerschijn van de vuurgloed. De lucht was zo stil, dat ze alles wat in de raad gezegd werd konden horen. De raadspijp was al doorgegeven en gerookt. Hij stond nu weer op twee gevorkte stokken vóór het vuur op zijn plaats. Slaat op het Water ging zitten.

Dikke Benen, een gerimpelde, kromme man, hield de gevederde speer die de staf van zijn leiderschap was in één hand. Zijn stem klonk krassend, maar was krachtig. Hij begon:

'Mijn Volk, Kinderen van Eerste Man, hoor mij met open oren aan, zodat mijn woorden in uw hart kunnen weerklinken.

We zijn zeer bedroefd. Al vele keren sinds onze Voorvaderen van over het Water zijn gekomen, is ons Volk neergeslagen en verdreven van de goede plaatsen die het bouwde. Vele keren waren het de vijandige volken die ons aanvielen en ons Volk doodden. Deze keer was het de Duivel Wind.

De Duivel Wind heeft ons al eerder kwaad gedaan,' ging hij verder terwijl hij naar het westen keek en met zijn arm in die richting wees. 'Onze jagers werden wel eens op de open vlakte overvallen en in de lucht gezogen. Onze steden hebben wel eens eerder schade opgelopen. Soms herbouwden we onze steden en bleven er nog een generatie wonen. Of tot het moment dat een ander Volk ons verdreef. Of tot het wild verdween. Maar

622

zoals u weet, mijn Volk, liggen er stroomafwaarts van deze stad, helemaal naar de Moeder der Rivieren toe, oude, stenen muren en merktekenen in de grond die aangeven waar onze steden zich bevonden. Wij zijn een oud Volk en we hebben al veel tegenspoed gekend.

Maar we zullen altijd dit Volk, de Kinderen van Eerste Man, zijn. Onze Oude Relieken staan altijd in de Heilige Kano in het midden van onze Stad. Zodoende zijn we altijd het Volk.'

De oude leider zweeg en draaide zich naar de Heilige Kano om. Met zijn *okimeh*-speer omhoog geheven, spreidde hij zijn armen ernaar uit. Toen keek hij weer naar het vuur. 'We zullen in deze raadsbespreking beslissen of we hier blijven en onze huizen weer opbouwen of verder stroomopwaarts langs de rivier zullen gaan en nieuwe steden bouwen,' zei hij. 'Sommigen hier in de raad willen hier blijven, op de plek waar de meesten van ons die nu leven zijn geboren, en onze steden repareren.

Anderen in de raad willen liever naar een nieuwe plek, verder stroomopwaarts langs de rivier, verhuizen. We zullen beide kanten laten spreken.

Ik, Dikke Benen, uw *maho okimeh*, zal u eerst vertellen wat er over die zaak in mijn hart leeft.

Ik geloof dat we verder stroomopwaarts moeten gaan. En ik zal u zeggen waarom: De wind is een boodschapper. Evenals de wezens op vier poten en met vleugels, alles wat zwemt en kruipt, evenals de bewegingen van rook en water, als de visioenen die in onze dromen tot ons komen, is de wind een drager van boodschappen. Toen de Duivel Wind deze keer kwam, trof hij niet alleen onze huizen, maar ook de Stad van onze Doden. Hij heeft veel van de beenderen verplaatst. Sommige beenderen hebben we teruggevonden, andere niet. De schedel van mijn eigen grootvader is weggeblazen. Velen van u weten niet meer waar het gebeente van uw vader en moeder is.' Een groot deel van de toehoorders knikte; sommigen bedekten hun gezicht met hun handen.

'Een Volk gaat niet graag van de plek waar het gebeente van zijn voorvaderen rust weg. Wanneer een wind de beenderen verspreidt en ze niet meer op hun oude plek liggen, is dat een boodschap van de Wind. Hij zegt dat het een goed moment is om verder te gaan, nieuwe jachtgronden te zoeken, bij oude vijanden weg te gaan. Ik denk dat de Duivel Wind ons dat heeft verteld. Nu heb ik niets meer te zeggen.' Hij ging zitten. Zijn oude knieën knapten. Slaat op het Water kwam naar voren.

'In mijn hart weerklinken de woorden van onze *maho okimeh*. Mijn denken is als het zijne, zoals de maan die op stilstaand water schijnt dezelfde is als de maan die daarboven staat. Maar ik heb andere redenen om te zeggen dat we een andere plek moeten zoeken.' Hij draaide zich om en wees naar de slanke krijger die bij hem stond. 'U kent allemaal Man op een Paard. Hij heeft ons leren rijden. Toen ging hij helemaal alleen ver naar de zon en heeft een krachtige vader-*ka vah yoh* als fokdier voor onze merries mee teruggenomen. Op een goede dag zullen we er vijftienhonderd hebben. Ik ben trots op hetgeen hij heeft gedaan. U weet dat mijn dochter zijn echtgenote zal zijn. Misschien zullen zij zich ook tot zo velen uitbreiden!'

Het Volk rond het vuur begon te juichen en te lachen. Het lachen klonk en voelde goed; het was voor het eerst dat ze sinds de Duivel Wind lachten. Slaat op het Water genoot zo van het geluid, dat hij nog meer wilde horen, dus dwaalde hij van het punt dat hij bezig was te maken af en zei:

'Ik heb met mijn dochter over het huwelijk gesproken en het maakt haar gelukkig. Ze heeft beloofd dat ze een goede vrouw zal zijn en zijn man-deel glanzend als dat van de vader-*ka vah yoh* zal houden.' De mensen waren dol op dubbelzinnigheden en begonnen nu nog harder te brullen van het lachen. Sneeuw Haar, die dicht bij het vuur zat, beet op haar lippen om niet te moeten lachen en keek naar de grond, zodat haar echtgenoot in spe haar ogen niet zou zien.

Toen het gelach weggestorven was, ging Slaat op het Water weer verder waar hij was opgehouden. 'Maar deze man is niet alleen een goede krijger die goede dingen voor ons Volk doet. Ook hij is een boodschapper. Luister naar me:

Hebben we hem niet met de prachtige vader-*ka vah yoh* voor de Duivel Wind uit zien aan komen galopperen? Wie heeft zoiets gezien als het geen droom-visioen was?' Hij zweeg en liet de mensen erover nadenken. De mensen die het gezien hadden, konden het zich nog levendig herinneren en degenen die er alleen over gehoord hadden, zagen het nu ook. En Man op een Paard herinnerde het zich nu ook zoals de mensen het gezien hadden, en niet zoals hij het feitelijk bij de achtervolging van de grote hengst had gezien. En in zijn gedachten zag hij het zelfs toen hij naar de met ontzag vervulde, peinzende gezichten van de mensen in het licht van het vuur keek. Het was inderdaad net een droom-visioen en de krijger wist opnieuw, zoals ook op het moment dat het gebeurde, dat het een ogenblik van grote kracht en van boodschappen die nog begrepen moesten worden was geweest. Hoewel hij nu wist dat de Duivel Wind vaak door dit deel van het land kwam, was hij voor hem nog steeds de Dondervogel die de verschrikkelijke Aardslang droeg. Het was voor hem nog steeds een belangrijke boodschap uit een visioen. Hij keek Sneeuw Haar aan en zag dat ze hem met bewondering, vrees en grote liefde aankeek.

Nu brak Slaat op het Water de eerbiedige stilte weer met zijn woorden:

'Ik heb over dit visioen dat Man op een Paard ons heeft gebracht nagedacht. Luister naar wat het volgens mij te zeggen heeft:

De *ka vah yoh's* zullen ons leven veranderen. We zullen betere jagers worden en nooit vlees en huiden voor voedsel en kleding te kort komen. We zullen zoveel bizonhuiden bezitten, dat we ze met de stammen die geen *ka vah yoh's* hebben tegen allerlei mooie zaken die zij bezitten kunnen verhandelen. Stammen die onze vijand waren, zullen onze vriend willen worden, omdat ze ons zullen vrezen en ook in onze overvloed willen delen. Onze zoon Man op een Paard heeft ons geleerd om deze dieren zo goed te gebruiken. Hij is ook degene die naar het Land van de Zon is gegaan om ons de vader van hun ras te brengen. Dat was een langere tocht dan wie van ons volk ooit heeft gemaakt sinds die keer dat Eerste Man van over het Grote Water naar dit land is gekomen. Ik zeg u: Deze man die hier voor ons staat, is even groot als Eerste Man! En daarom achtervolgde de Duivel Wind hem! Dat is voor ons een teken dat hij belangrijk is. Man op een Paard en zijn wedloop met de Duivel Wind spraken over onze verandering in een groter Volk.

Velen van ons zagen het teken met onze eigen ogen; het werd niet aan slechts één persoon getoond. Mijn Volk, dit was wat ik u te zeggen had. Nu zal ik luisteren naar wat anderen over deze dingen willen zeggen.'

'*Ho! Shu-su!*' riepen velen goedkeurend uit.

Botten Kraker, de oude oom van Slaat op het Water, ging het eerst staan om te spreken. Hij kwam moeizaam overeind en leunde op een stok omdat zijn rechtervoet bij de verwoesting die de Duivel Wind had aangericht was gebroken. Zijn stem was vol, maar gebarsten van ouderdom.

'Zonen en dochteren, mijn Volk, Kinderen van Eerste Man. Ik heb sinds hij met de Duivel Wind op zijn hielen aan kwam rijden een kans afgewacht om over deze krijger die Man op een Paard heet te spreken. Als hij die wind niet hierheen geleid had, kon ik hier op twee voeten staan, zonder stok om me overeind te houden.' Hij deed of hij de jongeman dreigend aankeek en kreeg daarmee de lachers op zijn hand. Toen ging hij verder:

'Wij Oudsten worden geraadpleegd om onze wijsheid. We hebben met onze *okimeh* besproken of deze man de mannelijke *ka vah yoh* zou moeten gaan zoeken. Ik, Botten Kraker, heb in zijn voordeel gesproken. Ik geloofde dat zijn hart oprecht was en dat hij met het prachtige dier dat hij zou gaan halen bij ons terug zou komen. Een andere persoon in die raadsbespreking' – hij wierp nu een spottende blik op Bemoste Horens, die iets links opzij van hem zat en ging toen verder – 'waarschuwde ons dat de krijger plannen maakte om ons te bedriegen en naar het zuiden weg zou vluchten en dat hij die ene *ka vah yoh* zou meenemen en nooit meer bij ons terugkomen. Maar u kunt zien dat hij wel is teruggekomen – en nu is mijn voet gebroken!' Daar moesten de mensen weer om lachen. Botten Kraker glimlachte en zei: 'Maar ik ben blij dat ik me voor hem heb uitgesproken! Stukje bij beetje zal ik weer goed genoeg op allebei mijn voeten kunnen lopen... maar al onze krijgers en jagers zullen op onze vele *ka vah yoh's* kunnen rijden. En zo ziet u, dat ik gelijk had. Mijn Volk, probeert u de keren te herinneren dat ik gelijk heb.'

De mensen lachten toen Botten Kraker, steunend op de schouder van een jongen vlak bij hem, weer ging zitten. Ondertussen ging Bemoste Horens staan, wat hem vanwege zijn oude gewrichten evenveel tijd kostte. Hij keek Botten Kraker sluw aan en zei:

'Mijn Volk, u kent me. Ik ben hier de oudste en dus de wijste man.' De mensen glimlachten. 'In mijn lange leven heb ik vaker gelijk gehad dan Botten Kraker nog moet krijgen.' Opnieuw klonk er gelach en hij ging verder. 'En dat betekent dus dat Botten Kraker niet wijzer dan ik is, alleen omdat ik het uiteindelijk bij het verkeerde eind had... *die ene keer* wel te verstaan!'

Zelfs Botten Kraker lachte toen hardop.

'En ik ben blij dat ik het over deze krijger bij het verkeerde eind had,' zei de oude man. 'Ja, ik twijfelde, maar hij heeft zichzelf fantastisch bewezen. Nu geloof ook ik dat deze ruiter van groot belang is. Ik geloof dat hij een groot *okimeh* zal worden wanneer wij in het nieuwe land, verder stroomopwaarts langs de rivier, een Volk te paard zijn.'

De menigte gaf luidkeels van haar goedkeuring blijk en Bemoste Horens draaide zich om alsof hij wilde gaan zitten, maar draaide zich toen weer om alsof hij zich zojuist iets herinnerd had. Hij hief zijn hand op, wees naar Botten Kraker en zei:

'Ik probeerde hem er alleen maar van te weerhouden om weg te gaan zodat je je oude voet niet zou verwonden.'

Iedereen barstte in lachen uit en Bemoste Horens liet zich langzaam weer op de plek waar hij had gezeten zakken. Man op een Paard voelde zich zeer vereerd en uiterst gelukkig. Hij keek in het rond naar de gezichten van het Volk, naar de lachende gezichten in het licht van het vuur, naar al die knappe, mooie gezichten waarvan er zoveel oud en gerimpeld waren. Maar allemaal keken ze eensgezind en blij lachend, zo spoedig na de verwoesting en pijn van de Duivel Wind, naar het vuur dat het centrum van het Volk vormde. En hij hield nu zoveel van hen als zijn eigen Volk, dat zijn ogen wazig werden en hij moest slikken. Zijn blik zwierf over het vuur heen naar de glanzende ogen van Sneeuw Haar die hem aankeek. Hij dacht aan de eerste keer dat hij haar naakt uit de rivier in de sneeuw had zien komen.

Shu-su, dacht hij. Het is goed!

Deel drie

1804-1837

Inmiddels heb ik vele, vele jaren over de edele rassen van rode mannen nagedacht die nu over deze bossen zonder wegen en prairies zonder grenzen zijn verspreid en bij de nadering van de beschaving wegsmelten. Hun rechten zijn geschonden, hun zedelijke waarden aangetast. Hun land is van hen weggerukt, hun gewoonten zijn veranderd en daardoor voor de wereld verloren; en zelf zijn ze ten slotte in de aarde gezonken en de ploegschaar ploegt de graszoden boven hun graven om... miljoenen zijn aan de pokken ten prooi gevallen en de rest is door het zwaard, de bajonet en de whiskey gevallen; al deze middelen van hun verwoesting werden door hebzuchtige blanken geïntroduceerd en aan hen bezocht... toch kunnen ze nog, als een feniks, uit de 'verf van het schilderspalet' oprijzen en op het doek weer tot leven komen. Zo kunnen ze, voor de eeuwen die nog voor ons liggen, als levende monumenten van een edel ras te zien zijn.

– George Catlin, 1832

19 Bij Mih-Tutta-Hang-Kusch, een Mandan-stad Oktober 1804

De jongen Mah-to-toh-pah, Vier Beren, een veertienjarige kleinzoon van de beroemde Man op een Paard, hurkte in de kuil onder de adelaarsval neer. Hij keek door het latwerk van grote takken omhoog naar de grijze hemel. Opeens meende hij dat hij vanuit het kamp van de Adelaar Jagers geschreeuw hoorde.

Een groot deel van de middag had hij geduldig en scherp naar de hemel zitten turen en getracht om geen liederen te denken of zijn gedachten op een andere manier te laten afdwalen. Hij wachtte tot een arend naar beneden op het dode konijn, het lokaas, zou afkomen, zodat hij hem door het latwerk heen bij de poten te pakken kon krijgen. Maar nu hadden die ijle kreten in de kreunende wind zijn aandacht getrokken. Hij was gealarmeerd. De gedragingen en de ceremonie van de adelaarsjacht waren heel strikt. Als er in het Adelaar Jagers-kamp geschreeuwd werd, moest dat betekenen dat er iets goed fout zat.

Vier Beren luisterde ingespannen om te horen of ze naar hem of naar elkaar riepen, of misschien waarschuwden dat ze Dahkoh-tah of andere vijanden hadden gezien. Maar wanneer de koude najaarswind door het dal van de Modderrivier blies, viel het niet mee om stemmen uit het kamp beneden in de wilgen te horen. Hij kon niet horen wat ze riepen. Hij hoorde alleen dat ze opgewonden klonken.

Vier Beren was een slanke jongen met een tanige huid en fijne gelaatstrekken. Hij tilde de rand van het latwerk op, ging in de kuil staan en keek in het uitgestrekte dal rond. Zijn val was in de helling van een met gras begroeide, droge rivierbedding hoog boven op de rotswand gegraven en hij had zulke scherpe ogen, dat hij volgens sommige mannen even scherp als de arenden zelf kon zien.

Verder de rivier op was er niets alarmerends te bekennen. De jongen tuurde in de suizende wind naar de steden van de Hidatsa aan de andere kant van de grote rivier, bij de monding van het Mes, een halve dagmars ver. Ook daar was niets ongewoons te zien, je zag alleen de gebruikelijke groepjes lage hutten met ronde daken onder slierten door de wind weggeblazen rook van hout.

Dus tuurde de jongen naar Mih-Tutta-Hang-Kusch, de stad van zijn eigen Volk, aan de overkant van de rivier en keek uit over het wijde land en de grote helling van de heuvel daarachter, een helling die met rimpelend, geel gras bedekt was en glooiend naar de grote vlakten boven het brede dal omhoog liep. Als er vijandelijke krijgers die op het oorlogspad waren aankwamen, verschenen ze meestal eerst boven aan die lange helling. Dan kon je ze tegen de rand van de hemel zien afgetekend, klaar om naar beneden te rijden en iedereen die zich buiten de palissademuur van de stad bevond te grijpen. Wanneer er bizonkudden langs die kant van de rivier kwamen, trokken ze meestal langs die enorme helling. Maar hij zag geen vijandelijke ruiters, geen kudde bizons. Alles zag er rustig uit, de bocht in de brede, grijsgroene rivier, het door de wind opgezweepte water, de wilgebladeren die in het laagland van de bomen waaiden, een paar schaalboten bij de oever aan de overkant met de kleine figuurtjes van vrouwen of vissers erin, van wie sommigen bundels drijfhout op sleeptouw hadden om als brandhout te worden gebruikt, de stad op de hoge stenen rotswand, aan drie kanten door water en aan de zijde van het land door de lange palissade van scherp gepunte palen beschermd.

Maar op de daken in de stad krioelde het van de mensen, alsof het een zomerdag was. In deze tijd van het jaar, wanneer de wind guur was, stonden of lagen de mensen meestal niet op hun daken. Maar nu stonden ze allemaal naar iets dat stroomafwaarts dreef te kijken en te wijzen.

Vier Beren zat in de geul en kon daarom niet zien waar ze

in de verte naar wezen. Hij wist dat hij zijn adelaarsval niet in de steek hoorde te laten, maar hij vond dat hij ook moest zien wat er aan de hand was. Dus glipte hij onder de rand van het latwerk door en legde dat weer op zijn plaats. Toen rende hij naar boven, de rivierbedding uit, tot hij zich boven het Adelaarskamp bevond. Hij stond op een hoge, met gras begroeide, steile helling. Daarvandaan kon hij ver langs de bocht van de rivier naar beneden kijken.

Zijn mond viel open. Nog nooit had hij zoiets gezien, met uitzondering van de drie keren dat hij van Eerste Man had gedroomd.

In het midden van de brede rivier, onder de bocht, was een boot zo groot als een huis. Er hing een enorme witte vleugel boven en hij kwam langzaam tegen de stroom opgevaren. Ernaast kwamen twee kleinere houten kano's, een rode en een witte, mee.

De jongen Vier Beren keek weer naar de grote kano en hij kon alleen maar geloven dat hij weer van Eerste Man droomde, dat hij droomde, zelfs al waren zijn ogen open en blies de koude wind zijn haren om zijn gezicht heen.

Eerste Man, zeiden de Grootvaders, was na de Grote Vloed in een grote kano zoals deze naar land gekomen, voortgedreven door een witte vleugel in de top en vele paddels aan weerszijden. Een vogel was hem voorgegaan. De jongen kon de paddels zelfs vanaf deze afstand zien bewegen.

Ja, dit was ongetwijfeld weer de droom van Eerste Man. En ook al had de jongen niet het gevoel dat hij sliep, dat had hij ook de andere keren niet gehad. En toch had hij toen geslapen.

Dus nu was hij gelukkig en niet meer bang, veilig in een droom. Hij dacht niet meer aan vijanden. Hij kon de anderen vanuit het Adelaarskamp schreeuwend naar de oever zien rennen. Hij zou achter hen aan rennen en wanneer de Grote Kano dichter bij de wal kwam, zou hij Eerste Man weer zien, de man met de bleke huid en geel haar op zijn hoofd en zelfs op zijn gezicht. De Grootvaders zeiden dat Eerste Man er zo had uitgezien, en precies zo was Eerste Man al eerder in zijn dromen verschenen. Snel, met de koude wind in zijn rug, rende Vier Beren de lange helling af naar de rivier toe.

Vier Beren stond met de andere mannen en jongens van het Adelaar Jagers-kamp op de rivieroever te kijken naar de blanke mannen die in hun witte en rode kano's naar de wal kwamen. Wat er gebeurde was toch echt. Maar het was nog opwindender dan de droom over Eerste Man.

De Grote Kano was op de een of andere manier van de kant vandaan in het water tot stilstand gekomen. De witte vleugel was klein opgevouwen. Je zag een stuk of dertig mannen op de boot staan.

De mannen die de rode en witte kano's pagaaiden, zagen er een beetje anders uit dan de Franse en Britse handelaars die altijd langskwamen en in de nabijgelegen steden verbleven. De jongen bekeek hen allemaal van top tot teen, in de hoop dat hij Eerste Man herkende. Het leek nog steeds heel erg op een droom.

Boven aan een paal in de witte kano hing een fladderend doek met een mooi patroon, fel afstekend in wit, blauw en rood. Alle mannen in de kano's hadden glimmende geweren. Geweren waren hier zeldzame, geduchte voorwerpen; de jongen had er maar een paar gezien die de handelaars tegen huiden aan de Mandan-mannen verkochten.

De mannen in de kano's sloegen de mannen en jongens op de wal zorgvuldig gade. Vier Beren kon zien en voelen dat de mensen van zijn eigen Volk evenzeer op hun hoede waren. Het water op de rivier werd door de harde wind opgezweept. Het zou voor de blanke mannen niet meevallen om zonder hulp van de kant aan land te gaan.

Toen de kano's dichter bij de oever kwamen, ging een kleine man met één oog, die voor in de rode kano zat, voorzichtig staan. Hij wees naar een van de Mandan van het Adelaars-kamp, toen naar zichzelf, hield toen zijn wijsvingers in het gebaar van vriendschap naast elkaar. De Mandan reageerden op dezelfde manier en begonnen te lachen. De blanke man met het ene oog lachte ook, pakte toen een lus van touw op en maakte een beweging alsof hij die naar de man op de oever wilde gooien. De man knikte. Dus gooide de blanke man het touw en de man op de oever ving het lachend op en begon te trekken. Twee anderen trokken mee. Iedereen stond te lachen en te knikken. Vier Beren vond het prettig. Het gaf een goed gevoel.

Toen de witte kano dichterbij kwam, stond een grote man onverschrokken voorin met een rol touw in zijn hand. Hij maakte een gebaar naar een andere man van het Adelaarskamp, gaf een knikje en wierp hem het touw toe. De wind blies het opzij en het kwam meer in de richting van Vier Beren terecht. Hij ving het in de lucht op en hield het vast tot de andere man het vastgreep en begon mee te trekken. De jongen lachte, blij dat hij kon helpen. Precies op dat ogenblik blies de wind de hoed van de grote, blanke man weg. Hij moest erom lachen en greep er met één hand naar, maar de hoed viel in het water. Vier Beren gaf het touw aan de andere man over en waadde tot zijn middel het koude water in en kreeg de hoed te pakken. Een Mandan-jongen gaf niet om koud water. Toen Vier Beren weer met de hoed naar de kant waadde, sprong de grote, blanke man net van de voorsteven van de kano op de rivieroever. Het was voor een zo grote man een heel lenige sprong. Vier Beren liep met de natte hoed naar hem toe en kon zo de grote man eens goed bekijken.

Hij was stomverbaasd. Nog nooit had hij een gezicht gezien dat zo zijn voorkeur genoot.

Het was niet precies het gezicht van Eerste Man zoals hij dat in zijn dromen had gezien, maar het was een gezicht dat hij toch, tot hij een andere droom kreeg, in herinnering moest blijven houden.

In tegenstelling tot Eerste Man had deze blanke man geen haar op zijn gezicht. Vanaf zijn ogen naar beneden was zijn gezicht roodachtig bruin door de zon, maar zijn voorhoofd was hoog en heel wit. Zijn haar was rood als de borst van een wilde eend. Zijn ogen waren blauw als de hemel, een dieper blauw dan het grijsblauw van de mensen van de Mandan die blauwe ogen hadden. Het waren de gelukkigste, vrolijkste ogen die de jongen ooit had gezien. De tanden van de man waren spierwit en regelmatig als hij lachte en toen Vier Beren hem de druipende hoed aanreikte, lachte de man en zei iets met een volle, diepe, warme stem die de jongen in zich voelde klinken. Hier was een man die misschien even groot was als Eerste Man! Dat vond Vier Beren althans.

De blanke mannen spraken door middel van handgebaren met de leider van het Adelaarskamp. Ze vertelden hem vele verbazingwekkende dingen en vroegen om zijn hulp. Ze gaven hem wat roltabak om als geschenk aan het opperhoofd van het dorp te geven en vroegen of het opperhoofd misschien zou kunnen komen om hen hier te ontmoeten.

De man met het rode haar was heel goed in de handentaal. Hij vertelde de Adelaar Jagers dat zijn grote boot mannen van het belangrijke Raadsvuur van een land in het Oosten, dat de Verenigde Staten heette, meebracht. Hij zei dat deze mannen onderweg waren naar het Grote Water waar de zon ondergaat. Nu de winter spoedig zou invallen, zouden ze hier graag een huis willen optrekken waar ze tot het voorjaar als buren van de Mandan, de Hidatsa en de Minetaree konden wonen. Ze zeiden zelfs dat ze de Dah-koh-tah-stammen verder stroomafwaarts de raad hadden gegeven om met deze stammen hier, die altijd hun vijanden waren geweest, vriendschap te sluiten. De Adelaar Jagers luisterden met wijd open mond toe en hoopten dat ze zulke ongelooflijke boodschappen naar hun opperhoofden Kagohami en Coyote konden overbrengen.

Breng uw opperhoofden over de rivier heen om met ons te praten, zei Rood Haar met de machtige stem in zijn handentaal, dan zullen wij een vriendschap met hem sluiten die uw Volk voor eeuwig blij en gelukkig zal maken.

De jongen leerde de naam van de Rood Haar uit te spreken, hoewel er een geluid in zat dat hij zijn tong nog moest leren: *Clark*.

De Adelaar Jagers gingen stroomopwaarts de rivier op naar de plek waar hun schaalboten lagen. In de kleine, ronde, met huid bedekte vaartuigen gingen ze de koude, wilde, beukende rivier op om deze ingewikkelde boodschappen en de geschenken naar hun opperhoofden te brengen.

De jongen Vier Beren keek achterom naar de overkant van de brede rivier en zag dat de blanke mannen voorwerpen uit hun Grote Kano naar de wal brachten om hun winterdorp op te trekken.

'Daar!' riep Ha-na-ta-nu-mauh, de Jonge Wolf, 'daar is Okee-hee-dee, de Duivel! Zei ik het niet?'

Vier Beren keek omhoog naar de poort van het fort dat de haargezichten hadden gebouwd. Hij was met Jonge Wolf de rivier overgestoken en had drie dagen om het fort rondgehangen om de beroemde reus met zijn zwarte huid te zien. Tot nu toe had hij echter nog geen glimp van hem kunnen opvangen.

Maar daar was hij! Hij stond gewoon in het daglicht in de open poort naast het Rood Haar Opperhoofd van het blanke volk. Zijn gezicht en handen waren inderdaad even zwart als roet van een vuur van dennehout. Hij was even lang als het Rood Haar Opperhoofd en was, evenals hij, in een mantel van huid afgezet met franje gekleed. Maar zijn lichaam was even dik en krachtig als van twee mannen bij elkaar. Vier Beren stond met open mond en bonkend hart toe te kijken. Nog nooit had hij zoiets gezien. Hij zei: 'Misschien schildert hij zichzelf met roet en vet zwart, zoals de man die de Man van de Nacht in de Okeepah is.'

'Nee,' zei Jonge Wolf met zijn gebruikelijke arrogante zekerheid. 'Mijn grootvader en veel andere oudsten hebben hem gezien en over zijn huid gewreven. Het zwart gaat er niet af. En de vrouwen die met de zwarte man hebben gelegen, zijn het er allemaal over eens dat zelfs zijn achterste en zijn man-deel zwart zijn. Ze praten er allemaal onder elkaar over en ze zijn het allemaal met elkaar eens.'

'Dan zal het wel zo zijn,' antwoordde Vier Beren. 'Maar het is verkeerd om hem de Duivel te noemen, denk ik. Zijn gezicht staat vriendelijk en blij, dat kun je zelf zien. Zeiden de vrouwen die met hem liggen dat hij goed en vriendelijk was? Of vonden ze hem net de Duivel?'

'Ze zeggen dat hij goed en vriendelijk is,' gaf Jonge Wolf toe. 'Maar dat bewijst toch zeker niet dat hij de Duivel niet is? Iedere man zou toch goed en blij zijn wanneer hij dat met een vrouw doet?'

637

'Ik heb gehoord dat sommige Franse handelaars gemeen en boos zijn wanneer zij het met hun vrouwen doen.'

'Misschien zijn *zij* dan Duivels,' zei Jonge Wolf. 'Sommige mensen zeggen dat.'

'Kijk,' zei Vier Beren. 'Daar komt je grootvader aan.'

Het Rood Haar Opperhoofd en de zwarte man hadden hun handen als groet tegen iemand die van de rivier omhoog kwam gelopen opgeheven. De man die naar boven kwam was Shahaka, of Coyote, opperhoofd van de stad die Mih-Tutta-Hang-Kusch heette en het dichtst bij het fort van de blanke mannen lag. Coyote was een dikke man die altijd blij was en veel te veel praatte. Hij stamde af van de Kinderen van Eerste Man en had een rond gezicht met een dubbele onderkin. Hoewel hij niet hun lichte haar had meegekregen, had hij wel hun ogen en gelaatstrekken. Gehuld in een versierde mantel van bizonhuid met een kroon van bevervel op zijn hoofd en een brede glimlach op zijn gezicht, schommelde hij nu tegen de besneeuwde helling op. Eén hand hield hij als groet naar het Rood Haar Opperhoofd opgeheven. Coyote bracht veel tijd in het fort van de blanke mannen door; naar men zei hielp hij hen een afbeelding te maken van de gebieden naar het westen toe. Hij liet hun zien waar de rivier vandaan kwam en waar de grote Schitterende Bergen lagen. Het scheen dat alle blanke mannen die ooit hierheen waren gekomen belangstelling hadden voor de landen die naar de zonsondergang toe lagen. Toen de eerste haargezichten, de Fransen, bijna zeventig winters geleden waren gekomen, was hun belangstelling er ook naar uitgegaan om te ontdekken hoe ze naar het westen, naar het eind van het land, moesten gaan. Vreemd dat ze daar allemaal naar toe wilden.

Achter het dikke opperhoofd aan liepen de gebruikelijke leden van zijn gevolg. Je had de snoevende Franse handelaar Jussaume, die in de buurt van de Mandan-steden woonde, en zijn kribbig uitziende vrouw; Jussaume sprak Engels en Mandan en was tolk wanneer Coyote bij de blanke mannen was. Verder had je Charbonneau, nog een Franse handelaar en commissionair in beverhuiden. Hij was een luidruchtige, stinkende kerel die vrouwen molesteerde, ook al had hij zelf een huis vol jonge vrouwen. Hij was een vriend van Jussaume en drong er volgens horen zeggen op aan om ook tolk en gids bij de blanken te worden. Achter hen, net voorbij de plek waar de grote kano van de blanke mannen in het ijs op de rivieroever vastgevroren zat, liepen twee kleine vrouwen met enorme pakken op hun rug. De oudste van de twee was Gele Maïs, Coyotes lievelingsvrouw. De andere was een tenger, broodmager kind nog, de jongste vrouw van Charbonneau. Charbonneau had haar met gokken van een Hidatsa-krijger uit de stad langs de Mes Rivier verder stroomopwaarts gewonnen. Ze was zijn slavin geweest. Ze was in de Slangen-stam van de Schitterende Bergen geboren en als klein meisje bij een overval ten oosten van de bergen gevangengenomen. Haar naam was Sakakawea, wat Vogel betekent. Ze was hoogzwanger.

Vier Beren wist dit alles over deze mensen van Jonge Wolf, wiens grootmoeder een van Coyotes oudere vrouwen was. Hij wist dat de zwarte man de bediende van het Rood Haar Opperhoofd was. Jonge Wolf hield vol dat de zwarte man Okeehee-dee moest zijn. Maar Vier Beren geloofde niet dat de duivel dienaar van een mens wilde zijn, en vooral niet van een goede, vriendelijke, vrolijke man als het Rood Haar Opperhoofd.

Het fort van de haargezichten was een plek die Vier Beren enorm fascineerde. Hij had nog nooit mensen zo hard zien werken. Een stad van de Mandan was in de winter misschien druk wanneer er mensen van hut naar hut op bezoek gingen, er kinderen in de sneeuw speelden en er mannen voor hun bad naar de zweethutten gingen. Maar afgezien daarvan was een stad van de Mandan rustig en lui. In dit fort van de blanke mannen was er altijd lawaai van gehamer, gehak en gekap en hoorde je altijd het kletterende geluid van metalen hamers op metaal. Dat was een nieuw en uiteindelijk aanhoudend geluid in het dal geworden. Er waren mannen in het fort die van alles uit ijzer konden maken. Ze maakten ijzeren bijlen en tomahawks, pijl- en speerpunten, lepels, schoffels en krabijzers, priemen en spijkers – alle soorten gereedschappen en wapens die de Mandan meestal van steen, been en horen hadden gemaakt – en ze repareerden de oude, Franse geweren van de jagers en hun kapotte bevervallen. Deze metalen voorwerpen gaven ze in ruil voor vlees en graan, en soms voor de liefde van een vrouw, aan het Volk. Ze verhandelden ook naalden van glimmend metaal, prachtige, sterke naalden die niet braken wanneer vrouwen er leer mee naaiden. En ze hadden metalen hangers met kleine afbeeldingen van hun Grote Opperhoofd erop, hun Grote Opperhoofd in het oosten, die naar één kant keek. Alle belangrijke mannen van alle steden hadden deze platte, metalen hangers gekregen en ze droegen ze als belangrijke trofeeën aan leren veters om hun hals. Coyote droeg die van hem voortdurend, alsof hij de gunsteling van de bleekgezicht-opperhoofden wilde zijn. Zij noemden Coyote meestal bij de naam Grote Blanke en vleiden hem door hem te laten denken dat hij veel op hen leek. En hij verslond hun gevlei zoals een uitgehongerde man vlees naar binnen schrokt. De blanke mannen sloten vriendschap met alle opperhoofden boven en beneden langs de rivier, niet alleen met die van de steden van de Mandan, maar ook met de Minetaree en de Hidatsa, stammen waarvan de steden in groepjes in de buurt lagen. Er gingen geruchten dat ze pogingen deden om de Britse handelaars hun handel afhandig te maken. Okimeh Coyote was heel bezitterig om het feit dat zijn stad zo dicht bij het fort lag en overlaadde de twee jonge, blanke leiders, die hij Rood Haar Opperhoofd en Lang Mes Opperhoofd noemde, met aandacht en weldaden. Hij was zelfs zo aan hen gehecht, dat hij van plan was om op een goede dag met hen mee terug te gaan naar hun Grote Vergaderplaats in het Oosten.

Als de rivier ontdooide, zei men, zouden de blanke mannen verder de Modderrivier opvaren naar de Schitterende Bergen en vervolgens langs de andere kant van de bergen verder naar het Water van de Zonsondergang trekken. Als ze terugkwamen, zouden ze hun zeer aan hen toegewijde vriend Coyote met zich mee terugnemen naar het oosten, zodat hij vriendschap kon sluiten met hun *maho okimeh*, Jefferson, die op de hangers die de opperhoofden droegen was afgebeeld. En uit die vriendschap, beloofden zij, zou Coyote rijkdom en macht voor zijn Mandan Volk verkrijgen. Deze belofte was in het hoofd en hart van Coyote tot een grote droom geworden. Wanneer hij samen met zijn gezin en de raadsleden van zijn dorp was, praatte hij er dan ook voortdurend over. De reis die in het vooruitzicht lag, vervulde hem met zowel enthousiasme als angst. Gelukkig duurde het nog een jaar voor het zover was, dus hoefde hij nu alleen nog maar te praten. Coyote praatte veel liever dan dat hij in actie kwam, zoals iedereen wel wist.

Jonge Wolf was er bang voor. Hij vreesde dat zijn grootvader zo ver met die Zwarte Duivel zou wegtrekken, dat hij nooit meer zou kunnen terugkeren.

Maar Vier Beren deelde dat akelige vermoeden niet. Hij had nooit die dag dat hij het Rood Haar Opperhoofd voor het eerst had gezien en diens hoed uit de rivier had gered vergeten. Ook de schitterende lach op het gezicht van Rood Haar was hij nooit vergeten. Zelfs nu hij naar Rood Haar keek, die in de poort stond te zwaaien naar de *okimeh* die dichterbij kwam, moest Vier Beren aan Eerste Man denken. Hij voelde zich met Rood Haar verbonden als in een visioen dat heel de Tijdcirkel passeerde; soms droomde hij dat Rood Haar zijn Voorvader uit Vroeger Tijden was, Eerste Man, die uit de andere kant van de Tijdcirkel was gestapt om hem aan deze kant te ontmoeten en toe te lachen.

En dus voelde Vier Beren zijn hart plotseling in zijn borst zwellen toen hij naar Rood Haar met zijn zwarte man keek. En opeens was hij zover om te doen waarnaar hij al die dagen verlangd had. Coyote bevond zich met zijn gevolg nog steeds een heel stuk op de helling. Ze kwamen maar langzaam vooruit omdat Coyote zo dik was en omdat de twee kleine vrouwen zulke zware lasten droegen. Vier Beren had nog eventjes de tijd om te doen wat hij van plan was. Zijn vriend Jonge Wolf wist er niets van en zou het waarschijnlijk ook niet goedkeuren. Maar het hart van Vier Beren was vol. Hij moest Rood Haar iets geven, iets dat de macht had hem te beschermen.

Vlug rende hij over de sneeuw naar hem toe. Het Rood Haar Opperhoofd hoorde de voeten van Vier Beren over de sneeuw kraken. Hij draaide zich om en zag hem aankomen en hoewel hij hem slechts één keer eerder had gezien, glimlachte hij weer naar hem alsof hij hem herkende. Vier Beren bleef pal voor Rood Haar staan. Hij maakte zijn hand open om hem te laten zien wat hij had meegenomen.

Het leek niet veel bijzonders. Het was slechts een wit, schoon stukje bot, niet langer of dikker dan een vinger. Maar hij had het op de oude manier glad gemaakt, uitgehold en uitgeboord. Hij zei tegen het Rood Haar Opperhoofd, ook al wist hij dat deze zijn woorden niet begreep:

'Dit heb ik voor u gemaakt van het bot van een vleugel van een arend die ik vóór die eerste keer dat ik u zag had gevangen. Luister ernaar.' Hij bracht één uiteinde tussen zijn lippen en blies er twee keer hard en lang op. Het geluid klonk precies als de schreeuw van een arend. 'De adelaar waakt over goede mensen,' zei hij tegen Rood Haar, wiens blauwe ogen wijder open waren gegaan toen hij het geluid van de adelaar herkende. 'Als u op de een of andere manier in gevaar bent, moet u hierop blazen. Dan komt de adelaar boven u vliegen en zal u beschermen. Ik Mah-to-toh-pah, Vier Beren, en een van de Kinderen van Eerste Man, geef u dit geschenk!' Zijn hart bonkte van de opwinding van deze moedige daad en van liefde voor het Rood Haar Opperhoofd met zijn goedhartige gezicht.

Rood Haar pakte het fluitje aan en zei met zijn diepe stem iets in zijn vreemde taal. En voordat Vier Beren zich kon omdraaien en wegrennen, nam Rood Haar zijn hand in zijn grote, machtige hand en hield die vast. Hij draaide zich om en zei iets tegen de zwarte man, die zich omdraaide en door de poort naar binnen liep. Vier Beren voelde een goede kracht van Rood Haars hand in de zijne vloeien en wachtte, ook al was zijn eigen *okimeh* Coyote nu bijna boven en keek die hem op slechts een paar passen afstand van hem vandaan met gefronst voorhoofd aan.

Even later was de zwarte man weer terug. Hij overhandigde iets aan Rood Haar. Rood Haar zei op vriendelijke toon iets tegen Vier Beren en legde een hard, plat voorwerp in zijn hand. Het flitste in het licht. Vier Beren dacht in eerste instantie dat het een van de hangers met het Grote Opperhoofd was. Maar toen hij het in zijn handpalm hield en er naar keek, zag hij dat het een oog was. Geen afbeelding van een oog, maar een levend oog, een oog met een wenkbrauw. Toen hij het iets draaide verscheen er een neus en vervolgens nog een oog! Hij schrok zo van deze ogenschijnlijke toverij, dat hij een ruk met zijn hand gaf. En opeens zag hij in het schijfje de zon flitsen en daarna de blauwe lucht.

Hij was bijna bang voor het ding; het bezat zoveel toverij dat hij bang was dat hij er zijn hand aan zou branden. Maar het Rood Haar Opperhoofd had het hem cadeau gegeven. Het zou niet van goede manieren getuigen om het op de grond te gooien en weg te rennen. En bovendien was het kennelijk een grote schat. Dus vouwde hij zijn hand dicht, knikte twee keer naar Rood Haar en nog eens naar de glimlachende zwarte reus en liep achteruit terug; toen draaide hij zich om en holde naar de plek waar Jonge Wolf chagrijnig met zijn bovenlip tussen zijn tanden stond te kijken. 'Kom!' zei Vier Beren terwijl zijn hart nog steeds bonkte. 'Ik moet je iets laten zien!'

En toen de jongens over de sneeuw wegliepen, hoorde Vier Beren van heel dichtbij de schreeuw van een adelaar. Hij draaide zich om en zag het Rood Haar Opperhoofd met het fluitje in zijn mond. En Rood Haar blies de adelaarskreet nog een keer en lachte en zwaaide naar Vier Beren op hetzelfde moment dat Coyote met de Franse handelaars hem bij de poort bereikten.

Zoals Vier Beren wel had verwacht, dreef Jonge Wolf de spot met het geschenk. Hij zei dat het iets van weinig waarde was. Hij zei dat de soldaten van de blanke mannen deze kleine dingen vaak in ruil voor lichamelijk genot aan jonge vrouwen gaven. 'Het is alleen maar een kijk-naar-jezelf-steen,' zei hij. 'Blanke mannen maken ze zelf. Ik heb er verschillende gezien.'

'Maar je hebt er niet een,' zei Vier Beren.

'Ik heb er geen en zou er ook geen een willen hebben,' zei Jonge Wolf zo hooghartig, dat Vier Beren wist dat hij gloeide van afgunst.

De jongens liepen het pad af dat van de vele voeten die erover hadden gelopen glom. Het pad kwam uit op de plek waar de meeste mensen het ijs naar en van Coyotes stad overstaken. Het pad liep op een paar passen afstand van de grote boot van de blanke mannen, die in het dikke ijs bij de kant zat vastgevroren en even vast in de rand van de rivier zat als een huis op het land. Iedere keer dat Vier Beren bij de grote boot was geweest, had hij ernaar gekeken en hem bestudeerd. Maar nu dacht hij alleen maar aan de kijk-naar-jezelf-steen die het Rood Haar Opperhoofd hem had gegeven en keek hij nauwelijks naar de boot. Hij stapte een holte in die door wilgen van de wind was afgeschermd en werd een beetje warmer door het winterzonnetje dat al laag stond en ver weg was. Hier ging hij op zijn hurken zitten. Jonge Wolf hurkte naast hem neer.

'Nu moet ik eerst eens naar dit geschenk van het Rood Haar Opperhoofd aan mij kijken,' zei Vier Beren. 'Maar aangezien jij het maar zo'n gewoon, onnozel voorwerp vindt, wil je misschien liever weggaan en niet meekijken.'

Maar Jonge Wolf ging niet weg. Vier Beren deed zijn hand open en bekeek zijn geschenk onderzoekend.

'Ik zag er ogen in,' zei hij. 'Kijk. Het zijn mijn ogen. Het is net zoiets als in een pot met water kijken en je eigen gezicht zien. Maar het is zo klein, dat je alleen maar een oog of een neus kunt zien.'

'Ik zie alleen maar de lucht.'

'Ik zal het naar je toedraaien.'

'O! Nu zie ik mijn mond die beweegt.' Jonge Wolf lachte. 'Ik zie mijn tanden. Nu zie ik mijn oog.'

'Het is net ijs, hard als ijs. Alleen kun je jezelf niet in ijs zien. Dit is vreemd. Het is fantastisch,' riep Vier Beren. 'Zou het smelten wanneer het warm wordt?'

'De vrouwen zeggen van niet. Het is meer zoiets als metaal. Herinner je je die gepolijste, metalen kijkdingen nog die de Franse handelaars aan de vrouwen gaven om in te kijken?'

'Ik heb er nooit een gezien,' zei Vier Beren. Hij draaide het kleine spiegeltje heen en weer en zag dat het een klein, trillend vlekje zonlicht over de sneeuw en over de mantel van Jonge Wolf liet dansen. Hij bewoog het, zodat het vlekje licht op het oog van Jonge Wolf blikkerde en die zijn oog moest dichtknijpen.

'Ja, je hebt er wel een gezien,' zei Jonge Wolf terwijl hij hard met zijn oog begon te knipperen. 'Toen Zwarte Mocassin, het Hidatsa-opperhoofd, mijn grootvader kwam opzoeken, droeg hij er een op zijn borst. Weet je niet meer hoe het licht er vanaf scheen? We hebben er toen nog over gepraat.'

'Ja, nu je het zegt, herinner ik het me weer.' Vier Beren draaide het kleine spiegeltje om. De achterkant leek op ongelooide huid en werd door een metalen rand op zijn plaats gehouden. In rood en blauw was er een kleine afbeelding van een vlinder op geschilderd. Dat alleen al was prachtig om naar te kijken en het hart van Vier Beren zwol van dankbaarheid voor de vriendelijkheid van het Rood Haar Opperhoofd. Hij zei tegen Jonge Wolf:

'Ik zal altijd een trouwe vriend van Rood Haar en zijn Volk blijven. Het zijn goede mensen!' Toen voegde hij er nog zijn meest intieme gedachte aan toe, hoewel hij wist dat de arrogante Jonge Wolf er misschien de spot mee zou drijven.

'Ik geloof dat het Rood Haar Opperhoofd de geest van Eerste Man is die weer bij ons teruggekomen is!'

Jonge Wolf spotte niet. Zijn donkere ogen gingen wijder open. Hij draaide zijn hoofd om en staarde omhoog naar het fort van de blanke mannen. Zijn adem maakte wolkjes in de ijskoude lucht en hij zag eruit als een wolf, een wolf die net een poging doet een naam voor een nieuw luchtje te vinden dat op de wind verschenen is.

'Dan zal ik ook mijn best doen om ze aardig te vinden,' zei Jonge Wolf ten slotte.

20 Mih-Tutta-Hang-Kusch
Juli 1806

De jonge Vier Beren had zoveel grote gedachten in zijn hoofd, dat hij soms het gevoel had dat hij zijn hoofd met allebei zijn handen moest vasthouden, omdat het anders in alle vier de windrichtingen tegelijk zou wegwaaien.

Zo was zijn ziel geweest vanaf het ogenblik dat het opperhoofd Rood Haar met zijn soldaten naar het westen was langsgetrokken. Dat volk had zijn geest veranderd.

Vier Beren lag op het dak van zijn vaders hut. Hij voelde de warme zon op zijn lichaam. Hij had kunnen dutten, zoals sommige mensen op de daken van hun huizen deden, maar zijn geest hield hem met alle beelden die hij zag en alle gedachten die door hem heen gingen wakker.

Een groot deel van de tijd werden zijn gedachten rivieropwaarts, naar het westen, getrokken. Dat was de kant die de blanke mannen waren opgegaan en hij geloofde altijd dat ze in hun grote kano's de rivier weer zouden komen afzakken. Hij keek naar hen uit.

Ze hadden gezegd dat ze omhoog de rivier opgingen, naar de plek waar deze in de Schitterende Bergen ontsprong. Ze wilden over de Schitterende Bergen heen trekken en langs de andere kant naar beneden het Grote, Stinkende Water waar de zon ondergaat zoeken. Wat een idee! En toen waren ze vertrokken alsof ze dat werkelijk van plan waren. Ze waren nu al meer dan een jaar weg, maar Vier Beren wist niet wat er met hen zou gebeuren. Ze hadden echter ongetwijfeld niet kunnen doen wat ze van plan waren geweest.

Natuurlijk waren er Schitterende Bergen ver in het westen; dat was bekend. Er waren zomers geweest dat bizonjagers van verschillende stammen ver genoeg in die richting waren gegaan om bergen te zien met glinsterende sneeuw op de toppen. De jongen kende zelf echter niemand die deze bergen ooit had gezien. Het was ook bekend dat er, ver naar beneden, aan de andere kant van die Schitterende Bergen, een Groot Water lag. In de tijd van zijn vader waren opperhoofden en jagers van die andere kant van de bergen hiernaartoe gekomen om handel te drijven. Zij hadden gezegd dat er inderdaad een Groot Water aan de andere kant van het land daarginds lag. Maar de jongen zelf had dat Volk van daarginds nooit gezien. Hij had alleen zijn vader over hen horen praten. Dat was echter genoeg om hem de wetenschap te geven dat het waar was.

Vier Beren rekte zich lui in de zon uit. Hij voelde de door de zon warm geworden klei van het dak onder zijn rug en de zonneschijn op zijn voorkant. Hij hoorde het voortdurende gemurmel van de stemmen van zijn Volk in de stad om hem heen. Hij hoorde ergens een fluit spelen. Hij hoorde gelach, hoorde de warme wind om zich heen fluisteren. Hij deed zijn ogen half open en keek in het diepe blauw van de hemel. En boven zich, rechts, zag hij de drie bizonhuiden aan hun lange palen boven Okimeh Coyotes hut in de wind flapperen. Elke mantel was met een bult, die net een hoofd leek, boven aan het eind van de paal bevestigd. De rest hing er los onder. De huid op de middelste paal was van een witte bizon die voor een hoge prijs van Zwartvoet-jagers gekocht was. Wanneer ze zo'n zeldzame, witte huid konden krijgen, werd hij aan de middelste paal opgehangen. Daar bleef hij zoveel seizoenen als hij meeging als eerbewijs aan de Schepper in wind, regen en sneeuw hangen. De drie huiden waren, volgens zeggen, oude tekens van drie mannen die aan palen hingen. De middelste man was een man van glanzende witheid geweest, Mohk-muck, de Eerste Man. Slechts de sjamanen zeiden dat ze wisten wat de drie gestalten betekenden en volgens zeggen konden zelfs zij zich het oude verhaal niet echt herinneren. Het was iets dat Eerste Man, die in zijn kano van over het Grote Water van de Zonsopgang was gekomen, lang geleden was overkomen. Het was iets dat nog steeds heilig was, hoewel niemand het zich echt herinnerde.

Een Groot Water naar de zonsopgang. Daar dacht de jongen nu aan. Geen van zijn mensen die nu leefden had ooit zo'n Groot Water gezien, zoals ze evenmin het Grote Water naar de zonsondergang hadden gezien. Maar naar men zei was dat water er wel. Het was bekend dat Eerste Man het in een boot was overgestoken. De blanke mannen die vorig jaar in Mih-Tutta-Hang-Kusch waren geweest, hadden het Grote Zonsopgang Water tijdens hun eigen leven gezien. Dat hadden ze de *okimeh's* tenminste verteld. Sommigen waren zelfs in boten op dat Grote Water geweest. Dat hadden ze tenminste gezegd. En de mensen hadden hen geloofd, want ze waren reizigers die van ver gekomen waren.

Naar men zei was er dus een Groot Water waar de zon opkwam en nog een Groot Water waar de zon onderging. En toch brandde de zon, als hij elke morgen uit het verre, Grote Water oprees, nog steeds. De jongen dacht daar nu aan terwijl hij de warme zon op zijn huid voelde bakken. Hij dacht dat de zon inderdaad grotere kracht dan wat ter wereld ook moest hebben. De zon moest inderdaad het Oog van de Schepper zijn. Misschien was de verklaring wel dat de Schepper zijn oogleden sloot wanneer hij in het Grote Water wegzonk, en ze gesloten hield tot hij de volgende morgen uit het andere Grote Water oprees.

De Schepper moest daarom elke nacht van het westen naar het oosten onder het land door zwemmen, dacht Vier Beren.

O, wat kon je toch een hoofdpijn krijgen van al dat denken!

Maar de blanke mannen hadden gezegd dat ze naar het Grote Water van de Zonsondergang gingen. Het was al meer dan een jaar geleden geweest dat ze de rivier opgevaren waren. Misschien hadden ze wel gedaan wat ze hadden willen doen. Het waren zeer beslist geweldige mensen die een grote kracht bezaten. Die eerste winter hadden ze in slechts luttele dagen een dorp gebouwd, op de plek waar Vier Beren hen voor het eerst had gezien. Ze hadden daar die winter gewoond en sommigen waren het ijs van de bevroren rivier overgestoken en hadden Mih-Tutta-Hang-Kusch bezocht. Ze hadden met de opperhoofden gepraat, hadden met verschillende dorpsvrouwen gelegen, hadden met vreemde instrumenten muziek gemaakt, hadden vreemde, grappige dansen uitgevoerd – er was zelfs een man geweest die op zijn handen, met zijn voeten in de lucht, had gedanst, een truc die veel Mandan-jongens sindsdien hadden geprobeerd na te doen – en hadden mooie dingen tegen voedsel verhandeld. Die blanke mannen hadden goede medicijn voor de bevolking van Mih-Tutta-Hang-Kusch en de andere steden gemaakt. Ze hadden bevroren voeten en handen genezen en hadden voor veel zieke mensen de hoest verdreven. Die soldaten waren opmerkelijke jagers geweest. Soms gingen ze dagen achter elkaar, wanneer het zo koud was dat de bomen ervan kraakten en de sneeuw zo hard waaide dat je nog geen vijf passen voor je uit kon kijken, de vlakten op. En dan kwamen ze terug met vlees op sleden die ze zelf in de tijd dat ze daarbuiten waren hadden gefabriceerd.

Ze konden van alles maken, zo leek het wel. Van wilgestammen langs de rivier hadden ze nog vier boomstamkano's voor zichzelf gemaakt. Het waren grote kano's, die alle dingen die ze op hun grote vleugelboot hadden meegenomen konden bergen. Een aantal van hen was, dezelfde dag dat de meesten in hun kano's met pagaaien rivieropwaarts gingen, op de grote boot terug de rivier afgezeild. En sinds het ogenblik dat ze waren vertrokken, waren de gedachten van het Mandan-Volk een beetje anders geweest. De mensen misten hen nog steeds en dachten aan hen. Ze herinnerden zich nog steeds hun muziek, de geluiden van hun geweren die in het brede dal weerklonken. Ze herinnerden zich nog steeds hun grote man die zo zwart als houtskool was en er als Okee-hee-dee, de duivel, uitzag en die zo lichtvoetig kon dansen ook al leek hij zo groot als een bizonstier.

Ja, het waren beslist mensen die grote kracht bezaten. Ze hadden het gedachtenpatroon van veel mensen van het Volk veranderd. Ze hadden geïnformeerd naar de mensen met licht haar, gevraagd of ze een oude voorvader die Madoc heette hadden – maar niemand herinnerde zich zo'n voorvader. Er waren nu baby's in de stad die door de blanke mannen waren verwekt. Sommigen zouden, naar men zei, met licht haar en een lichte huid en blauwe ogen opgroeien, zoals de mensen in de stam die daar al zoveel op leken, de mensen die men als de Kinderen van Eerste Man beschouwde.

Vier Beren koesterde zich in het zonlicht en dacht aan die blanke mannen. Hij bedacht dat hij door hen steeds meer over de grootte en omvang van de wereld had moeten nadenken, ook al had hij persoonlijk nooit tijd gehad om met hen te praten. Behalve van veraf door een menigte mensen heen, had hij zelfs nooit de kans gehad om hun andere opperhoofd, Lewis, te zien. Maar in zijn gedachten zag hij nog elke dag het prachtige gezicht van de man met het rode haar, de man die volgens hem zoveel op Eerste Man moest lijken. Hij moest nu ook aan hem denken en glimlachte. Hij probeerde zijn naam opnieuw uit te spreken.

'*Clark,*' zei hij.

En op dat moment hoorde hij opeens een commotie. Opeens begonnen er vele stemmen in de stad te kwetteren. Het klonk steeds harder. En iemand schreeuwde de opwindende woorden waardoor hij overeind vloog en de rivier op keek:

'De boten van de blanke mannen! Kijk dan! Rood Haar komt terug!'

's Zomers zwommen er altijd mensen in de grote rivier en dan waren er ook veel mensen in de schaalboten op de rivier. Terwijl de jongen Vier Beren naar de oever rende om de rivier in te duiken, hoorde hij geweerschoten en zag witte rook van de kano's van de blanke mannen komen. Hij schrok er even van, waardoor hij struikelde. Maar toen hoorde hij blije kreten en herinnerde zich dat de blanke mannen altijd met salvo's geweervuur iets vierden en goedendag en vaarwel zeiden. Hij besefte dat ze dat nu waarschijnlijk ook deden. Dus dook hij de rivier in en begon, in gezelschap van tientallen andere mannen, vrouwen en kinderen, naar de boten toe te zwemmen. Zijn volk, dat zo lang bij de grote rivieren had gewoond, behoorde tot de beste zwemmers die je je maar in kon denken en Vier Beren was een van de snelste, sterkste zwemmers van allemaal. Hij zwom met een krachtige crawlslag en zijn voeten bewogen het water heftig op en neer. Hij hield zijn hoofd laag in het

650

water en haalde slechts om de vier slagen onder zijn linkerarm adem. Even later ging hij zelfs de schaalboten, die door sterke paddelaars rivieropwaarts werden gestuwd, voorbij.

Al na enkele minuten zwom hij naast de kano's van de blanke mannen. Lachend liet hij zich drijven en keek omhoog als een otter, terwijl hij van de een naar de ander keek om een glimp van hun Rood Haar Opperhoofd dat Clark heette op te vangen.

Nu zag hij hem. Hij zat vrolijk grijnzend blootshoofds in een van de grote kano's. Het Clark Opperhoofd leek nu zelfs nog meer op Eerste Man. Het haar in zijn gezicht was gegroeid en zijn hoofdhaar was gebleekt door de zon. Hij zat tussen allerlei pakken in bij de boeg van de lange kano en schreeuwde vrolijke woorden naar de haargezichten die aan het paddelen waren. Ook tussen de pakken zat de kleine, jonge vrouw die Sakaka-wea heette. Ze was met de blanke mannen mee op reis gegaan. Ze hield haar kleine zoontje in de holte van haar arm en keek met een dolgelukkig gezicht voor zich uit naar de stad. Toen die kano voorbijgleed, liet een van de blanke mannen een schreeuw horen en vuurde nog een geweerschot in de lucht af. Vier Beren was nog nooit eerder zo dicht bij een geweerschot geweest. Zijn oren deden er pijn van.

Nu voeren de andere kano's voorbij. Hij draaide zich in het water om en zwom snel rivierafwaarts naast hen mee, tussen de met huid bedekte schaalboten en de juichende mensen in, terug naar de landingsplaats beneden Mih-Tutta-Hang-Kusch. Het geluid van stemmen werd steeds luider en het was duidelijk dat er voor de vrienden van zijn Volk, deze blanke mannen, een groot, opwindend welkom bereid zou worden. Wat Vier Beren aangaat: Zijn hoofd borrelde over van de vraag die hij had, maar niet kon stellen omdat zij zijn taal niet kenden:

Was het hen gelukt? Waren zij over de Schitterende Bergen heen getrokken en naar het Grote Water van de Zonsondergang geweest?

Het antwoord was ja, dat hadden ze gedaan. Dat bericht ging dagenlang door de stad heen terwijl de blanke mannen er waren. Iedereen sprak erover, hoewel het zelfs als de mensen erover spraken het begrip van de meesten te boven ging. Ze hoorden over bergen die zo hoog waren, dat je vanaf de top een man niet kon zien. Ze hoorden over stammen met dikke mensen die alleen maar vis aten. Ze hoorden over een bos bij de oceaan waar de zon nooit scheen en waar het wel tien, twintig dagen zonder ophouden regende. Ze hoorden over een grote vis die op de kust van het Grote Water was aangespoeld, een vis die nog langer was geweest dan de grote vleugelboot waarin de blanke mannen hier de eerste keer waren aangekomen.

Als ze dat zo ongeveer aangehoord hadden, werden de ogen van de Mandan glazig en vervolgens wandelden ze teleurgesteld weg. Voorheen hadden ze altijd gedacht dat je deze bijzondere, blanke mannen kon geloven. Maar nu voelden zij zich verraden. De vrouw Sakakawea zei ook dat het waar was en dat zij het met haar eigen ogen had gezien – in ieder geval het skelet van de vis. Ze had uitgelegd dat het een bijzonder soort reuzenvis was die 'walvis' heette en dat walvissen meestal heel groot waren, zo groot dat een man in de buik ervan kon leven. Ze vertelde dat in de verhalen van weleer van de blanke mannen dat ook was gebeurd. Maar toen hielden de Mandan beleefd op met naar de verhalen te luisteren. Sommigen klaagden dat het niet best was dat een vrouw van hun eigen ras geleerd had het soort domme verhalen van de blanken te vertellen. Misschien kwam dat doordat ze te lang met blanke mannen te maken had gehad. Sommigen begonnen zelfs lucht aan hun twijfel te geven door zich af te vragen of de blanke mannen überhaupt wel naar het Eind van het Land geweest waren.

In de Mandan-stad was er echter in ieder geval één persoon die bereid was in de verhalen te blijven geloven.

Dat was Vier Beren, de jongen die tijdens de afwezigheid van de blanke mannen zoveel tijd had doorgebracht met aan hen te denken. Hij kreeg geen kans om de verhalen van blanke mannen over waar ze waren geweest en wat ze hadden gezien uit hun eigen mond te horen. Maar wanneer ze rond de vuren in de stad werden herhaald, lachte hij niet met de rest van het Volk over die verhalen mee. Hij was niet alleen in staat om in zo'n grote vis te geloven, hij had zelfs zo'n vis gezien.

Hij had zulke grote vissen in zijn dromen over Eerste Man gezien. En hij geloofde in alles dat hij in die dromen had gezien.

Voor Coyote, de *okimeh*, was het tijdstip gekomen om met Rood Haar Clark en Lang Mes Lewis naar de Stad van de Grote Raad in het Oosten te gaan. Hij kon er nu niet alleen maar meer over praten zoals hij meer dan een jaar had gedaan; hun kano's waren klaar en vandaag zouden ze vertrekken.

Vier Beren en Jonge Wolf wurmden zich door de opgewonden menigte heen toen Coyote en zijn echtgenote Gele Maïs met Rood Haar en Lang Mes naar beneden naar de rivieroever liepen. Zowel Vier Beren als Jonge Wolf probeerde dicht bij de opperhoofden te blijven. Ze keken bezorgd. Vier Beren wist dat Jonge Wolf bang was dat hij zijn grootvader Coyote nooit meer zou terugzien. Ook Vier Beren stond het huilen nader dan het lachen, omdat hij bang was dat hij Rood Haar nooit meer zou terugzien.

Het was een warme, winderige dag. Coyotes lange, zwarte haar woei over zijn schouder. De zilveren kegels die aan ringen in zijn oren hingen, klingelden onder het lopen en het vet op zijn lichaam schommelde toen hij de helling afliep naar de boten toe. Achter hem liepen Gele Maïs en Jussaume, die als tolk met Coyote zou meegaan.

Vier Beren had tegen Jonge Wolf gezegd dat hij niet treurig of bang moest zijn, maar juist vereerd omdat zijn grootvader was uitgenodigd om zo'n lange reis mee te maken. En hij zou de Grote Vader van alle bleekgezichten ontmoeten! Het was de man die Jefferson heette en die op het medaillon stond afgebeeld. Maar als Jonge Wolf de eer er al van voelde, liet hij daar niets van blijken. Het enige waarvan hij blijk gaf, was doodsangst en die was merkbaar, ook al probeerde hij mannelijk en moedig te lijken.

Vier Beren en Jonge Wolf liepen aan de buitenkant van de roepende menigte mee. Het kleine broertje van Vier Beren kwam pal achter hen aan. Ze keken hoe de anderen hun ongetwijfeld laatste wandeling over de steile helling naar beneden, weg uit Mih-Tutta-Hang-Kusch, maakten. Rood Haar keerde naar zijn eigen wereld terug en Vier Beren trachtte elk detail van hem in zijn geheugen te prenten.

Aan de rand van het water, waar de boten wachtten, was er

lang oponthoud voor alle omhelzingen, gebeden en tranen. Jonge Wolf glipte door de mensenmassa heen om nog één keer zijn grootvaders hand aan te raken. Vier Beren stond een paar passen van Rood Haar verwijderd en probeerde zijn blik te vangen, in de hoop dat Rood Haar hem zou opmerken en zich hem herinneren en hem misschien nog een keer de hand zou schudden. Toen kwam hij tot de ontdekking dat hij vlak bij iemand stond die ook naar Rood Haar keek. Het was Sakakawea, de Vogel. Ze hield haar dikke baby met zwart haar schuin op haar heup. Aan de blik in haar ogen zag Vier Beren dat ook zij alles van Rood Haar in haar geheugen prentte.

Op dit ogenblik was Rood Haar diep in gesprek verwikkeld met de man van Sakakawea, Charbonneau. Een van de verhalen van de verre reis was dat Rood Haar Charbonneau van de verdrinkingsdood in een snelle bergstroom gered had door achter hem aan te zwemmen en hem aan de wal te trekken. Zo'n verhaal over Rood Haar geloofde Vier Beren grif en hij zou het altijd in zijn herinnering houden. Rood Haar was moedig, zoals Eerste Man ook moedig was geweest; Rood Haar was iemand die verre reizen maakte, een ontdekker, zoals Eerste Man ook was geweest... Weer had Vier Beren dat sterke gevoel dat de geest van Eerste Man door de Tijdcirkel heen in het lichaam van Rood Haar bij hem teruggekeerd was. Vier Beren dacht: Als ik iets tegen hem kon zeggen, zou ik hem vertellen dat ik me in de volgende Okeepah als Eerste Man hoog laat ophangen!

Het Rood Haar Opperhoofd en Charbonneau waren uitgepraat. Ze hielden elkaar bij de schouders beet en drukten hun bebaarde wangen tegen elkaar, eerst links en toen rechts. Coyote, de *okimeh*, stond ondertussen vlakbij afscheid van familieleden, met inbegrip van Jonge Wolf, te nemen.

Vier Beren probeerde door middel van zijn wilskracht het Rood Haar Opperhoofd in zijn richting te laten kijken. Hij wilde hem met zijn ogen het beste toewensen. Hij had graag naar hem toe willen gaan om zijn hand aan te raken, zelfs zijn gezicht op de vreemde manier van de Fransman langs het zijne willen leggen. Maar zijn manieren stonden hem dat niet toe. Hij had niet tot degenen gehoord bij wie de bleekgezichten op

654

bezoek waren geweest; hij was slechts een van de honderden jongens uit de steden die Rood Haar bewonderden. Toch wilde hij dat Rood Haar naar hem keek en hem herkende, en in ieder geval naar hem glimlachte. Dus zond hij hem zo hard hij kon zijn gedachten toe. Maar toen Rood Haar in het rond keek, bleven zijn ogen in plaats van op hem op de Vogel en haar baby rusten. Het waren diepblauwe ogen en hij keek haar en de baby met zoveel aandacht aan, dat Vier Beren wist dat hij gewoonweg niemand anders kon zien. Ze liep naar Rood Haar toe. Hij lachte tegen haar en zei iets. Toen tilde ze het kleine jongetje van haar heup op en gaf hem Rood Haar aan. Met een blik van pure blijdschap op zijn gezicht tilde Rood Haar het jongetje onder zijn armpjes op, wierp hem in de lucht en ving hem op toen hij weer naar beneden kwam. Hij deed het nog eens, en nog eens. De baby kraaide en gierde van het lachen. Toen gaf Rood Haar de baby terug aan de Vogel. De mensen eromheen lachten allemaal en gaven commentaar op wat ze zojuist hadden gezien. Rood Haar gaf de baby weer aan de moeder terug, die hem in haar armen hield, en legde zacht zijn grote hand tegen haar wang. Zij deed haar ogen dicht.

Vier Beren was verbaasd door dat onverwachte gebaar van tederheid. Zoiets had hij maar zelden gezien en dan alleen nog tussen een man en zijn vrouw, in hun eigen hut. Maar zijn hart zwol ervan op en hij dacht hoe mooi het was dat zo'n grote man zo vriendelijk was tegen een kleine vrouw met een half-bloed kind, een vrouw die in feite een slavin van de Hidatsa was geweest. En zodoende maakte zelfs dat kleine gebaar de droefheid van Vier Beren over het vertrek van het Rood Haar Opperhoofd alleen maar groter.

Met onverwachte snelheid na het langdurige afscheidnemen, waren even later de boten ingeladen en was iedereen aan boord. Daar werden ze al afgeduwd in de stroming van de Modder-rivier. Vier Beren kreeg toen heel erg het gevoel dat hij iets moest doen, dat hij op de een of andere manier persoonlijk van Rood Haar afscheid moest nemen, want dat hij anders voor altijd zou betreuren dat hij dat niet had gedaan.

Dus rende Vier Beren langs de oever. Hij was slechts een van de velen die meerenden, om te zwaaien en afscheidskreten

655

naar zowel de bleekgezichten als hun *okimeh* te roepen. Vier Beren rende en rende. Ten langen leste werd zijn kleine broertje moe en bleef uiteindelijk staan. De boten waren nog steeds niet ver van de kant af en Vier Beren kon zien dat Rood Haar bij de andere kapitein was, de man die Lang Mes heette, en dat hij naast hem neerknielde om te praten. Slechts nu en dan keek hij terug naar het dorp. Het leek nu hopeloos; Vier Beren bedacht dat hij, ongeacht alle manieren, toch naar Rood Haar had moeten toe gaan en hem had moeten aanraken toen hij nog op de kant was.

En toen herinnerde hij zich opeens iets. Hij herinnerde zich het kleine schijfje spiegelglas dat het Rood Haar Opperhoofd hem twee winters geleden had gegeven. Hij haalde het uit het kleine, leren zakje waarin hij het altijd meedroeg te voorschijn. Hij hield het omhoog en maakte de heldere weerschijn van de zon op de grond voor zich. Toen hield hij het schuin, tot de lichte vlek over het water naar de boten flitste. Nu draaide hij met het spiegeltje, zodat het zonlicht naar de boot van Rood Haar weerkaatste.

Hij zag een paar mensen in de boot in zijn richting kijken.

En toen zag hij dat het Rood Haar Opperhoofd een arm omhoog hief en naar hem zwaaide. En hij zag dat hij zijn andere hand naar zijn mond bracht.

Toen klonk, van over het water, de schrille schreeuw van een adelaar door het fluitje dat hij aan Rood Haar had gegeven.

Het hart van Vier Beren zwol in zijn borst van bewondering en blijdschap. Hij stond op de rivieroever en zwaaide.

Het Grote Rood Haar Opperhoofd had zich hem herinnerd!

En het Rood Haar Opperhoofd zal altijd in mijn herinnering blijven, dacht Vier Beren. Als ik ooit merk dat hij iets wil hebben dat ik kan doen, zal ik dat ook doen.

Hij zei tegen zijn kleine broertje toen ze naar Mih-Tutta-Hang-Kusch terugliepen: 'Ik zal altijd een vriend van Rood Haar en zijn Volk zijn!'

21 *Mih-Tutta-Hang-Kusch*
Herfst 1808

In de twee jaar van Coyotes afwezigheid waren Vier Beren en
Jonge Wolf in de Okeepah opgehangen geweest. De littekens
van gescheurd vlees op hun borst en schouders waren nog vers
en rood.

Door het dorp werd geroepen dat er een boot van Chouteau,
de pelshandelaar, aankwam en dat Coyote en Gele Maïs erin
zaten. Iedereen in het dorp rende door de straten heen, de helling af, naar de landingsplaats toe om hun *okimeh* die zo lang
weg was geweest te begroeten. Toen hij het jaar daarvoor had
geprobeerd terug te keren, was de boot omgekeerd toen er een
aanval van de vijandige Arikara was geweest, en Coyote, zijn
vrouw en Jussaume hadden een extra winter doorgebracht in
de stad St. Louis aan de monding van de Modderrivier. Hun
vriend Rood Haar woonde nu in die stad als oorlogsopperhoofd en tussenpersoon voor alle stammen ten westen van de
Moeder der Rivieren, en Lang Mes was *okimeh* van alle gebieden in het westen die ze hadden geëxploreerd. Maar dat was
al lange tijd voordat de boot van de bontonderneming de rivier
was komen opvaren bekend geworden. En nu was de boot dus
eindelijk hier.

Meerkabels werden naar de oever geworpen en vastgebonden en de Mandan stonden enthousiast hun geliefde *okimeh*
op te wachten.

De eerste mensen die de loopplank afkwamen, waren een
dikke man en een vrouw in vreemde, belachelijke kledij.

Vier Beren en Jonge Wolf keken naar de man en vrouw en

vervolgens naar elkaar. Het was doodstil in de menigte geworden. Vier Beren zag de dikke man gretig van de een naar de ander op de wal kijken. Niemand bewoog. De man keek Jonge Wolf aan en Jonge Wolf sloeg zijn ogen neer.

Vier Beren stond toe te kijken. Hij zag het gezicht van de dikke man uitdrukkingsloos worden. Al het enthousiasme verdween. Hij zag het Volk langs of door het vreemd geklede paar heen kijken. Daarna keken ze naar de anderen, handelaars en bemanningsleden, die van de boot kwamen.

De dikke man stak zijn hand omhoog en zette zijn driehoekige hoed schuin en de vrouw maakte een klein voorwerp open dat eruitzag als een dak op een stok en hield het boven zich om schaduw voor zichzelf te maken. Toen legde ze haar hand op zijn arm en ze begonnen de heuvel te beklimmen. De dikke man had aan zijn andere arm een stok met een gebogen handvat hangen en in een mondhoek een bruin ding dat net een stok leek. Hij stak zijn hand voor in zijn kleding en trok een glimmend voorwerp dat een medaillon leek te voorschijn, keek ernaar en stopte het weer terug.

De mensen draaiden zich voorzichtig om en keken de twee dikke mensen na die de heuvel naar het huis van de *okimeh* opliepen. De japon van de vrouw sleepte door het zand. De zwarte mantel van de man had twee zwarte punten die tot achter zijn knieën afhingen.

Het bleef stil. Het Volk keek weer naar de boot. Hun gezichten klaarden op toen ze Jussaume naar beneden zagen komen. Hij was zoals altijd gekleed, in herteleer met een sjerp om zijn middel. Het Volk verdrong zich om hem heen en begroette hem. Ze hadden een vraag voor hem: Hun *okimeh*, Shahaka, de Coyote, moest toch ook op zijn boot zijn?

Snuivend antwoordde Jussaume: 'Wat? Zijn jullie blind? Hij is jullie zojuist voorbijgelopen! Daar loopt hij, op de heuvel, samen met Gele Maïs!'

'We hebben niemand gezien,' zei Jonge Wolf.

'Nee,' zeiden anderen. 'We hebben niemand gezien.'

En Vier Beren zag dat ze geloofden wat ze zeiden.

Vier Beren ging een paar dagen later in het centrum van de

stad naar Jonge Wolf toe. Hier waren de bleekgezicht-handelaars omringd door echtgenoten met hun vrouwen die beverpelzen en gelooide bizon- en antilopehuiden tegen priemen en naalden, spiegels en vlamhout, ketels en tinnen bekers en geweren verhandelden. Het was een mooie, heldere dag. De hemel was diepblauw en uit het noorden waaide een koel windje dat de geuren van geroosterd vlees en brandende tabak die overal heen dreven nog versterkte. Iedereen was druk aan het praten en het ging er vrolijk aan toe. Maar Jonge Wolf keek chagrijnig. Hij keek de mensen niet aan en het leek of hij elk moment kon gaan schreeuwen of huilen. Hij liet zich echter door zijn vriend Vier Beren tegenhouden en ze stonden zich naast de Grote Kano in het zonnetje te koesteren. Vier Beren zag dat Jonge Wolf met iemand moest praten en dat het de reden was waarom hij met niemand leek te willen praten. Nadat ze een paar dingen over de waar van de handelaars hadden gezegd, gooide Jonge Wolf er opeens, met trillende kin, uit:

'Coyote is een grote leugenaar!'

Dat had Vier Beren ook gehoord, maar het schokte hem om het van Jonge Wolf te horen. Dus zei hij niets, maar tuurde alleen naar de bizonhuiden die aan hun lange palen boven de hut van de *okimeh* heen en weer zwaaiden. Hij wachtte tot zijn vriend verder ging. Hij keek hem niet aan, omdat hij het niet prettig vond om een jonge man tegen zijn tranen te moeten zien vechten. Jonge Wolf had zijn grootvader bijna aanbeden en Vier Beren wist dat het heel moeilijk voor hem geweest moest zijn om te zeggen wat hij zojuist had gezegd.

Even later begon Jonge Wolf weer te praten. 'Toen hij twee winters geleden met de bleekgezichten vertrok, verwachtte ik niet dat mijn grootvader weer zou terugkomen. Ik geloof ook niet dat hij is teruggekomen! Ze hebben zijn geest daar gehouden en ons een pak vol leugens teruggestuurd dat op zijn lichaam en zijn gezicht lijkt. Je hebt hem gezien, hij is zo opgedoft dat hij er als een enorme ekster uitziet! Mannen zouden niet om mijn grootvader hebben gelachen, maar deze ekster die is teruggekomen lachen ze uit!' Jonge Wolf klemde zijn lippen op elkaar en ademde zwaar door zijn neus in terwijl hij nog steeds probeerde om niet te huilen.

Vier Beren besloot om hem iets in herinnering te brengen en zei: 'Weet je niet meer dat de mannen hem soms ook wel eens uitlachten omdat ze vonden dat hij een man was die te veel praatte?'

Jonge Wolf keek Vier Beren aan met ogen die vuur schoten van woede en gaf terug: 'Maar ze zeiden nooit dat hij een leugenaar was! En nu zeggen ze het allemaal! Mijn grootvader was geen leugenaar en deze man die de bleekgezichten teruggebracht hebben is dat wel! Ik geloof dat ze zijn geest hebben gestolen en ons een dikke ekster hebben teruggegeven!'

'Wat zegt hij dat volgens hen niet waar is?' vroeg Vier Beren. De jongens liepen onder het praten uit het midden van de stad vandaan, weg van de luidruchtige mensenmassa. Ze slenterden naar het deel van de stad dat op het klif hoog boven de rivieroever lag. Even later keken ze neer op de grote, aangemeerde boot met roeiriemen van de pelshandelaars.

Jonge Wolf wees naar het vaartuig en zei: 'Hij heeft ons verteld dat op een rivier in het oosten een boot is die even groot als die boot daar is en dat hij hem zonder roeiriemen of paddels de rivier heeft zien opvaren. Nou, dat kan gewoon niet!'

Vier Beren dacht even na. Toen klaarde zijn gezicht op en hij antwoordde: 'Een grote boot zou dat wel kunnen! Weet je niet meer dat de boot van Rood Haar, toen hij hier voor het eerst de rivier kwam opvaren, een vleugel had waar de wind in blies? En dat de wind de boot over de rivier duwde?'

'Ja, vleugelboten ken ik wel. Maar Ekster had het niet over vleugelboten. Hij zei dat die boot op de rivier werd voortgestuwd door een groot vuur in zijn buik. Hij zei dat de boot rommelde en rook uitblies.'

'Ging het schip vooruit door vuur?'

'Ja, dat zei hij. En dat moet natuurlijk een leugen zijn.'

Vier Beren was het ermee eens dat het wel een leugen moest zijn. 'En wat vertelde hij nog meer dat niet waar lijkt?'

Weer wees Jonge Wolf naar de boot van de pelshandelaars. 'Hij zei dat hij boten heeft gezien die wel tien keer zo groot als die boot daar waren, en dat er enorme bossen bovenop groeiden en dat er honderd man in de takken konden staan. En hij zei dat er zo honderden boten op de oever bij een stad liggen.'

'Ai-ee!' riep Vier Beren uit. Hij herinnerde zich dromen waarin hij grote boten met bomen erbovenop had gezien. Nu kon hij alleen maar zegen: 'Zouden er zulke boten kunnen zijn?'

'Nee. Het zijn alleen maar leugens,' zei Jonge Wolf. 'Bijna meer dan je in je hoofd kunt houden. Hij zei dat alle mensen uit een grote stad op een avond in de zomer naar de oever gingen om te kijken naar vuren die in de lucht uitbarstten. Hij zei dat de vuren als geweren knalden en als arenden gierden en dat ze als zonnen flitsten. En dat heldere, lichtgekleurde rook als een waterval langs het aangezicht van de hemel naar beneden liep. Hij zei dat het feller was dan het winterlicht aan de noordelijke hemel. Maar het verschrikkelijkste aan die leugen was dat die lichten niet door de Schepper waren gemaakt, zoals hij zei, maar door de blanke mannen zelf. En dat ze het voor hun eigen vermaak deden.

Hij zei dat ze ook voor hun vermaak grote hutten met hoge daken binnengaan, waar honderden mensen in rijen zitten terwijl een paar mannen en vrouwen hoog boven, voor hen, zitten en naar elkaar staan te schreeuwen. En dat ze elkaar ten slotte met lange of korte messen doden...'

'Wat! Elkaar echt doodmaken?'

'Hij zei dat ze hun doodslied zongen terwijl ze stierven! Maar als ze daarna allemaal aan het eind weer te voorschijn komen, zijn de doden ook weer levend!'

'Ai-ee!' riep Vier Beren. 'En zou ons eigen opperhoofd, een man die we moeten vertrouwen en in wie we moeten geloven, zulke dingen aan zijn Volk vertellen?'

'In datzelfde soort grote huizen met hoge daken, zei hij, zaten ook vele honderden mensen in rijen om naar twintig of dertig anderen te kijken die gereedschappen gebruiken die harde geluiden maken. Er waren trommen, fluiten, klokken, maar ook veel mensen die gereedschappen vasthielden waarover ze met een zweep schraapten om geluid te maken. Hij zei dat een deel van het geluid aangenaam was, maar dat het voor het grootste deel snerpte en donderde, zodat hij wel weg wilde lopen. Maar, zei hij, zelfs dat geluid is niet erger dan de geluiden in de straten, dus had het geen enkele zin om naar buiten te vluchten!'

De schedelhuid van Vier Beren prikte. Als deze dingen waar

waren, was de wereld van de blanke man een afschuwelijk oord; als ze niet waar waren, was Coyote misschien waanzinnig geworden, wie weet omdat de bleekgezichten inderdaad zijn geest gestolen hadden. Dat zou voor het Volk hier erger zijn. Het deed er niet zoveel toe of bleekgezichten die zo ver weg woonden gek waren. Maar als je eigen opperhoofd maalde, was dat problematisch.

'Luister,' zei Jonge Wolf terwijl hij hard de bovenarm van Vier Beren vastgreep. 'Coyote vertelde dat een man in een van de steden naast hem stond, zijn beeltenis van hem afnam en dat op iets vlaks legde. En toen Coyote ernaar keek, was hij het precies! Misschien was dat wel het moment dat ze zijn geest van hem afnamen, heb ik zo gedacht.'

Dat was een angstaanjagende gedachte en Vier Beren zei: 'Dat zou hele slechte toverij zijn! Dat zou je iemand niet willen laten doen. Maar ik heb over al deze verhalen nagedacht en nu vraag ik je iets. Jussaume was bij Coyote. Heeft iemand hem gevraagd of deze vreselijke gebeurtenissen ook echt plaatsvinden?'

'Ja, dat hebben ze hem gevraagd en hij zei dat het allemaal echt gebeurd is,' zei Jonge Wolf. 'Maar Jussaume is uiteraard een blanke man. Zolang hij bij ons Volk vertoeft, heeft hij al gelogen en zich als een gek gedragen. Ook hij is één pak leugens!'

Vier Beren vond het niet prettig om naar het ongelukkige gezicht van Jonge Wolf te kijken, dus tuurde hij over de top van de boot van de pelshandelaars heen naar de glinsterende golven van de blauwgrijze rivier. Hij dacht terug aan die eerste dag dat hij Rood Haar had gezien en hij in het koude water was gesprongen om diens hoofddeksel voor hem op te halen. 'Ik wilde dat Rood Haar met Coyote mee was teruggekomen,' zei hij zachtjes. 'Dan konden we hem vragen hoeveel er van dat alles waar was. Hij was geen man die loog. Dat weet ik zeker!' Hij herinnerde zich hoe Rood Haar over het water heen naar hem gezwaaid had en op het fluitje van adelaarsvleugel had geblazen.

Jonge Wolf keek Vier Beren dreigend aan. 'Je hoort een man die onze *okimeh* bij ons heeft weggehaald en een pak leugens terugstuurde niet zo aardig te vinden!' Hij snoof minachtend. 'Een man die zei dat hij vissen heeft gezien die zo groot waren dat een man in de maag kon wonen? Chgg! En nog meer:

Die man die mijn grootvader was, die ekster, zei dat hij elke dag dat hij weg was visioenen heeft gezien!'

'Keks-cusha!' riep Vier Beren. 'Dat is een ontzettende leugen! Een visioen is iets heel zeldzaams! Niet iets van elke dag!'

'Ze gaven hem een heel sterkedrank en dan kwam het visioen!'

Vier Beren greep plotseling Jonge Wolf bij de schouder. 'Aha! Dan is hij niet gek. En dan zijn er in het oosten van de bleekgezichten ook geen vuurboten en vlammen in de lucht en doden die op het eind opeens weer leven. Zie je wel? Hij heeft te veel van hun sterkedrank gedronken. Nu *denkt* hij alleen maar dat hij zulke dingen heeft gezien! Je grootvader is daarom geen pak leugens, hoor. En zei hij dat hij Maho Okimeh Jefferson heeft ontmoet?'

Jonge Wolf duwde de hand van Vier Beren weg. 'Ja, dat zei hij. Maar als hij die sterkedrank heeft gedronken, heeft hij dat misschien ook alleen maar gedacht.'

22 Mih-Tutta-Hang-Kusch
Herfst 1822

Vóór het aanbreken van de morgen klonken er een paar luide kreten en was er getrappel van hoefslagen op de hellingen voorbij de Stad der Doden. De enige die het hoorde, was een meisje dat vroeg op pad was gegaan om voor de geest van een overleden grootouder te bidden. Pas na zonsopgang, toen ze van haar gebeden opkeek en zag dat de kudde *ka vah yoh's* was verdwenen, kwam ze terug om iets over de geluiden te vertellen. Twee van de jongens die de paarden bewaakten, trof men met een prop in de mond en vastgebonden in een geul aan. Ze hadden een bult op hun hoofd, maar leefden nog. De derde jongen was doodgestoken en van zijn scalp ontdaan. De twee jongens konden zich alleen herinneren dat de kudde rusteloos was geworden; ze hadden de mensen die hen met een klap buiten bewustzijn hadden gebracht niet eens gezien.

Vier Beren was inmiddels oorlogsopperhoofd van de Mandan geworden. Hij zou graag hebben geloofd dat de Arikara, oude vijanden die in de buurt woonden en een paar jaar geleden zijn broer hadden gedood, de paardendieven waren geweest. Maar dit was niet het werk van de Arikara. Een gezadelde pony die met zwerfdieren was teruggekomen, was versierd met kentekenen van de Shienne. De sporen van de kudde liepen naar het zuidwesten.

Omdat jagers ver weg waren en er zoveel paarden van de stam waren gestolen, konden Vier Beren en Jonge Wolf slechts een vijftig ruiters op de been krijgen om achter de Shienne aan te gaan. En omdat veel mannen uit andere Mandan-steden verder rivierafwaarts moesten komen, was er al een groot deel van de eerste dag verstreken voor de Mandan de achtervolging konden inzetten. Ze reden hard en volgden het goed aange-trapte spoor.

Halverwege de tweede dag werd het spoor heel vers; de paar-dekeutels waren nog niet eens droog. De krijgers brachten hun wapens in orde. Ongeveer de helft bezat nu Franse *tvu-zies* of Amerikaanse en Britse vuursteengeweren.

Vier Beren en Jonge Wolf reden altijd vooraan. Voorzichtig verkenden ze over de top van de heuvels heen het terrein voor ze de anderen sommeerden verder te komen. Vroeg in de na-middag reden ze over een heuveltje heen en daar zagen ze ten slotte hun vijand beneden.

Met zijn gezicht in de wind bleef Vier Beren staan en hief zijn hand op. De vijftig krijgers bleven wraakzuchtig staan. Hun ogen schoten vuur. Ze keken naar beneden naar het op-dwarrelende stof en de talloze Shienne en honderden paarden in de felle zon op de open vlakte daarbeneden. Hun geweld-dadigheid smolt weg. Jonge Wolf riep:

'O, wat zijn het er veel! Ze zijn wel met drie of vier keer zoveel als wij!' Paardendieven kwamen meestal met een heel klein gezelschap. Jonge Wolf tuurde in de verte. Zijn kaak stond gespannen. Hij zag er woest en onstuimig uit en vele veren van successen getuigden van zijn moed. Maar nu stond er behoed-zaamheid, zo geen angst, op zijn gezicht te lezen. En voor de meeste anderen gold precies hetzelfde.

'Ze zien ons,' zei Vier Beren. 'We moeten hen aanvallen of omkeren en teruggaan. Mijn bloed is verhit. De Shienne hebben sinds de tijd van onze grootvaders onze jagers vermoord. Het zou een schande zijn om, als we hen hebben ingehaald, weer terug te moeten keren. Wat wordt het, broeders?'

Jonge Wolf zweette toen hij de Shienne hard om de kudde paarden daar ver beneden heen zag rijden en een groep krijgers bij elkaar zag brengen. 'We moeten maar op een andere dag wraak nemen,' zei hij. 'Hier zouden we allemaal de dood vin-den.'

Vier Beren zag dat de anderen het ermee eens waren. Vier

Beren was het oorlogsopperhoofd van deze groep krijgers en hij had het leven van vijftig mannen in zijn hand.

Maar hij had ook de verantwoordelijkheid voor de eer van zijn Volk. Hij zei:

'Er is geen tijd om vlug naar huis te rijden om meer krijgers op te halen. Het is te ver. Kijk, ze komen al op ons af.' Toen schreeuwde hij: 'Iedereen hier blijven! Er is een manier met eer!'

Toen gaf Vier Beren, tot ieders verbazing, zijn paard de sporen en reed joelend de helling af, pal op de Shienne af. Halverwege op weg naar hun gelederen bleef hij met zijn rijdier staan en wierp zijn speer recht naar beneden, zodat die in de grond bleef steken. Toen liet hij zijn paard steigeren, maakte een krappe cirkel en reed terug naar de speer. Hij trok de rode sjerp die hij over zijn borst droeg af en bond die aan de schacht van de speer vast, zodat die daar als een oorlogsvaandel, een bloedrode uitdaging, wapperde. Toen reed Vier Beren met het geweer in de hand voor de optrekkende gelederen van de Shienne heen en weer. Hij zorgde er wel voor dat zijn schild van bizonhuid altijd naar hen toe was gericht. Zijn paard stuurde hij met zijn knieën.

Even later reed een moedige, vaak onderscheiden Shienne naar voren. Hij kwam in volle galop naar Vier Beren toe. De man had een prachtige hoofdtooi van adelaarsveren en droeg een speer die afgezet was met veren en hermelijnbont. Hij bereed een groot, grijs paard met zwarte benen. Hij kwam zover aangereden dat hij zich met schreeuwen verstaanbaar kon maken, hield de teugels in en riep in zijn eigen taal:

'Wie is dit? Wie daagt me zo voor al mijn krijgers uit?'

Vier Beren wist voldoende Shienne van zijn grootvader Man op een Paard om terug te schreeuwen: 'Mah-to-toh-pah, Vier Beren, oorlogsopperhoofd van het volk van wie u de paarden hebt gestolen, staat hier voor u! Vier Beren alleen zal met uw oorlogsopperhoofd vechten om onze paarden terug te winnen. En onze krijgers mogen allemaal toekijken zonder dat ze gewond raken! Slechts één man hoeft vandaag te sterven!'

De Shienne bleef heel even zwijgend op zijn paard over deze buitengewone uitdaging zitten nadenken. Toen schreeuwde hij: 'Kijk hier eens, hier heb ik aan mijn paard de scalps hangen die ik als ons oorlogsopperhoofd heb genomen. Ja! Ik ben de man met wie u zult vechten!' Hij liet zijn paard met een ruk vooruitspringen, reed om de speer van Vier Beren heen en gooide daar vlakbij zijn eigen speer in de grond. Met zijn veren hoofdtooi en scalplokken wapperend in de wind nam de Shienne met glinsterende ogen de brede borst en pezige armen van Vier Beren op. Hij schreeuwde: 'Laten we dan hier vechten! Wie wint krijgt de paarden en onze broeders keren veilig naar huis terug. Ja, zoiets mag ik wel!'

'Uw leven voor het leven van onze jongen die u doodde! Dit is goed!' antwoordde Vier Beren. Met gebaren gaven ze hun krijgers te kennen dat deze zich in rijen tegenover elkaar moesten opstellen.

De twee oorlogsopperhoofden reden elk naar de rand van het veld dat op die manier was ingedeeld en keerden hun paarden naar elkaar toe. Vier Beren deed kruit in de kruitpan van zijn vuursteengeweer, klikte de kruitkamer dicht en haalde de haan over. Hij kneep zijn ogen stijf dicht en zond zo'n doordringend gebed naar de hemel toe, dat hij alle zwakte, kracht en pijn van de Okeepah door zich heen voelde sidderen. En toen hij zijn ogen weer opendeed, kon hij zien als een arend en zijn vlees voelde klaar om alle pijn weg te lachen. Het leek of er vanuit de prairiebodem energie door zijn paard en hem heen tintelde. Opeens voelde hij een golf van liefde en droefheid om het paard door zich heen gaan en wist dat het grote dier ging sterven.

De zon was warm, de wind koel. Vier Beren liet zijn schrilste oorlogskreet horen. De oorlogskreet van het Shienne-opperhoofd kwam als een echo op zijn eigen schreeuw terug. Toen spoorden ze allebei hun paarden aan en kwamen denderend op elkaar af gereden, hun musketten op gelijke hoogte op elkaar gericht. Toen ze bij de rechtopstaande speren aankwamen, haalden ze allebei de trekker over. Een gebrul ging op in de gelederen van de krijgers; het werd overstemd door de geweersalvo's. Vier Beren voelde iets heets in zijn gezicht en linkerdijbeen bijten, net bijesteken en voelde een harde schok toen de Shienne in de kruitrook links van hem voorbij spoedde.

Maar hij voelde niet dat hij gewond was. Hij reed nog eventjes door, keek achterom en zag dat de Shienne ook nog steeds in het zadel zat en naar hem omkeek. Vier Beren draaide zijn paard rond en bleef staan. Hij greep naar zijn kruithoorn om zijn musket opnieuw te laden. De Shienne deed in de verte hetzelfde. Alle krijgers krijsten en schreeuwden moedige woorden. Zelfs van deze afstand kon Vier Beren de witte tanden van het vijandelijke opperhoofd in een vreugdevolle grijns ontbloot, zien.

Maar de kruithoorn die Vier Beren vasthield was kapotgeslagen. Hij was leeg, door de kogel van de Shienne getroffen. Vier Beren had geen kruit voor zijn musket.

Met een ruk trok hij de draagriem van de kruithoorn over zijn hoofd. Vier Beren hield hem omhoog en gooide hem weg om de Shienne te laten zien dat zijn geweer nutteloos was en gooide vervolgens ook zijn musket in het gras. Daarna pakte hij de boog en pijlkoker die bij zijn knie hing.

Toen de Shienne dit zag, gooide hij zijn eigen musket in de lucht en pakte ook zijn boog en pijlkoker. 'Ha!' riep Vier Beren vol bewondering uit. Deze vijand was niet alleen een man van eer, maar bezat bovendien moed.

Weer stormden ze met het schild gepresenteerd vanaf de rij schreeuwende krijgers op elkaar af. Ze zetten een pijl op hun boog. Toen ze elkaar passeerden, lieten ze de pijlen gaan. De eerste pijl van de Shienne gleed met een versplinterde schacht van het schild van Vier Beren af. Onmiddellijk keerden beide ruiters om, elk met een nieuwe pijl op de boog, en reden weer op elkaar af. Daar gingen de pijlen. Een pijl doorboorde Vier Beren in de bovenkant van zijn dijspier. Weer stormden ze op elkaar af. Weer schoten ze pijlen af toen ze elkaar voorbijgingen. Vier Beren zag dat zijn pijl de oorlogshoofdtooi van de Shienne van diens hoofd rukte. De volgende keer dat ze elkaar voorbijgingen kraakte de Shienne-pijl de rand van het schild van Vier Beren af en gaf een jaap over zijn jukbeen.

De twee ruiters zweefden om en langs elkaar heen als adelaars die in een spiraal in de lucht zweven. Hun paarden waren sterk en reageerden snel. De Shienne was een fantastische ruiter en een man die dolblij leek om te vechten; hij keek even aandachtig en gelukkig als een man die een dobbelspel speelt. Soms reden de twee zo vlak langs elkaar heen, dat Vier Beren de samengetrokken littekens op de borst van de Shienne zag. Hij wist dat de Shienne zijn mannelijkheid in de Zonnedans, de ceremonie van hun Volk waarbij ze de huid doorboorden, had bewezen. Toen ze een andere keer langs elkaar heen denderden, zag Vier Beren dat een van zijn pijlen in de kuit van de andere man was gedrongen. Maar diens gezicht stond nog steeds onstuimig en gelukkig; ook hier was een man die boven pijn uitging.

Vier Beren had nog maar drie pijlen in zijn koker. Toen hij er één op de Shienne afschoot, voelde hij zijn paard onder zich wankelen. Het dier maakte een fluitend geluid en zakte in elkaar. Vier Beren sprong uit het zadel. Een Shienne-pijl was in de linkerzij, vlak achter de schoft, van het dier gedrongen. De schacht was er tot de veren en de keep in doorgedrongen. Het was een perfect schot in het hart. Het dier hief zwakjes zijn hoofd omhoog en liet het toen zakken; zijn zwoegende flanken werden stil en het leven vlood uit hem weg.

Vier Beren stond boven het dier, gaf een gebrul van verdriet en woede en legde zijn op een na laatste pijl op de boog. Hij zette zich schrap en wist dat hij zijn doel zou treffen. Hij wachtte tot de Shienne in het zadel weer aanviel.

In plaats daarvan gaf het grijnzende oorlogsopperhoofd zijn voordeel weer weg. Hij sprong van zijn paard, gaf het met zijn boog een klap op de romp om het weg te jagen en nam, met zijn schild voor zich en de boog in de aanslag, zijn plaats tegenover Vier Beren in. Hij begon naar Vier Beren toe te lopen en zelfs de pijl in zijn kuit belemmerde de sluipende elegantie van zijn passen niet. Hij trok de boogpees tot zijn oor terug en schoot met zoveel kracht een pijl af, dat deze de door vuur geharde bizonhuid doorboorde. De ijzeren punt groef zich een duim diep in de schouderspier van Vier Beren. Toen liep Vier Beren naar de Shienne toe. Hij hinkte enigszins door de pijl in zijn dij. Met evenveel kracht liet hij zijn pijl door de lucht vliegen. De Shienne hield zijn schild schuin en de pijl van Vier Beren schampte er met een bons op af en kwam opzij tussen de Shienne-krijgers op de grond terecht. Vier Beren zette zijn laatste pijl op de boog en liep dichter naar het vijandelijke opperhoofd toe, die precies hetzelfde deed.

Nu waren ze zo dicht bij elkaar, dat ze elkaar in het gezicht konden schieten. De vibrerende stemmen van de krijgers aan weerskanten klonken als een lied uit de hemel.

De twee opperhoofden lieten op hetzelfde ogenblik hun twee laatste pijlen gaan. Beiden hielden de arm die de boog vasthield en waarop het schild was vastgebonden gestrekt voor zich. Op dat ogenblik was hun lichaam onbeschermd. De pijl van Vier Beren trof zijn vijand op zijn linkerwenkbrauw, maar het was een schampschot dat alleen de huid van diens slaap openreet en het topje van zijn oor meenam toen hij langsvloog. Op datzelfde ogenblik ging de pijl met stenen punt van de andere man dwars door de rechterhand van Vier Beren en wierp hem met een verdovende schok naar achteren.

Nu al zijn pijlen verdwenen waren, gooide het Shienne-opperhoofd, zijn gezicht badend in bloed dat van zijn voorhoofd stroomde, zijn boog en pijlkoker op de grond. Uit de met franje versierde schede trok hij een tweesnijdende, stalen dolk met een breed lemmet en een klauw op het uiteinde van het heft. Hij sprong op Vier Beren af.

Met de rug van zijn linkerhand deelde Vier Beren een enorme klap uit, die de stoot van de dolk afweerde en de Shienne op de grond wierp. Aan weerskanten jodelden de krijgers van opwinding en bewondering voor hun eigen opperhoofd en het opperhoofd van de ander. Ze vermeden het echter zich in de strijd te mengen. Dat was tenslotte de bedoeling. Terwijl de Shienne overeind krabbelde, gooide Vier Beren zijn schild en boog weg, vastbesloten om even eerbaar als zijn tegenstander te zijn en de strijd gelijk te houden. Maar zijn rechterhand die nog bloedde en verdoofd was door de laatste pijl die erdoorheen gegaan was, kon de schede van zijn mes niet vinden.

Weer wierp de Shienne zich met hoog opgeheven mes op Vier Beren. Hun met bloed besmeurde lichamen sloegen met een klap wankelend, kronkelend tegen elkaar aan. In een verwoede poging de hand met het mes onder controle te krijgen, greep Vier Beren met zijn gezonde hand wanhopig de pols van

670

de Shienne beet. Ondertussen graaide hij met zijn verdoofde rechterhand vergeefs naar zijn eigen schede.

De rechterarm van de Shienne was sterker dan de linkerarm van Vier Beren. Beetje voor beetje duwde hij het enorme lemmet in de richting van diens hals, terwijl hij ondertussen diens hoofd achteroverrukte door met zijn andere hand aan het lange haar van Vier Beren te trekken. In deze dodelijke omhelzing worstelden, zweetten en bloedden ze een lang, eindeloos ogenblik. Zo intiem als geliefden samen het middelpunt van het leven, dat de rand van de dood was, beleefden, keken ze elkaar in de waanzinnig geworden ogen.

Toen het mes hem bijna op de keel stond, wist Vier Beren dat hij beide handen nodig zou hebben om de kracht van de ene arm van de Shienne tegen te houden. Met zijn onderarm voor zijn keel werkte hij zijn rechterarm tussen zichzelf en de vijand in en greep met zijn bebloede rechterhand naar de hand waarin de Shienne het mes vasthield. In plaats van de hand greep hij het lemmet beet. Hoewel beide randen van het lemmet in zijn hand sneden, draaide en duwde hij eraan en probeerde ondertussen met zijn andere hand de pols te grijpen. De Shienne gaf een ruk naar boven. Hij trok het lemmet uit de vuist van Vier Beren, maar sneed daarbij diep in diens hand en vingers. Heel even was het mes verder van de keel van Vier Beren verwijderd, maar de Shienne duwde het met opmerkelijke kracht weer naar beneden. Weer probeerde Vier Beren het mes te grijpen en kreeg het lemmet te pakken. En terwijl hij het draaide, drukte hij zijn pezige onderarm steeds harder tegen de nek van de andere man en sneed hem zo de adem af. Terwijl ze in deze gruwelijke omhelzing met elkaar worstelden, probeerde elk de ander beentje te haken en uit zijn evenwicht te brengen. Maar ze waren allebei te lenig om zich omver te laten werpen en in deze ogenschijnlijke dans slaagde geen van beiden erin voordeel te behalen. Beiden hadden ze een pijl in een been. De grond onder hun springende, stampende voeten was bevlekt en bespat met bloed. De krijgers aan weerskanten schreeuwden niet meer. Ze keken met half dichtgeknepen ogen en vertrokken gezichten aandachtig naar de beklemmende worsteling. Sommigen kreunden alsof ze zelf pijn leden.

Opeens gebeurde er iets. De krijgers hapten naar adem.

Vier Beren schopte tegen het gewonde been van zijn vijand aan en brak daardoor de schacht van de pijl die erdoorheen stak af. De Shienne kromp in elkaar van pijn. Heel even raakte hij uit zijn evenwicht en Vier Beren greep hem bij de pols en wrong het mes uit zijn hand. Even later had hij het mes beet. Hij greep het heft met zijn linkerhand beet, duwde zijn vijand met zijn rechterarm achteruit en zei: 'Grote vijand. Ga in blijdschap.'

Hij stak onder het borstbeen omhoog.

De greep van de Shienne op het haar van Vier Beren verslapte. Zijn lichaam, dat hard en gespannen als een gespannen boog was, werd slap. Langzaam zakte hij in elkaar en keek Vier Beren in het gezicht. De woede was uit zijn ogen verdwenen. Zijn gezicht was zacht en sereen als een vrouwengezicht. Hij knikte, sloot zijn ogen en was al dood nog voor zijn lichaam de grond raakte.

Het was doodstil toen Vier Beren het haar van zijn gevallen vijand beetgreep en twee snelle, ronde sneden over de schedel trok. Hij rukte de scalp van het hoofd en hield die hoog boven zijn hoofd.

Hij slingerde een beetje heen en weer. Even zag hij alleen maar sterretjes voor zijn ogen. Toen werd het weer helder. Hij draaide zich naar zijn krijgers om.

'We hebben onze paarden teruggewonnen!' schreeuwde hij. 'Laten we nu allen in vrede naar huis gaan!'

Zijn krijgers zaten geschokt en verdoofd op hun paard over het slagveld uit te kijken. Op het korte gras lagen een dood paard en een dode man, bogen, pijlen, geweren, schilden, een kapotte kruithoorn en een oorlogshoofdtooi van de Shienne. Twee versierde speren staken midden op het veld uit de grond. Daartussenin stond met uitgehouwen gelaatstrekken hun oorlogsopperhoofd Mah-to-toh-pah, Vier Beren, die in zijn eentje een oorlog had gewonnen. Zij, die bang waren geweest om te vechten, konden niet juichen. Niet voor zichzelf. Zelfs de roekeloze Jonge Wolf had zitten toekijken.

Maar wel konden ze met liefde en bewondering Mah-to-toh-

672

pah, hun oorlogsopperhoofd, aankijken. Iedereen vond inspiratie. In heel hun land zouden ze over zijn daad vertellen. En hun zonen en kleinzonen zouden weten wat Vier Beren op deze dag had gedaan.

23 Mih-Tutta-Hang-Kusch
Zomer 1832

Vier Beren, Mah-to-toh-pah, oorlogsopperhoofd van alle Mandan en Oude Beer, Mah-to-he-ha, de sjamaan, zaten samen in de Medicijn Hut te roken en baden om regen. De maïsvelden waren geel en verlept, tot de wortels verdroogd. De vrouwen hadden de hoop voor de hele oogst al opgegeven en Regen Makers hadden, de een na de ander, tevergeefs vanaf het dak van de Medicijn Hut de helderblauwe hemel uitgescholden en aangeroepen. Maar alles was vergeefs.

Nu kwam Waka-da-ha-hee, Witte Bizon Haar, eraan. Hij droeg het oude, beschilderde schild waarmee zijn vader, Witte Bizon, lang geleden, toen Vier Beren nog maar een jongen was, regen had gebracht. Witte Bizon Haar was een van de favoriete krijgers van Vier Beren. Hij was een prima boogschutter en hij was moedig, vriendelijk en eerlijk. Hij had om de hand van Antilope, een knappe dochter van Mah-sish, Oorlogs Adelaar, gevraagd. Mah-sish had zijn toestemming gegeven. De toekomst leek een goed leven voor deze hooglijk gewaardeerde mensen in petto te hebben. Witte Bizon Haar ging bij Vier Beren en Oude Beer zitten en toen hij met hen had gerookt, zei hij:

'Ik heb gebeden en eindelijk hebben de Donder Wezens gisterenavond mijn dromen bezocht. Hun ogen flitsten wit licht en ze zeiden me dat ze morgen regen zouden brengen als ik ze zou roepen.' Hij raakte het schild aan waarop in rood een bliksemschicht was geschilderd. 'Dit zal de bliksem naar onze stad trekken en de zwarte wolken laten zien hoe hard onze vrouwen regen nodig hebben. Ik zal met mijn sterke boog een gat in die wolken schieten en daar zal de regen uitstromen. Vaders, ik vraag uw toestemming om morgen op het dak van deze hut te gaan, want ik heb de belofte gekregen dat ik regen voor de maïs en voor het groene gras dat de bizon nodig heeft kan brengen.'

Oude Beer wapperde met de vleugelveer van een adelaar een pluk salie op het altaar aan. De mannen veegden de reinigende geur over zichzelf heen en ademden die in. Vier Beren herinnerde zich die specifieke adelaarsveer; hij was van een arend die hij bijna dertig jaar daarvoor had gevangen op dezelfde adelaarsjacht als die keer dat hij voor het eerst de vleugelboot van het grote Opperhoofd Rood Haar en Opperhoofd Lang Mes had gezien. Van een botje van diezelfde arend had hij een fluitje gemaakt, dat hij aan Rood Haar had gegeven.

Vier Beren dacht nog steeds met genegenheid aan Rood Haar terug. Meer dan twintig jaar lang had Rood Haar in de stad die St. Louis heette gewoond, waar de Modderrivier in de Moeder der Rivieren stroomde. Hij was de beschermer en raadgever voor alle stammen. Iedere keer als er een boot uit die stad de rivier op kwam, probeerde Vier Beren iemand te spreken die Rood Haar Clark had gezien. En hij had nog nooit iets gehoord dat hem teleurstelde. Rood Haar scheen de enige eerlijke blanke man te zijn. Het Volk van de Mandan was vriendelijk tegen de blanken gebleven, omdat ze dat aan Rood Haar en Lang Mes hadden beloofd. Maar dat viel niet mee, omdat maar zo weinig blanke mannen eerlijk en rechtschapen waren. Binnen het gezichtsveld van Mih-Tutta-Hang-Kusch hadden ze een fort voor pelshandelaars gebouwd. Ze hadden het Fort Clark genoemd, maar soms zei Vier Beren dat dit er geen goede naam voor was. Dan zei hij tegen meneer Kipp, de handelaar in het dorp: 'Ze horen geen oneerlijke plek naar een eerlijk man te noemen. Ze stellen de prijzen te hoog vast en proberen met onze jonge vrouwen hun gang te gaan.'

Vier Beren slaakte een zucht. Hij was weer terug van het gemijmer waar die adelaarsveer hem gebracht had. Hij zei tegen Witte Bizon Haar:

'Goed dus. U klimt hier morgen naar boven en gebruikt uw kracht om regen te brengen, terwijl wij hier onder u zitten en daar de kracht van ons gebed aan toevoegen.'

'Ik, Waka-da-ha-hee, zal het doen hoewel anderen gefaald hebben,' zei de jonge man, 'omdat ik geloof in de droom die ik heb gezien!'

Op dat ogenblik zag Vier Beren in de beelden van zijn geheugen de door vuur voortgestuwde boot, waarvan Okimeh Coyote tot aan zijn dood had volgehouden dat hij die in het Oosten had gezien. Hij herinnerde zich nog meer ongelooflijke dingen die de arme, oude man had gezegd. Hij zuchtte nog eens.

Als de bleekgezichten alle toverij kunnen verrichten die ze volgens Coyote kunnen doen, dacht hij, zoals donder en bliksem maken zodat hun mensen in hun grote steden daarnaar kunnen kijken, zou je denken dat de mannen in de factorij daarginds ook wel donder, bliksem en regen voor de maïsvelden van onze vrouwen hier kunnen maken.

Halverwege de ochtend arriveerde Witte Bizon Haar. Hij was prachtig gekleed in een tuniek en beenkappen van het zachte, lichte vel van de bergschapen, afgezet met geverfde stekelvarkenpennen en scalplokken. Oude Beer reinigde hem met rook van salie. Toen beklom Vier Beren met hem het dak van de Medicijn Hut. Daar bleven ze een tijdje uitkijken over de verschroeide vlakten en de heuvels ver weg, die in de glinsterende lucht in de verte tot blauw vervaagden. Ze keken uit over de grote, grijze, bochtige rivier, de koepeldaken van de andere hutten om hen heen, de palissaden met daarachter de stellages met de doden. Een klein stukje stroomafwaarts bevond zich, op dezelfde rivieroever, de in een vierkant aangelegde factorij van de bleekgezichten. Hun vlag wapperde in top. In de heiige verte stroomopwaarts zag je aan de monding van de Mes Rivier de rook en de hutten van het Volk van de Wilgen. Er waren drie dorpen. Het waren de Hidatsa, een groep die tot de Crow-Indianen behoorde. Ze waren met de Mandan handel komen drijven en woonden nu onder hun bescherming. Vier Beren draaide zich om en keek weer de rivier af, verder naar beneden, naar de ronde daken van de stad van Opperhoofd Jonge Wolf, die onder het in de zon glinsterend waas van de rook van de kookvuren lag.

Overal langs de grote, leven gevende rivier zag je mensen bewegen. Ze waren aan het vissen, zwemmen, bezig dode takken en drijfhout te verzamelen of gingen er op uit in hun kleine, ronde schaalboten die, naar men zei, lang, lang geleden door Eerste Man waren uitgevonden. Op de vlakte buiten de palissade was een grote groep krijgers bezig met de training voor de Ta tuck a mahha, het Acht Pijlen-spel. Ze wedden met elkaar wie het snelst kon laden en het vaakst kon schieten om tegelijk het grootste aantal pijlen in de lucht te houden. Witte Bizon Haar was daar een kampioen in; hij slaagde er bijna altijd in zijn achtste pijl af te schieten voordat de eerste de grond raakte. In zijn jongere jaren had Vier Beren ook een Ta tuck a mahha kunnen doen. Hij had wel de hele ochtend naar het spel kunnen kijken, maar bedacht dat de pijl waarnaar hij vandaag moest kijken de pijl zou zijn die Witte Bizon Haar in de wolken zou schieten.

Maar eerst zou hij de wolken nog moeten brengen. De vlakte was kurkdroog. Slechts een stofwolk liet zien waar de krijgers van de stad met hun beste paarden aan het wedrennen waren. Alle Kinderen van Eerste Man verlustigden zich in de zonneschijn. Ze droegen weinig of geen kleren om de zegen van de zonnestralen op te vangen. Ze hielden van de zon. De winters waren immers lang en streng. Maar nu verdorde de zon al het leven in het dal; zelfs de Modderrivier stond op een laag peil, iets dat maar zelden gebeurde. Ja, op het ogenblik was Witte Bizon Haar, de Regen Maker, de belangrijkste persoon in Mih-Tutta-Hang-Kusch. Veel mensen uit de stad hadden zich op het plein en op de daken verzameld om naar hem te kijken en voor zijn welslagen te bidden. 'Kijk hoe hun gezichten op u gericht zijn,' zei Vier Beren tegen hem. 'Ze wachten even serieus als de dorstende planten tot u regen brengt. Succes!' Vier Beren klauterde het dak af en stond naar hem te kijken.

In zijn linkerhand hield Witte Bizon Haar zijn korte, stevige, met pees versterkte boog, een pijl met een punt van obsidiaan en een plukje wit bizonhaar dat achter de punt was bevestigd, en de veer van een raaf. Hij pakte de veer in zijn rechterhand en wierp die in de lucht. Toen draaide hij zijn rug naar de veer die naar beneden viel en riep met zijn sterke, heldere stem:

677

'Kinderen van Nu-mohk-muck-a-nah, de Eerste Man! Zie mij hier staan! Ik ben klaar om uw dorst en ellende te lenigen! Maïsplanten op het land, gras op de heuvels, zie mij hier staan! Bereidt u voor om water uit de hemel te drinken!

U zag naar welke kant de raveveer viel. Ik zal vandaag de hele dag dit bliksemschild in de richting van waar de wind komt houden! De grote dondervogels zullen er, gehuld in het duister van hun vleugels, naar toe komen! En dan zal ik deze pijl in de wolken schieten om er een gat in te maken.

Aan mijn voeten is er ook een gat! De rook van salie die de gebeden van onze grote mannen naar de Maho Peneta, de Grote Geest, omhoog brengt, komt daardoorheen naar boven. Die rook zal door het gat dat mijn pijl in de wolken maakt omhoog rijzen. Maho Peneta zal onze gebeden verhoren en de regen zal op onze gewassen en het gras van de vlakten neervallen!'

'Ho! Shu-su!' mompelde Vier Beren terwijl hij omhoog keek naar de jonge man. De beelden die Witte Bizon Haar met zijn woorden maakte, bevielen hem. Hoe duidelijker Maho Peneta zulke denkbeelden zag, des te groter de kans was dat ze bewaarheid zouden worden.

Maar boven het rookgat was de hemel nog steeds helder en blauw. Witte Bizon Haar kon zich wel schor schreeuwen voor hij verandering in die lucht kon teweegbrengen.

De Regen Maker stond wijdbeens met zijn schild naar de wind toe. 'Geest van de Westen Wind! Mijn Volk verkeert in ellende! Mijn Volk wil regen! Al veel te lang is er niets naar beneden gekomen!' Hij stampte met zijn voet op het dak. 'Kijk naar mijn schild! Mijn vader heeft het gemaakt, en hij heeft er vroeger een keer regen mee gemaakt! Zie de schichten met rode bliksem erop! Die bliksem is uit de zwarte wolk weggehaald die mijn vader die dag, in zijn tijd, heeft opgeroepen! Ik ben Witte Bizon Haar, zijn zoon. Nu is het mijn tijd! Ik heb regen voor mijn Volk nodig…'

In het dal weergalmde donder: een 'klap' in de verte met daarna rollende echo's. Het gemompel en getater uit de menigte stierf weg. Vol verbazing keken ze naar Witte Bizon Haar. Het werd stil. Ze luisterden. Hadden ze echt gehoord wat ze dachten dat ze gehoord hadden?

Weer rolde de donder; Witte Bizon Haar schreeuwde nu niet meer. Zijn mond hing open. Hij nam zijn versierde pijl in zijn rechterhand, klaar om hem naar de wolken toe te schieten. Maar er waren nog geen wolken; de zon stond nog steeds bijna recht boven hun hoofd in het heldere blauw dat zich tot de horizon uitstrekte te blakeren. Toen er voor de derde keer een rollende donderslag klonk en weerkaatste, begon de menigte in lof voor de Regen Maker te juichen en te joelen. Nu kwam Oude Beer de deur van de Medicijn Hut uit. Hij ging bij Vier Beren staan om samen met hem naar Witte Bizon Haar te kijken.

Bij de volgende donderslag besefte Vier Beren dat de salvo's niet uit het westen, maar van stroomafwaarts de rivier kwamen. Ver weg in de verte hoorde hij zwakke stemmen op de oever roepen. Met een sprong was hij op het dak en keek die richting uit. Wat hij toen zag, leek rechtstreeks uit de herinneringen uit zijn dromen te zijn gekomen:

Het leek een fort of een gebouw van de blanke mannen. Het was lang en rechthoekig in plaats van rond als een echte hut. Maar het bewoog zich als een boot voort over het oppervlak van het water. Van het dak wolkte donkere en witte rook omhoog. Op het moment dat Vier Beren tot de slotsom kwam dat het inderdaad werkelijkheid en geen droom-visioen was, barstte er van de zijkant een wolk rook en een vuurflits los. Nog binnen twee hartekloppen in rolde er nog een donderslag door het dal.

Het was duidelijk dat het grote gevaarte dat dichterbij kwam een boot was, ook al werd het niet geroeid en had het geen witte vleugels die zeilen heetten! Het was een grotere boot dan waarin Rood Haar zo lange tijd geleden was gekomen. Het was zelfs een grotere boot dan waarin de handelaars kwamen. Maar Vier Beren kon zien dat het een boot en geen fort was. Hoe die zonder roeiriemen of zeilvleugels stroomopwaarts kon komen, kon hij van verbazing niet ontdekken. Op dat ogenblik braakte het schip vanuit de zijkant nog meer vuur en rook uit en daarna volgde nog een rollende donderslag. De Acht Pijlen-schutters en de ruiters bij de paardenrennen op de weidegronden aan de andere kant waren met hun wedstrijden gestopt en ijlden haastig naar de stad toe.

Witte Bizon Haar zag Vier Beren stroomafwaarts over de rivier kijken. Op het laatst draaide hij zich ook om en zag het grote, rokende gevaarte aankomen. Zijn ogen puilden uit zijn hoofd, maar hij wist snel iets te zeggen en riep:

'Luister, mijn Volk! Hoor naar mijn woorden! Mijn macht is groot! Ik heb u nog geen regen vanuit de hemel gebracht, maar ik heb u een Donder Maker-boot gebracht! Kijk maar, daar op de rivier! De donder die u hoort' – op datzelfde moment klonk er opnieuw een salvo, nu nog luider – 'de donder die u hoort komt uit zijn muil! Ik heb u een donderboot gebracht, iets dat geen mensenoog ooit aanschouwd heeft!'

Nu zwermden de mensen de daken op. Ze zagen het enorme gevaarte met zijn wolken rook en stoom aan komen varen. En nu kon je, boven de wind uit, ook rommelende, puffende geluiden, zoals het geluid van een bizonkudde die op de vlucht is geslagen, horen.

Vier Beren zag en hoorde nog een flits en donderslag uit de zijkant komen. Hij gaapte met open mond naar het verschijnsel en riep toen:

'Ik weet wat het is! De oude *okimeh* heeft dit al in het Oosten gezien – het is de boot die door vuur wordt voortgedreven! En wij hebben hem een pak leugens genoemd!'

Toen de grote donderboot twintig donderslagen had gemaakt, hield hij op. Toen kwam hij grommend en sissend naar de oever toe en legde aan bij de gemeenschappelijke landingsplaats van de factorij en de Mandan-stad. Enkele blanke mannen kwamen naar buiten. Ze liepen over de voorkant van het schip en gooiden touwen over de palen. Wanneer er een grote boot binnenvoer, was er meestal iemand van het dorp op de rivieroever om de touwen aan te pakken. Maar vanwege de monsterachtige omvang, de kolkende wolken en de geluiden van deze boot, riep Vier Beren dat iedereen binnen het dorp moest blijven en hij riep de krijgers te wapen om hen op de palissaden en langs de rand van het klif te verdedigen. Iedereen, krijgers, dorpshoofden, medicijnmannen, vrouwen, kinderen en oude mannen, tuurden van het klif of de daken naar het grote, rokende gevaarte. Na een tijdje braakte het na een diepe zucht witte wolken uit en zweeg toen. Een paar mannen liepen over de boot heen en legden een loopplank naar de oever uit. Dit, wist het Volk, was om de verbinding tussen de boot en het land te leggen. Het was een vriendelijk teken. Vier Beren was echter nog niet zover dat hij zijn mensen aan het gevaar blootstelde. Hij gaf iedereen opdracht om binnen de stad te blijven. Even later schreeuwde iemand van boven op de palissaden dat Opperhoofd Jonge Wolf over de vlakte kwam aangereden. Een paar minuten later werden de paaltjes bij de poort geopend om hem aan het hoofd van vijftig ruiters binnen te laten galopperen. Opperhoofd Jonge Wolf droeg een hoofdtooi van zwarte veren die met rood waren afgezet. Zijn vierkante kaak stond strak en zijn kleine ogen waren gespannen. Hij sprong van zijn paard en zei vlug, met lage stem, tegen Vier Beren:

'Is dit niet het ding waarover mijn grootvader heel lang geleden heeft gesproken? Die boot die door vuur werd voortgedreven?'

'Ja, ik geloof van wel. We hadden hem niet moeten uitlachen.'

Opperhoofd Jonge Wolf sloeg met zijn rijzweep tegen zijn beenkap. 'Dit gevaarte ging mijn stad voorbij en begon toen donder te maken. Ik zag dat het naar uw stad ging en ben vlug hierheen gereden om u te helpen uw mensen te beschermen.'

'Dank u. Zoals u ziet, ligt het stil... Aagh! *Etta hant tah!* Kijk daar eens! Bij die deur. Is dat Sanford niet, de tussenpersoon van Rood Haar naar ons Volk? Jawel. Dan zijn het vrienden. We moeten naar beneden gaan en hen verwelkomen.'

Opperhoofd Jonge Wolf likte een hoek van zijn dunne mond af. 'Ja.' Het was duidelijk dat hij niet in de buurt van het gevaarte wilde komen, maar als belangrijk *okimeh* hoorde hij iedereen die zijn land bezocht te verwelkomen, vooral bij zo'n belangrijke gelegenheid als dit scheen te zijn.

En dus liepen Opperhoofd Wolf en Vier Beren met hun veren hoofdtooien en speren en pijpen in hun hand, even later het steile pad van het dorp naar beneden. Achter hen aan kwam Oude Beer, de sjamaan, en praktisch alle anderen met uitzondering van Witte Bizon Haar, die het middelpunt van alle aandacht was geweest, maar nu praktisch vergeten was. Wat zijn dag van donder had moeten worden, was door een boot van donder gestolen. Zo te zien schreven de mensen het feit dat de boot hier was niet aan hem toe. Hun stemmen gonsden onder de afdaling. Ze maanden elkaar tot voorzichtigheid aan en vroegen zich af of hij weer een klap zou geven als ze er dichtbij waren. Er kwam nog steeds grijze rook uit iets boven op de boot dat op boomstammen leek en Vier Beren trok de conclusie dat het grote wiel met spaken aan de zijkant, dat nu niet meer draaide, de paddel moest zijn die de boot voortbewoog. Hij kon zich er echter geen voorstelling van maken hoe het vuur binnenin de paddels aandreef.

Naast Sanford de tussenpersoon stond Kipp, de pelshandelaar die in de stad van Vier Beren woonde. Hij was langs de rivier naar beneden gegaan. Nu stond hij daar. Kipp was een redelijk fatsoenlijk mens. Hij was niet al te oneerlijk voor een bleekgezicht, hij was met een Mandan-vrouw getrouwd en kon de Mandan-taal spreken. Vier Beren was blij dat hij hem weer zag. Hij zou vast en zeker een aantal van deze wonderen verklaren. Er stonden nog andere bleekgezichten in hun vreemde kledij en enorme, zwarte hoeden bij Kipp en Sanford; de meeste mannen waren klein en dik en maakten een weke indruk. Ze zagen er heel klein uit. De donderboot zag er heel groot uit, het leek wel een stad, een stad die aan de rand van het water was gebouwd, waar voordien alleen maar mensen hadden gevist of gezwommen. Vier Beren keek naar beneden naar het rivierwater dat om de boot heen stroomde. Het bracht hem in herinnering dat het inderdaad slechts een boot, en geen stad was. En deze boot zou, net als alle andere boten die de blanke mannen hier ooit gebracht hadden, op een gegeven ogenblik weer wegvaren, waarschijnlijk verder stroomopwaarts naar de volgende bontfactorij van de blanken, die aan de monding van de rivier de Yellow Stone lag. De donderboot lag opgestapeld met de voorwerpen die de bleekgezichten 'tonnen' noemden. Vier Beren vreesde dat ze vol sterkedrank zaten. Hij wist dat Rood Haar probeerde te voorkomen dat de handelsboten sterkedrank in de gebieden van de Indianen brachten, maar de handelaars hadden toch altijd sterkedrank bij zich. Vier Beren stond niet toe dat die in zijn stad werd gedronken en Opperhoofd Jonge Wolf had hem overal in het hele Mandan-gebied verboden. Maar bij de factorij verder stroomopwaarts, aan de monding van de rivier de Yellow Stone, kwamen vele stammen van de Vlakten bij elkaar om handel te drijven. Daar dronken ze hem wanneer er maar een boot kwam. Vier Beren vond het niet prettig om deze vaten te zien liggen. Nog maar enkele dagen geleden, had hij via een boodschapper gehoord, hadden Dah-koh-tah bij de monding van de Teton veertienhonderd bizons afgeslacht en hun tongen naar de factorij gebracht om die tegen sterkedrank in te ruilen. De kadavers hadden ze achtergelaten om te laten verrotten. Dat verhaal had zijn woede tegen zijn oude vijanden, de Dah-koh-tah, verhard. Door de sterkedrank van de blanken hadden zij zich tot zo'n daad van heiligschennis laten brengen. Hij vond dat hun dorpshoofden die hen hun gang hadden laten gaan daarvoor moesten worden gedood. Hij vond ook dat de verkopers van sterkedrank gedood moesten worden. Maar de oude *okimeh* Coyote had Rood Haar en Lang Mes lang geleden beloofd dat de Mandan nooit een bleekgezicht zouden doden. En dat hadden ze ook nooit gedaan, zelfs niet wanneer de blanke mannen hen bedrogen.

Vier Beren maakte zich klaar om de loopplank op te stappen en de donderboot op te gaan. Maar opeens zag hij een ander gezicht dat zijn hart, precies zoals het gezicht van Rood Haar, al die tijd geleden, trof. Vier Beren bleef ter plekke staan en keek de man aan, die ook naar hem staarde en hem aankeek met dezelfde vrolijke, open en vriendelijke uitdrukking die Vier Beren op het gezicht van Rood Haar had gezien. Het was alsof hij na zoveel jaar Rood Haar in eigen persoon zag – maar dat kwam alleen maar door de gezichtsuitdrukking.

Dit was geen grote, lange man die breed in de schouders was. Hij bezat ook niet die krijgshaftige uitdrukking die Rood Haar had gehad. Dit was een kleinere, fijner gebouwde man zonder de grote trekken van Rood Haar.

Maar in zijn slanke lichaam en directe, blauwe ogen zag Vier Beren een ongewone kracht en goedheid; hij voelde zich ertoe aangetrokken. Het was de kalme gloed die Vier Beren in zeldzame mannen had gezien die eerlijk en trouw waren. Dit was duidelijk niet een van de opperhoofden of rijke blanke mannen. Hij hoorde niet bij die verwaten mannen. Hij hing er zo te zien een beetje bij; afgezien van Kipp, de handelaar, sprak niemand tegen hem. Het leek Vier Beren toe dat de andere blanke mannen misschien niet wisten hoe belangrijk hij was. Aangezien zo weinig blanke mannen die gloed bezaten, konden zij die waarschijnlijk ook niet in anderen ontdekken. Maar Vier Beren was even ontroerd geweest door de gloed van deze man, als door de donder en rook van deze donderboot. En pas nu, nu hij van achteren een duwtje kreeg van Opperhoofd Jonge Wolf om verder de loopplank op te lopen, herinnerde Vier Beren zich weer waar hij was. Hij glimlachte vluchtig naar de man met de blauwe ogen en begon, terwijl hij zich op de smalle loopplank staande hield, te lopen.

Het kostte Kipp een hele tijd om Vier Beren, Opperhoofd Jonge Wolf en Oude Beer aan de bleekgezichten voor te stellen. Hij vertaalde hun beleefdheden in beide talen en wachtte tot iedereen elkaar de hand had geschud. De handelaar moest de blanke mannen uitleggen dat Opperhoofd Jonge Wolf, en niet Vier Beren, het grote opperhoofd van de Mandan-natie was. Af en toe keek Opperhoofd Jonge Wolf stuurs voor zich uit. Dan stonden zijn kleine ogen hard. Daarom nam Vier Beren het op zich om een lange toespraak te houden, waarin hij hen vertelde over de grote moed en de vele heldendaden van Opperhoofd Wolf, tot iedereen van Opperhoofd Wolfs kaliber als leider was overtuigd. Toen stak Opperhoofd Wolf een korte, eenvoudige toespraak af:

'Dat was een heel verhaal. Ik zou twee keer zo veel tijd nodig hebben om alle moedige daden van Mah-to-toh-pah, Vier Beren, het oorlogsopperhoofd van mijn Volk, hier naast mij, de revue te laten passeren. Zijn verhaal is op een bizonvel geschilderd en neemt elk hoekje ervan in beslag, hoe klein het allemaal ook is geschilderd. Als u hier een tijdje blijft, laat hij u de mantel misschien wel eens zien en vertelt hij zijn verhalen. Hij heeft de afbeeldingen zelf geschilderd en ik kan u zeggen dat alles waar is, want ik ben er vele keren zelf bij geweest. En mijn krijgers die de andere keren bij hem waren, zijn het er ook over eens dat ze waar zijn.'

De meeste bleekgezichten leken slechts met een half oor naar alles te luisteren, maar de man met de blauwe ogen luisterde aandachtig toe. Toen Kipp Vier Beren naar deze man toe bracht, pakte Vier Beren hem bij de hand. Het was een sterke, harde, warme hand. De twee mannen keken elkaar diep in de ogen. Kipp zei: 'Catlin is de naam van deze man.'

'Cat-lin,' zei Vier Beren. 'Is Cat-lin een opperhoofd?'

'Nee, hij is geen opperhoofd,' zei Kipp in het Mandan. 'Maar hij is een goede vriend van Rood Haar. Hij maakt schilderijen, afbeeldingen. Hij is een Schaduw Vanger die het gezicht van een man waarachtig op een stuk doek kan neerzetten.'

Er werd iets in het geheugen van Vier Beren wakker gemaakt. Hij herinnerde zich nog een van de ongelooflijke verhalen van Coyotes reis, lang geleden. Eerst een donderboot en nu een Schaduw Vanger! Zouden al Coyotes verhalen op deze opmerkelijke dag als waar bewezen worden? Vier Beren zei tegen Kipp:

'Zeg tegen Cat-lin dat Vier Beren hem mag en hem graag de geschilderde mantel wil laten zien waarop Vier Beren de schaduwen van zijn daden gevangen heeft.'

Maar nu begon Oude Beer te praten. Vol aandrang zei hij tegen Vier Beren: '*Naga! Naga, Maho Okimeh!* Nee, groot opperhoofd! U wilt niet dat een Schaduw Vanger in onze stad komt. Een van hen, een Schaduw Vanger, heeft de *peneta* van onze oude *okimeh* gestolen en daardoor een *megash* van hem gemaakt!'

'Hebt ge dat ook gehoord?' riep een blanke man tegen een ander uit. 'Als die oude boeman geen Welsh sprak, mijnheer, ken ik mijn moers taal niet!'

De man Catlin hoorde die opmerking en keek heel even verbaasd. Vier Beren begreep het echter niet en Opperhoofd Wolf of Oude Beer begrepen het evenmin. Vier Beren had zijn begroeting onderbroken. Hij hield nog steeds Catlins hand vast en zei nu vlug tegen de sjamaan: 'Stil, oude man! Dit is een man met goede kracht. Ik wil hem het gevoel geven dat hij welkom is.'

Kipp vertaalde eerst de uitnodiging van Vier Beren en daarna Catlins antwoord. 'De boot gaat de rivier op naar het fort aan de rivier de Yellow Stone, maar deze man Catlin komt over een of twee manen terug en zou dan graag een tijdje bij Vier Beren en zijn volk willen blijven.' Toen legde Kipp uit: 'De boot is hier gestopt om brandhout te kopen, want hij loopt op vuur. Hij gaat onmiddellijk verder de rivier op. Deze man Catlin is deze rivier opgekomen om afbeeldingen van alle volken, van hun opperhoofden en van hun manier van kleden en leven te maken. Bij de Yellow Stone is hij van plan om afbeeldingen van de Crow en de Zwartvoet, die daar handeldrijven, te maken. Maar hij komt spoedig terug. Dat belooft hij.'

Vier Beren knikte. Dat begreep hij. Maar in zijn hoofd maalde het van vragen over waarom deze man zoveel afbeeldingen zou willen maken. De beelden op zijn mantel zouden hem laten zien hoeveel oorlogen er waren gevoerd. Maar waarom zou iemand afbeeldingen van het gewone, dagelijkse leven willen hebben? Hij zou de man die vragen echter moeten stellen wanneer hij hier terugkwam, want op dit moment ontstond er een flinke commotie op en om de boot.

Nu hun opperhoofden op de boot waren, leken alle mensen hun angst verloren te hebben en verdrongen zich op de rivieroever. Jongens waren al in het water. Ze zwommen om het enorme vaartuig heen alsof ze nog nooit bang voor iets geweest waren, hoewel ze nog maar heel kort geleden in pure doodsangst hadden verkeerd. Een paar avontuurlijke jongens hadden al ontdekt dat de enorme paddelwielen aan de zijkanten geweldige toestellen waren om bovenop te klimmen. Ze zwermden en klauterden er lachend overheen en vielen of sprongen terug in het water. Enkele jonge vrouwen waren onopvallend door de wilgenbosjes naar de rivieroever stroomafwaarts geglipt, hadden hun kleren op de kant achtergelaten en bleven nu zedig onder water zwemmen. Als speelse vissen zwommen ze om de donderboot heen, tot grote verrukking van de bemanningsleden en de handelaars die bijna overboord vielen om hen aan te gapen. Intussen was Witte Bizon Haar boven in de stad weer verder gegaan met het oproepen van de regen.

De handelaars op de boot boden Vier Beren, Opperhoofd

Wolf en Oude Beer sterkedrank aan. De ogen van Vier Beren flitsten van boosheid, maar hij hield zijn weigering beleefd. 'Wij zijn geen mensen die gastvrijheid afwijzen of weigeren. Maar Kipp had u moeten vertellen dat wij dat spul niet drinken, omdat we weten dat het niet goed is. Rook een pijp met ons in de tijd dat het hout wordt ingeladen. Daarna kunt u uws weegs gaan.'

Toen dat werd vertaald, riep de man die Catlin heette: 'Bravo!' Vier Beren kende de betekenis van het woord niet, maar de goedkeuring op het gezicht van de man was onmiskenbaar en dat verheugde Vier Beren.

Vier Beren keek langs Catlin heen en zag dat er dichte, donkere stapelwolken waren verschenen, die nu snel naar het oosten kwamen. Er flitsten bliksemschichten uit. Niemand om de boot heen scheen het te hebben opgemerkt, maar opeens hoorde Vier Beren Witte Bizon Haar in de verte schriller en harder roepen:

'Daar komt het! Kijk hoe ik de grote wolk met behulp van mijn vaders schild naar me toe trek! Zo meteen zal ik hem met deze pijl doorboren. Dan wordt onze maïs nat van de regen uit de lucht!' De mensen draaiden zich om en keken ook. Ze zagen de wolk dreigend boven de stad hangen en er stond blijdschap op hun gezicht te lezen. Hun aandacht dwaalde van de geweldige nieuwigheid van de donderboot af naar het gerommel van echte donder. Ze riepen het uit en voegden al hun stemmen bij die van de Regen Maker, die schreeuwde:

'Kom, Tche-bi, Geesten die op de Wind rijden! Kom dichter boven me langs, dan zal ik u deze pijl geven, afgezet met het witte bizonhaar dat u zegt dat de pijl van mij is!'

Op dat ogenblik gleed de voorste rand van de donderwolk onder de namiddagzon langs en wierp zijn schaduw over heel de stad. Een vlaag koude, vochtige wind waaide over. De bliksem flitste en een salvo echte donder uit de lucht schudde de boot en rommelde door het dal.

'Nu!' zong de stem van Witte Bizon Haar. 'Nu schiet ik een gat in de wolk!' Ogenblikkelijk flitste er een witte bliksemflits. Er klonk zo'n luide knal in de lucht, dat die zijn terugslag had op de rookzuilen van de donderboot. Het donkere oppervlak van de rivier werd plotseling schuimend wit door een gordijn van koude, sissende, door de wind voortgedreven regen. De middag werd bijna even donker als de nacht en werd elk ogenblik door scherpe, snelle, verblindende bliksemschichten opgelicht. De bliksem leek overal in te slaan, behalve op de donderboot, en iedereen die zich op de boot bevond drong ruimten binnen om voor de neerstriemende stortregen te schuilen. De mensen op de rivieroever begonnen massaal de helling, terug naar de stad, te beklimmen. Ze gleden uit op het plotseling modderig geworden pad en hielpen elkaar opgetogen lachend en gillend overeind.

De stortvloed die Witte Bizon Haar had opgeroepen ging zonder ophouden tot in de avond door. De lucht flikkerde voortdurend en de boot sidderde van de schokken van de donderslagen.

Vanwege het zware onweer kon de boot niet vertrekken om verder stroomopwaarts te gaan.

Vier Beren verborg zijn zenuwachtigheid achter een onwrikbare glimlach van beleefdheid, maar Oude Beer, de sjamaan, en Opperhoofd Jonge Wolf waren zichtbaar nerveus over het feit dat ze zich op dit vreemde vaartuig bevonden dat zo heen en weer schommelde en kraakte en waar de regen zo op de wanden en het dak neerstriemde. De grote kamer van het schip waarin ze met de blanke mannen opgepropt zaten, was een vierkante ruimte, een ruimte met hoeken. Dat leek heel onnatuurlijk en het gaf hen een onbehaaglijk gevoel. Maar het meest beangstigend waren de openingen die volgens Kipp *ramen* werden genoemd. Dat waren net deuren. De opperhoofden konden er naar buiten, naar de rivier of de oever, doorheen kijken en de blikkerende bliksem zien. Maar door een of andere toverij kwam er geen lucht of regen door deze openingen heen. Kipp probeerde het uit te leggen en nodigde de opperhoofden uit om de openingen aan te raken. Met een ruk trokken ze hun handen terug toen hun vingers iets aanraakten dat net harde lucht leek. Kipp legde uit dat het 'glas' was. Dat hadden ze al gezien in de spiegels die de handelaars meebrachten. Alleen kon je in *ramen* naar de andere kant kijken. 'Aha!' riep Vier Beren. Hij stak zijn hand in zijn tuniek en haalde het spiegeltje, dat Rood Haar hem bijna dertig winters geleden had gegeven en dat hij aan een leren veter die door een gat in de rand was gehaald op zijn huid droeg, te voorschijn. Vooral Oude Beer raakte van streek door de *ramen* en bleef er steeds maar naar kijken, terwijl hij onophoudelijk trachtte er niet naar te kijken.

Er hing een zware lucht van tabaksrook in de kamer en het stonk er naar de whiskey- en lichaamslucht van de blanke mannen en van de olie van de olielampen aan de wand. Het was geen bereolie en Kipp legde uit dat het olie was van een enorme vis was die *walvis* heette, een vis uit de oceaan, die even lang was als deze donderboot. De twee opperhoofden keken elkaar aan. Ze herinnerden zich een twijfel van lang, lang geleden. Toen zei Vier Beren tegen Opperhoofd Jonge Wolf: 'Ziet u wel? Rood Haar heeft toch niet gelogen!'

De blanke mannen in hun vreemde kledij zaten luid te praten en werden, naarmate ze hun whiskey dronken, steeds luidruchtiger; alleen de man die Catlin heette toonde voldoende respect door te luisteren naar wat de Mandan te vertellen hadden. Als hij hen niet doordringend aankeek en naar de vertaling van Kipp luisterde, maakte hij rap aantekeningen op een boek met bladeren. Vier Beren wist wat het was, omdat de handelaars daarin hun boekhouding bijhielden. Catlin vroeg Kipp of het opperhoofd er bezwaar tegen had om hem de opmerkelijke dolk te laten zien die hij in een schede van bont van de kop van een grizzlybeer droeg.

'O, die!' riep Kipp uit. 'Laat hem dan ook vertellen hoe hij eraan gekomen is, door alleen een oorlog te winnen! Dat is nog een van zijn verbazingwekkende daden die ik u had willen vertellen. Het is een van de beste...'

Toen de avond viel werden Jonge Wolf en Oude Beer beroerd van de bedorven lucht, het schommelen van de boot en het geroezemoes van de dronkemansstemmen van de blanke mannen. Ze stonden erop om terug naar boven, naar de stad, te gaan, ook al stortregende het. Vier Beren zei dat ze dan maar vast moesten vertrekken; hij bleef nog een tijdje om meer over deze Schaduw Vanger te leren. 'Het is belangrijk dat hij is gekomen,' zei hij tegen hen, hoewel hij nog niet precies wist waarom het belangrijk was. Ze protesteerden dat hij niet zo lang met zoveel blanke mannen alleen op deze boot van slechte medicijn moest blijven. Maar aangezien ze het zelf niet langer konden uithouden, gingen ze ten slotte toch in de zwarte stortvloed naar buiten en zochten hun weg bij de lichtflitsen van de bliksem langs het pad omhoog.

Vier Beren hoorde dat de Schaduw Vanger in een deel van het Oosten dat als Pennsylvania bekendstond was geboren. Hij was het vijfde van de veertien kinderen die zijn moeder ter wereld had gebracht. Dat feit alleen al maakte dat Vier Beren grote ogen opzette. Er was immers praktisch geen enkele vrouw van geen enkele stam die vier keer een kind kreeg. 'Een hele stam, van één moeder!'

'Ja, we waren zo ongeveer met een hele stam,' antwoordde de man glimlachend. Om zijn vader te helpen om zoveel broers en zussen van voedsel te voorzien, had Schaduw Vanger groente geteeld en in de buurt van zijn huis in de bossen gejaagd en gevist. Terwijl Kipp het verhaal vertaalde, probeerde Vier Beren zich deze man als jongen op een paard voor te stellen die achter de bizons aan jaagt of misschien zelfs een Lokbizon op een *pishkun* was. Als volwassene was Catlin naar een stad gegaan om een beroep dat *rechten* heette te leren. Met veel moeite slaagde Kipp er uiteindelijk in om uit te leggen dat het zoiets was als raad geven over de problemen van zijn Volk.

Maar Schaduw Vanger had ontdekt dat hij iets anders veel liever deed dan rechten en hij had zichzelf erin geoefend om afbeeldingen en geschilderde gezichten te maken. Een paar jaar had hij op die manier zijn brood verdiend. Maar zelfs toen, zei hij, had hij geweten dat hij voorbestemd was om zijn capaciteiten voor iets belangrijkers te gebruiken.

In zijn hart, zei hij, had hij altijd een grote liefde voor de rode Volken gehad. Toen hij nog een jongen was, was hij bevriend geweest met een jager van een van de stammen in het Oosten, maar die jager was door blanken vermoord. Ze waren er nooit voor gestraft. In de stad die Philadelphia heette en waar hij als schilder van gezichten had gewoond, had Schaduw Vanger vele groepen rode mannen gezien die daarheen waren gebracht om de steden van de blanken te bekijken. Hij had zoveel bewondering voor hun pracht en hun waardigheid, dat hij voortdurend aan hen moest denken.

Vier Beren knikte. Hij vroeg zich af of deze Schaduw Vanger Coyote misschien had gezien toen deze naar het Oosten was gebracht. Maar de Schaduw Vanger ging verder met zijn verhaal:

'Ik kon zien dat alle stammen in het Oosten verzwakt, verspreid en geruïneerd waren door whiskey, ziekte en verloren oorlogen. De regering van de blanken wordt steeds meedogenlozer ten opzichte van de rode mensen. Het maakt me diep beschaamd. En ik vrees dat de komst van mijn ras in het Westen alle stammen hier ter plekke te gronde zal richten, zoals in het Oosten al gebeurd is.'

Zijn gezicht was zo ernstig en vol smart toen hij dit vertelde, dat Vier Beren medelijden met hem had. Hij legde een hand op de arm van Schaduw Vanger en zei tegen Kipp:

'Vriend, vertel deze Schaduw Vanger dat in dit deel van ons land niet zulke verschrikkelijke dingen zullen gebeuren; hij hoeft zich niet bedroefd om ons te voelen. Lang geleden heeft mijn Volk vriendschap gesloten met de grote opperhoofdsoldaat Rood Haar toen hij nog jong was. De vriendschap blijft sterk. Rood Haar is nu het opperhoofd dat, zoals u weet, het toezicht heeft over alle stammen tussen de Moeder der Rivieren en het Grote Water van de Zonsondergang. Zeg hem dat die vriendschap nooit verbroken zal worden. Zeg hem dat Rood Haar weet dat ons Volk nog nooit de hand tegen een blanke heeft opgeheven en dat ook nooit zal doen. Er is voor uw land dus geen enkele reden om ons kwaad te doen.'

Catlin luisterde naar de vertaling van deze woorden en knikte treurig. Toen antwoordde hij: 'Zeg Vier Beren dat Rood Haar inderdaad zijn vriend en beschermer is en van de Mandan en alle volken houdt. Zeg hem dat ik lange tijd bij Rood Haar in St. Louis vertoefd heb en van vele opperhoofden die bij hem op bezoek kwamen portretten heb geschilderd. Ik heb ook een portret van Rood Haar zelf geschilderd. Zeg hem dat Rood Haar een machtig opperhoofd is en dat hij al zijn macht gebruikt om de stammen te beschermen en de verkopers van whiskey ervan probeert te weerhouden om het land binnen te komen. Zeg hem dat Rood Haar graag doktoren wil sturen die de mensen zullen inenten. Dan zullen de ziekten van de blanke man niet langer hun steden teisteren en iedereen doden, zoals al zo vaak gebeurd is...'

Kipp zei: 'Met alle respect, meneer Catlin, als ik het opperhoofd moet proberen uit te leggen wat inenten is, vraagt u toch wel heel wat van me. Allemensen, ik snap er zelf de helft nog niet van!'

'Laten we het dan proberen,' antwoordde Catlin. 'Het zou wel eens het belangrijkste kunnen zijn dat we hem ooit konden vertellen. Pokken en de andere ziekten hebben op dit continent al meer dan tien keer zoveel Indianen gedood als alle oorlogen samen en ja, ook zelfs meer dan whiskey en rum!'

En dus waren ze, tussen bliksemflitsen en donderslagen en onderbrekingen door de zwaar drinkende pelshandelaars door, een hele tijd bezig om te trachten Vier Beren uit te leggen wat inenten was. Op het laatst antwoordde het knappe opperhoofd met een geduldige glimlach dat zijn Volk al doktoren had, zoals Oude Beer. En die wisten heus wel hoe ze ziekte of letsel moesten genezen. Hij zei dat het niet nodig zou zijn om de 'kleine dood in een fles' te brengen ten einde de Mandan van de grote dood te redden, hoewel hij Rood Haars goede bedoelingen hartverwarmend vond.

'Ik probeer Vier Beren te waarschuwen dat zelfs alle kracht en goedheid van Rood Haar datgene wat er komt, niet kan tegenhouden,' zei Catlin. 'Rood Haar Clark krijgt zijn opdrachten van zijn regering in Washington. Die regering interesseert zich niet voor rode mensen. Rood Haar moet er vaak zelfs voor vechten om u te beschermen. Luister: Ik heb de Volken van vele stammen, van de zee in het Oosten tot hiertoe, gezien. Hier bent u nog steeds zoals uw god u heeft gemaakt. U leeft op de gaven die hij u gaf. U bent gezond, sterk, eerlijk en oprecht! Maar die stammen in het Oosten waren vroeger precies als u. Zij dachten ook dat ze konden blijven zoals hun god hen gemaakt had. Nu zijn ze dronken, ziek, ze lijden honger, bedelen en liegen, en al hun eer is verdwenen. Als u hen nu ziet, zou u weten dat zelfs Rood Haar niet kan tegenhouden wat komt.'

692

Nadat hij de vertaling aangehoord had, dacht Vier Beren lang en ingespannen na. Toen zei hij: 'Rood Haar heeft ons verteld dat uw Opperhoofd Grote Vader een goed hart voor zijn rode kinderen had. Was dat dan niet waar?'

'De president die er toen was, heette Jefferson,' zei Catlin. 'Kipp, leg hem eens uit dat de huidige leider een ander mens is en dat het enige belang dat president Jackson bij de rode mannen heeft, is dat ze de blanken uit de weg gaan.'

'Maar als die man zo slecht voor ons is, waarom komt Catlin, een blanke man, dan zo ver hierheen om te vertellen hoe slecht zijn Volk wel niet is,' wilde Vier Beren vervolgens weten. 'Is hij soms een vijand van zijn eigen Volk, een uitgestotene uit zijn eigen stam?'

Catlin keek achterom naar de andere blanken in de salon. Toen zei hij tegen Kipp:

'Probeer hem uit te leggen dat de schilderijen die ik schilder en de woorden die ik opschrijf dienen om de machtige mensen van mijn regering te laten zien dat zij op het punt staan iets te vernietigen dat goed is – dat de stammen goed zijn, hun mensen goed zijn, hun land goed is… dat ze een goed leven hebben en vrij zijn. Dat ze beschermd zouden moeten worden tegen het soort dingen dat hen in het Oosten is aangedaan. Vertel hem gewoon wat ik u onderweg tijdens deze hele tocht heb uitgelegd… Zeg hem – nou, zeg hem gewoon maar dat ik één van hart met Rood Haar ben en dat ik zal trachten hem met de macht van woorden en beelden te helpen.'

Kipp praatte en gebaarde een hele tijd tegen Vier Beren en toen hij klaar was, keek Vier Beren de schilder aan en zei:

'Schaduw Vanger, ik wist dat u voor iets belangrijks bent gekomen. Toen ik uw gezicht zag, wist ik dat u een vriend was.

Maar nu heb ik al te lang op deze zetel van stokken gezeten. Mijn benen voelen als rubber aan. Ik zal langzaam moeten gaan staan, anders val ik nog en zult u denken dat ik sterkedrank gedronken heb.'

Kipp grinnikte. 'Ik denk dat zijn benen slapen, meneer Catlin. Die mensen zijn niet aan stoelen gewend.'

George Catlin ging naast Vier Beren staan, die zei: 'Ik moet nu terug naar mijn stad, anders komt Jonge Wolf nog met vijftig krijgers naar beneden om me op te halen.

Ik zal goed nadenken over wat u gezegd hebt. Ik heb nooit geweten dat uw land tegen mij was, ik, die altijd een vriend van uw land ben geweest. Ik wil nooit tegen uw land vechten, want wij hebben voor eeuwig vrede met u beloofd. Ik hoop dat u laat zien wat ons niet aangedaan hoort te worden, en dat u dat kunt tegenhouden voor het hierheen komt. Ja, ik heb altijd geweten dat beelden die met verf worden gemaakt krachtige boodschappers kunnen zijn. Een van onze jongemannen heeft vandaag deze storm voor ons opgeroepen met een schild dat als de bliksem is beschilderd. En wanneer ik mijn mantel waarop ik mijn oorlogen heb geschilderd aan mijn mannen laat zien, zien ze wat er gebeurd is en geloven dat. U zult het ook zien als u terugkomt om me op te zoeken.

Dank u voor wat u probeert te doen, Schaduw Vanger. Ik zal naarstig over de rivier uitkijken tot u weer terugkomt. Dan zal ik u helpen.'

Weer flitste de bliksem toen ze elkaar de hand schudden. Toen stapte Vier Beren in de stortvloed van regen het dek op.

Bij het licht van de flitsende bliksemschichten, was Vier Beren in de regen over het glibberige modderpad omhoog geklommen. Nu liep hij de stad binnen. Zijn doorweekte kleren wogen zwaar en heel de tijd dacht hij na over de verontrustende woorden van de Schaduw Vanger. Opeens voelde hij een afschuwelijk, vreemd getintel door zich heen gaan. Nog geen tel later barstte pal voor zijn neus een wit licht, nog feller dan de zon, los. De hut van de oude Mah-sish, Oorlogs Adelaar, vloog op in witte vonken en helverlichte rook. Vier Beren kreeg een klap zoals hij nog nooit eerder had gehad. Alle lucht werd uit hem weggeperst.

Opeens keek hij van een hoge plaats neer in zijn hut. Hij rook de verrotting van de dood en hoorde de diepste stilte die hij ooit had gekend. Hij zweefde naar het rookgat in het dak van zijn hut toe. Hij had het gevoel alsof hij aan de touwen bij het Okeepah-ritueel omhoog werd getrokken. Daar beneden hem lag zijn lichaam, helemaal zwart geworden, gevlekt en besmeurd. Het krioelde van de vliegen. Het was een afschuwelijk gezicht. Het leek net een lichaam dat al aan het vergaan was. En met een verpletterend verdriet zag hij dat ook zijn vrouwen dood waren en bezig waren te vergaan. Hij ging als rook omhoog door het dak heen en zag dat er overal tussen de hutten lichamen, rottende lichamen, op de grond lagen. Veel daarvan waren al door de gieren en de raven aangevreten en verscheurd. De hutten stonden in brand en stortten in en een smerige stank steeg samen met hem omhoog naar de hemelen. Terwijl hij hoger en hoger steeg, doofden de vuren. Toen zag hij zijn eigen stad, Mih-Tutta-Hang-Kusch, en de stad van Opperhoofd Wolf in de verte als niets dan groepen ronde gaten in de grond naast de kronkelende, grote Modderrivier liggen. En in de rookslierten die nu overal om hem heen omhoogkringelden, zag hij de gezichten en gestalten van heel zijn Volk.

Vier Beren kwam bij door de koude regen en uitzinnige stemmen. Verschillende mannen van zijn stad tilden hem met hun handen onder zijn armen en borst uit de modder op. Zijn lichaam voelde alsof het overal vol vonken zat. Maar hij leefde nog. De koude regen striemde nog steeds op zijn huid neer en doorweekte zijn beenkappen en stroomde in zijn ogen. En nog steeds kraakte en knalde de donder en flitste de bliksem door de lucht. In de wind en regen om hem heen liepen mannen en vrouwen te schreeuwen en te huilen. De meesten stonden om de verwoeste, rokende hut heen.

'Vader!' riep een van de jonge mannen die Vier Beren bij de armen vasthield. 'Okimeh, o, u leeft!'

'Wat is er gebeurd?' riep Vier Beren door het geruis van de wind en de regen heen. 'Heb ik de bliksem in de hut van oude Oorlogs Adelaar zien inslaan?'

'Ja, daar is hij ingeslagen! Ja!' antwoordde de jonge man met verwrongen stem.

'Oooh!' kreunde Vier Beren. 'Is hij gewond?'

'Oorlogs Adelaar is verbrand en kan geen zinnig woord meer uitbrengen, vader. Maar hij ademt en is niet dood. En zijn vrouw is niet gewond, maar jammert van verdriet om haar dochter. Er zijn een heleboel mensen in die hut daarginds. Ze huilen om Antilope.'

'Is zij dan gewond?'

'Ze was op slag dood. Haar moeder zei dat ze licht uitstraalde als de zon en toen op de grond in elkaar zakte. Ze gaf rook af en het dak viel brandend boven op haar.'

'*Keks cusha!* Dat doet me verdriet! En Witte Bizon Haar? Weet hij dat het is gebeurd?'

'Ja, Okimeh. Hij roept dat het zijn schuld is, omdat hij een te grote storm heeft gebracht.'

De benen van Vier Beren zaten nog steeds vol vonken, maar hij dacht dat hij nu wel kon lopen. 'Ik zal naar binnen gaan om met de vrouw van Oorlogs Adelaar te praten. En ga Witte Bizon Haar vertellen dat ik hem in de Medicijn Hut wil spreken. Zorg dat Oude Beer er ook bij is.'

Ik vraag me af hoe lang ik door de bliksem dood was? dacht Vier Beren terwijl de jongen door de regen wegrende.

O, wat een pijn heb ik in mijn hart! Ik geloof dat ik mijn Volk, alle Kinderen van Eerste Man, heb zien sterven!

Voor zijn geestesoog zag Vier Beren het gezicht van de Schaduw Vanger.

Ja, dacht hij. Op de een of andere manier is het belangrijk dat hij hier is!

24 Mih-Tutta-Hang-Kusch
Zomer 1832

Er hing spanning in de hut van de Schaduw Vanger. Vier Beren voelde het. Hij voelde de enorme concentratie van de Schaduw Vanger. Opperhoofd Wolf stond kaarsrecht in het licht dat van boven door het rookgat viel. Vier Beren kon wrok, angst en trots en een sterke achterdocht voelen. Hoewel Vier Beren al een paar keer aan Opperhoofd Wolf had uitgelegd waarom de man die Catlin heette hun schaduwen wilde vangen, was het duidelijk dat Opperhoofd Wolf niet echt geloofde dat dit veilig of zelfs goed was om te doen. Zijn vierkante kaak stond strak en zijn kleine ogen staarden de schilder onwrikbaar aan. Omdat hij de *maho okimeh*, het grote opperhoofd, van de natie was, had Opperhoofd Wolf de eer om de eerste te zijn van wie de schaduw werd gevangen. Daarna zou het de beurt van Vier Beren zijn om te poseren en te worden geschilderd.

Intussen zat Vier Beren glimlachend naast Kipp, de tolk, een pijp met rode wilgebast te roken en probeerde de gespannen atmosfeer iets te doorbreken. Hij probeerde niet onbeleefd nieuwsgierig te lijken, maar wilde wel graag alles zien wat de schilder aan het doen was. Hij keek toe terwijl Catlin een dun penseel in een potje met bruine vloeistof doopte die hij zojuist van een poeder had aangemengd. Dat was volkomen begrijpelijk. Daar was niets geheimzinnigs aan. Vier Beren had dat zelf ook gedaan als hij zijn oorlogsgeschiedenis op de huid van de bizon tekende. Vervolgens maakte Catlin snel en zeker kleine halen met het penseel over een stuk wit doek dat strak over een houten geraamte met vier hoeken was gespannen, zo ongeveer als de geraamten waarop de Mandan-vrouwen hun bontvellen spanden om die te bewerken. Het geraamte stond op drie houten poten en kwam ongeveer even hoog als halverwege zijn bovenlichaam. Het stond gedraaid, zodat alleen de schilder de kant waarop hij werkte kon zien. Opperhoofd Wolf stond hooghartig en kaarsrecht aan de andere kant daarvan en keek hem tussen zijn penseelstreken door herhaaldelijk aan. Van de plek waar Vier Beren zat kon hij slechts de rand van het geraamte zien en hoewel hij brandde van nieuwsgierigheid, was hij te beleefd om te vragen of hij naar die kant mocht komen om te kijken. Wie weet verbrak dat de toverij wel en veroorzaakte hij iets verkeerds. Als Catlin er iets over wilde zeggen, veronderstelde Vier Beren, zou hij dat wel doen.

Nu legde de kunstenaar zijn penseel aan de kant. Hij knielde bij een kist neer, haalde er kleine dingen uit te voorschijn en kneep die over een met verf besmeerd voorwerp uit dat een beetje op een klein schild leek. Een vreemde, doordringende geur verspreidde zich door de hut, iets muskusachtigs en onnatuurlijks. Hij bewerkte het met een klein mes en Vier Beren zag kleuren ontstaan, prachtige kleuren, tinten als gedroogd bloed, als vermiljoen, de nachtelijke hemel, de lucht overdag, mergvet, het grijs en het wit van wolken. Het was verbazingwekkend hoe snel en zeker Catlin die kleine kloddders verf met het mes maakte, ondertussen voortdurend naar Opperhoofd Wolf kijkend. Toen legde hij het mes terug in de kist en pakte een groter penseel. Hij doopte dat in een van de kleuren en begon grote, snelle streken te maken. Tegelijk begon hij te praten. Hij zei tegen Kipp: 'Zeg tegen het Opperhoofd Wolf dat hij er heel goed uitziet en dat het me een eer en een genoegen is om dit te doen.' De woorden maakten geen zichtbare indruk op Opperhoofd Wolf. De man had evengoed bevroren kunnen zijn. Maar er kwam wel een kleine, grommende zucht uit zijn keel.

Vier Beren trok hard en lang aan zijn pijp en liet de rook zijn neusgaten binnendringen. Toen vroeg hij Opperhoofd Wolf: 'Voelt u iets?'

'*Nagash,*' antwoordde Opperhoofd Wolf.

'Ziet u dus wel, er wordt niets van u afgenomen. Nou?'

Opperhoofd Wolf ontdooide iets, genoeg om zijn schouders op te halen, maar antwoordde niet.

'Meneer Kipp,' zei de schilder terwijl hij het penseel liet rusten, 'betekent dat woord dat Opperhoofd Wolf gebruikte – *na-gash* – soms "nee"?'

'Jawel, meneer.'

'Dat betekent het ook in het Welsh, als ik het me goed herinner.'

'Hm!'

Catlin keek naar Vier Beren, raakte zichzelf met de punt van zijn penseel op de borst aan en zei: *'Mi.'*

Vier Beren glimlachte, raakte zichzelf op de borst aan, knikte en zei: *'Mi.'*

'Dat is ook Welsh, meneer Kipp.'

'Hm. Nou, het is anders ook Engels.' Hij raakte zichzelf op de borst aan en zei: 'Me – ik.'

Catlin wees met zijn penseel naar de anderen om hen gezamenlijk aan te geven en zei: *'Ni.'*

Vier Beren maakte een volle cirkel met zijn pijp, knikte en zei: *'Niew.'*

'Dat betekent "wij",' zei Kipp.

'Dat betekent het ook in het Welsh,' zei Catlin. Toen wees hij met zijn penseel naar Opperhoofd Wolf en zei tegen Kipp: 'Hoe zeggen ze Opperhoofd Wolf?'

'Ha-na-ta-nu maho.'

'Ha-na-ta betekent wolf?'

'Ja, meneer.'

'Mawr betekent hoofdman, of grootste, in het Welsh,' zei Catlin. ' "*Maho… Mawr.*" En hoe zeggen ze: "grootste hoofdman"?'

'Nou, *maho peneta*,' zei Kipp, 'of soms ook *maho okimeh*.'

'In het Welsh betekent *mawr penaithir* "vorst" of "grootste heer", als ik me niet vergis,' zei Catlin. Hij schilderde verder en keek naar Opperhoofd Wolf, daarbij geluidloos woorden met zijn mond vormend.

Verbijsterd vroeg Kipp: 'Komt u uit Wales, mijnheer?'

'O, nee. Maar lieve hemel, op dit moment wilde ik dat het wel zo was, zodat ik meer woorden met die van hen zou kunnen vergelijken. Menige geleerde is namelijk van mening dat deze mensen van de bewoners van Wales afstammen. Gouverneur Clark denkt dat, om maar eens iemand te noemen.'

'Clark!' riep Vier Beren uit. 'Rood Haar!'

'Ja,' antwoordde Catlin glimlachend onder het schilderen. 'Laten we hierover praten. Die kleine, ronde boten van hen zijn net de coracles uit Wales. Van alle stammen in dit land, hebben alleen de Mandan deze boten. En ze hebben hun legende van de Grote Vloed, waarin ze een duif vanuit het schip wegsturen om land te vinden. Vraag het maar aan Vier Beren...'

En zo ging het werk en het gesprek verder. Opperhoofd Wolf, die twee pijpen met lange steel in zijn linkerhand hield en zijn rechterarm met de pols ter hoogte van zijn middel op zijn zij hield, had geen spier verroerd. Hij was een perfect model. Op zijn hoofd had hij zijn ronde kroon van raveveren met aan de uiteinden rood pluis en zijn tot de knieën reikende tuniek was aan de schouders en de zoom rijkelijk afgezet met hermelijn-bont en andere bontsoorten. Eén klein hermelijnvel hing over zijn voorhoofd en tussen zijn ogen naar beneden. Terwijl de schilder doorwerkte, vertelde Vier Beren wat er tijdens die nacht van de grote storm, weken geleden, toen de donderboot voor het eerst was gekomen, was gebeurd. Hij vertelde dat de bliksem een van de mooiste meisjes van de stam had gedood. Witte Bizon Haar, boetvaardig omdat hij in zijn ijver een te machtige storm had gebracht, een storm die zijn aanstaande bruid had gedood, had drie van zijn beste paarden aan de familie van het meisje ten geschenke gegeven. Nu was hij een geëerbiedigd medicijnman. Zijn verdriet verwerkte hij echter alleen. Vaak ging hij op zoek naar Helpende Geesten dagen achtereen naar de heuvels.

'Hij is nu ook in de heuvels,' zei Vier Beren. 'Wanneer hij terugkomt, zult u hem zien.'

'Ik zou hem wel eens regen willen zien maken,' zei Catlin, 'maar dan alleen regen, niet zo'n heftige storm.'

'*Nagash!*' riep Vier Beren toen Kipp dat had vertaald. 'Je roept de regen slechts één keer op en bewijst je kracht. Daarna is het afgelopen en laat je het aan een andere jongeman over om de regen op te roepen en zichzelf te bewijzen.'

Even later legde de schilder zijn palet opzij en veegde zijn penseel af. 'Meneer Kipp,' zei hij, 'zoudt u hen willen vertellen dat het portret van Opperhoofd Wolf nu klaar is? Ze mogen nu komen kijken, maar vraag hen alstublieft om het nog niet aan te raken, omdat de verf nog niet droog is.'

Vier Beren ging staan en liep erheen om het schilderij te bekijken. Opperhoofd Wolf liep er langs de andere kant naar toe.

Hun ogen gingen wijd open van verbazing, maar ze zeiden geen woord. Allebei legden ze hun handpalm over hun mond en stonden naar het schilderij te turen.

'Wat is er verkeerd?' vroeg Catlin aan Kipp terwijl hij hun houding nadeed.

'Ze zijn met stomheid geslagen,' zei Kipp. 'Zo doen ze dat bij hen. Ze bedekken hun mond, zodat ze niets verkeerds kunnen zeggen zolang ze hun verstand nog niet bij elkaar hebben. Allemachtig, meneer Catlin, dat is goed! Het is hem tot in het kleinste detail, en even verwaand!'

'Trots is een beter woord, meneer Kipp.'

'Ja, ja. Dat bedoelde ik ook. Trots!'

Op het laatst haalden de opperhoofden hun ogen van het schilderij vandaan, namen hun hand van hun mond weg, keken naar Catlin, vervolgens naar het palet op de grond met de vegen verf en daarna weer naar de kunstenaar. Ze kwamen naar hem toe en namen elk heel ridderlijk, heel vriendelijk zijn hand in een stevige, warme greep.

'Te-ho-pe-nee Wash-ee!' mompelde Opperhoofd Wolf tegen hem en sloeg zijn ogen verlegen, leek het wel, neer. Toen ging hij opzij. Vier Beren pakte hem eveneens bij de hand en sloeg zijn ogen neer en zei dezelfde woorden. Toen liepen ze een stukje weg, draaiden zich om en staarden weer naar het portret.

'Wat zeiden ze?' vroeg Catlin aan Kipp.

'Te-ho-pe-nee Wash-ee!' antwoordde Kipp stralend. 'Ze hebben u "Blanke Medicijn Man" genoemd, meneer Catlin. Gefeliciteerd!'

De volgende ochtend kwamen Vier Beren en Opperhoofd Wolf weer naar de hut waar Catlin verbleef. De schilder, die met

Kipp in de deuropening stond, hapte vol verwondering naar lucht. Vier Beren kwam vandaag eveneens als koning en Catlin besefte dat hij dat ook was. Statig kwam hij aangeschreden. Als staf had hij een speer van zeven voet lang met een rood lemmet en een schacht die in de lengte met adelaarsveren en roodgeverfd paardehaar behangen was. Vrouwen en kinderen verdrongen zich om hem heen, groetten hem en riepen met muzikale stemmen zijn naam. Kleine kinderen schoten op hem af om hem aan te raken. Op zijn hoofd droeg hij een schitterende hoofdtooi van de scalp van een witte bizon met de horens er nog aan, met achter elke horen een gedroogde eksterhuid. Van de kruin hing een kam met adelaarsveren met rood pluis aan de uiteinden neer, die tot zijn hielen reikte. Het waren er op zijn minst een half honderd. Hij droeg een met bont afgezette tuniek, die aan de rechterkant rood was geverfd, maar links de natuurlijke leerkleur had. Boven zijn hart was er een ingewikkeld embleem van cirkels van stekelvarkenpennen en ter hoogte van zijn middel was er een handafdruk in gele verf. Hij hield zich niet op een afstand van zijn groepje bewonderaars, maar keek alle kanten op en praatte onder het lopen vriendelijk tegen hen.

'Ze houden van hem, is het niet, meneer Kipp?'

'Ja, meneer, dat doen ze zeker! Opperhoofd Wolf is het opperhoofd van de natie door erfopvolging, maar in het hart van het Volk is Vier Beren hun man!'

Vier Beren bleef glimlachend voor Catlin staan. Hij noemde hem Te-ho-pe-nee Wash-ee en schudde zijn hand. De pracht van zijn onderwerp, zowel het trotse, blije, intelligente gezicht van Vier Beren als zijn prachtig gemaakte kledij, maakte Catlin opgewonden.

'Ja, o ja!' riep hij tegen Kipp. 'Als ik deze fantastische kerel maar half recht kan doen, zullen Amerikanen, wanneer ze zijn beeltenis zien, beseffen dat het een misdaad tegen de hemel is om zo'n Volk te vernietigen!'

Vier Beren probeerde te voelen of er iets van zijn geest werd weggehaald door wat de Schaduw Vanger deed. De inspanning van het zo lange tijd onbeweeglijk staan kon er echter evengoed de oorzaak van zijn geweest dat zijn kracht afnam. Hij hield de speer met de rode punt in zijn linkerhand. De schacht rustte op de grond. Zijn rechterhand hing langs zijn zij naar beneden. Het grootste deel van zijn gewicht rustte op zijn rechtervoet; de linkervoet stond iets naar voren. Zijn gezichtsuitdrukking was onbeweeglijk. Hij keek zoals hij hoopte dat hij er op het schilderij, als dat klaar was, uit zou zien: sterk, maar niet streng. Hij was Opperhoofd Wolf niet en wilde ook niet op Opperhoofd Wolf lijken. Het was bijna ongelooflijk hoe deze Schaduw Vanger de persoon van Opperhoofd Wolf op het doek had gecreëerd. Het leek wel of er nu twee opperhoofden Wolf waren! Hoe je ook voor het schilderij ging staan, het leek net of de kleine, harde ogen van Opperhoofd Wolf je volgden. Als je naar links liep, zoals wanneer je om iemand die staat heen loopt, zou je denken dat je naar de zijkant van het gezicht keek en dat de ogen zouden kijken naar de plek waar je had gestaan. Maar het leek of de ogen van Opperhoofd Wolf je vanuit elke richting volgden. Op dit ogenblik had Vier Beren geen mens ervan kunnen overtuigen dat de voorstelling die Schaduw Vanger van Opperhoofd Wolf had gemaakt niet leefde. Het schilderij stond nu tegen een paal aan de andere kant van de hut. Het werd goed verlicht door het daglicht dat door het rookgat daarboven viel en Opperhoofd Wolf zat op een plek waar hij ernaar kon kijken, als hij dat wilde. Wat er gisteren met hem gedaan was, stelde hem nog steeds voor een raadsel en hij wist nog steeds niet zeker of hetgeen de Schaduw Vanger had gedaan goed of niet goed was.

'In ieder geval leef ik nog!' had hij vanmorgen tegen Vier Beren gezegd voor ze naar de hut van de schilder op weg gingen.

Die ochtend werd er in de hut van de kunstenaar nauwelijks gepraat. Hij was met zo'n intense concentratie aan het werk, dat het net een vuur leek, dacht Vier Beren. Van buiten filterden de stemmen en het geroezemoes van het Volk naar binnen. Kennelijk waren er een heleboel mensen in de buurt van de hut. Hoewel ze niet wisten wat daarbinnen gebeurde – de opperhoofden wilden eerst zelf zien wat het resultaat zou zijn – was het duidelijk dat de mensen heel nieuwsgierig waren en zich weinig op hun gemak voelden door het feit dat hun opperhoofden zich verstopten in een hut met die meneer Kipp en de pas aangekomen blanke, die gisteren in een boomstamkano samen met twee Franse paddelaars van de factorij boven bij de Yellow Stone was komen opdagen. Wat er in de hut gebeurde, was geheim en Vier Beren dacht aan zijn Volk dat, brandend van nieuwsgierigheid, steels overal om de hut heen liep. Waarschijnlijk liepen ze met gespitste oren om een paar woorden van binnen op te kunnen vangen die hen enig idee zouden kunnen geven van wat er gebeurde. Vier Beren glimlachte toen hij zo aan zijn geliefde, levendige Volk moest denken.

Maar opeens moest hij terugdenken aan de droom die hij had gehad toen de bliksem hem tegen de grond had geslagen, de droom waarin hij, samen met de geesten van heel zijn Volk dat met hem meezweefde, naar boven naar Gene Zijde van de Wereld ging. Toen voelde hij iets van droefheid en angst.

Ik wil niet dat mijn Volk opeens niet meer bestaat, dacht hij.

Het lijkt mij echter toe dat deze Schaduw Vanger ook niet wil dat mijn Volk opeens niet meer bestaat. En als hij dacht dat wij ophielden te bestaan doordat hij onze beeltenissen maakte, zou hij dat ongetwijfeld niet doen.

Hij is belangrijk, dacht Vier Beren en ik geloof dat hij een goed mens is.

Vier Beren keek naar het gezicht van de schilder, dat steeds van hem naar het werk keek. Hij zag de vriendelijke, doordringende blauwe ogen. Hij keek naar de sterke, pezige, goedgevormde handen. De kunstenaar had zijn mouwen tot aan de ellebogen opgerold en de spieren die als kabels op de onderarm van de arm waarmee hij schilderde stonden, bewogen en trilden onder de dunne, blanke huid. Deze Schaduw Vanger was geen grote man, maar hij had klaarblijkelijk een compacte kracht in zich. Hoe meer Vier Beren van hem zag, hoe meer hij hem beviel. En terwijl hij in het vriendelijke gezicht van de Schaduw Vanger keek, kwam er opeens een vraag bij Vier Beren op die hij via Kipp stelde:

'Is deze Blanke Medicijn Man ooit krijger geweest?'

'Nee, meneer Catlin is nooit soldaat geweest en heeft nog nooit tegen iemand gevochten,' kwam het antwoord terug.

Vier Beren zei: 'Wanneer ik het diepe litteken onder zijn oog zie, vraag ik me dat af.'

Catlin begon te lachen. 'Toen ik nog een jongen was, gooide een andere jongen een tomahawk. Die schampte tegen een boom af en sloeg in mijn jukbeen. We deden een wedstrijd. Het was geen gevecht. Maar de wond begon te zweren en ik ging bijna dood. Je hoeft niet de oorlog in te gaan om te sterven.' Weer lachte hij en schilderde verder terwijl Kipp het verhaal vertaalde.

'Ik zou graag willen weten of een man van uw Volk eer en aanzien kan verkrijgen zonder dat hij krijger is.'

'Ja, dat kan op vele manieren. Een man kan een genezer zijn, een wijze raadgever, een groot zanger of toneelspeler...' Hij besefte dat hij eerst moest uitleggen wat sommige van die mensen waren, dus hield hij op en zei: 'Er zijn vele manieren. U hebt een man die aanzien verkrijgt doordat hij de regen oproept. Wij hebben niet zo iemand, maar we hebben wel priesters en andere geestelijke leiders. Zij genieten aanzien.'

Terwijl hij in dezelfde houding bleef staan, dacht Vier Beren daar een tijdje over na. Toen zei hij: 'Op de grote boot waarop u bent gekomen, waren er mannen die bepaalde andere mannen schenen te bewonderen. Waarom werden ze zo bewonderd? Hadden ze in hun land eervolle dingen gedaan?'

Catlin klemde zijn tanden op elkaar. Hij wist dat Vier Beren over de pelshandelaars sprak. Hij begon uit te leggen:

'Onder de blanke mannen is er één ding waardoor ze elkaar een soort vals eerbewijs betonen. Het spijt me dat ik het moet zeggen, maar blanke mannen worden meer bewonderd omdat ze geld verdienen dan om al het andere. Het doet er zelfs niet toe dat ze het op een lage, eerloze manier krijgen. Hoe meer geld ze krijgen, hoe meer ze erom worden geëerd, zelfs als ze dat geld krijgen door rode mannen met sterkedrank te ruïneren en hun land en hun pelzen te stelen.' Catlin wachtte even en liet Kipp dat alles vertalen, wat een hele opdracht voor de tolk was. Toen ging hij verder:

'Ik heb gezien dat de rode man binnen heilige cirkels woont. De wereld is een heilige cirkel. De seizoenen gaan in een heilige cirkel. Het leven gaat in een heilige cirkel van geboorte naar dood en weer terug en leven geeft aan het leven.' Onder het praten beschreef hij met zijn penseel cirkels in de lucht. Kipp vertaalde intussen zo goed als hij kon.

'Ja, dat is inderdaad waar,' antwoordde Vier Beren. 'Zoals u het beschrijft, zit de wereld inderdaad in elkaar. Heel de cirkel is heilig en alles komt in heilige cirkels. Ja, ik hou van de manier waarop u het zegt. We gaan steeds maar rond en het is altijd hetzelfde. En dat is goed, omdat de Schepper het zo gemaakt heeft.' Hij knikte en ging toen weer in zijn houding staan.

'Maar de blanke man kent die heilige cirkels niet,' zei Catlin. 'Voor de blanke gaat de tijd in een rechte lijn, zoals een pijl of een kogel, van de ene plek naar de andere. En alles waar die lijn doorheen komt is voorgoed veranderd. Gelooft u dat de bizons ontelbaar zijn? Ze worden sneller geboren dan uw paar mensen ze kunnen opeten, en even snel als alle roofdieren samen ze kunnen verslinden.

Maar luister, mijn vriend: ten oosten van de Moeder der Rivieren, waar honderd jaar geleden nog bizons zonder getal waren, vindt u er nu niet één meer. En nu kopen de handelaars aan deze kant van de rivier hun huiden al op van jagers die slechts de huiden meenemen en het vlees laten liggen rotten. Dat zijn er al meer dan tweehonderdduizend per jaar. En dat aantal zal met het jaar groter worden, tot er geen bizons meer over zijn. Dat bedoel ik, wanneer ik zeg dat de rechte lijn van de blanke man dwars door de heilige cirkel van de rode man gaat en dat daarna niets meer hetzelfde is.' Zijn ogen flitsten.

'Een beetje langzamer, meneer Catlin,' zei Kipp. 'Ik probeer nog steeds te bedenken hoe ik "tweehonderdduizend" moet zeggen. *Ee sooc mah hannah ee sooc perug*,' zei hij tegen Vier Beren en hield toen twee vingers omhoog. 'Voor zover ik weet,' zei Kipp tegen Catlin, 'gaat hun grootste nummer-woord slechts tot duizend.' Toen vertaalde hij verder in het Mandan wat Catlin had gezegd, slaakte een zucht en vroeg de schilder toen: 'Moet u hem dit soort dingen eigenlijk wel vertellen? Zijn mensen hebben altijd op goede voet met de blanken gestaan.'

'Als een vriend van u op het punt stond te worden gedood en beroofd door iemand die hij vertrouwde, zou u dan niet proberen hem te waarschuwen? Ik probeer alleen mijn vriend te waarschuwen.'

Vier Beren had staan nadenken. Hij zei: 'Waarom zouden blanke mannen alle bizons willen doden wanneer ze weten dat de bizon de bron van ons leven is?'

'Om twee redenen,' antwoordde Catlin. 'Als alle bizons doodgaan en alle Indianen verhongeren, staan ze de blanke niet meer in de weg. De andere reden is dat er geld aan bizonhuiden verdiend kan worden. En als de blanke man al een heilige cirkel heeft, is dat wel de munt!'

Het gezicht van Vier Beren werd droevig toen die woorden werden vertaald. Hij vroeg: 'Is Rood Haar dan niet echt onze vriend?'

'Mah-to-toh-pah,' antwoordde Catlin heftig, 'misschien zijn Rood Haar en ik wel de enige vrienden die u hebt!'

Halverwege de middag was het portret van Vier Beren klaar. De opperhoofden reageerden precies zoals de vorige dag. Nadat ze naar hun twee portretten en naar elkaar hadden gekeken en snel en zacht met elkaar hadden gepraat, rookten ze een pijp met Catlin, schudden zijn hand en noemden hem nog een paar keer Te-ho-pe-nee Wash-ee. Toen gingen ze samen naar buiten en werden weer omzwermd door de bewonderaars van Vier Beren. Ze lieten Catlin en Kipp doodmoe met de twee prachtige schilderijen achter. Kipp moest de hele tijd naar het schilderij van Vier Beren kijken en schudde daarbij van verbazing zijn hoofd.

'Bij God, u hebt gelijk, meneer,' riep hij uit. 'Als ik ooit een koning heb gezien, is het wel hier, op het schilderij!'

'Luister eens!' zei Catlin opeens. 'Wat is er aan de hand?'

Het leek of de hut in al zijn voegen kraakte, bonkte, mompelde, ritselde en fluisterde, alsof hij tot leven was gekomen. Elk moment leek de lichtval weer anders. Kipp keek omhoog en liet een vloek horen. Catlin keek op en zag op zijn minst vijf gezichten door het rookgat in het dak naar beneden kijken. De donkere hoofden stonden tegen de lucht afgetekend.

Kipp grinnikte, legde zijn wijsvinger tegen zijn lippen, ging vlug staan en schoot op zijn tenen naar de deur van de hut.

Met een ruk trok hij de voorhang voor de deur omhoog. Overal klonken schrille stemmen en opeens klonken er rondom de hut dribbelende geluiden. *'Keks-cusha!'* riep Kipp. *'Roo-hoo-tah! Keks-cusha!'* Binnen een minuut stond hij weer midden in de hut. Hij grinnikte en schudde zijn hoofd. De geluiden waren opgehouden, alleen hoorde je nu het wegstervend gekwetter en gekir van de stemmen van vrouwen en kinderen. 'Net bijen op een bijenkorf!' riep Kipp grinnikend uit. 'Overal over deze oude hut verspreid zaten jongens en meisjes en kleine jochies! Het is een wonder dat het dak niet boven ons hoofd is ingestort! Allemensen! Meneer, ze branden van nieuwsgierigheid, zeg ik u. Als Vier Beren hun nieuwsgierigheid niet vlug bevredigt, zullen ze de hut nog *echt* boven op ons neer laten komen!'

De volgende ochtend waren de twee opperhoofden er weer. Ook nu waren ze in vol ornaat uitgedost. Beiden keken ernstig en doelgericht. Ze gaven Catlin een hartelijke handdruk, gingen naar hun schilderijen kijken, rookten een pijp met Catlin en Kipp en vroegen toen: 'Wanneer kunnen we ze aanraken?'

'Nou, vanmiddag,' zei Catlin. 'Ze zijn nu bijna droog.' In het veld, waar hij niet het gemak van een studio of voldoende gelegenheid had om natte schilderijen erg lang te beschermen, had hij geleerd om droog en heel fijn op het doek te schilderen. En de droge lucht van de Grote Vlakten hielp mee om de verf snel te drogen.

'Goed,' zei Vier Beren. 'Dan laten we ze vanmiddag aan het Volk zien. We zullen de mensen eerst vertellen dat zij ze te zien krijgen. We zullen hun vertellen wat de Te-ho-pe-nee Wash-ee hier met ons heeft gedaan. We zullen hun vertellen dat hij de schaduwen wil vangen en beeltenissen wil maken van andere belangrijke mensen van onze natie en van de dingen die we dagelijks doen. We zullen het Volk vragen om vriendelijk te zijn en Te-ho-pe-nee Wash-ee ter wille te zijn. We zullen hun vertellen dat hij onze belangrijke vriend is en hier is om ons goed te doen.'

'Hé!' riep Catlin. *'Dy-awf!'* Hij had Kipp gevraagd om hem het Mandan-woord voor 'Dank u' te leren en was tot de ontdekking gekomen dat het heel dicht bij het Welsh kwam. Vier

Beren en Opperhoofd Wolf begonnen allebei hardop te lachen toen ze Catlin het in hun eigen taal hoorden zeggen.

Tegen de middag had het nieuws van wat de Blanke Medicijn Man had gedaan zich door het dorp verspreid. Opnieuw kraakte de hut onder de zwerm kinderen. Elke opening en elke spleet in de bouwvallige hut onthulde een glinsterend oog. Als Catlin door zo'n spleet gluurde, zag hij hoe het oog aan de andere kant zich opensperde en verdween. Dan zag hij dat de fluisterende, mompelende menigte buiten op het plein tot honderden was aangegroeid. Maar het waren allemaal vrouwen, meisjes en kleine jongens. Alleen aan de rand van het plein waren er mannen en zij keken alle kanten uit, behalve naar de hut. Zij deden uitgebreid of ze geen enkele belangstelling hadden. Catlin dronk de aanblik van deze mooie mensen in zich op en zijn hand jeukte om hen te tekenen. Slechts de Crow en Zwartvoet van verder stroomopwaarts konden het, wat elegantie en een knap uiterlijk betrof, van deze krijgers winnen. Het lange, zwarte haar van de meeste mannen was ingevet en met modder bedekt, zodat er roodgeverfde, lintachtige strengen van een duimbreed ontstonden die ze achterover, achter de oren droegen en die bijna tot hun hielen kwamen. Ze stonden kaarsrecht als een paleiswacht. Het waren lenige, atletische mensen. Hun benen waren gespierder dan de armen en schouders. Hun huid hielden ze glanzend met berevet, dat ze elke dag opnieuw na hun stoombad en hun bad in de rivier opbrachten. Volgens Kipp kon er onmogelijk nog ergens ter wereld een volk zijn dat persoonlijke hygiëne zo hoog in het vaandel droeg. De vrouwen hielden hun lange haar glanzend met olie en door het te kammen. Ze droegen het altijd in het midden gescheiden, en smeerden vermiljoen of rode klei over de scheiding. Als ze het haar niet los hadden hangen, droegen ze het in twee vlechten achter de oren. Beide seksen paradeerden in kledij van prachtig geprepareerde huiden – van antilopen, bergschapen, herten. Ze waren bijna even zacht en licht als katoen en kunstig versierd met veren, schelpen, stekelvarkenpennenwerk, franjes, blauwe kralen, bontranden en lange linten van haar.

Generaal Rood Haar William Clark had in zijn veelvuldige gesprekken met Catlin in St. Louis vaak in lyrische bewoordingen over de schoonheid van de Mandan-vrouwen gesproken. Catlin had dat met een korreltje zout genomen en het als de overdrijving van een oude man gezien. Nu merkte hij echter dat Clark helemaal niet had overdreven. De gezichten van de jonge vrouwen hadden zulke zachte, fijne gelaatstrekken dat zijn hart er van samentrok. Zelfs de oudere vrouwen hadden de gladde voorhoofden en uitgehouwen trekken van Egyptische koninginnen. Het ongelooflijkste was echter dat hij zoveel vrouwen met ovale gezichten, een huid zo romig als van Clara, zijn vrouw, en met blauwe, grijze en hazelnootbruine ogen en watervallen kastanjebruin, zelfs tarwekleurig haar, zag. Het was alsof een derde of een kwart van deze Mandan helemaal geen Indianen waren, maar Angelen of Noordeuropeanen. 'Als ik mijn haar tot mijn middel liet groeien en hun kleren zou aantrekken, zou ik zo ongemerkt tussen deze mensen kunnen opgaan, Kipp, ik zweer het u,' mompelde hij. 'Ik moet doodgewoon de tijd vinden om Vier Beren over de oude geschiedenis van deze mensen te ondervragen. Ze *moeten* gewoonweg de verloren mensen uit Wales zijn! Er kan geen andere verklaring voor zijn!'

'Nou, daar komt hij net aan, meneer Catlin. Maar te zien aan de menigte die hij achter zich aan heeft, betwijfel ik of u veel tijd zult hebben om over geschiedenis te praten.'

Achter de opperhoofden aan die zich door de menigte een weg baanden, liepen verschillende oudere, goedgeklede mannen. Catlin veronderstelde dat het dorps- of clanhoofden waren. Verder kwam er een tiental grote krijgers mee, die met veren versierde speren in hun hand hielden. Inmiddels was de menigte op het plein een gemengd gezelschap geworden. De mannen die eerst in de verte hadden gelopen en net hadden gedaan of ze helemaal niet nieuwsgierig waren, liepen nu ook mee.

Toen de opperhoofden deze keer naar binnen gingen, probeerde de hele bevolking zich mee naar binnen te persen. Snel zette Vier Beren zijn krijgers met hun speren dwars voor de deuropening neer om die te versperren en vroeg of iedereen wiens naam werd geroepen wilde binnenkomen, aangezien de hut maar een beperkt aantal mensen kon bevatten. De onder-

710

hoofden, een paar belangrijke krijgers en de medicijnmannen werden binnengelaten. Allemaal schudden ze Catlin de hand en probeerden ondertussen in het schemerdonker van de hut de inmiddels beroemde, geheimzinnige schilderijen te ontwaren. Maar Catlin had ze achterstevoren bij zijn bed neergezet. Slechts de achterkant was zichtbaar.

Vier Beren vroeg of hij ze wilde omdraaien en omhooghouden, zodat de mannen ze konden zien. Weer kwam het stomverbaasde gemompel, de handen voor de monden; zelfs al hadden deze dorpshoofden kennelijk al gehoord wat ze zouden zien, toch waren ze er niet op voorbereid te zien dat hun opperhoofden een tweede leven toebedeeld hadden gekregen. Ze liepen schuin door de hut heen en weer en opnieuw was de meest gehoorde uitroep dat de ogen in de schilderijen bewogen.

Terwijl dit alles gaande was, werd Catlin persoonlijk, bij naam, aan iedereen die was binnengekomen voorgesteld. Hijzelf werd als Blanke Medicijn Man voorgesteld. Een kleine, krachtig gebouwde, knappe krijger trok niet alleen om zijn indrukwekkende verschijning Catlins oog, maar ook vanwege het buitengewoon mooie stekelvarkenpennenwerk op zijn beenkappen en op een sjerp die hij over zijn schouder droeg. Deze jongeman werd voorgesteld als Waka-da-ha-hee, of Haar van de Witte Bizon. Catlin besefte dat dit de man was die de regen had opgeroepen en dat dit ongetwijfeld de reden was dat hij voor deze eerste kennismaking was toegelaten. Via Kipp vroeg Catlin Witte Bizon Haar of hij zijn beeltenis mocht schilderen.

De reactie was verrassend en teleurstellend. De jongeman deinsde terug. Hij zette een angstig gezicht, keek naar opzij en sloeg zijn ogen neer. Catlin liet Kipp nog een keer hetzelfde vragen, maar Witte Bizon Haar zei dat hij bang was dat er iets slechts uit zou voortkomen.

Catlin berustte in de weigering; het ging tenslotte om de jongeman zelf, die vond dat hij zichzelf moest beschermen. Maar Catlin had nog een verzoek. Hij zei tegen Kipp: 'Vraag hem of hij me die beenkappen voor mijn verzameling wil verkopen.' Hij had door heel het Westen wapens en voorwerpen die buitengewoon mooi waren gekocht, om mede met behulp daarvan

711

het Amerikaanse publiek te laten zien hoe vaardig en vakkundig deze zogenaamde primitieve volken hun prestaties leverden. En deze beenkappen waren een voortreffelijk voorbeeld. *'Hoh-shee,'* zei Kipp. 'Deze Te-ho-pe-nee Wash-ee zal u heel goed betalen voor die *hoh-shee*. Hij vindt ze heel erg mooi.'

Maar de jonge medicijnman bleef zijn ogen neergeslagen houden en schudde zijn hoofd.

Het lawaai van de menigte buiten werd steeds luider en dringender. Nu ging Vier Beren naar Catlin toe en zei: 'We geloven dat we nu uw medicijn aan ons Volk moeten laten zien. Ze hebben erover gehoord en aan niets anders gedacht. Mogen we hen nu de twee beeltenissen die u van ons hebt gemaakt laten zien?'

'Zeer zeker. Hoe wilt u dat aanpakken?' Hij dacht dat de opperhoofden de mensen misschien in een rij door de hut zouden laten gaan, zoals het blanke publiek in musea deden.

In plaats daarvan vroeg Vier Beren aan Catlin en Kipp om elk een van de schilderijen naar buiten te dragen en omhoog te houden, zodat het Volk ze kon zien. Dus pakte Catlin het schilderij van Vier Beren en Kipp dat van Opperhoofd Wolf en beiden liepen ze naar buiten, het daglicht in, voor de zich verdringende menigte Mandan. Met naast hen de twee opperhoofden, hieven ze de schilderijen omhoog.

Toen de mensen voor het eerst naar de schilderijen keken, viel er een doodse stilte. Catlin bezag de mensenmenigte eens en keek naar de afzonderlijke gezichten. Hij voelde bijna hoe verschrikkelijk zij hierdoor van streek raakten.

Opeens explodeerde de stilte.

Honderden mensen begonnen te gillen en te krijsen alsof hun ziel uit elkaar geklapt was. Velen begonnen met vertrokken gezicht te huilen. Anderen zongen. De meeste mannen in de menigte sloegen hun hand voor hun mond en stonden met verbaasde, glinsterende ogen te kijken. Maar sommigen sprongen duidelijk verontwaardigd op. Met bloedstollende kreten wierpen ze hun speren in de grond en een paar mannen draaiden met hun boog boven hun hoofd als derwisjen in het rond en schoten de ene pijl na de andere in de lucht af. De boze mannen vlogen uit de menigte te voorschijn en verdwenen tussen de hutten.

Het duurde een paar minuten voor de wilde beroering wat bedaarde, hoewel het rumoerig bleef. De mensen die op het plein gebleven waren, hadden zich er op de een of andere manier mee verzoend dat ze hun opperhoofden in tweevoud zagen. Of misschien hadden ze alleen maar hun emoties uitgeput. Nu richtten ze al hun nieuwsgierigheid op de man die de wonderbaarlijke afbeeldingen had gemaakt, zo leek het wel. Kipp en Catlin brachten de schilderijen weer terug in de bewaakte hut en Vier Beren pakte Catlin bij de arm en nam hem voorzichtig mee te midden van de zich opdringende mensen. Onmiddellijk werd hij ingesloten door aantrekkelijke, naar muskus ruikende vrouwen, die hem vol verwondering aanstaarden en ingetogen en verlegen lachten, door sterke, gespierde krijgers en verweerde oude mannen die allemaal zijn hand wilden schudden en door een enorme zwerm jongens en meisjes die zich door de menigte heen werkten om zijn gezicht en zijn armen met hun handen aan te raken. Catlin had het gevoel alsof hij tot aan zijn nek door een rivier van liefkozingen liep. En onder zijn middel voelde hij, helemaal over zijn benen heen, als kleine visjes die in die menselijke rivier zwommen, de aanrakingen van de vingertjes van de kleinste kinderen die tussen de benen van de volwassenen door kropen. Het enthousiasme en de bewondering van het Volk wervelden om Catlin heen en omhulden hem met een warme gloed van liefde, een krachtige injectie van verrukking. Het verschilde totaal van de afgrijselijke druk en het gevoel van verstikking die hij altijd ervoer als hij in de stad weer in een menigte blanke mensen liep. Als hij niet had gezien hoe boos een klein deel van de mensen hier nog maar zo pas was geworden, zou hij er inderdaad geen enkel bezwaar tegen hebben gehad om helemaal in de omhelzing van dit Volk te worden opgenomen. Maar die woede kon hij niet helemaal van zich afzetten.

En Catlin was er zich de hele dag van bewust geweest dat de oude medicijnman, Mah-to-he-ha, Oude Beer, die aanvankelijk de twee opperhoofden steeds had vergezeld, nu niet aanwezig was. Zelfs te midden van de heftige adoratie door de menigte, voelde Catlin zich toch niet helemaal op zijn gemak.

De dag daarna hadden verschillende oudere dorpshoofden ermee ingestemd om voor hun portret te poseren. Een oud dorpshoofd stond zelfs al in de hut te poseren, toen Catlin opeens een nieuw geluid buiten hoorde. Het was een somber, weeklagend spreekkoor. Het geluid ging galmend op en neer, op en neer. Het was niet één stem, maar het waren er verscheidene. Hij was verf op zijn palet aan het mengen, dus stuurde hij Kipp er op uit om te ontdekken wat er aan de hand was.

Kipp bleef tamelijk lang weg. Af en toe hoorde Catlin zijn stem en de stemmen van vrouwen, daarna stemmen van mannen, in ernstig gesprek verwikkeld. Toen Kipp eindelijk terugkwam, keek hij bezorgd en een beetje boos. Hij legde uit wat hij had gehoord. 'Het lijkt erop dat een paar dames uit de stad bang voor u zijn geworden. Zij lopen nu jammerend rond.'

'Bang voor mij?'

'Ze zeggen dat u een buitengewoon gevaarlijk mens bent en onmiddellijk de stad uitgezet zou moeten worden. En ze hebben een paar oude kwakzalvers op hun hand.'

'Lieve hemel! Maar... maar... En Vier Beren dan? Waarom praat hij niet met hen?'

'Nou, meneer Catlin, hij is een groot deel van de ochtend met raadsbesprekingen bezig geweest. Kennelijk wordt u uitgebreid besproken. En zoals u zag, vindt het grootste deel van de stad dat u een compleet wonder bent. Een paar vrouwen proberen echter verzet tegen u op te roepen. Ze proberen iedereen te waarschuwen dat je, wanneer je iets op het doek schildert, je daarmee ook een deel van die persoon op het doek brengt. Volgens hen zullen de mensen die u schildert doodgaan. Of u neemt hun geest met u mee wanneer u weer naar de blanke wereld teruggaat en dan zullen deze mensen nooit stil in hun graven kunnen rusten. Ze zijn bang dat er hier geen geesten meer over zullen zijn als u ieders afbeelding maakt. Toegegeven, het is maar een heel klein deel dat er zo over denkt, meneer Catlin, maar dit is een volk dat heel gemakkelijk door hun bijgelovigheid wordt meegesleept.'

714

'Maar dat is afschuwelijk, meneer Kipp! Zeg me, toen u het over de "oude kwakzalvers" had... bedoelde u daar ook Oude Beer mee? Ik heb hem helemaal niet meer gezien.'

'O, hij, meneer! Nou, hij is één of twee keer naar buiten gekomen en jammert en fluistert datzelfde soort waarschuwingen. Maar hij doet het op zijn best halfslachtig, zou ik zeggen. Net een politicus. Hij protesteert een beetje, zodat hij altijd kan zeggen dat hij de kant van de onheilsprofeten had gekozen, in het geval zij mochten winnen.'

Catlin zuchtte. 'Nou, nou! Vertelt u me eens, meneer Kipp: Bestaat er een kans dat ik een uitnodiging voor hun raad kan krijgen en mezelf kan verdedigen?'

Kipp grinnikte en wreef zich in de handen. 'Ik denk dat Vier Beren zeer opgelucht zou zijn als u dat deed. Hij heeft het grootste deel van het debat zelf moeten voeren en zou een beetje hulp best kunnen gebruiken. Een opperhoofd kan niet zo invloedrijk zijn als hij niet populair is, en als je veel redetwist, kun je impopulair worden.'

'Kijk dan eens of u een audiëntie voor me kunt regelen. Intussen zal ik proberen hun kattegejammer buiten te negeren en deze oude heer op het doek te krijgen voor ze hem ook de stuipen op het lijf jagen.'

De volgende dag verliep de raadsvergadering gemakkelijker dan Catlin had kunnen hopen. Vier Beren liet Catlin aan zijn rechterzijde plaatsnemen en toen de gemeenschappelijke pijp was rondgegaan, vertelde Vier Beren de aanwezigen dat de Te-ho-pe-nee Wash-ee was gekomen om zelf het woord te voeren tegen de slechte vogels die door het dorp vlogen. Catlin hield een korte toespraak die Kipp vertaalde.

'Het is heel vriendelijk van u dat u mij een medicijnman noemt, maar ik verzeker u dat er om de beeltenissen die ik maak geen grote medicijn en geen mysterie hangt. Ik ben een mens zoals u. Ieder van u zou mijn kunst kunnen leren en het even goed als ik kunnen doen, als u zich er maar even lang als ik in oefent.

Ik geloof dat uw opperhoofden Mah-to-toh-pah en Ha-na-ta-nu-mauh mijn hart begrijpen. Zij weten dat ik het beste met u en heel uw Volk voorheb. Zij weten dat mijn genegenheid oprecht is en elke dag die ik bij u doorbreng nog groter wordt. Wanneer ik u moet verlaten en weer naar mijn eigen Volk moet terugkeren, zal ik uw geest slechts in mijn hart meenemen, zoals vrienden die uit elkaar gaan doen. Ik zal die echter niet in mijn afbeeldingen meenemen. Mijn schilderijen zijn slechts verf op doek. Uw opperhoofden hebben me aan het werk gezien en zij weten dat ik alleen maar verf op het doek penseel.

Ik heb Vier Beren menig keer verteld waarom ik dit doe. Ik wil de blanke mannen die ver weg wonen, de mannen met de macht, laten zien wat een knap, aantrekkelijk en gelukkig volk u bent, zodat ze niet zullen toestaan dat er slechte dingen met de Mandan gebeuren. Ik heb vaak met uw oude vriend Clark, het Rood Haar Opperhoofd, gesproken. Die man is één van ziel met mij. Wij houden van u en wij willen u beschermen. Nu wil ik nog één ding zeggen:

Het leek me toe dat gisteren het grootste deel van uw mensen niet bang voor me was. Ze gaven me met een warm hart en een lachend gezicht hun hand. Het lijkt me toe dat de donkere vleugels van angst die vandaag een schaduw over dit dorp werpen slechts de vleugels van enkele vrouwen zijn. In mijn land, waar ik woonde, lieten moedige mannen zich nooit bang maken door ongelukkige vrouwen met hun dwaze grillen en duistere geroddel. Ik geloof dat u een natie van moedige mannen bent. *Dyawf!* Ik dank u voor het feit dat u mij in uw heilige raadscirkel hebt binnengelaten en mij tot u hebt laten spreken.'

'*Ho!*' riepen de mannen van de raad uit. Iedereen ging onmiddellijk staan om Catlin de hand te schudden. '*Shu-su!*' Ze zeiden nog een paar woorden tegen elkaar en liepen even later de deur uit. Vier Beren kwam zo breed grijnzend naar Catlin toe, dat het leek of zijn wangen ervan zouden barsten. Zijn ogen glinsterden. 'Ze gaan hun beste kleren aantrekken, zodat u hun beeltenis kunt maken. U hebt uw woordje goed gedaan, mijn vriend!' zei hij.

Kipp liep de hele tijd te gniffelen toen hij met Catlin, gevolgd door bewonderaars, naar de hut terugliep. 'Slimme man, slimme man!' riep hij uit.

'Bedoelt u Vier Beren?'

'Ik bedoel u. Ze vertellen dat ze zich niet bang moeten laten maken door gepraat van de vrouwtjes! Ha, ha! U bent een slimmerik, meneer Catlin! Een echte blanke medicijnman!'

Zonder veel problemen ging het portretschilderen een aantal dagen door. Verschillende jongemannen werden zenuwachtig onder de starende ogen van de opperhoofden op de schilderijen en renden, met hun mantel omhooggetrokken om hun gezicht te verbergen, hard de hut uit. Ze wilden niet terugkomen. Maar er waren genoeg anderen om hun plaats in te nemen. Witte Bizon Haar, de knappe, kleine man die de regen had opgeroepen, kwam ook op een dag model staan. Catlin zette hem zo neer, dat zijn prachtig gemaakte beenkappen in detail zichtbaar werden. Hij stond op het punt een portret ten voeten uit te schetsen, toen Witte Bizon Haar opeens zijn handen voor zijn gezicht sloeg.

'Zeg tegen hem dat ik hem niet kan schilderen als hij zich verstopt,' zei Catlin tegen Kipp.

Kipp bracht het over, maar Witte Bizon Haar mompelde van achter zijn handen vandaan dat het hem speet, maar dat hij het niet kon verdragen dat zijn ogen geschilderd werden en op het doek zouden gaan leven.

'Ik kan geen gezicht zonder de ogen afbeelden,' zei Catlin tegen hem. 'Maar laat me alstublieft verder gaan. Ik zal u geen kwaad doen.' Op datzelfde ogenblik hoorde hij buiten een bekende stem jammerend en joelend een hele tirade houden. Het leek de stem van Oude Beer, de sjamaan.

Maar Catlin kon zich daar nu niet druk over maken. Witte Bizon Haar, die hij zo verschrikkelijk graag wilde schilderen, probeerde te vertrekken. Hij probeerde met zijn handen voor zijn ogen de hut uit te lopen, ondertussen zo beleefd mogelijk protesterend en zich in verontschuldigingen uitputtend. Catlin slaakte een zucht. 'Goed, meneer Kipp. Help hem met goed fatsoen naar buiten en zeg hem dat ik, mocht hij ooit van gedachten veranderen, graag wil dat hij terugkomt. Vraag hem tussen haakjes nog eens of hij mij die beenkappen wil verkopen.'

Maar dat wilde hij niet.

Catlin liep naar de deur om Witte Bizon Haar na te kijken en zag toen Oude Beer, die over het plein rondbanjerde en tegen iedereen die langskwam liep te jammeren en te wauwelen. Daarbij wees hij met een soort medicijnstok naar Catlins hut. 'Wat zegt hij, meneer Kipp? Ik kan me niet aan de indruk onttrekken dat hij het over mij heeft.'

'Dat hebt u goed geraden, meneer Catlin. Hij zegt tegen iedereen dat degene die hier naar binnen gaat om zich te laten schilderen een dwaas is en spoedig zal komen te overlijden.'

Nu zag Oude Beer Catlin in de deuropening staan. Grommend en schreeuwend deed hij een paar agressieve stappen in zijn richting en haalde met de medicijnstok naar hem uit. Opeens liep Catlin met grote passen recht op hem af. Verrast dribbelde Kipp met hem mee en vroeg: 'Wat bent u van plan, meneer Catlin?'

'Mijn vader zei altijd tegen me: "Als er een hond op je afkomt, fluit er dan naar."'

Toen Oude Beer Catlin zag aankomen, hield hij op met zijn geparadeer en geschreeuw. Zo te zien wist hij niet of hij een hoge rug moest opzetten en grommen, of wegrennen. Hij was echter volkomen van zijn stuk. Catlin bleef pal voor hem staan, stak zijn rechterhand uit en glimlachte. 'Meneer Kipp, zeg onze oude vriend Oude Beer dat ik heel blij ben om hem te zien,' zei hij. 'Het is al weer dagen geleden geweest!'

Toen hij dat hoorde, keek Oude Beer nog verwarder. Maar er verscheen een heel klein, aarzelend glimlachje om zijn mond en hij keek behoedzaam van de ene naar de andere blanke man.

'Meneer Kipp, zeg tegen hem dat ik al naar hem heb uitgekeken en gevraagd heb wat hij als sjamaan heeft gedaan. Zeg hem dat ik zijn daden zeer bewonder. Zeg dat ik vind dat hij er heel goed uitziet, al sinds de dag dat ik hem voor het eerst zag...' Terwijl Kipp dit alles overbracht, veranderde de gezichtsuitdrukking van Oude Beer van achterdocht in intense belangstelling. Catlin ging verder: 'Zeg hem dat ik, vanwege zijn karakter, zijn uiterlijk en zijn reputatie in de stam, besloten heb hem te vragen of hij voor zijn portret wil poseren. Zeg dat ik hem dat wel eerder had willen vragen, maar dat mijn hand stijf was geworden van al het gepaddel vanaf de Yellow Stone en dat ik de stijfheid losser wilde maken door een paar dagen op de andere schilderijen te oefenen. Zeg hem dat ik nu het gevoel heb dat ik hem recht kan doen. Als hij mij de eer wil bewijzen om binnen te komen en te poseren, ben ik bereid om nog vandaag te beginnen.'

De sjamaan zoog een poosje op de binnenkant van zijn wang. Hij keek om zich heen om te zien wie er mocht staan te kijken en toen Catlin naar zijn hut terugslenterde, sjouwde hij naast hem mee. Binnen liep hij van het ene schilderij naar het andere. De schilderijen waren aan alle palen waarop het dak steunde opgehangen. Hij was volkomen geobsedeerd. Het deed Catlin denken aan de eerste keer dat hij zelf als jongeman door de beroemde Museum- en Kunstgalerie van Peale in Philadelphia had gelopen en stomverbaasd was geweest door de wonderen die hij toen had gezien.

Toen Oude Beer klaar was met zijn ronde, liep hij naar Catlin toe, keek hem ernstig aan en pakte toen zijn hand beet.

'Ik geloof dat u een goed mens bent. U bent een groot medicijnman en uw geneeskracht is groot. Maar ik geloof nu ook dat u geen mens kwaad zou willen doen. Ik ga eerst naar mijn hut toe om te eten. Over een poosje kom ik terug. Dan zal ik hier gaan staan en kunt u aan het werk gaan.' Toen was hij vertrokken. Kipp schudde glimlachend zijn hoofd. Even later grinnikte hij en op het laatst lachte hij hardop.

Zelfvoldaan maakte Catlin zijn penselen en palet schoon en liep de hele morgen te fluiten. Vlak voor het middaguur spande hij canvasdoek over een geraamte en zette het op de ezel neer.

'U gelooft dat hij echt terugkomt, is het niet?' stak Kipp de draak.

'Nou, we hebben misschien nog wel tijd voor een pijpje tabak voor hij hier is, maar... Maar nee! Als je het over de duivel hebt...'

De voorhang voor de deur zwaaide open en Mah-to-he-ha, de Oude Beer, bukte om naar binnen te komen, gevolgd door een stuk of vijf jongere medicijnmannen die hij als zijn leerlingen voorstelde. Oude Beer had duidelijk de voormiddag doorgebracht met toilet maken. Hij had zijn gezicht en lichaam met kleuren beschilderd en er strepen op getrokken en alle talismannen en dranken van zijn professie in zijn haar en aan de band om zijn middel bevestigd. Van de achterkant van zijn hoofd sproten zwarte veren en een of andere lichtgekleurde soort veer in alle richtingen; in het haar over zijn voorhoofd had hij haarpijpjes, kralen en plukjes bont geknoopt en om zijn hals droeg hij een ketting van zware kralen. Vanaf de neus naar beneden was zijn gezicht zwart gemaakt met berevet en houtskool. Hij was bloot tot op het middel, maar droeg een afgrijselijk schort van de huid van een das, compleet met voorpoten en klauwen en kop en tanden. Plukken gedroogde salie en sweetgrass staken van het schort naar voren. Aan elk van zijn mocassins sleepte een weelderige vossestaart. In beide handen hield hij een rode stenen pijp beet die met een waaier van veren versierd was en helemaal behangen was met scalplokken en plukken dons. Hij hield ze opzij, alsof de veren waaiers zijn eigen vleugels om te vliegen waren. Zonder verdere omhaal ging hij midden in de kamer met zijn gezicht naar Catlin toe staan, begon met de pijpen vol veren te zwaaien en het toverlied te zingen dat hij boven zijn zieke patiënten zong.

Catlin gaf zich even enthousiast aan zijn eigen soort toverij over. Hij stond te turen, zijn ogen dicht te knijpen, heen en weer te bewegen en te schommelen, te mengen en te kloddeen, te neuriën en te fluiten. Zo keken de twee mannen elkaar recht in de ogen en deden een groot deel van de middag hun respectievelijke soorten toverij. Catlin veronderstelde dat Oude Beer zijn liederen evenzeer zong om zichzelf tegen kwaad te beschermen als om authentiek bij het poseren over te komen. Maar doordat de kunstenaar onder het schilderen niet via de tolk met zijn model hoefde te praten, was hij in staat zich op de manier zoals hij graag deed te concentreren. Het duurde niet lang of het portret ten voeten uit was klaar.

Dagen later zat Catlin als correspondent voor de *New York Spectator* zijn laatste artikel te schrijven. Glimlachend pende hij neer:

…Zijn ijdelheid is volledig bevredigd… Uren achtereen ligt hij dag na dag in mijn kamer voor zijn schilderij en tuurt er doordringend naar. Hij steekt mijn pijp voor me aan als ik aan het schilderen ben en schudt me wel tien keer op een dag de hand. En waar hij ook maar heen gaat, praat hij over mij en snijdt op over mijn geneeskundige kwaliteiten en talenten. Dit nieuwe probleem is nu verholpen. Hij spreekt zich nu niet meer tegen me uit, maar is in dit land een van mijn sterkste, meest enthousiaste vrienden en helpers...

Vier Beren was er nu van overtuigd dat de Schaduw Vanger als een bijzonder geschenk van de Schepper in Mih-Tutta-Hang-Kusch was gekomen en dat de doelstellingen die hij naar voren had gebracht oprecht en eervol waren. Vier Beren was verrukt over de manier waarop de blanke de genegenheid en trouw van Oude Beer had gewonnen en de vrees van de twijfelaars verjaagd. 'Dit is een verstandig, hartelijk mens,' zei Vier Beren tegen iedereen met wie hij sprak. 'Evenals Rood Haar houdt hij van ons en respecteert hij ons. Geef hem overal het gevoel dat hij welkom is. Laat hem afbeeldingen maken van alles wat hij wil zien, want ik weet zeker dat hij dit alles doet als een waar eerbetoon voor ons Volk. Hij gelooft dat hij ons op die manier voor slechte dingen kan behoeden. Hij doet zijn uiterste best om dat te bewerkstelligen. Zoals we nu kunnen zien, is hij een soort verhalenverteller; precies zoals de afbeeldingen op onze mantels de verhalen van onze daden vertellen, geven zijn beeltenissen het verhaal van ons Volk weer. En wij hebben verhalenvertellers altijd in ere gehouden, waar of niet? Dus vraag ik u of u hem ook wilt respecteren en beschermen.'

En zo ervoer George Catlin de schilder, Te-ho-pe-nee Wash-ee, een zo oprechte, zo pure gastvrijheid als hij zijn hele leven nog niet had meegemaakt. Nooit stonden de mensen toe dat hij honger had. Ze kwamen hem in alles tegemoet. Hij mocht gaan en staan waar hij wilde en zijn ezel overal opzetten en schetsen of schilderijen van welke activiteit dan ook binnen en buiten het dorp maken. Hij schilderde beeltenissen van dorpshoofden en gezinnen, van boogschutterswedstrijden, spelen en dansen, van de bizonjacht, de begraafplaats en de cirkels met schedels. Hij schilderde de vervaardiging en het gebruik van alles, van wapens en pottenbakken tot huizen en de schaalvormige boten aan toe. Overal waar hij ging kreeg hij een geleide en bewakers mee, tenzij hij zei dat hij graag alleen wilde zijn. De Mandan keken ervan op dat een man heel de dag door, elke dag opnieuw, zo hard werkte. Wanneer hij niet schilderde of tekende, was hij aan het *schrijven*, zoals hij dat noemde. Hij maakte talloze lijnen met kleine merktekentjes op vellen van een vreemd, wit materiaal dat hij *papier* noemde. Hij legde uit dat het een manier was om met mensen die ver weg waren te praten, een soort gebarentaal waar mensen die ver weg woonden naar konden kijken en hem dan konden horen praten. Maar zo'n grote toverij kon toch gewoon niet waar zijn; hoewel sommige oudere mannen in de stad zich wisten te herinneren dat de oude Coyote over iets soortgelijks had gesproken, hadden ze altijd verondersteld dat het weer een van zijn grote leugens was. Maar nu hun geliefde gast de Schaduw Vanger het pal onder hun ogen deed, moesten ze er wel in geloven.

Deze *schrijf*taal was iets dat Vier Beren obsedeerde. Hij kende de oude verhalen die zeiden dat Eerste Man en zijn mensen in de Tijden van Weleer een Taal van Merktekens hadden gekend, waarmee ze over afstand en tijd heen konden praten. Hij herinnerde zich de legende dat er vroeger een paar Magische Bundels in de Heilige Kano hadden gelegen. En dat in deze bundels veel van deze Merktekentaal had gestaan en dat de Bewaarders van Bundels generaties lang hadden gewacht op en uitgezien naar de blanke mensen uit het oude Land van Eerste Man, volken die hen zouden kunnen vertellen wat de woorden van de merktekens in de oude bundels betekenden en hen misschien zelfs zouden leren hoe ze die taal zelf weer konden gebruiken.

Maar die Magische Bundels waren verloren gegaan. Vroeger, nog vóór de geboorte van de grootvader van Vier Beren, was een oude medicijnvrouw die destijds de Bewaarster van Bundels was met die bundels met woorden van merktekens verdwenen. Vanaf die tijd was het slechts aan mannen toegestaan geweest de relieken in de Heilige Kano te bewaken. Dat was gebeurd in de tijd dat de eerste Zoekende Blanke Mannen, de Fransen uit het noorden, het Mandan-volk hadden bezocht. Dat was bijna honderd jaar geleden geweest. Nadat die Bundels met Magische Woorden waren verdwenen, dachten de mensen nog maar weinig aan die Merktekentaal. Soms voelde Vier Beren zich bedroefd als hij aan het verlies dacht. Maar aangezien de mensen die niet werkelijk nodig hadden, was het niet zo verschrikkelijk belangrijk. De meeste mensen hielden van het geluid van stemmen. Dat hadden ze ook nodig. Dus waarom zou een zwijgende taal belangrijk zijn? In de dagen van het Grijze Verleden, konden de mensen, naar men zei, rechtstreeks met alle andere soorten dieren spreken. Maar door bepaalde zonden hadden ze die kennis verloren. *Dat* was pas een betreurenswaardig verlies – veel erger dan het verlies van een Merktekentaal. Misschien was een Merktekentaal heel belangrijk voor een man als Schaduw Vanger Catlin, die ver weg van zijn eigen Volk was. Maar voor een Volk als de Mandan, waarvan de mensen altijd bij elkaar waren, was het onbelangrijk.

Vier Beren was blij dat Schaduw Vanger zijn eigen Volk had verlaten om hier te komen. Steeds als hij aan hem dacht en zich diens gezicht voor de geest haalde, kreeg hij een blij gevoel. Hij probeerde minstens één keer per dag bij hem langs te gaan, meestal om na te gaan of hij nog iets nodig had. Op een dag, toen hij om een dood familielid treurde, vroeg Vier Beren of de Schaduw Vanger nog een keer een beeltenis van hem wilde schilderen. De schilder had dat met het grootste genoegen gedaan. Die tweede keer had hij hem niet ten voeten uit en in vol ornaat geschilderd, maar met blote borst; alleen zijn gezicht en schouders. Bij die tweede keer had Vier Beren Catlin toen gevraagd of deze nog iets zou willen hebben dat hij nog niet bezat. 'Ja,' zei de schilder. 'Twee dingen. Ik zou graag wat van de mooie kleding, het aardewerk en de versieringen die uw Volk maakt verzamelen, zodat ik mijn Volk kan laten zien hoe bekwaam en vakkundig u bent. Ik heb bijvoorbeeld geprobeerd die prachtige beenkappen die Waka-da-ha-hee draagt te kopen. Ik heb nog nooit zulk prachtig stekelvarkenpennenwerk gezien. Maar hij antwoordt dat hij me die niet kan verkopen, omdat zijn grootmoeder ze gemaakt heeft. En zij kan ze niet nog een keer maken omdat haar ogen slecht zijn geworden.'

'Vraag me niet om van hem te verlangen dat hij ze alsnog aan u verkoopt,' zei Vier Beren. 'Ik wil een man niet zeggen dat hij iets moet doen dat volgens hem verkeerd is. Als ik dat zou doen, zou ik geen goed opperhoofd zijn.'

'O, maar dat vraag ik u ook niet! Ik zeg alleen dat ik dat soort voorwerpen graag zou verzamelen en mee naar het Oosten nemen om daar te laten zien. Als u de mensen zou kunnen laten weten dat ik dat soort dingen wil kopen, zou ik dat zeer op prijs stellen.'

'Ik zal hun vertellen dat u dat soort dingen wilt hebben. En wat is uw andere wens, mijn vriend?'

'De vrouwen hier zijn zo mooi,' zei Catlin. 'Ik zou dolgraag willen dat een aantal vrouwen hun portret hier laten schilderen.'

Er flitste belangstelling in de ogen van Vier Beren, maar het was niet bepaald van genoegen. Hij was eraan gewend dat handelaars in pelzen en andere blanke mannen aantrekkelijke vrouwen wilden hebben om mee te slapen of ermee te trouwen; Kipp zelf had een Mandan-vrouw. Maar dit was een ingewikkelder verzoek. Vier Beren bleef een hele tijd zwijgen en antwoordde toen: 'Mijn vriend, u hebt vele afbeeldingen gemaakt. U weet dat de mannen die hier hebben geposeerd om hun beeltenis te laten maken uitgekozen waren omdat het dorpshoofden en vooraanstaande krijgers zijn. Toen u een van de Mooie Mannen wilde schilderen, kreeg u het verzoek dat niet te doen omdat de man geen krijger of medicijnman was, maar slechts een van die mooie mannen die in de stad rondparaderen om naar zich te laten kijken. Dat herinnert u zich nog wel. De goede krijgers en dorpshoofden zeiden u dat u al hun schilderijen zou moeten vernietigen als u die Mooie Man schilderde.'

'Ja, dat herinner ik me nog wel,' antwoordde Catlin. Hij kreeg een kleur van verlegenheid. Het was een van de paar fouten die hij hier had gemaakt en die hem snel vergeven was toen de fat eenmaal vertrokken was.

'De mensen die u hier schildert, mijn vriend, zijn belangrijke mannen, begrijpt u wel,' ging Vier Beren verder, vertaald door Kipp. 'Wij zouden niet graag zien dat u uw toverij aanwendt voor onbelangrijke mensen en afbeeldingen van mensen die niet belangrijk zijn naar uw land mee terugneemt.'

Catlin keek Kipp onzeker aan en vroeg toen: 'Zegt hij dat

vrouwen niet belangrijk genoeg zijn om te worden geschilderd?'

'Daar komt het waarschijnlijk wel op neer, meneer Catlin. Ja, ik vrees van wel.'

'Nou, laten we dan proberen zijn visie te veranderen. Zeg hem, als u wilt, dat in alle landen van de blanken portretten om twee redenen worden geschilderd, namelijk om prestige en om schoonheid. Zeg hem dat er evenveel vrouwen om hun schoonheid worden geschilderd als mannen om hun belangrijkheid. Zeg hem dat een man rijk of belangrijk moet zijn wil hij zijn portret laten schilderen – en dat geldt ook voor een vrouw als ze er alledaags uitziet. Maar zeg hem ook dat de schoonheid van een vrouw op zich al belangrijk genoeg is. Als ik naar mijn land terugging met alleen schilderijen van Mandan-mannen, zouden de mensen me vragen: "Zijn de Mandan-vrouwen zo alledaags dat u ze niet eens wilde schilderen?" Zeg hem dat. En vraag hem of hij wil dat de blanken dat denken!'

Vier Beren hield zijn hoofd schuin en dacht heel hard na toen hij Kipp dat argument hoorde vertalen. Terwijl zijn portret zijn voltooiing naderde, roerde hij het onderwerp niet meer aan. Hij vertrok zonder dat hij erover had gepraat.

Maar de volgende dag stond er een prachtig meisje met een koperkleurige huid en fijne gelaatstrekken, grijze ogen en loshangend, bruin, door de zon gebleekt haar voor Catlins hut. Ze zei dat ze Munt heette en dat ze betwijfelde of ze mooi genoeg was om een portret waardig te zijn, maar dat men haar had aangemoedigd om te komen en zichzelf aan te bieden. Opgetogen schilderde Catlin haar portret. Zij was de eerste van velen die volgden.

Op een avond was Catlin klaar met penselen schoonmaken. In de deuropening van zijn hut stond hij naar de heuvels te kijken die in het gouden licht van de zonsondergang een zachtere schijn kregen. Opeens zag hij Vier Beren naar zich toe slenteren. Hij droeg zijn mooie tuniek en glimlachte. Ze schudden elkaar de hand. Toen haakte Vier Beren zijn arm bedaard om die van Catlin heen, wees naar de andere kant van het plein en zei: *'Roo-hoo-tah.'* Inmiddels wist Catlin dat dit 'Kom' betekende.

Arm in arm liepen ze door de stad door de smalle poortjes tussen de hutten van de stad door en kwamen uiteindelijk bij een grote hut met een doorsnee van veertig of vijftig voet aan. Vóór de hut stond een lange boomstam. Terwijl hij er met zijn hand naar wees, zei Vier Beren: *'Ote Mah-to-toh-pah.'* Huis van Vier Beren.

Hij nam Catlin mee naar binnen. Het zag er vanbinnen ruim en kraakhelder uit. De vloer was van aarde die zo goed aangestampt en geveegd was, dat hij bijna de glans van tegels had. In het midden bevond zich onder het rookgat een verzonken, met stenen beklede vuurplaats. Er gloeide een vuur in dat praktisch geen rook afgaf. Een heerlijk aroma van gebraden vlees vulde de ruimte. Op de vloer om de vuurplaats heen lagen een paar biezen matten, een ongewoon grote, gelooide bizonhuid beschilderd met paarden en menselijke gestalten en een tapijt van kleinere, minder druk bewerkte huiden. Op een ervan zat Kipp. Hij hief als groet zijn hand op en zei: 'U bent zijn eregast aan tafel, meneer Catlin. Hij heeft mij gevraagd of ik aanwezig wilde zijn om u te helpen spreken.'

Vier Beren bracht Catlin naar de versierde huid toe en beduidde hem dat hij erop moest gaan zitten. Daarna ging hij zelf op een armslengte afstand in kleermakerszit op een mat zitten. Ernstig stak hij een pijp aan en gaf die aan Catlin door. Het was een zacht mengsel, grotendeels bestaande uit rode wilgebast, een klein beetje tabak en wat verpulverde bizonmest. De bizonmest hield de pijp brandende en gaf een aangename, grasachtige geur af. Onder het roken zaten ze tegen elkaar te lachen en te knikken. Er werd nog niet gesproken en Catlin merkte dat ze verre van alleen in de grote hut waren. De buitenkant van de ruimte was verdeeld in acht, door gordijnen afgescheiden slaapplaatsen en in de uitsparingen daartussenin zaten talloze vrouwen en kinderen te spelen, te knuffelen of achterovergeleund. Ze praatten zo zachtjes met elkaar, dat het nauwelijks meer dan een gemompel was. Een aantal vrouwen en alle kinderen waren naakt, maar ze bleven discreet in het donkere gedeelte. De vrouwen die met de maaltijd bezig waren en opdienden gingen zedig gekleed. Het waren allemaal aantrekkelijke vrouwen. Het was bekend dat Vier Beren zeven vrouwen had. De oudste, meest gerespecteerde vrouw was ongeveer veertig jaar oud en de jongste was een koket meisje van veertien jaar met zilverachtig haar en blauwe ogen dat zwanger was. Zij was een van degenen die bij het koken hielpen. Alle vrouwen zagen er opgewekt uit en de kinderen, een stuk of tien, elf, voor zover Catlin kon zien, waren tevreden en welgemanierd. Catlin kon zich het voortdurende geroezemoes in het gezin van veertien kinderen waaruit hij zelf kwam nog heugen en hij stond te kijken van de harmonie in een huishouden met zeven vrouwen. Putnam en Polly Catlin, zijn ouders, zouden perplex van deze regeling hebben gestaan.

Door middel van slechts handgebaren duidde Vier Beren de vrouwen aan dat zij de geëerde gast moesten bedienen en keek toe hoe deze zich te goed deed aan het ribstuk van gebraden bizonvlees en de met mergvet besmeerde pemmikaan. Vier Beren bestudeerde hen aandachtig en gebaarde de vrouwen dat ze zijn bord gevuld met het warme, sappige vlees moesten houden. Ze bewogen zich met een stille elegantie en zelfs met volle handen knielden ze soepel neer en kwamen weer overeind. Het kon niet anders of Catlin verlangde naar het comfort en de gedienstigheid van zulke prachtige vrouwen. Als hij erom had gevraagd, zou er een willekeurig aantal Mandan-meisjes beschikbaar zijn geweest om zijn nachten te delen, wist hij. Maar op zulke momenten haalde hij zich steeds het gezicht van zijn geliefde vrouw Clara, voor de geest. Zij vertrouwde hem.

Het kostte hem moeite eraan te wennen dat hij zat te eten terwijl het opperhoofd en Kipp toekeken. Maar hij had al eerder gemerkt dat het in de meeste stammen de gewoonte was dat de gastheer aandacht aan zijn geëerde gast gaf in plaats van aan zijn eigen eetlust te denken. Kipp was ook een gast, maar hij was geen eregast. Hij zou later eten. Hij woonde al acht jaar bij de stam en kende inmiddels het protocol. Hij voelde zich niet beledigd. Catlin at en at, terwijl Vier Beren voor hem zorgde en kennelijk in uiterste tevredenheid zat te mediteren. Langzaam en doelbewust stopte hij de pijp weer om na de maaltijd te roken.

Op het laatst zette Catlin zijn bord neer en stak zijn mes in de schede. *'Dy-awf!'* zei hij. *'Shu-su!'* Het betekende: 'Dank u. Heel goed!' En terwijl Vier Beren vol genegenheid naar hem lachte, voegde hij eraan toe: *'Mah-to-toh-pah e numohk k'shese k'tich.'* Dat betekende: 'Vier Beren is een groot opperhoofd.'

De gastheer boog verlegen het hoofd en ging verder met het aansteken van de pijp. Hoewel hij gemakkelijk een kooltje uit het vuur had kunnen nemen om de pijp te laten ontbranden, haalde hij in plaats daarvan vuursteen en een stalen slagpin te voorschijn, waarmee hij behendig vonken in de pijpekop aansloeg. De verpulverde bizonmest bovenop vormde volmaakt aanmaakmateriaal en even later wolkte de rook al omhoog. Vier Beren beschreef een cirkel met de steel van de pijp om de Vier Winden aan te geven, wees ermee omhoog naar de Schepper en naar beneden naar Moeder Aarde. Daarna overhandigde hij de pijp aan Catlin en vervolgens ging hij door naar Kipp. Nu was het ogenblik aangebroken om te praten.

Catlin prees de rust en harmonie in het huis van Vier Beren en zei: 'Het is geen wonder dat u een gelukkig mens bent. U hebt vele mooie vrouwen en kinderen om u heen.'

Vier Beren wist klaarblijkelijk dat de meeste blanke mannen erin geloofden om er slechts één vrouw op na te houden. Hij nam er namelijk even de tijd voor om over zijn grote gezin te vertellen. 'Elke vrouw die een echtgenoot wil hebben, hoort getrouwd te zijn, vindt u ook niet? Maar u hebt wel gemerkt dat er onder ons volk veel meer vrouwen dan mannen zijn. De Dah-koh-tah en Arikara voeren in ons eigen land oorlog met ons en de Shienne en anderen gaan ons te lijf wanneer we ver weg op jacht gaan. Bij de jacht en die gevechten komen zoveel jonge mannen om, dat we per man wel vier of vijf vrouwen hebben.

Bovendien moet een opperhoofd, met name de *maho okimeh*, altijd een goed, warm thuis en veel te eten hebben, want hij krijgt heel veel gasten. Een man met een aantal goede vrouwen kan zijn gasten meer van wat er van het land komt te eten geven en hun meer mooie geschenken cadeau doen. En hij heeft een schoner huis.'

'Ja, daar kan ik de zin van inzien,' antwoordde Catlin.

'Veel van onze jonge mannen komen om,' zei Vier Beren, het onderwerp dat een oorlogsopperhoofd vanzelf afgaat weer oppakkend. 'Een opperhoofd moet al het mogelijke doen om te voorkomen dat de krijgers en jagers gedood worden. Hij moet hen aanmoedigen om beter te leren paardrijden en schieten dan hun vijanden en zich te harden, zodat ze niet door ontbering en tegenspoed hulpeloos worden gemaakt. Daarom ziet u mijn jonge mannen altijd met hun pijl en boog aan het oefenen en paardenrennen en wedlopen met elkaar houden. En zwemmen. En worstelen. En in de Okeepah leren ze meer pijn te verdragen dan welke vijand ook hen zou kunnen toebrengen. En dus zijn het prachtige krijgers. Wanneer ze hun Volk moeten beschermen, komen er minder goede krijgers om dan gewone krijgers. Ja. Een oorlogsopperhoofd moet al het mogelijke doen om zijn krijgers in leven te houden.'

'Ik heb gehoord,' zei Catlin, 'dat u een vijandelijk oorlogsopperhoofd met uw eigen handen hebt bevochten en uw krijgers op veilige afstand liet staan zodat ze niet zouden worden gedood. Dat verhaal doet uitgebreid de ronde.'

'Het is een verhaal dat in beelden wordt verteld op die mantel waarop u nu zit. Ik zal u nu het hele verhaal vertellen, want niemand anders kan dat...' Catlin voelde dat het hele gesprek erop gericht was geweest om Vier Beren deze gelegenheid te geven om zijn verhaal te vertellen. Hij wilde er met plezier naar luisteren. Het was een spannend, inspirerend verhaal en toen hij over de verschillende roekeloze aanvallen te paard hoorde, moest hij aan de middeleeuwse riddertoernooien uit de verhalenboeken denken. Toen hij hoorde dat de opperhoofden het ene na het andere wapen wegwierpen om zodoende niet op een oneerlijke manier in het voordeel te zijn, dacht hij aan een ridderlijke code waarover hij alleen maar in idylles had gelezen.

Maar we nemen natuurlijk aan dat deze man van Madoc afstamde, die tenslotte een middeleeuwse ridder en prins van de mensen uit Wales was, dacht hij...

Waar kreeg het Shienne-opperhoofd dan echter *zijn* ridderlijkheid vandaan? dacht hij vervolgens.

En terwijl hij luisterde naar Kipps vertaling van het verhaal en zich het duel voorstelde, kwam een gedachte bij hem op die hij al vanaf het begin dat hij op de Vlakten was geweest had gekoesterd, namelijk het beeld van de nobele, wilde, dappere opperhoofden en krijgers van de Dah-koh-tah, Zwartvoet, Crow, Sauk en Fox, Cree en Ojibway. En hij bedacht dat deze trotse, vrije, eervolle ruiters volgens hun eigen traditie ware ridders waren, geen haar minder dan welke andere ridder ook die ooit rammelend in zijn glanzende wapenrusting in Europa had rondgelopen. Hij was in die gedachte verdiept toen Vier Beren zijn verhaal besloot door zijn tweesnijdende dolk met het brede lemmet te voorschijn te halen met de woorden: 'Dit was zijn mes, dat ik in zijn hart gestoten heb.'

Catlin hoefde zijn bewondering niet te veinzen, dus voelde Vier Beren zich aangemoedigd om weer verder te gaan. Hij vertelde een spannend verhaal over de keer dat hij in zijn eentje wraak had genomen op een Arikara-krijger die Won-ga-tap heette. Deze had het lichaam van de jongere broer van Vier Beren op het slagveld verminkt en een speer met zijn kenmerk in het lijk achtergelaten. Vier jaar lang had Vier Beren de speer van Won-ga-tap met zich meegedragen. Vier jaar lang had deze afschuwelijke wreedheid in het hart van Vier Beren om wraak geschreeuwd. Maar ze kwamen elkaar nooit in de strijd tegen en ten slotte was de gefrustreerde Mandan-krijger alleen, te voet, op weg gegaan naar de stad van de Arikara die zo'n tweehonderd mijl verder weg lag. Half uitgehongerd was hij bij het donker worden de stad binnengeglipt. Hij bleef met zijn gezicht in het donker en was, toen de Arikara-krijger naar bed was gegaan, de hut van Won-ga-tap binnengegaan. Nu zat hij bij de gloeiende as van het kookvuur uit een pot vlees te eten die bij het vuur was achtergelaten en had daarna een pijp gerookt die Won-ga-tap bij de vuurcirkel had laten liggen. Eén keer hoorde hij de echtgenote vragen: 'Wie zit daar bij ons vuur te eten?' En Won-ga-tap had tegen haar gemompeld: 'Dat weet ik niet, maar als een vreemdeling hongerig bij ons komt, moeten we hem laten eten.' Vier Beren had de pijp leeggerookt. Daarna had hij met de punt van zijn mocassin het vuur opgerakeld tot er genoeg licht opflakkerde om hem te laten zien waar Won-ga-tap lag. En terwijl hij stilletjes was gaan staan, was Vier Beren naar het bed van de moordenaar van zijn broer toegelopen en had diens lichaam met zijn eigen speer doorboord. Toen vloog hij met Won-ga-taps scalp in zijn hand door de Arikara-stad, waar het een en al gegil en opschudding was, verdween in de donkere nacht en rende terug naar Mih-Tutta-Hang-Kusch. Overdag verborg hij zich en bij maanlicht trok hij verder, onderweg de Schepper dankzeggend voor de volmaakte wraak.

Catlin huiverde en dat moedigde Vier Beren aan om verder te gaan.

'Op die mantel waarop u zit, heb ik het verhaal van alle oorlogen waarbij ik mijn vijand eigenhandig heb gedood geschilderd. Het waren allemaal eervolle gevechten, zoals mijn Volk zal getuigen. Er zijn veertien van dat soort verhalen. Ik heb u er twee verteld. Hier, rook nog iets. Dan zal ik u een voor een de rest vertellen...'

Laat in de avond, nadat het laatste bloedige detail uitvoerig aan de orde was geweest, was Vier Beren klaar met vertellen. Catlin wist zeker dat hij het ongelooflijkste levensverhaal dat ooit was geleefd had aangehoord. Nu ging Vier Beren staan, nam Catlin bij de hand en trok hem overeind. Een lichte glimlach scheidde zijn goedgevormde mond. Bij de blik uit die doordringende, wolfachtige ogen, die op dat ogenblik een en al genegenheid waren, kreeg Catlin een gevoel dat hij nooit eerder had gekend. Hier stond de wildste en tegelijk beschaafdste man die Catlin kende of zich ooit had kunnen voorstellen.

Vier Beren bukte zich, pakte de prachtig beschilderde geschiedenismantel bij de punten op, vouwde hem op en zei: 'Ik heb u vanavond hierheen gehaald, mijn beste vriend, om u dit geschenk te geven. U hebt immers gezegd dat u mooie dingen wilde hebben om aan ons terug te denken wanneer u ons moet verlaten.' Hij legde de mantel over Catlins schouder, haakte zijn arm weer om diens arm, zoals eerst, en liep samen met hem onder de sterren terug naar de hut van de schilder. Als afscheid schudde hij hem nog een keer de hand.

731

Het werd al koud. Je merkte dat de herfst eraan kwam en in George Catlins keel zat een brok die hij niet kon wegslikken. Hij begon hevig te rillen, draaide zich om en liep het donker in dat bezwangerd was met de lucht van verf en olie, de eenzame werkplaats van een Schaduw Vanger, in het hart van een ten ondergang gedoemde beschaving.

25 Mih-Tutta-Hang-Kusch
Herfst 1832

Zijn notitieboeken vulden zich met wervelende, snel gemaakte schetsen; het actieve, complexe leven van het Mandan-volk maakte dat hij van de ene plek naar de andere rende; hij kon alle spontane gebeurtenissen nauwelijks bijhouden: het komen en gaan van jagers en groepen krijgers die ten strijde trokken, de paardenrennen, de feesten en dansen van wel tien broeder-schappen en religieuze genootschappen, de idyllische taferelen van het vissen en zwemmen in de rivier en het varen met hun schaalboten, alle alarmsignalen en ongelukken van een ener-giek, levenslustig en roekeloos Volk die op een dag konden gebeuren, hun hoepelspelen en spelen met pijl en boog, hun boerenbedrijf, de slacht, het mooi maken en opdoffen, de ein-deloze ontmoetingen op het plein en op de daken waarbij ze verhalen uitwisselden en grappen maakten; hij had nog nooit zo'n gelukkig, levendig en nieuwsgierig Volk meegemaakt. En als hij niet in zijn studio-hut bezig was hun portretten te schil-deren, was hij bezig hen te schetsen en alles wat hij over hen te weten kon komen op te schrijven. Hij hield de arme Kipp bijna elk uur van de dag bezig door hem zijn gesprekken met de volwassenen en zijn plagerijen met de kinderen te laten ver-talen. Bij elk gesprek probeerde hij hun kennis van hun mythen en legenden te peilen, in het bijzonder van de verhalen die eventueel zinspeelden op hun connectie met de in het verleden verloren gegane kolonie van Madoc, de prins van Wales. De meesten gaven geen enkele aanwijzing; anderen hadden een vaag besef over iemand die Nu-mohk-muck-a-nah, de Eerste

733

of Enige Man, heette en op een grote boot uit de Grote Vloed was gekomen en de kust van dit land had gevonden door een duif uit te sturen. De meeste mensen waren zich ervan bewust dat hun Voorvaders stroomopwaarts over de rivier waren gekomen en uit een land afkomstig waren waar je een soort fazantvogels – kalkoenen, veronderstelde hij – had. Ze spraken over zichzelf als See-pohs-kah-nu-mah-kak-kee, het Volk van de Fazanten. Sommigen keken, als ze het over Eerste Man hadden, naar de beeltenissen die hoog boven in de palen boven de Medicijn Hut hingen; en als Catlin de naam *Madoc* tegen hen noemde om te zien of zij die herkenden, verbeterden ze hem soms: *'Nagash: Mohk-muck!'* Een aantal vertelde hem dat de Magische Bundel van het Volk een voorwerp bevatte dat eruitzag als een korte, houten boog met vele snaren, die vreemde muziek maakte wanneer je er met de vingers overheen streek. Ze hadden het nog nooit gezien of gehoord, maar hun grootvaders en grootmoeders hadden hun verteld dat zij er in geheime ceremonieën van lang geleden op hadden zien spelen. Toen hij vroeg of hij met die oude grootmoeders en grootvaders mocht praten, kreeg hij echter te horen dat ze allemaal naar Gene Zijde van de Wereld waren overgegaan. Wanneer hij Vier Beren of Oude Beer naar de zogenaamde boog vroeg, die volgens hem beslist een harp moest zijn, glimlachten ze alleen maar en vertelden hem beleefd dat de inhoud van de bundels in de Heilige Kano onbekend moest blijven. Op een keer maakte Catlin een kleine schets met inkt van de gekruisigde Christus en liet deze aan een aantal mensen zien aan wie hij zijn vragen stelde. Eerst gingen hun ogen wijd open; daarna keken ze de andere kant op en mompelden: 'Nu-mohk-muck-a-nah.' Soms vroeg hij geërgerd: 'Herkennen jullie de naam "Jezus Christus"?' De meesten schudden van nee, maar een enkele keer antwoordde iemand: 'De blanke mannen in de factorij zeggen die woorden wanneer ze boos zijn.'

'Je hoeft niet veel fantasie te hebben om dat te bedenken,' zei Kipp meesmuilend.

'Denk je eens in,' kreunde Catlin. 'Ze zijn zelfs vergeten hoe hun Heiland heette – ik weet het zeker!'

Op een koele morgen zaten Catlin en Kipp bij het krieken van de dag in de hut van de handelaar te ontbijten. Opeens schrokken ze op. Overal klonk gegil van vrouwen. Honden blaften en jankten. Catlin, die dacht dat de stad door Dah-koh-tah of andere vijanden moest zijn aangevallen, bleef zich even zitten afvragen waar hij heen moest gaan en wat hij moest doen. Maar Kipp sprong van tafel overeind en riep:

'Daar hebben we het! Gooi die vork opzij en pak uw schetsboeken! De Okeepah begint. Hier hebt u op gewacht! Zorg ervoor dat u het begin niet mist, want Eerste Man komt eraan!'

Nog geen minuut later stonden Kipp en Catlin al voor de Medicijn Hut. Catlins hart bonkte als een razende, aangezet door de geweldige spanning en het gegil en gehuil die je door merg en been gingen. Praktisch iedereen was boven op de daken van de hutten geklommen om naar de heuvels op de vlakte te kijken. Catlin klauterde een dak op waarop al een heleboel mensen zaten en tuurde in diezelfde richting. Opeens zag hij waar ze allemaal naar keken. *'Nu-mohk-muck-a-nah!'* schreeuwden ze, besefte hij. Een mijl verderop kwam de gestalte van een man, wit als kalk tegen de groene prairie afstekend, snel naar de stad gelopen. Catlins schedel kriebelde.

Nu begonnen al die mensen in allerijl te doen alsof ze zich klaarmaakten voor de verdediging. De paarden op de prairie werden bijeengedreven en binnen de palissade gebracht; krijgers maakten hun gezicht zwart, spanden hun boog en schoten pijlen af; het gejoel werd steeds luider en schriller. De witte gestalte liep gestaag door en kwam dichter en dichter bij. Algauw was hij buiten de palissade en uit het zicht. Toen liep hij de poort binnen en liep tussen de hutten door naar het plein, recht op de Medicijn Hut af. Mensen sprongen voor hem uit en gingen hem, toen hij doelbewust verder liep, schielijk uit de weg. Afgezien van een cape van witte wolfshuiden en een hoofdtooi van twee ravehuiden, was hij naakt. In zijn linkerhand had hij een versierde pijp. Zijn gehele lichaam en gezicht was bedekt met witte klei.

Catlin schetste en strekte zijn hals toen de gestalte naar de voorkant van de Medicijn Hut liep. Daar werd hij door Vier Beren en Oude Beer en het gros van de dorpshoofden die Catlin had geschilderd opgevangen. Ze begroetten hem allemaal door hem de hand te schudden en iedereen noemde zijn naam.

Toen liep de witte gestalte de Medicijn Hut in alsof die van hemzelf was. Het geschreeuw van de mensen bedaarde.

'Nu laat Eerste Man de Medicijn Hut leegmaken,' zei Kipp. 'Daarna geeft hij zijn magische pijp aan de sjamaan die dit jaar als de Okee-pah Ka-se-kah is gekozen – dat wil zeggen dat hij hem het gezag geeft om de ceremonieën daarbinnen te leiden – u weet wel, de kwelling. Het Ophangen. Goddank krijgt u dat niet te zien. Ze laten niemand anders binnen dan de medicijnmannen die ermee te maken hebben en de jongens die daar hoog zullen hangen. En zeker geen blanken!'

Catlin knikte zwakjes. 'Marteling is ook mijn stiel niet.'

'Nee. En dat geeft ook helemaal niet; de komende vier dagen zal er zich hier meer afspelen dan u aan inkt en papier bezit om het te tekenen. De Stieren Dans, de Okee-hee-dee-geschiedenis, de Laatste Wedren...'

'Okee-hee-dee? Dat is toch de duivel?'

'Ja, de Boze Geest. Met zijn grote pik en alles geeft hij een onzedig, liederlijk schouwspel weg! U zult het wel merken, meneer Catlin! U krijgt beelden die u nauwelijks aan uw keurige publiek thuis, in het Oosten, durft te laten zien! Ha ha!'

Catlin moest praktisch op verschillende plaatsen tegelijk zijn om het de volgende drie dagen met schetsen en notities maken te kunnen bijbenen, want de hele stad was bij het feest betrokken. Hij liep overal met zijn notitieboeken tussen de opgewonden menigte door, terwijl hij allerlei vragen naar Kipp schreeuwde. Vervolgens hield hij zijn hand bij zijn oor om de geschreeuwde antwoorden op te vangen.

Nadat de Eerste Man bevel had gegeven om de Medicijn Hut klaar te maken, was hij de rest van de dag bezig elk huis een bezoek te brengen. Hij jammerde en weeklaagde net zolang en hield net zolang donderpreken tot iemand naar buiten kwam en hem iets in de hand stopte. Dan ging hij naar het volgende huis en hervatte zijn jammerklachten.

'Hij verzamelt allerlei gereedschap om te snijden,' legde Kipp uit terwijl Catlin de vreemde, bleke gestalte schetste. 'Hij zegt tegen hen dat hij de enige overlevende van de Vloed die de aarde bedekte is en dat hij met zijn boot op de top van de bergen daarginds is geland. En als hij niet bij iedereen een stuk scherp gereedschap verzamelt, kunnen er geen boten gemaakt worden om het Volk van de volgende Vloed te redden.'

'Opmerkelijk,' riep Catlin uit en hield even op met tekenen om een paar woorden neer te krabbelen. 'Wat gebeurt er als iemand geen stuk gereedschap kan weggeven?'

'In deze tijd van het jaar hebben ze er altijd één extra in huis.'

'En krijgen ze na het festival hun gereedschappen weer terug?'

'O, nee! Aan het eind van de vier dagen worden al die gereedschappen aan de Geest van de Vloed geofferd. Ze worden allemaal van het klif in de rivier geworpen. Heel de stad is daarvan getuige.'

'Echt waar? Allemensen, als je nagaat hoe moeilijk het is om aan lemmeten te komen, verbaast me dat,' riep Catlin.

'Nou, ze gaan ervan uit dat een offer pijn moet doen, want dat het anders niet veel waard is!'

Die eerste nacht hing er een vreselijke stilte in de stad. Eerste Man was nog steeds in het dorp, maar niemand wist waar hij sliep, dus iedereen bleef binnenshuis en hield zelfs de honden binnen. De volgende morgen liep Kipp vlug voor Catlin uit naar het plein. De mensen zaten al boven op de daken te weeklagen en te huilen toen de vijftig jonge vrijwilligers voor de Okeepah-martelingen door Eerste Man de Medicijn Hut werden binnengebracht. Alle jongemannen waren naakt en bedekt met rode, gele of witte klei en ieder droeg zijn schild, zijn boog met pijlkoker en zijn buidel met toverkracht.

Een tijdlang gebeurde er niets op het plein; van binnen in de Medicijn Hut hoorde je de schrille, krassende stem van Eerste Man. Toen verscheen zijn witgemaakte lichaam in de deuropening. Hij riep iets naar een oude man met een geel beschilderd lichaam en gezicht, die bij de Heilige Kano zat te wachten. Toen de man naar de Medicijn Hut toeliep, riep Catlin: 'Hé, maar dat is Oude Beer!'

'Ja, dat klopt,' zei Kipp. Eerste Man begon een toespraak tegen Oude Beer af te steken en Kipp vertaalde. 'Hij geeft hem de magische pijp door... neemt afscheid van hem, zegt dat hij naar de bergen teruggaat en volgend jaar weer terugkomt om de hut opnieuw te openen. Hij zegt dat hij de jongens heeft verteld dat ze tijdens de beproeving hun vertrouwen op de Schepper moeten stellen zodat deze hen beschermt. Nu heeft Oude Beer de leiding.'

Kipp was nog niet uitgesproken of de witte gestalte van Eerste Man liep al met grote passen over het plein tussen de menigte door. Hij ging door de poort in de palissade naar buiten en boven op de daken bleef de murmelende menigte hem een hele tijd nakijken terwijl hij dezelfde weg over de groene vlakte zocht als waarlangs hij was gekomen. Toen verdween hij in de verte. Geel beschilderde Oude Beer was inmiddels de Medicijn Hut binnengegaan. Catlin stond naar de grote hut te kijken, die van alle geheimzinnigheid en doodsangst bijna leek te vibreren. Denken aan de ondraaglijke pijnen die de jongemannen onder dat ronde dak van klei straks zouden moeten verdragen, was bijna meer dan hij zelf kon verdragen.

Maar toen dacht hij aan Vier Beren, aan de uitzonderlijk beheerste wildheid in zijn gezicht en hij dacht:

Voor een deel is Vier Beren geworden door hetgeen hier is gebeurd toen hij nog een jongen, net als die jongens daarbinnen, was.

En hij, en zij, hebben daar zelf voor gekozen.

Hij schudde zijn hoofd, sloeg een nieuwe bladzij in zijn schetsboek op en ging met zijn rug naar de Medicijn Hut zitten.

Vlak bij de Heilige Kano zaten vier bejaarde, rood beschilderde trommelaars. Op het ritme van ratels waarmee de dansers schudden, sloegen ze met trommelstokken op blazen vol water. Hun stemmen haalden uit, rezen en snikten in het lied van de Bel-lohck nah-pick, de Stieren Dans, die tot doel had de bizonkudden voor het komende seizoen dichterbij te roepen. Acht dansers, met de complete huid van de bizonstier over hun rug gedrapeerd met de horens, de hoeven en de staart er nog aan, dansten stampend op de grond, vanuit het middel voorovergebogen. Door de oogkassen van de huiden keken ze als door maskers naar buiten. Ze imiteerden de bewegingen van de bizonstier, ondertussen met hun ratels schuddend. Hun beenspieren werden opgezwollen en pezig door de inspanningen van hun dans. En de Heilige Kano was helemaal in een wolk stof gehuld die ze hadden opgeworpen.

Tussen hen bevonden zich twee dansers die de dag en twee die de nacht vertegenwoordigden. Zij maakten echter dezelfde danspassen en schudden hun ratels op hetzelfde ritme. De dagdansers waren van top tot teen met vermiljoen met verticale witte strepen erop beschilderd, om de nachtgeesten te vertegenwoordigen die door de morgenzon verjaagd worden. De nachtdansers waren helemaal met houtskoolstof en vet zwart geschilderd, met overal witte plekken klei om de sterren aan het firmament uit te beelden.

Werkelijk iedereen scheen te zijn uitgelopen om deze klagende, bonkende rite bij te wonen en liet elke keer dat de trommen en de dansers stopten een oorverdovende schreeuw van goedkeuring horen. En daarna ging het gebonk, geweeklaag en geratel verder als tevoren. Gelukkig voor Catlin werd het iedere keer weer herhaald. Ook al was hij een meester in het snel schetsen, nu probeerde hij een tafereel uit te beelden dat in zijn talloze details bijna overweldigend was. Bovendien waren het allemaal onbekende details. Behalve de dansers waren er nog tal van andere beschilderde acteurs in kostuum die hun onderdeel van het drama speelden. Er liepen twee mannen met een volledige huid van een grizzlybeer, compleet met de kop en de klauwen. Luid grommend en lomp met hun klauwen zwaaiend liepen ze rond en dreigden alles en iedereen, met inbegrip van de dansers, te verslinden. Om ze tot bedaren te brengen, kwamen er steeds vrouwen aangerend die borden met vlees voor ze neerzetten. Maar soms werden die vleesofferanden van onder de neus van de beermannen weggehaald door andere mannen met zwartgemaakte lichamen en witgemaakte hoofden. Zij vertegenwoordigden de adelaar en kwamen met uitgestrekte armen aangevlogen. Vervolgens droegen ze het vlees door de menigte heen weg, naar de vlakte. Op hun beurt werden zij door zo'n honderd kleine jongens met wit beschilderde hoofden en geelgemaakte lichamen achtervolgd. 'Dat zijn de *ko-ka*, de antilopen,' legde Kipp uit. 'Zoals u ziet, krijgen zij het vlees weer bij de adelaars vandaan en eten het op, omdat de Mandan geloven dat de geschenken van de Schepper uiteindelijk de onschuldigen ten deel vallen.' Catlins hoofd bonsde. Zijn hand was verkrampt doordat hij bij die overvloed aan details zijn tekengereedschap zo gespannen vasthield en er opmerkingen bij neerpende voor wat hij later zou moeten schrijven. 'Ik voel me net iemand die probeert een wervelwind en een symfonie in een zak te proppen!' schreeuwde hij boven het getrommel en het zingen uit.

'Alles goed en wel, meneer Catlin, maar bewaar nog een beetje energie en een heleboel inkt voor wanneer Okee-hee-dee brullend aankomt met zijn reusachtige, schuin omhoog staande penis, want ze hebben hem al de hele dag uitgedaagd om te komen!'

Toen de vierde dag van de festiviteiten was aangebroken, had Catlin al vellen en vellen papier uit zijn schetsboek gevuld met de bizarre taferelen en duizenden woorden aan notities neergeschreven. Hij begon nu te merken dat er een orde aan de ogenschijnlijke chaos ten grondslag lag. Op de eerste dag was de Stieren Dans één keer aan elk van de Vier Winden gepresenteerd; op de tweede dag twee keer aan elk; op de derde dag drie keer in elke richting en nu, op de vierde dag, werd hij vier keer naar elk van de Vier Winden uitgevoerd. Wat zodoende slechts een steeds groter wordende staat van opwinding en uitbundigheid leek, werd in werkelijkheid beheerst door getallen die in spiritueel opzicht belangrijk waren. Catlin had zojuist deze observatie neergeschreven toen de vierde dans tot een eind kwam. De hele stad met toeschouwers was in een staat van uitgelatenheid en hilariteit. Maar de vrolijke toon ging plotseling over in een verscheurende kreet van angst die van de mensen op de daken kwam. De honderden mensen daarboven keken nu naar het westen. Ze staarden in de verte en gilden zo hard, dat het leek of ze hun stembanden eruit wilden scheuren. Tal van vrouwen sprongen van de daken op de grond en verdrongen zich op het plein, waar het dansen en trommelen zojuist was opgehouden. Catlin klauterde een dak op en keek in de verte om te zien wat deze angst had versneld. Kipp was naast

740

hem komen zitten en wees naar de glooiende vlakte. Hij grinnikte. 'Precies volgens plan, meneer Catlin! Hou uw penselen in de aanslag, want hier komt de duivel in eigen persoon!'

De gestalte die nu de helling naar de stad kwam afrennen was zwart. Hij kwam in volle vaart aanrennen. Hij duwde iets voor zich uit en zwaaide ermee. Hij liep zigzaggend heen en weer. Het leek net iemand die achter een vlinder aan holde. Hij was een snelle hardloper en zelfs met zijn grillige omwegen overbrugde hij snel de afstand naar het dorp. Het afschuwelijke gekrijs van de toeschouwers werd toen nog luider. Daar kwam hij in volle vaart al de poort van de palissade binnengerend en vloog tussen de menigte het plein op, krijsend en grommend als een krankzinnig beest.

Bij de aanblik van Okee-hee-dee, porde Kipp Catlin met een elleboog in de ribben en gooide hard lachend zijn hoofd achterover. Ook de kunstenaar barstte in een vrolijk gelach uit, ook al schreeuwden alle anderen in de stad het nog steeds in doodsangst – echte of zogenaamde doodsangst – uit.

Deze duivel, een grote man, was zwart als ebbehout van het berevet en de houtskoolpoeder. Van zijn mondhoeken tot naar zijn kin waren lange, witte slagtanden geschilderd en hier en daar op zijn bovenlichaam en ledematen waren witte cirkels geschilderd. Afgezien van de laag verf was hij poedelnaakt. Maar het meest groteske kenmerk dat hij liet zien toen hij de mensenmassa binnendrong, was een zwarte, houten fallus waarvan de eikel een vuurrode bol aan het uiteinde was. Hij hield deze met beide handen voor zich uit. De fallus stak zo'n acht, negen voet naar voren uit. Soms hield hij hem omhoog en zwaaide ermee als een gigantische erectie, maar meestal liet hij hem over de grond voor zich uit glijden terwijl hij, nog steeds krijsend en grommend, heen en weer schietend zijn weg naar de Heilige Kano zocht. De menigte deinsde terug en vluchtte weg voor Okee-hee-dees ontzinde aanval. Catlin besefte dat hij nu nog vrijwel uitsluitend vrouwen en meisjes om zich heen zag; met uitzondering van de dansers en trommelaars die nog steeds bij de Heilige Kano rondhingen, was er beneden, op de grond, nauwelijks een man te bekennen; de meesten hadden de plaatsen van de vrouwen op de daken ingenomen en juichten en lachten terwijl het zwarte monster de horde wegvluchtende meisjes, die het uitgilden, achternazat. Ze gilden om hulp en bescherming en struikelden over elkaar heen. En in hun opwinding om buiten zijn bereik te komen, struikelden ze en vielen op de grond, terwijl hij met het enorme orgaan naar hun achterste stootte en het onder de rokken van hun kleed probeerde te krijgen. Al die tijd trok hij gezichten, rolde met zijn ogen en lalde met zijn tong als in een aanval van wellustige verdorvenheid. Catlin was nog steeds te perplex om ook maar iets op papier te zetten en dacht aan wat Kipp had gezegd over keurige, welopgevoede lezers thuis. De vrouwen en meisjes schenen dodelijk beangst te zijn, zo bang zelfs dat Catlin zichzelf in herinnering moest brengen dat dit ongetwijfeld ook een van hun schertsvertoningen was...

Maar plotseling hield alles, ook het geschreeuw, in één ogenblik op. Zelfs Okee-hee-dee bleef stokstijf staan. Er was een moment van doodse stilte, waarna de meisjes weg kronkelden en kropen en buiten zijn bereik wegrenden. En pas toen zag Catlin wat de aanval van de duivel had tegengehouden:

Plots was de sjamaan, Oude Beer, bedekt met zijn gele verf, als door toverij, pal voor de zwarte reus verschenen. Hij hield de heilige, magische pijp voor Okee-hee-dee omhoog, die door deze goedgunstige toverij geïmmobiliseerd werd. Okee-hee-dee zag er bizar en belachelijk uit nu hij daar, met zijn houten penis uit zijn lendenen stekend, stond. Alle toeschouwers begonnen hem luidkeels uit te jouwen, opgetogen te lachen en zonden hem luide toejuichingen toe. De stok met zijn rode kop zakte langzaam van zijn rechte stand naar omlaag tot de punt op de grond rustte. Toen werd het gejoel nog hysterischer. Okee-heedees gezichtsuitdrukking van kwaadaardige macht smolt weg voor de dreigende ogen van Oude Beer.

Toen Oude Beer zag dat de vrouwen en meisjes geen kwaad meer kon overkomen, haalde hij geleidelijk aan de magische pijp weg voor het monster en kon Okee-hee-dee zich langzamerhand weer wat bewegen, in ieder geval genoeg om met de punt van de penis weer een beetje over de grond te wrijven en wat te grommen. Onmiddellijk hield Oude Beer de pijp weer voor hem omhoog en immobiliseerde hem weer. De moraal was duidelijk: al het goede hing af van de kracht van de pijp die Eerste Man had meegenomen en de personificatie van de duivel werd door de aanwezigheid van die pijp geïmmobiliseerd. Toen Oude Beer deze keer de pijp weghaalde, zakte Okee-hee-dee iets in elkaar. Hij leek vermoeid en draaide zich om. Toen ging hij sluipend en struikelend de weg terug die hij was gekomen, voorbij de gebukte stieredansers. In het voorbijgaan gaf hij een van de stieredansers, ogenschijnlijk per ongeluk, een duw en keek hem aan. En onmiddellijk kwam zijn slepende stok weer omhoog van de grond. Opnieuw bezield en onder gejuich en gelach van de toeschouwers, stootte Okee-hee-dee zijn staf tussen de benen van de danser en besteeg hem, terwijl hij stootte en brulde van wellust. Vervolgens deed hij hetzelfde bij nog drie anderen. De menigte joelde opgetogen en moedigde hem aan en bad tot de Grote Geest of deze maar vele, vele bizons wilde maken en die het komende seizoen in de buurt wilde brengen. Catlin, die wilde gaan schetsen, zat er de hele tijd grinnikend en hoofdschuddend bij, ook al voelde hij zijn gezicht vuurrood worden bij dit buitensporige, schuine gedoe.

Toen Okee-hee-dee zich van de vierde danser terugtrok, wankelde hij en zijn hoofd wiebelde op zijn nek. Zijn roede met de roze top sleepte nu niet alleen over de grond, maar ook nog achter hem aan. En nu hij zo uitgeput en verzwakt was, begonnen de vrouwen en meisjes die hij eerst de stuipen op het lijf had gejaagd ook weer moed te vatten en in groepjes op hem af te komen. Ze hoonden en plaagden hem terwijl hij zuchtte en met zijn ogen rollend probeerde hen uit de weg te blijven. Eén jonge vrouw bukte zich, schepte twee handen vol aarde op, liep stiekem naar Okee-hee-dee toe en wierp die in zijn ogen. Verblind waggelde hij even jankend in het rond. Toen begon hij als een reusachtige baby te huilen. Intussen pakten andere meisjes ook aarde op en wierpen die naar hem toe, zodat zijn vette, zwarte kleur nu veranderde in de kleur van gewone aarde. En toen hij een en al ellende was, graaide een stevige vrouw de fallus uit zijn handen, brak die over haar knie doormidden en wierp hem de stukken toe. Er ging zo'n gejuich uit de menigte op, dat Catlin in elkaar kromp, zo'n pijn deed dat in zijn oren.

Nu was het zinnespel bijna voorbij. Volkomen verslagen deed Okee-hee-dee een sprong naar de vrijheid toe. Hij rende terug naar de palissaden en vloog er zielig jammerend doorheen. Daar stonden, niet per ongeluk, zo'n honderd jonge vrouwen en meisjes op hem te wachten. Ze zaten hem wel een halve mijl of meer over de prairie achterna, schopten hem, sloegen hem met jonge wilgetakken en bekogelden hem met aardkluiten, stenen en geringschattende scheldwoorden. Op het laatst was hij hen te vlug af, en jammerend en snikkend ging hij terug naar de plek waar hij vandaan was gekomen. En onder een haastig gemaakte schets van Okee-hee-dee krabbelde Catlin neer:

Midden in hun relig. ceremoniën maakte Boze G. zijn entree met de bedoeling kwaad te doen en hun godsdienstoef. te verstoren – maar werd onder controle gehouden door onovertroffen kracht van magische pijp van Eerste Man of werd, te schande gemaakt door degenen die hij wilde misbruiken, de stad uitgejaagd – een prachtige moraal, die misschien iets te grof is voor al te kritische mensen!

'En, meneer, wat vond u van Okee-hee-dee?' vroeg Kipp lachend. 'Zal het prikkelende lectuur zijn voor uw lezers in de salons van New York, dacht u?'

'Ik zeg alleen dat ik van mening zou kunnen verschillen met onze oude familieprediker thuis, die ons altijd het advies gaf: "Keer Satan de rug toe!"'

Kipp lag dubbel van het lachen en sloeg zich op de knie. Toen zei hij: 'Weet u, mijnheer Catlin, Okee-hee-dee was vroeger niet zwart. De oude mensen vertellen me dat de duivel gewoon grijs geschilderd was voordat de kapiteins Lewis en Clark hierlangs trokken.'

'Vreemd! Waarom zouden ze dat veranderd hebben?'

'Ze zeggen dat het door die grote neger kwam die ze bij zich hadden. Ze zeggen dat hij zo'n wellustige duivel was, dat zij hun Okee-hee-dee hebben veranderd om die op hem te laten lijken!'

Catlin keek hem van opzij aan. 'York heette hij. Zo, zo. En, meneer Kipp, is dat verhaal volgens u waar?'

'Ik weet het niet, mijnheer Catlin, maar zo vertellen ze het.'

Catlin haalde zijn schouders op en schudde zijn hoofd. Dat was niet bemoedigend. Als de legenden en overlevering van het Volk zo willekeurig veranderd konden worden, was het geen wonder dat zij zich na zeshonderd jaar de naam van de Heiland niet meer konden herinneren; dan was het geen wonder dat ze zo vaag over Madoc deden!

Nu de Stieren Dansen voorbij waren en de opschudding over Okee-hee-dee was weggeëbd, hing er een soort bezorgde droefheid over de hele stad. De mensen zaten nu op de daken. Ze praatten zacht met elkaar, waarbij hun blik vaak naar de Medicijn Hut zwierf. Ook de watertrommelaars waren weg bij de Heilige Kano. Ze waren de Medicijn Hut binnengegaan. Ook Oude Beer was binnen; je kon zijn stem horen die de Grote Geest ten behoeve van de jonge ingewijden binnen, die deze vier dagen vastend en slapeloos hadden doorgebracht, aanriep. Nu stonden ze op het punt om doorboord te worden en te worden opgehangen. Catlin dacht weer aan de vijftig jongens daarbinnen en leefde met hen mee. In de Medicijn Hut bonsden weer de watertrommels. Het leek net het kloppen van een hart.

'Hoort u dat?' vroeg Kipp terwijl hij zijn hoofd schuin naar de hut hield. 'Een vreemd geluid geven die zakken water, vindt u niet? Weet u, ze zeggen dat er in die zakken water zit van de Grote Vloed zelf. Dat het sindsdien altijd in die zakken heeft gezeten. Dat Eerste Man ze aan de Mandan heeft gegeven. Ze bewaren ze samen met de andere relieken in de Heilige Kano. Alleen begrijp ik niet waarom het water niet bevriest en de zakken laat barsten...'

Er kwam nu een jonge boodschapper uit de Medicijn Hut naar buiten. Hij pakte Catlin bij de mouw en zei: *'Roo-hoo-tah.'* Hij pakte ook Kipps mouw beet, die zei:

'Wat heeft dit te betekenen? Hij wil dat we naar de Medicijn Hut gaan.'

Vier Beren ving hen bij de deuropening op. Ernstig schudde hij Catlins hand. Zacht zei hij iets. Kipp keek Catlin verbaasd aan.

'U bent uitgenodigd! Oude Beer wil dat u erbij bent omdat u een groot medicijnman bent! Lieve help, wat een eer!'

Opeens kwam er een gevoel van angst over Catlin. 'Ik... ik... eigenlijk had ik dit niet willen zien...'

'Sst, meneer Catlin! Geen enkele blanke heeft dit ooit gezien! Als u terugkrabbelt, zal ik nooit meer een woord met u spreken! En probeert u zonder mij maar eens wijs uit deze stad te worden!'

In de twee uur die nu volgden, stonden Catlins ogen vaak zo vol met tranen van medelijden, dat hij zijn schetsen nauwelijks kon zien. Soms dacht hij dat hij moest overgeven en zijn bevoorrechte plekje zou moeten verlaten om naar buiten te rennen.

Maar hij bleef en deed zijn uiterste best, voor zover hem dat lukte nu zijn hoofd en maag zo opspeelden. Ondanks alle waarschuwingen van zijn vrienden en familieleden was hij naar de Grote Vlakten gekomen om te trachten in woorden en beelden de essentie van het leven en de opvattingen van een tot ondergang gedoemd ras vast te leggen. Nu had hij deze weergaloze kans gekregen om getuige te zijn van het intiemste, geheimste mysterie van het beste Volk dat hij ooit had gekend. Hij bevond zich in dit heiligdom, omdat hij het vertrouwen en respect van Oude Beer had gewonnen, die zich er eerst tegen had verzet dat hij afbeeldingen maakte. En nu had hij toestemming gekregen om het allerheiligste af te beelden! Deze ceremonie, die geen blanke ooit had mogen bijwonen, mocht hij schilderen. Als hij het hart van het Volk wilde begrijpen, iets waaraan hij heel zijn leven gewijd had, zou hij het schouwspel van hun belangrijkste beproeving en overwinning, het ogenblik waarin zij het dichtst bij hun god waren: het Okeepah-ritueel, moeten verdragen. Hij moest denken aan het besef dat die nacht, nog maar zo kort geleden, tot hem was doorgedrongen: toen hij in de doordringende ogen van Vier Beren had gekeken, de man die hij meer dan wie ook bewonderde. Hij moest denken aan het besef dat hij in de ziel van de man zou kunnen kijken als hij dit zou kunnen begrijpen.

Vier Beren zat nu nog geen vijftien voet bij hem vandaan en keek af en toe zijn kant op om hem te bestuderen.

Nee, dacht Catlin. Als ik dit niet onder ogen kan zien, zal zijn hart zich van mij afkeren. Ook al weet hij dat ik geen krijger ben, hij gelooft dat ik een soortgelijke kracht als hij bezit. Ik kan hem die illusie niet ontnemen.

Het ergste, maar tegelijk meest sublieme ogenblik kwam toen bij een van de laatste vier jongemannen een inkeping werd gemaakt om de vleespennen in te brengen. Het was al laat in de middag. Zesenveertig hadden reeds gehangen en waren naar beneden gehaald; Catlin had al meer lichamelijke kwelling gezien dan hij ooit had kunnen dromen, meer bloed naar beneden zien druipen, meer gebroken vingers, meer flauwvallen, meer gezichten die door een niet te vatten pijn werden verwrongen gezien; het was net een onderaards Golgotha, waar licht uit de hemel op de kronkelende, schokkende, sidderende kruisigingen neerkeek, een Golgotha dat keer op keer herhaald werd; elke schreeuw van pijn en angst ontnam hem meer van zijn kracht, terwijl elke weigering het uit te schreeuwen hem nog meer uitputte. Zesenveertig jongemannen hadden al door middel van de touwen die aan de pennen in hun vlees bevestigd werden aan het plafond gehangen, tot het moment dat ze flauwvielen en hun toverbuidels loslieten of tot de pennen door het vlees heen scheurden en hen naar beneden lieten vallen. Alle zesenveertig waren uit de Medicijn Hut gebracht om de Laatste Wedren om de Heilige Kano te rennen, die verschrikkelijke Laatste Wedren waarvan je het geschreeuw en gejammer zelfs nu buiten kon horen. Catlins handen beefden zo hevig dat hij nauwelijks nog een lijn op papier kon zetten. De sidderingen leken tot in zijn hart door te dringen. Hij wist niet zeker of hij één kreun meer, nog één druppel bloed erbij, wel kon verdragen. Hij probeerde zijn ogen voor het grootste deel op zijn schetsblok gericht te houden in plaats van die laatste groep slachtoffers aan te kijken die op dit moment klaarstonden om doorboord te worden. Opeens hoorde hij een honingzoete stem op melodieuze toon zeggen:

'Te-ho-pe-nee Wash-ee waska-pooska! Et-ta hant-ah!'

Zelfs door de verwarring van zijn medelijden en misselijk-

747

heid heen kende hij die woorden. Iemand zei: 'Blanke Medicijn Man, Schaduw Vanger! Kijk hierheen!'

Catlin keek op. De jongen die tegen hem sprak was degene die het dichtstbij stond. Hij was recht van lijf en leden, had brede schouders en was een jaar of zeventien, achttien. Oude Beer had het vlees van zijn borstspier al beetgepakt en stootte nu het rafelige lemmet erdoorheen. En zelfs toen Catlin het mes door het vlees hoorde scheuren, bracht de jongen zijn hand naar zijn gezicht en zei in het Mandan: 'Schaduw Vanger, kijk naar mijn gezicht.' En terwijl het mes het vlees boven de andere tepel doorboorde, glimlachte de jongen met de kalmste, vriendelijkste uitdrukking, als van een heilige, naar Catlin. En terwijl de vleespennen werden ingebracht en de touwen werden aangetrokken om hem naar het plafond te hijsen, bleef hij zo glimlachen. Ondertussen keek hij al die tijd Catlin aan, tot de kunstenaar dacht dat hij het mes in zijn eigen borst voelde. Tranen welden in zijn ogen op en zijn ogen liepen over, waardoor het licht van de hemel rond het hoofd van de jongeman glansde toen hij omhoog ging. De kunstenaar was bij lange na niet in staat dat beeld te vatten, niet eens in staat dat zelfs maar te proberen. Het ging boven vuil, bloed en een aardse plek uit. Het was een visioen.

Vier Beren keek naar Catlins omhooggeheven gezicht en diens glinsterende ogen. Hij knikte en dankte de Grote Geest dat hij zijn vriend ten slotte het ware hart van zijn Volk had laten zien.

In zijn soort was de Laatste Wedren een even afschuwelijk schouwspel als het hangen binnen in de Medicijn Hut was geweest. Maar hier, buiten, in het felle daglicht waar iedereen het lijden zag, verbruikten de ingewijde jongeren onder het oog van hun familie en landgenoten hun laatste restant aan kracht en energie. Hier was de laatste toets. Het Ophangen in de Medicijn Hut was een geheime, heilige beproeving geweest, een kwestie tussen de medicijnman en de gemartelde jongens; maar dit was openbaar. Dit was profaan, bruut. Hier werden ze al meteen geconfronteerd met het lijden waarmee deze toekomstige krijgers later op de slagvelden te maken zouden krijgen. En evenals de beproeving van het slagveld, werd het lijden in stof, lawaai, zonlicht, bloedig vlees en vermoeidheid uitgebeeld. Tijdens de vier dagen van de Okeepah hadden de jonge vrijwilligers niet mogen eten, drinken of slapen; daarna waren ze, met wapens, schilden en bizonschedels aan het vlees van hun armen en benen bevestigd, opgehangen geweest; daarna was bij allemaal een vinger afgehakt. En nu moesten ze net zo lang om de Heilige Kano heen rennen tot het gewicht van de wapens en de schedels die laatste pennen uit hun vlees rukte.

Catlin schetste dit tafereel zo goed en kwaad als hij kon met zijn bevende handen: de jongens die struikelend, met asgrauwe gezichten hun parcours aflegden. Het gele stof koekte op het bloed en zweet op hun lichaam aan. De zware schedels bonkten, sloegen en rukten aan hun benen. En ze renden en wankelden net zolang tot ze op handen en voeten neervielen. En dan schoten er paren jongemannen uit de menigte toe, die hen onder de armen grepen en dwongen het parcours nog eens af te leggen. Ze sleepten hen zelfs, nog eens, en nog eens, net zolang tot de gewichten losscheurden. En al die tijd krijsten de toeschouwers zo hard ze konden om de afgrijselijke geluiden van al dat lijden, al die pijn, te overstemmen. Af en toe sprong een omstander boven op een schedel die hardnekkig meesleepte, om die door zijn gewicht te helpen losrukken. Catlin keek naar Kipp en zag met genoegen dat de handelaar, hoe onbezonnen ook, er nu even groen en ziekelijk uitzag als hij zichzelf voelde.

Op het laatst, kort voor zonsondergang, toen de laatste van de vijftig jongeren zonder hulp van het plein was gekropen of gehinkt om naar huis te gaan en zijn wonden te gaan verzorgen, zonden Oude Beer en zijn helpers een laatste gebed naar de Schepper op voor het feit dat hij het leven van de jonge martelaars had gered. Toen sloot Oude Beer de Medicijn Hut af, droeg de lading scherpe gereedschappen die Eerste Man had verzameld in verschillende leren buidels naar het klif boven de rivier en gooide alles als een offer tegen de terugkeer van de Grote Vloed in het diepe water daarbeneden.

Catlin stond tot de eerste sterren verschenen boven op het klif naar de rode naglans op de koude rivier te kijken. Toen hij zich huiverend van kou en uitputting omdraaide, was er geen mens meer te zien. De rook van kookvuren kringelde boven de hutten met de ronde daken. Het was stil in de stad Mih-Tutta-Hang-Kusch. Pas over een jaar zou er weer een Okeepah komen. Vijftig ongeëvenaarde krijgers waren getraind om te dragen wat ze mogelijk zouden moeten dragen teneinde hun Volk, de See-pohs-kah-nu-mah-kah-kee, te redden. De jongemannen hadden getriomfeerd en waren waardig bevonden. In hun ogen zou er voortaan ook een gloed als in de ogen van Vier Beren zijn.

Catlins boomstamkano lag langs de rivieroever, volgeladen met zijn opgerolde doeken, ezel, schilderskisten, kleding, schetsboeken, wapens en alle schatten die hij van de Mandan had kunnen krijgen: messen, strijdknuppels, kralenborduurwerk, artikelen van leder en, de grootste schat van alles, de geschiedenismantel van het leven van Vier Beren, die het opperhoofd hem als een persoonlijk geschenk cadeau gegeven had. De twee in dienst genomen Franse paddelaars stonden al op de oever op Catlin te wachten. Ondertussen keken ze smachtend naar de mooie, aantrekkelijke vrouwen in de menigte die naar beneden was gekomen om afscheid te nemen van de Te-ho-pe-nee Wash-ee waska-pooska, die hen een nieuwe manier had geleerd om naar de wereld te kijken. Oude Beer, de sjamaan, greep Catlins hand in zijn 'doktersgreep' vast en glimlachte en knikte naar hem tot zijn kin begon te trillen. Toen draaide hij zich vlug om en liep weg. Daarna verscheen Vier Beren, zijn mantel als een toga over één schouder geslagen, op het pad boven hen en kwam naar beneden toe. Ook Kipp schudde, knipperend met zijn ogen, Catlins hand.

'Gods zegen,' zei hij. 'Geen idee wat ik straks moet gaan doen als ik u niet meer heb om achter aan te lopen. Mijn winkel runnen, neem ik aan.'

'Hartelijk bedankt voor alles,' zei Catlin. 'Heel, heel erg bedankt.'

Vier Beren kwam door de menigte aangelopen en bleef op een armslengte afstand voor Catlin staan. Hij greep zijn hand beet en keek hem met die intelligente wolveogen aan. Catlin

750

voelde kracht in zijn arm golven. Vier Beren hield zijn hoofd een beetje schuin.

'*Shu-su, ne,*' zei hij. Er was een vaag glimlachje om zijn mond, maar zijn onderlip trilde.

'*Shu-su, ne,*' antwoordde Catlin. '*Nu-mohk k'shese k'tich.*' U bent ook goed. Een groot opperhoofd. Hij keek naar Kipp. 'Wat is hun woord voor "vaarwel"?'

'Dat heb ik nooit geleerd. Dat wil ik ook niet. Ik geloof niet eens dat er een woord voor is.'

Catlin was vastbesloten geweest om vandaag in tegenwoordigheid van Vier Beren geen tranen te plengen. Maar Kipps opmerking maakte dat hij op zijn tanden moest bijten om niet te huilen. Hij en Vier Beren grepen elkaar zo stevig bij de hand beet, dat hun armen er warm van werden. Op het laatst haalde Vier Beren diep adem en ademde sidderend weer uit. Hij knikte en draaide zich om. Met zijn hoofd gebogen stond hij met zijn rug naar Catlin toe. Catlin kon die aanblik niet verdragen, dus stapte hij in de voorsteven van de kano en gaf de Fransen opdracht om in te stappen en af te duwen. Knappe vrouwen met kastanjekleurig en zilverachtig haar en blauwe en grijze ogen liepen een stukje mee langs de kust. Ze lachten en zwaaiden heel even mat en keken toen de kano na die stroomafwaarts ging.

Hij dacht aan zijn vrouw die ver weg was. Clara zal wel blij zijn dat ik hier nu wegga. Ik ben wel op duizend meisjes verliefd. Hij keek een paar vrouwen na die in hun schaalvormige, op coracles lijkende boten stroomopwaarts gingen. Ze hielden even op met paddelen om te zwaaien.

'Bij God,' mompelde hij, 'als zij niet van Welse afkomst zijn, ben ik een Chinees.'

'Pardon, m'sieu?' vroeg een van de paddelaars.

Na een tijdje draaide Catlin zich om en keek nog een laatste keer naar Mih-Tutta-Hang-Kusch dat boven op het klif boven de bocht in de rivier lag, een groep ronde daken met de kleur van klei, paaltjes en de palen met de relieken boven de Medicijn Hut. Toen kneep hij zijn ogen half dicht.

Boven langs de steile rotswand, twintig voet boven de oever, rende een man. Hij was snel en lenig en droeg alleen een lendendoek en mocassins. Hij holde achter de kano aan en droeg iets in zijn rechterhand. Toen hij de kano had ingehaald, zag Catlin dat het Witte Bizon Haar was, de man die de regen had opgeroepen. Toen hij pal boven de kano stond, gooide hij de buidel naar beneden die hij in zijn hand had gehad. Op het moment dat de Fransen verbaasd omhoog keken naar de man boven op de steile wand, had Catlin de buidel met allebei zijn handen opgevangen en zwaaide. Witte Bizon Haar stond boven op het klif. Catlin maakte de veter los en vouwde de verpakking van elandshuid los.

Erin zaten de *hoh-shee* met het perfecte stekelvarkenpennenwerk, de beenkappen die Witte Bizon Haar hem al die tijd niet had willen verkopen. Toen Catlin omhoog keek, was de Regen Roeper er al niet meer.

Trouwens, hij had hem nauwelijks kunnen zien. Hij zag alles door een waas.

26 Mih-Tutta-Hang-Kusch
28 juni 1837

Vier Beren stond op de borstwering van de palissade over de prairie uit te kijken of hij groepen jagers of Dah-koh-tah die een inval kwamen doen kon ontdekken. Opeens hoorde hij in de verte de rommelende geluiden die hem zeiden dat de donderboot, de stoomboot die *Yellow Stone* heette, in aantocht was. Die kwam nu ieder jaar en vertrok daarna weer. De komst was altijd een tijd van opwinding voor zijn Volk, maar de bezoeken maakten Vier Beren niet meer blij. De *Yellow Stone* bracht vaak alleen maar slechte dingen.

Het eerste jaar was het een hele nieuwigheid geweest. De boot had zijn bloedbroeder, Catlin de Schaduw Vanger gebracht. Dat was zo fijn geweest, dat Vier Beren het jaar daarop met gretigheid weer naar de komst van de boot had uitgezien.

Dat tweede jaar was er een andere Schaduw Vanger met de boot meegekomen, een man die Bodmer heette, en een man die woorden schreef en een Prins van Europa was geweest. Hij kwam van de andere kant van het Water van de Zonsopgang. Beide mannen hadden op de factorij vlakbij gelogeerd. Ze hadden veel van dezelfde dingen die Catlin schilderde geschilderd en vele vragen gesteld. Maar zij waren niet het soort vriend geworden dat Catlin was geweest. Vier Beren was teleurgesteld. Andere blanke reizigers waren gekomen. Ze waren een en al nieuwsgierigheid; ze hadden naar de Stieren Dans gekeken, naar de Groene Maïs-ceremonie en zelfs naar het Lopen Over de Stokken. Maar na Catlin werd geen enkele blanke meer met een uitnodiging voor de Okeepah vereerd.

De boot was nu vijf zomers geweest. Hij had verschillende soorten slechte dingen gebracht. Sommige zag je direct met je ogen, sommige voelde je alleen. Het belangrijkste probleem dat hij meebracht was eenvoudigweg te veel van alles en te veel blanken. De blanke mannen kwamen hierheen, zoals Catlin had gewaarschuwd, om alles in geld om te zetten. Ze kochten beverpelzen en verkochten sterkedrank. Verder stroomopwaarts langs de Modderrivier, voorbij de factorij aan de monding van de Yellow Stone-rivier, hadden ze nog een handelsfort gebouwd. In minstens een van die forten daar hadden ze een gebouw opgetrokken waarin ze zelf sterkedrank konden stoken. Voor Opperhoofd Rood Haar beneden in St. Louis had het nu nog maar weinig nut de blanke mannen te verbieden om sterkedrank op de boten die stroomopwaarts vertrokken mee te nemen. Nu was er stroomopwaarts al sterkedrank en, zoals alles van daarboven, kwam die heel gemakkelijk stroomafwaarts. Er kwamen erge verhalen beneden over Zwartvoet en Cree, Atsina en Crow en Nakodabi Assiniboin, die helemaal gek van de sterkedrank werden en elkaar verwondden of doodden. Die vreselijke verhalen kwamen naar beneden, evenals de blanke mannen die sterkedrank wilden verkopen aan de volken die in dit gebied woonden, de Hidatsa en de Mandan. Tot nu toe had, voor zover bekend, nog geen enkele Mandan-man sterkedrank gedronken en de Mandan-raad had het gebruik ervan verboden. Maar het zou moeilijk zijn om iedereen ervan te weerhouden het te proberen. Volgens zeggen kon een jongeman heel gemakkelijk een geestesvisioen krijgen door het drinken van sterkedrank.

Geweren was nog zoiets waar de stoomboten te veel van meenamen. Stammen kochten geweren en hadden dan een voordeel ten opzichte van hun buren die er nog geen hadden, en verdreven hen vervolgens van hun jachtgronden. Daarna wilden de slachtoffers ook geweren hebben, zodat ze wraak konden nemen. Uiteindelijk betaalden ze er te veel voor of verdreven zelf weer een andere naburige stam die nog geen geweren had. Dat soort ellende liep overal de spuigaten uit. Het was het soort problemen waarvoor Catlin, de Schaduw Vanger, had gewaarschuwd. Er was nog een ander probleem dat door zo veel geweren veroorzaakt werd: het was een stuk gemakkelijker om de bizons met geweren te doden. De blanke mannen in de factorijen wilden grote aantallen bizonhuiden langs de rivier mee naar beneden nemen om die in het Oosten voor geld te verkopen. Ze beloofden daarom een bepaalde hoeveelheid sterkedrank voor een bepaald aantal huiden. En er waren jagers die op pad gingen en honderden bizons neerschoten en vilden. Het vlees lieten ze voor de wolven en gieren liggen en de huiden ruilden ze in tegen sterkedrank. En wanneer ze op die manier hun goede verstand hadden verloren en hun heilige cirkel hadden doorbroken, was het heel gemakkelijk om hen een volgende keer zover te krijgen dat ze hetzelfde soort kwaad deden. Ja, veel waarschuwingen die Catlin nog maar vijf jaar geleden had gedaan, bleken bewaarheid. Daarom was Vier Beren helemaal niet meer zo blij als eerst om de stoomboot te zien komen en viel het hem moeilijk om met heel zijn hart een vriend van de blanken te zijn. Wanneer Vier Beren grote boten stroomafwaarts zag gaan, afgeladen met meer bizonhuiden dan zijn Volk tijdens zijn hele leven had gedood en tot aan de nok toe vol met beverpelzen, dacht hij terug aan Catlins ongelooflijke waarschuwing dat al deze dieren die er in ontelbare hoeveelheden waren, op een goede dag zouden zijn verdwenen. Hij begon inmiddels te denken dat zoiets toch zou kunnen gebeuren.

In sommige kreken en kleine rivieren waren alle bevers gedood. De pelsjagers hadden die rivieren achter zich gelaten en waren alweer verder stroomopwaarts, naar de bergen in het westen, getrokken. Ze misten de pelsjagers niet bepaald, maar aangezien er geen beverkolonies meer waren die hun dammen in de kreken bouwden, veroorzaakten de regens soms vreselijke overstromingen waar er voordien geen overstromingen waren geweest. Vier Beren had gehoord dat er jagerskampen waren waar het water zo snel was komen opzetten, dat kinderen met het water waren weggespoeld en verdronken.

De stoomboten, die inderdaad op een vuur liepen, verbrandden heel wat hout. Dus kochten of namen de mannen niet alleen dood hout van de dorpen langs de rivier, soms legden ze ook aan en stuurden mannen naar de kant om bomen om te hakken.

Het hout lieten ze liggen om volgend jaar te worden gestookt. Dat hadden ze op een klein eilandje gedaan, niet ver stroomafwaarts. Vier Beren kende het goed. Het was een prachtig bebost eilandje geweest, dat heel zijn leven een schaduwrijk oord was geweest. Nu stonden er echter alleen nog maar boomstronken en het grootste deel van het eiland was door overstromingen weggespoeld. Soms dacht Vier Beren over dat soort dingen na als hij ging slapen. Dan droomde hij over de terugkeer van de Grote Vloed. Je kon alle messen en handbijlen die Eerste Man verzameld had nemen en die elk jaar aan de rivier offeren, maar de wereld van Eerste Man was een wereld met meer dan voldoende beverdammen en meer dan voldoende bomen op de rivieroevers geweest. In een wereld waar dat alles was verdwenen, werkten die offeranden misschien helemaal niet. In een droom had Vier Beren een rode cirkel gezien, een heilige cirkel die in zijn gedachten rond en rond draaide. Dat was de heilige cirkel van de wereld van de Volken. Opeens was er een witte lijn gekomen die dwars door de cirkel heen was gegaan en die had doorbroken. Daarna was de rode cirkel veranderd en kon niet meer heel gemaakt worden. Het deed hem denken aan dingen die Catlin, de Schaduw Vanger, hem vijf jaar geleden gezegd had, die hij zich althans dacht te herinneren. De rechte, witte lijn moesten de mensen zijn die met de stoomboten meekwamen, dacht Vier Beren. Zij veranderen dingen en dat zijn geen veranderingen ten goede.

De vele blanke mannen die de laatste jaren over de Modderrivier trokken hadden veel, heel veel geweren verkocht aan de Arikara en Dah-koh-tah, die verder stroomafwaarts langs de rivier woonden. Nu werden die stammen steeds stoutmoediger en agressiever. Meer dan ze in het verleden hadden gedurfd, toen ze nog niet zoveel geweren hadden, vielen ze nu de jachtgronden van de Mandan aan. De afgelopen drie jaar waren ze met hun krijgers zelfs binnen gezichtsafstand van de Mandan-steden gekomen, hadden roofovervallen voor paarden gepleegd en Mandan-jagers gedood. Dit voorjaar hadden groepen bizonjagers uit Mih-Tutta-Hang-Kusch al voor grote groepen Dah-koh-tah moeten wegvluchten. Vier Beren was zich ervan bewust dat zij zich op het ogenblik te midden van zoveel stammen die geweren bezaten bevonden, dat het voor de jagers gevaarlijk werd om over de heuvels heen uit het gezicht te verdwijnen, zelfs als ze met vijftig of honderd tegelijk gingen.

En daarom stond Vier Beren de laatste tijd elke dag zo'n tijd boven op de palissaden naar het omringende gebied uit te kijken, met het gevoel dat ze door gevaar omringd waren. Hij had het gevoel dat de vrijheid van zijn Volk om te gaan en te staan waar de mensen wilden en te doen wat ze wilden de laatste jaren beslist was ingeperkt. En op de een of andere manier leken de blanke mannen die steeds op hun stoomboten de rivier op kwamen, stoomboten als de boot die hij nu hoorde aankomen, daar schuldig aan te zijn.

Zijn Volk in de stad merkte het lawaai in de verte nu ook op en kwam in beweging. Vier Beren tuurde naar de rivier, maar kon de stoomboot nog niet ontdekken.

Zo meteen komt hij in zicht en begint met zijn grote dondergeweren te knallen, dacht Vier Beren.

Maar nu denkt mijn Volk niet meer dat die geluiden de donder is die door de Regen Roeper is opgeroepen, dacht hij met een droevig glimlachje. Hij dacht aan die eerste keer, vijf jaar geleden. We raken gewend aan dingen die we vroeger als toverij beschouwden.

Het is nu precies honderd jaar geleden sinds de blanke mannen voor het eerst naar onze steden kwamen, dacht hij. Dat waren de Franse blanke mannen, die van de andere kant van de Schildpadberg kwamen en ons met hun geweren vrees aanjoegen. Niemand die hen heeft zien komen is nu nog in leven, maar mijn grootvaders hebben hen wel gezien. Nu weten we dat geweren geen toverij zijn.

Meer dan dertig jaar geleden kwamen Opperhoofd Rood Haar en Opperhoofd Lang Mes hierheen en rende ik van het Adelaar Jagerskamp naar beneden en viste zijn hoed uit de rivier. Sindsdien is er verschrikkelijk veel gebeurd dat ons veranderd heeft. Ze zeggen dat Rood Haar nog steeds over ons waakt vanaf de plek waar hij nu bij de Moeder der Rivieren woont.

Ik zou de rivier graag afzakken en Rood Haar terugzien,

dacht Vier Beren. Veel opperhoofden zijn naar beneden gegaan om hem om raad te vragen. En als ze terugkomen, vertellen ze dat hij heel goed voor ons is.

Ik vraag me af of ik er verstandig aan zou doen als ik zelf de rivier afga en met Rood Haar spreek om hem een aantal van de slechte dingen die gebeuren te vertellen. Ik moet het daar de volgende keer in de raadsbespreking over hebben. O, wat zou ik Rood Haar nog graag een keer terugzien!

Hij is nu een oude man. Ik moet erheen gaan voor hij naar Gene Zijde overgaat. Misschien heeft hij het adelaarsfluitje nog wel dat ik hem heb gegeven. Ik heb nog steeds het kijkglas dat hij mij heeft gegeven.

Of liever gezegd, mijn vrouwen hebben het.

Dan zou ik naar Rood Haar toe gaan en zeggen: 'Gegroet, oude vriend Rood Haar! Laat me uw adelaarsfluitje horen, zoals die laatste keer dat ik u zag!' En dan zouden we lachen.

En ik zou zeggen: 'Laten we Schaduw Vanger Catlin een bezoek brengen, die uw vriend en ook mijn vriend is!' En als hij niet al te ver van Rood Haar vandaan woonde, zouden we Catlin ook een bezoek brengen. Zou het niet fijn zijn als we zo met zijn drieën bij elkaar konden zitten om te roken, te eten en te praten? Catlin zei dat hij het Rood Haar Opperhoofd heeft geschilderd. Mij heeft hij ook geschilderd. Misschien dat we dan zouden zeggen: 'Nu gaan we naast elkaar zitten, Catlin, en nu mag u ons samen, als heel goede vrienden, schilderen!' Vier Beren glimlachte bij die gedachte.

Catlin vertelde me dat het haar van Rood Haar nu helemaal wit is geworden, maar dat het nog steeds schudt als hij hard lacht!

Vier Beren glimlachte bij al die dierbare gedachten. Toen knalde opeens de eerste van de dondergeweren van de *Yellow Stone*. De mensen van Mih-Tutta-Hang-Kusch renden door de straten. Vier Beren klauterde over een ladder van een paal van de borstwering naar beneden en liep met de menigte mee naar beneden.

Hij vond het altijd prettig om aan boord van de stoomboot te gaan wanneer die aanlegde. Zoiets hoorde het opperhoofd van een stad te doen. Je toonde je respect door de reizigers te begroeten.

En altijd leefde in zijn hart de kleine hoop dat hij aan boord zou gaan als die allereerste keer, en daar Catlin zou aantreffen die teruggekomen was om de Mandan weer te zien!

Maar Catlin was niet op de stoomboot. Vier Beren zag een aantal tussenhandelaars van de bontonderneming en een aantal kooplieden die hem sterkedrank probeerden te laten drinken. Kipp ging ook aan boord. Verder was er nog een bonthandelaar, een zekere Chardon van Fort Clark, en waren er een paar dorpshoofden uit de stad van Opperhoofd Wolf verder stroomafwaarts. Witte Bizon Haar kwam ook een tijdje aan boord. Maar de kapitein van de stoomboot had haast en wilde slechts lang genoeg blijven liggen om de handelaar van Fort Clark gelegenheid te geven een paar transacties tot stand te brengen. De boot lag zo volgestouwd met koopwaar, dat er nauwelijks een plekje was om te staan. Vier Beren en Witte Bizon Haar liepen achteruit een gangetje in om ruimte te maken voor mannen die een kist over het dek droegen. In de donkerte achter hen roken ze een lucht van verrotting, van bederf. Ze draaiden zich om en zagen twee mannen op beddegoed op lange kisten in de corridor liggen. Eén hield zijn hand omhoog en scheen iets te zeggen. Vier Beren boog zich over hem heen. Hij zag dat Witte Bizon Haar de hand van de man pakte om hem te begroeten. Opeens liet de krijger de hand van de man los en deed een stap naar achteren. 'Het is niet goed met die man!' zei hij tegen Vier Beren.

Vier Beren boog zich dieper over de man die daar lag heen om het beter te kunnen zien en vroeg zich af of hij Oude Beer, de medicijnman, zou laten halen. Toen deinsde ook hij terug. Het was niet alleen de weerzinwekkende stank van de man, maar tevens de aanblik van diens gezicht en uitgestoken hand.

De ogen van de man waren opgezwollen en zaten dicht. Er sijpelde pus uit. Zijn huid zat vol bobbels zoals de rug van een pad en zag er slijmerig uit. Zijn lichaam gaf een verschrikkelijke hitte af. Hij kreunde en zei iets, en kreunde weer.

'Kom,' zei Vier Beren tegen Witte Bizon Haar. 'Laten we met Kipp praten.'

Kipp kwam naar de corridor toe en wierp een blik op de twee mannen die daar lagen. Toen hij terugkwam, was zijn gezicht heel bleek en zijn mond en ogen stonden woedend. 'Haal al uw mensen van de boot, *nu*!' zei hij. 'Die mannen zijn doodziek!' Hij zei snel iets tegen Chardon, de man van de factorij en Chardon liep vlug overal heen om Vier Beren te helpen de Mandan bij elkaar te zoeken en over de loopplank te loodsen. Vier Beren, een man die nergens bang voor was, was bijna buiten zichzelf. Er zat iets slechts in de manier waarop alle blanke mannen handelden. Rap, op sissende toon, stond Kipp de kapitein van de stoomboot en de vertegenwoordiger van de bontonderneming uit te schelden. Zij schreeuwden met rood hoofd tegen hem terug. Vier Beren had nauwelijks voet aan wal gezet of de stoomboot begon te rommelen en te sissen. Kipp en Chardon sprongen ook aan wal en wierpen de meerkabels terug. De zijkanten van de boot maalden door het water tot het wit schuimde. Daar ging de boot al met de stroom mee. Een hele menigte mannen en vrouwen van Mih-Tutta-Hang-Kusch die op de wal op cadeaus hadden staan wachten, kreunden vol teleurstelling. Maar toen ze de uitdrukking op de gezichten van Vier Beren en Kipp zagen en toen hun opperhoofd zei dat ze terug naar de stad moesten gaan, draaiden ze zich om en vertrokken.

Die nacht had Vier Beren vele dromen. Tegen de ochtend was hij de meeste alweer vergeten, maar één droom bleef hem in herinnering, omdat die hem deed denken aan iets dat hij òf al eerder had gedroomd òf werkelijk had gehoord.

Toen herinnerde hij het zich.

Hij herinnerde zich de avond dat hij Catlin, de Schaduw Vanger, voor het eerst had ontmoet, de avond dat de bliksem in de hut van Mah-sish, oude Oorlogs Arend, was ingeslagen en Antilope had gedood. Daarbij had de bliksem ook Vier Beren tijdelijk uit Deze Zijde van de Wereld geslagen. Hij herinnerde zich het visioen dat hij toen had gehad, van heel zijn Volk dat dood lag, dat lag te verrotten.

En hij herinnerde zich ook een droom waarover iemand anders had gesproken; hij kon zich niet herinneren wie dat was geweest. Maar het was een profetie geweest dat alle Mandan honderd jaar na hun eerste ontmoeting met de blanken dood zouden zijn.

Vier Beren was bang.

Francis Chardon, de bonthandelaar die in Fort Clark woonde, drukte een knokkel tegen zijn bovenlip en schoof de lamp op zijn bureau een stukje dichterbij. Hij sloeg zijn dagboek open en doopte zijn pen in de inktpot. Hij schreef *14 Juli* neer. Toen wachtte hij en luisterde. Uit de Mandan-stad kon hij heel zwak de trommen horen roffelen. Dat was de hele dag en avond al aan de gang geweest. En de schrille stemmen die hij nu met de wind mee hoorde, waren niet de gewone, blije stemmen van de Mandan die een lied zongen.

Hij schreef onder de datum:

Heden is een jonge Mandan aan de Pokken overleden – verschillende anderen zijn er ook mee besmet.

Oude Beer was in de hut van de familie van Witte Bizon Haar. Stampvoetend, ronddraaiend, zwaaide hij zingend met zijn medicijnpijpen met veren waaiers die net vliegende vleugels leken in het rond. Afwisselend boog hij zich over de jonge broers en zussen van Witte Bizon Haar heen. Ze lagen op matten aan de vier kanten van de vuurring. Hun gezichten en lichamen waren verschrikkelijk en grotesk opgezwollen. Hun moeder zat vlakbij op de grond met gesloten ogen heen en weer te wiegen. Ze had haar vlechten losgetrokken en liet haar haren wild om haar gezicht hangen, dat ze als teken van rouw met roet had ingesmeerd.

Oude Beer zong en de rook van salie en sweetgrass kringelde omhoog en droeg de gebeden van zijn liederen mee. Met de veren waaiers wakkerde hij de wierookbrander aan om die brandende te houden, maar hij kon niet voelen dat het gebedslied naar de Schepper omhoog ging. Hij bleef het net zo lang proberen tot het zweet over zijn lichaam gutste. Hij had echter weinig hoop. Deze ziekte was volkomen anders dan alles wat zijn Volk ooit had gehad.

Vandaag, tussen zonsopgang en het middaguur, had Witte Bizon Haar dorst gekregen. Hij begon op te zwellen en stierf een sprakeloze marteldood. Zijn lichaam was nauwelijks schoongemaakt en voor de begrafenis gekleed, toen zijn jongere broers en zusters ook al begonnen op te zwellen. Het was een uiterst ontmoedigend teken, want Witte Bizon Haar was zelf een man van sterke medicijn, een Regen Roeper, geweest. Hij had echter nauwelijks gelegenheid gehad om zelf een gebed op te zenden. Toen was hij al dood.

Kipp beende met op elkaar geklemde tanden in zijn hut heen en weer. Zijn jonge Mandan-vrouw zat met een angstig gezicht bij het vuur. Iedere keer dat ze een schreeuw van buiten hoorde, rolde ze met haar ogen.

'Echtgenoot,' jammerde ze, 'het maakt me ook bang voor ons! U was ook op die boot bij die zieke mannen!' Steeds wanneer Kipp bij haar in de buurt kwam, kromp ze in elkaar.

'Je hoeft niet bang voor ons te zijn,' zei hij. 'Weet je niet meer dat we de rivier af zijn gegaan en dat een dokter in het fort daar een krasje op onze arm maakte waardoor die plek ging jeuken? Om die reden zullen wij niet ziek worden. Maar al die andere arme zielen!' Hij begon nu Engels te praten, omdat de Mandan-taal de woorden die hij nodig had niet bevatte. 'God verdoeme die opgeblazen schoften op die verdomde stoomboot! Vervloekt zij hun hebzuchtige zielen omdat ze zijn gestopt met mannen aan boord die de pokken hadden! En allemaal om in elke stad nog een paar smerige dollars te verdienen! God verdoeme, verdoeme, verdoeme hen! En het vliegt hier als een prairiebrand doorheen. Brand in de hel, pestzonen van snertwijven! Ik hoop dat jullie verachtelijke pokkeboot ergens bovenop stoot en naar beneden gaat en jullie hele schurftige stelletje laat verdrinken! Naar de hel met jullie en ook naar de hel met jullie boot!'

Hij bleef midden in de hut staan. Hij kon het gejammer van mensen in de nachtelijke lucht horen. Hij zou de dorpelingen het advies hebben gegeven om het dorp te ontvluchten en in de niet besmette heuvels te gaan wonen tot de pokken in de stad uitgewoed waren. Maar ze konden niet in de heuvels gaan wonen, omdat het daar vol vijanden met geweren zat.

Kipp hief zijn vuisten omhoog naar de sterren die hij door het rookgat kon zien en schreeuwde: *'God verdoeme hen!'*

Munt was inmiddels een knappe, jonge echtgenote. Ze had een zoontje dat niet meer met de borst werd gevoed en een baby. De jongen was helemaal opgezwollen en lag op sterven. Ze beet op haar lip en bad of de Schepper wilde begrijpen wat ze deed en waarom ze het deed. Ze pakte de strijdbijl van haar echtgenoot op. Aan het uiteinde was een zware, houten verdikking waaruit een ijzeren punt stak. Haar echtgenoot was in het centrum van de stad bij de Heilige Kano wanhopig met de andere jonge mannen aan het dansen in een poging het kwaad door dansen en trommelen te verdrijven.

Munt voelde zich zelf ook ziek worden, heet worden. Ze herinnerde zich dat een oude vrouw haar tuniek had beetgepakt toen ze vijf jaar geleden haar beeltenis door de Schaduw Vanger ging laten schilderen en tegen haar gesist had:

'Hij zal je geest nemen en binnenkort zul je dood zijn. En dan is er niets meer van je over dan die beeltenis van verf!'

Munt schreeuwde het uit. Ze klemde haar tanden op elkaar en liet de schreeuw van razernij die zich in haar ziel bevond naar buiten. Toen hief ze de strijdbijl op. Ze haalde met de puntige kop uit en sloeg de schedel van haar zoontje dat zo lag te lijden in. Toen pakte ze haar baby op en vloog met haar baby de hut uit, het nog steeds bij elke ademtocht uitschreeuwend. Het werd al bijna dag. De lucht in het oosten werd lichter. Ze rende naar de rand van de stad, waar het klif hoog boven de rivier uittorende en zag andere mensen rennen en hoorde ze roepen of naar elkaar schreeuwen. Ze holde naar de plek waar de medicijnmannen altijd de messen van het klif in het water gooiden. Zonder aarzeling, het nog steeds uitschreeuwend, dook ze met haar baby over het klif heen, boven op de rotsen daar ver beneden.

Vier Beren was de knapste, moedigste en meest bewonderde

man van zijn Volk geweest. Nu lag ook hij te bed, overdekt met walgelijke knobbels die zo pijnlijk waren dat je ze niet kon aanraken, knobbels die openbraken en waar vocht uitsijpelde. Alles aan hem was heet en stonk. Zijn kinderen lagen allemaal verspreid door de grote hut ziek te bed. Ze waren opgezwollen en lagen te jammeren en te huilen. De meeste van zijn vrouwen lagen bij ze. Ook zij waren te ziek om op te staan. Oude Beer, de sjamaan, had boven hen gedanst tot hij uitgeput was. Nu keek hij alleen maar droevig op Vier Beren neer. Kipp stond naast hem en Chardon van de factorij was ook gekomen. Ze stonden dichtbij met een paar van de Oudsten van de raad van de stad. Vier Beren haalde diep adem en begon te spreken:

'Ik heb in vele oorlogen gevochten en ben vaak gewond geweest. Vandaag ben ik echter gewond, zonder dat ik weet door wie. Door diezelfde witte honden die ik altijd als broeders heb beschouwd en behandeld.

Ik ben niet bang voor de Dood, vrienden. Dat weet u wel. Maar om te sterven met een gezicht dat zo verrot is dat zelfs de wolven van afschuw zullen terugdeinzen als ze me zien! De wolven zullen onder elkaar zeggen: Dat is Mah-to-toh-pah, Vier Beren, de vriend van de blanken!'

Kipp beet op zijn lippen, balde zijn vuisten en dacht dat het maar goed was dat Catlin dit alles niet hoefde te zien en te horen. Vier Beren ging verder:

'Luister goed naar hetgeen ik te zeggen heb. Denk aan uw vrouwen, kinderen, broeders, zusters en vrienden, eigenlijk aan alles dat u lief is; allemaal zijn ze dood of stervende en hebben ze gezichten die verrot zijn. En dat is allemaal de schuld van die honden, de blanken. Denk daaraan, mijn vrienden. Dat is het geschenk voor ons, die nog nooit een hand tegen hen opgeheven hebben!'

Het dagboek van Chardon in Fort Clark was met haastige krabbels bijgehouden.

27 Juli – De pokken Doden hen boven in het Dorp. Vier zijn er vandaag overleden...
28 Juli – Twee prachtige dansen, ze zeggen dat ze Dansen

omdat ze niet meer lang te leven hebben. Omdat ze verwachten dat ze allemaal aan de pokken zullen bezwijken – en zolang ze nog leven, zullen ze dat met dansen afreageren…
   8 Augustus – Vandaag zijn er nog vier overleden – twee derde van het Dorp is ziek…
   9 Augustus – Vandaag zijn er nog zeven overleden…
   10 Augustus – 12 of 15 zijn vandaag overleden…
   11 Augustus – Ik tel de doden niet meer – ze gaan zo vlug dood dat het onmogelijk is…
   13 Augustus – De Mandan sterven met 8 en 10 tegelijk per dag – een Oude man die heel zijn familie, 14 in Getal heeft verloren, weeklaagde vandaag dat het tijd werd om de Blanken te Doden aangezien zij degenen waren die de pokken naar het Land hadden gebracht…
   14 Augustus – Een Mandan-opperhoofd kwam vanmorgen vroeg en keek heel boos – hij zei me dat ik, met alle blanken, maar beter kon maken dat ik wegkwam. Als we dat niet deden, zouden ze ons allemaal uitroeien…
   16 Augustus – Verschillende Mannen, Vrouwen en Kinderen die in het Dorp in de steek zijn gelaten, liggen dood in de hutten. Sommigen liggen buiten het Dorp, anderen in het kleine riviertje, maar ze zijn niet begraven. Het veroorzaakt een vreselijke stank om ons heen…

Chardon legde na deze aantekening zijn pen neer en dronk een glas met water verdunde rum. Toen legde hij een natte zakdoek tegen zijn neus en mond in een poging de stank van de dood die van de Mandan-stad deze kant op dreef te verminderen. Onophoudelijk hoorde hij daarvandaan de geluiden van de trommen en het geweeklaag. Chardons ronde gezicht zag zwart van de stoppels; hij had zich al in geen dagen geschoren.
   Er werd op zijn deur geklopt en hij riep: 'Binnen!' Hij liet een vuursteenpistool van zijn bureaublad glijden en stopte het tussen zijn benen, weg uit het gezicht. Drie van zijn Franse werknemers en een Amerikaanse klerk kwamen binnen. Hun ogen stonden wild en diep in hun kassen. Ze waren even ongeschoren, verfomfaaid, met de glans van zweet op zich, als

765

hijzelf. Niemand kon slapen. Hij haalde de zakdoek van zijn gezicht weg en vroeg: 'En, Messieurs, wat is er?'

De drie Fransen keken naar de klerk. Deze schraapte zijn keel en zei: 'Mijnheer, we kwamen u vertellen dat we weg willen.'

'Weg willen, zegt u?'

'Ja, mijnheer. We willen graag de pirogues meenemen en uit dit hellegat vertrekken. Mijnheer, de hele dag komen er Mandan naar de poort die ons smeken hen neer te schieten. Dat zouden we wel willen, maar als we dat deden, zouden ze daar liggen te stinken. Wij willen hier weg, mijnheer.'

'Hoeveel? Alleen jullie vieren?'

'Iedereen denkt er zo over, mijnheer.'

'Nou, dan kunt u iedereen gaan vertellen dat ze allemaal hier, bij mij, blijven tot alles voorbij is,' zei Chardon. 'Er ligt hier een fortuin aan bezit van de bontonderneming en dat laten we niet hier achter om door wilden te worden geplunderd of te worden verbrand.'

'Met alle respect voor uw mening, M'sieu Chardon, maar wij denken dat ze de zaak hoe dan ook zullen platbranden, met ons erin.'

'U hebt het bij het verkeerde eind. Ze dreigen, ja. Maar ze hebben de kracht of het verstand niet meer om iets te doen. Ze kunnen zelfs hun doden niet meer begraven.' Hij maakte een vaag gebaar met zijn linkerhand om de stank aan te duiden.

De klerk keek naar zijn kameraden en zei: 'De mannen zeggen dat ze toch gaan; met uw permissie of zonder uw permissie.'

Chardon haalde, achter het bureau staand, het pistool te voorschijn, haalde de haan over en richtte het op het gezicht van de klerk. 'Jongen,' zei hij tegen de geschrokken klerk, 'zeg hun dat ik de wapenkamer heb afgesloten, dus zij kunnen mij niet neerschieten. Maar ik ben in staat en bereid de eerste man die me probeert in de steek te laten neer te schieten. En de tweede. En ga maar door. Voilà. En ga nu eerst maar eens een grog drinken, zet uw tanden op elkaar en blijf het met me uitzitten. Het is allemaal gauw genoeg voorbij. Al die arme zielen in dat dorp zijn over een paar dagen dood. Dan is er geen probleem meer. In de lager gelegen stad gaan ze nu ook dood. Volgens zeggen is Opperhoofd Wolf ook overleden.'

Vier Beren, die altijd tot de sterksten had behoord, was van zijn doodsbed opgestaan. Zijn prachtige hut lag vol met zijn dode vrouwen en kinderen. Hij was te zwak geweest om hen voor de begrafenis naar buiten te dragen en de anderen in de stad die nog leefden waren te uitzinnig of te ziek om hem te helpen. Dus was hij opgestaan, had de vlekkerige lichamen met een bizonmantel bedekt en ze binnen achtergelaten. Daarna had hij de hut afgesloten en de deur met een schaalboot geblokkeerd, zodat er geen honden naar binnen konden. De honden vraten aan de lichamen die in de straten waren achtergelaten en van de mensen die buiten de omheining waren gegaan om op de prairie te sterven. Vier Beren had altijd respect voor honden gehad; ook al waren ze niet vrij en wild als de andere dieren en, evenals burgers van een stad, niet bepaald goed gedisciplineerd, ze hadden toch hun nut. En, had hij gedacht, het waren goede vrienden van hun menselijke meesters. Maar nu had hij ze met hun tanden aan de huid vol zweren en het gezwollen vlees van hun meesters zien rukken, zelfs van de baby's die ze, normaalgesproken, bewaakten en waarmee ze speelden. Opeens verfoeide hij de honden. Ze zijn nog minder dan hun neven, de wolven, dacht hij. Ze hebben net gedaan of ze onze vrienden zijn, zodat wij ze te eten geven. Maar wanneer we zo zwak en ellendig zijn dat wij ze de resten van onze maaltijden niet meer kunnen geven, gedragen ze zich als hun neven de wolven rond de kudden: ze doden de zieke en verslinden de dode dieren.

Wolven, dacht hij. Een van de handelaars van de factorij had Kipp verteld dat Opperhoofd Wolf in de andere stad overleden was. Brandend van de koorts en met zijn hoofd schuddend van ellende, sjokte Vier Beren door de stad. Hoeveel keer hebben we niet naast elkaar gevochten, Opperhoofd Wolf?

Hij herinnerde zich dat Opperhoofd Wolf, toen ze nog jongens waren, geweigerd had om Rood Haar aardig te vinden en een achterdocht voor alle blanke mannen gekoesterd had.

Misschien had Jonge Wolf toch gelijk! dacht Vier Beren.

Toen vertrok hij zijn gezicht. Nee! dacht hij. Rood Haar is *wel* een goed mens! Als hij het had kunnen voorkomen, had hij dit niet met ons laten gebeuren! Hij herinnerde zich dat Rood Haar inderdaad een keer een poging had gedaan dat te voorkomen. Hij had toen de dorpshoofden van alle volken langs de Modderrivier aangemoedigd om een krasje op de huid te komen halen, wat ervoor zou zorgen dat ze deze ziekte niet zouden krijgen! Ja, dat had Rood Haar geprobeerd en hij had overal militaire artsen heen gestuurd om de krasjes te maken. Kipp en zijn vrouw hadden het laten doen. En nu waren ze zelfs niet ziek geworden. De meeste dorpshoofden hadden echter geen vertrouwen in de militaire artsen gehad. Ze hadden hun Volken ervoor gewaarschuwd dat de artsen naar alle waarschijnlijkheid de dood in kleine flesjes meenamen om de Volken te doden en uit de weg te ruimen. De dorpshoofden hadden allemaal geleerd geen enkel vertrouwen te stellen in de blanke mannen en in wat die zeiden en deden.

Ook Vier Beren had zijn vertrouwen in Rood Haar vergeten. Ook hij had zijn Volk geen krasjes laten toebrengen. En nu, dacht hij, zullen we allemaal sterven omdat ik vergeten was Rood Haar te vertrouwen!

Vier Beren brulde het uit van spijt, maar zijn gehuil ging op tussen al het andere gejammer in het dorp, waar de mensen al dagen aan het huilen waren.

Rood Haar, het spijt me zo dat ik niet naar u geluisterd heb! Hij pakte de veter die om zijn hals hing en trok het kleine geschenk dat Rood Haar hem meer dan dertig jaar geleden had gegeven omhoog. Hij had het lange tijd door zijn vrouwen laten gebruiken, maar toen ze allemaal gestorven waren, had hij het spiegeltje teruggepakt en zelf omgehangen. Nu hing het aan de veter om zijn hals. Hij trok het omhoog en dacht terug aan de blije, onbezorgde dagen van gezondheid en hoop. En hij dacht in het bijzonder terug aan de dag dat hij Rood Haar het adelaarsfluitje had gegeven en Rood Haar hem dit had teruggegeven. Gewoontegetrouw draaide hij het spiegeltje andersom om er zijn oog in te bekijken.

Maar nu zag hij in de spiegel een opgeblazen, plakkerig oog

dat een kleverige substantie afscheidde en omringd was door verrot vlees. Ja, er zaten zelfs vliegen op zijn ooglid. Hij brulde het uit van woede en afkeer en trok met een ruk zijn hand weg.

Hij trok de brede dolk die hij jaren geleden uit de hand van het Shienne-oorlogsopperhoofd had losgewrongen uit zijn schede van berehuid, sneed de veter waaraan het spiegeltje hing door en gooide het op de grond. Het brak niet, maar flitste de zon terug naar hem. Grommend en grauwend liet hij zich op zijn knieën zakken. Met de punt van de dolk gaf hij woedend een stoot naar beneden. Het kleine spiegeltje spatte in scherven uiteen.

Hij bleef op handen en knieën op het plein zitten tot hij de kracht had om overeind te komen. Overal lagen bundels rottende lichamen. En overal waren er vliegen. Het waren er zoveel, dat het net dikke, donkere rook leek. Ze zoemden en huilden als een murmelende Okee-hee-dee.

Langzaam kwam Vier Beren overeind. Ik mag niet krankzinnig worden als de anderen, dacht hij.

Ik ga naar boven, de heuvel op, waar de lucht zuiver is. Ik kan het niet verdragen om hierbeneden te sterven.

En leunend op zijn speer met de rode punt, liep hij hinkend bij de splinters van het spiegeltje vandaan, naar de omheining van palen toe. Hij ging erdoorheen en liep over het jonge, groene gras omhoog naar de heuvels. Hij had nog maar een klein stukje afgelegd toen hij de verwrongen gestalte van oude Oorlogs Arend naar zich toe zag komen, die bij de Stad der Doden vandaan kwam. Mah-sish was sinds die nacht vijf jaar geleden, toen de bliksem in zijn huis was ingeslagen en zijn dochter had gedood, een beetje malende geweest.

Oorlogs Arend leek opgewonden. Het leek zelfs of er een lach op zijn gezicht lag, hoewel dat zo gezwollen en verrot was en zo onder de uitslag zat, dat het evengoed een grimas in plaats van een lach had kunnen zijn. Dat had het ook moeten zijn.

Oorlogs Arend bleef taterend voor Vier Beren staan en maakte vreemde gebaren met zijn handen. Toen hij eenmaal van de brandwonden van de blikseminslag was hersteld, had niemand zijn woorden kunnen verstaan. Iedereen dacht dat hij door de bliksem een nieuwe taal gekregen had, misschien wel de taal van de Donder Wezens.

Oude Oorlogs Arend wauwelde iets in zijn vreemde taal en wees naar beneden, naar de rivier, daarna naar zichzelf en vervolgens weer naar de rivier. Misschien zei hij dat hij daar naar toe ging en erin zou springen. Dat hadden er al zoveel gedaan. Vier Beren vroeg hem:

'Is uw vrouw ook ziek?'

De lach verdween van het gezicht van Oorlogs Arend en hij wees naar een klein, gehavend lijk op de grond. Kennelijk had hij geprobeerd haar naar de Stad der Doden te slepen of te dragen en dat niet kunnen volhouden. Hij mompelde iets in zijn onbegrijpelijke taal, draaide zich toen om en liep verder naar de rivier toe. Vier Beren zuchtte, keek omhoog naar de zuivere hellingen en hinkte verder.

Oude Mah-sish, de Oorlogs Arend, hurkte bij de vuurkuil van zijn zweethut op de rivieroever. Met de tang van groene wilgetakken pakte hij nog een hete steen uit het vuur, droeg die naar de zweethut en legde hem onder het platform neer. Hij raakte er uitgeput van, maar hij had nog twee stenen nodig. Dus hinkte hij hijgend terug naar de vuurkuil. Hij pakte nog een steen met de tang en bracht die ook naar de zweethut. Daarna pakte hij wankelend de laatste steen en bracht die er heen. Hij wilde daarbij niet naar zijn armen en handen kijken. Ze waren zo opgezwollen, zo vol bobbels van de puisten en etterende zweren, dat hij net moest doen of ze niet bij hem hoorden, ook al wist hij dat hij er over zijn hele lichaam zo uitzag.

Oorlogs Arend maakte zijn eigen zweetbad klaar omdat er niemand in zijn familie over was om het voor hem te doen. Vroeger, vóór hij een dochter had gehad, verhitte zijn vrouw de stenen altijd voor hem en legde de salie boven op de hitte. Daarna had zijn dochter Antilope hem soms geholpen. Maar toen was de bliksem in het huis ingeslagen. En die had haar de nacht van de grote storm, die eerste keer dat de donderboot was gekomen, gedood. Zo was zij gestorven. En twee dagen geleden was de vrouw van Oorlogs Arend gestorven aan die ziekte die de donderboot naar Mih-Tutta-Hang-Kusch had gebracht. Nu had Oorlogs Arend geen familie meer. Zelfs de beste vriend van zijn familie, Witte Bizon Haar, was gestorven. Oorlogs Arend was alleen op de wereld. Nog maar weinig mensen hadden iets met hem op gehad nadat hij door de bliksem was getroffen. Hij was er een beetje gek van geworden, vonden ze. Alleen omdat hij, nadat hij door de bliksem was getroffen, moeilijk had kunnen praten en zij niet konden verstaan wat hij probeerde te zeggen, waren ze tot de conclusie gekomen dat hij gek was. Maar hij was altijd in staat geweest om helder te denken en te zien; alleen kon hij daarna niet meer rechtop staan en duidelijk praten.

Maar nadat deze ziekte was gekomen, kon niemand meer rechtop staan of duidelijk praten. De mensen schreeuwden allemaal als gekken. Ze doodden elkaar omdat ze niet konden aanzien dat hun familie en vrienden wegrotten. Ze hingen zich in de hutten op, niet aan pennen zoals bij de Okeepah, maar met een knoop om de hals, tot hun nek brak of ze stikten. Ze wierpen hun kinderen van het klif op de rotsen, zodat die niet meer hoefden te lijden. En dan sprongen ze er zelf achteraan. Er waren nu voortdurend gieren en honden aan de voet van het klif. Hij kon ze vanhier zien, gieren en honden die van dezelfde rotte lijken aten.

Droevig en vol afkeer schudde oude Oorlogs Arend zijn hoofd. Zijn hele Volk was gek van angst geworden, alsof het erger was om een ziekte van de blanke te krijgen dan door de bliksem te worden getroffen! Zelfs Oude Beer, de medicijnman, was krankzinnig geworden en wist niet meer wat hij moest doen. Hij liep maar in de Medicijn Hut rond te stampen en zat naast de Heilige Kano te roepen en met zijn veren te zwaaien. Maar daardoor was er nog niemand beter geworden.

Ja, zelfs Vier Beren was in de war. Vier Beren was ongetwijfeld de sterkste man ter wereld. Kijk maar hoe hij bleef rondlopen en zijn Volk probeerde te begrijpen en te helpen, ook al zat hij zelf zo verschrikkelijk onder de zweren dat je moest huilen als je naar hem keek. Oorlogs Arend had tegen Vier Beren gezegd: 'Ga in de zweethut! Daardoor kookt het vergif eruit en daarna zul je beter zijn! Dat ga ik ook doen en dan word ik beter!' Maar uiteraard had niemand Oorlogs Arend kunnen verstaan sinds hij door de bliksem was getroffen, dus ook Vier Beren niet, en hij was verder gewankeld. Nu hinkte hij met zijn speer met de rode punt als wandelstok verder en keek omhoog naar de heuvels, alsof hij het niet meer kon verdragen om te kijken naar de dode mensen die overal op de grond lagen.

Kennelijk was er ook niemand anders geweest die aan de voor de hand liggende genezing had gedacht. Oorlogs Arend was de enige, hier op de oever bij de zweethutten.

Waarschijnlijk komt het omdat ze vanbinnen al zo gloeien dat het niet bij hen opkomt om zichzelf nog verder te verhitten, dacht Oorlogs Arend. Zelf ben ik zo vol vuur dat ik het nauwelijks kan uithouden. Maar ik kan meer hitte verdragen, omdat eens de bliksem in mij was.

Hij kroop naakt de zweethut in, sloot de voorhang om alle warmte binnen te houden, en klom met zijn laatste kracht op het bed van geplette salie. Toen ging hij op zijn rug liggen. Hij bleef een tijdje in de doordringende lucht van de salie liggen, tot hij voldoende kracht had om met zijn hand opzij, naar beneden, naar het handvat van de kalebas te tasten. Met een zwaai wierp hij water onder zich op de roodgloeiende stenen, die zongen, sisten en knapten en de duisternis met krachtige, verstikkende, prikkelende stoom vulden. Hij moest ervan hoesten.

Het zweet gutste hem nu van het lijf en sijpelde over zijn verrotte huid naar beneden, waardoor die zo verschrikkelijk ging jeuken dat hij het nauwelijks kon uithouden. Maar dat is spoedig voorbij, dacht hij, dan word ik beter.

Hij smeet nog meer water over de stenen en na een tijdje kon hij de gebeden horen die de stenen zongen. Hij bewoog zijn lippen met de woorden mee.

Grote, Goede Geest, die dit prachtige land geschapen heeft en ons hier plaatste om het te bewonen: Hoor mij aan!

Grote, Goede Geest, die leven in mijn lichaam en het lichaam van mijn vrouw en het lichaam van mijn dochter heeft geblazen: Hoor mij aan!

Grote, Goede Geest, die de oude stenen die met mijn gebed zingen heeft gemaakt, maak mij weer zuiver en gezond!

Grote, Goede Geest, die de adem des levens uit mijn oude vrouw heeft weggehaald, geef mij mijn kracht terug, zodat ik haar lichaam kan meenemen, het fatsoenlijk kan inwikkelen en een stellage kan maken waarop ik het in de Stad der Doden kan neerleggen, waar de wolven en honden er niet bij kunnen!

O, Grote, Goede Geest, wiens uitademing ons de adem des levens geeft en wiens inademing die uit ons weghaalt en weer tot u neemt. O, geef mij genoeg kracht om haar lichaam fatsoenlijk te begraven, zodat zij volkomen en mooi zoals ze was tot u kan terugkeren in plaats van verrot en lelijk zoals ze nu is!

O, Grote, Goede Geest, dit is het gebed dat ik en de oude stenen tot u zingen! Hoor mij aan! Hoor ons aan!

Oorlogs Arend dacht na en begon toen weer te zingen.

O, Grote, Goede Geest, maak mij sterk, dan zal ik alle anderen, zolang ik mijn armen kan optillen, begraven!

Dat was een enorme belofte aan de Grote, Goede Geest, want er waren, dacht hij, inmiddels wel tien honderd doden in het dorp. Maar een krijger was er toch zeker voor om voor zijn Volk te zorgen?

Nu heeft het zweet al het vergif uit me weggewassen en ben ik zuiver en rein, dacht Mah-sish, de Oorlogs Arend. Nu ga ik in de rivier zwemmen en daarna een poosje rusten. Dan krijg ik mijn kracht terug en dan zal ik een stellage maken waarop ik mijn vrouw in de Stad der Doden zal begraven.

En dan zal ik alle anderen ook gaan begraven, bracht hij zichzelf in herinnering. Hij kroop het licht in en strompelde naakt naar de rivier toe. Hij was te zwak om zich met zijn benen af te zetten en te duiken, dus waadde hij.

Toen hij tot zijn borst in het water was, werd hij door een afschuwelijke kou bevangen. Hij kreeg een hevige kramp in zijn borst, een slag als die van de bliksem. Hij gleed het water in. Hij hapte naar lucht en slikte water naar binnen. De Oorlogs Arend rees omhoog uit het water en cirkelde in de lucht erboven. En toen hij naar beneden keek, zag hij zijn lichaam langzaam, vlak onder het wateroppervlak, draaien. De Oorlogs Arend zweefde naar de zon toe. De stad Mih-Tutta-Hang-Kusch met al haar geschreeuw, vliegen en gieren werd onder hem steeds kleiner. Ver weg, op een groene helling, zag hij zijn opperhoofd Vier Beren langzaam de heuvels inlopen.

Oorlogs Arend had niets meer op de grond of met de lasten en verantwoordelijkheden van het lichaam van een tweevoeter te maken. Ver beneden hem cirkelden gieren rond. Hij was vrij.

Op de heuvel was de wind zuiver. Er waren geen vliegen en er klonk geen gekrijs en gegil. Hijgend keek Vier Beren neer op Mih-Tutta-Hang-Kusch, waar hij heel de halve eeuw van zijn leven had gewoond. Daar lag de stad, in de bocht van de rivier, hoog boven op de steile rotswand met de zon op de ronde daken en de grijsblauwe rivier erachter, zodat de kleuren fel afstaken. Het was een prachtig gezicht. En aan de andere kant van de rivier waren er ook hoge rotswanden, met ertussendoor de open ruimte waar het pad naar de doorwaadbare plaats liep. Nog verder aan de andere kant liep het dal omhoog en rees op in golvende hellingen van heldergroen prairiegras die in de verte tot blauw vervaagden. Daarbovenuit bewogen langzaam de schaduwen van de wolken. En boven dat alles uit zweefde een arend.

Het was prachtig. Het hart van Vier Beren kromp ineen toen hij het zag. Zo zou hij zich Mih-Tutta-Hang-Kusch herinneren als hij naar Gene Zijde van de Wereld zou overgaan. Misschien bestond Mih-Tutta-Hang-Kusch ook aan Gene Zijde van de Wereld; de mensen geloofden dat alles wat aan Deze Zijde van de Wereld was, zich ook daar bevond, maar dan zonder problemen of gebreken. Daar zou er geen wolk gieren boven de stad of boven de stad van Opperhoofd Wolf, verder stroomafwaarts, zweven. Daar zou er niet vlakbij een Fort Clark staan zoals nu, verder naar beneden in het dal, wel het geval was. Fort Clark was immers door de mensen van de bontonderneming gebouwd, en zij konden niet in Gene Zijde van de Wereld bouwen. De blanken konden daar niet bouwen, omdat de Wereld aan Gene Zijde nog steeds aan de oorspronkelijke Volken toebehoorde en nog steeds was zoals hij eeuwenlang was geweest, voordat de blanken de rivier op waren gekomen, nog voordat ze van over het Water van de Zonsopgang waren gekomen, om met hun Rechte Witte Lijn de Heilige Cirkel van het Leven te doorbreken.

De wind blies als de adem van de Schepper om Vier Beren heen. Hij blies de echo's van het niet aflatende geschreeuw uit zijn oren en waste zijn ziel, zoals het water van de rivier altijd zijn lichaam waste.

Hij voelde zich niet zo heet meer.

Iets binnen in hem zei dat hij nu over het ergste van de ziekte heen was en misschien wel in leven zou blijven. Kipp had gezegd dat mensen soms van de pokken genazen en er, als dat het geval was, geen tweede keer ziek van konden worden. De heel sterken overleefden het; Vier Beren had blanke mannen met pokdalige gezichten gezien. Men had hem verteld dat zij mannen waren die de pokken hadden overleefd.

Maar Kipp had toegegeven dat hij geen enkele Indiaan kende die in leven was gebleven.

Kipp had Vier Beren al die dingen verteld bij zijn pogingen de Mandan zover te krijgen dat ze de krasjes van de blanke artsen gingen halen. Vier Beren had daarom niet geloofd dat zijn woorden de hele waarheid waren. Zelfs een goede blanke zoals Kipp vertelde gedeeltelijke waarheden.

Als er al een blanke man was die Vier Beren ooit de hele waarheid had verteld, was dat ongetwijfeld Catlin, de Schaduw Vanger, geweest. Alles waarvoor hij had gewaarschuwd scheen te gebeuren. Schaduw Vanger had heel sterk gewaarschuwd voor de ziekten van de blanken.

Vier Beren keek neer op Mih-Tutta-Hang-Kusch en de wolk van gieren die erboven hing. Hij stond ervan te kijken hoe goed hij kon zien en hoe ver hij kon zien. Zo keken de arenden op de wereld neer.

Hij zag een stipje bewegen op de lange helling tussen zijn heuveltop en de stad. Hij kon zien dat een man op een paard naar boven kwam. Hij bleef er een tijdje naar kijken en zag toen dat het Kipp was. Kipp kwam, evenals Vier Beren de heuvel was opgegaan, naar boven. Alleen was hij te paard en niet lopend.

Hij volgt mijn spoor. Hij zoekt naar mij, dacht Vier Beren. Na een tijdje keek Kipp op en zag Vier Beren hoog boven op de helling staan. Hij spoorde zijn paard aan en stond even later al naast Vier Beren. Hij klom van zijn paard.

'Ik zag u naar boven gaan,' zei Kipp in de Mandan-taal. 'Ik ben gekomen om u te vragen waarom u naar boven bent gegaan en uw Volk beneden hebt achtergelaten.'

'Ik wil hier sterven. Die stad bestaat niet meer.'

'U hoort uw Volk niet achter te laten,' zei Kipp. 'U bent hun *maho okimeh*.'

'Vriend, mijn Volk heeft me niet gezien of gehoord ook al liep ik te midden van hen. Sinds deze ziekte is gekomen, zijn ze blind. Ze kunnen alleen nog maar de angst in hun eigen binnenste zien. Uw bedoelingen zijn waarschijnlijk goed, maar u moet niet hier naar boven komen om mij te vertellen wat ik behoor te doen. Mijn Volk is al voor mij verloren en ik ben voor hen verloren. Zij weten niet dat ik leef en dus maakt het voor hen niet uit dat ik hier, dichter bij mijn Schepper, ben. Luister! Houdt u niet van de zomerwind?'

Kipp beet op zijn mondhoeken. Toen zei hij: 'Geen ander zou de kracht hebben gehad om hier naar boven te klimmen. Beseft u dat u misschien wel beter wordt?'

'Ja, ik heb bedacht dat ik van de ziekte zou kunnen genezen. Maar ik blijf niet in leven.'

'Wat? Wat zegt u me nu?'

'Ik heb u verteld, vriend, dat ik hierheen ben gekomen om naar Gene Zijde van de Wereld over te gaan. Ik heb een keer een droom gehad. Alle geesten van mijn Volk gingen naar Gene Zijde toe. En ik was bij hen. De meesten van hen zijn nu overgegaan. Ik moet met hen meegaan.'

'Ik smeek u, Mah-to-toh-pah! Kom naar beneden! Mijn vrouw en ik zijn gezond. Wij zullen voor u zorgen tot u niet meer ziek bent!'

'Vriend, ga terug naar beneden. Vijanden omringen ons. U moet niet zover weg zijn.'

'U ook niet!'

Vier Beren glimlachte. Overal op zijn gezicht jeukte het en voelde hij de pus. Hij wist dat zijn glimlach er afschuwelijk moest uitzien en hij bewonderde Kipp om het feit dat deze hem recht kon aankijken en tegen hem spreken. Ja, deze Kipp was een goed mens. Vier Beren zei tegen hem: 'Als er een vijand aankomt, zullen ze mijn verrotte huid zien en vol angst wegvluchten. Als ze me 's avonds vinden, wanneer het donker is en ze me niet kunnen zien, zal ik deze speer gebruiken. Dan zal ik naar Gene Zijde van de Wereld overgaan met een aantal van hen aan deze speer geregen, zoals vlees aan een pen. Maar als er geen vijand komt, zal ik stilletjes overgaan. Ik ben hier zonder voedsel of water naar toe gegaan en dus zal ik over een aantal dagen zo licht als een adelaar op de wolk naar de andere kant zweven.' Hij zag het allemaal al voor zich en het was zo mooi, dat hij er met ongeduld op wachtte. 'Ga weer naar beneden, Kipp, en laat mij hier in vrede achter. Ik heb gelopen tot alle problemen, alle moeite, ver achter me, ver daarbeneden liggen. Uw aanwezigheid hier is het enige dat me nog vasthoudt. Laat me gaan, anders zal ik u nog met deze speer moeten doorboren om u kwijt te raken. En dat zou ik niet graag willen doen.'

Kipp knipperde met zijn ogen. Zijn lippen stonden strak en waren wit. 'Dan zal ik naar beneden gaan. Maar mijn hart blijft bij u.' Hij keerde zijn paard in het wuivende gras en toen riep Vier Beren hem. Kipp draaide zich om.

Vier Beren tilde de leren riem die schuin over zijn schouder hing en waaraan zijn dolk in de schede van berehuid zat over zijn hoofd heen. Hij stak hem Kipp toe en zei: 'Onze goede vriend de Schaduw Vanger zou deze dolk graag voor zijn verzameling van dingen hebben. Zoek hem op een goede dag op en geef hem die. Vertel hem daarbij dat dit het mes is dat ik van het Shienne-opperhoofd heb afgenomen in dat gevecht dat

777

staat afgebeeld op de mantel die ik hem heb gegeven. Het zal goed voor hem zijn om die twee bij elkaar te hebben, het beeldverhaal en het mes. Beloof me dat u zult proberen hem op te zoeken en de dolk aan hem te geven. Ik weet dat het een groot land is en dat er vele blanke mannen zijn, maar beloof me dat u het zult proberen.'
'Ik beloof het. Het zal niet moeilijk zijn hem te vinden. Hij is beroemd geworden in het Oosten.'
'*Shu-su!* Ga nu, Kipp.'
Kipp keek Vier Beren nog één keer aan. Zijn ogen liepen over. Toen draaide hij zich om en reed de lange, groene helling weer af.

Het was alsof hij in de hemel woonde.
Vier Beren zat op het gras met de wind in zijn gezicht naar de ondergaande zon te turen. Hij keek naar de sterren die boven het avondrood verschenen. Hij dacht aan zijn vrouwen, elk apart, en aan zijn kinderen, elk apart en kon het moment niet afwachten dat hij hoog daarboven als een adelaar zou zweven en zich met hun geesten zou verenigen. Zijn lichaam was vol hitte en pijn. Het jeukte en tintelde. Maar hij had in de Okeepah geleerd hoe hij boven de pijn uit moest zweven. Hij keek naar de sterren en zag dat de maan wegzakte. Hij verdween achter de horizon nadat het wit in geel en daarna rood was veranderd. Op een gegeven ogenblik, nog voor de morgen aanbrak, viel hij in slaap. Toen hij wakker werd zag hij dat de zonnestralen de heuveltoppen verder stroomopwaarts al aanraakten. Hij zag hoe het zonlicht de hellingen in de verte in het licht zette en schaduwen van wilgen in het rivierdal wierp. Ver stroomopwaarts kon hij de Hidatsa-steden aan de monding van de Mes Rivier zien. Hij vroeg zich af of de Hidatsa ook stervende waren.
Weer ging de zon onder. Hij lag het grootste deel van de nacht naar de sterren te kijken. Daarna sliep hij een droomloze slaap. Toen wekte het daglicht hem weer. Zijn mond was uitgedroogd en zijn maag één brok pijn. Maar hij wist dat hij nog een lange weg af te leggen had voor hij zijn lichaam hier kon achterlaten en naar de andere kant kon zweven.

Op de avond van zijn vierde dag op de heuvel lag hij, na zonsondergang, naar de wolven te luisteren die hun lied van de schemering zongen. Het leek alsof hij hun stemmen die zich met elkaar vervlochten en allemaal net iets van elkaar verschilden, een aantal iets hoger terwijl andere naar beneden gingen, kon horen. Het leken net strengen licht haar dat gevlochten werd. Hij dacht aan zijn jongste vrouw en zag haar voor zich terwijl ze haar haren vlocht. Ze was een van de mensen met licht haar in de stam geweest. Vier Beren herinnerde zich precies hoe ze aanvoelde als ze tijdens de samenleving verenigd waren. O, wat keek hij ernaar uit om haar aan Gene Zijde weer te ontmoeten.

Een groot deel van de volgende dag lag hij na te denken over de kwestie van de licht-haren en de licht-ogen onder zijn Volk. Catlin had zo veel vragen over hen gesteld, dat Vier Beren de afgelopen vijf jaar keer op keer over het mysterie had zitten nadenken, ook al was het voordien nauwelijks in zijn hoofd opgekomen. Zolang Vier Beren zich kon herinneren, was er altijd wel een aantal mensen met licht haar en lichte ogen onder zijn Volk geweest, hoewel het misschien minder dan een kwart was. Vier Beren zelf had lichte ogen.

Hij probeerde zich dingen te herinneren die Catlins vragen in zijn gedachten hadden losgewoeld. De naam *Madoc* die Catlin voor Eerste Man had gebruikt. Hoewel Vier Beren zich niet voor de geest kon halen dat hij die naam ooit gehoord had, riep hij wel een echo op in dat deel van hem dat met de grote Cirkel der Tijden verbonden was, zoals ook die eerste keer dat hij Rood Haar Clark had gezien een echo had gemaakt en hij hem als Eerste Man had gezien.

Vier Beren herinnerde zich dat Coyote, toen hij van het land der blanken in het Oosten was teruggekomen, verteld had over een grote plaats van vallend water in een rivier die westwaarts stroomde. Toen had hij geweten dat zijn voorouders daar hadden gewoond en dat het in hun tijd een heel belangrijke plek was geweest. Een deel van elke man herinnerde zich dingen die de man zelf nooit geweten had, wist Vier Beren. Maar naarmate generaties kwamen en gingen, kwam veel in het vergeetboek terecht. En omdat het leven zo vol nieuwe dingen was die de dingen in de herinnering overschaduwden, vervaagde wat in de herinnering leefde altijd, ongeacht hoe vaak erover werd gesproken. De blanke mannen hebben een grote kracht in hun Taal der Merktekens, dacht hij. Als zij hun Taal der Merktekens aan nieuwe generaties bijbrengen, kan elke nieuwe generatie naar de oudste merktekens kijken en daarin alle herinneringen van hun volk terugvinden!

Hij dacht aan de Woord Bundels die zo lang in de Heilige Kano hadden gelegen en toen waren verdwenen. Hij herinnerde zich dat hij had gehoord dat in één ervan afbeeldingen van mannen die op paarden reden hadden gestaan, zodat zijn Volk al van paarden had af geweten nog voor het die had gezien. De mensen die deze Bundels met de Taal der Merktekens hadden gemaakt, hadden paarden gehad. Maar hier zijn er pas paarden gekomen toen wij die van de blanken kregen. Het was verbazingwekkend wat je uit een afbeelding kon opmaken; het was ongetwijfeld nog verbazingwekkender wat je uit de Taal der Merktekens kon opmaken!

Catlin, de Schaduw Vanger, heeft mijn Volk zowel in afbeeldingen als in de Taal der Merktekens weergegeven. En behalve wat Schaduw Vanger opgetekend heeft, is er nu, precies zoals de vrouwen hebben gewaarschuwd, niets meer van ons over! Het is goed dat we hem dat hebben laten doen. In ieder geval bestaat dat nog!

En van mijn oorlogen zijn alleen nog de schilderijen op mijn mantel over. Dus ben ik ook een Schaduw Vanger, zoals Catlin, geweest! *Shu-su!*

De zon ging onder en kwam op en ging onder en kwam op en ging onder en kwam op. De geest van Vier Beren werd steeds lichter en steeds verruimder.

Hij wist niet hoeveel dagen en nachten hij hier op de heuvel, zwevend boven zijn stervende lichaam, had doorgebracht voor hij door zijn geest in plaats van door zijn ogen begon te zien.

Hij zag water, maar het was niet het water van de Modderrivier die daarbeneden kronkelde; in plaats daarvan zag hij het water alsof hij erin zwom en er was geen oever. Het was helder, blauwgroen water. En het was warm.

Een tijdlang zag hij alleen maar water. Als hij zijn ogen opendeed en zijn gezicht draaide, zodat hij de rivier en Mih-Tutta-Hang-Kusch daarbeneden zou moeten zien, zag hij toch alleen maar water.

Ik sta op het punt om naar Gene Zijde over te gaan, dacht hij. Maar dit, over het water, had ik niet verwacht.

Die nacht sliep hij vlak boven zijn lichaam en zijn vrouwen en kinderen zweefden naar hem toe. Ze huilden. Ze zeiden dat ze hadden gezwommen en de oever van de Wereld van Gene Zijde niet hadden kunnen vinden.

Opeens werd hij wakker. Hij voelde de zon op zijn gezicht. Ze kunnen de oever van de Wereld van Gene Zijde niet vinden omdat ze niet begraven zijn! dacht hij.

En toen wist hij dat hij het bij het verkeerde eind had gehad door hun lichamen in Mih-Tutta-Hang-Kusch achter te laten en zelf de heuvel op te gaan om te sterven. Dat was verkeerd en egoïstisch van hem geweest. En hij wist dat hij weer naar beneden moest gaan en hen naar de Stad der Doden brengen, omdat ze anders altijd zouden blijven zweven.

Vier Beren was zo weggeteerd, dat de afdaling van de heuvel hem een stuk zwaarder viel dan de beklimming. Zijn speer met rode punt was zo zwaar, dat hij hem bijna niet kon optillen. Maar hij had hem nodig om erop te leunen. Vaak struikelde hij. Dan kroop hij een groot deel van de afstand naar beneden. De verrotte huid op zijn handen en knieën schaafde over de grond weg. Hij zag nu geen gieren boven de stad, maar rook de stank van dood en bederf al nog voordat hij beneden was.

Langzaam liep hij tussen de paaltjes door naar binnen. Er lagen hoopjes beenderen in de gangen tussen de huizen en op het plein. Ze stonken en waren overdekt met vliegen. Maar de aaseters hadden alles gegeten wat ze wilden en waren verdwenen.

Vier Beren liep naar de Heilige Kano en zag dat er slechts een berg as van resteerde.

In de deuropening van de Medicijn Hut lag een skelet. Ernaast lagen de twee medicijnpijpen van Oude Beer en vlakbij lag een deel van het dassevel dat hij bij zijn genezingen droeg.

Dat skelet moest dus Oude Beer zijn geweest. Hij keek er een tijdje na en vergaarde zijn kracht om verder te lopen.

Toen kwam hij bij zijn eigen hut aan. Hij had al zijn kracht en energie nodig om de schaalboot voor de deur weg te halen, zodat hij naar binnen kon gaan.

De stank van de lichamen van zijn familie was zo doordringend, dat hij zich er nauwelijks toe kon zetten om naar binnen te gaan. De aaseters waren niet binnen geweest en al die tijd dat hij op de heuvel was geweest, hadden ze onder hun lijkwaden van bizonvel liggen wegrotten. De stank verzwakte hem zo, dat hij wankelend naast een van de lichamen neerviel.

Ik moet een tijdje rusten voor ik iets kan doen, dacht hij.

Terwijl hij daar lag, zag hij het water weer. Het was prachtig, blauwgroen water.

Hij zag dat hij niet in het water zwom, maar op een grote boot stond.

Het was een lange boot met een dek vol mensen en een gestreept, vierkant zeil.

Hij was jong en sterk, had een baard en was verbrand door de fel brandende zon.

Hij hield een kleine kooi, gemaakt van teen, omhoog, ging met zijn onderarm over zijn voorhoofd om het zweet weg te vegen en deed de bovenkant van de kooi open. Hij tikte tegen de onderkant aan en fladderend vloog er een duif omhoog. Ze verdween in de hete gloed van de namiddagzon.

'Ga,' zei hij. 'Vlieg weg en zoek Jargal voor ons.'

Epiloog

New York
Herfst 1838

De Weledelgeboren Heer G. Catlin, kunstenaar
Geachte Heer:
In de hoop dat u zich mij zult herinneren, zou ik graag zodra
u daar gelegenheid voor hebt een afspraak met u maken. Ik
heb u over zo'n 3000 mijl opgespoord om u voorwerpen en
nieuws van M'Kenzie & mijzelf te brengen. Gelieve d.m.v.
deze koerier antwoord te geven. De man zal erop wachten.

KIPP
Amerikaanse Bontonderneming

'O, ja! De Heer zij geloofd! Wacht.' Catlin, gekleed in schil-
derskiel die onder de verf zat doordat hij voortdurend de schilderijen van zijn Indiaanse Kunstgalerie aan het bijwerken en
verbeteren was, duwde een stapel van zijn manuscripten opzij
om een plekje schrijfruimte boven op zijn bureau in zijn studio
vrij te maken.

KIPP!
Ik geef uw boodschapper geld mee om u hier onmiddellijk
naar toe te brengen! Als u een vervoermiddel nodig hebt voor
de zaken die u bij u hebt, huur dat dan en geef mij de reke-
ning. Wees voor de verandering eens MIJN gast!
In afwachting van uw komst verblijf ik,
Uw toegenegen vriend

G. CATLIN

Na een omhelzing waarbij ze elkaar stevig op de rug klopten en elkaar keer op keer in de betraande ogen keken, hesen Catlin en Kipp samen de stinkende kist van McKenzie van de achterkant van het rijtuig en liepen er wankelend mee het huis binnen. Clara Catlin en de twee dochtertjes hielden de deuren voor hen open. 'Zoals alles van de onderneming, stinkt hij naar beverklieren,' lachte Catlin.

'Bent u over een uurtje zo ver om te eten, meneer Kipp?' vroeg Clara.

'Nou en of, mevrouw. Dank u!' Zijn gezicht was even bruin als een indianengezicht. Alleen zijn voorhoofd was boven de rand van zijn hoed wit. 'U bent voortreffelijk!' Hij keek door de volle studio heen en zag tal van bekende gezichten in de portretten. Tegen de tijd dat Catlin hem een glas cognac had ingeschonken, stonden zijn ogen vol tranen en trilde zijn in rimpels vertrokken kin. De twee mannen klonken met elkaar en dronken hun glas leeg.

'Ik heb iets over de epidemie gelezen,' zei Catlin. 'Maar er waren verschrikkelijk weinig details. Wat kunt u mij vertellen?'

Kipp sloot zijn ogen en schudde zijn hoofd. 'Meer dan u zou kunnen aanhoren, vrees ik.'

'Vier Beren?'

'Dood. Hij was de laatste die stierf. Hij was oersterk, weet u.'

'O, God!' Catlin deed zijn ogen dicht en boog zijn hoofd. Hij kon het niet verdragen om naar de beide portretten van Vier Beren te kijken die van hun in het oog vallende plek aan de muren van de studio neerkeken. 'Opperhoofd Wolf?'

'Hij ook.'

'En Witte Bizon Haar?' Catlin herinnerde zich de laatste keer dat hij hem had gezien. Dat was toen Witte Bizon Haar de kostbare beenkappen naar beneden naar hem toe had gegooid.

'Hij was de eerste die stierf.'

'Oude Beer?'

'Om ons heel wat namen te besparen, mijnheer: iedereen die u noemt is er niet meer.'

Catlin keek hem met zijn betraande ogen ongelovig aan.

'Wilt u suggereren dat de Mandan... uitgestorven zijn?' *En daarmee dus ook de verloren mensen van Wales!* dacht hij.
'Niet alleen suggereren, mijnheer. Ik zeg het u ronduit. Het is een vaststaand feit. Er zijn er misschien zo'n dertig die door de Arikara gevangen waren. Misschien dat zij nog leven. Maar ja, mijnheer, *uitgestorven* is er een goed woord voor. Mijn vrouw is één uitzondering. Ik had haar laten inenten, weet u.'

Catlin zat in een armstoel met zijn armen op zijn knieën geleund en zijn kin op zijn vingertoppen. Er stonden rimpels in zijn voorhoofd en zijn ogen zwommen in tranen. Hij staarde omhoog naar het plafond. 'Geen vriendelijker, gelukkiger volk!' Zijn borst schokte van de geluidloze snikken en Kipp herinnerde zich hoe blij hij was geweest dat Catlin er niet bij was geweest om te zien hoe Vier Beren de blanken vervloekte.

Na een hele tijd zei Catlin heel zachtjes: 'En wat stond er in de kranten? Twintig- of dertigduizend in enkele maanden tijds aan de bovenloop van de Missouri weggevaagd?'

'Dat is het zo ongeveer volgens de berekeningen van McKenzie, hoewel hij, zoals u weet, de neiging heeft om de cijfers te laag te schatten. Hidatsa, Cree, Zwartvoet, Shienne, Crow...'

Catlin slaakte een lange zucht. 'Weet u, Kipp, soms ben ik als de dood om nog een portret te schilderen.'

'O, maar u moet niet ophouden, mijnheer! Het is een door God gegeven talent dat maar weinig mensen bezitten!'

'Kipp, ik heb Osceola geschilderd. Hij overleed de volgende dag. Ik heb Zwarte Havik geschilderd en even later was hij dood. Donder Man, de Osage, werd de volgende dag gedood... Tenskwatawa de Shawnee-profeet... Nu Vier Beren en Opperhoofd Wolf, en elke Mandan die ik geschilderd heb! En wie weet hoeveel anderen van die arme Zwartvoet, Crow en Shienne die door de pokken werden getroffen ik nog geschilderd heb...' Hij schudde zijn hoofd en begroef zijn gezicht in zijn handen. 'Ik heb generaal Clark ook geschilderd, weet u. En hij is dit jaar overleden,' mompelde hij van achter zijn handen.

'Ja, dat is waar,' zei Kipp peinzend. 'Ze zeggen dat hij puur aan hartzeer is overleden omdat al zijn Indianen weigerden zijn advies om zich te laten inenten op te volgen. En wat betreft alle andere kwesties, hadden ze altijd naar hem geluisterd.'

787

'O, God, Kipp, dit is gewoon verschrikkelijk!'
Kipp boog zich naar hem toe en stak een bruine hand uit.
'Luister, goede vriend. U moet het u niet zo persoonlijk aantrekken. Iedereen gaat dood, of hij ooit geschilderd wordt of niet... Ik zie daar, tussen haakjes, ook een schilderij van uzelf staan. Dat hebt u toch zelf geschilderd?'
'Ja... een zelfportret, toen ik nog maar pas begon te schilderen...'
'Nou, en u leeft nog, ziet u wel. U hebt toch ook geen zelfmoord gepleegd door uzelf te schilderen!'
Catlin keek omhoog naar Kipp. Er lag een vreemde glimlach op zijn gezicht, dat nat van tranen was. 'Heel grappig, Kipp.' Hij pakte een grote zakdoek uit zijn zak, veegde zijn ogen af en snoot toen zijn neus. Vervolgens schudde hij zijn hoofd. Hij zag eruit of hij weer op het punt stond te gaan huilen. 'Weet u nog dat die Mandan-vrouwen – en zelfs Oude Beer zelf! – waarschuwden dat iedereen die ik schilderde zou sterven? En dat hun afbeeldingen op mijn doeken het enige zou zijn dat nog restte?' Hij huiverde. 'Profetisch! Hoe wisten ze het?'
'Nou, maar ik herinner me anders ook wat een genoegen Oude Beer eraan beleefde dat u hem geschilderd hebt! Weet u nog hoe hij daar de hele dag zichzelf lag te bewonderen? Nou, zeker weten, hoor. Volgens mij had hij er echt geen spijt van.'
De twee kameraden bleven een tijdje zwijgend zitten. Catlin schonk nog meer cognac in, glimlachte toen en zei: 'Wat voor raad houden we hier eigenlijk? We zijn niet eens met een pijp begonnen!' Hij pakte zijn stenen pijpen en de tabakspot van de andere kant van het bureau, ging staan en liep naar een plank in een hoek. Daar pakte hij een Mandan-pijp met lange steel en rood stenen kop. 'Herinnert u zich die keer dat we deze met Vier Beren rookten? Deze zou nu toepasselijker zijn, vindt u niet?' Hij trok de pluk wilde salie uit de kop die er altijd inzat wanneer de pijp niet in gebruik was. 'Ik wilde dat ik een beetje *kinnikinneck* in plaats van tabak had...'
Kipp stak een vinger omhoog, stak zijn hand in een zak opzij van zijn slecht passende confectiepandjesjas en haalde een klein, met stekelvarkenpennen versierd buideltje te voorschijn.
'Kinnikinneck,' zei hij.

Terwijl hij de pijp stopte, zei Catlin: 'In 'zesendertig ben ik naar het Pijpsteen Klif geweest waar alle stammen deze rode steen delven, weet u. En ik moest er mijn weg praktisch naar toe vechten ook nog, omdat de Sioux uit het Oosten zeiden dat het een heilige plek was, waar nog nooit een blanke was geweest. Mijn vriend Wood en ik moesten ons tegen een man of twintig verzetten, maar uiteindelijk slaagden we erin hen te kalmeren en reden verder naar de steengroeve... Het is heel gek. Het spul wordt nu "Catliniet" genoemd, omdat ik de eerste blanke was die de plek ontdekte. Waarom noemen ze het geen "Indianiet", naar alle rode mannen die het al duizend jaar gebruikt hebben? Volgens zeggen heeft de Grote Geest alle stammen op het continent opdracht gegeven die rode steen steeds voor hun vredespijpen te gebruiken, omdat die hun rode vlees voorstelt. Maar nu heet het "Catliniet". Nu, daaruit blijkt wel hoe hoog men het Indiaanse denken in dit land aanslaat! Bah! En zoals u weet, is Andrew Jackson – moge God me vergeven dat ik de naam zelfs noem! – nu bezig de laatste Indianen uit het Oosten te verdrijven en doet alles wat in zijn macht ligt om het hele ras naar de ondergang te brengen! Godzijdank dat William Clark niet meer onder zijn bestuur hoeft te werken. Waarschijnlijk heeft *dat* zijn hart gebroken!'

'Nou, het is beter om u razend te zien dan een en al melancholie,' zei Kipp. 'Wat dacht u er nu van om die pijp te roken?'

Catlin stak de pijp aan en presenteerde de steel naar de vier hoeken van het kompas en daarna naar de hemel en aarde. Vervolgens zaten ze een tijdje te genieten van de geur van rode wilg, salie, tabak en sumak en Catlin voelde de eerbied en de rust, de bitterzoetheid en de verruiming die deze oude, bekende geuren in zijn ziel opriepen. 'Het valt niet mee om in vierkante kamers in stinkende steden te wonen, waar je je huis op slot moet doen en waar elke stap om het lieve geld wordt gedaan.'

'Ondanks al uw beroemdheid en uw succes, benijd ik u niet,' zei Kipp. 'Gefeliciteerd ermee, trouwens.'

'Feliciteer me pas wanneer ik eindelijk iets goeds voor onze rode broeders heb kunnen doen. Niet vóór die tijd.'

Er werd zacht op de deur geklopt. Clara duwde die een stukje open en zei: 'Het eten wordt over vijftien minuten opgediend.

Misschien wil onze gast graag even het stof van de reis afwassen.'

'Dank u, mevrouw Catlin, heel graag.' Terwijl hij opstond en naar zijn zadeltassen toeliep, bleef hij even staan en raakte met zijn wijsvinger zijn slaap aan. 'O! Dit moet ik niet vergeten!' Hij stak zijn hand in de tas en haalde een ovaal voorwerp te voorschijn dat in de zachte huid van een bergschaap gewikkeld was. 'Hiermee houd ik een belofte aan onze goede vriend Vier Beren, God hebbe zijn ziel.'

George Catlin wikkelde het zware pak open. Het eerst zag hij het geelbruine haar van een grizzly. Daarna de glimmende ronding van een oude bereklauw. Nu herkende hij het.

'O, Kipp!' kreunde hij. Er schoot een brok in zijn keel. Uit de schede van grizzlyvel trok hij het voorwerp dat lange tijd als de sterkste medicijn in de grote bocht van de Missouri had gegolden.

Het was de dolk van Mah-to-toh-pah, bezoedeld door het levensbloed van zowel zijn vijand als dat van hemzelf.

Catlin hield de dolk in zijn rechterhand vast, niet bij het heft, maar met zijn hand om het tweezijdig snijdende lemmet. Met gesloten ogen en terwijl de geur van salie en tabak die er nog hing de grote vlakten van de wereld van Vier Beren opriep, kneep Catlin in het lemmet tot zijn hand nat van het bloed en zijn oogleden nat van tranen waren. Hij voelde een pijn die Vier Beren, de broeder van zijn hart, één glorieuze dag, lang geleden, had gevoeld.

Noot van de schrijver

Al twee eeuwen of nog langer zijn geleerden het oneens geweest over de legende van Madoc en zijn verloren Welse kolonie in de Nieuwe Wereld. Deze roman is niet geschreven om een pleidooi te houden voor de legende. Dit verhaal is fictie, een produkt van de verbeelding. Desalniettemin heb ik de legende even ijverig alsof ik gepoogd zou hebben de discussie op te lossen aan onderzoek onderworpen. Waar ik over documentatie kon beschikken – de broedermoorden voor de opvolging van de troon van Owain Gwynedd in het Wales van de twaalfde eeuw, middeleeuwse reizen en expedities van La Verendreye en van Lewis en Clark, de activiteiten van George Catlin, de teistering die de Mandan van Vier Beren wegvaagde – heb ik daar gewetensvol en zorgvuldig gebruik van gemaakt. Ik heb alle argumenten voor en tegen bestudeerd.

Een aantal argumenten die de legende van Madoc ondersteunen, verloren in de jaren negentig van de zeventiende eeuw, ironisch genoeg, hun geloofwaardigheid omdat ze eenvoudigweg te goed verteld werden. Edward Williams was een Welse schrijver en theoreticus op het gebied van Madoc, die de naam Iolo Morganwg, 'Bard der Vrijheid', gebruikte. Hij stelde zich er niet tevreden mee om slechts de feitelijke informatie die hij had verkregen naar voren te brengen. Tijdens regelmatige zaterdagavondbijeenkomsten van het Gwyneddigion-genootschap, breidde hij zijn historische en literaire kennis met behulp van een flinke hoeveelheid verzinsels uit. Daarmee creëerde hij een scholastische verwarring, die tot op heden niet opgehelderd is.

Bij het vertellen van dit verhaal ging ik uit van de volgende populaire veronderstellingen: dat Madoc inderdaad de Oostkust van Noord-Amerika ontdekte en bij zijn terugkeer het jaar daarop met zijn vloot onder het schiereiland van Florida door voer, de Golf van Mexico binnenzeilde en met zijn kolonisten bij Mobile Bay aan land ging; dat hij over land verder trok en zich in het dal van de Tennessee vestigde en vandaar door het dal van de Ohio een ontdekkingstocht tot aan de Watervallen van de Ohio maakte, de plek van het huidige Louisville, waar zijn volgelingen uiteindelijk werden vernietigd; en dat overlevenden zich op een gegeven ogenblik vermengden met de Mandan-stam en langzaam langs de Missouri (Modderrivier) omhoog naar de Dakota's migreerden. Hier hadden ze, slechts een eeuw voordat ze in 1838 door de pokken werden uitgeroeid, een ontmoeting met de Fransman La Verendreye. Er is tastbaar bewijs te over om die reisroute te ondersteunen en het geeft bovendien een verklaring voor de mondelinge tradities van vele inheemse Amerikaanse volkeren.

De kaart die George Catlin van de migratie van de mensen van Welse afkomst en de Mandan maakte, gaat uit van een eenvoudigere route, rechtstreeks langs de Mississippi omhoog naar de Ohio. Maar die geeft geen verklaring voor de ruïnes van stenen versterkingen bij Chattanooga en Manchester in Tennessee en van een overlevering bij de Cherokee, dat hun voorouders met mensen uit Wales oorlog hebben gevoerd en hen honderden jaren geleden uit het Tennesseedal hebben verdreven.

Het plotselinge verval van de cultuur van de Grafheuvelbouwers van de Mississippi was opeens geen geheim meer voor me toen ik besefte dat de mogelijkheid bestond dat Europeanen precies rond die tijd hun gebied waren binnengetrokken, met hun scheepsratten en talloze ziekten van de Oude Wereld. De gebruikelijke veronderstellingen van archeologen hadden mij altijd al te zwak en vergezocht geleken om de catastrofische tenondergang van zo'n machtige beschaving te verklaren. Maar epidemieën zouden er een uitstekende verklaring voor vormen, zoals wel is gebleken door de latere grote golven van ziekte die de Spanjaarden, Engelsen en Fransen in de eeuwen na Columbus' komst over de inheemse bevolking brachten.

In de mondelinge tradities van de meeste stammen die ik heb bestudeerd zijn er verwijzingen naar een 'blanke stam' of naar 'blanke reuzen met baarden' of naar 'lichte mensen van over de zee van de zonsopgang' die op de donkere, bloedige bodem van Kentucky, lang voordat Columbus arriveerde, verslagen en afgeslacht zijn door een verbond van stammen. De geesten van die blanke mannen zouden Kentucky zelfs zo kwellen, dat geen stam zich daar zou vestigen; Kentucky was geen plek waar stammen woonden. Het was slechts een jachtgebied dat door verschillende stammen uit de woudlandgebieden werd gedeeld.

Andere bevindingen die de legende van Madoc in het Ohiodal levend hielden, waren oude muren van versterkingen, gemaakt van uitgehakte, vierkant gehouwen steen, koperen en bronzen wapenrustingen die bij de watervallen zijn aangetroffen, grote hoeveelheden duidelijk Kaukasische schedels en beenderen die als op een slagveld verspreid lagen, ijzeren gereedschap dat van onder de wortels van eeuwenoude bomen is opgegraven en het veelvuldige voorkomen van Welse woorden en getallen in de woordenschat van inheemse stammen.

En sommige geleerden op dat gebied geloven dat het woord 'Allegheny' afkomstig is van de naam Owain Gwynedd, de vader van Madoc. Volgens hen kan het gebied naar hem genoemd zijn. Je kunt bijna zien hoe ze de lettergrepen over de tong laten rollen als ze die vergelijken.

Voor mensen die om de legende van Madoc lachen zijn zulke intrigerende aanwijzingen onbevredigend. Maar mensen die er wel in geloven, noemen ze als het onomstotelijke bewijs dat de grote Welse zeevaarder-prins inderdaad een Amerikaans pionier was.

Als dat het geval was, zouden het land, de inboorlingen en de avonturen die hij en zijn afstammelingen hier vonden, denk ik, voor een groot deel zo zijn verlopen zoals ik ze me in dit verhaal heb voorgesteld. Hier waren Volken in de overgang tussen de cultuur van de Grafheuvelbouwers van de Mississippi en de onafhankelijke gemeenschappen met jagers, verzamelaars en boeren die hier in historische tijden werden aangetroffen.

Wat mijn verbeelding voortdurend bezighield is het besef dat een Europees volk geleidelijk aan, beetje voor beetje, in een zogenaamde 'primitieve' cultuur wordt opgenomen tot hun vermogen tot lezen en schrijven en hun christelijke godsdienst verloren zijn gegaan.

En als Madocs mensen van Wales, door karakteristieke Europese aanmatiging, inderdaad de wraak van de inboorlingen over zichzelf gebracht hebben, zou dat conflict een voorbode zijn geweest van de gewelddadige verovering die driehonderd jaar later begon, toen de blanken opnieuw arriveerden. Als de nieuwkomers respect hadden gehad voor de inheemse manier van leven en de inheemse bevolking als gelijke zouden hebben beschouwd, zou er nooit een gewelddadige frontier zijn geweest. Dit land werd reeds door uiterst beschaafde samenlevingen bewoond, die bijna allemaal van nature gastvrij waren. Helaas worden Europeanen al heel lang geplaagd door een geestelijke aandoening, waarbij zij denken dat slechts hun opvattingen redelijk kunnen zijn. En zodoende hebben zij op elk continent ter wereld onherstelbare schade toegebracht.

De inheemse bevolkingen van al die continenten hebben slechts enkele kostbare overwinningen kunnen vieren. Als de mensen van Wales die van Madoc afstamden werkelijk door een confederatie van inboorlingen bij de Watervallen van de Ohio werden uitgeroeid, zoals inheemse legenden met klem beweren, kan de oorspronkelijke Amerikaanse bevolking, de Indianen, daar misschien enige genoegdoening uit trekken. Zoals een oude man van de Ojibway uit het erfgoed van de stam vertelde toen hij aan het begin van deze eeuw ondervraagd werd door de taalgeleerde C.F. Voegelin:

Wel, mijn vriend, terwijl ik hier in deze universiteit als een dwaas zit te praten, zal ik u een verhaal vertellen. Ik vertel over wat er gebeurd moet zijn. Een onbekend aantal jaren is sindsdien misschien voorbijgegaan: Er is altijd verondersteld dat de Indiaan het eerst in het Grote Mes Land

[Amerika] woonde... Na een tijdje arriveerden de blanken en vestigden zich in het Grote Mes Land. Vervolgens vernederden ze de Indianen op een verschrikkelijke manier. Na een tijd begonnen deze te beseffen hoe ze door de blanken werden behandeld. Die Indianen zeiden toen tegen de blanken: 'Als jullie daarmee niet ophouden, zullen we jullie vuren doven.' De blanken vielen hen echter opnieuw, en steeds erger, lastig. Toen zeiden de Indianen: 'Dat zullen jullie ons niet nog een keer doen.' Toen zij het hen voor de derde keer hadden verteld, hebben zij hun vuren gedoofd: daar, waar ze al die blanken vernietigd hebben.

Ik hecht geloof aan dit verhaal, omdat blanke mensen aan deze kant van de wereld heel veel dingen van lang geleden vinden... Het zijn dingen die er anders uitzien, dingen die u gebruikte. Daarna gaan ook die blanke mensen erin geloven. De mensen die Blanken heten, moeten in het Grote Mes Land zijn geweest.

Nou, ik geloof dat. Wat u er allemaal van denkt weet ik niet: ik ken u niet. Maar zo heb ik het gehoord, mijn vriend.

Toen ik de woorden van die oude Ojibway las, kan ik me zijn sluwe, bitterzoete glimlach voor de geest halen.

Wat hij zei is nog voor het een, nog voor het ander het bewijs. Maar ik stel me voor dat zijn verhaal verwees naar het lot van Madocs mannen uit Wales.

OVER DE SCHRIJVER

James Alexander Thom hoort tot Amerika's bekendste en meest gerespecteerde schrijvers van historische romans. Zijn boek *Panther in the Sky*, het verhaal van Tecumseh (in het Nederlands verschenen bij uitgeverij Van Holkema & Warendorf met als titel: *Tecumseh*) kreeg van de Western Writers of America de prijs voor beste roman over het Westen toegekend. Zijn drie andere historische romans hebben hem duizenden trouwe lezers bezorgd, onder wie velen van de oorspronkelijke Amerikaanse bevolking, de Indianen.

Thom, die van de Shawnee de naam *Sunset Watcher* heeft gekregen, woont met zijn vrouw Dark Rain en hun dieren in een blokhut die hij zelf heeft gebouwd in het heuvellandschap van Indiana, in de buurt van Bloomington. Zijn vrouw behoort tot de Shawnee, United Remnant Band.

Hij doet intensief speurwerk voor zijn romans. Voor *Follow the River* legde Thom zelfs dezelfde tocht van duizend mijl af (ruim 1600 km) die Mary Ingles na haar gevangenneming door de Shawnee terug naar haar eigen volk aflegde, en voor *From Sea to Shining Sea* volgde hij de expeditie van Lewis en Clark in hun sporen. James Alexander Thom heeft tal van gereedschappen en wapens uit de achttiende eeuw leren gebruiken en heeft rijpaarden gefokt. Hij is een buitenmens, houtsnijder en illustrator. Samen met Dark Rain geeft hij lezingen over de geschiedenis en de cultuur van de Indianen in Noord-Amerika.

Thom heeft zich nu volledig aan het schrijven gewijd en werkt nu aan een zesde historische roman voor Ballantine Books. Hij heeft in kranten en tijdschriften geschreven. Enkele bekende tijdschriften en kranten die zijn artikelen hebben gepubliceerd zijn: *Readers Digest, National Geographic* en *The Washington Post*.